CB017228

1. Arlequim Soupirant.

História Mundial do Teatro

Equipe de Realização

Supervisão Editorial	J. Guinsburg
Revisão	Ingrid Basílio e Olga Cafalcchio
Tradução	Maria Paula V. Zurawski, J. Guinsburg, Sérgio Coelho e Clóvis Garcia
Índice	Sandra Martha Dolinsky
Capa e Projeto Gráfico	Adriana Garcia
Produção	Ricardo W. Neves e Sergio Kon

História Mundial do Teatro

MARGOT BERTHOLD

Título do original em alemão
Weltgeschichte des Theaters

Dados Internacionais de Catalogação na Publicação (CIP)
(Câmara Brasileira do Livro, SP, Brasil)

Berthold, Margot
História Mundial do Teatro / Margot Berthold;
[tradução Maria Paula v. Zurawski, J. Guinsburg,
Sérgio Coelho e Clóvis Garcia]. — 6. ed. —
São Paulo : Perspectiva, 2014.

Título original: Weltgeschichte des Theaters
Bibliografia.
ISBN 85-273-0228-4

1. Teatro - História I. Título.

01-3650 CDD-792.09

Índices para catálogo sistemático:
1. Teatro mundial : Arte dramática : História
792.09

6ª edição – 1ª reimpressão
[PPD]

EDITORA PERSPECTIVA LTDA.

Alameda Santos, 1909, cj. 22
01419-100 – São Paulo – SP – Brasil
Tel.: (11) 3885-8388
www.editoraperspectiva.com.br

2022

Sumário

SOBRE ESTA EDIÇÃO – *J. Guinsburg* IX

PREFÁCIO XI

O TEATRO PRIMITIVO 1

EGITO E ANTIGO ORIENTE 7

- Introdução 7
- Egito 8
- Mesopotâmia 16

AS CIVILIZAÇÕES ISLÂMICAS 19

- Introdução 19
- Pérsia 20
- Turquia 23

AS CIVILIZAÇÕES INDO-PACÍFICAS 29

- Introdução 29
- Índia 32
- Indonésia 44

CHINA 53

- Introdução 53
- Origens e os "Cem Jogos" 54
- Os Estudantes do Jardim das Peras 58
- O Caminho para o Drama 61
- Drama do Norte e Drama do Sul 61
- A Peça Musical do Período Ming 66
- A Concepção Artística da Ópera de Pequim 66
- O Teatro Chinês Hoje 70

JAPÃO 75

- Introdução 75
- *Kagura* 76
- *Gigaku* 78
- *Bugaku* 78
- *Sarugaku* e *Dengaku*, Precursores do *Nô* 80
- *Nô* 81
- *Kyogen* 87
- O Teatro de Bonecos 87
- *Kabuki* 90
- *Shimpa* 99
- *Shingeki* 99

GRÉCIA 103

- Introdução 103
- Tragédia 104
- Comédia 118
- O Teatro Helenístico 130
- O Mimo 136

ROMA 139

- Introdução 139
- Os Ludi Romani, o Teatro da *Res Publica* 140
- Comédia Romana 144
- Do Tablado de Madeira ao Edifício Cênico 148
- O Teatro na Roma Imperial 151
- O Anfiteatro: Pão e Circo 155
- A Fábula Atelana 161
- Mimo e Pantomima 162
- Mimo Cristológico 167

BIZÂNCIO 171

- Introdução 171

Teatro sem Drama 172
Teatro na Arena 177
O Teatro na Igreja 178
O Teatro na Corte 181

A Idade Média 185

Introdução 185
Representações Religiosas 186
Autos Profanos 242

A Renascença 269

Introdução 269
O Teatro dos Humanistas 270
Os Festivais da Corte 292
O Drama Escolar 300
As *Rederijkers* 304
Os *Meistersinger* 308
O Teatro Elizabetano 312

O Barroco 323

Introdução 323
Ópera e *Singspiel* 324
O *Ballet de Cour* 330
Bastidores Deslizantes e Maquinaria de Palco 335
O Teatro Jesuíta 338
França: Tragédia Clássica e Comédia de Caracteres 344
Commedia dell'arte e Teatro Popular 353
O Teatro Barroco Espanhol 367
Os Atores Ambulantes 374

A Era da Cidadania Burguesa 381

Introdução 381
O Iluminismo 382
Classicismo Alemão 413
Romantismo 429
Realismo 440

Do Naturalismo ao Presente 451

Introdução 451
O Naturalismo Cênico 452
A Experimentação de Novas Formas 462
O Teatro Engajado 494
Show Business na Broadway 513
O Teatro Como Experimento 519
O Teatro em Crise? 521
O Teatro e os Meios de Comunicação de Massa 523
O Teatro do Diretor 529

Bibliografia 541

Índice 553

Sobre esta Edição

Em princípio, uma História do Teatro pode ter a amplitude da pesquisa e da redação que seu autor lhe der. Compor uma crônica e uma análise do que foi o desenvolvimento da arte dramática através do tempo, de seus momentos mais significativos e de suas realizações mais dignas de permanência como memória de um passado, ou como atualidade de uma função, poderia ocupar uma biblioteca de Alexandria ou, como ocorre também, um resuminho na Internet. O difícil é reunir num só conjunto de algumas centenas de páginas, portanto, ao alcance de qualquer leitor interessado ou estudioso do tema um apanhado que dê conta, crítica e historicamente, deste vasto universo de realizações e criações que se inscreve no histórico e no sentido do existir do homem neste mundo e de sua transcendência em relação às condições e os requisitos mais primários para o seu viver, isto é, o da sua capacidade de criar objetos inexistentes na natureza bruta e elaborar o seu espírito em feições cada vez mais novas, como é o caso do papel de suas várias expressões na cultura, nas artes e nas ciências. Sob este ângulo, Margot Berthold realizou um trabalho notável com sua *História Mundial do Teatro*, integrando, de uma maneira que se poderia dizer primorosa, a busca documental, o registro ocorrencial e o poder de síntese escritural. Na verdade, este volume é de uma abrangência surpreendente que faz um jogo muito bem equilibrado entre estética e história, indivíduo criador e sociedade condicionante e recepcionante, de modo que, com a sua riquíssima iconografia, ela poderá atender, sobretudo com respeito aos períodos mais representativos da evolução do teatro, às necessidades de informação e discussão de seu leitor. Isto por si pareceu à Editora Perspectiva, que já seria um fator a recomendar plenamente sua publicação em língua portuguesa e, apesar das dificuldades de sua tradução e dos cuidados exigidos por sua edição, o que importou em um longo trabalho de nossa equipe, é com grande prazer que nos é permitido dizer: Aqui está uma obra de importância para a biblioteca teatral brasileira.

J. Guinsburg

Prefácio

Numa das tradicionais cenas da *Commedia dell'arte*, um bufão aparece em cena e tenta vender uma casa, elogiando-a grandemente, descrevendo-a com brilho e, para provar seu ponto de vista, apresenta uma única pedra da construção.

Da mesma forma, falar do teatro do mundo é apresentar uma única pedra e esperar que o leitor visualize a estrutura total a partir dela. O sucesso de uma tentativa como essa depende da capacidade de persuadir do bufão, da força expressiva da pedra e da imaginação do leitor.

Escrever um livro sobre o teatro do mundo é uma tarefa ousada. O esforço para descobrir, dentro do panorama heterogêneo, os denominadores comuns que caracterizam o fenômeno do "teatro" através dos tempos representa um grande desafio. A estrutura necessariamente restrita de um estudo como esse impõe seletividade, omissões, concisão, colocando assim fatores subjetivos em jogo. A própria natureza íntima do assunto torna a objetividade difícil. Os problemas surgem tão logo é feita uma tentativa de se ir além do que é puramente fatual e apreender os traços que caracterizam uma época. Contudo, é precisamente nesse ponto que a fascinação pelo processo artístico do teatro começa; o leitor é então colocado face a face com a exigência não expressa de prosseguir, por conta própria, nos assuntos meramente tocados.

O mistério do teatro reside numa aparente contradição. Como uma vela, o teatro consome a si mesmo no próprio ato de criar a luz. Enquanto um quadro ou estátua possuem existência concreta uma vez terminado o ato de sua criação, um espetáculo teatral que termina desaparece imediatamente no passado.

Embora o teatro não seja um museu, as múltiplas formas contemporâneas de teatro constituem algo como um *musée imaginaire*: um *musée imaginaire* capaz de ser transformado em experiência imediata. Todas as noites oferecem-se ao homem moderno dramas, encenações e métodos de direção que foram desenvolvidos ao longo dos séculos. Esses elementos são adaptados ao gosto contemporâneo; são estilizados, objetificados, estilhaçados, retrabalhados. Diretores e atores recriam-nos; os autores reformulam temas tradicionais em adaptações modernas. Determinados reformadores quase destroem o texto de certas peças, introduzindo efeitos agressivos e criando o teatro total, improvisado. Um esforço bem-sucedido enfeitiça o espectador, cria resistência, provoca discussões e faz pensar.

Nenhuma forma teatral, nenhum antiteatro é tão novo que não tenha analogia no passado. O teatro como provocador? O teatro em crise? Nenhuma dessas questões ou problemas são especificamente modernos; todos surgiram no passado. O teatro pulsa de vida e sempre foi vulnerável às enfermidades da vida. Mas não há razão para se preocupar, ou para previsões como as de Cassandra. Enquanto o teatro for comentado, combatido – e as mentes críticas têm feito isso sempre –, guardará seu significado. Um teatro de não controvérsia poderia ser um museu, uma instituição repetitiva, complacente. Mas um teatro que movimenta a mente é uma membrana sensível, propensa à febre, um organismo vivo. E é assim que ele deve ser.

O Teatro Primitivo

O teatro é tão velho quanto a humanidade. Existem formas primitivas desde os primórdios do homem. A transformação numa outra pessoa é uma das formas arquetípicas da expressão humana. O raio de ação do teatro, portanto, inclui a pantomima de caça dos povos da idade do gelo e as categorias dramáticas diferenciadas dos tempos modernos.

O encanto mágico do teatro, num sentido mais amplo, está na capacidade inexaurível de apresentar-se aos olhos do público sem revelar seu segredo pessoal. O xamã que é o porta-voz do deus, o dançarino mascarado que afasta os demônios, o ator que traz a vida à obra do poeta – todos obedecem ao mesmo comando, que é a conjuração de uma outra realidade, mais verdadeira. Converter essa conjuração em "teatro" pressupõe duas coisas: a elevação do artista acima das leis que governam a vida cotidiana, sua transformação no mediador de um vislumbre mais alto; e a presença de espectadores preparados para receber a mensagem desse vislumbre.

Do ponto de vista da evolução cultural, a diferença essencial entre formas de teatro primitivas e mais avançadas é o número de acessórios cênicos à disposição do ator para expressar sua mensagem. O artista de culturas primitivas e primevas arranja-se com um chocalho de cabaça e uma pele de animal; a ópera barroca mobiliza toda a parafernália cênica de sua época. Ionesco desordena o palco com cadeiras e faz uma proclamação surda-muda da triste nulidade da incapacidade humana. O século XX pratica a arte da redução. Qualquer coisa além de uma gestualização desamparada ou um ponto de luz tende a parecer excessiva.

Os espetáculos solo do mímico Marcel Marceau são um exemplo soberbo do teatro atemporal. Fornecem-nos vislumbres de pessoas de todos os tempos e lugares, da dança e do drama de culturas antigas, da pantomima das culturas altamente desenvolvidas da Ásia, da mímica da Antiguidade, da *Commedia dell'arte*. Num trabalho intitulado "Juventude, Maturidade, Velhice, Morte", alguns poucos minutos é tudo de que Marceau necessita para um retrato em alta velocidade da vida do homem, e nele atinge uma intensidade avassaladora de expressividade dramática elementar. Como o próprio Marcel diz, a pantomima é a "arte de identificar o homem com a natureza e com os elementos próximos de nós". Ele continua, notando que a mímica pode "criar a ilusão do tempo". O corpo do ator torna-se um instrumento que substitui uma orquestra inteira, uma modalidade para expressar a mais pessoal e, ao mesmo tempo, a mais universal mensagem.

O artista que necessita apenas de seu corpo para evocar mundos inteiros e percorre a escala completa das emoções é representativo da arte de expressão primitiva do teatro. O pré-histórico e o moderno manifestam-se em sua pessoa. Discutindo o teatro das tribos primitivas em seu livro *Cenalora*, Oskar Eberle diz:

O teatro primitivo real é arte incorporada na forma humana e abrangendo todas as possibilidades do corpo informado pelo espírito; ele é, simultaneamente, a mais primitiva e a mais multiforme, e de qualquer maneira a mais velha arte da humanidade. Por essa razão é ainda a mais humana, a mais comovente arte. Arte imortal.

Podemos aprender sobre o teatro primitivo pesquisando três fontes: as tribos aborígines, que têm pouco contato com o resto do mundo e cujo estilo de vida e pantomimas mágicas devem portanto ser próximos daquilo que nós presumimos ser o estágio primordial da humanidade; as pinturas das cavernas pré-históricas e entalhes em rochas e ossos; e a inesgotável riqueza de danças mímicas e costumes populares que sobreviveram pelo mundo afora.

O teatro dos povos primitivos assenta-se no amplo alicerce dos impulsos vitais, primários, retirando deles seus misteriosos poderes de magia, conjuração, metamorfose – dos encantamentos de caça dos nômades da Idade da Pedra, das danças de fertilidade e colheita dos primeiros lavradores dos campos, dos ritos de iniciação, totemismo e xamanismo e dos vários cultos divinos.

A forma e o conteúdo da expressão teatral são condicionados pelas necessidades da vida e pelas concepções religiosas. Dessas concepções um indivíduo extrai as forças elementares que transformam o homem em um meio capaz de transcender-se e a seus semelhantes.

O homem personificou os poderes da natureza. Transformou o Sol e a Lua, o vento e o mar em criaturas vivas que brigam, disputam e lutam entre si e que podem ser influenciadas a favorecer o homem por meio de sacrifícios, orações, cerimônias e danças.

Não somente os festivais de Dioniso da antiga Atenas, mas a Pré-história, a história da religião, a etnologia e o folclore oferecem um material abundante sobre danças rituais e festivais das mais diversas formas que carregam em si as sementes do teatro. Mas o desenvolvimento e a harmonização do drama e do teatro demandam forças criativas que fomentem seu crescimento; é também necessária uma autoafirmação urbana por parte do indivíduo, junto a uma superestrutura metafísica. Sempre que essas condições foram preenchidas seguiu-se um florescimento do teatro. Quanto ao teatro primitivo, o reverso do seu desenvolvimento implica que a satisfação do vislumbre superior, em cada estágio, era conquistada às custas de alguma parte de sua força original.

É fascinante traçar esse desenvolvimento pelas várias regiões do mundo e ver como, quando e sob que auspícios ele se deu. Há clara evidência de que o processo sempre seguiu o mesmo curso. Hoje está completo em quase toda parte, e os resultados são contraditórios. Nas poucas áreas intocadas, onde as tribos aborígines têm ainda de levar a cabo o processo, a civilização moderna provoca saltos erráticos, mais do que um desenvolvimento equilibrado.

Para o historiador de teatro, um estudo das formas pré-históricas revela paralelos sinóticos que o seduzem a traçar o desenvolvimento da humanidade mediante o fenômeno do "teatro". Conquanto nenhuma outra forma de arte possa fazer essa reivindicação com mais propriedade, é também verdade que nenhuma outra forma de arte é tão vulnerável à contestação dessa reivindicação.

A forma de arte começa com a epifania do deus e, em termos puramente utilitários, com o esforço humano para angariar o favorecimento e a ajuda do deus. Os ritos de fertilidade que hoje são comuns entre os índios Cherokees quando semeiam e colhem seu milho têm seu contraponto nas festividades da corte japonesa, mímica e musicalmente mais sofisticadas, em honra do arroz; assemelham-se também ao antigo festival da espiga de tri-

1. Pintura na rocha na área de Cogul, sul de Lérida, Espanha: cena de dança ritual. Período Paleolítico, segundo H. Breuil.

2. Pintura de caverna no sul da França: o "Feiticeiro" de Trois Frères. Período Paleolítico, segundo H. Breuil.

go dourada, celebrado anualmente em Elêusis pelas mulheres da Grécia.

Os mistérios de Elêusis são um caso limite significativo. São a expressão de uma fase final altamente desenvolvida, que, embora potencialmente teatral, não leva ao teatro. Como os ritos secretos de iniciação masculinos, eles carecem do segundo componente do teatro – os espectadores. O drama da Antiguidade nasceria da ampla arena do Teatro de Dioniso em Atenas, totalmente à vista dos cidadãos reunidos, não no crepúsculo místico do santuário de Deméter em Elêusis.

O teatro primitivo utilizava acessórios exteriores, exatamente como seu sucessor altamente desenvolvido o faz. Máscaras e figurinos, acessórios de contrarregragem, cenários e orquestras eram comuns, embora na mais simples forma concebível. Os caçadores da Idade do Gelo que se reuniam na caverna de Montespan em torno de uma figura estática de um urso estavam eles próprios mascarados como ursos. Em um ritual alegórico-mágico, matavam a imagem do urso para assegurar seu sucesso na caçada.

A dança do urso da Idade da Pedra nas cavernas rochosas da França, em Montespan ou Lascaux, tem seu paralelo nas festas do troféu do urso da tribo Ainu do Japão pré-histórico. Em nossa própria época, é encontrado entre algumas tribos indígenas da América do Norte e também nas florestas da África e da Austrália, por exemplo, nas danças do búfalo dos índios Mandan, nas danças *corroboree* australianas e nos rituais pantomímicos do canguru, do emu ou da foca de várias tribos nativas. Em cada nova versão e variadas roupagens mitológicas, o primitivo ritual de caça sobrevive na Europa Central; nas danças guerreiras rituais germânicas, na dança da luta de Odin com o lobo Fenris (como aparece na insígnia de Torslunda do século VI), e em todas as personificações da "caçada selvagem" da baixa Idade Média, indo desde o *mesnie Hellequin* francês ao Arlecchino da *Commedia dell'arte*.

Existe uma estreita correlação entre a mágica que antecede a caçada – onde a presa é simbolicamente morta – ou o subsequente rito de expiação e as práticas dos xamãs. Meditação, drogas, dança, música e ruídos ensurdecedores causam o estado de transe no qual o xamã estabelece um diálogo com deuses e demônios. Seu contato visionário com o outro mundo lhe confere poder "mágico" para curar doenças, fazer chover, destruir o inimigo e fazer nascer o amor. Essa convicção do xamã, de que ele pode fazer com que os espíritos venham em seu auxílio induzem-no a jogar com eles.

Além do transe, o xamã utiliza-se de todo tipo de meios de representação artísticos; ele é frequentemente muito mais um artista, e deve ter sido ainda mais em tempos ancestrais (Andreas Lommel).

As raízes do xamanismo como uma "técnica" psicológica particular das culturas caçadoras podem ser remontadas ao período Magdaleniano no sul da França, ou seja, aproximadamente entre 15.000 e 800 a.C., e portanto aos exemplos de pantomimas de magia de caça retratadas nas pinturas em cavernas.

Concebido e representado em termos zoomórficos, o panteão de espíritos das civilizações da caça sobrevive na máscara: naquela do "espírito mensageiro" em forma de animal, no totemismo e nas máscaras de demônios-bestas dos povos da Ásia Central e Setentrional, e das tribos da Indonésia, Micronésia e Polinésia, dos Lapps e dos índios norte-americanos.

Aquele que usa a máscara perde a identidade. Ele está preso – literalmente "possuído" – pelo espírito daquilo que personifica, e os espectadores participam dessa transfiguração. O dançarino javanês do *Djaram-képang*, que usa a máscara de um cavalo e pula de forma grotesca, cavalgando uma vara de bambu, é alimentado com palha.

Aromas inebriantes e ritmos estimulantes re forçam os efeitos do teatro primitivo, uma arte em que tanto aquele que atua como os espectadores escapam de dentro de si mesmos. Oskar Eberle escreve: "O teatro primitivo é uma grande ópera". Uma grande ópera ao ar livre, deveríamos acrescentar, que em muitos casos é intensificada pela cena noturna irreal, na qual a luz das fogueiras bruxuleia nos rostos dos "demônios" dançarinos. O palco do teatro primitivo é uma área aberta de terra batida. Seus equipamentos de palco podem incluir um totem fixo no centro, um feixe de lanças espetadas no chão, um animal abatido, um monte de trigo, milho, arroz ou cana-de-açúcar.

Da mesma forma, as nove mulheres da pintura rupestre paleolítica de Cogul dançam em torno da figura de um homem; ou o povo de Israel dançava em torno de bezerro de ouro; ou os índios mexicanos faziam sacrifícios, jogos e dançavam, invocando seus deuses; ou, atualmente, os dançarinos totêmicos australianos se reúnem quando o espírito ancestral faz sentir sua presença (quando soam os mugidos do touro). Assim, também, vestígios do teatro primitivo sobrevivem nos costumes populares, na dança em volta do mastro de maio ou da fogueira de São João. É assim que o teatro ocidental começou, nas danças do templo de Dioniso aos pés da Acrópole.

Além da dança coral e do teatro de arena, o teatro primitivo também fez uso de procissões para suas celebrações rituais de magia. As visitas dos deuses egípcios envolviam cortejos – os sacerdotes que realizavam o sacrifício guiavam procissões que incluíam cantores, bailarinas e músicos; a estátua de Osíris era transportada a Abidos numa barca. Os xiitas persas começavam a representação da paixão de Hussein com procissões de exorcismo. Todos os anos, em março, os índios Hopi da América do Norte realizam sua dança da Grande Serpente numa procissão cuidadosamente organizada de acordo com modelo determinado. Com troncos e galhos constroem seis ou sete salões cerimoniais (*kivas*) para as fases distintas da dança. Existe até mesmo um "diretor de iluminação", que apaga a pilha de lenha ardente em cada *kiva* tão logo a procissão de dançarinos passa.

Diversas cerimônias místicas e mágicas estão envolvidas nos ritos de iniciação de muitos povos primitivos, nos costumes que "rodeiam" a entrada da criança no convívio dos adultos. Máscaras ancestrais são usadas numa peça com mímica. Em sua primeira participação no cerimonial, o neófito aprende o significado das máscaras, dos costumes, dos textos rituais e dos instrumentos musicais. Contam-lhe que negligenciar o mais ínfimo detalhe pode trazer incalculáveis desgraças à tribo inteira. Na ilha de Gaua, nas Novas Hébridas, os anciãos assistem criticamente à primeira dança dos jovens iniciados. Se um deles comete um erro, é punido com uma flechada.

Por outro lado, em todos os lugares e épocas o teatro incorporou tanto a bufonaria grotesca quanto a severidade ritual. Podemos encontrar elementos farsescos nas formas mais primitivas. Danças e pantomimas de animais possuem uma tendência *a priori* para o grotesco. No momento em que o nó do culto afrouxa, o instinto da mímica passa a provocar o riso. Situações e material são tirados da vida cotidiana. Quando o buscador de mel na peça homônima das Filipinas se mete nos mais variados infortúnios, é recompensado com gargalhadas tão persistentes quanto o são, também, os atores da pantomima parodística "O Encontro com o Homem Branco", no bosque australiano. O nativo pinta seu rosto de ocre brilhante, põe um chapéu de palha amarelo, enrola juncos ao redor das pernas – e a imagem do colono branco, calçado com polainas, está completa. O traje dá a chave para a improvisação – uma remota, mas talvez nem tanto, pré-figuração da *Commedia dell'arte*.

À medida que as sociedades tribais tornavam-se cada vez mais organizadas, uma espécie de atuação profissional desenvolveu-se entre várias sociedades primitivas. Entre os Areoi da Polinésia e os nativos da Nova Pomerânia, existiam *troupes* itinerantes que

3. Pintura na parede de um túmulo tebano: jovens musicistas com charamela dupla, alaúde longo e harpa. Da época de Amenhotep II, *c.* 1430 a.C.

4. Dançarino – "pássaro" maia, com chocalho e estandarte. Pintura na parede do templo de Bonampak, México, *c.* 800 d.C.

viajavam de aldeia em aldeia e de ilha em ilha. O teatro, enquanto compensação para a rotina da vida, pode ser encontrado onde quer que as pessoas se reúnam na esperança da magia que as transportará para uma realidade mais elevada. Isso é verdade independentemente de a magia acontecer num pedaço de terra nua, numa cabana de bambu, numa plataforma ou num moderno palácio multimídia de concreto e vidro. É verdade, mesmo se o efeito final for de uma desilusão brutal.

A máscara mais altiva e a mais impressionante pompa não podem salvar o Imperador Jones, de O'Neill, do pesadelo da autodestruição. Os antigos poderes xamânicos esmagam-no numa lúgebre noite de luar ao som de tambores africanos. Nesta peça expressionista, O'Neill exalta os "pequenos medos sem forma", transformando-os no ameaçador frenesi do curandeiro do Congo, cujo chocalho de ossos marca o tempo para o ribombar selvagem dos tambores. Um eco estridente de ritos primitivos de sacrifício ronda o palco do século XX. Como se aflorasse do tronco da árvore, o curandeiro, de acordo com as instruções de O'Neill, bate os pés e inicia uma canção monótona.

> Gradualmente sua dança se transforma numa narrativa de pantomima, sua canção é um encantamento, uma fórmula mágica para apaziguar a fúria de alguma divindade que exige sacrifício. Ele escapa, está possuído por demônios, ele se esconde... salta para a margem do rio. Ele estira os braços e chama por algum Deus dentro de sua profundeza. Então, começa a recuar vagarosamente, com os braços ainda para fora. A cabeça enorme de um crocodilo aparece na margem, e seus olhos verdes e brilhantes fixam-se sobre Jones.

Numa montagem de 1933, o cenógrafo americano Jo Mielziner utilizou uma enorme cabeça de Olmeca para o primitivo altar de pedra requerido pelo texto. Figurinos africanos, caribenhos e pré-colombianos combinam-se num pesadelo do passado. O teatro primitivo ressurge e age sobre nossos medos existenciais modernos.

Egito e Antigo Oriente

Introdução

A história do Egito e do Antigo Oriente Próximo nos proporciona o registro dos povos que, nos três milênios anteriores a Cristo, lançaram as bases da civilização ocidental. Eram povos atuantes nas regiões que iam desde o rio Nilo aos rios Tigre e Eufrates e ao planalto iraniano, desde o Bósforo até o Golfo Pérsico. Nesta criativa época da humanidade, o Egito instituiu as artes plásticas, a Mesopotâmia, a ciência e Israel, uma religião mundial.

A leste e a oeste do mar Vermelho, o rei-deus do Egito era o único e todo-poderoso legislador, a mais alta autoridade e juiz na terra. A ele rendiam-se homenagens em múltiplas formas de música, dança e diálogo dramático. Nas celebrações dos festivais, em glorificação à vida neste mundo ou no além-mundo, era ele a figura central, e não se economizava pompa no que concernia à sua pessoa. Esta era a posição dos dinastas do Egito, dos grandes legisladores sumérios, dos imperadores dos acádios, dos reis-deuses de Ur, dos governantes do império hitita e também dos reis da Síria e da Palestina.

No Egito e por todo o antigo Oriente Próximo, a religião e mistérios, todo pensamento e ação eram determinados pela realeza, o único princípio ordenador. Alexandre, sabiamente respeitoso, submeteu-se a ela em seu triunfante progresso. Visitou o túmulo de Ciro e lhe prestou homenagem, da mesma forma que o próprio Ciro havia prestado homenagens nas tumbas dos grandes reis da Babilônia.

Durante muitos séculos, as fontes das quais emergiu a imagem do antigo Oriente Próximo estiveram limitadas a alguns poucos documentos: o Antigo Testamento, que fala da sabedoria e da vida luxuosa do Egito, e das narrativas de alguns escritores da Antiguidade, que culpavam uns aos outros por sua "orientação notavelmente pobre". Mesmo Heródoto, o "pai da história", que visitou o Egito e a Mesopotâmia no século V a.C., é frequentemente vago. Seu silêncio sobre os "jardins suspensos de Semíramis" diminui o nosso conhecimento de uma das Sete Maravilhas do mundo, e o fato de o pavilhão do festival do Ano Novo de Nabucodonosor permanecer desconhecido para ele priva os pesquisadores do teatro de valiosas chaves.

Nesse meio tempo, arqueólogos escavaram as ruínas de vastos palácios, de edifícios encrustados de mosaicos para o festival do Ano Novo, e até mesmo cidades inteiras. Historiadores da lei e da religião decifraram o engenhoso código das tabuinhas cuneiformes, que também proporcionaram algumas indicações sobre os espetáculos teatrais de antigamente.

Sabemos do ritual mágico-mítico do "casamento sagrado" dos mesopotâmios e temos fragmentos descobertos das disputas divinas dos sumérios; somos agora capazes de reconstruir a origem do diálogo na dança egípcia de Hator e a organização da paixão de Osíris em Abidos. Sabemos que o mimo e a farsa, também, tinham seu lugar reservado. Havia o anão do faraó, que lançava seus trocadilhos diante do trono e também representava o deus/gnomo Bes nas cerimônias religiosas. Havia os atores mascarados que divertiam as cortes principescas do Oriente Próximo antigo, parodiando os generais inimigos e, mais tarde, na época do crepúsculo dos deuses, zombavam até mesmo dos seres sobrenaturais.

Ao lado dos textos que sobrevivem, as artes plásticas nos fornecem algumas evidências – que devem, entretanto, ser interpretadas com cuidado – a respeito das origens do teatro. As "máscaras" ornamentais do palácio pátrio em Hatra, as máscaras grotescas nas casas dos colonos fenícios em Tharros ou as representações das cabeças dos inimigos derrotados, pendendo de broches dourados e com relevos de pedra – tudo isso dá testemunho de concepções intimamente relacionadas: o poder primitivo da máscara continua a exercer seu efeito mesmo quando ela se torna decorativa. Os motivos das máscaras antigas – a despeito de algumas interpretações contraditórias – não impedem, fundamentalmente, especulações a respeito de conexões teatrais, mas mais necessariamente permanecem como suposições no enigmático panorama do terceiro milênio a.C.

O solo pobre e castigado pelo sol do Egito e do Oriente Próximo, irrigado erraticamente por seus rios, assistiu à ascensão e à queda de muitas civilizações. Conheceu o poder dos faraós e testemunhou as invocações do culto de Marduk e Mitra. Tremeu sob a marcha pesada dos arqueiros assírios em suas procissões cerimoniais e sob os pés dos guerreiros macedônios. Viu a princesa aquemênida Roxana, adornada com os trajes nupciais e escoltada por trinta jovens dançarinas, ao lado de Alexandre, e ouviu os tambores, flautas e sinos dos músicos partas e sassânidas. Suportou os mastros de madeira que prendiam as cordas para os acrobatas e dançarinos, e silenciou sobre as artes praticadas pela hetera quando o rei a convocava para dançar em seus aposentos íntimos.

Egito

Na história da humanidade, nada deu origem a monumentos mais duradouros do que a demonstração da transitoriedade do homem – o culto aos mortos. Ele está manifestado tanto nos túmulos pré-históricos como nas pirâmides e câmaras mortuárias do Egito. Os músicos e dançarinas, banquetes e procissões e as oferendas sacrificiais retratados nos murais dos templos dedicados aos mortos testemunham a

1. Dança dramática de Hathor. Pintura na tumba de Intef, em Tebas. Terceiro milênio a.C.

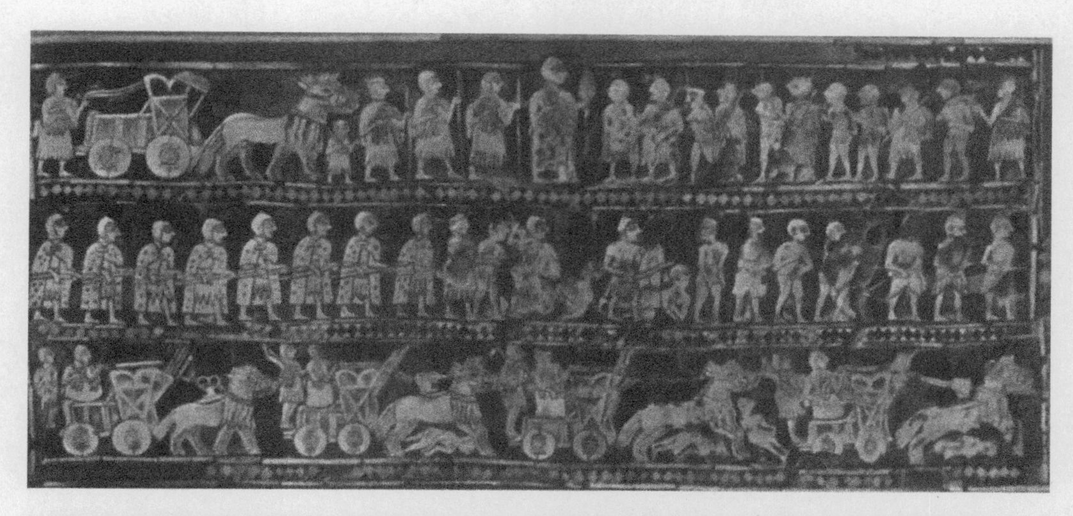

2. Estandarte-mosaico em Ur: banquete da vitória com cantores e harpistas, provavelmente uma sequência de cenas das "Núpcias Sagradas". Figuras de conchas e fragmentos de calcário, em fundo de lápis-lazúli, *c.* 2700 a.C. (Londres, British Museum).

3. Máscaras no palácio de Hatra, na planície da Mesopotâmia setentrional. Hatra foi fundada pelos partas, cujo último rei, Artabano, o Arsácida, foi derrotado em 226 d.C. pelo sassânida Artaxerxes.

4. Relevo em calcário da tumba de Patenemhab: cena com um sacerdote oferecendo sacrifício, um harpista cego, um tocador de alaúde e dois flautistas, *c.* 1350 a.C. (Leiden Rijksmuseum).

5. Jovens musicistas e dançarinas. Pintura em parede de Shekh abd el Kurna, Tebas, 18ª Dinastia, *c.* 1400 a.C. (Londres, British Museum).

6. Dança extática acrobática. Pintura no túmulo de Ankhmahor, em Sakkara. Terceiro milênio a.C.

preocupação dos egípcios com um além-mundo onde nenhum prazer terreno poderia faltar.

Ao poderoso pedido aos deuses, expresso nas imagens pintadas e esculpidas, adicionava-se a magia da palavra: invocações a Rá, o deus do paraíso, ou a Osíris, o senhor dos mortos, suplicando para que aquele que partia fosse recebido em seus reinos e que os deuses o elevassem como seu semelhante.

A forma dialogada dessas inscrições sepulcrais, os assim chamados textos das pirâmides, deu origem a excitantes especulações. Permitiriam-nos os hieróglifos de cinco mil anos, com seus fascinantes pictogramas, fazer inferências a respeito do estado do teatro no Egito antigo? A questão foi respondida afirmativamente desde que o brilhante egiptologista Gaston Maspero, em 1882, chamou a atenção para o caráter "dramático" dos textos das pirâmides. Parece certo que as recitações nas cerimônias de coroação e jubileus (*Heb seds*) eram expressas em forma dramática. Mesmo a apresentação da deusa Ísis, pronunciando uma fórmula mágica para proteger seu filhinho Hórus dos efeitos fatais da picada de um escorpião, parece ter sido dramaticamente concebida.

Um encantamento de caráter diferente foi decifrado na estela de Metternich (assim chamada por encontrar-se preservada no Castelo de Metternich na Boêmia). É um encantamento popular simples, como os que as mães egípcias pronunciam até hoje quando seus filhos são picados pelo escorpião: "Veneno de Tefen, que se derrame no chão, que não avance para dentro deste corpo...". Achados como esse e inscrições de cantos funerais e recitações não nos dão chaves para as artes teatrais do Egito, mas, ao contrário, levam a alguma confusão.

A mistura entre a apresentação na primeira pessoa e a forma invocativa em traduções antigas sugeriram, enganosamente, um suposto "diálogo", de forma nenhuma endossado pelas pesquisas mais recentes. Além disso, às oferendas sacerdotais e aos apelos aos deuses nas câmaras mortuárias falta o componente decisivo do teatro: seu indispensável parceiro criativo, o público.

Ele existe nas danças dramáticas cerimoniais, nas lamentações e choros pantomímicos, e nas apresentações dos mistérios de Osíris em Abidos, que são reminiscentes da peça de paixão. Todos os anos, dezenas de milhares de peregrinos viajavam a Abidos, para participar dos grandes festivais religiosos. Aqui acreditava-se estar enterrada a cabeça de Osíris; Abidos era a Meca dos egípcios. No mistério do deus que se tornou homem – sobre a entrada da emoção humana no reino do sobrenatural, ou a descida do deus às regiões de sofrimento terreno – existe o conflito dramático e, assim, a raiz do teatro.

Osíris é o mais humano de todos os deuses no panteão egípcio. A lenda finalmente transformou o deus da fertilidade num ser de carne e osso. Como o Cristo dos mistérios medievais, Osíris sofre traição e morte – um destino humano. Depois de terminado o seu martírio, as lágrimas e lamentos dos pranteadores são sua justificativa diante dos deuses. Osíris ressuscita e se torna o governador do reino dos mortos.

Os estágios do destino de Osíris constituem as estações do grande mistério de Abidos. Os sacerdotes organizavam a peça e atuavam nela. O clero percebia quão vastas possibilidades de sugestão das massas o mistério oferecia. Testemunho de sua perspicácia é o fato de que, mesmo com toda e cada vez maior popularidade do culto a Osíris, com os crescentes recursos das fundações principescas e com a riqueza de suas tumbas e capelas, continuavam a levar em conta o homem do povo. Qualquer um que

7. Relevo em calcário de Sakkara: à esquerda, jovens dançando e tocando música; à direita, homens caminhando com braços erguidos, 19ª Dinastia, *c.* 1300 a.C. (Cairo, Museu).

8. *Ostracon* (fragmentos de cerâmica) com cena de uma procissão egípcia: a barca de Amon, carregada por sacerdotes, c. 1200 a.C.; encontrada em Der el-Medíne (Berlim, Staatliche Museen).

deixasse uma pedra ou estela memorial em Abidos poderia estar seguro das bênçãos de Osíris e de que, após a morte, participaria, "transfigurado", das cerimônias sagradas e dos ritos no templo, com sua família, exatamente como havia feito em vida.

Existe uma estela de pedra, do oficial da corte Ikhernofret, que viveu durante o reinado de Sesóstris III, na época da décima segunda dinastia. A estela traz gravadas as tarefas de seu donatário, Ikhernofret, concernentes ao templo em Abidos. A parte superior da pedra comemorativa fala da obra de restauração e reforma do templo, levada a cabo por Ikhernofret; a parte de baixo (linhas 17-23) referem-se à celebração dos mistérios de Osíris. Não é possível saber, a partir da inscrição, se as fases distintas do mistério, retratando a vida, a morte e a ressureição do deus, eram encenadas em sucessão imediata, a intervalos de dias, ou até mesmo de semanas. Heinrich Schäfer, o primeiro a interpretar os hieróglifos da pedra, conjecturou que os mistérios de Osíris "se estendiam durante uma parte do ano religioso, como os nossos próprios festivais, indo desde o período do Advento até o Pentecostes, constituindo um grande drama".

A pedra, entretanto, esclarece as principais características dos mistérios de Osíris na época do Médio Império (2000-1700 a.C.). O relato começa com as palavras: "Eu organizei a partida de Wepwawet quando ele foi resgatar seu pai". Parece claro, portanto, que o deus Wepwawet, na forma de um chacal, abria as cerimônias. Imediatamente após a figura de Wepwawet "aparecia o deus Osíris, em toda a sua majestade, e em seguida a ele, os nove deuses de seu séquito. Wepwawet ia na frente, clareando o caminho para ele...". Em triunfo, Osíris navega em seu navio, a barca de Neschmet, acompanhado dos participantes das cerimônias dos mistérios. São os seus companheiros de armas em sua luta contra seu inimigo Set.

Se devemos conceber o navio de Osíris como barca carregada por terra, então presumivelmente os guerreiros marchavam ao longo dela. Se a jornada era representada num barco real sobre o Nilo, um número de pessoas privilegiadas subiriam a bordo para "lutar" ao lado de Osíris. Ikhernofret, alto oficial do governo e favorito do rei, sem dúvida estava entre esses privilegiados, porque lemos em sua inscrição: "Repudiei aqueles que se rebelaram contra a barca Neschmet e combati os inimigos de Osíris".

Após este prelúdio, seguia-se a "grande partida" do deus, terminando com sua morte. A cena da morte provavelmente não acontecia às vistas do público comum, como a crucifixão no Gólgota, mas em segredo. Porém, todos os participantes uniam-se em alta voz às lamentações da esposa de Osíris, Ísis. Heródoto conta, a respeito da cerimônia de Osíris em Busíris, que "muitas dezenas de milhares de pessoas erguiam suas vozes em lamentos"; em Abidos, deveria haver muitas mais.

Na cena seguinte, o deus Tot chega num navio para buscar o cadáver. Então são feitos os preparativos para o enterro. Morto, Osíris é enterrado em Peker, a pouco mais de um quilômetro de distância do templo de Osíris, contra o pano de fundo da larga planície em forma de crescente de Abidos. Numa grande batalha, os inimigos de Osíris são mortos por seu filho Hórus, agora um jovem. Osíris, erguido para uma nova existência no reino da morte, reentra no templo como o governador dos mortos.

Nada se conhece sobre a parte final dos mistérios, que acontecia entre "iniciados", na parte interna do templo de Abidos. Como os mistérios de Elêusis, esses ritos permaneceram secretos para o público.

Os festivais do culto a Osíris também aconteciam nos grandes templos das cidades de Busíris, Heliópolis, Letópolis e Sais. O festival de Upuaut, deus dos mortos, em Siut, deve ter tido um processo de procissão similar. Aqui, também, a imagem ricamente coberta do deus era acompanhada numa procissão solene até seu túmulo.

A cerimônia do erguimento da coluna de Ded, instituída por Amenófis III e sempre observada solenemente nos aniversários de coroação, possuía também elementos teatrais definidos. O túmulo de Kheriuf em Assasi (Tebas) fornece uma representação gráfica da cena: Amenófis e sua esposa estão sentados em tronos no local do levantamento da coluna. Suas filhas, as dezesseis princesas, tocam música com chocalhos e sistros, enquanto seis cantores louvam a Ptá, o deus guardião do

9. Cena dramática do mito de Hórus: o deus-falcão Hórus, retratado na barca, como vitorioso sobre seu irmão Set. Relevo em calcário em Edfu. Época dos Ptolomeus, *c.* 200 a.C.

império. A parte inferior do relevo de Kheriuf descreve a conclusão da cerimônia do festival: participantes lutando com bastões, numa cena simbólica de combate ritual, no qual os habitantes da cidade também tomavam parte.

Heródoto, no segundo livro de sua história, descreve uma cerimônia similar, observada em homenagem ao deus Ares, embora, a julgar pelo contexto, o deus em questão deva ter sido Hórus. Essa observação, conservada em Papremis, envolve também o combate ritual:

> Em Papremis, celebram-se sacrifícios como em qualquer lugar, mas quando o sol começa a se pôr, alguns sacerdotes ocupam-se da imagem do deus; todos os outros sacerdotes, armados com bastões de madeira, ficam à porta do templo. Diante deles se coloca uma multidão de homens, mais de mil deles, também armados com bastões, que tenham algum voto a cumprir. A imagem do deus permanece num pequeno relicário de madeira adornado, e na véspera do festival é, conforme dizem, transportada para outro templo. Os poucos sacerdotes que ainda se ocupam da imagem colocam-na, juntamente com o relicário, num carro com quatro rodas e a levam para o templo. Os outros sacerdotes, que permanecem à porta, impedem-nos de entrar, mas os devotos lutam ao lado do deus e atacam os adversários. Há uma luta feroz, onde cabeças são quebradas e não são poucos os que, acredito, morrem em consequência dos ferimentos. Os egípcios, porém, negavam que ocorressem quaisquer mortes.

O fanatismo ritual que essa cena sugere recorda os ferimentos autoinfligidos das peças xiitas de Hussein, na Pérsia, e os flagelantes da Europa medieval.

Através das épocas do esplendor e declínio dos faraós, o egípcio permaneceu um vassalo dócil. Aceitou as leis impostas pelo rei e os preceitos do seu sacerdócio como mandamentos dos deuses. Esse paciente apego à tradição sufocou as sementes do drama. Para um florescimento das artes dramáticas teria sido necessário o desenvolvimento de um indivíduo livremente responsável que tivesse participação na vida da comunidade, tal como encorajado na democrática Atenas. O cidadão da *polis* grega, que possuía voz em seu governo, possuía também a possibilidade de um confronto pessoal com o Estado, com a história, com os deuses.

Faltava ao egípcio o impulso para a rebelião; não conhecia o conflito entre a vontade do homem e a vontade dos deuses, de onde brota a semente do drama. E, por isso, no antigo Egito, a dança, a música e as origens do teatro permaneceram amarradas às tradições do cerimonial religioso e da corte. Por mais de três mil anos as artes plásticas do Egito floresceram, mas o pleno poder do drama jamais foi despertado. (O teatro de sombras, que surgiu no Egito durante o século XII d.C., proporcionou estímulos para a representação de lendas populares e eventos históricos. Sua forma e técnica foram inspiradas pelo Oriente.)

Foi esta compulsão herdada para a obediência que finalmente subjugou Sinuhe, um oficial do governo de Sesóstris I que ousara fugir para o Oriente Próximo. "Uma procissão funeral será organizada para ti no dia do teu enterro", o faraó o informou: "o céu estará sobre ti quando fores colocado sobre o esquife e os bois te levarem, e os cantores irão à tua frente quando a dança *muu* for executada em teu túmulo...". Sinuhe regressou. A lei que havia governado o desempenho do seu ofício foi

10. Bonecos de teatro de sombras egípcio do século XIV a.C. (Offenbach am Main, Deutsches Ledermuseum).

mais forte que a rebelião: o poder da tradição esmagou a vontade do indivíduo.

> Assim não há indício, e na verdade é contra qualquer probabilidade, que desde esse ponto pudesse seguir-se uma trilha mesmo aproximadamente parecida com aquela que, na Hélade, a partir de uma origem similar na religião, levou ao desenvolvimento da tragédia ática. Para chegar a isso, o primeiro degrau precisaria ter sido uma extensão do mito de modo que contivesse o homem e, depois, um modo particular de ser humano; nenhuma das duas coisas foi encontrada no Egito (S. Morenz).

Mesopotâmia

No segundo milênio a.C., enquanto os fiéis do Egito faziam peregrinações a Abidos e asseguravam-se das graças divinas erigindo monumentos comemorativos, o povo da Mesopotâmia descobria que o perfil de seus deuses severos e despóticos estava ficando mais suave. Os homens começavam a creditar a eles justiça e a si mesmos, a capacidade de obter a benevolência dos deuses. Estes estavam descendo à terra, tornando-se participantes dos rituais. E, com a descida dos deuses, vem o começo do teatro.

Um dos mais antigos mistérios da Mesopotâmia é baseado na lenda ritual do "matrimônio sagrado" – a união do deus ao homem. Nos templos da Suméria, pantomima, encantamento e música converteram a tradicional representação do banquete para o par divino e humano num grande drama religioso. Os governantes de Ur e Isin fizeram derivar sua realeza divina deste "casamento sagrado", que o rei e a rainha (ou uma grã-sacerdotisa delegada por comando divino) solenizavam após um banquete ritual simbólico.

De acordo com pesquisas recentes, o famoso estandarte-mosaico de Ur, do terceiro milênio a.C., é uma das mais antigas representações do "casamento sagrado". Essa magnífica obra, com suas figuras compostas por fragmentos de conchas e calcário incrustados num fundo de lápis-lazúli, data de aproximadamente 2700 a.C. e provavelmente foi parte da caixa de ressonância de algum instrumento musical, mais do que um estandarte de guerra.

Do segundo milênio em diante, o "casamento sagrado" foi quase com certeza celebrado uma vez por ano nos maiores templos do império sumeriano. Sacerdotes e sacerdotisas faziam os papéis de rei e rainha, do deus e da deusa da cidade. Não se sabe onde foi traçada a linha divisória entre o ritual e a realidade, mas é certo que o rei Hamurabi (1728-1686 a.C.), o grande reformador da lei sumeriana, riscou o festival do "casamento sagrado" do calendário de sua corte. Hamurabi estabeleceu um novo ideal de realeza: descreveu a si mesmo como um "príncipe humilde, temente aos deuses", como um "pastor do povo" e "rei da justiça". Hamurabi nomeou Marduk, até então o deus da cidade da Babilônia, deus universal do império. Um diálogo sumério, que se acredita ter sido uma peça e intitulado *A Conversa de Hamurabi com uma Mulher*, é devotado ao criador do Código de Hamurabi e é considerado pelos orientalistas um drama cortesão. Retrata a astúcia feminina triunfando sobre um homem brilhante, apaixonado, ainda que envergue os esplêndidos trajes de um rei. É possível que o diálogo tenha sido encenado em alguma corte real rival, ou, após a morte de Hamurabi, até mesmo no palácio na Babilônia. Outro famoso documento sumério, o poema épico em forma de diálogo, *Enmerkar e o Senhor de Arata*, pode também ter sido um drama secular, apresentado na corte real do período de Isin-Larsa.

É certo que na Mesopotâmia os músicos da corte, tanto homens quanto mulheres, desfrutavam dos favores especiais dos soberanos. Nos templos, sacerdotes vocalistas, jovens cantoras e instrumentistas de ambos os sexos executavam a música ritual nas cerimônias e eram tratados com grande respeito. Uma filha do imperador acádio Naram-Sin é referida como "harpista da deusa lua". As artes plásticas da Mesopotâmia dão testemunho da riqueza musical que exaltava "a majestade dos deuses" nos grandes festivais. O fato de os artistas do templo serem investidos de uma significação mitológica especial é sugerido pelos musicistas com cabeças de animais sempre vistos em relevos, selos cilíndricos e mosaicos. Os mesopotâmios possuíam um senso de humor desenvolvido. Um diálogo acádio, intitulado *O Mestre e o Escravo*, assemelha-se ao mimo e às farsas atelanas, a Plauto e à *Commedia dell'arte*. Os trocadilhos do servo expõem a vacuidade dos pretensos bons conselhos e a relatividade das decisões "bem consideradas". Recentemente, mais exemplos do teatro secular da Mesopotâmia vieram à luz. O erudito alemão Hartmut Schmökel, por exemplo, interpretou a assim chamada *Carta de um Deus* como uma brincadeira de um escriba, um outro texto que soava como religioso como um tipo de sátira e um poema heroico como uma paródia grotesca.

As disputas divinas dos sumérios possuem um caráter definitivamente teatral. Até agora foram descobertos sete diálogos desse tipo. Todos eles foram compostos durante o período em que a imagem dos deuses sumérios tornou-se humanizada, não tanto em sua aparência externa quanto em suas supostas emoções. Este critério é crucial numa civilização: é a bifurcação na estrada de onde se ramifica o caminho para o teatro – pois o drama se desenvolve a partir do conflito simbolizado na ideia dos deuses transposta para a psicologia humana.

Em forma e conteúdo, os diálogos sumérios consistem na apresentação de cada personagem, a seu turno, exaltando seus próprios méritos e subestimando os do outro.

Em um dos diálogos, a deusa do trigo, Aschnan, e seu irmão, o deus pastor Lahar, discutem a respeito de qual dos dois é mais útil à humanidade. Em outro, o abrasador verão da Mesopotâmia tenta sobrepujar o brando inverno da Babilônia. Num terceiro, o deus Enki briga com a deusa mãe Ninmah, mas mostra ser um salvador no grande tema fundamental da mitologia, o retorno do ínfero. Num quarto diálogo, Inana, a deusa da fertilidade, banida para o mundo das sombras, poderá retornar à terra se puder encontrar um substituto. Ela escolhe para este propósito o seu amor, o pastor real Dumuzi, que assim é apontado príncipe do inferno. Com a lenda de Inana e Dumuzi, o ciclo se encerra e termina no "casamento sagrado". Inana e Dumuzi são o par sagrado original.

Mesmo os sacerdotes mais bem instruídos do período não eram capazes de fazer um conspecto do vasto panteão do antigo Oriente, com seus inumeráveis deuses principais e subsidiários das muitas cidades-Estado separadas. As relações mitológicas são muito mais complexas do que, por exemplo, aquelas existentes entre os conceitos mitológicos da Antiguidade e os do cristianismo primitivo.

No início do século XX, o erudito Peter Jensen procurou estabelecer uma conexão entre Marduk e Cristo, mas não teve sucesso. A assim chamada controvérsia Bíblia-Babel fundamentou-se na suposta existência de um drama ritual que celebrava a morte e a ressurreição de Marduk. Porém, as últimas pesquisas provaram que a interpretação textual em que se assentava esta suposição é insustentável.

No reino de Nabucodonosor, o famoso festival do Ano Novo, em homenagem ao deus da cidade da Babilônia, Marduk, era celebrado com pompa espetacular. O clímax da cerimônia sacrificial de doze dias era a grande procissão, onde o cortejo colorido de Marduk era seguido pelas muitas imagens cultuais dos grandes templos do país, simbolizando "uma visita dos deuses", e pela longa fila de sacerdotes e fiéis. Em pontos predeterminados no caminho pavimentado de vermelho e branco da procissão, até a sede do festival do Ano Novo, a comitiva se detinha para as recitações do epos da Criação e para as pantomimas. Este grande espetáculo cerimonial homenageava os deuses e o soberano, além de assombrar e emocionar o povo. "Era teatro no ambiente e no garbo do culto religioso, e demonstra que os antigos mesopotâmios possuíam, pelo menos, um senso de poesia dramática; é preciso que se façam pesquisas mais amplas sobre o culto" (H. Schmökel).

Durante o terceiro e o segundo milênios a.C., outras divindades do Oriente Próximo foram homenageadas de forma semelhante em Ur, Uruk e Nippur; em Assur, Dilbat e Harran; em Mari, Umma e Lagash. Persépolis, a antiga necrópole e cidade palaciana persa, foi fundada especialmente para a celebração do festival do Ano Novo. Aqui, no final do século VI a.C., Dario ergueu o mais esplêndido dos palácios reais persas. E aqui Alexandre, sacrificou a ideia ocidental de *humanitas* à sua ebriedade com a vitória; após a batalha de Arbela, deixou que o palácio de Dario se consumisse nas chamas.

As Civilizações Islâmicas

Introdução

Nenhuma outra região na terra experimentou tantas metamorfoses políticas, espirituais e intelectuais no curso da ascensão e queda de impérios poderosos quanto o Oriente Próximo. Ele foi, alternadamente, o centro ou ponte entre civilizações, sementeira ou campo de batalha de grandes conflitos históricos. No ano de 610, quando Maomé, mercador a serviço da rica viúva Khadija, recebeu a revelação do Islã no monte Hira, perto de Meca, alvoreceu uma nova era para o Oriente Próximo.

A fé comum do Islã trouxe pela primeira vez aos povos do Oriente Próximo um sentimento de solidariedade. O Islã reformulou a história dos povos do Oriente Próximo, do Norte da África e até mesmo da Península Ibérica. Talhou um novo estilo cultural, segundo os preceitos do Alcorão.

O desenvolvimento do teatro e do drama foi asfixiado sob a proibição maometana de qualquer personificação de Deus, o que significou o sufocamento dos antigos germes do drama no Oriente Próximo. Todavia, escavações de teatros greco-romanos, como por exemplo em Aspendus, mostram restaurações feitas na época dos seldjúcidas – uma indicação de que os seguidores do Islã reviveram e apreciaram o circo e o combate de gladiadores. Evidencia-se que eles preservaram e restauraram edifícios teatrais da Antiguidade, e que apresentações como essas devem ter sido toleradas.

A divisão do Islã entre sunitas e xiitas, como resultado da controvertida sucessão de Maomé, deu origem à *taziyé*, forma persa de paixão, uma das mais impressionantes manifestações teatrais do mundo. A *taziyé* nunca viajou além do Irã. Não seguiu a marcha vitoriosa do Islã através da costa do Norte da África para a Espanha, nem se propagou através de Anatólia, junto com as mesquitas e minaretes, ao Bósforo e aos Bálcãs.

Contrariando os mandamentos do profeta, entretanto, além do Monte Ararat desenvolveram-se tanto espetáculos populares quanto de sombras, de tipo folclórico, baseados no mimo. Mediante o uso dos heróis-bonecos turcos Karagöz e Hadjeivat no teatro de sombras, a proibição do Islã à representação das imagens de seres humanos era astuciosamente ludibriada. Esses heróis, corporificados em bonecos maravilhosos, eram feitos de couro de camelo. Eram movimentados por meio de varas e possuíam buracos em suas articulações através dos quais a luz brilhava – quem poderia acusá-los de serem imagens de seres humanos? Karagöz e Hadjeivat aproveitavam o privilégio para apimentar mais ainda suas pilhérias e deixar suas sombras abrir descaradamente o caminho, através da tela de pano, para o coração de seu público.

A paixão e a farsa, associadas em contraditória união nos *mistérios* europeus, permaneceram como irmãos hostis sob a lei do Alcorão. Todavia, ambas encontraram seu caminho para o coração das pessoas. Ambas tornaram-se teatro, encontrando uma plateia entre a gente comum.

PÉRSIA

Sir Lewis Pelly, que acompanhou a missão diplomática inglesa à Pérsia e foi aí Residente (agente diplomático) de 1862 a 1873, não era dado a exageros. Entretanto, escreveu a respeito da *taziyé* que "se o sucesso de um drama pode ser medido pelo efeito que produz sobre as pessoas para quem é feito, ou sobre as plateias diante das quais é apresentado, nenhuma peça jamais ultrapassou a tragédia conhecida no mundo muçulmano como a de Hassan e Hussein". As apresentações anuais da *taziyé* vieram a ser de duradouro interesse para Pelly; graças à ajuda de um antigo professor e ponto dos atores, ele coletou 52 peças e, em 1878, publicou 37 delas.

O enredo da *taziyé* é composto de fatos históricos adornados pela lenda. Quando Maomé morreu em 632, deixou um harém de doze esposas, mas nenhum filho. De acordo com um pretenso testamento deixado pelo Profeta, a sucessão passaria à sua filha Fátima, esposa de Ali. Acendeu-se uma disputa sangrenta entre seus filhos Hassan e Hussein. Em 680, o imã Hussein recebeu dos habitantes de Kufa, na Mesopotâmia, que supostamente eram dedicados a ele, um apelo para que se juntasse a eles e assumisse, com sua ajuda, a liderança do Islã como o legítimo sucessor do Profeta. Hussein, acompanhado de sua família e de setenta seguidores, viajou para a Mesopotâmia. Mas, em vez da entronização, ele recebeu a ordem de submeter-se incondicionalmente ao califa Yazid e renunciar a todos os seus direitos. Hussein tentou resistir a esta traição; porém, privado de toda a ajuda e sem acesso às águas do Eufrates, ele e seus fiéis seguidores pereceram na planície de Kerbela. Enfraquecidos pela sede, caíram vítimas das tropas do califa Yazid. As mulheres foram levadas como prisioneiras. O único sobrevivente do massacre de Kerbela foi o filho de Hussein, Zain al-Abidin, reconhecido pelos xiitas (em contraste à rejeição sunita à sucessão de Fátima-Ali) como o quarto imã e sucessor legítimo do profeta Maomé.

Dramatizações desse evento, muito enfeitadas por lendas, ainda são levadas no último dia do festival do Muharram. Elas duram do meio-dia até bem tarde da noite, e constituem o clímax e a finalização de dez dias de procissões religiosas (*desté*) iniciados ao alvorecer do primeiro dia do mês maometano do Muharram. Os fiéis, vestidos de branco como os flagelantes da Europa medieval, seguem pelas ruas com altos gritos de lamentações. Dois dias antes, no oitavo do festival, bonecos de palha, representando os cadáveres dos mártires de Kerbela, são deitados em esquifes de madeira e carregados de um lado para outro entre lamentações intermináveis e extáticas. Os homens flagelam a si mesmos com os punhos e espetam-se com espadas, fazendo sangrar o próprio peito e cabeça. Aqueles que valorizam a própria pele mais do que o fervor da fé sem dúvida dão um jeito com uma enganosa simulação. Em 1812, o francês Ouseley, que viajou através da Pérsia, observou ambos – ferimentos autoinfligidos por fanatismo genuíno, e outros, pintados habilidosamente na pele.

Na manhã do décimo dia do Muharram. os espectadores dirigem-se às pressas para o pátio da mesquita ou para a *tekie* (monastério), onde um palco ao ar livre é montado para a *taziyé*. Se chove, ou se o sol está muito quente, é estendido um toldo. O *sekkon*, plataforma redonda ou quadrada, serve como palco. Uma tina d'água representa o Eufrates, uma tenda, o acampamento em Kerbela, um escabelo os céus, de onde desce o anjo Gabriel.

Os intérpretes são amadores. Dão o texto a partir de um roteiro, embora a maior parte seja representada em pantomima, enquanto um sacerdote (*mollah*), que é ao mesmo tempo organizador e diretor, comenta a ação. Ele se coloca num pódio, acima dos atores, e recita também a introdução e os textos de conexão.

Papéis femininos são executados por homens. Os figurinos são feitos de qualquer material disponível. Em 1860, quando a legação da Prússia se encarregou de custear as despesas da apresentação de uma *taziyé*, foram fornecidos uniformes e armas prussianos. Hoje, o anjo pode perfeitamente descer do teto de um indisfarçado automóvel e dirigir-se para o palco, sem que os participantes fiquem perturbados por tais anacronismos. O que importa é

1. Bonecos turcos de teatro de sombras: o cantor Hasan (à esquerda), e os dois personagens principais Karagöz e Hadjeivat, aos quais incubem as falas no diálogo tosco e grotesco (Offenbach am Main, Deutsches Ledermuseum e coleção particular).

2. Grupo de figuras de teatro de sombras turcas. À esquerda, cena de diálogo; à direita, um comerciante atrás de seu balcão (Istambul, coleção particular).

3. *Taziyé* ao ar livre, encenada por dervixes errantes, século XIX.

4. Apresentação da *taziyé* persa de Husain, no pátio da mesquita em Rustemabad, 1860 (extraído de H. Brugsch, *Reise der königlichen Preussichen Gesandtschaft nach Persien*, Leipzig, 1863).

o conteúdo simbólico. Andar em torno do palco significa uma longa jornada. Introduzir um cavalo ou camelo carregado de fardos de bagagem e utensílios de cozinha indica a chegada de Hussein à planície de Kerbela. Um ator, logo após ser morto, levanta-se e dirige-se silenciosamente para um lado do palco. Cada um dos participantes mantém pronto um punhado de palha que, nos momentos de grande tristeza ou desespero, despeja sobre a própria cabeça. (De acordo com o antigo costume aquemênida, os pais de Dario derramaram areia sobre a própria cabeça quando a notícia da morte do "Rei dos Reis" lhes foi dada.) A paixão de Hussein é sempre precedida de uma representação da história de José e seus irmãos, que é apresentada no Alcorão por Maomé como a "*sura* (capítulo) de José".

Em *Zefer Jinn*, outra *taziyé*, o rei dos jinn aparece e oferece a Hussein o auxílio do seu exército. Entretanto, o imã, pronto para sofrer o martírio, recusa a assistência oferecida e despede o rei dos jinn com a adjuração de "chorar". O rei dos jinn e seus guerreiros vestem máscara; este é o único caso onde a máscara é usada na tradição da *taziyé* persa.

A paixão *taziyé* é parte intrínseca da tradição xiita. Desenvolveu-se a partir das lamentações épicas e líricas das assembleias de luto pela morte de Hussein. Estes cantos de lamentações foram apresentados pela primeira vez em forma dramática no século IX, quando um sultão xiita da dinastia Buáiida assumiu o califato. Dos palcos móveis, erguidos em carretas, ressoava o chamado à penitência: "Arrancai os cabelos, torcei vossas mãos, reduzi vossas roupas a trapos, golpeai vosso peito!"

É provável que a designação final de *taziyé* seja derivada da palavra equivalente ao *toldo* (*ta'kieh*), estendido sobre os pátios das mesquitas e praças de mercado. Testemunhos oculares da *taziyé* – de Olearius, Tavernier, Thévenot e os de Gobineau e Pelly – falam do opressivo fanatismo dos espetáculos, não sobre filologia.

Conquanto os espetáculos da *taziyé* nas remotas regiões montanhosas do mundo islâmico e no Cáucaso tenham permanecido, até hoje, uma ocorrência primitiva – algumas vezes representada por um dervixe a funcionar como um tipo de *one-man show* extático –, nas cidades um festival popular cada vez mais dispendioso desenvolveu-se a partir da *taziyé*. Bagdá, Teerã e Isfaan competiam umas com as outras na apresentação e na riqueza narrativa de suas peças. Até 1904, os espetáculos de *taziyé* no grande teatro de arena Tekie-i Dalauti em Teerã foram subsidiados pelo governo. "Depois da revolução, porém", escreve Medjid Rezvani, "este teatro enfrentou uma crise, porque os fundos necessários provenientes previamente de fontes particulares não eram mais obteníveis". E ele cita a observação de seu colega russo Smirnoff:

> Os mistérios persas são não menos merecedores de interesse do que a paixão de Oberammergau, na Bavária, visitada por turistas de todas as partes da Europa e da América. É uma grande pena que, numa época em que as ligações ferroviárias estarão disponíveis não apenas para homens de negócio, mas também para turistas, a Pérsia deva perder esta curiosidade ímpar.

Hoje Teerã possui um moderno teatro estadual, com todo tipo de equipamento técnico. Seu programa inclui obras clássicas e de vanguarda do repertório internacional. O mérito de ter trazido Shakespeare para o palco persa pela primeira vez pertence ao Teatro Zoroastriano de Teerã, fundado em 1927 e com capacidade para algo como quatrocentos espectadores.

O povo do campo, entretanto, apega-se como sempre aos espetáculos de danças tradicionais, a apresentações de guerras acrobáticas e mitológicas e aos personagens folclóricos. Ele confirma que aquilo que Heródoto disse ainda permanece verdade, quando observou que os iranianos possuem "em todas as épocas uma predileção notável pela dança". Essa predileção pode ser traçada a partir das representações das taças de prata sassânidas da Antiguidade até os dervixes rodopiantes do século XX.

Turquia

Para o estudioso da história da cultura seria ao mesmo tempo aventuroso e revelador traçar um paralelo entre Alexandre, o Grande e Gêngis Khan. A maneira imediata e direta com a qual Alexandre transmitiu o espírito do Ocidente ao Oriente é balanceada pela influên-

5. Cerimônia teatral de recepção em palácio turco. À esquerda, músicos com instrumentos tradicionais; no centro, mulher com véu. Miniatura do período otomano (Istambul, Museu do Palácio de Topkapi).

6. Cena de teatro popular turco. Velho corcunda, de tamancos e dançando num tablado diante de um grupo de cinco pessoas. À esquerda, músicos com instrumentos de sopro e percussão. Miniatura do período otomano (Istambul, Museu do Palácio de Topkapi).

cia indireta de Gêngis Khan sobre o mapa da Europa. Foi por causa da violenta investida dos mongóis contra o Extremo Oriente e suas leis rígidas que o chefe Suleimã, em 1219, guiou seu povo do Turquestão à região do Eufrates. O neto de Suleimã, Osman, tornou-se amigo do sultão de Konya e, sucedendo-o no trono em 1288, Osman tornou-se o fundador da dinastia Osmanli (Otomana). Criou o império dos povos turcos, que se expandiu e cujos guerreiros conquistaram os Bálcãs e avançaram através do Norte da África para a Espanha, levando consigo sua cultura de minaretes e mesquitas. A Europa exaurira-se em sua luta contra uma avalancha que se iniciara com Gêngis Khan. Em 1922, com a extinção do sultanato, o império otomano oficialmente chegou ao fim, e um ano mais tarde foi proclamada a República da Turquia.

Quatro fatos principais influenciaram o desenvolvimento histórico e cultural da Turquia e, portanto, também do teatro turco. Foram eles: primeiramente, os rituais xamânicos e da vegetação trazidos da Ásia Central, que eram, até certo ponto, misturados com o culto frígio a Dioniso e que ainda permanecem vivos nas danças e jogos anatólios; em segundo lugar, a influência da Antiguidade, mais frequentemente negada que francamente admitida; em terceiro, a rivalidade com Bizâncio; e, em quarto, iniciando-se com o século X, a influência decisiva do Islã.

Konya, Bursa e, após 1453, a cidade conquistada de Bizâncio, hoje Istambul, foram as capitais do império otomano e, dessa forma, os centros do mundo islâmico a leste e a oeste do Bósforo. Na corte de Seljuk em Konya, paródias eram encenadas e muito apreciadas. Anna Comnena, filha de um imperador bizantino, dá provas disto em sua obra histórica sobre Aléxio Comneno I (1069-1118 a.C.). Quando o imperador Aléxio, já idoso, foi acometido pela gota, e dessa forma impedido de participar de suas campanhas contra os turcos, eram representadas farsas na corte do sultão em Konya, conforme relata francamente sua filha, nas quais Aléxio era satirizado como um velhote covarde e chorão.

Essa informação é valiosa. Indica a topicidade e a orientação temática da farsa turca. A personificação e o ridículo eram as fontes inexauríveis e vitais de motivos e inspiração na comédia improvisada turca.

Ao lado dos dançarinos e músicos, os mímicos ambulantes, que foram sempre chamados "personificadores", nunca estavam ausentes das ocasiões festivas. Eram abundantes nas cortes e nos mercados, nos trens de bagagem das campanhas militares e entre as missões diplomáticas. Quando o imperador de Bizâncio, Manuel II Paleólogo, visitou o sultão otomano Bayezid, admirou sua versátil *troupe* de músicos, dançarinos e atores.

Os principais personagens da comédia turca, Pischekar e Kavuklu, e os dois personagens do teatro de sombras, Karagöz e Hadjeivat, viajaram com as missões diplomáticas otomanas através da Grécia, e também a lugares mais distantes como a Hungria e a Áustria. Na Moldávia e Valáquia, tornaram-se os ancestrais de uma nova e independente forma nativa de teatro. Havia mímicos turcos, judeus, armênios e gregos nessas *troupes*, mas predominantemente os ciganos, bem versados em todo tipo de malabarismo e magia, danças e jogos acrobáticos.

Os que não conseguiam chegar à corte apresentavam-se diante da gente simples, e assim desenvolveram o *orta oyunu*, forma turca característica de teatro, que ainda pode ser encontrada em partes remotas de Anatólia. *Orta oyunu* significa "jogo do meio", ou "jogo do círculo", ou "jogo do anel". Não requer nenhum equipamento particular, nem cenário ou figurino. (O historiador do teatro turco Metin And aponta que, na Ásia Central, a palavra *oyun* designa também o ritual xamanista do exorcismo.)

Uma marca oval traçada sobre a terra plana é a área de atuação do *orta oyunu*. Os acessórios necessários são nada menos que um escabelo triangular e um biombo duplo, aos quais se pode juntar um barril, uma cesta de mercado e alguns guarda-chuvas coloridos. Os músicos, com oboé e tímpano, ficam acocorados no limite da área de atuação, e o público permanece em pé à volta. O administrador, diretor, ator improvisado e protagonista é o personagem Pischekar. Com eloquência floreada e uma matraca de madeira ele abre a apresentação. A ação e o elemento cômico da peça baseiam-se na variedade de tipos étnicos representados, todos mal falando o turco, cada um em seu modo particular – o mercador persa, o ourives armênio, o mendigo árabe, o guarda-noturno curdo, o presunçoso coronel janízaro, o levantino europeizado exibindo-se, a mercadora briguenta (interpretada por um homem), o bêbado e a inequívoca preferência da plateia rústica, o palhaço Kavuklu com suas piadas e paspalhices, parente próximo de Karagöz.

A origem e antiguidade do *orta oyunu* é discutida. Sua relação com o mimo da Antiguidade é tão óbvia quanto uma certa similaridade com a *Commedia dell'arte*. O mais extraordinário de tudo, quer em relação aos tipos dos personagens quer ao humor grotesco resultante, é o paralelo com Karagöz. Um manuscrito de 1675 afirma que um grupo de atores, vestidos como os personagens do teatro de sombras, fez uma apresentação na corte.

Até o século XIX o centro do *orta oyunu* foi Kadiköy, uma pequena cidade na costa leste do mar de Mármara, no setor asiático de Istambul. Aqui também se situava a famosa *tekke* (monastério dervixe) onde, em certos dias da semana, os "dervixes uivadores" executavam seu ritual extático. Seus primos, os dervixes dançarinos, preferiam vagar através do país, pois era sempre fácil reunir um pequeno círculo de curiosos e, após a dança sagrada, coletar algumas moedas como recompensa. Hoje as danças dervixes tornaram-se um negócio e surgem como atração turística em *night-clubs* de Istambul, do Cairo, Áden ou Teerã.

O primeiro teatro turco com um fosso para a orquestra e um cenário mecanicamente operado surgiu na primeira metade do século XIX. Organizado segundo o padrão francês e italiano, apresentava peças de Molière e Goldoni, e também o *Fausto* de Goethe e *Natan, o Sábio*, de Lessing. Malabaristas, mágicos, circenses, entretanto, continuavam a reunir suas plateias em galpões de madeira e tendas. Mas nos cafés e casas de chá, a centenária arte do *meddha*, o contador de histórias, continuava com sua velha popularidade. Durante o mês do Ramadã, porém, ele se retirava e deixava o campo aberto para Karagöz.

Em novembro de 1867, durante o Ramadã, um armênio de nome Güllü Agop inaugurou um teatro turco no bairro Gedik Paxá de Istambul e chamou-o de "*orta oyunu* com uma cortina". O círculo no chão, que havia começado como improvisação, chegara ao teatro com um palco e um auditório. Gülü Agop atraiu talentosos atores e escritores locais.

O *orta oyunu* de Gedik Paxá tornou-se um centro de um movimento nacional de teatro turco. Em abril de 1873, apresentou a primeira montagem do drama *Vatan* (Torrão Natal) de Namik Kemal. A peça teve a mais entusiástica das recepções. O sultão, pressentindo perigo, baniu o autor. Mas, após a revolução de julho de 1908, a estrela de Namik Kemal brilhou mais intensamente: *Vatan* esteve durante semanas em todos os teatros do país.

Hoje, nas cidades principais e especialmente em Ancara, os teatros oferecem um repertório que, somado aos dramaturgos e compositores turcos, é verdadeiramente internacional em seus espetáculos de ópera, comédia musical, balé e drama.

O Teatro de Sombras de Karagöz

Karagöz é o herói do teatro de sombras turco e árabe e dá nome ao espetáculo de sombras. O espirituoso Karagöz, com sua retórica rápida e engenhosa, trocadilhos ásperos e jogos de palavras rústicos, viajou para muito além de sua terra natal; sente-se em casa na Grécia e nos Bálcãs, e em lugares longínquos da Ásia. Todo um feixe de lendas circunda a sua origem. Uma das mais populares afirma que Karagöz – o nome significa "olho negro" – e seu companheiro Hadjeivat realmente existiram no século XIV, na época em que a grande mesquita de Bursa estava sendo erguida. Seus duelos verbais vivos e grotescos paralisaram as obras de construção da mesquita. Em vez de trabalhar, os pedreiros punham seus instrumentos de lado e ouviam os longos e divertidos discursos de Karagöz e Hadjeivat. O sultão soube de suas façanhas e ordenou que ambos fossem enforcados. Mais tarde, quando reprovava amargamente a si mesmo por isso, um dos cortesãos do sultão teve a ideia de trazer Karagöz e Hadjeivat novamente à vida na forma de figuras de couro brilhantemente coloridas e translúcidas e sombras numa tela de linho: Karagöz com seu nariz adunco, bar-

7. Karagöz com roupas de mulher. Como em qualquer lugar, cenas de disfarce eram populares no teatro de sombras turco (da coleção de G. Jacob, *Das Schattentheater in seiner Wanderung vom Morgenland zum Abendland*, Berlim, 1901).

ba negra, olhos astutos de botão e a mão direita gesticulando violentamente; e Hadjeivat vestido de mercador, cauteloso e meditativo, de boa índole e sempre sendo enrolado. Uma relação de tipos pitorescos completavam o elenco do teatro de sombras: Celebi, o jovem dândi; a linda Messalina Zenne: Beberuhi, anão ingênuo; o persa com sua pipa d'água, o albanês, e outros personagens regionais; o viciado em ópio; o bêbado.

Georg Jacob, um colecionador e estudioso do teatro de sombras oriental, atribui um alegado epitáfio de Karagöz em Bursa ao mestre de bonecos Mustafá Tevfik, que se supõe ter trabalhado nesse período.

O teatro de sombras era a diversão predileta tanto do povo quanto da corte do sultão. Era apresentado em casamentos e circuncisões. Porém, o grande momento de Karagöz chega com o início do Ramadã, o mês sagrado do jejum, quando, ao entardecer, todos acorrem aos cafés. O viajante italiano Pietro della Valle, que chegou a Istambul em 1614, fez uma narrativa detalhada da peça de teatro de sombras turca. Diz Della Valle em *Viaggi*, publicada em 1650-1658,

> Na verdade, nestes albergues onde se bebe existem, mesmo durante a época de seu grande jejum, certos bufões e *zanni* que divertem os convidados com toda a sorte de pilhérias e tolices. Entre as coisas que fazem, conforme eu mesmo vi, estão as representações de fantasmas e espíritos por detrás de um tecido ou de papel pintado, à luz de tochas, os quais se movem, andam, eles fazem toda uma variedade de gestos exatamente da mesma forma que se faz em algumas apresentações no nosso país. Mas estas figuras e bonecos não são mudos como os nossos; são feitos para falar tal e qual os charlatães fazem nos castelos de Nápoles ou na Piazza Navona em Roma...
>
> Os que manipulam os bonecos também os fazem falar, ou melhor, falam através deles, mantendo-se escondidos e imitando várias línguas com todo tipo de piadas. Suas apresentações nada mais são do que farsas indecentes e ocorrências obscenas entre homem e mulher com gestualidade tão grosseira ao imitar essas situações de luxúria, que não poderiam ser piores na terça-feira gorda de carnaval do que são num prostíbulo na terça-feira gorda durante o seu jejum.

Apesar de suas piadas grosseiras e francas obscenidades, Karagöz ludibriava os grilhões das autoridades religiosas. Os bonecos, movidos por varas e recortados em couro ou pergaminho nos quais eram perfurados buracos aqui e ali a fim de permitir que a luz passasse através deles, não poderiam ser facilmente descritos como imagens de entes humanos, e assim davam a volta na proibição do Alcorão. O uso de tipos fixos oferecia campo para a sátira e polêmica, num disfarce de aparente inocência. Não havia fraqueza humana, vaidade de classe ou abuso tópico que Karagöz não convertesse em motivo de riso.

Do Bósforo, Karagöz emigrou para o norte; estava em casa em qualquer parte do mundo islâmico. Ele sempre deu nome aos bois, e era aplaudido mesmo quando o público mal conseguia entender as suas palavras, porque o significado do humor grotesco da ação não podia lhe escapar.

Quando Karagöz certa vez aludiu de modo claro demais à corrupção da corte, em 1870, sob o sultão Abdülaziz, foi proibido de se envolver em qualquer outra sátira política, mas então os jornalistas passaram a imitar seu espírito agressivo. E mesmo hoje um semanário político popular na Turquia é chamado *Karagöz*.

As Civilizações Indo-Pacíficas

Introdução

Na Índia clássica a dança e o drama eram dois componentes igualmente importantes de um só e grande credo: ambos serviam para expressar homenagem aos deuses. Shiva, o senhor da morte e do renascimento terrenos, era representado como o Rei dos Dançarinos. Na tradição da Índia, o próprio Brahma, criador do universo, criou também a arte do drama, e seus estreitos laços com a religião foram expressos durante muitos séculos na cerimônia inicial de bênção e purificação que precedia qualquer apresentação teatral.

As três grandes religiões da Índia – bramanismo, jainismo e budismo emprestaram suas formas específicas ao culto e sacrifício, à dança, à pantomima exorcística e à recitação dramática.

Nem as campanhas vitoriosas de Alexandre, o Grande, nem os ensinamentos de Maomé conseguiram minar a vigorosa força interna do hinduísmo. Seus deuses e heróis dominam o palco do panteão celestial tanto quanto o palco da realidade terrena.

A conceituação antropomórfica dos deuses proporcionou o primeiro impulso para o drama. Sua origem e princípios estão registrados nos máximos detalhes e com esmerada erudição pelo sábio Bharata em seu *Natyasastra*, um manual das artes da dança e do teatro. Mas a tradição não nos oferece fatos relacionados com a prática dos espetáculos. É característica da mentalidade a-histórica dos hindus que a precisão dos aspectos mitológicos do drama não tenham equivalente em sua prática de atuação. O que se preservava não era a realidade terrestre, mas o espírito. E, por conseguinte, o pesquisador do teatro precisa procurar pelas chaves abrindo caminho laboriosamente através do embrenhado dos ritos sacrificiais védicos e invocações aos deuses, através dos cantos rituais dos brâmanes e através dos ritos das religiões jainista e budista, frutos do bramanismo que se desenvolveram durante o primeiro milênio a.C.

Desde a virada do milênio, os velhos deuses védicos haviam sido eclipsados por Shiva, o príncipe dos dançarinos, pantomímicos e músicos, e por Vishnu e sua esposa Lakshmi, cuja beleza se assemelha à da flor de lótus. A atividade religiosa foi determinada pelo culto dos templos e ídolos. O *Ramayana*, que relata as aventuras do príncipe real Rama e sua esposa Sita, e o segundo grande épico hindu, o *Mahahbarata*, com sua riqueza de sabedoria mitológica e moral, tornaram-se a grande herança comum de todas as civilizações indo-pacíficas. O deus-macaco Hanuman estabelece a conexão entre o budismo e a China e finalmente com as peças *wayang* das ilhas indonésias.

Sob a dinastia Gupta, no século IV, o norte da Índia desfrutou de um breve período de unidade política, o que resultou num florescimento das artes. Neste período, Kalidasa es-

1. Jovens dançarinas e musicistas hindus. Relevo em pedra do Templo de Purana Mahadeo, Harshagiri, Rajasthan, 961-973.

2. Sala de dança e teatro do Templo de Vitthala, dinastia Vijayanagara, 1350-1365. O "salão da celebração" (*mandapa*) fica separado do templo e é ricamente decorado com esculturas.

3. *Troupe* de ambulantes populares numa cidade hindu. Homens e mulheres mostram suas artes de acrobatas, malabaristas e equilibristas. À esquerda, músicos; à direita, espectadores. Estilo mogul, século XVIII (Berlim, Staatliche Museen).

creveu seu drama *Shakuntala*. (O mundo literário da Europa tomou conhecimento de *Shakuntala* em 1789, numa versão inglesa e, dois anos mais tarde, numa tradução alemã.)

Durante o reinado de Harsha, que governou o grande império indiano de 606 a 647 a.C., a cultura hindu e a doutrina budista espalharam-se por toda a Ásia Oriental e as ilhas indonésias, influenciando a arquitetura de templos e palácios, a épica e o drama.

A irrupção do Islã e, no século XIV, a ascensão do império mongol, com seu forte poder central islâmico, mudaram apenas a aparência externa da Índia, não seu espírito conservador. Os hindus apegaram-se firmemente às suas crenças, caráter e modo de pensar. Sempre existiu um contraste entre a passividade política dos hindus e seu forte vínculo interno com a tradição religiosa. Eles se agarraram fortemente às suas convicções religiosas. Shiva, Vishnu, Krishna e Rama nunca foram destronados no drama hindu. Quando, em 30 de janeiro de 1948, Gandhi foi atingido pela bala do revólver de seu assassino Naturam Godse, caiu no chão chamando pelo deus: "He, Rama".

Índia

A origem do teatro hindu está na ligação estreita entre a dança e o culto no templo. A arte da dança agrada aos deuses; é uma expressão visível da homenagem dos homens aos deuses e de seu poder sobre os homens. Nenhuma outra religião glorificou a dança ritual de forma tão magnífica (e erótica). Imagens de pedra de deuses e deusas dançando abraçados, músicos celestiais, ninfas e tamborinistas em poses provocantes adornam as paredes, colunas, arestas e portões dos templos hindus. Representações da dança podem ser encontradas ao longo de 3.500 anos de escultura hindu, desde a famosa estatueta de bronze da "Dançarina", nas ruínas da cidade de Mohenjo-Daro, no baixo Indo, aos relevos nas colunas do templo hindu em Citambaram, exibem todas as 108 posições da dança clássica indiana de acordo com o *Natyasastra* de Bharata.

As dançarinas eram subordinadas à autoridade dos sacerdotes do templo e exerciam sua arte, na medida em que esta tinha a ver com o culto, dentro dos domínios do templo. Os jardins dos templos, sempre imensos e dispostos em terraços sobre encostas inteiras, incluíam locais tradicionais para as danças e a música religiosa. Havia uma assembleia e sala de dança especial (*natamandira*) e, para objetivos mais gerais, uma "sala de celebração" (*mandapa*) onde as dançarinas, músicos e recitadores apresentavam-se em homenagem aos deuses. Em alguns templos no sul da Índia, como o templo Jagannath em Puri, ainda hoje existe o costume de as *devadasis*, as jovens bailarinas do templo, dançarem no cerimonial do culto vespertino.

Os historiadores do teatro hindu cunharam o termo "teatro templo", que pode ser acompanhado arquiteturalmente através dos séculos. Entre os templos do século IX recortados nas cavernas de Ellora destaca-se o lindo teatro do templo Kailasantha. E há primorosas salas de festival e teatros nos jardins do templo Ganthai, do século XI, próximo a Khajuraho. Outros podem ser encontrados no complexo do templo de Girnar, do século XII, e no templo Vitthala, dos governantes Vijayanagar do século XIV.

Ao lado do "teatro templo", o teatro teve um outro precursor na altamente desenvolvida forma de entretenimento popular hindu, com suas danças e acrobacias. O bailarino era sempre mímico e ator, simultaneamente. Ainda é chamado de *nata*, que é a palavra "prakrit", vernacular, para ator (que procede da raiz sânscrita *nrt*). Enquanto os *natas* são, por um lado, aparentados com os dançarinos e dançarinas rituais (*nrtu*), mencionados já no *Rig Veda*, a forma vernacular prakrit, *nata*, indica seu caráter popular.

Pois, enquanto os dançarinos rituais honravam os deuses, houve em todas as épocas cantores, dançarinos e mímicos ambulantes que entretinham o povo com suas apresentações por uma gratificação modesta. O *Ramayana* menciona *nata*, *nartaka*, *nataka* – ou seja, danças e espetáculos teatrais – nas cidades e palácios. Fala de festas e reuniões nas quais a diversão era oferecida por atores e dançarinas.

A *nati*, dançarina da literatura hindu, estava ali para todos. Era ela a *bayadère,* que Goethe descreveu numa balada, a "adorável criança perdida" que convidava hospitaleiramente o estranho: "Se solicitares descanso, diversão, prazer / A todas as vossas ordens eu atenderei".

Patanjali, o gramático hindu do século II a.C., fala sobre uma dançarina (*nati*) que, em cena, ao ser indagada "A quem pertences?", responde "Pertenço a vós".

Os *Dharmasastras*, livros métricos da lei, proclamam explicitamente que o marido de uma dançarina não precisa pagar as dívidas desta, porque esta possui "rendimentos" próprios, e que ela não precisa ser tratada com o mesmo respeito que a esposa de outro homem. No *Kamasutra*, o "livro do amor", a dançarina (*nati*) deve aceitar a posição mais baixa entre as cortesãs.

Porém, eventualmente, ela adentra o drama clássico através de uma porta traseira – como representante de Vidusaka, o arlequim indiano. Nos prólogos teatrais para três pessoas, a dançarina, geralmente a esposa do empresário, pode ocasionalmente fazer as vezes do Vidusaka. Todavia, a arte da dança desenvolveu-se independentemente do drama, e sobreviveu até hoje em suas quatro formas características: *bharata natyam*, *kathakali*, *kathak* e *manipuri*.

A *bharata natyam* é uma descendente direta da arte graciosa e flexível das dançarinas do templo. É praticada especialmente no sul da Índia, em Madras, e tanto suas posições de dança quanto seu nome são derivados do manual da arte da dança e do teatro escrito por Bharata, o *Natyasastra*. A dança dramática e pantomímica *kathakali*, que se desenvolveu até sua atual forma em Malabar, é de caráter definitivamente masculino. Seus traços característicos são máscaras exageradamente pintadas, figurinos suntuosos e cheios de ondulações, e o estilo grotesco de dança de suas personagens-deuses, heróis, macacos e monstros. A *kathak* é uma forma menos severa e mais variada de dança, onde a força masculina e a graça feminina entremesclam-se; desenvolveu-se no norte da Índia, sob a influência dos governantes mongóis. A *manipuri*, popular principalmente nas montanhas de Assam, é uma dança de movimentos lentos, quase serpentinos. Tem origem no mundo mítico dos deuses; a *manipuri* era, segundo a lenda, a dança que as pastoras executavam ao som da flauta de Krishna.

O Natyasastra *de Bharata*

Tudo o que sabemos a respeito do teatro clássico da Índia é derivado de uma única obra fundamental: o *Natyasastra* de Bharata. Todas as trilhas do passado convergem para ele, e tudo o que vem depois é construído a partir dele. Estudiosos do sânscrito acreditam que o autor Bharata, figura meio legendária, meio histórica, viveu numa época entre 200 a.C. e 200 d.C. É característico da falta de senso histórico dos hindus que Bharata, um de seus maiores e mais influentes sábios, não possa ser datado. Sua relação mitológica com os deuses está fora de dúvida, mas, até agora, os eruditos podem apenas conjecturar sobre os fatos de sua vida. Os estudiosos hoje aceitam, de maneira geral, que Bharata tenha escrito numa época em que as formas primitivas de dança ritual, mimo e entretenimento popular começavam a amalgamar-se na nova forma de arte do drama. Bharata assentou a pedra fundamental da arte do teatro hindu; dispôs todas as suas regras artísticas, sua linguagem e suas técnicas.

Conforme a história por ele relatada no primeiro capítulo do *Natyasastra*, o drama deve a sua origem ao deus Brahma, o criador do universo. Bharata conta que um dia o deus Indra pediu a Brahma que inventasse uma forma de arte visível e audível e que pudesse ser compreendida por homens de qualquer condição ou posição social. Então, Brahma considerou o conteúdo dos quatro Vedas, os livros sagrados da sabedoria hindu, e tomou um componente de cada – a palavra falada do *Rig Veda*, o canto do *Sama Veda*, o mimo do *Yajur Veda*, e a emoção do *Atharva Veda*. Todos esses ele combinou num quinto Veda, o *Natya Veda*, que comunicou ao sábio humano, Bharata. E Bharata, para o bem de toda a humanidade, escreveu as regras divinas da arte da dramaturgia no *Natyasastra*, o manual da dança e do teatro.

De acordo com Bharata, o primeiro drama foi montado numa celebração celestial em honra do deus Indra. Quando a peça se aproximava de seu clímax, a vitória dos deuses sobre os demônios, espíritos do mal não convidados paralisaram subitamente os gestos, a mímica, o discurso e a memória dos artistas. Muito irritado, o deus Indra ergueu o mastro

4. Figuras da Kathakali ricamente vestidas (de K. Bharata Iyer, *Kathakali. A Dança Sagrada de Malabar*, Londres, 1955).

5. Dança de Krishna e das donzelas pastoras (*gopis*): um dos temas prediletos do Manipurî. No alto, à esquerda, dois músicos com máscaras de animais. Miniatura da segunda metade do século XVIII (Nova Delhi, Academia Lalit Kala).

incrustado de sua bandeira (*jarjara*) e atacou os demônios. Os atores voltaram novamente à vida. E o deus Brahma prometeu à sua arte validade eterna, que resistiria a qualquer rivalidade: "Porque não há saber, habilidade, ciência ou qualquer das belas-artes, nenhuma meditação religiosa e nenhuma ação sagrada que não possa ser encontrada no drama". Desde então, os atores hindus têm carregado o estandarte de Indra em suas bagagens como um talismã. Ele os tem acompanhado através dos tempos na forma de um modesto bastão de bambu decorado com fitas coloridas. Mas o deus Indra, o ousado domador de demônios e matador de dragões, foi reduzido a um sujeito corado e bem alimentado, o equivalente hindu ao *Orfeu no Inferno* de Offenbach.

A prevalência avassaladora atribuída à forma externa em todo o teatro do Extremo Oriente, à rigidamente definida arte expressiva do corpo humano, é amplamente documentada no *Natyasastra*. Dança e atuação teatral são conceitualmente uma só coisa. Bharata requer, tanto do dançarino quanto do ator, concentração extrema até as pontas dos dedos, de acordo com uma lista precisamente detalhada. Seu manual arrola 24 variantes de posições para os dedos, 13 movimentos de cabeça, sete das sobrancelhas, seis de nariz, seis das bochechas, nove do pescoço, sete do queixo, cinco do tórax e 36 dos olhos. Bharata não deixa lugar para a espontaneidade intuitiva nesta arte; suas regras assemelham-se a uma soma de valores matemáticos. Para os pés do ator, ele lista 16 posições sobre o solo e 16 no ar – e um sem-número de maneiras específicas de andar, destinadas a retratar vários tipos de personalidade: a passo largo, miudinho, coxeando, arrastando os pés. Uma cortesã caminha com passo ondulante, uma dama da corte com passinhos miúdos; um bobo caminha com os dedões dos pés apontados para cima, um cortesão com passos solenes, e um mendigo, arrastando os pés.

Aqui, a pena do teórico erudito Bharata foi claramente guiada pelo mimo postado por trás dele – anônimo e desconhecido, mas eternamente presente e seguro de sua arte da imitação sem a necessidade de dogmática erudita. O mimo, sempre e em qualquer lugar, aprendeu seus truques com a própria vida; utilizou-os sem adornos, sem sofisticação literária e, especialmente no Karagöz do Oriente Próximo, com deliciosa obscenidade.

O estrito código de gestos de Bharata é emparelhado por regras correspondentes para a linguagem – o sânscrito para as classes

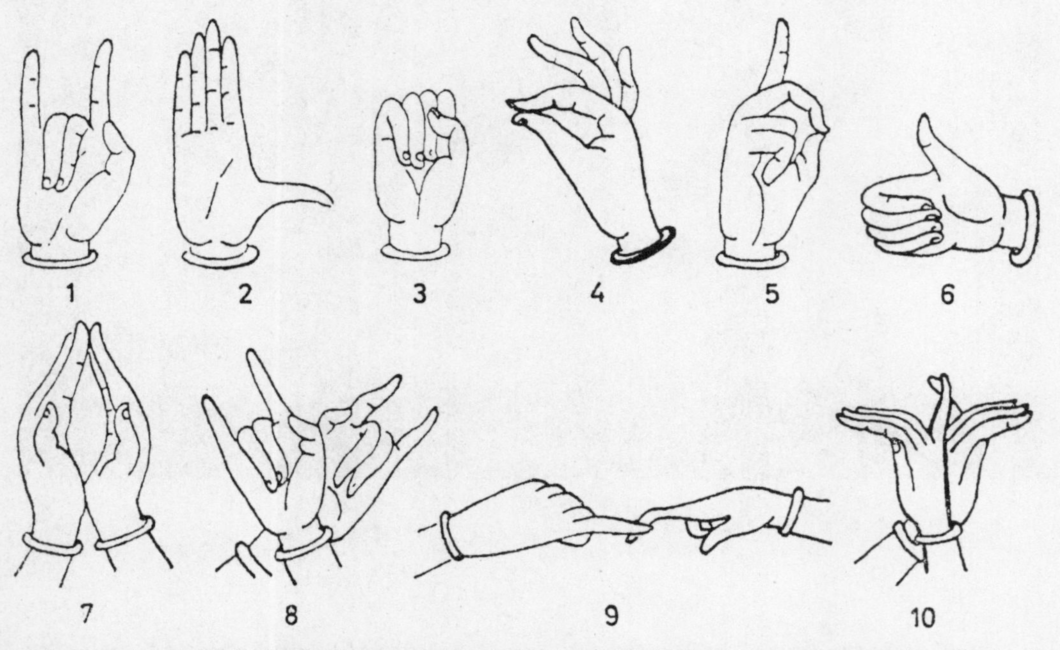

6. Linguagem dos dedos (*mudras*) da arte da dança e da interpretação hindus: 1. separação, morte; 2. meditação; 3. determinação; 4. alegria; 5. concentração; 6. rejeição; 7. veneração; 8. proposta; 9. irritação, aflição; 10. amor.

educadas, o prakrit para os incultos – pela definição dos vários papéis típicos, figurinos e máscaras, como também regras para a tonalidade da palavra falada e para o acompanhamento musical. Dessa forma, seu código culmina na classificação científica das espécies do drama.

No segundo e no terceiro capítulos do *Natyasastra*, Bharata discute os problemas da técnica do teatro. Ele levanta a questão dos edifícios teatrais, suas dimensões e organização. Bharata declara que, embora os espetáculos geralmente aconteçam nos templos e palácios, as seguintes regras deveriam, todavia, ser obedecidas ao projetar-se um teatro. Um terreno retangular deverá ser dividido em duas áreas: um auditório e um palco. Quatro colunas sustentarão as vigas do teto. O esquema das cores deve seguir estritamente o simbolismo tradicional: a coluna branca simboliza os brâmanes; a vermelha, o rei e a nobreza; a amarela, os cidadãos; as azuis-negras, a casta dos artesãos, ladrões e operários. (E estas são as mesmas cores do bastão de Indra.)

Na extremidade oriental do auditório em degraus senta-se o rei em seu trono, rodeado por ministros, poetas e sábios, com as damas da corte à sua esquerda. O palco, assim como todo o edifício, é ricamente decorado com entalhes de madeira e relevos de cerâmica. Uma cortina divide o palco em proscênio e bastidores. Os atores e dançarinos atuam no proscênio, enquanto seus camarins ocupam os bastidores, ocultos pela cortina divisória. As fontes de efeitos sonoros representando vozes divinas, o rumor de multidão e de batalhas, ficam também nos bastidores, invisíveis para o público.

Bharata chama a cortina divisória de *yavanika*, e este termo desencadeou uma torrente de teorias sobre a influência grega no teatro indiano. Filologicamente é tentador estabelecer uma conexão com a palavra *javanika*, que significa "grego" ou "dórico", mas com referência à cortina do palco, é puramente hipotético. Do ponto de vista da história da cultura, seria interessante investigar até que ponto os teatros gregos da Ásia Menor, como em Pérgamo, Priene ou Aspendus, foram usados por *troupes* não helênicas de atores e procurar possíveis influências dessa fonte na Índia.

A famosa caverna Sitabenga em Sirguja, na parte nordeste de Madhya Pradesh, sugere uma outra explicação para a cortina de Bharata; ela pode derivar de um outro tipo de arte teatral: o teatro de sombras. A caverna de Sitabenga tem seu lugar na história do teatro hindu. A hipótese de que ela era uma espécie de casa de espetáculos "em forma de uma caverna nas montanhas" parece ser amparada por passagens do *Natyasastra*. As dimensões internas da caverna são de aproximadamente 13 m x 3 m, com capacidade para mais ou menos trinta espectadores. Foram encontrados entalhes e ranhuras na entrada, que podem ter servido para prender uma cortina de pano. Isto significaria que a plateia – um pequeno número de iniciados, mais propriamente do que uma corte principesca, no entender de Bharata – sentava-se no interior da gruta apinhada de gente, enquanto o titereiro utilizava a luz do dia, lá fora, para projetar o mundo mitológico de seus bonecos recortados em couro. Entretanto, a caverna de Sirguja não era um teatro, de acordo com as prescrições de Bharata.

Embora o erudito tratado em verso de Bharata não se refira expressamente ao teatro de sombras, isto não impede que o conheça e utilize – dado que a importância desse teatro para toda a cultura do Extremo Oriente é um fato provado. É bastante concebível que tenha sido usado como um efeito cênico no teatro clássico hindu.

No século II, o gramático Patanjali, em seu comentário sobre Panini, fala de pessoas que davam recitais de histórias diante de figuras pintadas que "mostravam os fatos". Presumivelmente estava se referindo ao tipo de teatro de sombras que se tornou característico do Sião, Java, Bali e da China. Num comentário posterior sobre o termo utilizado por Patanjali para designar o ator, o escritor Somadevasuri explica, no século X, em seu *Nitivakyamrta*, que o *saubhika* era um homem que "à noite tornava visíveis vários personagens com a ajuda de uma cortina de pano". A começar da segunda metade do primeiro milênio, encontramos também o termo *chayanataka* para o teatro de sombras; ele aparece primeiro no século VII num poema didático *saki*, provavelmente baseado em fontes antigas.

Qual surgiu primeiro, o teatro de sombras indiano ou o chinês? Essa é ainda uma questão controvertida, na medida em que existem tão poucas fontes. A reivindicação da primazia hindu é sustentada pela evidência de um teatro de sombras já na caverna de Sitabenga e pelo fato de que a influência cultural do teatro de sombras espalhou-se através do Extremo Oriente. É muito possível que ela tenha seguido o avanço do budismo através da Ásia Central, ou da Indochina para a China. O Império Central chinês, por outro lado, reivindica, numa de suas mais belas e melancólicas lendas, que a conjuração dos espíritos sobre a tela de linho seja sua invenção particular.

O Drama Clássico

O drama clássico indiano engloba toda a extensão da vida, na terra como no céu. Conforme disse certa vez o poeta do século V, Kalidasa, ele "satisfaz simultaneamente as mais diversas pessoas com os mais diversos gostos".

A linhagem espiritual do drama clássico hindu pode ser traçada nos diálogos do *Rig Veda*, expressos em forma de baladas, que eram recitados antifonicamente nos ritos sacrificiais sagrados. Seu conteúdo dramático – o amor do rei humano Pururavas pela ninfa celestial Urvasi, e o conflito com seus oponentes, os poderes obscuros e míticos, forneceram material infinito para o tratamento teatral, e na verdade para a grande ópera. Os diálogos do *Rig Veda*, embora eles próprios não consistissem ainda num drama, tornaram-se os mais populares temas de todo o drama indiano e por ele influenciado. Na forma transmitida a nós, representam um estágio altamente desenvolvido de sofisticada poesia, mas não textos cerimoniais visando a efeitos teatrais.

Partindo da recitação épica na época dos Vedas, dos primeiros manipuladores de bonecos ou sombras, aos quais eram creditados poderes mágicos, e dos mimos, que forneciam um elemento vivificante, um longo caminho teve de ser percorrido até o drama feito para ser encenado.

O bufão Vidusaka já pregava suas peças entre os atores itinerantes. Com sua grande barriga e cabeça careca, ele é um parente do mimo grego – de bom coração, mas se fazendo de bobo –, um arlequim indiano que gosta de conforto e come muito, com óbvio prazer. Em obras dramáticas posteriores, ele se transforma num serviçal obsequioso e amigo fiel, que aplica a dose certa de descaramento e senso prático ao retirar seu amo de enrascadas, todas as vezes em que possa tirar da situação alguma vantagem para si.

O drama clássico indiano traz Vidusaka para a ação. Ele já não é mais um simples palhaço improvisador, mas um personagem na peça, e, como tal, é definido pelo autor com precisão. Primeiramente ele sobe ao palco na cena introdutória, a tradicional *purvaranga*. Participa da subsequente conversa entre três personagens (*trigata*), ao lado do empresário e de seu primeiro assistente. (O empresário, que é também o produtor, diretor e ator principal, é chamado *sutradhara*, que significa, literalmente, "o que segura as cordas". É tentador traçar aqui, também, uma ligação anterior com o teatro de bonecos ou sombras.)

O drama clássico da Índia é contemplativo. O autor situa suas personagens numa atmosfera de emoção, não na arena das paixões como o fazem, digamos, Eurípedes ou Racine. O dramaturgo indiano não impele os conflitos espirituais até o ponto da autodestruição, nem é seu objetivo a catarse, no sentido aristotélico. Ele está preocupado com o refinamento estilizado dos sentimentos, com a estética do sofrimento. Neste plano, são postos em jogo os dois aspectos da poesia indiana antiga: *rasa*, a disposição ou atmosfera que a obra, enquanto prazer estético puro, despertará no espectador; e *bhava*, o estado afetivo e emoção – seja simpatia ou antipatia – criados e transmitidos pelo ator competente. Encontramos uma definição similar na obra de Zeami, o grande dramaturgo, ator e teórico do teatro *nô* japonês do século XV. Zeami define *yugen*, um conceito derivado da doutrina budista, como o poder secreto que faz nascer a beleza, a beleza da felicidade como também a beleza do desespero.

Tanto na Índia como no Japão, a arte do ator culmina na perfeição da dança. No *Natyasastra* de Bharata, o conceito de *nataka* (representação pela dança) pertence igualmente ao drama literário.

7. Palco de teatro hindu para o drama clássico, de acordo com o *Natyasastra* de Bharata.

Na cena de introdução (*purvaranga*), que com sua solenidade religiosa remonta às origens rituais, o diretor volta ao passado, ao mundo do mito, quando, seguido por dois companheiros carregando um cântaro d'água e o bastão de Indra, faz sua entrada no palco e nele esparrama flores, crava o bastão num dos lados e lava a si mesmo com a água do cântaro.

No triálogo que se segue, Vidusaka pula sobre o palco. Lembra o diretor e seu assistente de que a loucura deve ter seu lugar na vida e também no palco, que tenciona ser o espelho da vida.

À cena introdutória e ao triálogo segue-se a ação, que é entremeada com cenas da vida comum ou da corte contemporâneas à época do autor (*prakarana*), retratando as atividades dos brâmanes, mercadores, oficiais da corte, sacerdotes, ministros ou donos de caravanas num enredo livremente imaginado. Aqui também Vidusaka faz sua aparição – nos trajes de um brâmane que, entretanto, não fala o sânscrito literário como deveria, mas o prakrit vernacular. Ele decai de sua alta posição e torna-se um parasita miserável e maltratado, e é o alvo de ironias e alusões. À medida que o papel espiritual dos brâmanes se deteriorava e decaía na convenção, eles tiveram de suportar muita zombaria. Mas, para Vidusaka, o papel de um surrado brâmane lhe dava pretexto para palhaçadas numa paródia de autocompaixão.

O teatro clássico indiano deriva seus efeitos realistas das variações do discurso, como, por exemplo, entre o nobre e o vulgar, o sânscrito e o prakrit, pessoas de posição e membros das castas mais baixas. Mas este é um realismo altamente estilizado. A vida real reflete-se apenas no modelo, não na sua aplicação no palco.

Os fragmentos mais antigos do drama sânscrito hindu foram encontrados no Turquestão. Foram escritos pelo grande poeta budista Asvaghosha (por volta do ano 100), autor também do famoso poema épico *Budhacarita*, que é a história da vida de Buda. As rubricas de Asvaghosa são características da abordagem mais liberal da primeira forma do budismo mahayana. Na verdade, ele põe no palco o próprio Buda, "rodeado por um radiante círculo de luz", e num dos fragmentos que chegaram até nós, até mesmo dá falas a ele – naturalmente, em sânscrito. Este tipo de personificação teria sido inconcebível num período mais primitivo do budismo. Nos primeiros séculos das artes plásticas indianas, um único símbolo – a Roda da Lei ou a Árvore da Iluminação – indicava a presença do Buda.

O recurso do teatro de sombras vem à lembrança quando consideramos as obras de Bhasa, que provavelmente datam do século II ao III. Em duas de suas peças, *Dutavakya* e *Balacarita*, o autor exige que as armas milagrosas de Vishnu, sua montaria e mesmo o mitológico pássaro gigante Garuda apareçam na peça como atores com falas. Sob as proibições religiosas da Índia, como isso teria a possibilidade de ser feito, a não ser por cima da cortina de pano? É tentador pensar nas aparições do teatro de sombras.

O drama mais famoso de Bhasa é *Charudata*, uma peça cuja ambientação poderíamos chamar de burguesa. Ela nos conta sobre Carudata, um mercador empobrecido por causa da própria generosidade e de seu amor pela nobre cortesã Vasantasena. Os dois personagens voltam a aparecer na mais bem conheci-

8. Cena de *Shakuntala*, de Kalidasa: o primeiro encontro entre o rei Dushyanta e Shakuntala. Miniatura de um manuscrito hindi, 1789 (Nova Delhi, Museu Nacional).

9. Estatueta de barro representando um dançarino Tscham: Hoshang, o Buda barrigudo, era uma figura cômica favorita do drama-dança tibetano. Segundo a lenda, Hoshang, com suas doutrinas heréticas, comprometia a obra de conversão, mas foi banido após ser derrotado na disputa religiosa (Viena, Museum für Völkerkunde).

da, *A Carrocinha de Terracota,* peça posterior baseada no mesmo tema. Seu manuscrito foi encontrado em Travancore, um lugarejo perdido no sudoeste da Índia. Com suas gradações efetivas de sânscrito e de prakrit, sua cuidadosa caracterização e exuberância emocional – Vasantasena empilha todas as suas joias na carrocinha de brinquedo do filhinho de Carudata –, o drama oferece um retrato colorido da vida e dos costumes do passado da Índia. A peça é atribuída ao rei Sudraka, que reinou no terceiro e quarto séculos. Se a suposição for correta, *A Carrocinha de Terracota* poderia dar testemunho não apenas do gênio de seu autor, mas também da alta qualidade da arte dramática na corte real – não importando se foi escrita pelo próprio rei ou se foi meramente dedicada a ele.

Kalidasa, o mais bem conhecido dramaturgo indiano e autor de *Shakuntala*, foi também um poeta da corte. Viveu no século V, na época da dinastia Gupta. Suas peças voltam aos mitos sagrados; contam sobre poderes misteriosos, sobre como Urvasi é libertado pelo valor heroico e como Shakuntala é salva, reconhecida por causa de um anel. Mas, essencialmente, Kalidasa concebe as personagens das lendas védicas em termos da própria maneira de viver da corte de sua época. Shakuntala é apresentada como uma dama refinada e aristocrática, mais do que uma desinibida filha da natureza; a legendária companheira das gazelas e irmã vigilante das árvores e flores torna-se a criatura sensível de uma "naturalidade artificial", assemelhando-se às personagens das peças pastorais da Europa do século XIX.

A entusiástica resposta despertada pela lírica história de amor de Kalidasa em Herder, Goethe e nos românticos é explicada pela suposta inocência e ingenuidade da vida eremítica, uma inocência que, segundo julgavam, Shakuntala encarnava – um estado ideal há muito tempo perdido para a Europa, e que Herder supunha sobreviver apenas no Oriente. Os românticos saudavam Kalidasa como seu irmão espiritual, que "graciosamente adornara a verdade com o véu mágico da poesia". Herder comparava o estilo dramático de Kalidasa com as regras aristotélicas. Goethe louvou a pastora indiana num enlevado dístico em *Der Westöstliche Divan*: "O céu e a terra reunidos numa única palavra: pensai no nome de Shakuntala; nada mais há a dizer".

Quando, por volta do final do século XIX, os simbolistas retiraram-se para os seus bosques simbólicos, quando Maeterlinck escreveu seu drama de amor lírico *Pelléas et Mélisande*, *Shakuntala* fez um breve retorno ao palco ocidental. A peça de Kalidasa foi produzida em Berlim, Paris e Nova York. Porém, ao lado da poesia simbolista, ela logo desapareceu mais uma vez no tesouro da literatura de todos os tempos.

Não sabemos com que recursos externos e com que meios teatrais os dramas de Kalidasa foram montados na Índia na época em que viveu. A intensa imagem poética do diálogo sugere um cenário apoiado principalmente na palavra falada, no qual, como no drama inglês elisabetano ou no drama clássico espanhol, era a palavra que criava o cenário. O texto dramático em si prescreve os adereços a serem utilizados, como o manto que Shakuntala deve vestir apressadamente, persuadida por suas duas companheiras de que é hora de partir: "Cubra-se agora com o manto, Shakuntala, pois estamos prontas". A mesma enunciação plástica é usada por Shakespeare, quando Cleópatra, na sua grande cena de morte, diz: "Dai-me meu manto, colocai minha coroa; sinto em mim desejos de imortalidade".

Em *Shakuntala*, são sugeridas também aparições de teatro de sombras, como por exemplo no quarto ato, quando a ninfa Sanumati surge numa carruagem de nuvens. Embora o diretor deva ter confiado bastante na imaginação da plateia, talvez tenha também utilizado recursos visuais. Tais interlúdios, provavelmente, não eram incomuns. A peça dentro da peça era muito popular no drama clássico, e não raro com a presença do próprio autor. Na peça *Priyadarsika*, por exemplo, este é um tema central. Esta peça é atribuída ao imperador Harsha, que na primeira metade do século VII proporcionou ao Império hindu unificado um breve período de glória.

Os diretores teatrais hindus eram muito conscienciosos na montagem de suas peças, conforme podemos deduzir de um fragmento de cálculos referentes à produção de *Ratnavali,* outra peça de Harsha. Estes cálculos datam do reinado de Jayapida de Kashmir, no século VIII. Suas estimativas de custos para uma montagem de *Ratnavali* listam todos os itens necessários para executar as indicações cênicas do autor.

Nos monastérios budistas do Tibete, o drama clássico indiano evoluiu em peças didáticas, transmitindo lições de moral. Ao lado dos bardos xamânicos, que glorificavam os grandes feitos de Kesar, o herói de um poema épico tibetano, encontramos os dramas tibetanos seguindo de perto o modelo indiano. O drama *Zugiñima* serve de exemplo. Ele transmite a história da rainha *Zugiñima*, que é expulsa do palácio por causa de falsas acusações e entregue nas mãos de seus executores. No final, ela é salva, mediante sua fé, dos tormentos da alma e do corpo. *Zugiñima* reflete a influência dos missionários budistas no Tibet. O drama foi escrito no século XI, mas suas raízes parecem estender-se a *Shakuntala*. Tradições e temas do teatro indiano, há muito enfraquecidos e ultrapassados na própria Índia, sobreviveram no Tibete, onde dramas como *Zugiñima* foram montados em Lhasa até no século XX.

Por volta do ano 700, o dramaturgo indiano Bhavabhuti ressuscitou as velhas lendas de Rama e levou-as a uma nova glória. A riqueza e intensidade de seu espectro de caracterização, "até os derradeiros limites do amor", o colocam ao lado de Kalidasa, a quem na verdade ultrapassa em espontaneidade emocional, mesmo que não consiga competir com as suas sublimes elocuções. Bhavabhuti põe a força do destino à frente da graça expressiva. A julgar pelo cerimonial de suas cenas de introdução, os dramas de Bhavabhuti foram concebidos para espetáculos em dias de festas religiosas específicas.

Brâmane de uma família ortodoxa, Bhavabhuti eliminou o bufão de suas peças. Porém, no final, seu zelo reformador foi reduzido a nada, porque, nesse ínterim, Vidusaka tomara relevo independente. Em *Bhana*, um monólogo humorístico de um ato, especialmente popular no sul da Índia, ele aparece no palco como ator solo. Encontrou um segundo campo de ação nos *vithis* (de *vita*, "homem do mundo"), que eram um tipo de cabaré para um ator só, tratando de indiscrições entre cortesãos e cortesãs, de brigas de galo e do mais eterno dos vícios, o amor venal. Vidusaka assumiu a natureza de seu irmão turco, Karagöz, nada lhe ficando a dever em matéria de *double entendre*.

A farsa e o burlesco (*prahasana*) também ocuparam um espaço próprio no palco indiano. Provavelmente desenvolveram-se bastante cedo, ao lado do drama clássico. Enquanto em *Carudata* e *A Carrocinha de Terracota* os brâmanes recebiam um bom quinhão de zombarias, os autores de farsas satirizavam o fingimento dos ascetas sivaítas e budistas, que dissimulavam sua vida dissolvida sob um manto de piedade. A mais antiga obra deste tipo que se conhece é *Matavilasa-prahasana*, atribuída ao rei Mahendra-Vikramavarman, do século VII. Com sátira grotesca e cortante, ela ataca os excessos do falso ascetismo e mostra, como promete o título, "as brincadeiras dos bêbados". Algumas outras farsas sobreviveram do período entre o século XII e o XVI; satirizam os comportamentos dos bordéis, os casos entre os ascetas e seus discípulos e o sectarismo das cortes principescas. Os dramas posteriores em sânscrito, entretanto, foram exercícios acadêmicos de estilo, pálidos e sem vida, sem relação com o palco e sem qualquer mérito literário, com valor apenas para os filólogos.

Foi somente no início do século XX, graças a Rabindranath Tagore, que o drama indiano ganhou mais uma vez renome mundial. O poeta Tagore foi também um vigoroso dramaturgo, ator e produtor. Ele provocou, tanto na antiga tradição sânscrita quanto no moderno drama ideológico, o desenvolvimento de um estilo indiano novo e específico, que pode ser descrito como de enredo tecido livremente, carregado de simbolismo e expresso numa linguagem lírica e romântica. Ele reviveu o papel do rapsodo, que comenta a ação representada na pantomima. A obra de Tagore convida à comparação com o teatro épico de Bertolt Brecht e Thornton Wilder. As personagens de Tagore são sempre vagas e irreais, criaturas de uma região intermediária entre a fantasia e a realidade, tornadas ainda mais intangíveis por suas melancólicas canções. Suas peças, ele uma vez disse, podem ser compreendidas somente se as ouvirmos como se ouviria a música de uma flauta.

Não necessitam de nenhum aparato externo, raramente de um acessório, e de um cenário mínimo. Como barqueiros de um outro

10. A grande carruagem de Mahendranath na procissão do festival religioso teatral em Katmandu, 1953 (De Toni Hagen, *Nepal – Königreich im Himalaia*, 1960. Cortesia dos editores, Kümmerly e Frey, Berna).

mundo, apelam à imaginação da plateia, que tanto pode ser o público da Bengala natal de Tagore quanto a audiência europeia do Festival Internacional de Teatro de Nova Delhi. No início de sua peça *O Ciclo da Primavera*, Tagore diz, com poética autossuficiência: "Não necessitamos de cenário. O único pano de fundo do qual precisamos é o da imaginação, sobre o qual pintaremos um quadro com o pincel da música".

INDONÉSIA

Quando o hinduísmo, vindo da Índia na esteira dos marinheiros, mercadores e sacerdotes indianos, estendeu seu domínio sobre os impérios das ilhas da Indonésia, desenvolveu-se em Java a mais bela e famosa das formas teatrais do sudeste da Ásia, o teatro de sombra ou *wayang*. Até hoje, suas quatro variantes características podem ser encontradas por todas as ilhas. Seus graciosos atores – as figuras planas, recortadas em couro transparente, e os bonecos esculpidos em madeira, em relevo inteiro ou semirrelevo, com seus olhos estreitos e enigmáticos – são hoje altamente valorizados pelos curadores de museus e colecionadores particulares.

As origens do *wayang* sem dúvida remontam à época pré-hindu dos cultos ancestrais javaneses. Algumas regras cerimoniais, como a exclusão inicial de mulheres da plateia e, mais tarde e com frequência ainda hoje, sua separação dos espectadores masculinos, sugerem uma estreita conexão com os ritos de iniciação – conexão que, incidentalmente, existe também no teatro de sombras turco. O *wayang* adquiriu seus aspectos característicos durante o período áureo da civilização indiano-javanesa. Absorveu os velhos mitos védicos dos deuses, o *Ramayana* e o *Mahabharata*, e absorveu a riqueza das personagens desses dois grandes épicos indianos e seus conflitos na guerra e na paz. O *wayang* é tão rico em representação descritiva quanto o são as figuras nas frisas dos templos hindus-javaneses, os relevos nas paredes e pórticos de Prambanan, Lara Jang-grang, Borobodur ou Panataran.

O termo *wayang purwa* testemunha a grande época do teatro. *Wayang* quer dizer sombra (e, mais tarde, também espetáculo, num sentido mais amplo); *purba*, ou *purwa*, significa antigo, pertencente a uma antiguidade remota. O *wayang purwa* nunca se tornou mero entretenimento profano; até hoje não perdeu sua função mágica de mediador entre o homem e o mundo metafísico.

Nos primórdios do século XI, a literatura javanesa menciona pela primeira vez o *wayang purwa* como uma forma de arte muito difundida. Por volta da metade do século XI, era popular nas cortes de Kediri, Shingasari e Majapahit. Após as convulsões políticas dos séculos XV e XVI, encontrou um novo lar no famoso Kraton, o palácio em Mataram, que se transformou no centro cultural da ilha de Java.

Os primeiros registros das figuras indonésias *wayang* feitas de couro datam do período do sultão Demak (cerca de 1430). Aqui, também, se encontra a origem do termo *wayang kulit* (*kulit* quer dizer couro). As figuras habilmente cortadas e perfuradas são geralmente feitas de couro de búfalo. O rosto é sempre mostrado de perfil, o corpo geralmente em posição meio frontal; os pés apontam para os lados, seguindo a direção do rosto. A figura é firmemente montada sobre varetas feitas de chifre de búfalo; seus ombros e cotovelos são móveis e podem ser guiados com a ajuda de duas varetas finas. Desde épocas remotas, o contorno e o desenho das figuras *wayang* têm sido rigidamente codificados. Cada linha, cada traço decorativo, cada característica do corpo, cada variação ornamental possui seu significado definido, simbólico. Na verdade, o bonequeiro precisa ser tanto o mestre das regras iconográficas quanto do estilete e do cinzel que utiliza para confeccioná-los. Em primeiro lugar, sua personagem deve conformar-se às especificações iconográficas. Então, com o estilete e o cinzel, o bonequeiro produz a delicada treliça dos figurinos e toucados, o capacete ou a coroa. A beleza estranha e sobrenatural das figuras é encarecida pelo uso ornamental de folhas de ouro, turquesa brilhante, vermelho profundo e preto.

O *wayang kulit* é em geral encenado à noite (exceto na *ngruwat lakon*, uma cerimônia especial que simboliza o exorcismo dos demônios). É projetado numa tela feita de linhaço estendida sobre uma moldura de ma-

11. Cabeças de terracota da comédia hindu: tipos feminino e masculino, como era costume na Bhana, uma peça em um ato em estilo satírico e cabaretístico, século XIX (Poona, Museu Arqueológico do Deccan College).

deira e iluminada pelo lume brando de uma lâmpada a óleo. A peça é apresentada pelo *dalang* (narrador), que habilmente traz à vida seu numeroso elenco.

Numa caixa à sua esquerda, os representantes do mal aguardam a deixa para entrar: os demônios, traidores, espiões e animais selvagens e, em outra caixa à sua direita, rainhas e damas da nobreza, os fiéis ajudantes e irmãos de armas dos heróis esperam a sua vez de entrar. Há os cinco Pandavas, os belicosos herdeiros do reino de Astinapura; seu bem-intencionado conselheiro Kresna e o tirânico Werkudara, com seu característico polegar em garra; há Arjuna, o belo filho do rei, e seu herdeiro Abimanyu, ambos com predileção por andar à procura de esposa e com frequência acompanhados pelo velho e gordo Semar e seus filhos, os bufões do *wayang kulit*. Mas temos também o filho bastardo do rei Pandu, Adipati Karna, e o perigoso maquinador, o primeiro-ministro Patih Sengkuni, os dois aguardando o momento da vingança.

De que forma o *dalang* consegue movimentar essa grande quantidade de figuras com apenas duas mãos é seu segredo. Além do mais, ele também rege os músicos, dando-lhes as deixas tamborilando-as com uma espécie de martelinho feito de madeira ou chifre. Se for preciso, o próprio *dalang* pode acompanhar sua narrativa com efeitos sonoros produzidos com a ajuda de pequenos discos de madeira ou metal e presos às caixas onde ele guarda seus bonecos. Se suas mãos não estiverem livres, ele bate nos discos com os pés.

A ação da peça é determinada pelo *lakon*, uma espécie de exposição dos fatos, que estabelece um enredo específico, baseado em modelos tradicionais de natureza estrutural. Após a música *gamelan* introdutória, o *dalang* profere o tradicional encantamento: "Silêncio e fora, seres diabólicos – *suruh rep data pitana!*"

Antes do início da peça, o *dalang* apresenta uma descrição detalhada do lugar e das personagens, e introduz a ação da peça como tal; as fases sucessivas durarão a noite toda. Das nove até a meia-noite o enredo se configura; da meia-noite às três da manhã ele se intensifica; entre três e seis horas da madrugada é resolvido. A peça termina ao amanhecer.

Geralmente, um espetáculo *wayang* é devotado a um *lakon* do ciclo completo da lenda. Às vezes, contudo, em grandes festivais que duram muitos dias, todo um ciclo é executado. Porém, o público javanês está tão familiarizado com as personagens e episódios do *Ramayana* e do *Mahabharata*, que uma parte pode facilmente tomar o lugar do todo.

A tarefa de ator, narrador e comentarista do *dalang* exige o mais alto grau de concentração. Por horas a fio, ele permanece devotadamente absorto na proposta e na atmosfera

12. Os bufões do teatro *wayang* de Java. Da esquerda para a direita: Semar, Gareng, Petruk e Bagong. R. L. Mellema, *Títeres Wayang*, Amsterdã, 1954.

da peça. A habilidade técnica necessária requer muitos anos de treinamento. O *dalang* deve trazer à vida dúzias de figuras diferentes, cada uma individualmente caracterizada em cadência e entonação. Na peça sobre a lenda *Bharatayuddha* dos pândavas e káuravas, por exemplo, temos trinta e sete papéis principais, sem mencionar as figuras secundárias, os animais e o *gunungan*, a foliforme árvore do paraíso ou (em Bali) em forma de guarda-chuva. Uma velha norma diz que as maiores possibilidades de êxito do *dalang* dar-se-ão se usar exatamente 144 figuras em suas montagens; este número é considerado pelos místicos javaneses como correspondente aos 144 caracteres e paixões humanos.

As peças *wayang* são apresentadas nos palácios dos nobres javaneses. Entre o pórtico frontal e os aposentos internos corre uma passagem coberta (*peringgitan*, lugar de sombra), e é neste espaço que armam, para o jogo de teatro de sombra, a sua tela, envolta por uma moldura amiúde ricamente adornada e habilidosamente entalhada. Como o *wayang* tradicionalmente tem sido sempre uma atividade masculina, os homens ainda sentam-se do lado "bom" da tela – ou seja, atrás do *dalang,* de modo que possam ver os próprios bonecos. O lado do jogo das sombras é considerado como de segunda ordem e, pela tradição, por toda Java, onde se sentam as mulheres.

Em Bali, o protocolo artístico do teatro *wayang*, e talvez ainda mais o social, é menos estrito. O *dalang* arma sua tela ao ar livre, e a plateia senta-se informalmente no chão. Todavia, é em Bali que o caráter ritual permaneceu mais forte. Bali, a "Ilha dos Mil Templos", manteve-se mais fiel ao hinduísmo que Java, onde o Islã ganhou terreno quando invadiu a ilha, avançando a partir de Sumatra durante o século XV. Até hoje, os *dalang* de Bali apresentam-se nos recintos do templo, e especialmente na entrada do primeiro pátio do templo, o assim chamado *tjandi-bentar*, ou "portão dividido". (No primeiro desses três pátios, ocorrem as popularíssimas brigas de galo de Bali.)

Outras formas do teatro *wayang* desenvolveram-se posteriormente, ao lado do *wayang kulit*. Uma subespécie, o *wayang gedok*, também lançou mão dos costumeiros bonecos de couro, mas é mais recente do que o *wayang kulit* e originou-se, segundo se crê, na época da invasão de Java pelo Islã. Seus temas baseiam-se naquele período, e sua origem é atribuída ao santo muçulmano Sunan ing Giri.

A forma *wayang* mais habitual hoje, e muito difundida, especialmente no centro e no oeste de Java, é o *wayang golek* (*golek* quer dizer redondo, plástico), com seus bonecos tridimensionais habilmente esculpidos em madeira e ricamente pintados. Seu repertório deriva principalmente da história do príncipe Menak, um precursor do profeta Maomé. Os vitoriosos exércitos de Menak prepararam o mundo para o advento do Profeta, de acordo com a lenda que remonta a fontes persas mas que, estranhamente, nunca se constituiu num tema para o drama na Pérsia. Na sua forma xiita na Pérsia, o Islã glorifica não os triunfos dos que vieram antes do Profeta, mas o martírio de seus sucessores, dramaticamente reencenados a cada ano como um testemunho renovado de fé.

Os bonecos do *wayang golek* são esculpidos com o tronco curto e vestidos suntuosamente, ricamente bordados ou adornados com ornamentos de *batik*. Os figurinos escondem com habilidade a mão com a qual o titereiro segura seus bonecos. Os braços são articulados nos ombros e cotovelos e, como todos os bonecos *wayang*, são movimentados por meio de finas varetas de madeira. Em 1931, a graça misteriosa das bonecas *wayang golek* inspiraram o titereiro vienense R. Teschner a constituir seu *Figurenspiegel Theater*, que trouxe o *wayang golek* e os conceitos do teatro de sombras da Indonésia a entusiastas do teatro de bonecos de toda a Europa.

Ainda outra forma de *wayang* é o *wayang kruchil* ou *klittik* (*kerutjil*, *klitik* significa pequeno, delgado). Suas figuras são também feitas de madeira, porém mais planas e equipadas com braços de couro. Tira seus temas do período entre o declínio de Majapahit (1520) e a ascensão do império islâmico de Demak. Hoje está quase extinto. Apenas seu nome, *wayang bèbèr*, sobreviveu. Fazia uso de um grande rolo de papel fibroso ou tecido de algodão, onde os personagens eram pintados. O *dalang* movimentava o rolo pela tela pintada, da mesma forma que um filme. O Museu

13. Boneca do *wayang golek* do teatro de sombras da Indonésia. Java, final do século XIX (Munique, Stadtumuseum, Coleção de Teatro de Bonecos).

14. O deus Indra. Boneco do teatro de sombras javanês feito de pergaminho pintado, com três varetas para manipulação (Offenbach am Main, Deutsches Ledermuseum).

15. Máscara de demônio para a dança *barong* indonésia. O *barong*, um animal mítico, é carregado por dois dançarinos. A máscara é esculpida em madeira e decorada com elementos ornamentais feitos de pergaminho de búfalo dourado. Da ilha de Bali (Offenbach am Main, Deutsches Ledermuseum).

16. Friso em relevo com ninfas dançantes (*Apsaras*), no templo-monastério de Preahkhan no Camboja. Construída por Jayavarman VII, o último dos grandes reis Khmer, *c*. 1190.

Etnológico de Leiden e o Museu Pahemon Radyapustaka de Surakarta possuem cada qual um bem-conservado rolo pintado *wayang bèbèr*.

Hoje, nas cidades da Indonésia, o teatro *wayang* é tão comercializado quanto as danças indígenas, as danças com máscaras do *wayang topeng*, a famosa Dança das Ninfas (*bedaja*), a *kiprah*, dança acrobática de solo, ou a *djaranképang*, dançada em pares com bambus entrelaçados representando cavalos – e todas as numerosas formas de *wayang wong* (*wong* quer dizer humano), o teatro do humano.

A música *gamelan* é um ingrediente essencial em todos os espetáculos *wayang* da Indonésia. A orquestra consiste predominantemente em instrumentos de percussão (*gamel* é a palavra para martelo), gongos, tambores e xilofone, com alguns poucos instrumentos de corda e sopro. O sistema de escalas *gamelan* é construído sobre intervalos; suas melodias baseiam-se tanto na escala de cinco notas (*slendro*) quanto na de sete (*pelog*), que recordam os tons maiores e menores da música ocidental. Pode ser considerada uma regra prática que a *slendro gamelan* esteja geralmente associada com o *wayang purwa* e a *pelog gamelan*, com seu tom menor, *wayang gedok*.

Uma orquestra *gamelan* também acompanha as danças cerimoniais apresentadas na corte. Estas danças da corte, que são introduzidas pelo *dalang* com recitações e acompanhadas tanto pela orquestra *gamelan* quanto por coros de homens e mulheres, atingiram seu maior desenvolvimento nas cortes de Java central.

Essas danças cerimoniais eram estritamente reservadas para apresentações na corte. Ainda no século XIX bastante adentrado a dança *bedaja*, com seu acompanhamento de canções melancólicas, só podia ser dançada nas cortes dos sultões de Java, diante de um público seleto. Ela é executada por um grupo de nove moças muito jovens envergando preciosos mantos tecidos com relevos dourados e movendo-se com a graça perfeita da tradição da dança oriental. Cada gesto possui um significado ritual, mágico, de acordo com o *mudras* hindu. Hoje a *bedaja* é dançada na cerimônia que celebra o Garabeg, um festival muçulmano de sacrifício.

Pode-se julgar quão fortemente os indonésios ainda respondem ao encanto mágico do teatro *wayang* por um poema escrito na década de 20 pelo escritor javanês Noto Suroto:

> Senhor, deixai-me ser um *wayang* em vossas mãos. Posso ser um herói ou um demônio, um rei ou um homem humilde, uma árvore, uma planta, um animal... mas deixai-me ser um *wayang* em vossas mãos... Ainda não lutei minha batalha até o fim, e logo vós me levareis: eu poderei descansar com os outros cuja peça esteja acabada. Estarei na escuridão com as miríades... E então, após centenas ou milhares de anos, vossa mão mais uma vez me concederá o dom da vida e do movimento... e eu, novamente, poderei falar e lutar a boa luta.

China

Introdução

Cinco mil anos de história medeiam nosso tempo e as fontes do teatro chinês. Impérios e dinastias vieram e se foram desde os dias primitivos das danças rituais da fertilidade e dos exorcismos xamânicos dos espíritos do mal, desde os primórdios da pantomima da corte e dos trocadilhos dos bufões. Milênios, impérios e dinastias inteiros separam os dias do primeiro conservatório imperial de música daqueles que testemunharam, eventualmente, a legitimação do drama chinês. Esse amadurecimento foi levado a cabo pelo colapso do sólido edifício do poder de um império, à sombra de Gêngis Khan.

A mola propulsora íntima desse drama foi o protesto, a rebelião camuflada contra o domínio mongólico. Assim, nos séculos XIII e XIV, o drama chinês celebrou seus triunfos não no palco, mas nas colunas dos livros impressos. Os dramaturgos eram eruditos, médicos, literatos, cujos discípulos se reuniam em torno do mestre ao abrigo das salas particulares de recitais. Sua mensagem sediciosa era passada de mão em mão em livros de impressão artesanal, elegantemente encadernados.

O aplauso do povo, entrementes, pertencia aos malabaristas, acrobatas e mimos. Pelo precário balanço dos funambulistas, equilibristas e prestidigitadores a herança teatral chinesa atravessou os milênios. Ainda hoje, na Ópera de Pequim, numa das mais altamente consumadas formas de teatro do mundo, a arte dos acrobatas possui seu lugar de honra. No teatro chinês, a acrobacia, em sua nobre tradição, classifica-se como par da música.

A lógica matemática de notas musicais representa a ordem do mundo, as leis que governam o curso das estrelas e da vida na terra. A interação entre costume e música culmina na forte tradição cerimonial sobre a qual o poder e a autoridade absoluta do maior Estado do mundo foram erigidos durante milhares de anos. Exatamente da mesma forma como as pessoas comuns estavam sujeitas aos senhores feudais e os senhores feudais ao imperador, também o imperador, por sua vez, estava sujeito ao Senhor do Céu, a quem adorava em sua condição de Filho do Céu. Essa adoração expressava-se nas pantomimas sacras e nos ritos sacrificiais, bem como nos sons da música radicada nos poderes cósmicos, música que, mediante suas leis, atrelava o sobrenatural a um dever neste mundo. “Quem quer que entenda o significado dos grandes sacrifícios”, disse uma vez Confúcio, “compreenderá a ordem do mundo como se o estivesse segurando na palma da mão”.

A consequência dessa ordem do universo é que a virtude é recompensada e o mal, punido. A arte e a vida movem-se dentro desses dois postulados. Seus fundamentos religiosos sempre estiveram ligados ao culto dos ancestrais e dos heróis – não obstante a intervenção do misticismo taoísta da natureza de Lao-Tsé, a filosofia moral de Confúcio, o advento do budismo e do cristianismo nestoriano.

O heroísmo é a mais alta perfeição da vida humana e, no palco, celebrou seus mais impressionantes triunfos tanto na forma de supremo valor quanto na de humilde paciência.

Poetas e dramaturgos modernos devem muito à tradição chinesa. Bertolt Brecht incorporou, em sua nova forma de drama épico, aquilo que chamou de "aspecto de exibição do antigo teatro asiático". Thornton Wilder, que passou os anos de sua juventude em Hong-Kong e Xangai, derivou a técnica de seu teatro primordial, sem qualquer tipo de ilusão, da arte da atuação chinesa. Paul Claudel, que viveu quinze anos na China como diplomata francês, recolheu os frutos de suas experiências no Extremo Oriente em *Le Soulier de Satin*. Estudou o teatro, o caráter e a filosofia da China e chegou à conclusão de que o enigma da força e do poder deste populoso e gigantesco Estado poderia ser solucionado em cinco palavras: "O indivíduo nunca está sozinho".

Origens e os "Cem Jogos"

É natural para o senso inato de ordem dos chineses subordinar todas as coisas, deste e do outro mundo, ao princípio utilitário, seja no domínio das ideias ou no da prática. Assim a música, o mediador que concilia o céu e a terra, também possui uma legítima missão educacional. A percepção da utilidade da música, segundo dizem, levou o mítico imperador amarelo Huang Ti, fundador da nação chinesa (cerca de 2700 a.C.), a injetar a magia dos sons nos propósitos da alta política. Acreditando que a música serve para manter a paz e a ordem, ele saudava seus visitantes oficiais com apresentações musicais.

Mágicos e exorcistas eram responsáveis pelo transcorrer seguro da vida rural, pelas boas colheitas e pela boa sorte na guerra. O xamanismo era grandemente desenvolvido no norte e no centro da Ásia, onde seus praticantes formaram um grupo profissional distinto. Danças rituais (*wu wu*) eram apresentadas num estado de êxtase contra desastres naturais, inundações, eclipses solares, os deuses da chuva e do vento, doenças e desgraças.

Essas danças xamânicas *wu*, sobre as quais o filósofo Mo Ti escreveu por volta de 400 a.C., foram de vital relevância durante o período Shang (até mais ou menos 1000 a.C.). No período Chou que se seguiu, apareceram os primeiros elementos profanos. Mimos e bufões proporcionavam diversão nos banquetes imperiais. Baladas e canções folclóricas eram interpretadas numa "dança de louvor" pantomímica (*sung wu*).

Conta-se que certa vez Confúcio ficou tão irritado com as momices desrespeitosas dos anões da corte, que ordenou ao governador de Lu que executasse meia dúzia dos piores ofensores. Séculos mais tarde, isso ainda era apontado contra ele pelo cronista Ssu-ma Ch'ien, cujo famoso *Registro Histórico* (*Shih Chi*) contém um capítulo inteiro sobre a profissão de ator. Em contraste com o ensinamento confuciano e sua rígida recomendação de moderação e autodisciplina, Ssu-ma Ch'ien declara: "Mas eu digo o seguinte: os caminhos do mais elevado paraíso são por demais incompreensivelmente sublimes; ao contrário do que se pensa, é possível, mesmo falando sobre coisas triviais, que alguém encontre o caminho através do caos das confusões humanas".

Graças a esse veto, Ssu-ma Ch'ien converteu-se no advogado de todos os bufões e atores da corte, explicitamente nomeados por ele, que estavam entre a vanguarda do teatro chinês.

Em primeiro lugar entre eles estava Yu-Meng, músico, bufão e mimo da corte do rei Chuang (613-601 a.C.) no reinado Chou. Esse espirituoso anão não hesitava em atacar não apenas os excessos da vida da corte, mas também as injustiças do seu governante. Certa vez, ele apareceu diante do rei nas vestes de um ministro recentemente falecido e lembrou-o de sua dívida de gratidão para com a família empobrecida do ministro: "Leal até a morte foi o ministro Sun Shu-ao em Chou. Agora, sua família desamparada precisa carregar madeira para sobreviver. Ah, não vale a pena ser ministro em Chou!" O apelo mímico de Yu-Meng foi um sucesso completo. O filho do falecido foi convocado à corte e investido de um alto cargo.

1. Cena de *A Estratégia da Cidade Desprotegida*, peça do período Chou.

Esse pode ser um episódio trivial para contar o princípio da história do teatro chinês, mas sua moral é sugestiva. A virtude prevalece, o que ou quem quer que seja responsável por sua vitória. Ssu-ma Ch'ien, campeão da arte do mimo, pertenceu à corte do imperador Wu-ti (140-87 a.C.) e desfrutou, juntamente com numerosos eruditos e poetas, os favores deste governante amante das artes. Foi ele quem, em 104, fundou aquilo que é conhecido como Gabinete Imperial de Música. Ele incorporou os novos instrumentos musicais, trazidos ao país por equipes de construtores da Ásia Central, que haviam chegado à China para ajudar na construção da Grande Muralha, e autorizou a composição de novas melodias para esses instrumentos. Desde então o alaúde de quatro cordas (*p'i-p'a*) com sua extensão de três oitavas, e a *didze*, uma flauta com seis buracos e uma chave, tornaram-se componentes bem-estabelecidos da orquestra chinesa de palco.

De acordo com Ssu-ma Ch'ien, os primórdios do teatro de sombras chinês remontam ao período do imperador Wu-ti. Mas essa informação ainda não decide a controvérsia corrente entre estudiosos do século XX quanto à origem do teatro de sombras: teria ele viajado da China, via Índia e Indonésia, até a Turquia – ou o caminho inverso? Ssu-ma Ch'ien é uma importante testemunha de sua existência, mas não árbitro nessa questão.

Conforme a história contada por Ssu-ma Ch'ien, um homem chamado Shao Wong, do estado de T'si, veio diante do imperador Wu-ti em 121 a.C. para exibir sua habilidade em comunicar-se com os fantasmas e espíritos dos mortos. A consorte favorita do imperador, Wang, havia acabado de morrer. Com o auxílio de sua arte, Shao Wong fez com que as imagens dos mortos e do deus dos lares aparecessem à noite. O imperador a viu a uma certa distância, atrás de uma cortina. Conferiu, então, a Shao Wong, o título de "Marechal do Saber Perfeito", cumulou-o de presentes e concedeu-lhe os ritos destinados aos convidados da corte. Quando, por fim, Shao Wong tornou-se ambicioso demais e falhou repetidas vezes ao invocar os espíritos desejados, o Imperador tornou-se cético, e dois anos mais tarde o próprio Shao Wong foi secretamente despachado para o mundo dos espíritos.

O teatro de sombras, entretanto – o qual, de alguma forma, Shao Wong parece ter usado – permaneceu uma forma favorita do teatro chinês. Os bonecos de Pequim e de Szechuan, feitos de couro transparente de burro ou búfalo, transmitem uma impressão da imaginativa

2. Bonecos de teatro de sombras chinês da lendária "Viagem à Índia", que o monge peregrino Huan-Tsang empreendeu a fim de adquirir escritos budistas. Ele caminha à frente com feixos de livros, seguido por seu cavalo branco, o rei macaco Sun Wu-k'ung, Chu Pa-tsie, o cabeça de porco, e o monge Sha Wu-tsing (Chicago, Field Museum of Natural History).

3. Figuras de teatro de sombras de Szechwan: princesa no lombo do cavalo faz prisioneiro o jovem com quem deseja se casar, século XVIII (Offenbach am Main, Deutsches Ledermuseum).

4. Cena de teatro de sombras: a princesa Kuan Yin no trono de lótus durante uma recepção (Munique, Stadtmuseum, Coleção de Títeres de Teatro).

5. Cena de teatro de sombras: encontro no parque do pagode (Munique, Stadtmuseum, Coleção de Títeres de Teatro).

6. Títere de teatro de sombras siamês: o macaco Angkut.

riqueza de ação e dos personagens épicos dos mitos folclóricos.

A evocação visual dos "espíritos dos mortos", na época do imperador Wu-ti, reflete-se hoje na terminologia do teatro chinês, onde as duas portas – de entrada e de saída –, à direita e à esquerda do palco, sempre foram conhecidas como as "portas das sombras" ou "portas das almas".

Ao lado da música da corte e das danças xamânicas com máscaras de animais, os entretenimentos teatrais da época do imperador Wu-ti incluíam também a alegre diversão dos "Cem Jogos" das feiras e mercados. Fora do portão ocidental da capital, Lo-yang, havia um recinto de feiras, onde mágicos e malabaristas, engolidores de espadas e fogo, exibiam suas habilidades.

Ao longo do período Suy (220-618 d.C.) elementos ocidentais vieram na esteira dos mercadores através da Ásia Central, até o Mar Cáspio. Mercadores e embaixadores persas e hindus chegaram ao país e, em 610, o imperador Yan-ti construiu o primeiro teatro com a proposta específica de entreter embaixadores de países estrangeiros. Sabemos que o teatro ficava do lado de fora do portão sul de Lo-yang; porém, podemos apenas supor como ele deve ter sido. Posto que os "Cem Jogos" envolviam principalmente pantomimas, dança e apresentações acrobáticas, talvez estejamos certos ao imaginar uma plataforma simples, elevada, possivelmente coberta por um telhado e limitada por uma parede de fundo. Os convidados provavelmente assistiam ao espetáculo sentados em seus palanquins, como era ainda o costume das plateias do século XVII das danças *gigaku* (originalmente coreanas) do Japão.

Os Estudantes do Jardim das Peras

O período da dinastia T'ang (618-906) assistiu ao nascimento do livro impresso e da manufatura da porcelana, a um grande florescimento da pintura e da poesia lírica e à intensificação do comércio com a Arábia e a Pérsia. Foi também durante este período que teve lugar o mais famoso evento da história do teatro na China – a fundação do chamado Jardim das Peras, a academia teatral imperial da qual os atores de hoje ainda tiram sua designação poética de "estudantes do Jardim das Peras".

Ming Huang, conhecido na história como o imperador Hsuan-tsung (712-755), foi o *roi soleil* chinês. Amava o esplendor e a fama, lindas mulheres, cavalos puro-sangue, caçar e jogar polo, balé e música. Conta-se que foi ele o primeiro a "coletar as flores dispersas da poesia, música e dança e entrelaçá-las na grinalda do drama". Em 714, Ming Huang fundou um gabinete imperial para o desenvolvimento da música instrumental e da composição (*Chiao-Fang*) e organizou o chamado Jardim das Peras, a primeira escola de arte dramática da China. No Jardim das Peras do imperador trezentos jovens recebiam cuidadoso treinamento em dança, música instrumental e canto. Os mais talentosos podiam esperar por uma brilhante carreira na corte. Todos os dias, Ming Huang comparecia pessoalmente para verificar que progressos os jovens estavam fazendo; tinha um interesse pessoal em julgar seu desempenho.

No "Jardim da Primavera Perpétua", uma escola paralela ao Jardim das Peras, um grupo de trezentas moças, escolhidas a dedo por Sua Majestade, eram treinadas para alcançar a perfeita graça e elegância do movimento e da dança. Conta-se que, para agradar à sua linda concubina Yang Kuei-fei, o próprio imperador ocasionalmente vestia uma roupa de bobo e improvisava pequenas cenas com os atores. O "palco" podia ser uma varanda aberta num dos edifícios do palácio, um pavilhão ou algum local preparado no jardim do palácio. Para uma locação pitoresca, poderia ser escolhido um grupo de árvores, ou um tanque com lírios, uma ponte, uma casa de chá. Havia canções, dança e música onde e quando o Imperador assim ordenasse – nas refeições, nas recepções oferecidas a convidados de honra, como diversão durante um jogo de xadrez, ou durante acontecimentos cerimoniais da corte, que sempre duravam horas.

A história de Ming Huang e sua "Madame Pompadour", Yang Kuei-fei, tornou-se um dos temas favoritos da arte, música, poesia e drama chineses. Uma das mais comoventes de suas versões para o palco é o drama *O Palácio da Vida Eterna*, do final do século XVII. As falas desta peça, imortalizando o juramento trocado entre o imperador e sua bem-amada – "sempre voar lado a lado, como os pássaros no céu e sobre a terra, unidos como o galho é unido à árvore" – são tão bem conhecidos na China quanto o são, na Europa, as palavras da Julieta de Shakespeare: "Foi o rouxinol, e não a cotovia...".

As crônicas, romances e peças de teatro testemunham que Ming Huang manteve o seu juramento. Quando Yang Kuei-fei foi vitimada por um golpe revolucionário, seu Romeu imperial apressou-se a segui-la ao Palácio da Lua, onde habitam as almas abençoadas. Conta-se que, nos bons tempos, certa vez Ming Huang rompeu com sua bela concubina. Este episódio é o tema da peça *A Beleza Embriagada*, obra-prima de virtuosismo histriônico, que durante muitos anos fez parte do internacionalmente aclamado repertório da Ópera de Pequim.

A peça pode ser descrita como um musical de ato único. Seu enredo conta como certa noite Ming Huang convidou sua bem-amada para uma taça de vinho no Pavilhão das Cem Flores. Ela espera por ele, vestida com suas mais deslumbrantes roupas, quando fica sabendo que o Imperador foi para os braços de outra mulher. Ela se embriaga para afogar sua tristeza, vergonha e ciúme.

Na direção dada a esta cena – tratada com muita habilidade e com consciência dos problemas estéticos que a representação da embriaguez pode trazer para o ator – os estudiosos da cultura chinesa encontram uma ponte que une o passado ao presente. No tema e no estilo desta cena virtuosística do período T'ang, e em sua harmoniosa combinação de música vocal e coreografia, os estudiosos veem um paralelo ao estilo da Ópera de Pequim atual. O estilo, aqui, acentua o senso conceitual e artístico da apresentação, a ação "íntima", mais do que as técnicas específicas de representação. O historiador do teatro chinês Huang-hung explica que, "para chegar a uma apreciação correta do teatro chinês, o europeu precisa estar consciente de que o maior interesse não é tanto sublinhar a ação como tal, mas deixar o público sentir a história. O acento está nas possibilidades espirituais, mais do que nas físicas".

Essa circunstância explica também o porquê de, no decorrer de longos períodos, não terem sido introduzidas maiores inovações cênicas no teatro chinês: tudo o que aconteceu foi uma ampliação dos meios teatrais, do alcance da expressão musical, do número de atores a fazer parte do espetáculo.

Durante o período das Cinco Dinastias (907-960), com sua agitação e instabilidade política, o teatro não encontrou condições propícias para um desenvolvimento ulterior. Os estudantes do Jardim das Peras tiveram de esperar que a dinastia Sung (960-1276) restabelecesse a paz e a prosperidade antes que também eles pudessem adentrar uma nova era dourada.

Sob o imperador Chen-tsung (998-1022) as canções e danças tradicionais, embora já variadamente marcadas e coreografadas, foram pela primeira vez intercaladas com representações de eventos históricos, tais como cenas cortesãs, batalhas e cercos provenientes da história do famoso período dos "Três Reinados" do século III. Estes "*shows* de variedades" (*tsa chü*), com sua trama livre, mas com sequências de ação cada vez mais ricas, tornaram-se por fim os precursores diretos do drama chinês.

Numa descrição de um banquete imperial no início do século XI, encontramos listados no programa dezenove números, incluindo dois "*shows* de variedades". Cada um deles geralmente tinha três personagens: um venerável homem barbado, um robusto e determinado "cara-pintada" – um tipo *clownesco* – e uma figura de imperioso comandante. Esses "*shows* de variedades" incluíam danças, poesia e música, e cenas de farsa e récitas. Os "*shows* de variedades" eram representados no palácio ou no parque imperial, nas salas de recepção e cerimoniais dos senhores feudais, e nas feiras, por ocasião dos grandes festivais populares.

O mais famoso pela variedade de suas atrações era o festival anual da primavera (*Ch'ing Ming*) em Kaifeng, a capital da dinastia Sung do Norte. Milhares e milhares de pessoas chegavam ao local do evento, às margens do rio Pien, ao norte de Kaifeng. Multidões agrupavam-se nas longas fileiras de barracas, ao redor dos funambulistas, adivinhos e malabaristas, ou visitavam as embarcações festivamente decoradas. Perto do rio, no campo aberto, se erguia o teatro. Seu telhado de madeira, decorado com bandeiras coloridas, podia ser visto de longe, pois o tablado do palco, suportado por duas dúzias de sólidas colunas, ficava a uma distância maior do que a altura de um homem acima da multidão. O chão do palco era coberto por um tapete de grama. Um barracão de madeira adjacente servia de camarim para os atores. Durante o espetáculo, o público ficava em pé, ao redor do palco, num semicírculo.

O imperador Hui-tsung (1101-1125) incumbiu o mais famoso pintor de sua época, Chang Tse-tuan, de pintar o festival Ch'ing Ming num magnífico pergaminho, que chegou até nós – precioso legado de uma dinastia condenada à ruína. Pouco tempo depois, Gêngis Khan e seus mongóis invadiram o país. Tornaram o imperador e seu filho prisioneiros e incendiaram a capital Kaifeng, reduzindo-a a cinzas. Mas o pergaminho pintado, de aproximadamente onze metros de comprimento por trinta centímetros de largura, foi salvo

7. Cena de uma peça histórica do período dos Três Reinados, século III d.C.

e levado para Hang-chow, a alguns quilômetros ao sul de Kaifeng. Durante o século XVIII, artistas chineses o copiaram em infinitas, novas e individuais variações. Em 1736, por exemplo, cinco dos pintores da corte do Imperador Ch'ien Lung estavam trabalhando em tais cópias.

A dinastia Sung do Sul, exilada em Hang-chow, sobreviveu por mais um século e fez todos os esforços para proporcionar ao povo um sentimento de prosperidade e segurança, a despeito da perda do Norte. Em Hang-chow, como no passado no festival Ch'ing Ming em Kaifeng, as barracas de espetáculo proliferaram novamente, talvez mais numerosas do que nunca.

Quando Marco Polo atingiu a China na última parte do século XIII, deu ao país o nome pelo qual ele era conhecido pelos governantes turcos e mongóis: Catai. As descrições de Cambalu, a "cidade de Khan", por Marco Polo, fizeram com que ela fosse vista durante muito tempo na Europa como a quintessência do esplendor principesco – na verdade, muito em função de seu cerimonial teatral da corte.

O Caminho para o Drama

Ao lidarmos com a emergência do drama chinês enquanto forma literária, temos de perguntar por que a invasão mongol provocou nessa civilização milenar a crise cultural fundamental que levaria a formas artísticas e culturais inteiramente novas.

Existe uma explicação bastante plausível: o fim dos grandes exames estatais, sem os quais nenhum estudioso seria previamente admitido ao gabinete imperial, libertou forças intelectuais que agora se concentravam na tentativa de estimular a resistência interna às leis mongóis, no aspecto aparentemente inofensivo da poesia.

Na atmosfera de liberdade intelectual sob o domínio de Gêngis Khan, os protestos eram expressos contra a corrupção e venalidade dos próprios chineses, contra os oportunistas e vira-casacas que concordavam em servir aos amantes da música mongóis.

Gêngis Khan promovia as artes, porque esperava que o contato com os principais artistas e intelectuais chineses lhe dessem uma visão íntima das ideias e da mentalidade do povo conquistado. Porém, na China sob o domínio dos mongóis, como tantas vezes na sua história, o drama tornou-se um centro de resistência subterrânea.

Nos séculos XIII e XIV, tanto no Norte, que estava nas mãos dos mongóis, quanto no Sul, que ainda desfrutava de uma vida cultural desagrilhoada, as duas formas características do drama chinês desenvolveram-se mais ou menos simultaneamente: o drama do Norte e o drama do Sul.

Os chineses comparam o drama do Norte ao esplendor da peônia, e o drama do Sul ao brilho sereno da flor da ameixeira. Estas encantadoras metáforas, sugerindo uma extensão que vai da força fulgurante à tênue florescência, caracterizam tanto a escolha do material dramático quanto o tipo de tema. A escola do Norte escreve sobre o valor e os deveres, na guerra como nos assuntos amorosos – temas ditados pela ética confuciana com sua insistência no dever público e na piedade filial –, como a "origem de toda virtude".

A escola do Sul é mais complacente. Delicia-se com os sentimentos e aquelas pequenas indiscrições, como uma olhadela furtiva na alcova de uma mulher, ou até mesmo num perfumado decote. Na Escola do Sul, uma moral mais flexível combina-se com um estilo mais informal.

No drama do Norte, tudo – da rígida norma dos quatro atos à meticulosamente seguida nomenclatura da rima e da música – vai de encontro à clareza de estilo. No drama do Sul, com sua vida alegre e turbulenta e música mais ruidosa, predominam os efeitos poéticos.

Foi em Hang-chow, a capital da dinastia Sung do Sul, que se desenvolveu, em contraste com o "rígido" drama do Norte do período mongol, uma forma operística do drama (*nan ch'u*). Este foi um avanço importante no teatro chinês.

Drama do Norte e Drama do Sul

Cronologicamente, o drama do Norte estava cerca de duas gerações à frente do teatro

8. Palco chinês do século XII. Detalhe de um rolo de seda pintado, retratando o festival Ch'ing-Ming em Kaifeng, a capital da dinastia Sung do Norte (960-1126). Cópia do original de Chang Tse-tuan, feita em 1736 por cinco pintores da corte do imperador Ch'ien Lung (Taipei, Museu).

do Sul. Ele pode reivindicar a descendência de Kuang Han-King (nascido em 1214, em Tatsu), o "pai do drama chinês". Kuang Han-King foi um alto oficial de Estado da dinastia Kin antes de sua destruição e mais tarde, em Pequim, um médico e experiente especialista em psicologia feminina. Escreveu sessenta e cinco peças – comédias de amor, peças cortesãs e dramas heroicos. Catorze dessas obras chegaram até nós. Hoje, os chineses gostam de colocá-lo ao lado do grande dramaturgo da Grécia clássica Ésquilo e do moderno escritor de abordagem psicanalítica americano Tennessee Williams – uma demonstração perfeita de quão fúteis tais comparações podem ser. Um de seus mais tristes enredos, uma peça chamada *A Permuta entre o Vento e a Lua* – a história de uma jovem escrava que precisa vestir sua senhora, que está prestes a se casar com o homem que ela própria ama – demonstra que Kuang Han-King não necessita de comparações. A fama de Kuang Han-King se iguala à de seu contemporâneo Wang Shih-fu, para cujo famoso *Romance da Câmara Ocidental* ele escreveu um quinto ato após a morte do autor. Esta peça, aliás, não apenas nos fascina pelo lirismo com o qual apresenta o romance entre o estudante Chang Chün-jui e Ying-ying, a filha de um ministro da dinastia T'ang, como também nos dá um vislumbre da importância dos exames oficiais, que claramente eram não apenas a chave para o privilegiado *status* de funcionário público, mas, como em *A Câmara Ocidental*, também um requisito para obter a mão da mulher amada.

Outra peça, escrita poucas gerações mais tarde por Ki Kiun-siang de Pequim, teve seu caminho aberto para os palcos ocidentais graças à livre adaptação de Voltaire. É *O Órfão da China*, encenada pela primeira vez em Paris em 1755 com a atriz Clairon no papel de Idamé, num desempenho entusiasticamente aplaudido por Diderot. Goethe retomou o mesmo tema em 1781, com seu fragmento *Elpenor*, mas o Extremo Oriente o derrotou: nesse caso, ao contrário de sua experiência com *Ifigênia*, ele não conseguiu reajustar o antigo modelo ao espírito da *humanitas* e, assim, absorvê-lo no drama clássico alemão.

Não se sabe se, e como, as obras-primas dramáticas do período Yuan – na época do domínio mongol, sob Gêngis Khan e Kublai Khan – foram alguma vez representadas no palco. Quando Kao Ming, um oficial influente de abastada ascendência, publicou sua famosa peça *O Conto do Alaúde* em 1367, o Sul também estava ameaçado pelos mongóis. Como a maioria dos membros da classe culta de sua época, Kao Ming era um seguidor de Confúcio. Ele era contra a corrupção e contra a desigualdade social, e a lamentava quando sentimentos humanos eram desconsiderados ao se deixar que as diferenças entre os ricos e os pobres prevalecessem contra a voz do coração. Ao lado do *Conto do Alaúde*, as obras mais conhecidas das dinastias Yuan e Ming que chegaram até nós são *O Pavilhão do Culto à Lua*, *O Grampo*, *O Coelho Branco* e *O Ardil dos Cachorros Mortos*. É de se presumir que sua disseminação se deva grandemente ao livro impresso.

Enquanto as multidões de pessoas comuns aplaudiam as peças musicais com conteúdo histórico, representadas por *troupes* ambulantes num palco improvisado, o drama se desenvolvia numa forma de arte separada e tornou-se matéria de crítica literária. Alguns desses ensaios críticos nos foram transmitidos pelos eruditos e considerados dignos de serem legados. Mas, embora falem do valor literário de uma determinada peça, tais críticas não nos contam nada a respeito do teatro como um lugar onde o drama é trazido à vida. Este fato foi destacado duzentos anos mais tarde pelo crítico Ku Ch'u-lu, na época do renomado dramaturgo T'ang Hsien-tsu. Ku Ch'ulu escreveu a extraordinária sentença que se segue, numa recensão da famosa *O Pavilhão das Peônias*, de T'ang Hsien-tsu: "Logo que *O Pavilhão das Peônias* surgiu, todos se apressaram a lê-la e falar sobre ela, o que tornou possível reduzir o valor de *A Câmara Ocidental*".

O Pavilhão das Peônias, ao que parece, não foi uma sensação teatral, mas literária. T'ang Hsien-tsu, um contemporâneo de Shakespeare, era um erudito, não um ator. Sua residência, conhecida como a Sala Yu-Ming, onde seus alunos se reuniam, sugere sem dúvida uma conexão com o teatro pela inclusão da palavra *yu*, "ator", mas, a julgar pelos registros históricos, as ambições do mestre como as dos discípulos eram de um tipo puramente literário. Os "estudantes da Sala Yu-Ming" es-

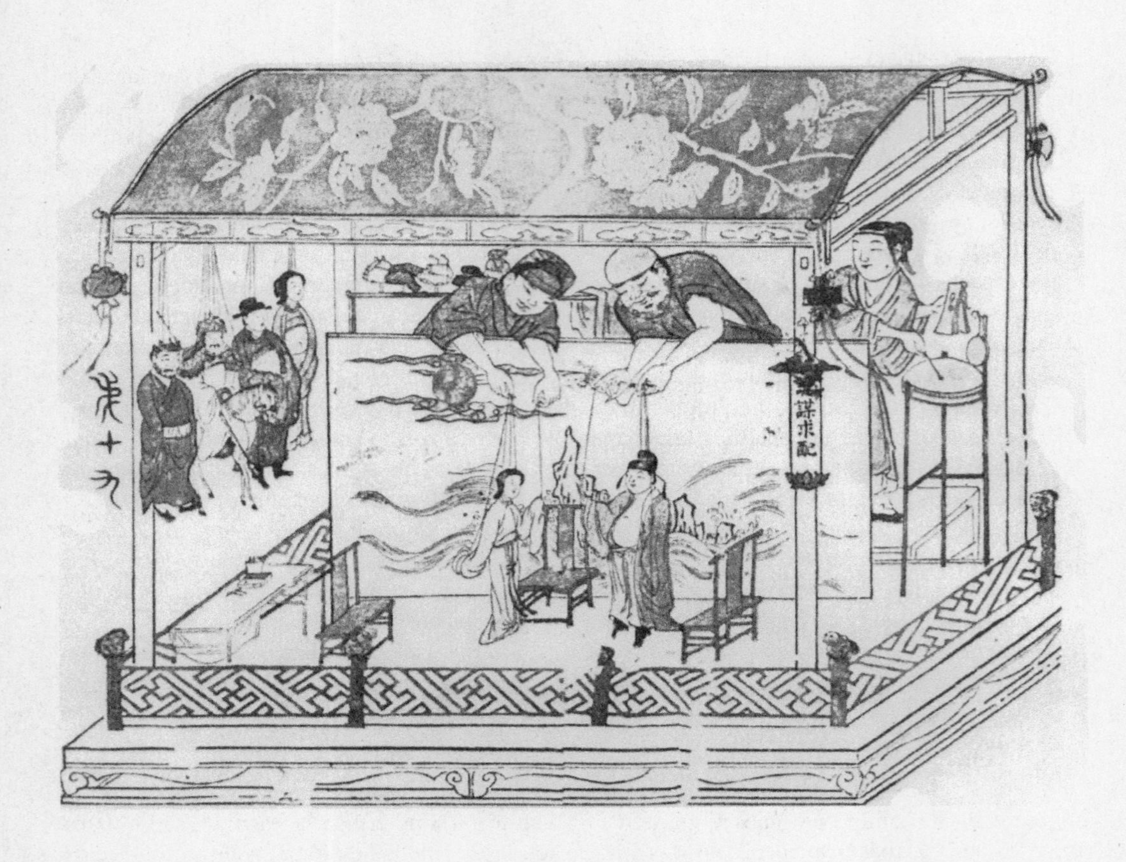

9. Ilustração para o drama *O Romance da Câmara Ocidental*, de Wang Shih-fu. Final do século XIII. Estampa colorida de uma série de xilogravuras de 1640, por Min Ch'i-chi (Colônia, Museum für ostasiatische Kunst).

10. Cena do drama musical chinês *Fang-mien-ho*. Desenho em giz vermelho de A. Jacovlev (tirado de *Le Théâtre Chinois*, Paris, 1922).

11. Figura em terracota de uma dançarina chinesa da dinastia T'ang (618-906): um exemplo primitivo da "linguagem das mangas" (Frankfurt-am-Main, Liebighaus).

tavam interessados na crítica do drama, não do espetáculo. Quando foi proposto a T'ang Hsien-tsu que oferecesse leituras dramáticas, ele respondeu com a inescrutabilidade da sabedoria chinesa: "Estais falando da mente, mas eu estou falando do amor".

A Peça Musical do Período Ming

Enquanto os estudantes de propensão literária reuniam-se em torno do dramaturgo T'ang Hsien-tsu na Sala Yu-Ming, o músico Wei Liang-fu desenvolvia, a partir dos elementos da música do Norte e do Sul, um novo estilo musical baseado em sistemas tonais e ritmos fixos. Ele criou uma nova forma teatral, a peça musical (*k'un-ch'ü*). Wei Liang-fu era professor de música na cidade de Soochow, que se tornou a capital cultural do período Ming e atraiu uma multidão de poetas, músicos, estudiosos e *troupes* teatrais.

As reformas musicais de Wei Liang-fu e os dramas líricos e poéticos do mestre da Yu-Ming, cujas quatro peças mais famosas são conhecidas pelo título conjunto de *Quatro Sonhos da Sala Yu-Ming*, estabeleceram os fundamentos para a alta perfeição do estilo moderno da Ópera de Pequim. Seus figurinos suntuosos, seu cerimonial elegante, sua fascinante precisão de linguagem gestual e seu controle artístico do corpo – tudo isso remonta à era dourada da ópera da dinastia Ming.

Num palco nu, destituído de cenário ou elementos decorativos, o ator – que era ao mesmo tempo cantor, recitador e dançarino – dava vida a um mundo mágico, perfumado por peônias, flores de pêssego e roseiras; um mundo no qual amantes infelizes unem-se como borboletas, mas em que a espada flamejante da vingança também cobra seu tributo. A expressiva linguagem dos gestos, os graciosos movimentos de braços e mãos sob a fluida seda branca – tudo isso foi aperfeiçoado no período Ming.

Uma das prescrições morais de Confúcio diz que o corpo precisa estar o mais coberto possível. Este era um de seus preceitos morais, que ele pretendia que fosse obedecido especialmente pelas classes mais baixas. Muito tempo antes, no período T'ang, as dançarinas haviam levado a linguagem dos movimentos das mangas à perfeição da beleza transcendente. Como um meio de expressão teatral, a "linguagem das mangas" vai da alegre concessão de um desejo às profundezas do desespero.

> Mangas brancas podem parecer tão luminosas quanto borboletas e tão depressivas quanto morcegos; as mãos podem parecer como sendo de alabastro. As palmas podem ser pintadas de cor de rosa para as mulheres e os jovens heróis, flexíveis e maleáveis como se não possuíssem juntas. Causam impressão mesmo à distância. Podem emocionar, encher de medo, cativar... (Kalvodová-Sís-Vanis).

Os movimentos das mangas são os responsáveis pela grande cena de loucura da jovem Yen-jung em *A Beleza Resiste à Tirania*. Para escapar da ordem imperial, ela simula repentina loucura (este é também um tema favorito das peças *nô* japonesas). Ela arremessa suas longas mangas brancas numa movimentação agitada e febril e as deixa cair abruptamente, estremece de terror, destrói seu precioso diadema de coral, ri insanamente por trás de um longo véu de cabelos negros – e assim Yen-jung destrói a imagem de sua beleza e, com ela, o desejo do imperador. O grande intérprete de papéis femininos da Ópera de Pequim, Mei Lan-fang, costumava interpretar esta cena com força expressiva e pungente até a velhice (ele morreu em 1961).

A Concepção Artística da Ópera de Pequim

Por volta da metade do século XVIII, durante a dinastia Ching, a peça musical lírica e poética começou a se desenvolver na direção de um novo estilo, acentuando um sentido de realidade e exigindo um palco maior, "público". O imperador Ch'ien Lung (1736-1795) tinha um grande interesse pelas *troupes* teatrais da China e encontrava tempo, em suas viagens, para visitar os teatros das províncias. Assistia atentamente à atuação, canto e dança dos artistas. Os melhores deles eram então chamados a Pequim.

O nome, aliás, refere-se meramente à origem do novo estilo, não à sua localização subsequente. O estilo da Ópera de Pequim combina os dois elementos dominantes do teatro chinês: a perfeição uniforme do conjunto e também o desempenho individual singular do ator principal. Mei Lan-fang, delicado homenzinho com uma graça sem idade, que por muitos anos retratou a beleza e o fascínio femininos, tornou-se o ídolo internacionalmente aclamado do teatro chinês. Seu mentor Ch'i Jushan escreveu ou adaptou perto de quarenta peças para ele. Mei Lan-fang estrelou todas elas, exibindo sua arte única e sutil. O texto literário era a tela que Mei Lan-fang adornava com os intrincados e sutis ornamentos de suas variações histriônicas.

Supondo-se que uma mesma peça fosse apresentada em Pequim, Szechan, Cantão ou Xangai, isto resultaria em quatro resultados bastante diferentes não apenas no que diz respeito à produção como tal, mas também porque o texto é tratado muito livremente, podendo ser alterado à vontade, às vezes até virando a ação às avessas para agradar o astro do espetáculo. Da mesma forma, a composição da orquestra varia muito, pois os músicos aderem fortemente à tradição musical local.

O ator atua num palco vazio. Não conta com nenhum acessório externo para ajudá-lo. Tem de criar tudo unicamente por meio de seus movimentos – a ação simbólica, como também a ilusão espacial. É ele quem sugere o cenário e torna visíveis os acessórios cênicos inexistentes.

O palco chinês é o mesmo de séculos atrás, uma simples plataforma com um fundo neutro por detrás. Nenhum bastidor, nem palco giratório, praticável ou alçapão ajuda o ator; ele próprio precisa criar todo o cenário.

Os únicos acessórios cênicos são uma mesa, uma cadeira, um divã coberto com um precioso brocado ou com um tecido cinza. Mas esses objetos podem representar qualquer coisa: um trono, uma montanha, uma caverna, uma corte de justiça, uma fonte, um pavilhão. Se o ator sobe na mesa ou cadeira e cobre a cabeça, significa que ele se tornou invisível, que escapou de seus perseguidores. Se toma um chicote de montaria que lhe é entregue, significa que ele está montando um cavalo; ele desmonta ao devolver o chicote a um servo, e

12. Cena de duelo no palco. Vietnã, de um manuscrito sino-vietnamita.

13. O General Ma-Sou, personagem da peça histórica *A Retirada de Kai-Ting*. Figurino, máscara e gestos correspondem ao estilo da Ópera de Pequim (cf. ilustração 17 na sequência). Estampa colorida de A. Jacovlev (tirado de *Le Théâtre Chinois*, Paris, 1922).

14. Teatro chinês em Xangai. O palco é erguido num espaço semelhante a um salão, com galerias laterais para os espectadores e mesas que ocupam o rés do chão diante do palco – o equivalente ao *music hall* do Extremo Oriente. Desenho de M. Koening (do *L'Illustration* de 21 de novembro de 1874, Paris).

15. Pintura de máscara bifronte da Ásia Oriental (Colônia, Museum für ostasiatische Kunst).

quando o servo sai do palco com o chicote, está levando o cavalo embora. Uma paisagem habilmente pintada numa tela suspensa representa o muro de uma cidade com seu portão. Uma bandeira com linhas horizontais negras significa tempestade, um guerreiro agitando bandeiras, um exército inteiro. Duas flâmulas com rodas pintadas, carregadas tanto pelo próprio herói como por dois coadjuvantes, indicam que ele viajou de carruagem. Um ator segurando um remo é um barqueiro – ajuda sua dama a entrar no barco, desatraca, rema contra a corrente, salta, com um grande pulo, para a outra margem. A ilusão é completa, graças ao alcance expressivo do corpo e dos movimentos do ator. Suas mãos e gestos, o ritmo de seus movimentos, contam histórias completas, criam uma realidade que outros podem vivenciar.

Da mesma forma que Marcel Marceau sobe numa escada de navio num palco nu, da mesma forma que seu Monsieur Bip atravessa todos os paraísos de êxtase e todos os infernos do desespero com nada além de um chapéu de palha amarelo e um cravo vermelho, assim o ator chinês pode mover montanhas, sondar as distâncias do espaço e do tempo com um único passo. Ele abre portas que não existem, atravessa soleiras invisíveis; ele aperta sua amada junto ao coração quando para diante dela com os braços estendidos.

Para ajudá-lo, possui apenas sua máscara, seu figurino. Ambos falam a herdada linguagem dos símbolos: cada cor está ancorada na tradição cerimonial. O vermelho simboliza valor, lealdade e retidão; o preto simboliza a paixão; a maquiagem azul no rosto revela brutalidade e crueldade; o branco de giz é a cor dos trapaceiros e impostores. Uma mancha branca na ponta do nariz, talvez juntamente com o desenho de uma borboleta nas bochechas, faz o palhaço, o truão, o bufão. Ele pode perfeitamente chamar-se Grock, Oleg Popov, ou Charlie Rivel – a máscara do palhaço, seu riso e suas lágrimas, não conhecem fronteiras.

De acordo com a lenda chinesa, foi no período T'ang que as máscaras foram usadas pela primeira vez para transformar, disfarçar ou metamorfosear o rosto humano. O rei de Lanling, diz a lenda, era um herói na arte da guerra, mas sua face era suave e feminina. Por essa razão ele costumava, durante suas campanhas, atar sobre o rosto uma máscara marcial para amedrontar seus inimigos. Seus súditos, o povo de Ch'i, não demoraram a tirar partido desse bicho-papão militar numa pantomima burlesca muito popular sobre a "falsa cara" de seu governante, chamada *O Rei de Lan-ling Vai à Guerra*.

Mas, fosse o papel de um guerreiro ou de uma linda e jovem concubina, seria sempre interpretado por um homem, até o século XX. Embora não houvesse nenhuma exclusão categórica da atriz na China, como havia no Japão, até perto do fim da dinastia Ch'ing, no início do século XX, era considerado inconveniente para as mulheres aparecer no palco juntamente com homens.

O privilégio de interpretar papéis femininos, da "feminilidade" masculina altamente estilizada, devia ser adquirido ao longo de anos de rigoroso treinamento, e isso era mais apreciado que a própria condição natural. Durante o domínio mongol e sob o governo do imperador Ming Huang, as mulheres foram admitidas temporariamente no palco como parceiras iguais. Mas Kublai Khan, igualando arte e venalidade num decreto datado de 1263, relegou as atrizes indiscriminadamente ao nível de cortesãs. Isto as colocava na quinta e mais baixa classe da população, junto com os escravos, servidores pagos, trapaceiros e mendigos.

Nem o Gabinete Imperial de Música, nem as refinadas damas que escreviam dramas no período Yuan puderam mudar essa lei. Yan Kuei-fei estava suficientemente segura de seus encantos e dos favores do seu senhor imperial para não se preocupar com problemas sociais, e as companheiras menos favorecidas de sua profissão sabiam como ser compensadas – no palco ou na alcova – pela humilhação de serem chamadas de "cintos-verdes". Elas usavam o cinto verde das cortesãs, de onde vinham seus apelidos, com uma segurança não menor do que a das damas letradas da Europa ao usar mais tarde suas meias azuis.

O Teatro Chinês Hoje

Comparados com a primazia da tradição artística local, os estilos teatrais do Ocidente tiveram pequeno impacto na China. Os *music-*

16. Gravuras chinesas de Ano Novo com cenas teatrais. Estampas coloridas desse tipo são vendidas em grandes quantidades no Mercado da Rua das Flores em Pequim antes da festa; são tão populares na China quanto, por exemplo, as *imagens d'Épinal* o são na França. Os dois exemplos procedem de uma impressão feita *c.* 1920.

17. Montagem da Ópera de Pequim em 1956: o ator Wang Cheng-pin na peça histórica *A Fortaleza de Yentanshan*, baseada num tema da dinastia Suy.

18. Kuen Su-shuang na peça lendária *O Roubo da Erva Milagrosa*. Ópera de Pequim, 1956.

-halls e o teatro de variedades dos grandes portos não constituíam padrão para a cultura teatral chinesa. O estilo da Ópera de Pequim revela mais da essência da arte chinesa de representar do que qualquer das espetaculares revistas de Hong-Kong.

O drama falado de estilo ocidental surgiu pela primeira vez durante a revolução de 1907, quando os propagandistas políticos conseguiram se apoderar do palco. Os mártires da revolução, a revolta do povo e o orgulho nacional eram os temas tópicos do novo drama falado (*hua chii*). Diálogos improvisados na linguagem cotidiana e a atuação realística, igualmente improvisada, preenchiam a trama da ação previamente esboçada – num contraste evidente com a artisticamente estilizada Ópera de Pequim. Após 1919 um "renascimento literário" brotou em círculos estudantis. As pessoas estudavam dramaturgia, direção, cenografia, iluminação e estilos de interpretação do teatro ocidental. Traduzidos para o chinês coloquial, *Nana*, de Zola, e *O Inimigo do Povo*, de Ibsen, foram apresentados na Universidade de Nakai em Tientsin e em Pequim. *A Dama das Camélias*, de Alexandre Dumas, e *O Leque de Lady Windermere*, de Oscar Wilde, foram apreciados por seu tratamento dos problemas humanos e sociais. Novos clubes e agências teatrais surgiram, convidando companhias estrangeiras, e foi fundada uma academia nacional de teatro. Os jovens autores do país inspiraram-se na revolução política e literária que se iniciara no começo da década de 30 e que, devido ao incidente na Ponte de Marco Polo em 7 de julho de 1937, levara à guerra com o Japão. Jovens entusiastas patrióticos fundaram um grande número de grupos de teatro com repertórios propagandísticos.

Depois de 1945, a tradição da Ópera de Pequim foi mantida ao lado do drama falado moderno e atual. Mei Lan-fang, que havia recusado as ofertas japonesas para interpretar papéis femininos deixando crescer a barba, voltou ao palco no papel da dama de beleza atemporal. Não obstante os conflitos políticos, a Ópera de Pequim preservara seu estilo especificamente chinês, mundialmente famoso. Hoje, cerca de quatrocentos estudantes passam por intensivo treinamento na Escola Nacional em Pequim, embora recentemente tenha havido uma tendência clara de renovação do estilo tradicional.

Em Taiwan, nesse meio tempo, o governo da China Nacionalista também passou a incentivar a velha tradição da Ópera de Pequim conjuntamente com o drama falado moderno. Duas escolas de teatro e um departamento de Teatro e Cinema na Academia Nacional de Arte em Panchiao, perto da capital Taipei, oferecem cursos de história e prática teatral. Desde 1962, o então recém-fundado Comitê de Produções Dramáticas para Apreciação tem se esforçado para desenvolver o drama falado em algo que vá além de sua função de entretenimento, numa forma de arte.

Japão

Introdução

"É a poesia que movimenta sem esforço o céu e a terra, e desperta a compaixão dos deuses e demônios invisíveis, e é na dança que a poesia assume forma visível". Essas palavras constam da introdução da primeira coletânea japonesa de poemas, *Kokinshu*, publicada no ano de 922. O teatro japonês pode ser descrito como uma celebração solene, estritamente formalizada, de emoções e sentimentos, indo da invocação pantomímica dos poderes da natureza às mais sutis diferenciações da forma dramática aristocrática. Sua mola propulsora está no poder sugestivo do movimento, do gesto e da palavra falada. Dentro desses meios de expressão, os japoneses desenvolveram uma arte teatral tão original e única que desafia comparações, pois qualquer comparação será invariavelmente relevante para um só de seus muitos aspectos.

À primeira vista, a coexistência de muitos gêneros e formas completamente distintos de teatro parece confusa. A arte teatral do Japão moderno não é resultado de uma síntese; resulta de um pluralismo multifacetado, de séculos de desenvolvimento. Sua história não é uma cadeia de estágios evolutivos que se superam; assemelha-se mais a um instrumento ao qual são acrescentadas novas cordas, em intervalos, cada uma paralela às outras. O comprimento de cada corda (para evocar uma alusão à história) determina seu som. Mas entre as cordas há o silêncio, silêncio como contraente do *pathos* e sua culminação última. "Considero que o *pathos* seja inteiramente uma questão de contenção", escreveu o dramaturgo japonês Chikamatsu por volta de 1720: "quando todos os componentes da arte são dominados pela contenção, o resultado é muito comovente...".

Os estilos distintos do teatro japonês constituem ao mesmo tempo um marco miliário. Cada um deles reflete as circunstâncias históricas, sociológicas e artísticas de sua origem. As danças *kagura* do primeiro milênio testemunham o poder de exorcismo dos ritos mágicos primordiais. Os *gigaku* e *bugaku*, peças de máscaras, refletem a influência dos conceitos religiosos budistas, emprestados da China nos séculos VII e VIII. As peças *nô* dos séculos XIV e XV glorificam o *ethos* do samurai. As farsas *kyogen*, apresentadas como interlúdios grotescos e cômicos entre as peças *nô*, anunciam a crítica social popular. O *kabuki* do início do século XVII foi encorajado pelo poder crescente dos mercadores. No final do século XIX, o *shimpa*, sob a influência ocidental, trouxe pela primeira vez temas atuais com uma tendência marcadamente sentimental ao palco. No *shingeki* do século XX, os jovens intelectuais japoneses finalmente tomaram a palavra.

Todas essas formas básicas do teatro japonês – incluindo também o *bunraku,* teatro de bonecos de Osaka – permanecem vivas até hoje, simultaneamente e lado a lado. Cada qual tem seu público próprio e específico, seu próprio teatro, seu valor atemporal.

KAGURA

No universo insular do Japão, como em qualquer outro lugar, o teatro começou com os deuses, com o conflito dos poderes sobrenaturais. Os dois grandes mitos das divindades do mar e do sol contêm não apenas o germe da dança sagrada primitiva do Japão, mas, mais do que isso, os primeiros elementos da transformação dramática, que é a essência da forma teatral. As duas mais antigas crônicas japonesas, *Kojiki* e *Nihongi*, foram ambas escritas em ideogramas chineses no início do século VIII para a corte imperial japonesa. Relatam as representações pantomímicas dos dois mitos que nos dias de hoje são uma fonte importante para as danças da Ásia Oriental. Sobrevivem no Vietnã, Camboja e Laos, na Tailândia, Asam, Birmânia (Mianmar) e no sul da China.

O primeiro desses mitos baseia-se no culto ao sol e relata a história da deusa do Sol, Amaterasu. Após uma briga com seu irmão, Amaterasu esconde-se numa caverna, inacessível a qualquer súplica. O céu e a terra ficam imersos na escuridão noturna – um dos grandes terrores da humanidade, que no Japão se origina da ocorrência histórica de um eclipse solar. As "oitocentas miríades de deuses" do panteão japonês concordam em atrair a deusa zangada para fora de seu esconderijo por meio de uma dança. A deusa virgem Ama no Uzume

> [...] fixou em sua mão uma pulseira feita de licopódio celestial da montanha divina Kagu, coroou sua cabeça com um toucado de folhas do evônimo celestial e atou um ramalhete com folhas de bambu da montanha divina Kagu. Então, colocou uma prancha acústica na entrada da habitação rochosa da deusa e golpeou-a com os pés para fazer um grande barulho, simulando o êxtase da inspiração divina [...].

E assim, Uzume desperta a curiosidade da deusa do Sol. Amaterasu caminha para fora da caverna, e, num espelho que os deuses seguram para ela, vê sua própria imagem radiante refletida. Os galos cantam. A luz volta ao mundo. O significado mitológico da dança de Uzume, que provoca o retorno do sol, sobrevive até hoje no costume de executar as peças *kagura* durante toda a noite até a aurora, até o primeiro canto do galo.

O segundo mito diz respeito à rixa entre dois irmãos e a intervenção do deus do Mar. O rei das marés concede ao irmão mais novo, Yamahiko, que a princípio é derrotado, poder sobre as cheias e vazantes. O irmão mais velho, Umihiko, percebe o perigo que isso significa para si e decide propiciar Yamahiko. Para tal fim, espalha terra vermelha sobre o rosto e as mãos e executa uma pantomima de afogamento, representando, por meio da dança, como as ondas lambem primeiramente apenas seus pés, como a água aumenta mais e mais até quase atingir seu pescoço. Com as palavras "De agora em diante e até o final dos tempos eu serei o seu bufão e criado", Umihiko submete-se ao mando do irmão. E destarte o teatro japonês encontra seu primeiro "ator profissional", embora no domínio da mitologia e mais como ficção do que fato. A esta saga divina, que aliás tem largas ramificações pelo Extremo Oriente, prende-se também a lendária filiação do primeiro imperador japonês, Jimmu, que descenderia de um dragão. A máscara do dragão, símbolo da divindade do mar, ainda possui um papel proeminente nas danças *kagura*.

Essas duas pantomimas mitológicas são importantes para a história do teatro por outra razão ainda. Elas inauguram o uso dos dois mais importantes recursos cênicos simbólicos que permaneceram característicos do teatro japonês: a cana de bambu, ornamento para a cabeça e espelho na dança de Uzume; e a terra vermelha no rosto e nas mãos de Umihiko, prenunciando o tipo de maquilagem que, por toda a Ásia Oriental, é ainda um meio essencial de transformação teatral.

Todas as diversas danças e ritos sacrificiais representados com o propósito de ganhar os favores dos poderes sobrenaturais, por meio da magia da pantomima e da máscara, são tradicionalmente incluídas na categoria de *kagura*. O significado etimológico da palavra é controvertido – é variadamente interpretada como "morada dos deuses" ou "divertimento dos deuses" –, mas o conceito certamente é

1. Xilogravura de Utashige: o Teatro Bunraku de Osaka, *c*. 1880. Cada um dos três bonecos no palco é manipulado por dois titereiros; em cada par, um deles está vestindo roupas pretas. À direita, o recitador; perto dele, o tocador de *samisen*, cuja presença é indicada meramente por sua mão e pelo instrumento (Munique, Stadtmuseum, Coleção de Teatro de Bonecos).

anterior aos ideogramas chineses que o representam ainda hoje. Para o estudioso isso prova que o *kagura* remonta à época dos habitantes originais do Japão e, com certeza, precede a introdução da escrita e da língua chinesas no Japão.

O termo *kagura* descreve não somente as danças rituais mitológicas, mas também as invocações xamânicas de demônios e animais, originariamente pré-históricas, tais como os encantamentos de mágica de caça que se expressam nas danças do veado e do javali e sobrevivem na dança do leão (*shishimai*). Da mesma forma são também consideradas *kagura* as cerimônias da corte que celebram *Mikagura*, um festival de inverno (datado de 1002) derivado da dança da deusa Uzume, e todas as farsas populares pró e antimitológicas, informalmente improvisadas, apresentadas por comediantes, truões e acrobatas em homenagem às divindades xintoístas.

O conceito moderno *kagura* de aldeia (*sato-kagura*) originou-se no século XVII. Sua conexão com a mitologia e o ritual xamânico, a invocação dos espíritos benevolentes e o exorcismo dos maus espíritos sobreviveu até o século XX em ritos supersticiosos. Em 1916, durante a epidemia de cólera que devastou o Japão, organizaram-se apresentações de *kagura* na esperança de banir a praga.

Gigaku

Quando a teologia do budismo alcançou as ilhas do Japão, proveniente da China, em meados do século VI, trouxe consigo as primeiras danças e canções budistas. Sua introdução é creditada a um imigrante coreano, Mimashi de Kudara, que chegou com uma *troupe* ambulante à antiga capital de Nara, em 612. O príncipe regente Shotoku Taishi (572-621), um patrono das artes e zeloso pioneiro do budismo no Japão, deleitou-se com as danças e peças dos artistas estrangeiros. Ele persuadiu Mimashi a estabelecer-se em Sakurai, não longe de Nara, e ali instruir jovens alunos selecionados na arte da nova dança. Conta-se que o próprio imperador escolheu o nome da dança; chamou-a *gigaku* – "música arteira". E logo o *gigaku* tornou-se parte do cerimonial de Estado. Era apresentado diante dos templos por todo o país, a cada ano nas duas grandes festividades religiosas, o aniversário de Buda e o dia dos mortos. Então, o palco ainda não era conhecido no Japão; os dançarinos se movimentavam ao nível do solo, acompanhados por tambores, címbalos e flautas.

Uma descrição do *gigaku*, que logo foi absorvido por uma nova forma de dança da corte, o *bugaku*, pode ser colhida num tratado muito posterior, o *Kyokunsho*, escrito de forma retrospectiva em 1233 pelo dançarino Koma no Chikazane. À procissão inicial de bailarinos e músicos seguiam-se pantomimas, representadas com grotescas máscaras de elmo com grandes narizes de rapina, poderosas mandíbulas e globos oculares salientes.

O fato de as peças dançadas por Mimashi e seu grupo conterem originalmente cenas fálicas leva à suposição de uma conexão com o posterior *mimus* romano. Muito mais convincente, entretanto, é a suposição de que o ritual fálico não se originou na Grécia, mas nas terras montanhosas da Ásia Central, e que sua influência fluiu na direção contrária.

As máscaras *gigaku* demonstram que fortes correntes de antigos conceitos xamânicos atingiram o Japão vindas do Tibete e do norte da China, via Coréia. As máscaras *gigaku* remanescentes (ainda existem em torno de duzentas) estão entre os mais antigos e valiosos registros dos cultos primitivos da Ásia Oriental. Muitas dessas máscaras estão em Nara, na casa do tesouro (*shoso-in*) do imperador Tenji, e algumas outras em poucos templos.

Bugaku

No decorrer do século VIII, a nova dança chamada *bugaku* ganhou predominância. A música era a ponte entre o *bugaku* e o *gigaku* primitivo – a música instrumental da corte conhecida como *gagaku*, que era intimamente aparentada com a música chinesa do período Tang. O nome *bugaku*, "dança e música", dá uma ideia do seu caráter. O *bugaku* exigia dois grupos de bailarinos: "os Dançarinos da Música à Direita" e "os Dançarinos da Música à Esquerda". Os Dançarinos da Música à Direita entravam no palco pela direita, e seus músi-

2. Máscara *gigaku*, período Nara, século VII (Tóquio).

3. Máscara *bugaku*, período Heian, 1185 (Nara).

cos ficavam postados no lado direito do palco. De forma correspondente, os Dançarinos da Música à Esquerda faziam sua entrada pela esquerda, e seus músicos ficavam postados à esquerda.

O palco *bugaku* era uma plataforma quadrada suspensa, rodeada de grades, com escadas de acesso do lado direito e esquerdo. O conjunto musical à esquerda consistia predominantemente em instrumentos de sopro. No conjunto da direita, os instrumentos de percussão dominavam e marcavam o padrão rítmico para os dançarinos da direita. O espetáculo era precedido pelo *embu*, uma dança cerimonial de purificação de origem cultual. (A cena introdutória do drama clássico hindu, a *purvaranga*, começa com um rito estreitamente aparentado com o *embu.*) Então, os grupos da esquerda e da direita começam a dançar, parte em ritmos imponentes e parte em ritmos vivos. Os dois grupos eram tão rigorosamente distintos quanto os "Azuis" e os "Verdes" na enigmática peça de Natal dos "Bárbaros", que era encenada na corte imperial de Bizâncio. Os dançarinos entram no palco alternadamente pela esquerda e pela direita, e sempre em pares; os que dançam a música da esquerda, inspirada por fontes chinesas e hindus, usam figurinos nos quais predomina o vermelho, enquanto o verde distingue os Dançarinos da Música à Direita. Esta, por sua vez, é de origem coreana e da Manchúria e adaptada ao gosto japonês. O *bugaku* termina atualmente, como sempre o fizera, com a composição *chogeishi* de Minamoto no Hiromasa (919-980).

Durante o período Heian (por volta de 820), o *bugaku* foi a dança cerimonial exclusiva da corte imperial. Até hoje, o *bugaku* é apresentado na corte, e o privilégio de atuar nele é passado de geração a geração nas famílias de artistas *bugaku*. Uma ou duas vezes ao ano, geralmente em homenagem a algum visitante importante, as danças *bugaku* são apresentadas na corte imperial diante de uma plateia exclusiva. O caráter tradicional do *bugaku* foi preservado inalterado na dança e na música, embora os figurinos e máscaras tenham mudado. Versões populares e folclóricas do *bugaku*, independentes do cerimonial da corte, sobrevivem em muitos pequenos templos xintoístas, juntamente com elementos da música *gagaku*, numa grande variedade de danças folclóricas japonesas.

Sarugaku e *Dengaku*, Precursores do *Nô*

Os movimentos majestosos e controlados de dança, os passos cerimoniais, o significativo erguer e abaixar da cabeça, o súbito imobilizar-se em pose silente, após um violento arremeter-se – todos esses elementos básicos da arte teatral clássica japonesa podem ser remetidos às duas formas de "peça"-dança da qual, por fim, a grande arte do *nô* se desenvolveu: o *sarugaku* e o *dengaku*.

Nas grandes cidades de Nara, Kyoto e Yedo (depois Tóquio), onde havia templos, as artes da mímica, dança, acrobacia e canto sempre haviam prosperado. As *ennen-mai*, peças originalmente representadas por monges budistas, vieram a ser diversificadas por atrações seculares. Acrobatas, malabaristas, andadores de pernas de pau e titereiros dirigiam-se em bandos aos templos, e o povo os aclamava, grato pela oportunidade de combinar o cerimonial solene em honra dos deuses com um espetáculo agradável aos olhos e ouvidos. No período Heian (794-1185), a palavra *sarugaku* havia sido usada para definir toda a rica variedade de entretenimentos populares. O termo derivava da antiga forma de arte *sangaku* (que provavelmente significava "música desordenada"), que teve uma longa e ativa história na China antes de chegar ao Japão, mais ou menos ao mesmo tempo que o *bugaku* da corte. O ideograma chinês "macaco", usado para *saru*, levou os eruditos a definir *sarugaku* como "música de macaco", em contraste com o ideograma nativo *dengaku*, "música de campos de arroz". A derivação de *saru* teria implicações interessantes para o historiador da cultura. Na China, o "macaco com o barrete de oficial" havia conquistado seu lugar no palco como um crítico dos acontecimentos contemporâneos em trajes de *clown,* e no *Ramayana* hindu e no teatro de sombras da Indonésia o rei-macaco Hanuman ajuda Rama, o filho dos deuses, a vencer o rei demônio do Ceilão. O culto, a lenda, o conto folclórico, a teoria moral e, da mesma maneira, o teatro, atribuem importantes funções ao macaco, desde o julgamento dos mortos no Egito à ópera *O Pequeno Lorde*, de Hans Werner Henze.

Tanto o *sarugaku* quanto o *dengaku* assemelham-se aos divertimentos populares de Carnaval do Ocidente. Na crônica *Rakuyo dengaku-ki*, de Oe-no-Masafusa (1096), encontramos menção de danças e procissões desenfreadas, nas quais toda a população da capital tomava parte – os velhos e os jovens, os ricos e os pobres; até mesmo os funcionários do Estado participavam, usando máscaras e figurinos cômicos e carregando enormes leques.

O *dengaku* tem sua origem nas danças rurais da colheita, e no decorrer do século XIV desenvolveu-se em algo que ia muito além do mero entretenimento popular. Absorveu elementos cortesãos do *gigaku* e, levada, por escolas *dengaku* de Nara e Kyoto, foi elaborada na sofisticada forma de arte conhecida como *dengaku-no-no*.

Existem no Japão famílias ou guildas de artistas, os chamados *za*, que remontam ao início do período Muromachi (1392-1568). (*Za* é, ainda, a palavra japonesa para teatro.) Os *za* desfrutavam da proteção dos templos budistas. Seus membros eram dispensados das taxas pesadas e de obrigações de trabalho, e possuíam o monopólio das apresentações no distrito específico do seu templo.

O anonimato geral dos atores profissionais japoneses chegou ao fim no início do século XIV, quando os nomes de intérpretes individuais foram registrados pela primeira vez. Entre eles estava o nome do ator *sarugaku* Kwanami e de seu filho Zeami, a quem o teatro japonês deve sua forma de arte mais fascinante e profunda. Tanto Kwanami quanto Zeami inauguraram e interpretaram o novo estilo que criaram.

Nô

Enquanto na Europa a era dos cavaleiros – quando imperador e príncipes se reuniam para as Cruzadas – chegava ao fim, floresceu no Japão a civilização cortesã dos samurais.

A atmosfera de esplendor na residência imperial, os palácios dos nobres e o culto esteticamente refinado dos templos criou uma classe aristocrática cujo patrocínio faria do teatro *nô* a epítome e o espelho da sua época. A casta aristocrática guerreira dos samurais tinha orgulho de descender das grandes famílias de heróis, trazendo nomes como Genji, Heike ou Ise. O poder dos principais chefes feudais, os daimios, cristalizou-se no cargo de xógum, pelo título "regente", mas, na verdade, o autocrata do Japão. Da mesma forma que o ideal europeu da Cavalaria foi exaltado na poesia cortesã da Idade Média, na *Canção de Rolando*, no ciclo arturiano e no *Cid*, também os épicos japoneses exaltaram o mundo do samurai. Seu código não escrito de honra exigia deles as virtudes do heroísmo, magnanimidade, lealdade até a morte ao senhor feudal, defesa abnegada dos direitos dos fracos e o menosprezo à covardia, avareza e traição. Esses ideais derivavam das doutrinas do zen-budismo, a busca da "iluminação" e da experiência espiritual intuitiva do absoluto. A força para dominar as tarefas deste mundo era proveniente da observação de períodos diários de intensa meditação que, fora da esfera puramente religiosa, se tornou a mola propulsora de toda arte criativa. "Nada é real", diz o coro falando pela poetisa Komachi, a protagonista de *Sotoba Komachi* (Komachi no Sepulcro), uma das maiores peças *nô* inspiradas pelo zen-budismo: "Entre Buda e o Homem / Não há distinção, mas uma aparência de distinção / estipulada / para o bem dos humildes, dos incultos, / a quem ele prometeu salvar".

Como a delicada intensidade da aquarela ou a imagística contida do verso haicai, a arte toda do *nô* é enformada pelo místico *chiaroscuro* do zen-budismo.

Com os refinados *dengaku* e *sarugaku*, os atores e os oficiais do templo responsáveis pelos espetáculos haviam satisfeito os padrões elevados e obtido os favores da exigente nobreza; mas agora, com a ascensão das peças *nô*, a convergência da arte e do patronato anunciavam a era dourada do teatro japonês. Em 1374, o xógum Yoshimitsu assistiu a uma apresentação do ator de *sarugaku* Kwanami e seu filho Zeami. O jovem governante ficou tão impressionado com a atuação do pai e com a beleza de Zeami, então com 11 anos de idade, que vinculou ambos à sua corte.

4. Mulher com rede de pescar, próxima da loucura por causa da morte de sua única filha, que aparece à direita, ao fundo, sentada à direita de um bonzo, com um manto com capuz. Cena de uma peça *no*. Gravura colorida, *c*. 1900.

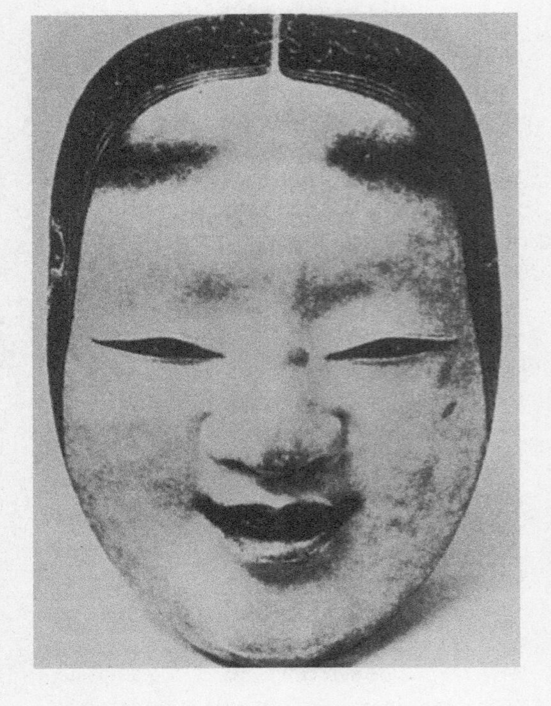

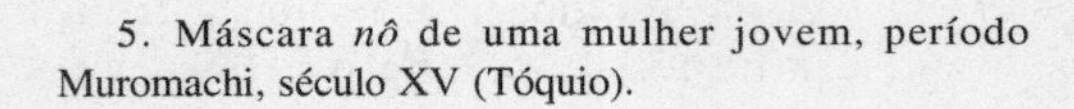

5. Máscara *nô* de uma mulher jovem, período Muromachi, século XV (Tóquio).

6. Anciã ajoelhada, lendo um escrito; provavelmente, a poetisa Komachi. Cena de uma peça *nô*. Gravura colorida, *c*. 1900.

Kwanami (sob o nome de Kiyotsugu, que usava quando jovem) traçou para seu filho Zeami o caminho para o enriquecer constante de suas próprias formas de expressão cênico-dramáticas, e assim remodelar o padrão dramático na peça *nô*. O trabalho de Zeami foi grandemente influenciado pela famosa peça de seu pai, Kwanami, sobre o destino da poetisa Sotoba (Sotoba Komachi). E Zeami Motokiyo sabia como tirar partido da proteção do xógum para promover a causa do teatro. Seu objetivo era duplo; queria ser reconhecido tanto pela arte de atuar como pelo drama enquanto tal. Tornou-se um consumado ator, dramaturgo e diretor. Com seu senso infalível do que podia tocar uma plateia, observava os grandes intérpretes de sua época. Estudou as técnicas dos famosos atores de *dengaku* Itchu e Zoami, do bailarino de *kuse-mai* Otsuro, do ator de *omi-sarugaku* Keno e do ator Kotaro, da escola Komperu. Assim Zeami aperfeiçoou seu estilo próprio. Escreveu o texto e a música para aproximadamente cem peças *nô* nas quais ele próprio interpretava o papel principal. Um dos pontos altos de sua carreira foi sua famosa atuação em *A Estrela de Zeami* diante do imperador Go-Komatsu em 1408.

Após a morte de seu patrono Yoshimitsu e a perda de seu filho Motomasa, Zeami retirou-se da corte. Ele se esforçou em expor por meio da escrita o espírito e o significado do *nô*, que quer dizer, literalmente, "talento". Graças a seus três grandes tratados teóricos, *Hanakagami, Kwadensho* e *Kyui*, Zeami tornou-se o Aristóteles do teatro japonês. Mas esse testamento artístico permaneceu desconhecido para sua própria época. Não foi escrito para publicação, mas exclusivamente para a transmissão secreta de sua arte dentro de sua própria família.

Em 1434, Zeami foi exilado por razões que desconhecemos – talvez por ter se recusado a passar seu código secreto da arte *nô* a seu sobrinho Onami, que era o favorito do novo xógum. A história silencia sobre este ponto. Após a morte desse xógum, Zeami retornou do exílio e então transmitiu sua herança artística, não a seu sobrinho Onami, mas a seu genro Zenchiku, com quem passou os últimos anos de sua vida.

A peça *nô*, por sua modelar construção dramática, foi frequentemente comparada à tragédia grega. Existem realmente algumas analogias, em aspectos tais como origem cultual, participação de um coro e distinção nítida entre o protagonista e os personagens secundários. Mas nada disso conta diante do espírito e da abordagem inteiramente diferentes das duas espécies dramáticas. Enquanto Antígona se opõe à ordem de Creonte e desafia o destino e os deuses, Komachi pratica a paciência silenciosa, e os sacerdotes, "curvando a cabeça até o chão, prestam homenagem três vezes diante dela" com as palavras, "Uma santa, esta alma frágil e proscrita é a de uma santa."

O significado profundo do conteúdo do *nô* não é a rebeldia mas a afirmação, a afirmação de uma beleza que culmina na aflição. Zeami procurou ilustrar esta "beleza tão fascinante e surpreendente em sua contradição" mediante a comparação poética, como em seu tratado *Kyui*: "Em Shiragi, o sol é brilhante à meia-noite". Talvez seja em termos desse exemplo que possamos melhor explicar o significado do termo *yûgen* que, de acordo com Zeami, constitui a culminação da apreciação estética da peça *nô*. *Yûgen*, originalmente o conteúdo oculto da doutrina budista, é um poder secreto em que a beleza está envolvida como a semente da qual a flor (*hana*) há de florescer em seguida.

O firme fundamento espiritual das peças *nô* corresponde a seu padrão dramatúrgico prefixado. Existem cinco categorias de peças *nô*, todas representadas até hoje no programa de qualquer espetáculo *nô*. O primeiro grupo trata dos deuses; o segundo, das batalhas (mais frequentemente da glorificação de algum samurai heroico); o terceiro grupo é conhecido como o das "peças das perucas" ou "peças de mulheres", porque o ator principal usa uma peruca e interpreta o papel de uma mulher; a quarta categoria, dramaticamente mais forte, retrata o destino de uma mulher com o coração partido, amiúde levada à loucura pela perda de seu amante ou filho; a quinta categoria, que encerra o programa, conta uma lenda.

O protagonista e líder (*iemoto*) de uma companhia *nô* é o *shite*; seu parceiro e principal ator secundário é o *waki*. Cada um deles é acompanhado por um cortejo – atores que representam servos ou acompanhantes – e há um coro, normalmente de oito homens, que cantam. Todos os membros do coro usam roupas escuras e sentam-se no chão no início da peça. Eles comentam a ação, mas não intervêm nela, da mesma forma que o coro da tragédia grega. O *shite* usa uma máscara que, de acordo com o seu papel, pode representar um valente herói, um velho barbado, uma jovem noiva ou uma anciã atormentada.

Os japoneses não veem nada de estranho no fato de um homem expressar os sentimentos de uma mulher, sua felicidade ou desespero. Ao contrário, consideram a máscara como a expressão literal de uma verdade superior. A máscara confere ao ator uma forma de vida mais elevada e quintessencial. As máscaras entalhadas dos atores *nô* são, por si próprias, obras de arte de alta qualidade, simbolizam a personagem em sua forma mais pura, limpa de qualquer imperfeição. O poeta Yeats observou que "uma máscara [...] não importa a distância de onde seja contemplada, é ainda uma obra de arte". Quando, em 1915, em sua procura por "uma forma de drama distinta, indireta e simbólica", ele encontrou as peças *nô*, acreditou ter achado uma forma de insuflar vida nova às lendas irlandesas; ele sentia que nada era perdido "ao deter-se o movimento das feições do rosto, pois o sentimento profundo é expresso por um movimento do corpo todo".

A arte do *nô* exige concentração extrema. Por horas a fio o ator, em seu figurino de deslumbrante brocado, precisa conduzir a si mesmo de modo que seus gestos e movimentos nunca contradigam sua máscara. Seu raio de ação é precisamente medido em passos, cada passo que ele dá para a frente ou para os lados tem sua prescrita medida.

O palco *nô* tradicional é uma plataforma quadrada de cedro, polida e brilhante, de aproximadamente 5,5 m de largura, com três lados abertos. Possui um telhado semelhante ao dos templos, sustentado por quatro pilares. O plano de fundo é sempre o mesmo: um grande e nodoso pinheiro pintado nas tábuas da parede de trás como símbolo da vida eterna. Três degraus levam ao palco, que se ergue a mais ou menos 90 cm do solo; geralmente ele se encontra no pátio de um templo. A peça *nô* ainda está estreitamente conectada com a cerimônia religiosa e as festividades dos templos santos. Um dos mais antigos palcos *nô* existentes localiza-se no recinto do templo de Kyoto. É dedicado a Shinran Shonin, fundador da seita Shin. De acordo com uma inscrição, data do ano de 1591. Todos os anos, no dia 21 de maio – aniversário de Shinran –, é o cenário de solenes espetáculos *nô*.

Por sua vitalidade criativa e harmonia intrínseca com os traços fundamentais do caráter japonês, as peças *nô* sobreviveram intactas desde o século XIV. Algumas modificações

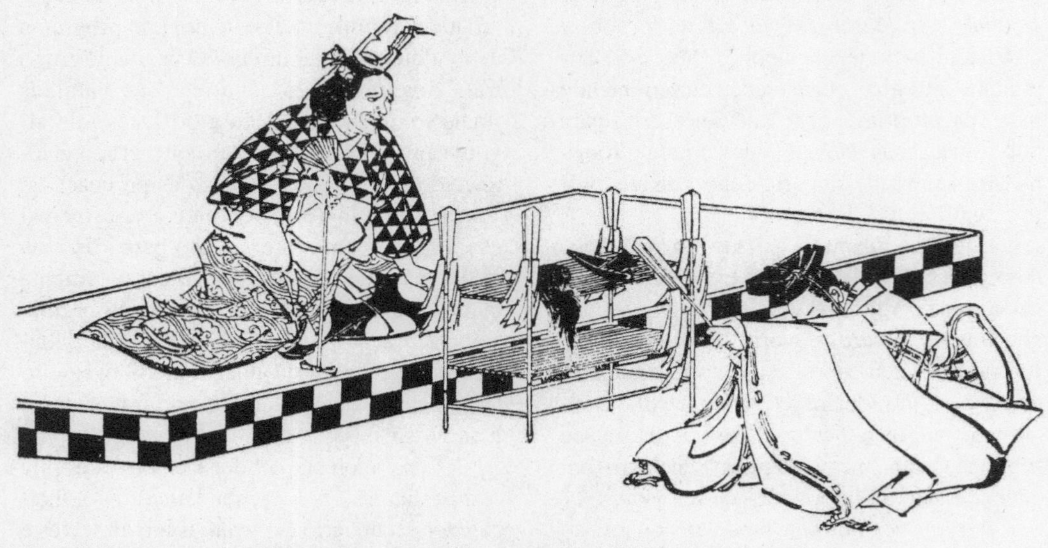

7. Cena da peça *nô Funa-Benkei.* Desenho de Toyoshi Kawanabe, Tóquio, 1899.

8. Palco *nô* no recinto do templo de Kyoto, construído em 1591 e dedicado ao fundador da seita Shin, Shinran Shonin, cujo aniversário em 21 de maio é comemorado anualmente com espetáculos *nô*. O piso de cedro é mantido cuidadosamente polido, com o brilho de um espelho.

9. Plateia e palco *nô* vazios: o Teatro Kwanze-kai-*nô* em Tóquio, 1960.

na ênfase podem ter causado pequenas mudanças na estrutura dramática, mas nenhuma em sua essência. Existem, por exemplo, algumas peças *nô* – como *Rashomon* ou *Funa-Benkei* – nas quais a figura dominante não é o *shite*, mas o *waki*; isso se explica pelo fato de que, por volta de 1500, seu autor, o ator e poeta Kwanze Kojiro Nobumitsue, ter interpretado o *waki* durante muitos anos num grupo *nô*. Bastante compreensivelmente, escreveu o melhor papel para o segundo ator – ele próprio.

O ritmo atual um tanto mais majestoso das peças *nô*, as sutilezas instrumentais em seu acompanhamento musical (flauta, tambores, tamborins) e o esplendor dos brocados dourados remontam todos à metade do século XVIII. Porém, nada enfraqueceu a validade do que Zenchiku, genro e herdeiro artístico de Zeami, disse sobre a arte da diferenciação cênico-dramática do *nô*:

> Tudo o que é supérfluo é eliminado, a beleza do essencial é totalmente depurada. É a inexprimível beleza do não fazimento [...]. É como a música da chuva delicada nos poucos galhos que restam das célebres velhas cerejeiras de Yoshino, Chara e Oshio: cobertas de musgo, com algumas poucas flores aqui e ali [...].

Kyogen

Os *kyogen*, componentes tradicionais das peças *nô*, são provavelmente tão antigos quanto estas, se não mais. São farsas que estabelecem interlúdios de contraste cômico com as convenções solenes e formais do *nô*. Satirizam de maneira suave e indulgente as fraquezas humanas e serviram outrora para introduzir os primeiros aspectos da crítica social no autoconfiante mundo do samurai.

Criados astutos enganam seu patrão sovina, impostores são apanhados em sua própria armadilha, monges hipócritas são desmascarados, um macaquinho brincalhão salva a vida ameaçada e, com ela, o mais precioso bem de seu lamentoso dono. Algumas das bufonarias e piadas dos *kyogen* lembram a *Commedia dell'arte* europeia; existe, na verdade, um exemplo de impressionante coincidência. No interlúdio *kyogen, Boshibari*, dois servos são amarrados juntos pelas mãos, para evitar que trapaceiem. Porém, a despeito da precaução, conseguem roubar vinho de arroz. Há uma cena parecida na *Commedia dell'arte*, em que dois *servitori* amarrados de forma semelhante servem-se do macarrão que lhes é negado.

As farsas *kyogen* não são amargas, mas alegres. Praticam a crítica social sem mortos nem feridos. Qualquer ambiguidade grosseira é rigorosamente excluída, pois, conforme Zeami nos diz, palavras ou gestos vulgares não devem ser apresentados em nenhum caso, por mais cômicos que possam ser.

Quase nada se sabe a respeito dos autores dos aproximadamente duzentos textos *kyogen* ainda em uso hoje. Um dos mais antigos textos transmitidos pela tradição data do século XIV e é atribuído ao sacerdote Kitabatake Gene Honi, do monastério Hieizan. É difícil, porém, encontrar pistas de autorias posteriores. Uma coisa parece certa: uma sucessão protegida com muito ciúme deve ter sido a regra no *kyogen*, como era em todo o *nô* – os textos foram mantidos rigorosamente em segredo e legados de pai para filho, exatamente como na tradição do arlequim e do *Hanswurst* do teatro europeu.

Os atores *kyogen* em geral não usam máscaras, exceto quando interpretam um certo número de tipos especiais, como o macaquinho em *Utsubozaru*. Da mesma forma que o *nô*, o *kyogen* possui sua hierarquia tradicional de atores, ou seja, um protagonista e líder (*omo*), e um segundo ator (*ado*). O *kyogen* reagrupou os vestígios esparsos de formas teatrais populares que foram rejeitadas, da mesma forma que o *sarugaku* foi aprimorado no *nô*. Várias gerações mais tarde, essas formas se tornaram a fonte para os elementos realistas do *kabuki* primitivo.

O Teatro de Bonecos

A arte dos espetáculos de bonecos perpassa como um fio vermelho todo o teatro do Extremo Oriente. A marionete manipulada por fios ou arames; o títere *wayang* javanês, suntuosamente vestido; o boneco rústico, esculpido à mão, da ilha de Awaji – todos eles, ao lado do bardo e do contador de histórias, sem-

10. Cena com macaco executando passos de dança, que lembra a ainda hoje popular peça *Kyogen Utsubozaru*, levada pelo elenco do Kwanze-kai-nô de Tóquio, em 1966, em sua turnê pela Europa. Gravura colorida, *c*. 1900.

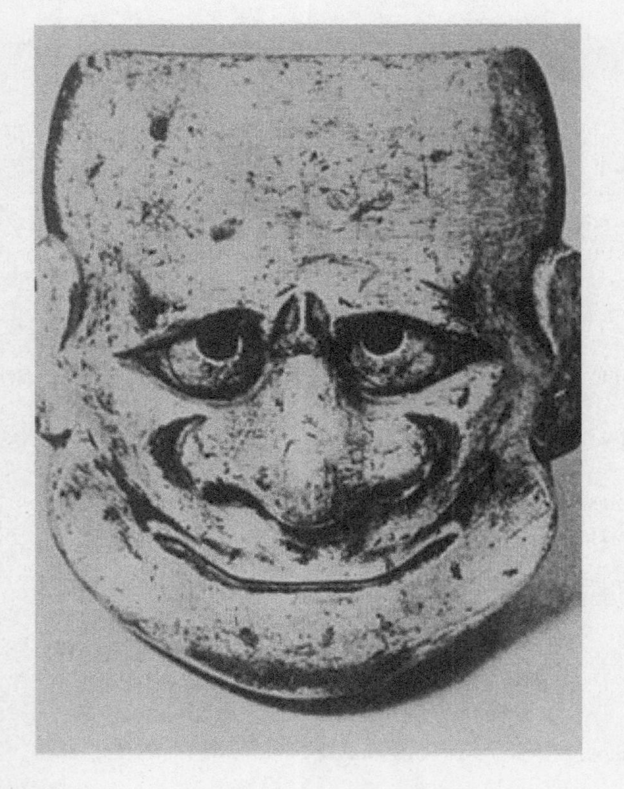

11. Máscara *kyogen* de um ancião, período Muromachi, século XV (Tóquio).

pre encontraram, em toda parte, seu pequeno e grande público.

Quanto ao Japão, os bonecos são mencionados pela primeira vez no século VIII. Quer dizer que, nas apresentações do *sangaku* (até então influenciado pela China) também se empregavam bonecos como coatuantes.

Durante o período Heian (794-1185), os espetáculos de bonecos viajaram através de todo o país com as troupes ambulantes. Seu "teatro" era uma caixa retangular, aberta na frente. O titereiro a carregava com a ajuda de uma correia no pescoço. Durante o espetáculo, ele movimentava seus bonecos, que eram feitos de pedaços de madeira e trapo, através de buracos abertos no fundo e nos lados da caixa. Esta forma primitiva e atemporal de teatro de bonecos é comum ainda hoje em algumas regiões remotas do Japão.

Porém, a arte altamente estilizada dos bonecos animados de Osaka deve sua inspiração e desenvolvimento à fusão da arte dos bonecos com as recitações dos cantores e contadores de histórias. Na época em que os *scholars* errantes da Europa estavam cantando as proezas de Carlos Magno nas *chansons de geste*, os monges cegos japoneses sentavam-se diante dos portões dos templos e recitavam cenas dos épicos dos samurais, com o acompanhamento do *samisen*, um alaúde de três a cinco cordas. Uma das mais conhecidas baladas conta a triste história de Joruri, que procura eternamente o seu amado e, quando o encontra, perde-o mais uma vez. Perto do final do século XVI, a famosa balada de Joruri terminou por dar seu nome a uma recém-surgida forma de arte, a peça de títeres (*ningyo*, que quer dizer "boneco de mão"), que ficou conhecida como *ningyo joruri*. Ela deve sua origem a dois manipuladores itinerantes, o mestre titereiro Hikita Awaji-no-jo e o cantor de baladas de *joruri* e tocador de *samisen* Menukiya Chozaburo, que um dia decidiram fazer um trabalho juntos. Hikita manipulou os bonecos de acordo com a história contada por seu parceiro, e ambos foram aplaudidos largamente. O imperador convocou-os à corte, e logo o seu exemplo era seguido por outros grupos de cantores e titereiros.

Em pouco tempo, o *ningyo joruri* tornou-se grandemente popular sobretudo no grande centro comercial de Osaka. Mercadores ricos financiaram um teatro de bonecos e, sob sua influência, a tônica temática deslocou-se do mundo cortesão dos samurais para as casas comerciais e para o universo sentimental da classe dos mercadores.

A peça de bonecos foi alçada a um alto nível artístico por ter obtido acesso às obras-primas do grande dramaturgo japonês Chikamatsu Monzaemon (1653-1725). O "Shakespeare do Japão" escreveu seus mais refinados trabalhos não para atores humanos, mas para títeres esculpidos em madeira. Quando as obras de Chikamatsu são encenadas com perícia, os bonecos, animados de forma misteriosa, tornam-se o veículo de emoções e paixões que desconhecem fronteiras. O títere nunca corre o risco de sair dos trilhos, e sua gestualidade patética é sempre esteticamente bela e nunca embaraçosa.

A brilhante observação de Kleist em seu estudo "Sobre o Teatro de Marionetes", de "que pode haver mais graça numa articulação mecânica do que no corpo humano", é aplicável também aos títeres de Osaka. Mesmo na época de Chikamatsu, os bonecos originais, que eram movimentados com as mãos, foram aperfeiçoados em figuras de construção elaborada, que possuíam notável destreza para andar, dançar e até mesmo para mexer os olhos e franzir a testa. Acredita-se que já em 1727 existissem dispositivos que conferiam aos títeres possibilidades engenhosas. Primeiramente, havia pequenos alçapões para figuras individuais ou partes do cenário e, mais tarde, o artifício de plataformas maiores que também podiam ser usadas para elevar o chão do palco em três níveis diferentes. Ao trabalhar com tais inventos cênicos do teatro de bonecos, Namiki Shozo, o inventor do palco giratório japonês para o teatro *kabuki*, teve, segundo se relata, sua primeira experiência técnica. No Japão, conta-se que o palco giratório foi usado de início no teatro de bonecos Kado-za em Osaka.

O palco do *ningyo joruri* consiste numa ponte de madeira sobre a qual os bonecos atuam, enquanto o mestre titereiro que os manipula fica numa espécie de fosso. Ele permanece à vista dos espectadores, sem destruir com isso a ilusão; se os bonecos são grandes, ele pode até mesmo sentar-se ou estar em pé no próprio palco. Usa roupas escuras e um capuz, misturando-se assim ao pano de fundo, enquanto comunica aos bonecos, suntuosamente vestidos com seus figurinos brilhantes, a capacidade de amar e odiar, sofrer e resistir, lutar e morrer.

O narrador senta-se à direita do palco, por trás de uma estante de laca ricamente decorada que sustenta seu texto; perto dele senta-se o tocador de *samisen*. O número de oradores e músicos depende do tipo e da complexidade da peça.

As dificuldades de prover os requisitos técnicos – como, por exemplo, a necessidade de três titereiros para manipular um único boneco – juntamente com a competição com o teatro *kabuki* causaram o declínio gradual do *joruri* no decorrer do século XVIII. Entre 1780 e 1870 não havia um único teatro *joruri* artisticamente competente em todo o Japão.

O *joruri* veio a ser revivido por um mestre titereiro da ilha de Awaji, berço tradicional de espetáculos populares de bonecos. Em 1871, Uemura Bunrakuken fundou o Teatro Bunraku de Osaka, que leva seu nome, e foi ali que a arte do *ningyo joruri* reviveu em nova glória. O edifício, que ficava no recinto de um templo fora da cidade, incendiou-se em 1926. Hoje, os famosos bonecos de Osaka têm como abrigo o moderno e decorado edifício Asahi-za, que faz parte do grande conglomerado teatral pertencente à sociedade anônima Shochiku. Nos últimos cem anos, o nome Bunraku passou a fazer parte do vocabulário internacional, evocando em todos os lugares a arte rematada do teatro de marionetes japonês de Osaka.

Kabuki

Os primeiros anos do século XVII, marcado na Europa pelo esplendor do barroco, trouxe afinal a paz ao Japão, depois de uma série de contendas de família e guerras civis. Porém, foi também uma época de novos conflitos, gerados pela primeira intrusão de um mundo externo, distante e estranho. Mercadores portugueses estavam levando ao Japão os artigos de sua terra, e os missionários jesuítas de São Fracisco Xavier propagavam sua fé. Os extratos burgueses começavam a decidir seu destino e o destino do Estado.

Enquanto as solenes danças *bugaku* haviam encontrado seu lugar no cerimonial da corte imperial e o *nô* se encaixara inteiramen-

12. Teatro *kabuki* feminino da época da dançarina O-kuni, em Kyoto, *c*. 1620.

te na estética samurai baseada no zen-budismo, uma nova forma de teatro compreendia agora toda a extensão da realidade social. Era o *kabuki*. Os três caracteres chineses que expressam hoje a palavra *kabuki* significam música, dança e habilidade artística.

A origem do *kabuki* é atribuída à bailarina Okuni, antiga sacerdotisa do santuário xintoísta em Izumo. Por volta de 1600, Okuni dava recitais de dança e música em diversos locais da capital Kyoto, a fim de recolher donativos para a reconstrução do seu santuário em Izumo, destruído pelo fogo. E por certo, apresentava a *nembutsuodori*, dança ritual em homenagem a Buda, conhecida desde o século X e difundida por monges errantes.

O sucesso de sua campanha para arrecadar fundos levou Okuni, por iniciativa própria ou instigação de alguém com faro para negócios, a trocar o caráter religioso de sua arte por outro, comercialmente mais útil. Ela treinou algumas jovens, ensaiou com elas pequenas danças e cenas de diálogo, e começou a aparecer com seu conjunto e uma orquestra de flautas, tambores e tamborins no parque de diversões de verão em Kyoto, no leito seco do rio Kamo, onde numerosos pequenos restaurantes, casas de chá e *troupes* de dança montavam suas barracas todos os anos na estação seca.

Em 1607, Okuni levou suas jovens a Yedo, hoje Tóquio, onde novamente atraiu grandes plateias. Donos de casa de chá espertos começaram a anexar um jardim-teatro *kabuki* a seus estabelecimentos. As jovens dançarinas eram muito atraentes, em todos os sentidos; porém, conforme seus princípios de conduta iam relaxando, sua reputação rapidamente decresceu. Vinte anos mais tarde, um edito imperial proibiu o *onna-kabuki* e o aparecimento de mulheres (*onna*) no palco.

Um documento da época primitiva do *Okuni kabuki*, o *Kunijo kabuki ekotoba*, escrito aproximadamente entre 1604 e 1630, que hoje está preservado na biblioteca da universidade de Kyoto, nos oferece um vívido quadro desse período. Suas ilustrações mostram como as antigas características da dança ritual combinavam-se com os elementos do *nô* e do *kyogen*. Ele registra o seguinte enredo de uma das peças-danças de Okuni:

Okuni está pranteando seu amado e, conjurado pelo fervor de sua dança, seu espírito aparece diante dela. O fantasma é interpretado por uma jovem atriz e entra no palco vindo do meio do público. Com isso se anuncia um desenvolvimento que se tornou um princípio da encenação do *kabuki*. Fantasmas, deuses e heróis em ação fazem sua entrada por uma passarela de madeira, através da plateia, rumo ao palco, isto é, sobre o *hanamichi*, a "estrada de flores". Conta-se que o público depositava ali flores aos pés deles – uma bela, porém não comprovada interpretação.

Em 1624, o fundador da linhagem de atores chamada Nakamura, uma das mais renomadas das dinastias *kabuki*, construiu o primeiro teatro *kabuki* permanente em Yedo. Cinco anos mais tarde, o *onna-kabuki* foi proibido. Doravante a nenhuma mulher seria permitido aparecer no *kabuki*. Os papéis das damas banidas foram assumidos por atores adolescentes, bem como suas outras obrigações. Eles logo inspiraram rivalidades não menos violentas do que as provocadas pelas damas da profissão, pois os prazeres do palco e dos bastidores eram igualmente requestados pelos mercadores ricos, os *shonins*, e membros da classe dos samurais. Em 1652, as autoridades puseram fim também ao *waka-shu-kabuki*, interpretado por garotos.

Porém, dois anos mais tarde, veio a modificação decisiva, quando foi obtida a permissão de se continuar com as apresentações teatrais, com a condição de que os atores atuassem com a cabeça raspada, conforme era costume entre os homens, e que não fossem incluídas cenas eróticas ou danças provocantes.

A partir de então, o desenvolvimento do *kabuki* traz a marca da entranhada tendência japonesa para a estilização e para os "astros" da cena. Assim, logo se delinearam quatro categorias distintas de peças, que ainda hoje constituem os programas *kabuki*. O primeiro tipo é o drama histórico, *jidaimono*, que glorifica o samurai e suas virtudes tradicionais – lealdade e amor filial. O segundo, é o *sewamono*, um drama doméstico situado no mundo dos mercadores, comerciantes e artesãos. A terceira categoria, *aragoto*, o drama do homem forte, apresenta um herói sobre-humano, caracterizado por uma pesada maquiagem e pelo dis-

13. Teatro *kabuki* de meninos em Kyoto, *c.* 1640.

curso melodramático. A quarta, *shosagoto*, é uma espécie de drama dançado acompanhado por tamborins, grandes tambores, flautas e *shamisen*, e também por um coro cantando a balada relativa à história e aos eventos líricos da trama.

Quatro nomes famosos estão intimamente associados com o teatro *kabuki* da segunda metade do século XVII: os dos três atores Tojuro, Danjuro e Ayame, e o do grande dramaturgo Chikamatsu, cujo nome está estreitamente ligado ao teatro de bonecos. Sua arte e sua vida refletem a situação social de sua época.

Sakata Tojuro (1647-1709), famoso pelo papel do terno amante nas peças cortesãs, dominava o palco em Kyoto e Osaka. Quando menino, no palco *nô* de seu pai, ajoelhado ao fundo da cena, ele havia tocado o tambor. Mais tarde, como famoso astro *kabuki* e autor de peças de sucesso, levava a vida de um príncipe. Tojuro é um representante típico do mundo *genroku*, no qual os mercadores se fizeram ricos e os samurais empobreceram, no qual as zonas de meretrício floresceram e os cidadãos eram impelidos por suas ambições.

Com profunda compreensão daquilo que movimentava os seus contemporâneos, Tojuro declarava que a própria vida era o grande mestre da sua arte. "A arte do mimo", disse ele certa vez, "é como o bornal de um mendigo, que tem de conter tudo, importante ou insignificante. Se encontramos algo que não pode ser usado imediatamente, a coisa a fazer é conservá-lo e guardá-lo para uma ocasião futura. Um verdadeiro ator deveria aprender o ofício do batedor de carteiras".

O grande rival de Tojuro nos palcos de Yedo foi Ichikawa Danjuro (1660-1704). Quando adolescente, havia sido membro de uma *troupe* ambulante. Ao se apresentar pela primeira vez em Yedo, em 1673, cobriu o rosto com uma espessa camada de pintura vermelha e branca para desempenhar o papel de um herói *aragoto*. Foi o nascimento da máscara *kabuki*. Danjuro assumiu o estilo declamatório do teatro de bonecos, cujo rapsodista Izumidayu, em Yedo, ele admirava grandemente e tomara como modelo. Danjuro era um homem baixinho e atarracado, de espantosa força física e poder vocal, que, segundo relatam os cronistas, fazia tremer não apenas o palco, mas também

14. Duas xilogravuras coloridas de Sharaku, *c*. 1790. À esquerda, os atores *kabuki* Sawamura Yodogaro e Bando Zenji; à direita, Segawa Tomisaburo II e Nakamura Mamyo, desempenhando o papel de ama e criada.

15. Xilogravura em cores de Shigeharu: dois atores num duelo de samurais.

16. Xilogravura em cores de Torii Kiyonaga: cena de teatro com recitadores e o tocador de *samisen*.

as porcelanas nas lojas próximas. Quando abria todas as comportas da emoção ao interpretar um papel *aragoto*, sua voz de trovão podia ser ouvida a quilômetros de distância. O ideal de Danjuro era o herói do mundo samurai. Como Tojuro, ele próprio escreveu pelo menos algumas de suas peças ou adaptou-as a partir de textos *nô*, como o famoso *Kajincho*. Por uma ironia da história, este herói invencível foi assassinado pela espada de um ator rival durante uma briga no camarim do Teatro Ichimura-za em Yedo.

O terceiro dos astros dos primórdios do *kabuki* foi Yoshizawa Ayame (nascido em 1673). Era um intérprete de papéis femininos e levou o seu estilo tão a sério que terminou desenvolvendo um narcisismo quase hermafrodita. Mesmo fora do teatro, usava sempre roupas femininas, bem como uma altíssima e elaborada peruca e cosméticos, transpondo sua imagem cênica para a sua vida privada. Alegava que um ator de papéis femininos nunca devia – mesmo depois do espetáculo, no camarim, ou nas ruas – "sair da personagem". A absurda fixação de Ayame em transformar a *onnogata* numa cortesã, até mesmo na vida cotidiana, introduziu uma rigidez convencional no *kabuki* que não auxiliou seu desenvolvimento artístico subsequente.

O homem a quem o *kabuki* deve seu mais poderoso impulso é o grande dramaturgo japonês Chikamatsu Monzaemon (1653-1725). Seu nome verdadeiro era Sugimori Nobumori, mas era uma prática comum na vida teatral japonesa um ator tomar, como nome artístico, o nome de um artista que reconhecia como modelo. Neste caminho, gerações de Tojuros e Danjuros sucederam-se umas às outras (uma xilogravura de Kunisada, de 1858, mostra Danjuro VII), sem terem nada em comum com seu ancestral, além da ambição artística.

Ninguém, entretanto, ousou tomar o nome artístico de Chikamatsu Monzaemon depois dele. Desde os dezenove anos ele viveu em Kyoto, a serviço de um nobre da corte chamado Ogimachi, que escrevia peças *joruri*. Foi ali que Chikamatsu entrou em contato pela primeira vez com o teatro de bonecos, ao qual devotou suas mais excelentes obras. Perto de vinte peças de Chikamatsu chegaram até os dias atuais, e a força de todas elas brota de duas fontes – a estreita conexão com o *ningyo joruri* e a influência do ator Tojuro em Osaka. Tanto a arte de Tojuro quanto a de Chikamatsu estavam enraizadas no melodrama doméstico (*sewamono*), no conflito trágico e sem saída entre os impulsos do coração e as leis rígidas da ordem social feudal.

Há uma velha máxima teatral no Japão que diz: "O teatro é sabedoria para o povo. Cumpre-lhe ensinar a trilha do dever por meio de exemplos e modelos". Chikamatsu coloca seus heróis e heroínas no conflito entre a natureza humana e a lei moral. Faz com que eles resistam a todas as tentações com uma conduta exemplar e leva-os a encontrar a melhor saída possível, a mais justificada eticamente.

Durante a primeira metade do século XVIII, o *kabuki* e o teatro de bonecos competiam com probabilidades quase idênticas pelos favores do público. Graças a adaptações dos grandes temas épicos e com a ajuda das excelentes peças de Chikamatsu, o *kabuki* ultrapassou seu rival. Isso incentivou também o culto aos astros. Cada cidade tinha os seus ídolos. Os melhores expoentes da xilogravura colorida captaram-nos em poses impressivas* e estudos de retrato. As séries de atores de Sharaku, que fora antes um ator *nô* a serviço do príncipe de Awa, mostra os favoritos de Yedo com uma grandiosidade impressionante. Os esboços de teatro de Hokusai capturam a graça evanescente do movimento da dança. Quando, em 1794, o empresário teatral Miyako Dennai assumiu o falido Nakamura-za em Yedo, pôs em circulação uma xilogravura de Sharaku, mostrando-o numa pose decorativa no palco, segurando um pergaminho – uma prova um tanto dispendiosa de sua reputação empresarial. Na mesma época, Sharaku foi encarregado de fazer desenhos dos atores dos três principais teatros de Yedo. Suas grandes xilogravuras coloridas em que se vê somente a cabeça dos artistas sobre um fundo de mica cinza-prateada, todas feitas entre 1793 e 1796, encontram-se hoje entre os mais preciosos testemunhos pictóricos do teatro japonês.

* Termo cunhado em português por Darci Kusano *in Os Teatros Bunraku e Kabuki: uma Visada Barroca*, São Paulo, Perspectiva, 1993.

17. Xilogravura em cores de Kunisada: vista geral do Shintomi-za em Tóquio, 1881. À esquerda, o grande caminho das flores (*hanamichi*) que leva ao palco *kabuki*; à direita, o pequeno caminho das flores (Munique, Museu do Teatro).

18. Xilogravura em cores de Kunisada: vista de um teatro *kabuki*. No palco, uma cena de batalha; à esquerda, no caminho das flores, Danjuro VII com um parceiro. Impressão única, 1858.

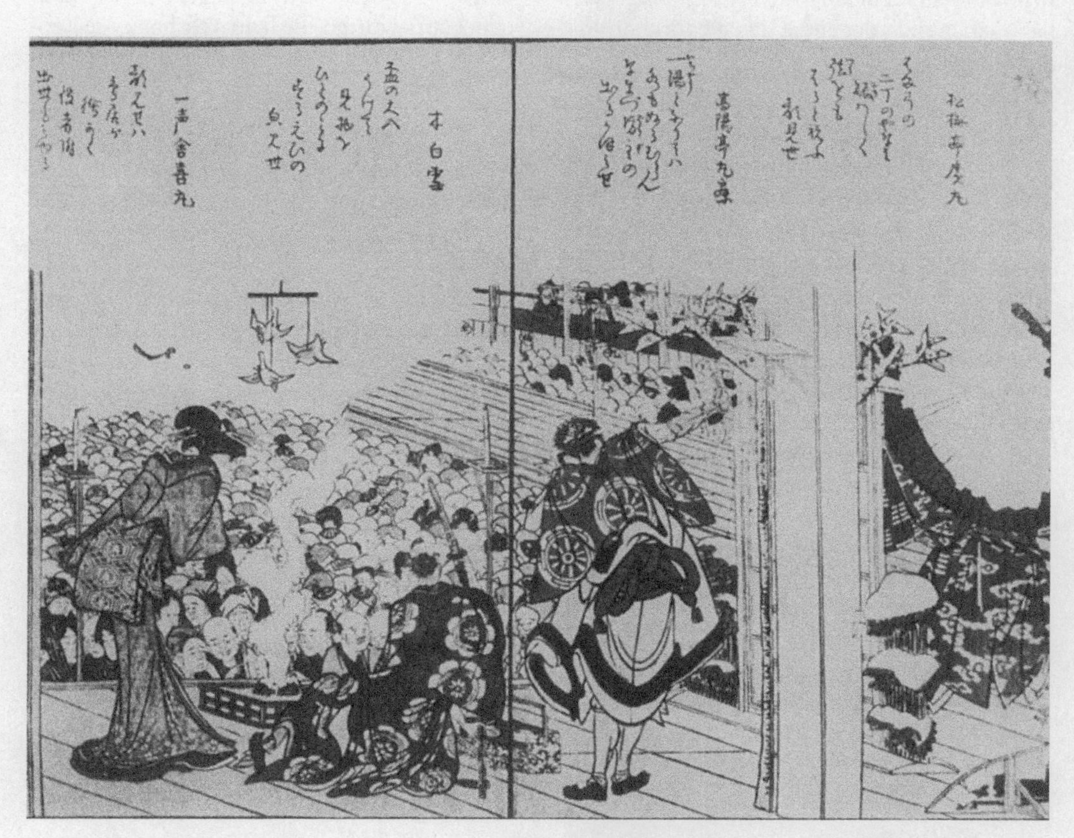

19. Xilogravura em cores de Hokusai, da série *Lugares Famosos de Yedo*, Tóquio, 1800. Palco e plateia como vistos pelos músicos, que aparecem sentados – anônimos – ao fundo da cena.

Um dos mais famosos dramas *kabuki*, *Kanahedon Chu-shingura*, de Takeda Izumo e Namiki Sosuke, é ainda regularmente apresentado todos os anos, por inteiro ou em algumas cenas. Ele conta a história dos quarenta e sete nobres (*ronin*) que exigem cruel vingança de sangue devido a um crime de morte cometido por fidelidade de vassalo. Eles obedecem ao código de ética dos samurais à custa de sua própria vida. O episódio histórico subjacente a esta peça, a história dos 47 ronin, é um dos temas mais populares da literatura japonesa.

O palco *kabuki*, originalmente emprestado do *nô*, era uma plataforma quadrada sem decoração. No início, era erguido onde fosse conveniente e ao ar livre, mais tarde num recinto circunscrito e, finalmente, foi transportado para um edifício teatral permanente. A plateia sentava-se em bancos de madeira. Os grandes teatros tinham galerias e fileiras ao longo das paredes laterais, sempre divididas em compartimentos – como também eram organizados os lugares ao nível do solo. O preço do ingresso pago na entrada dependia da categoria do lugar desejado pelo frequentador.

Atualmente, o caminho das flores (*hanamichi*) é um dos componentes mais característicos do *kabuki*. Ele fica à altura da cabeça do público na plateia, que ocupa o plano do solo, e vai de uma pequena porta na parede do fundo do auditório até um dos lados do palco. Teatros grandes frequentemente possuem uma segunda passarela de entrada, menor, que segue paralela ao *hanamichi* até o outro lado do palco. (Quando Max Reinhardt montou a pantomima *Sumurun* em 1910 para o Berliner Kammerspiele, inspirada por motivos orientais, usou também um caminho das flores.)

Conforme o número de atores crescia e o programa se expandia, o teatro *kabuki* começou a precisar de uma espécie de estrutura interna pintada, equipada com uma cortina corrediça e vários telões de fundo. No palco *kabuki* ampliado, alguns objetos cênicos característicos indicam a cena da ação – biombos pintados de dourado, por exemplo, fazem parte do cenário do palácio nas peças *jidaimono*, que por essa razão são às vezes chamadas de peças dos biombos dourados.

Já em 1753, o dramaturgo e técnico de cenografia Namiki Shozo havia construído um mecanismo que erguia e abaixava o assoalho do palco. Em 1758, inventou um palco giratório, operado por um sistema de cilindros. Este palco giratório foi posteriormente aperfeiçoado em 1793 por Jukichi, no Nakamura-za de Yedo. O Japão estava, assim, um século inteiro à frente da Europa, que não teve sua primeira experiência prática do palco giratório até 1896, quando Karl Lautenschläger o utilizou no Nationaltheater em Munique. (Isso, entretanto, se deixarmos de lado os esboços de Leonardo da Vinci para uma alegoria que seria apresentada em Milão em 1490, e o palco giratório duplo que Inigo Jones desenhou em 1608 para *The Masque of Beauty*, em Londres.)

Duas vezes, em 1841 e em 1855, grandes incêndios devastaram a cidade de Yedo e destruíram todos os seus teatros. Eles foram reconstruídos, e os novos teatros consistiram em versões maiores e mais espaçosas de seus predecessores. Não importa quantas crises internas e externas tenham cercado o *kabuki*, ele é ainda a mais popular forma de teatro do Japão. Iluminação ultramoderna e técnicas cênicas, poltronas e assentos dobráveis, um *foyer* e cartazes multilíngues conferiram, nesse meio tempo, um brilho internacional ao *kabuki*.

Atualmente, há no Japão cerca de trezentos e cinquenta atores *kabuki*, empregados pela grande corporação de teatro Shochiku-Kaisha, que possui um rico acervo de vestimentas e acessórios históricos. O esplendor de um espetáculo *kabuki* depende hoje, como antigamente, dos figurinos suntuosos – pesados bro-

20. Palco giratório *kabuki*, operado por cules, como era costume a partir de 1793 no Nakamura-za de Yedo.

cados ricamente adornados e guarnecidos de ouro. "Os efeitos são puramente externos", escreve o estudioso do teatro Benito Ortolani, "e isto leva muitos críticos a duvidar da vitalidade deste gênero; mas quem procura pelas fontes do misterioso fascínio de uma remota e grande civilização encontrará no *kabuki* uma chave indispensável de compreensão e aprofundamento".

Shimpa

As revoltas políticas e sociais do século XIX também tiveram seu impacto no teatro. A restauração do Meiji em 1868 e o tratado comercial com os Estados Unidos acabou com o isolamento secular do Japão. Ao mesmo tempo, foram abolidas numerosas restrições internas, e o teatro foi um dos beneficiários. Um certo número de teatros puderam ser novamente erguidos em qualquer lugar, por iniciativa privada. Os rígidos regulamentos que diziam respeito à indumentária dos atores foram suavizados e, pela primeira vez desde 1629, permitiu-se que as mulheres aparecessem no palco. Mas esta nova e liberal tendência teve consequências questionáveis do ponto de vista artístico. O afrouxamento do estilo *kabuki*, conforme concebido pelo ator Ichikawa Danjuro IX (1838-1903), mostrou-se mais nocivo do que enriquecedor. Sob a influência europeia, surgiram os grupos de entusiastas do teatro que, com o nome de *shimpa* ("Movimento da Escola Nova"), queriam reformar o teatro japonês segundo modelos europeus. Um de seus fundadores, Sudo Sadanori, introduziu no palco a representação politicamente engajada e provocou celeuma em 1888 com sua estreia no Shintomiza, em Osaka. Kawakami Otojiro, que se apresentou junto com sua esposa Sadayakko na Feira Mundial de Paris em 1900, tinha em mira o sentimento e a sensação e chegou a servir de epítome da arte dramática japonesa na Europa. Após seu retorno ao Japão, fez sua maior contribuição ao palco nipônico. Apresentou peças europeias, traduzidas para o japonês, encenando-as de acordo com conceitos ocidentais. Sua imaginação fértil, aliás, levou-o a fazer Hamlet entrar no palco percorrendo o caminho das flores (*hanamichi*) de bicicleta.

A tendência *shimpa* para contrabalançar a rigidez formal excessiva das categorias teatrais tradicionais teve importante influência no desenvolvimento do teatro japonês. Resultou numa tendência para o drama de situações românticas, uma espécie de *Madame Butterfly* barato, de corte burguês. Com isto o *shimpa* levou a sua força de impulso a um beco sem saída, e seu sucesso se concentrou por um curto período em Osaka e Tóquio, mais ou menos de 1904 a 1909.

Após a Segunda Guerra Mundial, Benito Ortolani – que então era professor na Universidade Sophia de Tóquio – diz:

> Foram feitas tentativas no sentido de transformar o *shimpa* num drama popular similar ao *kabuki*, e conquistar uma plateia maior através de uma seleção mais cuidadosa de peças e pela inclusão de atores jovens e talentosos. Esta mudança inteligente de direção assegurou um lugar, no teatro japonês moderno, para uma espécie que sobreviveu em larga medida à sua função de ponte entre a tradição *kabuki* e o teatro moderno. Mas isso explica também por que a gente de teatro e cinema de hoje, ao falar do estilo *shimpa* ou de tragédias do tipo *shimpa*, tem em mente espetáculos sentimentais, românticos ou melodramáticos, e por que a maioria dos especialistas não veem no *shimpa* nenhuma base para o futuro do teatro japonês.

Shingeki

Um outro movimento de reforma, cuja influência continuou até os anos 30 deste século, foi iniciado pelo dramaturgo e estudioso do teatro Tsubouchi Shoyo (1859-1935). Além de suas próprias peças, como por exemplo a popular *Kiri Hito Ha* (A Folha da Árvore Kiri), Tsubouchi Shoyo apresentou Shakespeare ao palco japonês. Ele passou décadas traduzindo virtualmente todas as peças de Shakespeare. Como primeira amostra, montou a cena da corte de *O Mercador de Veneza* no Kabuki-za em Tóquio, como interlúdio entre dois atos *kabuki*. A isto seguiram-se logo depois peças completas de Shakespeare, como também de Ibsen, Strindberg, Gerhart Hauptmann e outras da escola naturalista europeia. Tsubouchi Shoyo fundou uma sociedade de literatura e arte, *Bungei Kyokai*, e também o museu de teatro na Universidade Waseda de Tóquio, que se tornou um dos centros da moderna pesquisa

21. Cena *kabuki*: pescadora e bonzo, perto do salgueiro. Desenho colorido de Saburo Kaneko, Tóquio, 1917.

22. Ator representando um samurai, no drama *Godai Genji Mitsugi nô Furisode*, 1782.

23. Xilogravura da série *Atores no Palco*, de Toyokuni: Masatsuya.

teatral japonesa. Às mesmas propostas serve o Instituto de Teatro da Universidade Sophia de Tóquio, cujas publicações, conferências e mostras fizeram muito para promover o conhecimento da arte teatral do Japão no Ocidente.

A Teigeki, ou Sociedade Teatral Imperial, formada em 1911, teve vida efêmera. Foi absorvida poucos anos mais tarde pela corporação Shochiku, que possui o monopólio de toda a indústria teatral japonesa, incluindo a ópera, o cinema e o teatro de variedades de estilo internacional. Hoje, o Teatro Imperial é um cinema que exibe filmes estrangeiros.

O último fruto do *shingeki* foi o "Pequeno Teatro", fundado em 1924 e chamado Tsukiji-Shogekijo, por causa do bairro Tsukiji, de Tóquio.

De outra parte, o *shingeki* ("novo teatro") que se separou do *Tsukiji-Shogekijo* é inteiramente internacional em sua concepção. Tornou-se um conceito de convergência das aspirações sociais dos jovens intelectuais japoneses. Depois de décadas de adesão exclusiva ao método Stanislávski, passou agora a utilizar outros métodos individuais de direção teatral para a produção de montagens.

Hoje, o *shingeki* dos grupos teatrais modernos é um lugar de experimentação, de crítica social engajada, de apresentação de sucessos internacionais e de discussão com as grandes correntes do teatro mundial.

Grécia

INTRODUÇÃO

A história do teatro europeu começa aos pés da Acrópole, em Atenas, sob o luminoso céu azul-violeta da Grécia. A Ática é o berço de uma forma de arte dramática cujos valores estéticos e criativos não perderam nada da sua eficácia depois de um período de 2.500 anos. Suas origens encontram-se nas ações recíprocas de dar e receber que, em todos os tempos e lugares, prendem os homens aos deuses e os deuses ao homem: elas estão nos rituais de sacrifício, dança e culto. Para a Grécia homérica isso significava os sagrados festivais báquicos, menádicos, em homenagem a Dioniso, o deus do vinho, da vegetação e do crescimento, da procriação e da vida exuberante. Seu séquito é composto por Sileno, sátiros e bacantes. Os festivais rurais da prensagem do vinho, em dezembro, e as festas das flores de Atenas, em fevereiro e março, eram dedicados a ele. As orgias desenfreadas dos vinhateiros áticos honravam-no, assim como as vozes alternadas dos ditirambos e das canções báquicas atenienses. Quando os ritos dionisíacos se desenvolveram e resultaram na tragédia e na comédia, ele se tornou o deus do teatro.

Muitas correntes de forças da Mesopotâmia, Creta e Micenas confluíram para a península da Ática, banhada pelo mar, e lá encontraram seu auge histórico na *polis,* a cidade-Estado de Atenas. A política de poder e uma deliberada e sagazmente conduzida intensificação da vida religiosa levaram ao pomposo programa festivo da Panateneia, a glorificação da deusa da cidade, Palas Atena. Do século VI a.C. em diante, Atena passou também a homenagear Dioniso na grande Dionisa citadina, que durava vários dias e incluía representações dramáticas.

O teatro é uma obra de arte social e comunal; nunca isso foi mais verdadeiro do que na Grécia antiga. Em nenhum outro lugar, portanto, pôde alcançar tanta importância como na Grécia. A multidão reunida no *theatron* não

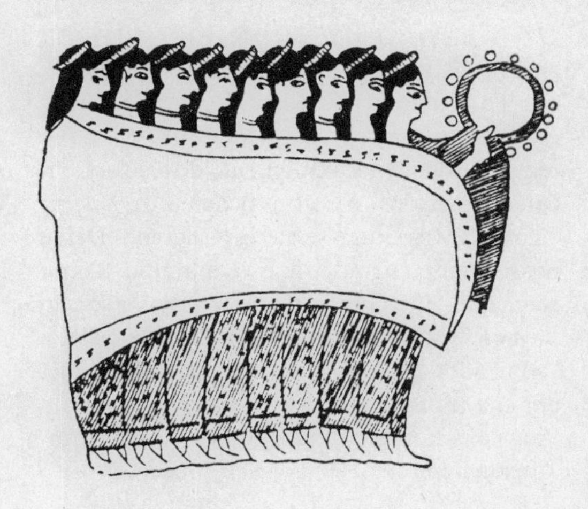

1. Jovens dançarinas da época arcaica. De um vaso ático primitivo.

era meramente espectadora, mas participante, no sentido mais literal. O público participava ativamente do ritual teatral, religioso, inseria-se na esfera dos deuses e compartilhava o conhecimento das grandes conexões mitológicas. Do mundo conceptual religioso comum e da célebre herança dos heróis homéricos surgiram os Jogos Olímpicos, Ístmicos e Nemeanos, assim como as celebrações cultuais do santuário de Apolo de Delfos – todos eventos que preservavam uma solidariedade que sobrepujava as facções políticas.

A despeito dessa solidariedade inerente, existiam conflitos perenes – entre Esparta e Atenas, e entre todos os ambiciosos pequenos centros de poder do continente, o Peloponeso e as ilhas do arquipélago Egeu – conflitos que podem ser considerados, nas palavras de Jacob Burckhardt, como "uma febre interna deste organismo altamente privilegiado". As mui citadas palavras de Heráclito, "o conflito é o pai de todas as coisas", são válidas não apenas para a inquietação política do final do século VI a.C., quando ele as escreveu em Éfeso, mas também para as sombrias emoções do drama, as paixões do ódio nascidas da "fúria radical do coração". Quando Thassilo von Scheffer diz que *humanitas* é uma palavra dificilmente aplicável aos gregos antigos, não destrói com isso a nossa concepção ideal destes, mas acrescenta o tão importante reverso, sem o qual seu teatro – como outros aspectos da Antiguidade grega – escaparia à nossa compreensão.

Tragédia

Do Culto ao Teatro

Para honrar os deuses, "em cujas mãos impiedosas estão o céu e o inferno", o povo reunia-se no grande semicírculo do teatro. Com cantos ritmados, o coro rodeava a *orchestra*: "Vem, ó Musa, unir-se ao coro sagrado! Deixa nosso cântico agradar-te e vê a multidão aqui sentada!" Estes hinos em forma de verso são de *As Rãs*, de Aristófanes. Precisamente ele, o "zombador incorrigível", invocou novamente, em sua última comédia, o poder da tragédia grega clássica, cuja idade de ouro durou aproximadamente um século. Seu precursor foi o bardo cego de Homero, Demódoco, que entoava seus cânticos sobre os favores e a ira dos deuses para com os heróis em banquete, pois "quando seu apetite e sede estavam satisfeitos, a Musa inspirava o bardo a cantar os feitos de homens famosos" (*Odisseia*, VIII).

Duas correntes foram combinadas, dando à luz a tragédia; uma delas provém do legendário menestrel da Antiguidade remota, a outra dos ritos de fertilidade dos sátiros dançantes. De acordo com Heródoto, os coros de cantores com máscaras de bode existiam desde o século VI a.C. Esses coros originalmente cantavam em homenagem ao herói Adrasto, o mui celebrado rei de Argos, e Sícion, que instigou a expedição dos Sete contra Tebas. Por razões políticas, Clístenes, tirano de Sícion desde 596 a.C., transferiu tais coros de bodes para o culto a Dioniso, o deus favorito do povo da Ática.

Dioniso, a encarnação da embriaguez e do arrebatamento, é o espírito selvagem do contraste, a contradição extática da bem-aventurança e do horror. Ele é a fonte da sensualidade e da crueldade, da vida procriadora e da destruição letal. Essa dupla natureza do deus, um atributo mitológico, encontrou expressão fundamental na tragédia grega.

O caminho que vai do bardo homérico Demódoco à tragédia nos conduz a um de seus sucessores, Arion de Lesbos, que viveu por volta de 600 a.C. na corte do tirano Periandro de Corinto. Com o apoio e a amizade desse governante amante das artes, Arion encarregou-se de orientar para a via poética os cultos à vegetação da população rural. Organizou os bodes dançarinos dos coros de sátiros para um acompanhamento mimético de seus ditirambos. Assim, ele encontrou uma forma de arte que, originada na poesia, incorporou o canto e a dança, e que duas gerações mais tarde levou, em Atenas, à tragédia e ao teatro.

Psístrato, o sagaz tirano de Atenas que promoveu o comércio e as artes e foi o fundador das Panateneias e das Grandes Dionisíacas, esforçou-se para emprestar esplendor a essas festividades públicas. Em março do ano de 534 a.C., trouxe de Icária para Atenas o ator Téspis, e ordenou que ele participasse da Grande Dionisíaca. Téspis teve uma nova e criativa ideia que faria história. Ele se colocou à parte

2. Dançarinos coríntios da época de Árion. Pintura de um frasco coríntio, século VI a.C.

do coro como solista, e assim criou o papel do *hypokrites* ("respondedor" e, mais tarde, ator), que apresentava o espetáculo e se envolvia num diálogo com o condutor do coro. Essa inovação, primeiramente não mais do que um embrião dentro do rito do sacrifício, se desenvolveria mais tarde na tragédia, etimologicamente, *tragos* ("bode") e *ode* ("canto").

Nenhum dos presentes na Dionisíaca de 534 a.C. poderia sonhar com o alcance das implicações que este acréscimo inovador de diálogo ao rito traria para a história da civilização e, menos ainda, o próprio Téspis. Até então, ele perambulara pela zona rural com uma pequena *troupe* de dançarinos e cantores e, nos festivais rurais dionisíacos, havia oferecido aos camponeses da Ática apresentações de ditirambos e danças de sátiros no estilo de Arion. Supõe-se que viajasse numa carroça de quatro rodas, o "carro de Téspis", mas esta é apenas uma das inerradicáveis e graciosas ilusões que o uso linguístico perpetuou. O culpado nesse caso foi Horácio, que nos conta que Téspis "levava seus poemas num carro". Mas essa informação diz respeito somente à sua participação na Dionisíaca, e não a algo como uma carroça-palco ambulante. O ritual da dança coral e do teatro era precedido por uma procissão solene, que vinha da cidade, e terminava na orquestra, dentro do recinto sagrado de Dioniso. O clímax dessa procissão era o carro festivo do deus puxado por dois sátiros, uma espécie de barca sobre rodas (*carrus navalis*), que carregava a imagem do deus ou, em seu lugar, um ator coroado de folhas de videira. O carro-barca recorda as aventuras marítimas do deus, pois, de acordo com o mito, Dioniso, quando criança, fora depositado na praia pelas ondas do mar, dentro de uma arca. Enquanto elemento procriador que abriga o mistério primordial da vida, a água sempre foi um ingrediente importante dos cultos de qualquer povo; são testemunhos disso o culto de Osíris do antigo Egito, o Moisés bíblico e o pescador divino da dança *kagura* japonesa.

O deus – ou o ator – no carro-barca senta-se entre dois sátiros flautistas e segura folhas de videira nas mãos, conforme os pintores de vasos do início do século VI a.C. mostraram em inúmeras variantes. Assim, sem dúvida, Téspis se apresentou na Dionisíaca de Atenas, usando uma máscara de linho com os traços de um rosto humano, visível a distância por destacar-se do coro de sátiros, com suas tangas felpudas e cauda de cavalo.

O local da Dionisíaca de Atenas era a encosta da colina do santuário de Dioniso, ao sul da Acrópole. Ali erguia-se o templo com a velha imagem de madeira do deus, trazida de Eleutera; um pouco mais abaixo ficava o círculo da dança, e então, num terraço plano, a *orchestra*. Em seu centro, sobre um pedestal baixo, erguia-se o altar sacrificial (*timelê*). A presença do deus tornava-se real para os espectadores; Dioniso estava ali com todos eles, centro e animador de uma cerimônia solene, religiosa, teatral. Como todas as grandes peças cultuais do mundo, esta começou com um sacrifício de purificação.

Trágicos Precursores de Ésquilo

Entre a primeira apresentação de Téspis e o primeiro êxito teatral de Ésquilo passaram-se sessenta anos. Foram anos de violentas dis-

3. Dioniso em seu carro naval. Pintura sobre *skypos* em vaso ático, *c.* 500 a.C. (Bolonha).

4. Cortejo bacântico: Hefestos com o martelo de ferreiro. Dioniso e a Musa da Comédia com tirso e cântaro; Mársias com flauta dupla. Desenho de A. L. Millin (1808), segundo um vaso figurado, em vermelho, do Louvre, em Paris.

putas políticas que puseram um fim ao domínio dos Tiranos, levaram à intervenção dos guerreiros da Maratona na formulação dos assuntos públicos e, com Clístenes, à fundação da República de Atenas. Porém, independentemente das revoltas políticas, a nova forma de arte da *tragodia* ganhou terreno, aperfeiçoou-se e tornou-se a matéria de uma competição teatral (*agon*) nas Dionisíacas.

Paralelamente, porém talvez mais remotas em suas origens, as peças satíricas desenvolveram-se como uma espécie independente. Vieram do Peloponeso, e seu pioneiro literário foi Pratinas de Fleio. A sátira, tida como "a mais difícil tarefa do decoro", uniu-se à tragédia, atreveu-se a zombar dos sentimentos sublimes, dando-lhes um estilo grotesco. Como parte integrante das Dionisíacas, representava o anticlímax, o retorno relaxante às planícies do demasiado humano. Quão abrupta essa descida deveria ser, ficava a critério da discrição e da autoironia do poeta trágico, pois ele próprio escrevia a sátira como um epílogo para a trilogia trágica que inscrevia no concurso.

Frínico de Atenas, que foi discípulo de Téspis, ampliou a função do "respondedor" (*hypokrites*), investindo-o de um duplo papel e fazendo-o aparecer com uma máscara masculina e feminina, alternadamente. Isto significava que o ator devia fazer várias entradas e saídas, e a troca de figurino e de máscara sublinhava uma organização cênica introduzida no decorrer dos cânticos. Um outro passo à frente foi dado, da declamação para a "ação".

Ésquilo

É a Ésquilo que a tragédia grega antiga deve a perfeição artística e formal, que permaneceria um padrão para todo o futuro. Como seu pai pertencesse à nobreza proprietária de terras de Elêusis, Ésquilo tinha acesso direto à vida cultural de Atenas. Em 490 a.C. participou da batalha de Maratona, e foi um dos que abraçaram apaixonadamente o conceito democrático da *polis*. Sua lápide louva a bravura dele na batalha, mas nada diz a respeito de seus méritos como dramaturgo.

Ésquilo ganhou os louros da vitória na *agon* teatral somente após diversas tentativas. Sabe-se que ele começou a competir na Grande Dionisíaca em 500 a.C. com tetralogias, a unidade obrigatória de três tragédias e uma peça satírica concludente. Os registros não nos contam que trabalhos ele inscreveu no concurso quando foi derrotado por Pratinas e Coérilo; toda a sua obra anterior a 472 a.C., quando *Os Persas* foi encenada pela primeira vez, está perdida. De acordo com cronistas antigos, Ésquilo escreveu ao todo noventa tragédias; destas, setenta e nove títulos chegaram até nós, mas dentre eles conservaram-se apenas sete peças.

Em *Os Persas*, Ésquilo dedicou-se a um tema local que havia sido tratado, quatro anos antes, por Frínico em sua famosa *As Fenícias*. Deliberadamente convidava à comparação com a obra anterior ao começar *Os Persas* com o primeiro verso de *As Fenícias*. Com essa trilogia, seguida pela peça satírica *Prometeu, o Portador do Fogo*, Ésquilo ganhou o primeiro prêmio. A Péricles, então com vinte e cinco anos, coube a honrosa tarefa de premiar o coro.

Os componentes dramáticos da tragédia arcaica eram um prólogo que explicava a história prévia, o cântico de entrada do coro, o relato dos mensageiros na trágica virada do destino e o lamento das vítimas. Ésquilo seguia essa estrutura. A princípio, ele antepunha ao coro dois atores e, mais tarde, como Sófocles, três.

O plano de fundo intelectual de *Os Persas* é a glorificação da jovem cidade-Estado de Atenas, tal como é vista da corte real da Pérsia, que fora derrotada em Salamina. Quando Atossa pergunta ao corifeu: "Quem rege os gregos, quem os governa?", a resposta expressa o orgulho do autor pela *polis* ateniense: "Eles não são escravos, não têm senhor".

O que Atossa, Antígona, Orestes ou Prometeu sofrem não é um destino individual. Sua sorte representa uma situação excepcional, o conflito entre o poder dos deuses e a vontade humana, a impotência do homem contra os deuses, amplificada num acontecimento monstruoso. Isto irrompe em sua força mais elementar em *Prometeu Acorrentado*. O filho dos Titãs, que roubou o fogo dos céus e o trouxe para os mortais, eleva o seu lamento na "abóbada resplandecente" sobre a arena do teatro: "Eu te invoco, ó venerável Mãe Terra, e invoco a ti, círculo de chamas onividente:

5. Mênade e sátiro. Taça do pintor Brigo, *c.* 480 a.C. (Munique, Staatliche Antikensammlung).

6. Figura de tanagra (estatueta em terracota) da época helenística: ator em peça satírica (Paris, Louvre).

7. Dança coral em época arcaica. De um vaso ático primitivo.

vê o que eu sofro, eu próprio um deus, nas mãos dos deuses!"

O grito de tormento proferido pelo Prometeu de Ésquilo ergue-se acima das forças primordiais da antiga religião da natureza: "A mim, que me apiedei dos mortais, não me foi mostrada nenhuma piedade". Dois mil e quinhentos anos mais tarde, Carl Orff o converteu no herói principal de um drama musical exótico, quase arcaico, que confronta a paixão divina com a paixão humana. Historiadores da religião estabeleceram uma conexão entre o sofrimento primordial do Titã e a revolta de Lúcifer até a Redenção do Cristo – um exemplo que mais uma vez demonstra aquilo que tão frequentemente tem sido expresso no teatro: "os pressentimentos pagãos muitas vezes penetram com estonteante profundidade e certeza na realidade histórica ulterior" (Joseph Bernhart).

Sófocles

Quatro anos depois de ter ganho o prêmio com *Os Persas*, Ésquilo enfrentou pela primeira vez, no concurso anual de tragédias, um rival cuja fama estava crescendo meteoricamente: Sófocles, então com vinte e nove anos de idade, filho de uma rica família ateniense, que ainda menino liderara o coro de jovens nas celebrações da vitória após a batalha de Salamina.

Os dois rivais inscreveram suas tetralogias para a Dionisíaca de 468 a.C. Ambas foram aceitas e apresentadas. Ésquilo obteve um *succès d'estime*, mas o prêmio coube a Sófocles, trinta anos mais novo. Os dois poetas eram amigos, e até o momento em que Ésquilo deixou Atenas, dividiram igualmente os louros da tragédia. Sófocles ganhou dezoito prêmios dramáticos. Dos cento e vinte três dramas que escreveu, e que até o século II a.C., ainda se conservavam na Biblioteca de Alexandria, conhecemos cento e onze títulos, mas apenas sete tragédias e os restos de uma sátira chegaram até nós.

Sófocles era um admirador de Fídias que, na mesma época, criava em mármore, bronze e marfim a imagem do homem semelhante aos deuses. Da mesma forma que Fídias deu uma alma à estatuária arcaica, assim Sófocles deu alma às personagens em suas tragédias. Ele os despiu da arcaica vestimenta tipificante e trespassou a concha de sua capacidade individual para o sofrimento. Pôs em cena personalidades que se atrevem – como a pequena Antígona, cuja figura cresce por força das obrigações assumidas por vontade própria – a desafiar o ditame dos mais fortes: "Não vim para encontrar-vos no ódio, mas no amor".

Os deuses submetem o rebelde ao "sofrimento sem saída". Amontoam sobre ele tamanha carga que apenas no tormento consegue ele preservar a sua dignidade. O homem tem consciência dessa ameaça, mas por suas ações força os deuses a ir até os extremos. Para o homem de Sófocles, o sofrimento é a dura mas enobrecedora escola do "Conhece-te a ti mesmo". Enganado por oráculos cruéis, à mercê de destinos enigmáticos, mergulhado na loucura fatal, levado a más ações sem o querer, entrega-se por suas próprias mãos às Erínias, as vingadoras dos ínferos, e à "Justiça" que corrige, o braço da lei. Ajax morre pela própria espada; o rei Édipo cega a si mesmo; Electra, Djanira, Jocasta, Eurídice e Antígona buscam a morte.

Sófocles, o cético devoto, dá aos deuses a vitória, o triunfo integral, por sobre o destino terrestre, sobre todos os abismos do ódio, arrebatamento, vingança, violência e sacrifício. O significado do sofrimento reside em sua aparente falta de significado. Pois "em tudo isso não existe nada que não venha de Zeus", diz ele ao final de *As Traquínias*.

Foi da natureza inalterável do conceito de destino sofocliano que Aristóteles derivou a sua famosa definição de tragédia, cuja interpretação tem sido debatida ao longo dos séculos. O crítico e dramaturgo alemão Lessing a entende como a purificação das paixões pelo medo e pela compaixão, ao passo que atualmente é interpretado por Wolfgang Schadewaldt, um estudioso contemporâneo, como "o alívio prazeroso do horror e da aflição". Na qualidade de peça cultural, como toda tragédia genuína o é, ela também não é feita para melhorar, purificar ou educar.

Schadewaldt escreve:

> A tragédia comove profundamente o coração, já que o faz transcender (pelo deleite primevo com o horrível – semblante de toda verdade – e com a lamentação) até o prazer catártico da libertação aliviadora. Tendo a sua essência inteiramente orientada para outro objetivo, a tragédia logra, por isso mesmo, atingir eventualmente por comoção o âmago de uma pessoa, que poderá sair transformada deste contato com a verdade do real.

Eurípedes

Com Eurípedes teve início o teatro psicológico do Ocidente. "Eu represento os homens como devem ser, Eurípedes os representa como eles são", Sófocles disse uma vez. O terceiro dos grandes poetas trágicos da Antiguidade partiu de um nível inteiramente novo de conflito. Ele exemplificou o dito de Protágoras a respeito do "homem como a medida de todas as coisas".

Enquanto Ésquilo via a tentação do herói trágico para a *hybris* como um engano que condenava a si mesmo pelos próprios excessos, e enquanto Sófocles havia superposto o destino da malevolência divina à disposição humana para o sofrimento, Eurípedes rebaixou a providência divina ao poder cego do acaso. "Pois sob o manto da noite o nosso destino impende", lemos em *Ifigênia em Táuride*.

Eurípedes, filho de um proprietário de terras, nasceu em Salamina e foi instruído pelos sofistas de Atenas. Ele era um cético que duvidava da existência da verdade absoluta, e como tal se opunha a qualquer idealismo paliativo. Estava interessado nas contradições e ambiguidades, no princípio da decepção, na relativização dos valores éticos. O pronunciamento divino não era a verdade absoluta para ele e não lhe oferecia nenhuma solução conciliatória final. "A necessidade natural e a mente humana não são formas representativas de um único modo de existência, mas de possibilidades alternativas: a partir daí, nada mais está além da comparação, o ponto de referência único para todas as coisas tornou-se invisível há muito tempo, a mudança rege o momento" (Walter Jens).

Em contradição com a doutrina socrática de que o conhecimento é expresso diretamente na ação, Eurípedes concede a suas personagens o direito de hesitar, de duvidar. Descortina toda a extensão dos instintos e paixões, das intrigas e conspirações. Sua minuciosa exploração dos pontos fracos na tradição mitológica lhe valeu agudas críticas de seus contemporâneos. Acusaram-no de ateísmo e da perversão sofista dos conceitos morais e éticos. "Foi a língua que jurou em falso, não o coração", diz Hipólito. De suas setenta e oito tragédias (das quais restam dezessete, e uma sátira) apenas quatro lhe valeram um prêmio enquanto estava vivo, sendo a primeira delas *As Peliades*, em 455 a.C.

Quando, em 408 a.C., o rei macedônio Arquelau o convidou para a sua corte em Pela, Eurípedes deu as costas a Atenas sem arrependimento. Em Pela, escreveu um drama cortesão chamado *Arquelau*, em homenagem a seu real patrono, do qual nada sabemos além do título, bem como duas obras cuja vitória póstuma foi obtida por seu filho: *As Bacantes*, um retorno à sensualidade arcaica e mística sob o bastão sagrado de Dioniso, o *tirso*; e *Ifigênia em Áulis*, o elogio do humanismo. (Racine e Gerhart Hauptmann, em suas peças homônimas, glorificam de maneira similar o huma-

8. Cena de *Os Persas* de Ésquilo: o fantasma de Dario aparece a Atossa enquanto ela lhe oferece sacrifício. Pintura em vaso (jarro) ático (Roma, Museu do Vaticano).

9. O assassinato de Egisto por Orestes. Vaso da Campânia, *c.* 420 a.C. (Berlim).

10. A purificação de Orestes. Taça do sul da Itália no estilo da tragédia euripidiana (Paris, Louvre).

nismo sereno.) Eurípedes morreu em Pela, em março do ano de 406 a.C.

Quando a notícia chegou a Sófocles, em Atenas, ele vestiu luto e fez com que o coro se apresentasse sem as costumeiras coroas de flores na Grande Dionisíaca, então em plena atividade. Poucos meses mais tarde, Sófocles também morreu. Agora, o trono dos grandes poetas trágicos estava vazio.

A comédia *As Rãs*, de Aristófanes, escrita nesse período, pode ter funcionado como as exéquias da tragédia ática. No festival das Leneias de 405 a.C., os juízes deram o prêmio a esta peça mordaz, embora eles próprios fossem alvo de algumas das estocadas sarcásticas. Em *As Rãs*, Aristófanes presta testemunho das tensões artísticas e políticas do final do século V, dos conflitos internos da *polis* fragmentada e do reconhecimento de que o período clássico da arte da tragédia havia se convertido em história.

Nesta peça, Dioniso, o deus do teatro, avaliará os méritos concernentes a Ésquilo e Eurípedes, mas ele se revela tão indeciso, vacilante e suscetível quanto o público e os juízes na competição. Visto no espelho grosseiro e distorcido da comédia, o deus, de má vontade, força-se a tomar uma decisão: "E foi assim que eu acabei pesando feito queijo a arte dos grandes poetas...".

A era de ouro da tragédia antiga estava irrevogavelmente acabada. A arte da tragédia desintegrou-se como o modo de vida das cidades-Estado e o poder unificador da cultura. O nobre ateniense Crítias, um inimigo inflexível da democracia e, em 404 a.C., um dos mais cruéis dos Trinta Tiranos, escreveu uma sátira na qual Sísifo descreve a religião como a "invenção de um pedagogo convencido". O espírito da tragédia e a democracia ateniense haviam perecido juntos.

As Grandes Dionisíacas

Com origem na época de Péricles, as Grandes Dionisíacas ou Dionisíacas Urbanas constituíam um ponto culminante e festivo na vida religiosa, intelectual e artística da cidade-Estado de Atenas. Enquanto as mais modestas Dionisíacas rurais, que aconteciam em dezembro, possuíam um caráter puramente local e eram patrocinadas de *per si* pelos diferentes *demos* da Ática, Atenas ostentava todo o brilho representativo de capital nas Grandes Dionisíacas, de seis dias de duração. Especialmente depois da fundação da confederação naval ática, embaixadores, comerciantes e tributários afluíam a Atenas nesta época de toda a Ásia menor e das Ilhas do Egeu.

Os preparativos dos concursos dramáticos eram responsabilidade do *arconte*, que, na condição de mais alto oficial do Estado, decidia tanto as questões artísticas quanto as organizacionais. As tragédias inscritas no concurso eram submetidas a ele, que selecionava três tetralogias que competiriam no *agon*, concurso do qual apenas uma sairia como vencedora. Finalmente, o *arconte* indicava a cada poeta um *corega*, algum cidadão ateniense rico que pudesse financiar um espetáculo, cobrindo não apenas os custos de ensaiar e vestir o coro, mas também os honorários do diretor do coro (*corus didascalus*) e os custos com a manutenção de todos os envolvidos.

Ter ajudado alguma tetralogia trágica a vencer como seu *corega* era um dos mais altos méritos que um homem poderia conseguir na competição das artes. O prêmio concedido era uma coroa de louros e uma quantia em dinheiro nada desprezível (como compensação pelos gastos anteriores), e a imortalidade nos arquivos do Estado. Esses registros (*didascalia*), que o *arconte* mandava preparar após cada *agon* dramático, listam o nome dos coregas dos dramaturgos vencedores de prêmios, juntamente com os nomes das tetralogias vencedoras do concurso final. Tais registros representam a documentação mais valiosa de uma glória da qual apenas poucos raios recaíram sobre nós – poucos, de qualquer maneira, comparados com a criativa abundância do teatro da Antiguidade.

Inicialmente, o poeta era o seu próprio *corega*, diretor do coro e ator principal. Tanto Ésquilo quanto Eurípedes apareceram frequentemente no palco. Sófocles atuou em suas próprias peças apenas duas vezes quando jovem, uma como Nausicaa e outra como Tamira.

Embora mais tarde, no período helenístico, fosse perfeitamente possível que se remontasse uma peça apresentada anteriormente, os concursos dramáticos do século V exigiam novas obras a cada festival. As Grandes Dionisíacas, em março, eram a princípio reservadas exclusivamente para a tragédia, enquanto os escritores de comédias competiam nas Leneias, em janeiro. Porém, na época de Aristófanes, os dois tipos de peças eram qualificáveis para ambos os festivais.

Ao entrar no auditório, cada espectador recebia um pequeno ingresso de metal (*symbolon*), com o número do assento gravado. Não precisava pagar nada. Péricles havia assegurado com isso o favor do povo, ao fazer com que o erário não só remunerasse a participação nos tribunais e nas assembleias populares, como também a frequência nos espetáculos teatrais. Nas fileiras mais baixas, logo na frente, lugares de honra (*proedria*) esperavam o sacerdote de Dioniso, as autoridades e convidados especiais. Aqui também ficavam os juízes, os *coregas* e os autores. Uma seção separada era reservada aos homens jovens (*efebos*), e as mulheres sentavam-se nas fileiras mais acima.

Vestido com o branco ritual, o público chegava em grande número às primeiras horas da manhã e começava a ocupar as fileiras semicirculares, terraceadas, do teatro. "Um enxame branco", é como o chama Ésquilo. Ao lado dos cidadãos livres, também era permitida a presença de escravos, na medida em que seus amos lhes dessem licença. A aprovação era indicada por estrepitosas salvas de palmas, e o desagrado, por batidas com os pés ou assobios. A liberdade de expressar sua opinião foi algo de que o antigo frequentador de teatro fez uso amplo e irrestrito, considerando a si próprio, desde o mais remoto início, um dos elementos criativos do teatro. Ortega y Gasset lembra:

> Não podemos nos esquecer de que a tragédia antiga em Atenas era uma ação ritual e, por essa razão, acontecia não tanto no palco quanto na mente das pessoas. O teatro e o público eram circundados por uma atmosfera extrapoética, a religião.

A condição necessária para essa experiência comunitária era a magnífica acústica do teatro ao ar livre da Antiguidade. O menor sussurro era levado aos assentos mais distantes. Por sua vez, a máscara – geralmente feita de linho revestido de estuque, prensada em moldes de terracota – amplificava o poder da voz, conferindo tanto ao rosto como às palavras um efeito distanciador. Graças ao poder das palavras, não importava se o cenário parecesse pequeno – por exemplo, as rochas às quais Prometeu era acorrentado. O plano visual era menos importante do que a moldura humana para os sofrimentos do herói: o coro, que participava dos acontecimentos como comentador, informante, conselheiro e observador.

As exigências cenográficas de Ésquilo ainda eram bastante modestas. Estruturas simples e rústicas de madeira, decoradas com panos coloridos, serviam de montanhas, casas, palácios, acampamentos ou muros de cidade. Essas construções de madeira, que também abrigavam um camarim para os atores, são a origem do termo *skene* (cabana ou barraca), que se manteve, desde esses expedientes primitivos, através da suntuosa arquitetura da *skene* do teatro helenístico e romano, até o conceito atual de cena.

Porém, não obstante a modéstia desses primeiros tempos, o pintor dos cenários era um homem digno de menção, mesmo na época de Ésquilo, com quem, segundo se relata, um "cenógrafo" chamado Agatarco teria colaborado. Ele foi, sem dúvida, o responsável pelo projeto e pintura dos galpões de madeira e pela pintura de suas decorações de pano. Vitrúvio, a autoridade romana em arquitetura, atribuiu igualmente a Agatarco um tratado a respeito da *skene*, que se supõe ter surgido em 430 a.C., mas ter se perdido mais tarde. Outros pintores de cenário do teatro grego antigo, cujos nomes sobreviveram até hoje, são o ateniense Apolodoro e seu contemporâneo Temócrito.

Aristóteles credita a Sófocles a invenção do cenário pintado. A amizade entre Ésquilo e Sófocles durante os anos de 468 a 456 a.C. explica a coincidência de inovações cênicas e histriônicas. Ao lado das possibilidades de "mascarar" a *skene* e de introduzir acessórios móveis como os carros (para exposição e batalha), os cenógrafos tinham à sua disposição os chamados "degraus de Caronte", uma escadaria subterrânea que levava à *skene*, facilitando as aparições vindas do mundo inferior de Caronte. Em *Os Persas*, por exemplo, Dario é conjurado pela fumaça do sacrifício e aparece

11. Relevo de Eurípedes: à esquerda, o poeta entrega uma máscara trágica à personificação da *skene*; à direita, uma estátua de Dioniso (Istambul).

12. Intérprete de tragédia no papel de Clitemnestra. Estatueta de mármore romana do período tardio, proveniente de Rieti (Paris, Louvre).

13. Pintura em taça espiralada: Dioniso e Ariadne (ao alto, no centro), rodeados por atores de peça satírica, *c.* 420 a.C. (Nápoles, Museo Nazionale).

14. Mosaico de Pompeia: ensaio de um coro de sátiros (Nápoles, Museo Nazionale).

para sua esposa Atossa e para o coro dos anciãos persas. Os *mechanopoioi*, ou técnicos, eram responsáveis por efeitos como o barulho de trovões, tumultos ou terremotos, produzidos pelo rolar de pedras em tambores de metal ou madeira.

Uma troca de máscara e figurino dava aos três locutores individuais a possibilidade de interpretar vários papéis na mesma peça. Podiam ser um general, um mensageiro, uma deusa, rainha ou uma ninfa do oceano – e o eram, graças à magia da máscara.

Foi Ésquilo quem introduziu as máscaras de planos largos e solenes. A impressão heroica era intensificada pelo toucado alto, de forma triangular (*onkos*), sobre a testa. O traje do ator trágico consistia geralmente no *quíton* – túnica jônica ou dórica, usada na Grécia antiga – e um manto, e do característico *cothurnus*, uma bota alta com cadarço e sola grossa.

Com Sófocles, a qualidade arcaica, linear, da máscara começou a suavizar-se. Os olhos e a boca, bem como a cor e a estrutura da peruca eram usados para indicar a idade e o tipo da personagem representada. Com a maior individualização das máscaras, Eurípedes exigia, também, contrastes impactantes entre vestimentas e ambientes. "Seus reis andam em farrapos", apenas para tocar a corda sensível do povo, zombava Aristófanes, seu implacável adversário.

O que parecia particularmente ridículo para Aristófanes, e entrava como risonha paródia em suas comédias, era a predileção de Eurípedes por um expediente do teatro antigo que se tornou parte do vocabulário em todo o mundo ocidental: *deus ex machina*, o deus descido da máquina.

Esta "máquina voadora" era um elemento cênico de surpresa, um dispositivo mecânico que vinha em auxílio do poeta quando este precisava resolver um conflito humano aparentemente insolúvel por intermédio do pronunciamento divino "vindo de cima". Consistia em um guindaste que fazia descer uma cesta do teto do teatro. Nesta cesta, sentava-se o deus ou o herói cuja ordem fazia com que a ação dramática voltasse a correr pelas trilhas mitológicas obrigatórias quando ficava emperrada. O fato de o *deus ex machina* ter-se tornado imprescindível a Eurípedes explica-se pelo espírito de suas tragédias. Suas personagens agem com determinação individual e, dessa forma, transgridem os limites traçados por uma mitologia que não mais podia ser aceita sem questionamento; Electra, Antígona e Medeia seguem o comando de seu próprio ódio e amor, e toda essa voluntariosa paixão é, ao final, domada pelo *deus ex machina*.

Porém, antes desse ponto ser atingido, outro dispositivo cênico da antiga *mechanopoioi*, essencial para a tragédia, entrou em ação: o eciclema, uma pequena plataforma rolante e quase sempre elevada, sobre a qual um cenário era movido desde as portas de uma casa ou palácio. O eciclema traz à vista todas as atrocidades que foram perpetradas por trás da cena: o assassinato de uma mãe, irmão ou criança. Exibe o sangue, o terror e o desespero de um mundo despedaçado, como na *Orestíada*, em *Agamenon*, *Hipólito* e em *Medeia*.

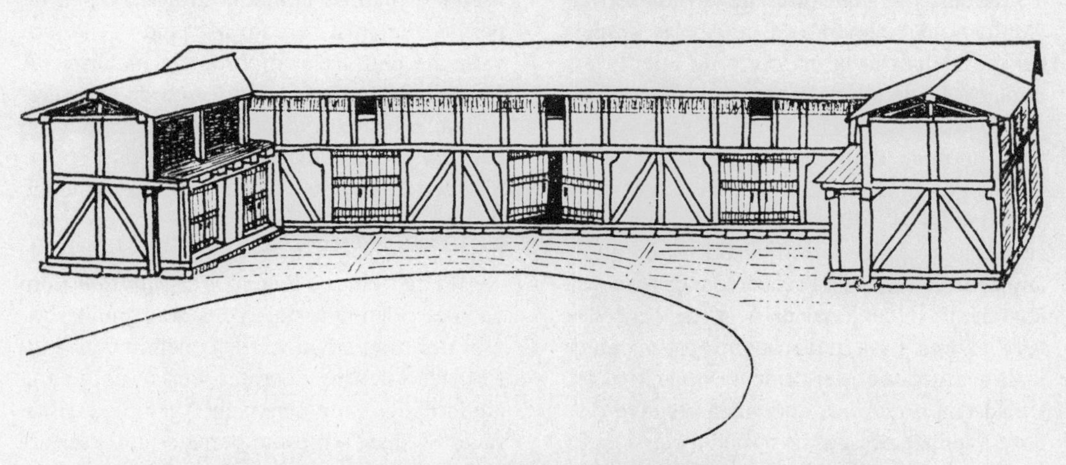

15. A estrutura inicial do teatro de Erétria, Ilha de Eubeia, século V a.C. Reconstrução de E. Fiechter.

16. Teatro de Dioniso em Atenas. *Skene*, segundo o projeto de Péricles. Construção iniciada *c.* 400 a.C. Reconstrução de E. Fiechter.

Eventualmente, o teto da própria *skene* era usado, como em *Pesagem das Almas*, de Ésquilo, ou em *A Paz*, de Aristófanes. Como, naturalmente, eram os deuses que em geral apareciam em alturas etéreas, essa plataforma no teto tornou-se conhecida na Grécia como *theologeion*, o lugar de onde os deuses falam.

A "máquina voadora", o eciclema e o *theologeion* pressupunham um edifício teatral firmemente construído, como o que se desenvolveu em Atenas no final do século V a.C., baseado em projetos que remontavam a Péricles. Quando as obras para o embelezamento de toda a Acrópole se iniciaram, por volta de 405 a.C., o teatro de Dioniso não foi esquecido. Conta-se que os bancos de madeira do auditório foram substituídos por assentos terraceados em pedra já em 500 a.C., quando as arquibancadas de madeira lotadas se quebraram sob o peso das pessoas. Esta data, entretanto, é contraditada por biógrafos de Ésquilo, que sustentam que um segundo colapso das arquibancadas o levou a deixar Atenas, desgostoso, e a instalar-se na corte de Hieron em Siracusa, onde morreu em 456 a.C.

O projeto da *skene* de Péricles proveu um palco monumental com duas grandes portas laterais, ou *paraskenia*. Deve ter sido executado entre 420 e 400 a.C., na época em que o auditório cresceu e a orquestra diminuiu de tamanho. A razão para esta mudança foi o deslocamento intencional da ação da *orchestra* para a *skene*. Essa inovação mostrou ser ainda mais justificada posteriormente, quando o coro situado na *orchestra*, que ainda contava com doze a quinze pessoas na tragédia clássica, foi gradativamente reduzido no curso das medidas econômicas atenienses e, por fim, desapareceu completamente por cerca do final do século IV.

Nenhum dos três grandes trágicos, nem Aristófanes, viveram para ver o novo edifício teatral acabado. Na segunda metade do século IV, quando Licurgo era o encarregado das finanças de Atenas (338-326 a.C.), a nova e magnífica estrutura finalmente ficou pronta; mas, nessa época, a grande e criativa era da tragédia antiga já havia se tornado história.

COMÉDIA

As Origens da Comédia

A comédia grega, ao contrário da tragédia, não tem um ponto culminante, mas dois. O primeiro se deve a Aristófanes, e acompanha o cimo da tragédia nas últimas décadas dos grandes trágicos Sófocles e Eurípedes; o segundo pico da comédia grega ocorreu no período helenístico com Menandro, que novamente deu a ela importância histórica. A comédia sempre foi uma forma de arte intelectual e formal independente. Deixando de lado as peças satíricas, nenhum dos poetas trágicos da Grécia aventurou-se na comédia, como nenhum dos poetas cômicos escreveu uma tragédia.

Platão, em seu *Banquete* (*Symposium*), em vão defendeu uma união dos dois grandes ramos da arte dramática. Ele concluiu com a informação de que Sócrates, certa vez, tentou até tarde da noite persuadir Ágaton e Aristófanes de que "o mesmo homem podia ser capaz de escrever comédia e tragédia", e de que

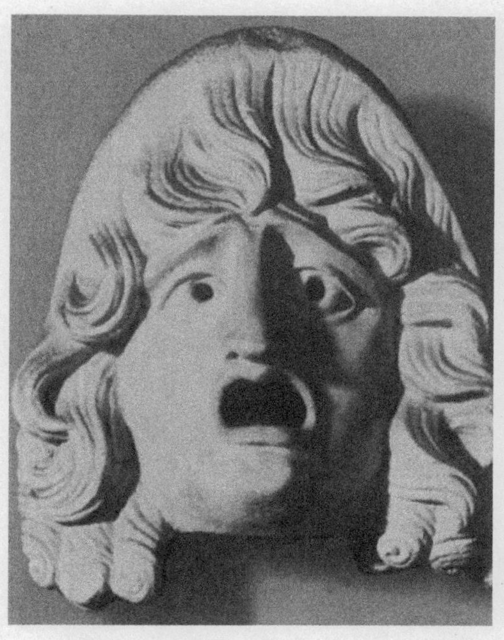

17. Máscara de mármore de heroína da tragédia antiga (Nápoles, Museo Nazionale).

18. Máscara de um jovem, encontrada em Samsun (Amiso), Turquia, século III a.C. (Munique, Staatliche Antikensammlung).

19. Máscara de um escravo, século III a.C. (Milão, Museo Teatrale alla Scala).

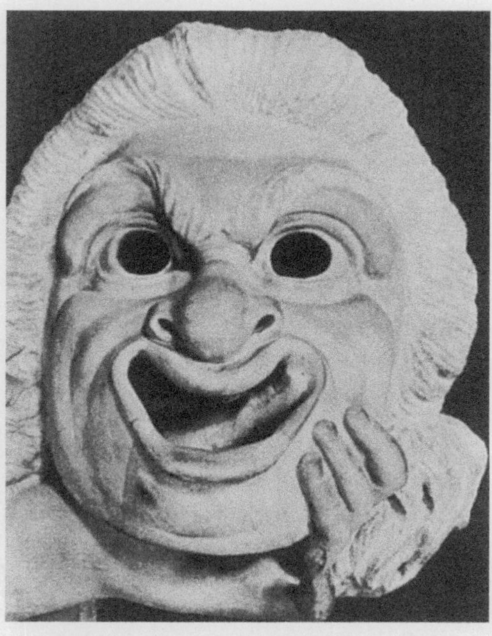

20. Máscara na mão de uma estátua de mármore, a qual se julga representar Ceres (Paris, Louvre).

um "verdadeiro poeta trágico é também um poeta cômico". Os dois outros admitiram isso, mas "não seguiram com muita atenção, por estarem com sono. Aristófanes foi dormir primeiro e, em seguida, quando o dia estava nascendo, também Ágaton".

É evidente que nem mesmo os famosos poderes persuasivos de Sócrates poderiam ter conseguido tornar palatável para Aristófanes, o irascível *avocatus diaboli* da tragédia, uma união pessoal das duas artes. Houvesse concordado com Sócrates à noite, com certeza teria mudado de ideia à luz do dia; tal união seria, para ele, como uma ducha fria. Aristófanes gostava de dirigir sua habilidade artística para a política corrente; adorava terçar armas com os grandes homens de sua época, crivando de flechas venenosas, como que num *show* de gracejos maliciosos num cabaré, seus calcanhares de Aquiles. As obscenidades com as quais o "impudente favorito das Graças" empreendia seu trabalho de "castigar o povo e os homens poderosos", as rudes piadas fálicas, os coros de pássaros, rãs e nuvens – tudo vale-se da herança cultural das desenfreadas orgias satíricas, das danças animais e das festas de colheita.

A origem da comédia, de acordo com a *Poética* de Aristóteles, reside nas cerimônias fálicas e canções que, em sua época, eram ainda comuns em muitas cidades. A palavra "comédia" é derivada dos *komos*, orgias noturnas nas quais os cavalheiros da sociedade ática se despojavam de toda a sua dignidade por alguns dias, em nome de Dioniso, e saciavam toda a sua sede de bebida, dança e amor. O grande festival dos *komasts* era celebrado em janeiro (mais tarde a época do concurso de comédias) nas Leneias, um tipo ruidoso de carnaval que não dispensava a palhaçada grosseira e o humor licencioso.

Ao *komos* ático juntaram-se, no século V, os truões e os comediantes dóricos, com falos e enormes barrigas falsas, que eram mestres da farsa improvisada. Eles haviam recebido um impulso literário, por volta de 500 a.C., de Epicarmo de Mégara, na Sicília. Suas cenas bonachonas e de comicidade grosseira e as caricaturas dos mitos foram a fonte da comédia dórica e siciliana. Epicarmo estabeleceu uma variada escala de personagens – os fanfarrões e aduladores, parasitas e alcoviteiras, bêbados e maridos enganados – que sobreviveram até a época da *Commedia dell'arte* e mesmo até Molière. Epicarmo gostava particularmente de ridicularizar os deuses e heróis: Hércules como um glutão, não mais atraído por feitos heroicos, mas apenas pelo aroma da carne assada; Ares e Hefestos, disputando com despeito e malícia a liberação de Hera, presa a seu próprio trono; ou as sete Musas, que surgem como as filhas "rechonchudas e bem alimentadas" do Pai Pançudo e da Mãe Barriguda.

É uma questão controvertida se a comédia proveio realmente de Mégara Hyblaia, na Sicília, ou de Mégara, a antiga cidade dórica entre Atenas e Corinto, famosa por seus farsistas. Aristófanes diz em *As Vespas*: "Não podeis esperar muito de nós, apenas zombarias roubadas de Mégara". Aristóteles resolve a questão citando ambas com salomônica sabedoria: "A comédia é reivindicada pelos megarianos, tanto pelos do continente, sob a alegação de que ela surgiu em sua democracia, como pelos da Sicília, porque é dali que veio Epicarmo, muito antes de Quiônides e Magnes".

A Comédia Antiga

O escritor Quiônides, citado por Aristóteles, venceu um concurso de comédias em Atenas em 486 a.C. Magnes, igualmente mencionado, é conhecido por ter ganho o primeiro prêmio onze vezes, a primeira delas em 472 a.C., provavelmente nas Leneias atenienses, no ano em que *Os Persas*, de Ésquilo, foi apresentada em Siracusa. Nenhuma das peças de Magnes conseguiu sobreviver, nem sequer até a época alexandrina.

O concurso de comédias, que acontecia em parte no festival das Leneias e em parte na Grande Dionisíaca de Atenas, não era, como o concurso trágico, uma prova de força pacífica. Era um tilintante cruzar de espadas, em que cada autor afiava a sua lâmina no sucesso do outro. Atores tornavam-se autores, autores escondiam-se por trás de atores. Quando Aristófanes inscreveu *Os Banqueteadores*, em 427 a.C., ele o fez sob o pseudônimo de Filonides, nome de um ator seu amigo (possivelmente porque era muito jovem para competir no *agon*) e o mesmo Filonides emprestou-lhe o nome outra vez, vinte e cinco anos mais tarde, para *As Rãs*.

A comédia ática "antiga" é um precursor brilhante daquilo que viria a ser, muitos anos depois, caricatura política, charivari e cabaré. Nenhum político, funcionário ou colega autor estava a salvo de seus ataques. Até mesmo os esplêndidos novos edifícios de Péricles foram motivo de escárnio. Num fragmento conservado de Cratino, um ator entra no palco usando um molde do Odeon na cabeça, como uma máscara grotesca. Os outros atores o saúdam: "Eis Péricles, o Zeus de Atenas! Onde terá conseguido esse toucado? Um novo penteado em estilo Odeon, terrivelmente descabelado pela tempestade das críticas!".

Os quatro grandes rivais em polêmica e veneno, da comédia antiga, eram todos atenienses: Crates, Cratino, Eupólide e, sobreluzindo a todos os outros em fama, gênio, perspicácia e malícia, Aristófanes.

Crates, no início protagonista das peças de Cratino, começou a escrever suas próprias peças em 449 a.C. Suas obras são comédias agradáveis, adequadas ao desfrute familiar, que tratam de maneira relativamente inofensiva de assuntos como o desmascaramento de fanfarrões ingênuos, amantes brigados e bêbados proféticos. Quando seu mestre Cratino, então com noventa e seis anos, e o jovem Aristófanes, de vinte e um, envolveram-se pela primeira vez em batalha teatral aberta, Crates já estava morto.

Aristófanes, em *Os Cavaleiros* (cujo título grego é *Hipes*, que significa mais precisamente "tratadores de cavalos"), apresentada em 424 a.C., houve por bem implicar com o velho Cratino, acusando-o publicamente de senilidade e elogiando os méritos do alegre Crates. Cratino havia provocado este insulto, descrevendo Aristófanes, em cena, como um imitador de Eupólide.

Eupólide, que ganhou o primeiro prêmio sete vezes, tinha a mesma idade de Aristófanes e foi, no início, seu amigo íntimo. Na época de sua amizade, os dois sempre trabalhavam em conjunto, porém mais tarde ambos acusaram-se mutuamente de plágio. Brigas, no domínio da comédia, eram um constante ponto de partida; falando sobre *Os Cavaleiros*, Eupólide declarou mais tarde, em uma de suas comédias, que tinha "ajudado o careca Aristófanes a escrevê-la e a havia presenteado a ele".

Por sua vez, Cratino, um homem famoso por sua sede e suas copiosas libações em homenagem a Dioniso, também teve a sua vingança. Aos noventa e nove anos, mantinha os ridentes ao seu lado. Em sua comédia *A Garrafa*, descreve como duas damas competem entre si por seus favores – sua esposa legítima, Madame Garrafa, e sua amante, Mademoiselle Frasco. Com uma piscadela, ele se livra do apuro com o *motto* dos artistas dionisíacos: "Aquele que bebe água não chega a lugar algum".

Aristófanes teve de engolir a pílula amarga; o "velho beberrão", na verdade, ainda desfrutava dos favores do público e dos juízes. Em 423 a.C., Cratino ganhou o primeiro prêmio com *A Garrafa*, contra *As Nuvens*, de Aristófanes, que ficou em terceiro lugar. A respeito desta mesma obra, *As Nuvens* – famosa, ou famigerada, por seus ferozes ataques a Sócrates (que foram subsequentemente suavizados) – Platão relata que, na opinião de Sócrates, ela havia influenciado o júri na ocasião de seu julgamento.

O teatro era o fórum onde eram travadas as mais veementes controvérsias. Aristófanes via a si mesmo como o defensor dos deuses – "pois foram os deuses de nossos pais que lhes deram a fama" – e como o acusador das tendências subversivas e demagógicas na política e na filosofia de Atenas. Ele acusava os filósofos de "arrogante desprezo pelo povo" e os denunciava como ateus obscurantistas – todos eles, e especialmente Sócrates.

Pouco se sabe sobre a formação e a vida de Aristófanes. Parece ter nascido por volta de 445 a.C. e ter vindo do *demos* ático de Cidatena. Viveu em Atenas durante toda a sua vida criativa, ou seja, da época em que escreveu sua primeira peça, *Os Banqueteadores* (427), até o ano em que escreveu a última, *A Riqueza* (*Plutus*, 388). Das quarenta comédias que sabemos terem sido compostas por ele, conservaram-se apenas onze. Cada uma de suas peças é porta-voz de uma ideia apaixonada, pela qual o autor batalha com impetuosa militância. Na obra de Aristófanes, passagens de agressividade crua alternam-se com estrofes corais da mais alta beleza lírica. Subjacente à sua ironia mordaz e às suas alfinetadas de escárnio havia

21. Flautista e coro fantasiado, representando cavaleiros e seus cavalos, motivo que reaparece mais tarde em *Os Cavaleiros*, de Aristófanes. Vaso figurado, em negro (Berlim, Staatliche Museen).

22. Atores caracterizados como pássaros, sobre um vaso figurado, em negro, de aproximadamente setenta anos antes da estreia, em 414 a.C., de *Os Pássaros*, de Aristófanes (Londres, British Museum).

uma preocupação premente com a democracia. Ele sustentava que o seu destino somente poderia ser confiado a pessoas de inteligência superior e de integridade moral. De maneira similar, fez pressão para que a guerra fratricida entre Atenas e Esparta chegasse ao fim. Em *A Paz*, o lavrador Trigeu voa até os céus no dorso de um enorme besouro-de-esterco a fim de pedir aos deuses que libertem a deusa da paz, prisioneira em uma caverna. Na "terra-cuco-nuvem" de *Os Pássaros*, ele parodia as fraquezas da democracia e de uma religião popular utilitária. Em *Lisístrata*, apresenta as mulheres de Atenas e Esparta resolvidas a não se entregar aos belicosos maridos até que estes finalmente estejam prontos a fazer a paz.

Não apenas um ator individual, mas também o coro, podiam dirigir-se diretamente à plateia. Com essa finalidade, a comédia antiga desenvolvera a *parabasis*, um expediente formal específico de que Aristófanes fez uso magistral. No final do primeiro ato, o coro deveria tirar suas máscaras e caminhar até a frente, na extremidade da *orchestra*, para dirigir-se à plateia. "Mas vós, fastidiosos juízes de todos os dons das Musas, emprestai vossos graciosos ouvidos à nossa festiva e anapéstica canção!" Seguia-se, então, uma polêmica versão das opiniões do autor a respeito de acontecimentos locais, controvérsias políticas e pessoais e, não menos importante, uma tentativa de captar a simpatia do público por sua obra. A *parabasis* podia ser igualmente usada para justificar, desmentir ou retratar algum acontecimento recentemente ocorrido. Depois de Cléon conseguir vingar-se por ter sido satirizado em *Os Cavaleiros*, fazendo Aristófanes aparecer como personagem numa peça teatral em que é surrado, o poeta referiu-se ao incidente na *parabasis* de *As Vespas*: "Quando os golpes caíram sobre mim, bem que os espectadores riram"; ele, então, admitiu haver tentado um pouco captar a simpatia de Cléon, por razões diplomáticas, mas afirmou tê-lo feito apenas para atacá-lo tanto mais mordazmente no futuro.

Os espetáculos da Comédia Antiga aconteciam no edifício teatral, com suas paredes de madeira pintadas e painéis de tecido, enquanto o coro, como na tragédia clássica, ficava na *orchestra*. Para cenas de "transporte aéreo", usava-se o teto da *skene*, como, por exemplo, em *Os Acarnianos*, *As Nuvens* e em *A Paz*. Quando Trigeu voa até o céu em seu besouro com a ajuda do guindaste, ele pede ansiosamente ao maquinista: "por favor, tenha cuidado comigo". A cena seguinte, com Hermes diante do palácio de Zeus, acontece no *theologeion*, enquanto a subsequente libertação da deusa da paz da caverna onde está encerrada é deslocada novamente para o palco usual do *proskenion*.

As máscaras da Comédia Antiga vão desde as grotescas cabeças de animais até os retratos caricaturais. Quando houve necessidade de uma máscara de Cléon para *Os Cavaleiros*, conta-se que nenhum artesão quis fazer uma. Pela primeira vez, ao que parecia, o medo da cólera da vítima projetava a sua sombra sobre a liberdade democrática do teatro. O ator que interpretava Cléon surgiu sem máscara, com o rosto simplesmente pintado de vermelho. Pensa-se que o próprio Aristófanes tenha feito o papel – possivelmente uma razão a mais para a surra que recebeu logo depois.

Figuras grotescas de animais já haviam sido usadas no palco pelos contemporâneos mais antigos de Aristófanes. Ele próprio menciona, em *Os Cavaleiros*, uma comédia sobre pássaros, de Magnes. Bicos, cristas, tufos de cabelos e tranças, garras e penachos de pássaros, juntamente com coletes cobertos de plumas produziam um efeito grotesco, conforme pode ser visto nas pinturas em vasos do século V em diante, e que ainda divertem as plateias do século XX em montagens modernas de *Os Pássaros*. Era difícil, evidentemente, obter plumagens suficientes para os figurinos dos atores em *Os Pássaros*, como bem o sabia Aristófanes; "os pássaros estão na muda", explicava ele na peça.

Como as máscaras de animais, também as danças da Comédia Antiga tinham origem cultuais. "Destranquem os portões, pois agora a dança vai começar", exclama Filocléon em *As Vespas*, seguindo-se então o *kordax*, uma barulhenta dança fálica cujas origens possivelmente remontam ao Oriente antigo. Mesmo fontes antigas descrevem-na como tão licenciosamente obscena que dançá-la sem máscaras era tido como vergonhoso. Esta pode ter sido uma das razões pelas quais as mulheres foram excluídas durante muito tempo das representações de comédias.

Em *A Assembleia das Mulheres*, Aristófanes faz seus atores, que interpretam as mulheres de Atenas marchando para a Assembleia, "disfarçarem-se" de homens, com barbas falsas e pesadas botas espartanas, para reivindicar a entrega do poder do Estado às mulheres. Isso é visto como o clímax da ambiguidade descaradamente grotesca. Efeitos de travestimento, completa falta de reservas no tocante a gestos, figurinos e imitação e, por fim, a exposição do falo, são traços característicos do estilo de atuação da Comédia Antiga.

Na época de Cléon havia uma razão muito concreta e política para que as comédias fossem levadas principalmente no festival das Leneias. Poucos navios desafiavam o tempestuoso inverno, e somente em março traziam um influxo de visitantes estrangeiros a Atenas para as Grandes Dionisíacas. Como é facilmente compreensível, Cléon estava ansioso por manter o desmascarante duelo de comédias reservado "aos atenienses entre si". Aristófanes, por sua vez, considerava que era um esplêndido bastão para espancar "o filho de um curtidor de couro, desencaminhador do povo", conforme testemunha a seguinte passagem de *Os Acarnianos:*

> Nem mesmo Cléon pode repreender-me agora
> Por ter difamado o Estado diante de estrangeiros.
> Estamos entre nós nessa ocasião.
> Os estrangeiros não vieram até agora, os tributários
> Não chegaram, nossos confederados não estão aqui.
> Somos aqui o mais puro grão ático,
> Não há palha entre nós, nem colonos escravos.

Nestas linhas, Aristófanes escondia também um triunfo pessoal. Um ano antes, Cléon havia movido uma ação contra ele, acusando-o de insulto às autoridades e de denegrir o Estado diante de estrangeiros, por causa de *Os Babilônios*. Porém, a democracia ateniense fez justiça ao *demos*, a decisão do povo: a queixa de Cléon foi rejeitada, e a arte da comédia triunfou.

A Comédia Média

Com a morte de Aristófanes, a era de ouro da comédia política antiga chegou ao fim. Os próprios historiadores da literatura na Antiguidade já haviam percebido quão grande era o declive entre as comédias de Aristófanes e as de seus sucessores, e traçaram uma nítida linha divisória, atribuindo tudo o que veio depois de Aristófanes, até o reinado de Alexandre, o Grande, a uma nova categoria – a "Comédia Média" (*mese*).

Comprovam-na cerca de quarenta nomes de autores, bem como um grande número de títulos e fragmentos. Conta-se que Antífanes, o mais prolífico desses "deligentes confeccionadores de peças teatrais", escreveu duzentos e oitenta comédias, e seu contemporâneo Anaxandrides de Rodes compôs sessenta e cinco; outros escritores, cujos nomes chegaram até nossos dias são Áubulo, Aléxis e Timocles.

Anaxandrides, que ganhou o primeiro prêmio na Dionisíaca de 367 a.C., foi convidado pelo rei Filipe para a corte da Macedônia, onde contribuiu com uma de suas comédias para as celebrações da vitória de Olinto. Sua partida de Atenas é uma indicação do lado para o qual os ventos políticos sopravam então: a Macedônia aspirava à hegemonia na Grécia e a glória de Atenas se extinguia.

A comédia agora retirava-se das alturas da sátira política para o menos arriscado campo da vida cotidiana. Em vez de deuses, generais, filósofos e de chefes de governo, ela satirizava pequenos funcionários gabolas, cidadãos bem de vida, peixeiros, cortesãs famosas e alcoviteiros. Recorria ao repertório de Epicarmo, cujas inofensivas sátiras dos mitos serviam agora de modelo para mais uma espécie de epígonos. Por volta de 350 a.C., em Tarento, na colônia grega de Taras, ao sul da Itália, Rintão desenvolveu uma forma de comédia que parodiava a tragédia (*hilaros*, que

23. *A Loucura de Hércules*. Cena no estilo da hilarotragédia. Vaso de Asteas, século IV a.C. (Madri).

24. Menandro: relevo do poeta segurando uma máscara; à direita, Glicera ou talvez uma personificação da *skene*, como no relevo de Eurípedes, século III a.C. (Roma, Museo Laterano).

25. Vaso do gênero *phlyakes* (espécie de bufonaria, ou de paródia de peça trágica) com cena de comédia: servos ajudando Quíron a subir ao palco. À direita: Aquiles, duas ninfas velhas ao alto, século IV a.C., encontrado em Apúlia, Itália (Londres, British Museum).

26. Figura de bufarinheiro que lembra Xântias, personagem de *As Rãs*, de Aristófanes (Munique, Staatliche Antikensammlung).

27. Dois velhos embriagados (Berlim, Staatliche Museen).

Estatuetas em terracota representando personagens de comédia grega, século IV a.C.

28. Alcoviteira, personagem típica da Comédia Nova (Munique, Staatliche Antikensammlung).

29. Homem e mulher conversando, como, talvez, Praxágora e Blépiro em *A Assembleia das Mulheres* de Aristófanes (Würzburg, Martin-von-Wagner Museum).

30. Vaso do gênero *phlyakes* com Anfitrião travestido, possivelmente inspirado pelo *Amfitruo*, de Rínton: Hermes ergue o lume para Zeus sob a janela de Alcmena, *c.* 350 a.C. (Roma, Museu do Vaticano).

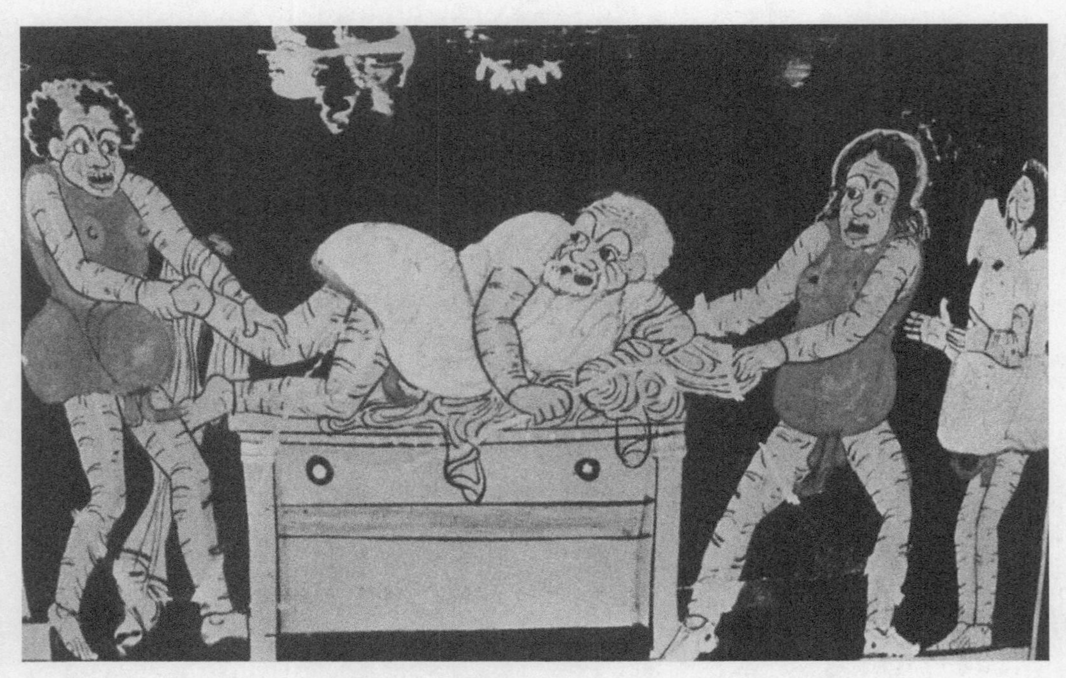

31. Pintura em vaso de Asteas: o velho avarento Carino, deitado sobre sua arca de dinheiro, é ameaçado por dois ladrões, século IV a.C. (Berlim, Staatliche Museen).

significa alegre, engraçado), mas tudo o que dela sabemos, baseia-se meramente em fragmentos e em pinturas em vasos. Nem a Comédia Média, nem a *hilarotragodia* apresentaram quaisquer inovações no que diz respeito a técnicas cênicas e cenografia. Ambas parecem ter utilizado o pavimento superior do edifício cênico (*episkenion*); com concessões à conveniência que, em suas máscaras, amortece o grotesco, elas trazem a primeira pincelada do sentimental.

A Comédia Nova

Das planícies artísticas da Comédia Média, no final do século IV a.C., ergueu-se de novo um mestre: Menandro. Ele assinala um segundo ápice, da comédia da Antiguidade: a *nea* ("nova" comédia), cuja força reside na caracterização, na motivação das mudanças internas, na avaliação cuidadosa do bem e do mal, do certo e do errado. Menandro, filho de uma rica família ateniense, que nasceu por volta de 343 a.C., moldava caráteres, e partia dos caráteres como portadores da ação. A personagem, conforme ele diz em sua comédia *A Arbitragem*, é o fator essencial no desenvolvimento humano e portanto também no curso da ação.

De suas cento e cinco peças, apenas oito lhe valeram prêmios – três nas Leneias e cinco na Grande Dionisíaca de Atenas. Esse pequeno número de vitórias, porém, não diminuiu em nada seu renome em vida, nem sua fama posterior. Menandro viria a exercer grande influência sobre os comediógrafos romanos Plauto e Terêncio, que viveram da substância de sua obra. Ao lado do acervo de citações transmitidas, esses dois poetas romanos foram, até os primórdios do século XX, as únicas testemunhas dos escritos de Menandro. Só em 1907, sua comédia *A Arbitragem* foi reconstituída a partir de papiros e, em 1959, que foram descobertos *Dyscolus* (O Mal-humorado). Com o *Dyscolus* (cujo subtítulo, *misanthropos*, anuncia para além da obra terenciana, o antropófago molieresco), Menandro, então com 24 anos, conquista em 317 a.C. seu primeiro triunfo teatral.

Mesmo neste primeiro trabalho, Menandro demonstrava sua índole humana e artística. Todas as personagens são cuidadosamente delineadas; a tensão vai crescendo gradualmente, e a ação se desenrola com consistência plausível.

O gramático Aristófanes de Bizâncio, do século II a.C., que foi bibliotecário-chefe em Alexandria e que nos legou numerosas citações das peças de Menandro, expressou sua profunda e incisiva admiração pelo poeta: "Ó Menandro, e tu, Vida, qual dos dois imitou o outro?"

Apesar das muitas ofertas tentadoras, Menandro nunca deixou Atenas e sua *villa* no Pireu, onde vivia com sua amante Glicera. Declinou de um convite para ir ao Egito, feito pelo rei Ptolomeu, embora não sem sorrir previamente ante a ideia da aprovação recebida, em nome de "Dioniso e suas folhas de báquica hera, com as quais prefiro ser coroado, em vez de dos diademas de Ptolomeu, na presença de minha Glicera, sentada no teatro". Um famoso relevo de Menandro mostra o poeta sentado num tamborete baixo, com a máscara de um adolescente nas mãos, e, numa mesa diante de si, as máscaras de uma cortesã e de um ancião. Um tanto desrespeitosamente, o romano Manílio uma vez descreveu o repertório de personagens de Menandro como constituído de "adolescentes fervorosamente apaixonados, donzelas raptadas por amor, anciãos ridicularizados e escravos que enfrentam quaisquer situações". Menandro era bastante confiante em si mesmo para não se importar quando os volúveis juízes do concurso de comédias davam preferência a seu rival Filemon de Siracusa. De acordo com uma anedota, Menandro certa vez o cumprimenta, encontrando-o na rua, com as palavras: "Desculpe-me, Filemon, mas, diga-me, quando você me vence, não fica ruborizado?"

O coro, que já na Comédia Média havia sido posto de lado, desapareceu completamente nas obras de Menandro. Como os atores não mais entravam vindos da orquestra, a forma do palco foi alterada. As cenas mais importantes eram agora apresentadas no *logeion*, uma plataforma diante da *skene* de dois andares. A comédia de caracteres, com suas intrigas e nuanças individuais de diálogo, exigia a atuação conjunta mais concentrada dos atores, bem como um contato mais estreito entre o palco e a plateia.

Menandro foi o único dos grandes dramaturgos da Antiguidade que viveu para ver o teatro de Dioniso terminado. Pois, em Atenas, como novamente em Roma trezentos anos mais tarde, a história pregou uma estranha peça no teatro: a estrutura externa atingiu seu esplendor mais suntuoso apenas numa época em que o grande e criativo florescimento da arte dramática chegava ao fim. A glória da arquitetura teatral antiga foi concluída na época dos epígonos; os magníficos teatros somente puderam refletir um pálido vislumbre do antigo esplendor.

O Teatro Helenístico

Quando Licurgo finalizou as obras da construção do teatro de pedra de Dioniso, enquanto exercia o cargo de administrador das finanças de Atenas (338-327 a.C.), estava consciente de que sua tarefa era a de um epígono. Ele não apenas mandou reunir as obras dos poetas trágicos clássicos, mas também mandou esculpir esplêndidas estátuas de mármore com suas imagens e as dispôs no *foyer* do novo teatro, numa colunata aberta junto à parede de fundo da *skene*. O teatro em si consistia em um palco espaçoso com três entradas e bastidores (*paraskenia*) que se projetavam à esquerda e à direita, oferecendo duas entradas adicionais dos camarins para o palco. Aberturas ao longo da parede de fundo sugerem que talvez tenham sido usadas para fixar postes destinados a sustentar um andar superior temporário (*episkenion*) no alto do *proskenion*, tal como exigia sobretudo a encenação das comédias.

O auditório se erguia em terraços, e suas três fileiras podiam receber quinze mil ou mesmo vinte mil espectadores, um número que correspondia aproximadamente à população de Atenas na época helenística. Alguns dos lugares para os convidados de honra (*proedria*), feitos de mármore do Pentélico, resistem até hoje. Entre eles fica a cadeira especial do sacerdote, decorada com relevos, que ostenta a inscrição: "Propriedade do sacerdote de Dioniso Eleutério". Os outros assentos oficiais são mais simples, mas também possuem um respaldo curvo; dois ou três deles são talhados num único bloco de mármore.

Mais ou menos na mesma época em que Licurgo completava o novo teatro de Dioniso em Atenas, outro teatro era erigido em Epidauro. Construído pelo arquiteto Policleto, o Jovem, por volta de 350 a.C., no recinto sagrado de Ascléplio, ficou em breve famoso por sua beleza e harmonia. Hoje, é o mais bem preservado teatro da Antiguidade grega. Seu auditório assemelha-se a uma concha gigante incrustada na encosta da colina. Do alto da sexagésima fila, tem-se uma vista aberta das ruínas da *skene* e da planície arborizada que se estende além. Um dia em Epidauro leva à experiência do teatro antigo, sem que seja preciso haver um espetáculo; Ésquilo, Sófocles e Eurípedes voltam à vida. É difícil imaginar que nenhum deles jamais viu uma de suas tragédias representadas num desses magníficos locais; nenhum deles chegou a utilizar os grandes teatros de Epidauro, Atenas, Delos, Prieno, Pérgamo ou Éfeso. Na época em que os espectadores se reuniam diante da *skene*, adornada de colunatas, do teatro helenístico, o concurso de dramaturgos havia há muito se tornado uma competição de atores. Até mesmo Aristóteles já se queixava na *Poética* de que o virtuosismo regia o palco, "pois os atores têm atualmente mais poder do que os poetas".

Enquanto no século V, na grande era do drama clássico, os poetas haviam sido os favoritos declarados e confidentes de reis, príncipes e chefes de Estado, no século IV foram substituídos pelos atores. É verdade que Filipe da Macedônia convidou o poeta Anaxandrides para a sua corte; ele concedeu, porém, honras maiores ao ator Aristodemo. Seu filho Alexandre, o Grande, discípulo de Aristóteles, incumbiu o ator Tessalo de uma missão diplomática; como os atores, eram não apenas dispensados do serviço militar, mas, na qualidade de servidores de Dioniso, possuíam salvo-conduto em território inimigo mesmo em época de guerra, sendo pois agentes políticos especialmente convenientes.

Durante o século IV, os atores se juntaram em grêmios de "artistas dionisíacos", encabeçados por um protagonista (ator principal) ou músico, que era ao mesmo tempo um sacerdote de Dioniso. Essas uniões de artistas também organizavam espetáculos, que em geral eram remontagens de tragédias e comédias clássicas, nos pequenos teatros da Ática e do Peloponeso.

32. Apresentação de *As Rãs*, de Aristófanes, no Teatro de Dioniso, 405 a.C. Na *orchestra*, Dioniso é transportado através do pântano num barco a remo, com rãs coaxando à sua volta. Reconstrução de H. Bulle e H. Wirsing, *c*. 1950.

33. Teatro de Epidauro. Construído por Policleto, o Jovem, *c*. 350 a.C. Vista das fileiras de assentos mais altos sobre a *orchestra* circular. Ao fundo, as montanhas Arachnaeon; na extremidade da *orchestra*, ruínas da *skene*; à esquerda, o portão *parodos* reconstruído.

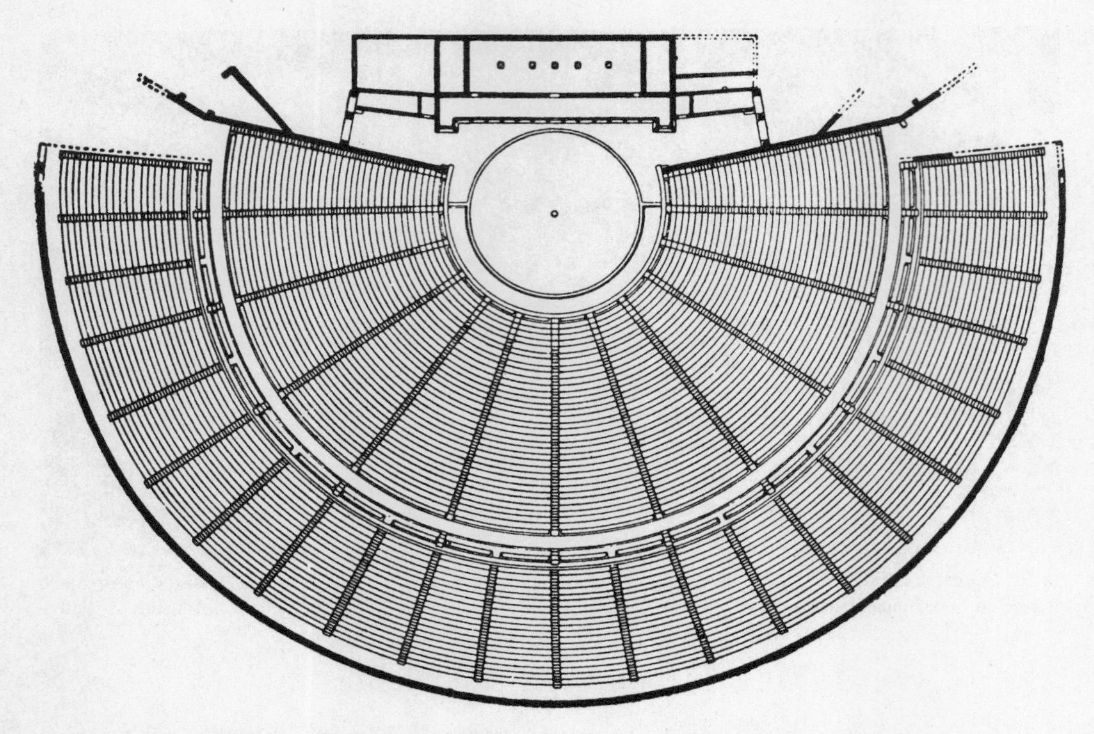

34. Planta do teatro de Epidauro, que podia abrigar em torno de 14.000 espectadores.

35. Teatro de Delfos, construído no século II a.C. Na base, as ruínas do templo de Apolo.

36. Fragmento de vaso de Tarento. À esquerda, ala da cena, *paraskenion*, com entablamento ricamente decorado, sustentado por colunas esguias, século IV a.C. (Würzburg, Martin-von-Wagner Museum).

37. Teatro de Oropo, Ática, século II a.C. *Skene*. Reconstrução de E. Fiechter.

As obras mais populares nessa época eram as de Eurípedes. Plutarco relata que os atenienses aprisionados e escravizados durante a desastrosa expedição à Sicília em 413 a.C. eram libertados pelos siracusanos, se pudessem recitar passagens dos dramas euripidianos de cor. Pois Eurípedes havia profetizado, na sua advertência em *As Troianas*, que os atenienses seriam derrotados e que a fortuna da guerra sorriria para Siracusa. Isto talvez possa explicar também a predileção que os dramaturgos romanos sentiriam, mais tarde, por Eurípedes. No prólogo de *As Troianas*, que foi apresentada com a sátira *Sísifo* na Dionisíaca de Atenas em 415 a.C., Possêidon sai de cena com estas palavras sinistras:

> Oh, tolo é o homem que arruina a cidade e o templo.
> Devasta a sagrada habitação dos mortos e
> seus túmulos, pois está condenado a perecer no final.

Roma sempre olhou o teatro grego como o seu grande modelo, mesmo depois que o mundo romano irrompeu na Grécia após o seu declínio. A marcante tendência teatral dos conquistadores romanos para a sensação verista, para o "espetáculo", levou-os a remodelar e reestruturar os teatros gregos. Os *proscenia*, decorados com relevos e estátuas, salientavam-se agora em frente à estrutura do palco, a *orchestra* foi cercada de parapeitos e transformada em *conistra*, uma arena para o combate dos gladiadores e as carnificinas das feras. No teatro de Dioniso em Atenas, além dessas indignidades, o imperador Nero profanou o santuário, dedicando-o "conjuntamente ao deus e ao imperador" – conforme testemunha até hoje uma inscrição na arquitrave.

As ruínas do teatro de Dioniso em Atenas refletem "o desenvolvimento não apenas da poesia dramática, mas de toda a cultura da Antiguidade: primeiro, as danças do coro; ao lado destas, na área da grande *orchestra*, as cenas dos grandes dramas e, numa *orchestra* menor, cenas de uma variedade de peças. No *proskenion*, representações com cenários típicos e permanentes; e finalmente, na *conistra,* cercada por parapeitos, os brutais jogos do *circus*" (Margarete Bieber).

As palavras dos grandes poetas, pais do teatro europeu, podem ser ouvidas todos os

38. Teatro de Dioniso em Atenas, como era por volta de 1900, mostrando o canal romano escavado e o parapeito de mármore construído pelos romanos para os jogos com animais. O pedestal à esquerda data também de época romana. As fileiras de assentos de pedra que compõem o auditório são de origem grega, século IV a.C.

anos em grego clássico, no Teatro Herodes Ático, em Atenas, quando no festival de verão com seu programa de tragédias e comédias clássicas – um eco do que outrora, há dois mil e quinhentos anos, soava aos pés da Acrópole em louvor ao deus Dioniso.

O Mimo

Desde tempos imemoriais, bandos de saltimbancos vagavam pelas terras da Grécia e do Oriente. Dançarinos, acrobatas e malabaristas, flautistas e contadores de histórias apresentavam-se em mercados e cortes, diante de camponeses e príncipes, entre acampamentos de guerra e mesas de banquete. À arte pura unia-se o grotesco, a imitação de tipos e a caricatura de homens e animais, de seus movimentos e gestos.

O chiste verbal, somado a essas proezas sem palavras, físicas, levou às primeiras e breves cenas improvisadas. Era o início do mimo primitivo. Seu alvo era a imitação "fiel à natureza" de tipos autenticamente vivos, ou, num sentido mais amplo, a arte da autotransformação, da *mímesis*.

Enquanto o épico homérico e o drama clássico haviam glorificado os deuses e os heróis, o mimo (*mimus*) prestava atenção no povo anônimo, comum, que vivia à sombra dos grandes, e nos trapaceiros, velhacos e ladrões, estalajadeiros, alcoviteiras e cortesãs. Cada região supria o mimo de suas próprias figuras características e conceitos locais. Em Esparta, o mimo, viajando e apresentando-se sozinho, era visto como um representante da embriaguez dionisíaca e era chamado *deikelos* (bêbado), e assim a farsa rústica primitiva de Esparta se chamou *deikelon*. Em Tebas, os comediantes de mimos e farsas, cujo tema favorito era a paródia do culto beócio a Cabiro, eram chamados de "voluntários".

O mimo desenvolveu-se originalmente na Sicília. Era uma farsa burlesca rústica, à qual Sófron deu forma literária pela primeira vez por volta de 430 a.C. Suas personagens são pessoas comuns e, no sentido mais amplo da mimese, animais antropomórficos. Sófron criou o ancestral do Bottom de Shakespeare, no *Sonho de Uma Noite de Verão*. Numa das peças de Sófron (da qual existem apenas fragmentos), um ator, que está interpretando o papel de um burro, fala sobre o seu modo de "mastigar cardos".

Tanto no reino animal quanto na vida humana a parte que a sorte reserva a cada um não é distribuída segundo o mérito, e assim o quinhão principal da zombaria bem-humorada foi zelosamente dirigido, já na Antiguidade, ao mais modesto e fiel companheiro do campônio da montanha. Danças e farsas grotescas asinais, passando pelo burlesco romano, chegam até os gracejos de mimo na Festa do Asno (*festum asinorum*), com a qual o clero francês do século XII comemorava a Fuga para o Egito de uma forma um tanto pagã e antiga, na verdade quase indecente.

A arte do mimo não foi impedida por barreiras geográficas. Do sul da Itália, caminhou em direção ao norte com os atores ambulantes, e onde quer que fosse assimilava todo o tipo de atos histriônicos populares, farsescos e mais ou menos improvisados.

O palco clássico da Antiguidade excluíra as mulheres, mas o mimo deu ampla oportunidade à exibição do charme e do talento femininos. Xenofonte, o escritor, agricultor e esportista ateniense do século IV a.C. fala, em seu *Symposium*, de um ator de Siracusa que se apresentou num banquete na casa do rico Cálias, em Atenas, com sua *troupe* da qual faziam parte um menino e duas garotas (uma flautista e uma dançarina).

A pedido de Sócrates, que estava entre os convidados, os mimos apresentaram a história de Dioniso e Ariadne, na qual o jovem deus salva a filha de Minos, que é abandonada em Naxos, e se casa com ela. O pedido de Sócrates pôde ser facilmente atendido, sem nenhuma preparação especial, o que demonstra que os mimos gregos estavam tão familiarizados com a herança dos temas míticos quanto haviam estado seus antecessores, nas margens do Eufrates e do Nilo e estariam também seus sucessores, nas margens do Tigre e no Bósforo.

Numerosas pinturas em vasos áticos mostram uma variedade de acrobatas, comediantes e equilibristas; garotas fazendo malabarismos com pratos e taças, dançarinas com instrumentos musicais. A arte dessas jovens era obviamente muitíssimo popular entre os gregos,

39. Desempenhantes de representações em cultos, portanto cabeças de asno. Fragmento de afresco de Micenas.

sobretudo em círculos privados. Numa *hydria* do século IV, originária de Nola (hoje no Museo Nazionale de Nápoles), pode-se ver quatro grupos treinando várias façanhas acrobáticas. Uma jovem nua tem o corpo arqueado em ponte, sustentando-se nos cotovelos, ao mesmo tempo que empurra um *kylix*, com os pés, na direção de sua boca; amarrada em torno das panturrilhas, ela traz uma fita, a *apotropeion*, própria das artistas de mimos. Uma outra garota é mostrada dançando entre espadas fincadas verticalmente no chão, enquanto uma terceira pratica o *pyrrhic*, dança de guerra mitológica, usando um capacete e segurando um escudo e uma lança.

De acordo com uma lenda ática, a deusa Atena inventou o *pyrrhic* e o dançou para celebrar sua vitória sobre os gigantes, embora em Esparta se credite essa invenção aos Dióscuros. A dança aparece novamente no século II, quando Apuleio, em *O Asno de Ouro* descreve um balé mitológico que os romanos montaram em Corinto. Após o balé, conta Apuleio, o povo tentou fazer com que Lúcio, vestido de asno, participasse de um "mimo obsceno"; Lúcios, porém, fugiu.

A maioria dos textos dos mimos era em prosa, mas alguns, os chamados *mimeidoi*, eram cantados – os precursores dos coplas de *music-hall*. Seu repertório de tipos é o mesmo que Filogelo usou certa vez para suas pilhérias e, ao lado de doutores, charlatães, adivinhos e mendigos, seu alvo predileto de zombaria era o bobo de Abdera, ou Sidon ou alguma outra "cidade dos tolos".

Os *mimiambos* do poeta Herondas de Cós (aproximadamente 250 a.C.) constituem variantes poéticas especiais do mimo grego. São breves textos mímicos, compostos em iambos, cujos enredos tratam das revelações secretas de garotas perdidas de amor, dos castigos aos estudantes malcriados, das artes persuasivas de casamenteiras astutas e de toda sorte de inconfidências nem sempre edificantes.

É bem provável que esses *mimiambos* de Herondas, da mesma forma que a bem mais decente poesia lírica dos mimos bucólicos de Teócrito, tenham sido concebidos para serem lidos ou recitados por um único mimo com uma grande extensão vocal.

Somente na época helenística o mimo grego teve acesso ao palco dos grandes teatros públicos. A Grécia nunca concedeu a ele a importância que ganharia sob os imperadores em Roma e Bizâncio.

Roma

INTRODUÇÃO

O império romano foi um Estado militar. Antes de Augusto, os romanos eram guerreiros, depois de Augusto, governaram o mundo. O caminho desde a legendária fundação da Cidade das Sete Colinas em 753 a.C. até o império mundial romano é uma sucessão de guerras de conquista e, ao mesmo tempo, a legitimação de um nacionalismo fundamentado, desde os primórdios, no poder da autoridade.

Até mesmo os deuses estavam sujeitos aos ditames do Estado. A localização de seus principais santuários era determinada não pela tradição, mas pela *res publica*. Antes das legiões romanas capturarem uma cidade inimiga, seus deuses eram requisitados numa cerimônia religiosa, a *evocatio* (chamado), para que abandonassem as cidades sitiadas e se mudassem para Roma, onde poderiam contar com templos mais grandiosos e maior respeito. Desse modo, o santuário de Diana foi deslocado da cidade latina de Arícia para o Aventino, e a Juno Regina dos etruscos foi "recolocada" no Capitólio, vinda de Veio. Da mesma forma, Minerva, uma sucessora da Palas Atena grega venerada na cidade etrusca de Falério, chegou a Roma, onde se juntou a Júpiter e Juno como o terceiro membro da mais alta tríade de deuses romanos na colina do Capitólio. Roma ainda hoje a recorda, na Igreja de Santa Maria sopra Minerva, edificada no século VIII.

Os Ludi Romani, as mais primitivas das festividades religiosas oficiais onde se apresentavam espetáculos, também eram consagrados à tríade Júpiter, Juno e Minerva. O próprio nome indica que a adoração aos deuses tinha de dividir as honras com a glorificação da cidade desabrochante, a *urbs romana*. Como disse Cícero, o segredo da dominação romana residia em "nossa piedade, nossos costumes religiosos e em nossa sábia crença em que o espírito dos deuses governa todas as coisas".

A religião do Estado havia se apossado da hierarquia dos deuses olímpicos da Grécia, com poucas mudanças de nomes, mas nenhuma modificação maior de caráter. Às margens do Tibre, como à sombra da Acrópole em Atenas, Tália, a musa da comédia, e Eutérpia, a musa da flauta e do coro trágico, eram as deusas padroeiras do teatro.

Este povo racional, técnica e organizadamente tão bem dotado, deve ter achado bastante natural aplicar aos arranjos de suas cerimônias religiosas a mesma resoluta determinação que distinguia suas expedições militares. O teatro de Roma fundamentava-se no mote político *panem et circenses* – pão e circo – que os estadistas astutos têm sempre tentado seguir.

Tanto em suas características dramáticas quanto arquitetônicas, o teatro romano é herdeiro do grego. Quando Lívio e Horácio declararam que as origens do teatro romano deviam ser procuradas nas fesceninas – os satíricos e sugestivos diálogos carnavalescos com origem na cidade etrusca de Fescênia – estavam empenhados, pelo visto, em tomar como ponto de orientação as origens do teatro helenístico. E a comparação é tanto mais válida quando focaliza a época do florescimento do teatro romano. Como antes, em Atenas, esta era divide-se em um período de atividade dramático-literária e em outro, no qual as gerações seguintes esforçaram-se para criar uma moldura arquitetônica digna. No que diz respeito ao florescimento da literatura dramática de Roma, este período corresponde aos séculos III e II a.C., quando prosperaram as peças históricas e as comédias (em palcos temporários de madeira), e, no tocante ao período áureo da glorificação arquitetural da ideia de teatro, os séculos I e II d.C.

O anfiteatro não pertencia aos poetas. Servia de palco aos jogos de gladiadores e às lutas de animais, para combates navais, espetáculos acrobáticos e de variedades. Quando a perseguição aos cristãos se iniciou com Domiciano, o sangue humano correu aos borbotões no Coliseu, no mesmo local onde multidões de cinquenta mil pessoas aplaudiam os atletas campeões ou os atores de mimos e de pantomimas. Seu teatro era o espelho do *imperium romanum* – para melhor ou para pior, e era muito mais um *show business* organizado do que um lugar dedicado às artes.

Os Ludi Romani, o Teatro da *Res Publica*

Durante a mesma década em que Aristóteles descreveu a então inteiramente desenvolvida tragédia grega, Roma assistia a seus primeiros *ludi scaenici* (jogos cênicos), modestos espetáculos de mimo de uma *troupe* etrusca. Estes incluíam danças e canções, acompanhadas de flauta, e também invocações religiosas dos deuses no espírito da misteriosa e sobrenatural fé dos etruscos, que outrora haviam dominado Roma. Nessa época, a preocupação dos atores e da plateia era aplacar os poderes da vida e da morte, já que se estava no ano de 364 a.C. e a peste se alastrava pelo país.

Desde o mais remoto início, a habilidade política de Roma se expressou no oferecimento, aos povos conquistados, da oportunidade de promover seus talentos e manter boas relações com seus próprios deuses. Os romanos anexaram a propriedade espiritual, tanto quanto a terrena, daqueles que conquistaram, juntamente com o direito de exibi-la em público, para o prazer de todos e para maior glória da *res publica*. Dessa forma, o teatro romano também era um instrumento de poder do Estado, dirigido pelas autoridades. Assim como em Atenas a arte da tragédia e da comédia desenvolvera-se a partir do programa das festividades das Dionisíacas e das Leneias, Roma agora procurou organizar a arte do drama, com base no programa de suas festividades.

A moldura externa dada foram os Ludi Romani, instituídos em 387 a.C. e desde então celebrados anualmente em setembro, com quatro dias de espetáculos teatrais. Mais tarde, instituíram-se outros jogos dedicados aos deuses (*ludi*), tais como os Ludi Plebeii em novembro, os Ludi Cereales e Megalenses (em homenagem à mãe dos deuses) em abril, e os Ludi Apollinares em julho.

Essas celebrações festivas deviam muito à família dos Cipiões, que ajudaram a fortalecer o renome mundial de Roma não apenas em assuntos militares, mas também culturais. Nos séculos III e II a.C., os Cipiões praticaram a espécie de patronato das artes que, mais tarde, na época de Augusto, seria associada ao nome do nobre Mecenas.

A ambiciosa metrópole às margens do Tibre esmerou-se em promover os talentos, especialmente os das regiões conquistadas, que eram o berço da inteligência e da educação gregas. Os romanos, na verdade, devem seu primeiro dramaturgo – Lívio Andrônico – à cidade de Tarento, uma das maiores e mais ricas das antigas colônias gregas no sul da Itália. Lívio Andrônico foi trazido a Roma, como escravo, para a rica casa dos Lívios. Graças a seu dom da linguagem, o jovem grego logo foi promovido de professor particular a conselheiro educacional e cultural. Traduziu a *Odisseia* de Homero para o latim, em versos saturninos, para o uso em escolas romanas, e compôs hinos em latim a mando do Senado.

Em 240 a.C., pelas celebrações que se seguiram à vitória da primeira Guerra Púnica,

Lívio Andrônico – provavelmente mais uma vez por ordens oficiais – escreveu suas primeiras adaptações de peças gregas. Uma tragédia e uma comédia foram representadas, nas quais o próprio Lívio Andrônico participou como ator, cantor e encenador, na melhor tradição ateniense.

O exemplo de Lívio Andrônico logo trouxe à cena o primeiro dramaturgo latino, Gneu Névio, da Campânia – um escritor espirituoso, com agudo senso crítico, que se apresentou com obras próprias, pela primeira vez, nos Ludi Romani, cinco anos mais tarde. Segundo Theodor Mommsen, o grande historiador clássico alemão do século XIX, Névio foi "o primeiro romano que mereceu ser chamado de poeta e, ao que tudo indica, um dos mais notáveis e excelentes talentos da literatura romana".

Névio também fora soldado. Havia lutado na primeira Guerra Púnica, e conhecera por experiência própria, de vida, não apenas a vitória das legiões romanas mas também as deficiências dos comandos militares. Suas obras refletem sua fé entusiasmada na República, embora também sua aguda crítica a seus elementos corruptos. Névio foi o criador do drama romano, a *fabula praetexta* (assim nomeada por causa da vestimenta oficial dos pretores, os mais altos funcionários e servidores da República, que eram seus personagens e heróis centrais). No domínio da comédia, a distinção que se estabelece é entre o modelo grego da *fabula palliata*, cujos intérpretes vestiam o *pallium* grego, e a *fabula togata*, brotada do colorido local romano, em que os atores portavam no palco a toga nativa.

A glorificação dramática da história de Roma por Névio, especialmente em *Romulus*, sua peça mais famosa – que retrata a lendária fundação de Roma – trouxe grandes honrarias ao autor. Ele, porém, arriscou todas elas com suas comédias, nas quais se aventurava no campo das polêmicas locais e, fiel ao exemplo de Aristófanes, atacava os políticos e nobres de sua época.

Mas Roma não era Atenas. Os homens do Senado não eram como Cléon, que se contentara em retaliar com uma boa surra a desrespeitosa franqueza de Aristófanes. Névio teve de pagar caro pela militância expressa em suas comédias. Foi preso e exilado, e morreu por volta de 201 a.C. em Utica, o velho centro comercial fenício que Cipião Africano Maior havia sitiado três anos antes, sem sucesso.

Em 204 a.C., provavelmente na esteira dos exércitos de Cipião, que retornavam, o terceiro pioneiro do teatro romano surgiu na capital: Quinto Ênio de Rudia, na Calábria, então com trinta e cinco anos. Como soldado na segunda Guerra Púnica, admirou, quando da derrota dos romanos diante de Aníbal, a boa conduta dos legionários e seus generais, fato cuja ausência na vitória de Névio havia deplorado tão criticamente. Em vez disso, o que Ênio viu foi "a inabalável fé dos romanos em seu Estado, bem como sua compreensão profunda do equilíbrio real do poder", que, na derrota, somente fortaleceram neles a fé na sua missão militar.

Quinto Ênio, que também crescera e fora educado na tradição cultural grega, teve a boa sorte de merecer a amizade dos mais respeitados homens de Roma. Obteve fama com sua obra mais importante, um *epos* nacional intitulado *Anais*, e também por suas adaptações de tragédias e comédias gregas para o público romano. Escreveu, segundo o modelo de Eurípedes, peças como *Aquiles* e *Alexandre*, além de outra sobre o tema das Eumênidas. Nas *Sabinas*, dramatiza um tema proveniente do âmbito da saga romana, no qual o teatro tem dupla participação: durante um festival em Roma, Rômulo faz com que as Sabinas presentes sejam raptadas, porque na cidade guerreira faltam mulheres. Em consequência, quando o exército sabino avançou sobre as Sete Colinas, as beldades disputadas, sob a liderança da própria esposa de Rômulo, empenharam-se em estabelecer a paz. Foi feito um acordo, no qual Rômulo e Tito Tácio, o rei dos Sabinos, deveriam governar Roma juntos.

Ênio, o "arauto dos bem-nascidos e helenizados", teve o cuidado de evitar assuntos controversos durante toda a sua vida. Era popular tanto junto ao povo quanto aos aristocratas. Sua escolha de temas dramáticos mostra o quão prudentemente ele mantinha sua posição no cabo de guerra da existência de um favorito. Sempre escolhia assuntos que, em geral com algum aspecto didático, podiam ser suavemente transpostos para a visão de mundo racional dos romanos.

1. Máscaras de uma jovem flautista (uma hetaíra) e de um escravo usando uma guirlanda de flores. Mosaico encontrado no Aventino (Roma, Museo Capitolino).

2. Pintura em parede em Herculano: ator trágico vitorioso após o término do *agon*. À direita, sua máscara deposta; a mulher ajoelhada procede à inscrição da dedicatória comemorativa (Nápoles, Museo Nazionale).

3. Relevo romano em terracota, mostrando um cena de tragédia. Do pedestal-edícula do túmulo de Numitório Hilarus, século I d.C. (Roma, Museo Nazionale Romano).

4. Pintura mural romana com uma cena de *Medeia* (Nápoles, Museo Nazionale).

O século II a.C. gerou uma rica safra de produções dramáticas, ao longo da linha preestabelecida da *fabula praetexta* e da adaptação de temas gregos. No domínio da tragédia, a corrente de escritores iniciada por Quinto Ênio, e que passa por seu sobrinho e discípulo M. Pacúvio, oriundo de Brindisium e por Lúcio Ácio – a quem Brutos favoreceu – vai até Asínio Pólio, o ator considerado "digno do coturno" (a bota alta da tragédia grega, agora possivelmente com uma sola que a elevava algumas polegadas), na época do imperador Augusto, chegando por fim, na era cristã, a Aneu Sêneca – cujas nove tragédias remanescentes, entretanto, não foram jamais encenadas no palco da Roma antiga.

Comédia Romana

Embora a tragédia e a comédia hajam iniciado juntas sua carreira nos palcos de Roma e originalmente tenham sido escritas pelos mesmos autores, Tália logo começou a se emancipar. O primeiro grande poeta cômico de Roma alimentou a comédia romana não apenas com a sua própria obra, mas também com a influência revigorante do mimo folclórico popular.

Plauto (*c.* 254-184 a.C.), nascido em Sarsina, não era um homem de muito estudo, mas conta-se que no decorrer de uma juventude cheia de aventuras ele perambulou pelo país com uma *troupe* atelana. Seu segundo nome, Maccius, parece confirmar essa experiência, pois "Maccus" era um dos tipos fixados da farsa atelana – o guloso e ao mesmo tempo finório pateta, que sempre dá um jeito para que seus comparsas de jogo tenham no fim de ficar com o ônus tanto dos prejuízos quanto do escárnio.

Deixando para trás o despretensioso repertório de sua experiência teatral anterior, Plauto aterrou com um salto na literatura mundial. Os modelos dramáticos de suas comédias foram as obras da Comédia Nova ática, especialmente as de Menandro. Quem quer que tivesse a si mesmo em alguma conta em Roma conhecia não apenas o nome do famoso ateniense, mas podia citar pelo menos alguns de seus elegantes epigramas. E quão mais promissor em êxito devia parecer a exibição em toda a sua plenitude dos tesouros desta comediografia!

Plauto possuía suficiente prática teatral para selecionar as cenas mais eficazes de seus modelos. Ao fazê-lo, não hesitava em encaixar os temas de várias peças, se isso ajudasse a realçar o efeito. Trabalhou não menos com perícia do que com sorte no princípio da "contaminação", em que seria igualado, uma geração mais tarde, por Terêncio – o segundo grande poeta cômico romano.

Mas onde Plauto, o ator da Úmbria, adquiriu todo esse conhecimento da literatura grega e todas as suas outras qualificações, ao lado de sua inteligência natural, para atingir *status* mundial como autor? Conta-se que, com o pé-de-meia de mimo na bagagem, ter-se-ia dedicado aos negócios de mercador viajante; mas no fim teria sofrido um naufrágio financeiro com suas especulações comerciais. Sem dúvida, sua odisseia comercial rendeu-lhe um conhecimento soberano de todas as classes de pessoas, das baixas, médias e altas camadas, e o ajudou em sua arte de caracterização precisa e em sua habilidade de coordenar personagens e situações.

Plauto transpôs a refinada urbanidade de seu modelo Menandro para uma comédia de situações robusta, na qual predominavam elementos farsescos e chistes burlescos. Personagens cômicas, identidades trocadas, intriga e sentimentalismo burguês alimentam o meca-

5. Oficial fanfarrão e parasita. Pintura em parede (hoje destruída) na Casa della Fontana Grande, Pompeia, século I, d.C.

6. Relevo em mármore, com uma cena típica da Comédia Nova: um pai furioso vai ao encontro do filho, que retorna de um banquete amparado por um escravo (Nápoles, Museo Nazionale).

7. Cena da Comédia Nova: mulheres sentadas em torno de uma mesa. Mosaico da Villa de Cícero, Pompeia; assinado: Dioscúrides de Samos (Nápoles, Museo Nazionale).

8. Músicos de rua. Mosaico da Villa de Cícero em Pompeia; assinado: Dioscúrides de Samos (Nápoles, Museo Nazionale).

9. Pintura mural de Pompeia: um escravo, zombando de um casal de amantes. Casa de Casca Longus.

nismo que conduz harmoniosamente suas comédias. A inserção de canções com acompanhamento musical (*cantica*) confere a elas um toque de opereta. Plauto fez muito sucesso com suas primeiras três comédias, que foram representadas quando ele tinha aproximadamente cinquenta anos. As datas registradas de suas estreias são 204 a.C. (*Miles Gloriosus*), 201 (*Cistellaria*), 200 (*Stichus*) e 191 (*Pseudolus*).

Ao todo, vinte peças completas de Plauto subsistem. Significativamente, refletem não apenas o repertório de enredos e personagens da Comédia Nova ática, mas, em seu eficiente engrossamento teatral, a mentalidade de seu autor e do público para o qual escrevia. Elas também se tornaram a fonte inesgotável da comédia europeia. O *Amphitruo* de Plauto sobrevive no *Anfitrião* de Molière e no de Kleist, sem falar nas versões modernas de Jean Anouilh e Peter Hacks; os *Menaechmi* (Os Gêmeos) ganharam segunda imortalidade na *Comédia dos Erros* de Shakespeare. O herói de *Miles Gloriosus*, Bramarbas, tornou-se o epítome do pseudo-heroísmo vanglorioso. Em *Aulularia* (O Pote de Ouro ou Comédia da Panela), Plauto criou um protótipo de avareza ingênua, que Molière, em *O Avarento*, mais tarde envolveu no brilhante manto da *haute comédie* francesa.

Publius Terentius Afer, hoje mais conhecido como Terêncio (*c.* 190-159 a.C.), o segundo dos grandes poetas cômicos de Roma, chegou à capital vindo de Cartago, a orgulhosa cidade batida. Bárbaro de nascimento, foi trazido a Roma como escravo, da mesma forma que Lívio Andrônico. Seu senhor reconheceu os talentos do jovem e o emancipou. No círculo de Cipião Africano Menor, ele encontrou amistoso reconhecimento e apoio.

Suas seis comédias traem já nos títulos aquilo que Terêncio buscava – o estudo de caráter: o de um autoatormentador em *Aquele que Castiga a Si Próprio* (*Heautontimorumenos*), o de um parasita em o *Formião* (*Phormio*), o de uma sogra em *Hecira* (*Hecyra*) e o de um eunuco em *Eunuchus*. Todas as seis peças de Terêncio pertencem ao período entre 166 a.C. – quando ele estreou com *Ândria* (*Andria*) nos *Ludi Megalenses* – e 159 a.C., ano presumível de sua morte.

Enquanto Plauto prestava atenção à conversa do povo e se apoiava fortemente no contraste entre ricos e pobres para suas situações cômicas, Terêncio procurava imitar o discurso cultivado da nobreza romana. “Nessa peça, o discurso é puro”, diz ele no prólogo de *Aquele que Castiga a Si Próprio*, acrescentando expressamente que é “uma peça de caráter, sem muito barulho”.

Terêncio ficou terrivelmente perturbado com o desafortunado acidente que ocorreu com sua *Hecira*. Quando a peça foi encenada pela primeira vez, uma *troupe* de funâmbulos, ali perto, estava tentando ruidosamente chamar a atenção do público, e a comédia de Terêncio foi um fracasso porque, conforme o poeta queixou-se amargamente, “ninguém pôde vê-la, quanto mais conhecê-la”.

O refinamento urbano e perfeição formal de seus diálogos, as personagens cuidadosamente desenhadas e seu desenvolvimento no curso da ação – tais eram as coisas que Terêncio desejava ver apreciadas com a devida atenção. Seguia meticulosamente os modelos gregos e fazia o máximo para não exceder a plausibilidade da fábula. Mas fazê-lo não era de todo fácil, porque Terêncio, como Plauto, amiúde “contaminava” sua obra com duas ou até três peças já existentes. Os hábeis entrecruzamentos de pessoas reconhecidas ou confundidas, perdidas e de novo encontradas, não tornava fácil para o espectador descobrir a intrincada tecitura da ação. *O Eunuco*, por exemplo, baseia-se em duas comédias de Menandro, e *Os Adelfos* numa comédia de Menandro e numa de Dífilos.

Os Adelfos estreou, juntamente com uma remontagem de *Hecira*, por ocasião dos jogos fúnebres em honra de Lúcio Emílio Paulo, que foram organizados por Cipião Africano Menor, filho do homenageado e filho adotivo da família Cipião. É bastante possível que haja uma conexão entre o conteúdo da peça e a história pessoal de Cipião Africano. Conta-se até mesmo que este último teria ajudado a escrever as comédias de Terêncio – acusação com a qual o autor lida bastante diplomaticamente no prólogo de *Os Adelfos*:

> Quanto ao que diz essa gente malévola,
> que homens ilustres o ajudam

e assiduamente escrevem com ele,
toma como louvor supremo
o que esses tais consideram que é uma injúria terrível...*

Pouco tempo depois da apresentação de *Os Adelfos*, Terêncio partiu para uma viagem à Grécia e à Ásia Menor, da qual nunca retornou. Desapareceu em circunstâncias desconhecidas no momento em que tentava remontar o caminho seguido pelos dramaturgos gregos que tanto admirava.

As comédias de Terêncio, entretanto, vivem no teatro do mundo. Suas finezas dramatúrgicas, cena de escuta bisbilhoteira, apartes, táticas de ocultação e revelação de personagens e motivos tornaram-se exemplares. Hrotsvitha von Gandersheim, Shakespeare, Tirso de Molina e Lope de Vega, e os dramaturgos clássicos franceses e alemães adotaram as técnicas de Terêncio. Em sua *Dramaturgia de Hamburgo*, Lessing, o dramaturgo alemão do século XVIII, discute, em considerável extensão, os méritos de Terêncio e sua influência no teatro posterior.

Em sua edição da obra de Terêncio, a humanista francesa Anne Lefèvre Dacier, tradutora e adaptadora dos clássicos, declarou entusiasticamente no final do século XVII: "Pode-se dizer que em todo o mundo latino não há nada com tanta nobreza e simplicidade, graça e refinamento quanto em Terêncio, e nada comparável a seu diálogo".

Do Tablado de Madeira ao Edifício Cênico

O teatro romano cresceu sobre o tablado de madeira dos atores ambulantes da farsa popular. Durante dois séculos, o palco não foi nada mais do que uma estrutura temporária, erguida por pouco tempo para uma ocasião e desmontada de novo. Embora os dramaturgos romanos tenham alcançado rapidamente seus modelos gregos, pelo menos em termos quantitativos de sua produção, as condições externas do teatro ficavam muito atrás – obviamente não nas questões organizacionais, terreno em que os romanos foram sempre mestres, mas no tocante ao provimento do plano de fundo arquitetural para o espetáculo.

A responsabilidade pelo teatro em Roma cabia aos *curule aediles*, dois altos oficiais, que no início eram sempre patrícios, embora mais tarde o cargo tenha sido aberto a plebeus. Encarregavam-se do policiamento, da arquitetura e das obras de construção, da supervisão de edifícios e vias públicas e respondiam pelo decurso harmonioso dos jogos, os *ludi* e os *circenses*.

Os edis pagavam um subsídio público ao diretor do teatro (*dominus gregis*) para cobrir as despesas com atores e indumentária. Inicialmente, o palco em si dava poucas despesas. Consistia em uma plataforma retangular de madeira, cerca de um metro acima do chão, cujo acesso era feito por escadas de madeira laterais e com uma cortina que o delimitava ao fundo. Era o mesmo tipo improvisado de armação para o jogo de ator que os *phyakes* do sul da Itália e os mimos e intérpretes da farsa atelana montavam onde quer que esperassem atrair espectadores para ganhar algumas moedas.

Lívio Andrônico e seus contemporâneos e sucessores tinham de arranjar-se com esses recursos primitivos; os atores, porém, precisavam ser tanto mais talentosos e versáteis. Não usavam máscaras e se distinguiam apenas pelas perucas, especialmente em papéis femininos. Era importane que suas vozes fossem claras e tivessem bom alcance. Conta-se que Lívio Andrônico certa vez teve suas falas dubladas por um locutor escondido, fazendo apenas a "mímica".

O público ficava em semicírculo ao redor da plataforma. Até 150 a.C., pelo menos, ainda era proibido sentar-se durante um espetáculo teatral. Quando Cipião Africano Menor sugeriu que poderiam ser colocadas cadeiras para os senadores e funcionários do Estado, a proposta desse privilégio irritou o povo.

Gradualmente, o palco primitivo foi se tornando mais bem adaptado às necessidades da arte dramática. Primeiramente, a cortina de fundo (*siparium*) deu lugar a um galpão de madeira, que servia de camarim para os atores. Na frente do palco, onde por fim a *scaenae frons* romana tomaria o lugar da *skene* grega, uma estrutura de madeira coberta, com pare-

* Tradução de Agostinho da Silva, in *Plauto e Terêncio – A Comédia Latina*, Rio de Janeiro, Ediouro.

10. Estante de máscaras(*scrinium*) para a comédia *Fórmio*, de Terêncio. De um manuscrito de Terêncio, do século IX. *Codex Vaticanus Latinus*, 3868.

11. Cena da comédia *Ândria*, de Terêncio: Simo chama o cozinheiro Sosias e manda dois outros servos entrarem na casa. *Codex latinus*, 7899 (Paris, Bibliothèque Nationale).

des laterais, foi desenvolvida na época de Plauto para atender às exigências cênicas. Três portas davam acesso ao palco frontal por uma parede de madeira – uma central (*porta regia*) e outras duas laterais, num nível mais baixo (*portae hospitaliae*); mais tarde, foram acrescentadas outras duas entradas. Esse expediente permitia aos atores entrar em cena vindos de cinco "casas", solução essencial para as cenas de rua de Plauto e Terêncio. Quanto menor era o palco, mais próximas umas das outras ficavam as portas. (No século XVI, inclusive, ele atingiu compressão extrema no palco "cabine de banho", reconstrução feita pelos humanistas alemães para uso escolar.)

Cabe supor que Plauto, com sua experiência atelana atrás de si, também tomou parte pessoalmente na encenação de suas comédias. Terêncio, porém, teve bastante sorte de encontrar um produtor influente, que levou todas as suas peças: o diretor teatral Lúcio Ambivius Túrpio. A *troupe* de Túrpio tinha boa reputação junto aos *curule aediles*, e como *dominus gregis* sabia de que maneira conduzir ao sucesso as comédias por ele recomendadas. O acompanhamento musical de suas produções, com arranjo para várias flautas, era composto pelo escravo Flácio.

Como o palco era montado próximo ao *circus* e muitas vezes tinha de competir com corridas de bigas, lutadores, dançarinas e gladiadores, isto implicava amiúde pesadas frustrações para os poetas – como aconteceu com Terêncio no caso de *Hecira*. Mesmo quando a peça foi remontada, Terêncio calculou o risco de um acidente similar, pois escreveu algumas linhas para Túrpio no prólogo: "Havendo o rumor de que há gladiadores por perto, a multidão vem correndo. Gritam, apressam-se e brigam por um lugar".

Contrariamente ao costume da época, parece que Túrpio, ao encenar *Os Gêmeos* em 160 a.C., pôs máscaras nos atores, a julgar por um testemunho do gramático Donato. Os imitadores medievais de Terêncio não nutriam dúvidas a esse respeito; possuíam um estoque completo de máscaras para cada peça (provavelmente baseadas em algum modelo comum, hoje perdido), e mantinham-nas cuidadosamente arrumadas em prateleiras, na ordem exata da entrada em cena de seus usuários. No caso de *Os Gêmeos*, havia treze máscaras, correspondentes ao número de personagens da peça, mas provavelmente algum ator fazia vários papéis menores.

Cinco anos após a morte de Terêncio, em 155 a.C., o censor Cássio Longino construiu o primeiro teatro com colunas decorando a *scaenae frons*, mas, depois de terminados os *ludi*, elas foram derrubadas por ordem do Senado. O mesmo aconteceu com a caríssima estrutura de madeira erguida em 145 a.C., por Lúcio Múmio, o conquistador de Corinto, para suas peças triunfais; este teatro completo foi o primeiro a ter assentos para os espectadores, mas – conforme relata Tácito nos *Anais* (XIV:21) – foi demolido após o final dos jogos.

Mesmo tardiamente, em 58 a.C., o edil Emílio Scauro teve de curvar-se à lei que proibia a construção de teatros permanentes. Ele havia construído um grandioso edifício, com uma *scaenae frons* organizada plasticamente, com trezentos e sessenta colunas e um auditório que, segundo se alega, abrigava oitenta mil pessoas; porém, como os edificados por seus predecessores, teve de ser demolido.

Obviamente, havia um limite ao poder do edil, sentado em cadeira curul. Mesmo os poderosos edis, por um período de dois séculos, não puderam mudar o caráter provisório do teatro romano antigo.

Não se sabe ao certo se e de que maneira eram utilizadas as decorações pintadas. De acordo com Livy, o edil Caio Cláudio Pulcher foi o primeiro, em 99 a.C., a decorar a parede do palco com pinturas naturalistas. Por meio de registros, sabemos que essas paredes foram pintadas em painéis de madeira móveis, com uma divisão central, o que possibilitava o seu deslocamento para os dois lados da cena. Vitrúvio, o famoso teórico da arquitetura, conta que as pinturas laterais foram introduzidas em 79 a.C., pelos irmãos Lúcio e Marco Lúculo, desenvolvendo-se mais tarde no sistema *periaktoi*, um conjunto de bastidores em forma de prisma triangular, ordenados em sequência perspectiva e que giravam em torno de um eixo, de modo que, com um terço de rotação, as decorações harmonizavam-se num cenário diferente. (O mesmo sistema foi novamente utilizado no século XVII pelo arquiteto de teatro alemão Joseph Furttenbach em seu palco *telari*, um desenvolvimento posterior do projeto de reconstrução do *periaktoi* antigo, publicado por Vignola e Danti em 1583.)

Em certa ocasião, Virgílio descreveu como as paredes da *scaenae* se dividiam e, ao mesmo tempo, o *periaktoi* girava. As portas nas laterais do *periaktoi* tinham uma significação fixa, com a qual todos os espectadores estavam familiarizados; as pessoas que entravam pela esquerda vinham do exterior, as que entravam pela direita vinham da cidade. Nos primórdios, um altar era erguido no lado esquerdo do palco, com a estátua do deus em cuja honra a peça era apresentada, e que, nos jogos fúnebres, era substituída pela estátua do falecido.

O uso do guindaste como dispositivo de voo – que entrara em desuso na Grécia na época da Comédia Média – como também de outras máquinas de movimentação, era reservado em Roma para os jogos circenses na arena e no anfiteatro. Um novo invento, que desde então se tornou parte de qualquer teatro do mundo, foi discretamente introduzido em 56 a.C., à margem do desenvolvimento literário e técnica do teatro romano: o pano de boca.

Seu predecessor em terras romanas foi o *siparium* branco, que os mimos costumavam baixar para esconder a *scaenae frons* nos intervalos das tragédias e comédias, e diante do qual representavam seus diálogos farsescos e bufos.

Conforme os cenários iam se enriquecendo, surgiu a tendência natural para apresentá-los ao público como uma surpresa. Contrariamente ao costume moderno, a cortina caía no início da peça. Os painéis de tecido móveis eram fixados na beirada dianteira do teto da *scaenae frons*, sendo baixados para dentro de um fosso estreito à frente do palco. Este fosso ainda pode ser visto claramente nos teatros de pedra romanos, como por exemplo em Orange, no sul da França. O teatro europeu adotou esse sistema do pano de boca (*aulaeum*) na época do Renascimento.

O Teatro na Roma Imperial

O primeiro teatro de pedra romano deve sua sobrevivência a um ardil. Foi construído por Pompeu, aliado e posteriormente adversário de Júlio César. Pompeu se impressionara muito com os teatros gregos durante suas várias campanhas marítimas e terrestres. Lesbos lhe parecia um modelo ideal quando, durante seu consulado em 55 a.C., obteve permissão das autoridades em Roma para edificar um teatro de pedra. Usando de um inteligente estratagema, ele afastou o perigo de o teatro ser demolido depois dos jogos: acima da última fileira do anfiteatro semicircular, ergueu um templo para Vênus Victrix, a deusa da vitória. Os assentos de pedra – ele argumentou – eram o lance de escadas que levavam ao santuário.

Pompeu venceu, e assim Roma teve o seu primeiro teatro permanente, situado na extremidade sul do Campus Martius (ainda é possível ver suas ruínas junto ao Palazzo Pio). Reconstruções mostram que sua planta tornou-se, subsequentemente, característica da construção do teatro romano. A parede do palco é decorada com colunas e o auditório, de formato semicircular, é dividido em fileiras por dois grandes corredores e em seções em forma de cunha por escadas radiais ascendentes. No alto, o auditório era fechado por uma galeria colunada e ornamentada com estátuas.

Dominando todo o teatro como uma igreja medieval fortificada, erguem-se as íngremes empenas do templo de Vênus Victrix oposto à *scaenae frons*. A presença dos deuses, que no teatro de Dioniso em Atenas havia sido a condição de um culto religioso, tornou-se um pretexto diplomático no teatro de Pompeu, em Roma. Para Pompeu, sobrepujar o *curule aediles* e o Senado fora uma questão de prestígio; sete anos mais tarde, ele próprio foi eclipsado por um homem mais forte, a quem o populacho havia vaiado pouco tempo antes, quando ele aparecera nos jogos dos gladiadores: Júlio César.

Nessa época, as celebrações dos Ludi Romani estendiam-se por quinze ou dezesseis dias. Por ordem de César, Brutos viajou a Nápoles a fim de recrutar "artistas dionisíacos" para os espetáculos teatrais greco-romanos que aconteceriam em todos os distritos urbanos de Roma. Antes de ser morto aos pés da estátua de Pompeu, em 15 de março do ano de 44 a.C., Júlio César autorizara a construção de um novo teatro de pedra, abaixo do Capitólio, nas proximidades do Tibre.

12. O primeiro teatro permanente de Roma, construído em 55 a.C. por Pompeu como um edifício de múltiplas serventias, que incluía um templo de Vênus (reconstrução de Limongelli).

13. Água-forte de Piranesi (*c.* 1750): vista exterior do Teatro de Marcelo em Roma, terminado em 13 a.C., no reinado de Augusto.

14. Teatro romano na Ásia Menor: Gerasa (Jerash, Jordânia), construído no século II d.C., no reinado de Adriano.

15. Teatro romano construído nas rochas de Petra, a antiga capital dos Nabateus, no século II d.C. Acima das fileiras de assentos, talhadas no penhasco, encontram-se as ruínas de túmulos escavados nas rochas.

O edifício foi terminado no reinado de Augusto e, em 13 a.C., dedicado à memória de seu jovem sobrinho, Marcelo. Pouco tempo antes, os romanos haviam testemunhado a inauguração de mais um teatro de pedra, construído por Lúcio Cornélio Balbo, amigo de Pompeu. Desta obra restam apenas algumas poucas ruínas dispersas, preservadas na Via del Pianto, perto do Palazzo Cenci.

No entanto, as paredes externas do Teatro de Marcelo – capaz de abrigar cerca de vinte mil espectadores e, por isso, o maior dos três – ainda resistem. Embora não tenha sido usado para a sua proposta original durante séculos, ainda hoje o edifício transmite a impressão do majestoso esplendor de sua arquitetura. A predominância do "classicismo augustiano" reflete-se na sequência didática das formas estilísticas emprestadas da Grécia, um modelo que seria repetido numa escala ainda maior oitenta anos mais tarde, no Coliseu. Aqui as arcadas altas, abobadadas, são articuladas por colunas embutidas de estilo dórico no primeiro pavimento e de estilo jônico no segundo, ao passo que as colunas de estilo coríntio do terceiro pavimento não se preservaram. Ao esboço interno do Coliseu correspondia a estrutura da fachada. Primeiramente, havia o semicírculo inferior de assentos, subdividido em seis seções; acima, o semicírculo superior, subdividido proporcionalmente em doze seções; e, sobre a fileira mais alta de assentos, havia uma galeria coberta, sustentada por colunas coríntias.

Esse modelo básico reaparece, com muitas variantes, em todas as casas teatrais romanas, tal como nas bem menores de Herculano, Aosta, Falério e Ferento, que mostram, sem exceção, influência romana direta. Os mesmos princípios se aplicam, em menor escala, aos teatros da costa norte da África, como por exemplo em Djemila (El Djem), Leptis Magna ou Timgad, uma cidade construída por Trajano para veteranos de guerra. Quase todos esses foram construídos durante o século II d.C. e usados largamente para o entretenimento das guarnições romanas.

Com a expansão do Império Romano, o princípio dos conquistadores sempre foi estender às novas terras não apenas um sistema de governo central, mas também as realizações de sua civilização imperial. O teatro de Dioniso em Atenas foi enriquecido, durante o reinado de Nero, com uma *scaenae frons* em estilo romano, decorada com relevos. Alguns metros além, na encosta sudoeste da Acrópole, o rico orador Herodes Ático construiu um *odeum* no estilo romano em 161 d.C., em memória de sua falecida esposa, Regila. O auditório (*cavea*) é de formato tipicamente semicircular, como são igualmente típicas as pilastras nas paredes do palco, cujas alas laterais se projetam, formando uma conexão com a *cavea* e criando, assim, uma unidade fechada e harmoniosa. O teatro foi originalmente chamado *odeum* por ser usado principalmente para espetáculos musicais; mais recentemente, tem sediado o Festival de Verão de Atenas.

Um dos mais bem preservados teatros romanos fora da Europa é o de Aspendus, na Ásia Menor, que foi desenhado pelo arquiteto Zeno durante o reinado de Marco Aurélio (161-180 d.C.). O auditório, parte do qual é edificado sobre a encosta da colina, forma uma unidade fechada com o palco, atrás do qual há um corredor estreito de onde cinco portas permitem o acesso a ele (*pulpitum*); duas outras entradas levam ao palco a partir das *paraskenia*, em ambos os lados. A suntuosa fachada da *scaenae frons* era protegida por um teto, como o que existia também no *odeum* de Herodes Ático e no teatro do século I de Orange.

Os romanos acrescentaram novas e magnificentes fachadas, ou pelo menos pedestais de *proskenium* com decorações em relevo, a muitos teatros gregos da Ásia Menor – como por exemplo em Pérgamo, Priena, Éfeso, Termesso, Sagalasso, Patara, Mira e Iasso. Isso servia também para baixar a posição do palco, de acordo com a prática romana. O teatro de Mileto foi reconstruído a partir do final do século I e completado na época do reinado de Adriano. As construções em Mileto devem ter sido magníficas, a julgar pelo imponente portão do mercado, hoje reconstruído no Museu de Pérgamo, em Berlim. A nova *scaenae frons* do teatro foi, sem dúvida, erigida na mesma magnífica escala. Nos dias imperiais, bastidores pintados, de madeira ou pano, provavelmente não mais eram usados, porém a combinação de vários pisos, sustentados por colunas e com relevo em perspectiva, proporcionava ao palco da comédia uma variada gama de terraços, janelas e balcões para as entradas dos atores.

A fusão de elementos helenísticos e romanos, tanto no sul da Itália quanto na Grécia, durante muito tempo fez com que espaços teatrais separados por grandes distâncias geográficas e temporais usassem ao mesmo tempo os dois tipos de sistemas cenográficos – as decorações pintadas e as puramente arquiteturais. Enquanto no grande teatro de Pompeia, em Roma, o fundo de cena ornamentado, esculpido e arquitetural provavelmente dominou supremo mesmo depois do início da era cristã, os diretores de teatro romano em Corinto, no século II d.C., ainda estavam tabalhando com cenários de madeira praticáveis e mecanismos de fosso.

Apuleio, o autor de *O Asno de Ouro* e um homem tão apaixonado por viagens quanto pelo ridículo, nos deixou a descrição de uma apresentação do balé *Pírrica* em Corinto: o cenário, de madeira, mostrava todo o Monte Ida, cheio de animais, plantas e fontes – fontes reais, das quais jorrava água. Árvores e arbustos vivos também faziam parte do cenário. Contra esse fundo, o Julgamento de Páris era dançado por um belo adolescente e mulheres "divinas". Vênus surgia nua, salvo por uma estreita faixa de seda em torno dos quadris, rodeada de Cupidos dançarinos, Horas e Graças. Minerva era acompanhada por horríveis demônios, Juno por Cástor e Pólux, e Páris por seu rebanho. Ao final do balé, uma fonte emergia do cume do Monte Ida e perfumava o ar, e depois dessa cena a montanha era abaixada com a ajuda de uma máquina. Tudo isso soa como a descrição da época do teatro barroco, com seus aparatos mecânicos.

Montanhas que explodem, erupções vulcânicas e palácios que desabam sempre foram efeitos cênicos populares. (Quando a Ópera de Paris apresentou, em 1952, a reconstrução das *Índias Galantes*, de Rameau, com toda a parafernália cênica do barroco e com cenários de Wakhevitch, Carcov, Moulène e Fost e Chapelain-Midy, teve casa lotada durante anos.) Numa *fabula togata* de Lúcio Afrânio, chamada *Casa em Chamas*, uma casa realmente foi incendiada no palco. O espetáculo recebeu aplausos entusiásticos, e, ironicamente, o imperador Nero assistiu sentado em seu lugar de honra apenas alguns anos antes de assistir ao incêndio da cidade do alto de seu palácio.

O Anfiteatro: Pão e Circo

Os dois traços característicos do Império Romano, tanto em questões de arte quanto de organização, eram a síntese e o exagero, que podem também ser encontrados nas formas específicas do teatro romano. O drama sozinho não oferecia campo suficiente para a exibição do poder e esplendor. O teatro da Roma imperial queria impressionar. Na verdade, ele precisava impressionar num império que abrangia desde o extremo norte da Germânia até as costas da África e a Ásia Menor. Onde quer que as legiões romanas pisassem, eram seguidas por "jogos" que forneciam diversões e sensações de todo tipo, para manter o moral nas fileiras romanas e entre os povos conquistados.

Dentro dos territórios periféricos da civilização helenística, os romanos aderiram completamente à tradição do teatro *skene,* simplesmente adaptando-a às exigências dos açulamentos de animais, jogos de gladiadores e *naumachiai* (batalhas navais); no coração do império, ao contrário, construíram o anfiteatro especificamente romano, desenhado para espetáculos de massa. Este combinava os requisitos da arena do *circus* com o princípio da unidade teatral contida em si mesma, numa solução de imponente grandeza.

A predileção pelo circo, que o satirista e poeta Juvenal atribuiu tão insolentemente a seus contemporâneos no poço de iniquidades que era Roma remonta, na verdade, aos primeiros colonos às margens do Tibre. A enorme arena do Circus Maximus datava, ao que se dizia, já da época de Tarquínio. Os etruscos, em seus jogos funerais, haviam desenvolvido lutas de gladiadores e competições muito tempo antes de os romanos as terem introduzido. O Circus Maximus foi repetidamente aumentado e melhorado sob o governo de Júlio César, Augusto, Vespasiano, Tito, Trajano e Constantino, de onde jamais pode se concluir que perdera sua importância em todos esses séculos, nem mesmo na época em que os cidadãos da *res publica* afluíam, em mais de cem dias

16. Portão do mercado de Mileto, provavelmente um exemplo do estilo arquitetônico da casa-palco do teatro de Mileto, cuja reconstrução foi terminada no reinado de Adriano (Berlim, Staatliche Museen, Pergamonmuseum).

17. Água-forte de Piranesi (*c*. 1750): o Coliseu em Roma, construído sob o reinado do imperador flaviano, Vespasiano, terminado em 80 d.C.

do ano, ao mais grandioso teatro dos imperadores flavianos – o Coliseu.

O Coliseu teve dois predecessores bastante díspares. Um deles foi o anfiteatro de Pompeia, construído por volta de 80 a.C., justamente ao lado da *palaestra*, mas que ainda não dispunha de nenhuma sala subterrânea para abrigar as jaulas de animais ou a maquinaria necessária para erguer feras, cenários e acessórios. O segundo foi uma curiosidade teatral, erigida por Escribônio Cúrio em Roma, em 52 a.C., para os funerais de seu pai, presumivelmente por ordem de César. Consistia em dois teatros semicirculares de madeira, situados de costas um para o outro. Pela manhã, era apresentada uma peça diferente em cada palco; à tarde, os dois teatros eram virados para que, juntos, formassem um anfiteatro. Em sua arena fechada, apresentavam-se lutas de gladiadores, como segunda parte do espetáculo. O milagre técnico, segundo se conta, era realizado sem que os espectadores dos dois auditórios precisassem deixar seus lugares.

O Coliseu, primeiramente conhecido como Anfiteatro Flaviano, foi erguido no local que Nero incendiara, no declive que ele havia enchido com água, a fim de formar o lago em cuja margem construíra seu palácio, a Casa Dourada. A construção do Coliseu foi iniciada em 72 d.C., pelo sucessor de Nero, o imperador flaviano Vespasiano, e terminada em 80 d.C. Nas cerimônias inaugurais do novo Anfiteatro Flaviano, que se estenderam por cem dias, aproximadamente cinquenta mil pessoas lotaram o auditório para as lutas de gladiadores e o açulamento e matança de animais. Cinco mil animais selvagens foram mortos nessa ocasião.

A memória de Nero, indiretamente, sobrevive no nome popular pelo qual a majestosa construção ficou conhecida desde a Idade Média. É chamada de Coliseu (*Colosseum*) por causa da colossal estátua de Nero, de 25 metros de altura, fundida por Zenodoro em bronze dourado, representando o imperador como o deus do sol.

A construção externa se ergue em quatro poderosos pavimentos, com colunas de estilo dórico, jônico e coríntio, alternadamente; dentro, quatro galerias acomodavam os espectadores. Além do camarote imperial, num *podium* elevado, na primeira galeria ficavam os lugares de honra dos senadores e oficiais, sacerdotes e vestais. A segunda galeria acomodava a nobreza e os oficiais, a terceira os patrícios romanos, e a quarta galeria, os plebeus. Parece também ter havido uma colunata reservada às mulheres.

O auditório podia ser coberto por toldos de linho, a fim de protegê-lo contra o sol e a chuva. Ao longo da cornija superior dos muros externos encontram-se, a intervalos breves e regulares, suportes nos quais se encaixavam os duzentos e quarenta mastros que sustentavam os toldos, içados por marinheiros da esquadra imperial. Embaixo da arena ficavam os túneis com as celas para as jaulas dos animais, maquinaria para o manejo de decorações e mudanças de cenário, como também os encanamentos necessários para inundar a arena quando os espetáculos de batalhas navais (*nau-machiae*) estavam no programa.

Com toda a certeza, nenhum drama de qualquer mérito literário foi jamais apresentado no Coliseu. Seus muros abrigaram tudo o que correspondia ao *show* e ao espetáculo no sentido mais amplo da palavra. Na época de Augusto, a ênfase na programação teatral já havia passado tão radicalmente do drama falado para o *show* de variedades que atores atelanos, mimos e atores de pantomima tinham pouco a temer na competição com atores dramáticos. Esquetes curtos, palhaçadas, canções do tipo *music-hall*, revistas, acrobacias, *intermezzi* aquáticos, números equestres e espetáculos com animais eram montados para divertir um público que vinha ao teatro com nenhuma outra qualificação que não fosse a de ser consumidor.

Sob o govemo de Domiciano, o sangue cristão correu no anfiteatro. Sua tentativa de instituir as *Capitolia* como um contraponto aos Jogos Olímpicos gregos não limpa a sua figura. As competições nacionais de esportes e realizações intelectuais de Domiciano escorreram na areia da arena.

Nessa época, os romanos não queriam ter nenhuma experiência intelectual marcante no teatro. Queriam o *show*. Aplaudiam aqueles que tentavam ganhar popularidade no anfiteatro com grupos espetaculares de artistas, belos animais, solistas espirituosos, músicos e bu-

18. Pintura em parede de Pompeia: o anfiteatro (construído em 80 a.C.) e o espetáculo de uma competição em seu interior em 59 a.C. (Nápoles, Museo Nazionale).

19. Relevo de um sarcófago em mármore: corrida de biga no Circo Máximo, em Roma. Final do século III d.C. (Foligno, Museo Civico).

20. Relevo em marfim: açulamento de animais na arena. De um díptico do cônsul Anastácio, 517 d.C. (Paris, Cabinet des Médailles, Bibliothèque Nationale).

21. Relevo em terracota: gladiadores e leões. À esquerda, espectadores em seus camarotes; à direita, a estátua de um deus (Roma, coleção do antigo Museo Kircheriano).

22. Máscara da atelana romana, período tardio, com o nariz torto e a típica verruga na testa, aqui exagerada. Em terracota (Taranto, Museo Nazionale).

fões. A popularidade de um novo cônsul crescia ou decaía com os espetáculos teatrais que organizava ao tomar posse do cargo na época do Ano Novo. Numeriano e Carino, em 284 a.C., ainda se contentaram em contrapor um urso como comparsa do mimo – ou possivelmente um homem disfarçado de urso, já que o Ano Novo romano era celebrado por todo o povo com mascaradas de animais, mesmo fora da arena. Mânlio Teodoro, porém, em 399 d.C., organizou um programa bem mais ambicioso para os jogos que financiou a fim de celebrar a inauguração do seu mandato oficial. Nessa ocasião, a parte grandiosa do espetáculo consistia em lutas entre homens e animais selvagens, que sofriam ou causavam derramamento de sangue. O cenário do espetáculo era o Coliseu.

Não existia mais uma linguagem comum para o heterogêneo mosaico do Império. O drama romano exaurira sua eficácia teatral com Plauto e Terêncio. As comédias e tragédias de seus sucessores eram artigos válidos apenas para o dia, ou, como nas obras de Sêneca, se achavam a quilômetros de distância do gosto de um público inteiramente sintonizado com corridas de bigas, jogos na arena, incitamento de animais e bufões.

O que o teatro romano do período imperial ganhou em extensão geográfica precisou ser pago com a perda total do caráter nacional. Converteu-se num instrumento a ser tocado em qualquer partitura, com qualquer parceiro. Quando Teodorico, o Grande, tornou-se senhor da Itália, no início do século VI, pensou que não poderia oferecer nada melhor para reconciliar os orgulhosos romanos com um rei germânico do que a mais variada seleção de jogos de circo e pantomimas.

Mas o declínio do poder imperial romano havia diminuído o brilho do seu teatro. Embora a Igreja cristã tivesse repetidamente reprovado o povo por "negligenciar os altares e adorar o teatro", Salviano, por volta do século V, escrevendo de Marselha, pôde acrescentar com razão uma reserva:

> Mas a resposta a essa acusação é talvez que tal fato não acontece em todas as cidades romanas. Isto é verdade. Eu poderia ir ainda mais longe e dizer que isso não acontece agora onde acontecia sempre no passado. Não acontece mais em Mainz, porque a cidade está arruinada e destruída. Não acontece mais em Colônia, porque a cidade está cheia de inimigos. Não acontece mais na famosa cidade de Trier, porque ela jaz em ruínas, depois de quádrupla destruição. Não acontece mais em muitas das cidades da Gália e da Espanha.

Salviano, ele próprio provavelmente nascido em Trier, acusava seus conterrâneos de haver pedido ao imperador que restabelecesse os jogos de circo "como o melhor remédio para a cidade arruinada": "Eu acreditava que, na derrota, havíeis perdido apenas vossos bens e posses, mas eu não sabia que havíeis perdido também vosso juízo e bom senso. É teatro que quereis, é circo que exigis do governo?" Como teriam sido gratificantes essas palavras para Juvenal!

A Fábula Atelana

O declínio do drama romano e a extinção da comédia abriram as portas do teatro estatal romano para uma espécie rústica de farsa conhecida como fábula atelana. Já no século II a.C., os atores da farsa popular da cidade oscana de Atela, na Campânia, haviam se encaminhado em bandos, para o norte, na direção de Roma, pela Via Appia. À rusticidade de suas máscaras grotescas correspondia a robusta irreverência de seus diálogos improvisados. Seu repertório modesto se apoiava em meia dúzia de tipos, como o malicioso Maccus, que compensava seu desajeitamento com uma afiada argúcia; o roliço e simplório Bucco, sempre derrotado; o bondoso Velho Pappus, cuja senilidade era objeto das mais cruéis mordacidades; e o filósofo glutão e corcunda Dossenus, alvo favorito das gozações dos camponeses iletrados.

Os atores atelanos, aos quais se juntaram mais tarde também os intérpretes romanos profissionais, tinham sua própria função nos festivais de teatro estatais. Como as peças satíricas da Grécia, davam um final cômico, grotesco (*exodium*) às apresentações de peças históricas sérias e às tragédias nos Ludi Romani, uma retaguarda alegre, conforme coloca um dos escoliastas de Juvenal, "para ajudar os espectadores a secar as lágrimas". As atelanas tiveram seu período áureo no século I a.C., quando os dramaturgos romanos Pompônio e Nóvio resolveram dar forma métrica à farsa rústica e repleta de obscenidades. Não obstante, conser-

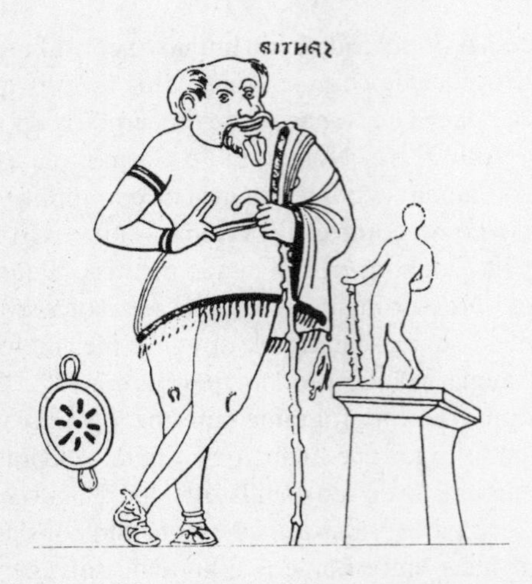

23. Xântias (em Osco, Santia) ao lado de uma estatueta de Hércules. Figura de vaso osco da época da farsa atelana, século II a.C.

varam o dialeto dos camponeses latinos, juntamente com sua expressividade rústica – como por exemplo, quando alguém pergunta: "O que é o dinheiro?" e recebe a pitoresca resposta: "Uma felicidade passageira, um queijo da Sardenha (ou seja, que se derrete rapidamente)".

Embora haja sobrevivido à tragédia e à comédia, a farsa atelana perdeu terreno para o *mimus* na época dos últimos imperadores.

Mas ela penetrou todas as províncias do Império Romano e provavelmente conservou os principais tipos fixos da farsa da Campânia. Isso é sugerido, em primeiro lugar, pela circunstância de que as máscaras de todas as partes do mundo, de Creta, por exemplo, a Tarento e à Germânia, são extraordinariamente parecidas. Em segundo lugar, há o detalhe de que em todas essas máscaras se repete sempre uma verruga na testa. Tal excrescência tornou-se conhecida, na Antiguidade, como a doença da Campânia... O fato de as máscaras farsescas romanas reproduzirem essa anormalidade, tida como cômica, prova ao mesmo tempo que a farsa romana baixa foi influenciada pelo mimo universalmente popular (M. Bieber).

Mimo e Pantomima

Ao contrário dos atores atelanos, os mimos romanos não usavam máscaras. O mimo não necessitava de nada mais do que de si próprio, sua versatilidade e sua arte da imitação – em resumo, de sua *mimesis*. Mesmo o discurso era apenas um acessório. *Sanniones*, careteiros, era como os romanos chamavam os mimos, um apelido que parece ter sobrevivido no Zanni, o folgazão da *Commedia dell'arte*. "Pode haver algo mais ridículo do que o Sannio", disse Cícero depreciativamente, "que ri com a boca, o rosto, os gestos zombeteiros, com a voz, e até mesmo com todo o seu corpo?"

Era a essa arte de rir e provocar o riso que o mimo devia a sua popularidade em Roma. Nos Ludi Romani, ele tinha permissão para estender sua cortina branca (*siparium*) através da cena e apresentar suas pilhérias nos intervalos entre as tragédias e as comédias. Na verdade, nas Florálias, dispunha de um monopólio inconteste de apresentação. A partir de 173 a.C., os Ludi Florales, um festival de primavera que durava vários dias, tornaram-se uma ocasião para a arte teatral "íntima". Enquanto no Circus Maximus, bem próximo ao templo de Flora, bodes e lebres eram incitados em honra da deusa, em vez de feras, o mimo a honrava a seu modo, com bufonarias fálicas e grotescas, e com o atraente encanto feminino – porque o mimo foi, desde o princípio, o único gênero teatral em que a participação da mulher não era um tabu. A mima e dançarina que exibia sua flexibilidade acrobática na Florália, que podia – e tinha de poder – atrever-se a homenagear a deusa da natureza em flor despindo suas vestes, é a irmã de todas aquelas que têm exercido o atemporal ofício de agradar aos homens. Ela é a irmã da dançarina hindu que responde à pergunta do estranho: "A quem pertences?" com a seguinte franqueza: "Pertenço a ti". E ela é, também, uma irmã da atriz do mimo de Bizâncio, com quem o imperador Justiniano dividiu seu trono e a quem fez *imperatrix* de todo o Império Romano.

Os mimos representavam à beira da estrada, na arena, numa plataforma de tábuas ou na *scaenae frons* do teatro. Usavam as roupas comuns dos homens e mulheres das ruas – farrapos, como os das pessoas que representavam, como eles próprios o eram – ou seda e brocados, quando conseguiam os favores de algum patrono rico. O bobo vestia uma roupa de retalhos coloridos (*centunculus*), como a usada ainda hoje pelo Arlequim, e um chapéu pontudo (*apex*; daí a expressão posterior, *apiciosus*). O mimo usava apenas uma sandália leve nos pés, que diferia do *cothurnus* do ator trágico e do *soccus* do comediante; essa sandália lhe valeu, em Roma, a alcunha de *planipedes*. O gramático Donato, porém, tem uma explicação menos bondosa; de acordo com ele, o *mimus* era chamado de *planipedia* porque seus temas eram tão vis e seus atores tão baixos, que só podia agradar a libertinos e adúlteros.

César pensava de outra forma. Em sua época, o mimo e a pantomima, seguros da proteção imperial, superaram todas as outras formas teatrais. Dois homens de classes e origens completamente diferentes salientaram-se em Roma como escritores de "textos" para o mimo: o nobre Décimo Labério e o ator Públio Siro.

Um incidente tragicômico que ocorreu a Labério exemplifica tanto a glória quanto a miséria do mimo. Labério era um homem de espírito e educação, que se divertia escrevendo textos para os atores do mimo; nunca teria sonhado, porém, em subir, ele próprio, no palco. Mas ele vivia sob o govemo de César, e César entendeu certa vez que devia obrigar o velho Labério, então com sessenta anos, a tomar parte num concurso de interpretação contra Públio Siro. Para o ancião, isso constituía uma vergonha pública, mas César divertiu-se vendo o conceituado nobre suportar as piadas grosseiras, à maneira dos mimos.

Não foi de grande ajuda para Labério, no papel de um escravo castigado, ter exclamado reprovadoramente "Ai de nós, romanos!, nossa liberdade se foi!" e, apontando ainda mais diretamente para César: "Quem é temido por muitos, há de temer a muitos!" César riu muito e deu o prêmio a Públio Siro.

Quando Labério, após o amargo espetáculo, quis tomar de novo o seu lugar entre os nobres, nenhum deles se mexeu para dar-lhe espaço, nem mesmo Cícero. "Eu ficaria feliz se pudesse oferecer-te um lugar junto de mim, se eu mesmo não estivesse tão apertado aqui", tentou desculpar-se. Porém, se a honra de Labério havia sofrido, o mesmo não acontecera a sua presença de espírito; assim, ele replicou: "É estranho que estejas sentado numa posição tão apertada, já que sempre consegues sentar-te em duas cadeiras de uma vez".

Esse incidente é indicativo das distinções sociais dentro do teatro. Ele caracteriza uma classe de artistas que são homenageados com efígies e estátuas erguidas em praças públicas, no circo e no anfiteatro, mas que tratá-los em pé de igualdade só podia ser perdoado a um imperador, nunca porém a um nobre.

O diretor e ator principal de uma *troupe* de atores e atrizes de mimos era chamado de *archimimus*. Era ele quem supervisionava a peça e determinava seu desenvolvimento, se ela seguiria um texto literário ou se seria improvisada. No século VI d.C., Corício de Gaza escreveu que o mimo precisava ter uma boa memória para não esquecer seu papel e confundir-se no palco. A improvisação exigia um equilíbrio muito preciso no fio afiado da palavra, especialmente na época dos imperadores e das competições por seus favores.

O arquimimo Favor sabia que teria o público ao seu lado quando, nos funerais do imperador Vespasiano em 79 d.C., arriscou uma piada que parodiava um dos mais bem conhecidos traços do falecido: a prudente e calculada economia, que havia lhe valido a reputação de mesquinho. Como era costume nas cerimônias fúnebres, Favor interpretou o papel do morto, querendo saber quanto havia custado o funeral. A resposta foi: "Dez milhões de sestércios". Diante disso, Favor, no papel do falecido Vespasiano, gracejou que seria melhor economizar toda essa quantia, dar-lhe cem mil sestércios e jogá-lo no Tibre.

A arte do teatro havia se transformado na habilidade do intérprete. Divorciada da obra dramática do poeta, foi deixada ao critério do ator individual. Aproximava-se a grande era das pantomimas, que sempre florescem lá onde as fronteiras da linguagem e os desertos da comunicação verbal precisam ser transpostos, e elementos nativos, reconciliados com elementos estrangeiros. A pantomima foi a estrela teatral das resplandecentes festividades do Egito sob o governo dos Ptolomeus, e a favorita dos Césares e do povo romano.

Quando o imperador Augusto baniu de Roma o pantomimo Pilades, houve tamanho protesto popular que ele foi obrigado a logo revogar a sentença e chamá-lo de volta do exílio. Pilades era grego, oriundo da Alícia, na Ásia Menor. Especializou-se na pantomima trágica, e foi exaltado por seus contemporâneos como "sublime, patético, multifacetado". Seu papel mais brilhante era o de Agamenon. Foi graças a Pilades que, a partir de 22 a.C., as pantomimas passaram regularmente a ter o acompanhamento musical de uma orquestra de muitos instrumentos. Ele fundou uma escola de dança e pantomima e supõe-se que tenha escrito os princípios de sua arte num tratado teórico que, entretanto, se perdeu.

Não menos popular que Pilades foi seu contemporâneo Batilo, a quem Mecenas, o patrono romano das artes, auxiliou em seu caminho para a fama na pantomima. Batilo tambem era grego, nascido em Alexandria, e veio para a casa de Mecenas como escravo. Tornou-se o ídolo das damas romanas – um jovem sensível, de graça feminina, cujo número solo "Leda e o Cisne" era entusiasticamente aplaudido por sua extasiada plateia feminina.

Sêneca – que viu a pantomima prosperar sob três imperadores, Augusto, Tibério e Calígula, e que certa vez mandou açoitar alguns espectadores por perturbarem uma apresentação do pantomimo Mnester – descreveu desdenhosamente os jovens nobres romanos como escravos particulares dos pantomimos. A situação geral do teatro romano nessa época talvez seja a melhor explicação para a circunstância eternamente intrigante de que Sêneca, famoso na posteridade como o dramaturgo da tragédia romana, nunca tenha visto nenhuma de suas obras encenadas. Erudito e moralista, Sêneca não poderia ter nenhuma relação com o *show business* bruto, barato e artificial, como lhe parecia o teatro romano. Mas na mesma cidade de Roma, onde o teatro o desdenhara na época em que era vivo – ou, de acordo com as pesquisas mais recentes, fora por ele desdenhado –, Sêneca ressuscitou para a glória no final do século XV, graças aos esforços do humanista Pompônio Laetus (Giulio Pomponio Leto).

Um astro da pantomima podia, entretanto, perder sua popularidade da noite para o dia. A roleta do aplauso e da fama podia trazer o triunfo ou o aniquilamento. Quando Nero se deu conta de que o pantomimo e dançarino Páris, o Velho, seu favorito e confidente íntimo, era mais popular junto ao público do que ele próprio, mandou decapitá-lo sem cerimônias. O filho da vítima de Nero, Páris, o Jovem, não teve melhor sorte. Ele, "o esplêndido ornamento do teatro romano", teve de pagar pelos favores da jovem imperatiz com a própria vida, quando o enciumado imperador Domiciano um dia o desafiou na rua, esfaqueando-o com as próprias mãos.

Quintiliano, o grande orador da época de Domiciano, escreveu a apologia artística da pantomima. Os pantomimos, disse Quintiliano, podiam falar com os braços e mãos:

> Eles podem falar, suplicar, prometer, clamar, recusar, ameaçar e implorar; expressam aversão, medo, dúvida, recusa, alegria, aflição, hesitação, reconhecimento, remorso, moderação e excesso, número e tempo. Não são eles capazes de excitar, acalmar, suplicar, aprovar, admirar, mostrar vergonha? Não servem, como os pronomes e advérbios, para designar lugares e pessoas?

Essas sentenças poderiam muito bem ter sido tiradas do *Natyasastra*, o manual didático da dança e do teatro hindus, de um comentário de Mei Lan-fang, o astro da Ópera de Pequim, ou de uma resenha do pantomimo moderno francês, Marcel Marceau. A arte da pantomima é universal. Suas leis são as mesmas em todos os lugares e em qualquer época. Sua linguagem sem palavras fala aos olhos. É por isso que a arte da pantomima se espalhou de Roma para todas as regiões do império.

Uma forma de entretenimento que gozou de popularidade particular entre os romanos, tanto no Império Ocidental quanto mais tarde no Império Bizantino do Oriente, foi a dos balés e jogos aquáticos. Esses *shows* aconteciam em piscinas ou em teatros gregos no Oriente, reformados de modo a comportar a água. Marcial (*c*. 40-102 d.C.) menciona um espetáculo aquático em seu *Libellus spectaculorum*, descrevendo-o como um balé aquático com nereidas e um mimo, no qual Leandro literalmente atravessava as águas a nado até Hero.

O famoso piso de mosaicos da *villa* romana tardia na Piazza Armerina, na Sicília, oferece uma imagem muitas vezes reproduzida do encanto das ninfas aquáticas. O mosaico, elaborado provavelmente por volta de 300 d.C., para o imperador Maximiniano Hércules, mostra dez jovens de biquínis vermelho-azuis, pulando, correndo e tocando tamborins no estilo dos espetáculos de variedades comuns por todo o Império Romano. O *Guildhall Museum* de Londres exibiu, em 1956, uma parte de um des-

24. Atriz da pantomima romana tardia, segurando uma máscara trifacial. Relevo em marfim de Trier, século IV d.C. (Berlim, Staatliche Museen).

25. Mimo no papel de encantador de serpentes, com guizos na roupa. Marfim romano tardio.

26. Detalhe de um mosaico representando um jogo de gladiadores: prisioneiro líbio atacado por uma pantera, *c.*, 200 d.C.; encontrado em Zlitan, Líbia (Museu de Trípoli).

27. Acrobata dando saltos mortais, de uma *hydria* da Campânia (Londres, British Museum).

ses biquínis antigos; eram feitos de couro, cortados numa só peça e guarnecidos com tirinhas de couro para amarrá-los dos dois lados dos quadris. Foi encontrado num poço romano descoberto durante escavações em Londres, na hoje Queen's Street. Entretanto, outros objetos descobertos no mesmo local, como uma taça de porcelana *sigilata*, uma grande chave de ferro, uma colher e um fuso de madeira sugerem que esta excitante pecinha íntima do século I d.C., pertenceu mais provavelmente a uma escrava do que a uma cortesã.

Atores e atrizes de mimo foram celebrados e cortejados. Mais tarde, porém, também eles ficaram sujeitos ao anátema da Igreja Cristã nascente. O presbítero cartaginês Tertuliano, o combativo oponente "de todas as perversidades pagãs do mundo corrompido", negou tanto ao mimo quanto à pantomima qualquer direito à redenção cristã em seu livro *De spectaculis*. E em 305 d.C., dez anos antes do reconhecimento do cristianismo como a religião oficial do Estado romano, o Sínodo provincial de Ilíberis (Elvira), em Granada, declarou: "Se os mimos e pantomimas desejam se tornar cristãos, deverão primeiramente abandonar sua profissão".

Mimo Cristológico

A severidade com a qual a Igreja Cristã se opôs a todas as formas de *spectaculum* por mil anos – até criar uma nova forma de teatro própria – baseou-se em circunstâncias históricas bastante reais. Desde seus primeiros dias, o cristianismo não havia sido apenas perseguido pelos imperadores romanos, mas ridicularizado pelos mimos, no palco.

Uma religião cujo Redentor sofrera, sem reclamar, a morte mais ignominiosa, destinada aos criminosos comuns, estava de qualquer maneira destinada ao escárnio da população, já que não era protegida pelo Estado. O mimo adulava igualmente os govemantes e o povo. O que podia ser mais tentador do que incorporar a figura do "cristão" à lista de tipos tradicionais? O mimo não fazia diferença entre parodiar os deuses antigos e expor ao ridículo os seguidores de uma nova fé. O batismo, com seu cerimonial característico, que expressava de forma visível a conversão ao cristianismo, era um tema. Parodiava-se aquilo que não se conseguia entender. Zombava-se daquilo que, em outros aspectos, estava além da compreensão da massa.

Hermann Reich, especialista em *mimus*, sugere até mesmo que o martírio de Cristo, a flagelação e o *Ecce homo* sejam uma derivação direta do *mimus*. Os soldados que colocam a coroa de espinhos na cabeça do Rei dos Judeus, diz ele, estavam representando uma cena típica de derrisão do repertório do mimo, popular entre os exércitos romanos e que incluía tanto o rei quanto os judeus como tipos fixos. Um papiro egípcio, encontrado, parece apoiar esta consideração, assim como uma vista d'olhos sobre os hálitos dos autos da Paixão medievais. Também aqui o mimo, o *ioculator* e *maleficus* ambulante, tem a função de colaborar com elementos rústicos e grotescos, e sobretudo de assumir o papel dos soldados, apresentado num padrão de áspero realismo.

Sob o reinado do imperador Flávio Domiciano, o primeiro a derramar sangue cristão no Coliseu, ocorreu o seguinte incidente: o imperador julgou que a costumeira representação do mimo do chefe dos bandidos, Laureolus, que era crucificado no final, estava fraca demais. Ele ordenou então que o papel título fosse dado a um criminoso condenado. A peça terminou em horrível seriedade; Domiciano fez com que o crucificado fosse despedaçado por animais selvagens.

Um singular registro pictórico, descoberto nas paredes de uma casa na Colina Palatina, fornece provas das conexões entre o mimo e o martírio, o ridículo e a fé. Essa garatuja primitiva, que data do século II ou III, representa a paródia de uma crucificação. Uma figura com máscara de asno está na cruz, à esquerda um homem ergue seu braço numa saudação, e abaixo lê-se a inscrição: "Alexamenos adora seu Deus".

Cabe conjecturar que Alexamenos era um escravo a quem os outros ridicularizavam por ser cristão. A máscara do asno, símbolo da sátira cômica desde a mais primitiva Antiguidade, sugere que o *graffito* seja baseado num mimo cristológico, no qual o intérprete de Cristo tenha tido que usar uma máscara como símbolo evidente de escárnio.

28. Acrobatas aquáticas. Mosaico na Piazza Armerina, Sicília, *c.*, 300 d.C.

29. Cena de rua com saltimbancos. Columbário (destruído) da Villa Doria Pamphili, Roma.

30. Jogos com animais. Do díptico do cônsul Areobindo, 506 d.C. (Leningrado, Hermitage).

31. Crucificação parodiada. Grafite na parede de uma casa na Colina Palatina, século II ou III d.C. (cópia do original em Roma, Museo Nazionale Romano).

Este desenho primitivo é a primeira representação subsistente da crucificação. Há boas razões para crer que tenha sido inspirada pelo *mimus*. A adoração apaixonada e os gritos de "Crucifiquem-no!" sempre foram vizinhos próximos. Foi assim que o efeito teatral do mimo cristológico se transformou de súbito em martírio deliberadamente escolhido. Mimos trocistas convertiam-se à nova fé. Em 275, o mimo Porfírio tornou-se cristão convertido em Cesáreia, na Capadócia, e o mesmo se diz do mimo Ardálio, um ano mais tarde, também em alguma cidade da Ásia Menor. O caso mais famoso dessas conversões foi o do ator Genésio, que se converteu em Roma no ano de 303, no reinado de Diocleciano e na época das mais severas e cruéis perseguições aos cristãos. Genésio foi vítima dessa perseguição, e a Igreja fez dele o santo padroeiro dos atores.

Mas os mimos se aferravam obstinadamente a temas cristológicos, como comprovam decisões dos concílios da Igreja que, já no decorrer do segundo milênio após a expansão do cristianismo no mundo ocidental, proibia que os mimos entrassem no palco como padres, monges ou freiras.

O *mimus* é como uma linha que vai dos primórdios da Antiguidade, através de Roma e Bizâncio, até a Idade Média. Era tão familiar ao homem da rua quanto ao erudito em sua mesa de estudo. O escritor cristão latino Lactâncio o julgou digno de uma sublime comparação: a doutrina de Pitágoras, de acordo com a qual as almas dos homens transmigram para corpos de animais – ele escreveu – era ridícula e lembrava as invenções do mimo.

Bizâncio

Introdução

Quando em 330 Constantino, o Grande, tornou a cidade de Bizâncio, no Bósforo, a nova capital do império romano e lhe deu o seu nome, o esplendor de Roma empalidecia. As contínuas batalhas nas fronteiras haviam minado a força da *urbs romana*. Nessa época, deu-se o triunfo do cristianismo. O Edito de Milão assegurou liberdade de culto à nova religião. Com a transferência da residência imperial para Bizâncio, surgiria um segundo centro do cristianismo, tão fascinante quanto exótico.

Já não seria o Capitólio, mas a Igreja de Hagia Sophia, que resplandeceria nos séculos vindouros como o símbolo do poder divino e terreno. Para a sua reconstrução, o imperador Justiniano fez com que os mais preciosos materiais fossem procurados por todas as províncias do Império Bizantino. Colunas e outros elementos arquitetônicos de Éfeso, Baalbek, Egito, Atenas e da ilha de Delos foram reunidos para a glória da "Sabedoria Divina".

O imperador e a Igreja eram os dois pilares do Império Romano do Oriente. Eram o tema e o veículo de toda atividade de estilo teatral que se desenvolveu em Bizâncio. Conforme escreveu Franz Dölger, "as necessidades teatrais da população da capital eram satisfeitas pelas deslumbrantes cerimônias da corte imperial e pela rica e elaborada liturgia da Hagia Sophia, com suas procissões, vestimentas esplêndidas, suas aclamações e cânticos antifonais".

As radiações da magnificência imperial, transmitidas para o Ocidente nos séculos seguintes, portavam o selo de Bizâncio. A severidade hierática, o esplendor purpúreo, a estilização solene que foram as marcas do cerimonial da corte e da arte religiosa de Bizâncio, tornaram-se um modelo para o mundo ocidental. Por todo o Ocidente, eram solicitados artistas bizantinos, o luxo bizantino era o padrão de gosto e cultura, princesas bizantinas eram trazidas por seus pretendentes principescos para as cortes do Ocidente.

O patriarca de Constantinopla teve o atrevimento de chamar o papa romano de herege, e desse modo veio a iniciar-se o decisivo cisma que terminaria por levar ao trágico conflito entre as Igrejas oriental e ocidental. As Cruzadas terminaram no saque de Constantinopla. Os "latinos", liderados pelo velho doge Dandolo, haviam exigido o reconhecimento do papado como a força central do cristianismo. Bizâncio recusou. Em 9 de maio, o Conde Baldwin de Flandres foi coroado imperador latino de Bizâncio pelo legado papal.

A sequência ininterrupta de conflitos militares a que se entregaram os posteriores imperadores da dinastia grega dos Paleólogos minou os poderes de resistência internos e externos da cidade. Em 1391, o sultão otomano Bayzeid obrigou a cidade a pagar um tributo. Sessenta anos mais tarde, em 29 de maio de

1453, ela sucumbiu aos exércitos do Sultão Mohammed II. O Império Bizantino deixara de existir. Seu último imperador, o décimo primeiro a levar o célebre nome de Constantino, perdeu a vida na batalha. Das ruínas da capital devastada de Constantino nasceu Istambul, a capital do Império Otomano.

Durante mil anos, Bizâncio havia sido o centro de trocas culturais entre o Oriente e o Ocidente, a ponte, em questões de fé, entre a Antiguidade e a Idade Média, e, em questões de teatro, a ponte entre o coração dionisíaco do drama ático e o *Te Deum* da representação cristã na igreja.

Teatro sem Drama

Um dos primeiros atos oficiais imperiais com o qual Constantino cativou os bizantinos foi a inauguração do Hipódromo. O edifício remontava à época de Septimo Severo, que o construiu em 124 d.C., segundo o modelo do Circus Maximus de Roma. Era um campo de corridas longo e estreito, com um muro divisor baixo (*spina*) entre as duas pistas, sobre o qual eram colocados estátuas, obeliscos, placas memoriais e monumentos aos corredores vitoriosos.

O Hipódromo, com seus assentos de mármore para oitenta mil espectadores, era decorado com ricos entalhes e as mais celebradas obras de arte de todo o mundo. Durante um milênio, seria o palco de amargos conflitos históricos, mais do que o esplêndido local de espetáculos de teatro e circo a que havia sido destinado. Nele tiveram lugar corridas de biga e combates entre gladiadores, nele a imperatriz Eudóxia viu ser erigida a sua própria estátua de prata, acompanhada por festividades tão provocativas que Crisóstomo, predicando na Hagia Sophia, empalideceu de raiva. Nele eram descarregadas as paixões das duas facções de corredores de bigas, os "Verdes" e os "Azuis", como também o entusiasmo do povo. Nele, o sangue de trinta mil pessoas manchou a areia quando Belisário, em 532 d.C., esmagou a revolta de Nika e reduziu a cinzas grandes partes da cidade.

Conta-se que Constantino, o Grande, construiu muitos teatros. Acredita-se que um deles ficava próximo ao palácio imperial, perto da Igreja de Santa Irene (hoje parte do recinto de Saray). Em Bizâncio, como em outras cidades importantes do Império Romano do Oriente, havia teatros espaçosos, que em parte remontavam aos tempos helenísticos e em parte aos primeiros tempos da dominação romana. A cidade de Antioquia – sede do governo romano da Síria, residência do patriarca e sede de uma universidade teológica – possuía quatro amplos teatros de pedra. De acordo com Paládio, as comédias de Menandro ainda eram encenadas ali no século V d.C., até que o rei persa Cosroes destruiu a antiga cidade, em 538 d.C.

O grande enigma do teatro bizantino reside no fato de nunca ter produzido um drama próprio. Contentava-se com o caleidoscópio colorido das variedades, da revista, e com espetáculos de solistas que já vinham prontos e com extratos de diálogos e peças líricas que eram recitados no palco por declamadores em "atitude trágica".

Os estudiosos de Bizâncio têm se ocupado cuidadosamente desse fenômeno singular. Franz Dölger comenta:

> Frequentemente tem se estabelecido uma comparação acertada com as artes plásticas, isto é, que a arte bizantina também não produziu nenhuma escultura digna de menção e que tanto nas artes plásticas quanto na literatura dos bizantinos falta, portanto, uma "dimensão". A razão disso é bastante clara. Já por volta do século III d.C., tragédias e comédias completas eram raramente representadas no Império Romano. Os pantomimos recitavam ainda alguns fragmentos líricos e principalmente trechos extraídos dos cânticos corais. De resto, o *mimus*, uma espécie de esquete de opereta com uma grande quantidade de tipos espetaculares, geralmente de conteúdo mais picante, tinha de há muito capturado o gosto das massas e, a despeito das proibições dos imperadores Anastácio I e Justiniano (em 526 d.C.), deve ter prosseguido clandestinamente através de todo o período bizantino.

O drama da paixão *Christos Paschon*, com frequência citado, que durante muito tempo foi incorretamente atribuído ao bispo São Gregório de Nazianzo, não data do século IV, mas, sim, do século XI ou XII. Isso é o que se chama de um *cento*, uma reunião erudita de várias citações sem nenhuma conexão provável com o teatro atuante – um complemento intelectual à alegre colcha de retalhos do *centunculus* dos mimos.

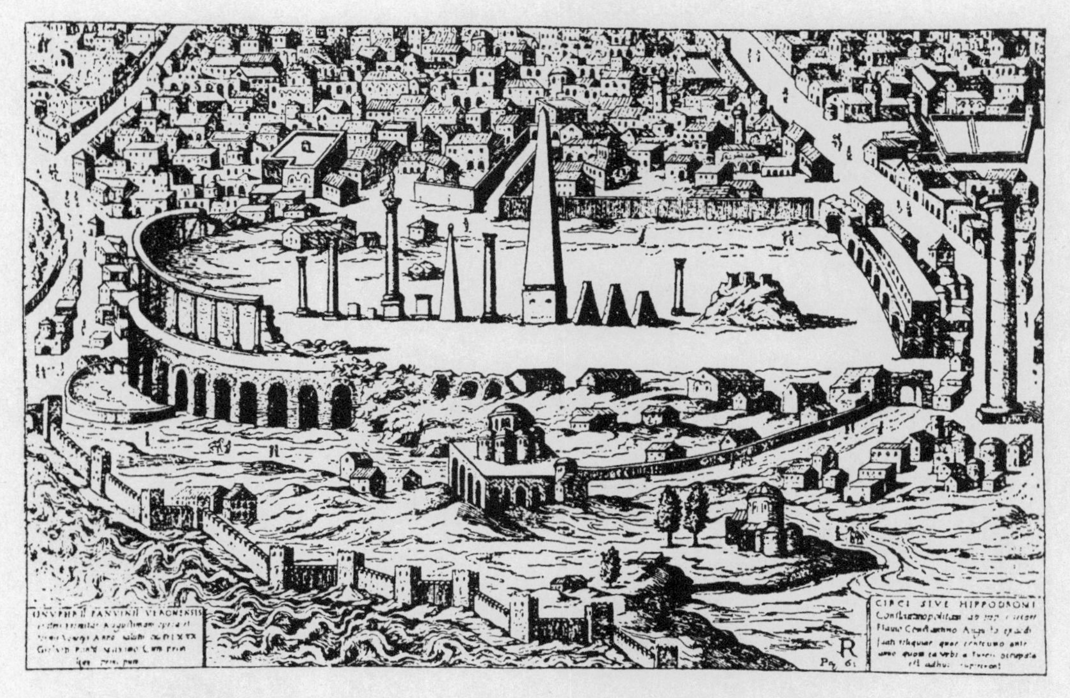

1. O Hipódromo de Constantinopla. Xilogravura de Onuphrius Panvinius, Verona, 1450.

Um dos componentes eficazes justapostos no *Christos Paschon*, é a imitação de um hino de Sexta-Feira Santa do poeta grego religioso Romano, que viveu em Constantinopla no século VI – ao passo que Gregório de Nazianzo, o alegado autor da *Paschon*, morreu em 390 d.C.

O que é fascinante no estranho conglomerado do *Christos Paschon* é a conjugação da Paixão cristã superposta ao drama grego. Uma boa terça parte dos 2.640 versos, que começam com o caminho até o Gólgota e terminam com a ressurreição de Cristo, são paráfrases de versos de Eurípedes. Tanto a *Christos Paschon* quanto as trezentos e vinte e cinco citações das tragédias de Eurípedes que se encontram na obra do Arcebispo Eustácio de Salonica (falecido em 1194) demonstram quão intenso era o interesse devotado em Bizâncio aos dramaturgos da Antiguidade – no tocante ao estudo.

Em contraste com o cultivo erudito da herança cultural grega, a prática teatral era tão ingênua quanto a das primeiras *troupes* atelanas romanas. São João Crisóstomo (347-407 d.C.), patriarca de Constantinopla, em certa ocasião falou extensamente a respeito desse tipo de espetáculo, que oferecia diversão teatral não apenas nas festividades oficiais do Estado:

> Em pleno dia, cortinas são penduradas e surge um grande número de atores mascarados. Um deles faz o filósofo, conquanto ele mesmo esteja bem longe disso; outro interpreta o rei; um terceiro, o médico, embora reconhecível somente pelo traje, um ignorante faz o professor. Eles representam o oposto do que são [...]. O filósofo só o é por causa dos longos cabelos de sua máscara; assim, também, o soldado não é um soldado real, mas tudo é fingimento e máscaras.

O próprio tom dessa descrição muito simplificada indica o agudo declínio. A altamente desenvolvida arte do drama antigo havia se convertido nessa primitiva versão dialogada de "uma velha história". Sua degradação não deve ser atribuída à malévola depreciação de um Crisóstomo beligerante, que em outros lugares troveja violentamente contra a "imoralidade" do teatro; ela é um fato histórico.

Uma descrição "do que acontece no teatro", que concorda quase literalmente com Crisóstomo, foi feita no final do século IV pelo antigo professor de retórica São Gregório de Nissa:

2. Poeta cômico e musa com uma máscara representando Tália. Fragmento de um sarcófago do noroeste do Império Bizantino, *c*. 250 d.C.

Um mito ou uma velha lenda serve de tema para a representação, e é reproduzido por imitação diante dos nossos olhos. O que corresponde à história é representado da seguinte maneira: os atores usam figurinos e máscaras. Na orquestra, penduram-se cortinas que representam uma cidade e a coisa toda é tão fiel à natureza que o público pensa tratar-se de um milagre.

Nesse nível, o drama clássico da Antiguidade não poderia ser uma fonte de inspiração para Bizâncio, tal como a tragédia grega o para o drama nacional dos romanos, ou Menandro para Plauto e Terêncio. Além disso, como poderiam o governo e a Igreja adequar as divindades do Olimpo ao povo, como poderiam Zeus ou Júpiter, Atena ou Juno e; principalmente, como poderia Dioniso, a quem os padres da Igreja consideravam uma abominação, o demônio encarnado, se reconciliar com a doutrina cristã da salvação? A sabedoria com que os homens da Igreja apreciavam o espírito e o juízo da literatura antiga não era algo a se pressupor no grande público.

A consequência desse ponto de vista vieram a sentir de maneira bastante precisa os mimos e pantomimos, "os últimos sacerdotes do paganismo", como os chamou Hermann Reich. Eles pagaram sua fidelidade ao antigo e comprovado repertório, transmitido de geração em geração, com a exclusão da salvação trazida pela nova fé, porque no teatro bizantino *mimus* e *pantomimus* recorriam ao espírito e ao "antiespírito" da Antiguidade. O repertório de seu programa teatral era formado de temas das mitologias grega e romana, de fragmentos de fontes fenícias, assírias e egípcias – na verdade, de tudo o que havia sido tratado pelos poetas trágicos desde Homero e Hesíodo.

Em tudo isso, o mimo e a pantomima eram acompanhados – mesmo no período bizantino primitivo – pelo trágico, um solista que, calçado com um alto coturno de madeira, tentava alcançar o esplendor da antiga arte dramática com extravagantes solos declamatórios. Libânio, o sofista e orador do século IV, cujas várias ocupações o levaram a numerosas cidades do Império Romano do Oriente, encontrou esses trágicos em Antioquia, Atenas, Constantinopla e Nicomédia.

A figura e a indumentária do trágico continha características que evocavam o Extremo Oriente e outras que prenunciavam a Alta Idade Média ocidental. Crisóstomo fala das mangas exageradamente longas dos trágicos, por meio das quais eles enfatizavam os movimentos de seus braços e mãos, e critica a vaidade das damas, que não tiveram dúvida em colocá-las em moda.

Por trás da manga "dramática" do trágico bizantino vislumbramos imagens remotas, mas sem dúvida com ela aparentadas: a dançarina sassânida, a aristocrática dama chinesa do período T'ang, as jovens estudantes do Jardim das Peras e, no âmbito da arte cristã, a bailarina Salomé, epítome de todos os vícios. Todas essas imagens tinham o seu "jogo" baseado no poder expressivo das longas mangas que pendiam sobre as mãos hábeis do ator.

Os monges dos *scriptoria* medievais devem algo ao furioso desprezo que os Padres da igreja bizantina vertiam sobre as sedutoras artes das dançarinas e mimos femininos: a vivacidade com que eram capazes de retratar a pecadora Salomé.

"Elas surgem com a cabeça descoberta e não se incomodam com o que deixam à mostra. Penteiam-se com a maior extravagância possível, pintam o rosto, seus olhos brilham de volúpia." Assim eram descritas as mimas do teatro bizantino, e é como Salomé dança no Códice Otomano de Aachen, do século X – com os seios e braços nus, os cabelos louros soltos até os joelhos.

"Elas brilham em ouro e pérolas, e usam os mais suntuosos trajes. Dançam, riem e cantam com vozes doces, sedutoras", assim prossegue a descrição das mimas. Essa imagem também foi preservada na dança de Salomé no Evangelho de Oto III, que está entre os tesouros da catedral de Bamberg.

Crisóstomo nunca esqueceu de realçar perante sua congregação, com insistência sempre renovada, o fato de que certa vez teve sucesso em resgatar das garras do demônio uma dessas "filhas corruptas do homem", uma mima que se exibia diante de todo mundo em trajes excitantes e que havia arruinado a mais de um rico e enganado a mais de um sábio... Essa predileção por dançarinos e mimos, que Crisóstomo criticava furiosamente na imperatriz Eudóxia, levaria Justiniano a buscar sua consorte imperial na arena, cento e cinquenta

3. Miniatura com uma cena de Salomé bailante. Retrato de uma mima bizantina, com os cabelos soltos e o torso nu. Evagelho do imperador Oto, século X (Aachen, Tesouro da Catedral).

4. A Dança de Salomé. Evangelho de Oto III (Munique, Staatsbibliothek).

anos mais tarde. Os encantos que Teodora havia exibido com tanta liberalidade em seus dias de mima foram metamorfoseados, quando convertida em imperatriz em qualidades imperiais não menos espantosas. Mas mesmo Teodora não poderia mudar o desprezo geral por sua ocupação anterior. Conforme estabelece o Códice Teodosiano, os atores foram incluídos entre as *personae inhonestae*, aquelas que não possuíam honra nem direitos, que eram excluídas tanto dos direitos civis quanto da salvação da Igreja. Aquele que se atrevesse a desposar um mimo, ator ou *ioculator,* era expulso da comunidade cristã. Somente um imperador podia atrever-se a ignorar esse mandamento.

Teatro na Arena

Mimos, pantomimos, cantores, dançarinos e trágicos participavam igualmente dos espetáculos do teatro bizantino, mas não eram seus representantes primordiais. A principal atração nos "deleites para os olhos e ouvidos" oferecidos no Hipódromo e nos anfiteatros do Império consistia em combates de animais e jogos de gladiadores, especialmente nas festividades oficiais de Ano Novo, que duravam muitos dias. Seus organizadores eram os cônsules recém-eleitos, que precisavam celebrar seu ingresso na função de maneira dispendiosa. Esse já era o costume em Roma, mas em Bizâncio, a cidadela do cerimonial cortesão, tais jogos se transformaram numa aparatosa celebração, cujo curso era minuciosamente definido pela ordem imperial.

Uma das *novellae* de Justiniano, escrita em 536, expõe a sequência precisa das cerimônias com que o novo cônsul deveria se apresentar ao imperador e ao povo, desde a procissão cerimonial na corte (*processus*) aos vários *ludi circenses* na arena. A abertura era a "*venatio* domesticado" (açulamento de animais), jogos de habilidades com animais engraçados, não necessariamente perigosos, tais como artistas e ursos perseguindo uns aos outros sobre uma barra, atrás de grades móveis, como num carrossel. Essas brincadeiras avivam a excitação da plateia. Em seguida vinham as "*venatio* selvagens", lutas com animais ferozes tais como leões e panteras, que satisfaziam o desejo de sangue do público.

A documentação pictórica desses jogos na arena é encontrada nos dípticos consulares em marfim, muitos dos quais estão conservados. A primeira amostra remonta a 406 d.C., e a última, a 541. Eram um presente de Ano Novo obrigatório do cônsul a seus amigos, individualmente autografado, como os brindes anuais dos industriais modernos. O relevo frontal mostra o doador em toda a glória de sua nova dignidade, por exemplo como patrono dos jogos. Senta-se num trono ricamente esculpido, tendo o cetro na mão esquerda e o *mappa*, um pano branco, na direita, com o qual é dada a largada das competições. Sob esse relevo aparece sempre gravada uma cena teatral, com atores e animais. Atores, no traje da tragédia, com máscaras e penteados altos (*onkos*), grupos de comediantes e mimos carecas testemunham que os descendentes do teatro antigo tinham seu quinhão no festivo programa circense.

Os pequenos e práticos dípticos de marfim, cuja superfície interior era recoberta com cera e servia de tablete para escrita, viajaram para tão longe quanto os mimos. Um díptico do cônsul Areobindo chegou à Espanha, onde um entalhador do século IX tomou-o como modelo para o frontispício da igreja da vila de San Miguel de Lillo. Desde então, os olhos dos fiéis que entram nesta casa de Deus deparam-se com uma cena do circo bizantino. Sob uma figura primitiva e estilizada do cônsul em seu trono, que apenas ergue a mão para que os jogos comecem, um acrobata se equilibra com as mãos sobre uma barra em cuja direção um leão salta, mas é mantido preso por um homem brandindo um chicote.

O que teria impelido o entalhador a escolher esse motivo de origem tão remota? E que considerações poderiam ter levado o fundador da igreja a permitir que ele o fizesse? Seria uma última advertência à congregação para que deixasse atrás de si todos os pensamentos mundanos, para que pensasse em sua entrada na igreja como uma libertação da farsa terrena? A arte românica é notável pelo fato de que suas muitas imagens em pedra, da dança e da música, dos mimos e atores, resultam da interpretação do portal da igreja como um muro separando o céu e a terra.

O Teatro na Igreja

Apesar da decisão do imperador Teodósio II, no Concílio de Cartago, de que todos os espetáculos teatrais deveriam ser proibidos nos feriados santos, a instrumentação da liturgia dentro da própria igreja bizantina ganhou cada vez mais ressonância.

O esplendor da liturgia na Hagia Sophia, as aclamações dramáticas, evocações dos profetas e cantos antifonais, a riqueza colorida das vestimentas eclesiásticas, as procissões solenes – todos esses elementos procuravam, por meios inteiramente teatrais, satisfazer a necessidade de espetáculo da massa.

A Celebração da Páscoa, que cinco séculos mais tarde se tornou o embrião do drama cristão da Igreja, era em Bizâncio a ocasião de um cerimonial que, de uma igreja a outra, serpenteava pelas ruas da cidade num cortejo solene. Os hinos pascais *Christus aneste*, que os cantores começavam a cantar no púlpito da Hagia Sophia, era repetido nas outras igrejas; a procissão pelas ruas era encabeçada pelo mestre imperial de cerimônias, que servia ao mesmo tempo de entoador.

Desde o início, a liturgia da Igreja Oriental assumiu um caráter dramático, com suas recitações alternadas, hinos cantados por um solista e coros respondentes, sermões dos dias festivos e diálogos intercalados. Já no século IV, os grandes oradores faziam de suas prédicas um exercício da arte retórica. Aplicavam as regras dos oradores e dramaturgos gregos e desenvolviam sua exegese da Bíblia pelo uso do diálogo e uma intensa dialética de prós e contras em suas interpretações.

A tradição de Bizâncio não significa simplesmente a concentrada serenidade dos ícones. Significa também a riqueza narrativa de um inesgotável tesouro de lendas, cuja abundância se aproxima apenas remotamente do drama da paixão da Baixa Idade Média, que durava vários dias.

Os textos dialogados dos sermões (homilias), que foram preservados em diversos manuscritos, principalmente de origem síria, contêm uma vasta eflorescência de detalhes episódicos, sobretudo relacionados à Virgem Maria. Um desses manuscritos conservados, uma "Glorificação da Virgem Maria", foi escrito por um dos últimos neoplatônicos significativos, o bispo Proclo, que nasceu em Constantinopla em 410 e foi educado em Atenas. Os fragmentos reunidos desse manuscrito proporcionam o esquema de uma peça completa. A um hino glorificando a virgindade da Mãe de Deus segue-se uma conversa entre o Anjo Gabriel e Maria, interrompida por um monólogo em que a Virgem expõe suas dúvidas, terminando com a voz de Deus proclamando o mistério da Encarnação.

Depois dessa representação do sobrenatural, vem um diálogo do mais cru naturalismo. José acusa Maria de ter se comportado como uma prostituta e de o haver "traído com um amante". Maria declara não ter possibilidade de justificar-se. Propõe a José que leia os Profetas para compreender que ela recebeu sua criança de Deus. Esse contraste entre o decreto divino e a realidade terrena não poderia ser mais teatral.

O ciumento marido de cabelos brancos e a suposta infidelidade de sua jovem esposa constituíam uma receita bem comprovada de sucesso, retirada do repertório de tipos do *mimus*, que manteve a sua popularidade por séculos, até a representação dos mistérios da Baixa Idade Média. O tema reaparece num fragmento de diálogo atribuído ao patriarca Germano de Constantinopla (*c*. 634-733 d.C.). É encontrado novamente num manuscrito com iluminuras de uma coleção de homilias do monge Tiago de Kokkinobaphos, da primeira metade do século XII. As imagens desta coleção foram aceitas como provas do teatro religioso em Bizâncio mesmo por um crítico tão cético quanto o cardeal Giovanni Mercati, bibliotecário do Vaticano falecido em 1957. O tema surge outra vez, de forma quase idêntica à do fragmento de Germano, numa cena das *Coventry Plays* inglesas do século XV: o *Ludus Coventriae* (O Retorno de José). Por toda a sua vivacidade retórica, o diálogo teatral incluído no serviço da igreja bizantina não carecia da dignidade apropriada. Os episódios livremente tratados estavam dentro do padrão de estilo ponderado de representação contemporânea, conforme nos faz crer o manuscrito de Tiago de Kokkinobaphos, do qual se conservam duas cópias.

É por culpa dos iconoclastas que faltam evidências pictóricas do período primitivo do

5. Relevo em marfim representando uma arena e cenas teatrais. Acima, cavalos conduzidos por amazonas; abaixo, cena de *mimus* (evidentemente uma paródia da cura de um cego) e grupo trágico. Detalhe de um díptico consular de Anastácio, Constantinopla, 517 d.C. (Paris, Cabinet des Médailles).

6. Relevo em pedra no portal de San Miguel del Lillo, Espanha, século IX.

7. Relevo no obelisco de Teodósio no Hipódromo, Constantinopla: o imperador Teodósio, patrono dos jogos circenses, entre seus dois filhos, Honório e Arcádio, no camarote real, *c.* 390 d.C.

8. Relevo em marfim de um díptico consular: ator trágico com máscara removida, provavelmente depois de recitar um monólogo de *Medeia*, *c.* 500 d.C. (São Petersburgo, Hemitage).

teatro bizantino. Milhares de ícones e manuscritos com iluminuras foram perdidos como resultado da destruição oficial de imagens na época do imperador Leão III, que simpatizava com a civilização árabe e com o Islã.

Não se sabe até que ponto o movimento iconoclasta (726-843) afetou a dramatização do Evangelho dentro da estrutura do serviço da Igreja. Durante esse período de crise, a própria Igreja esteve dividida, particularmente no Concílio de Niceia em 787, entre iconódulos e iconoclastas. Ambos os grupos se justificavam a partir de argumentos bíblicos e da tradição. Já em 370, São Basílio, o Grande, sábio pregador e bispo de Cesareia, havia dito que o respeito demonstrado pelo fiel à imagem não se referia à obra das mãos humanas, mas àquilo que ela representava – a imagem primordial (*eikon*, o ícone). São Teodoro, o Erudito, declarara que "se o sobrenatural não pode também se tornar visível ao olho dos sentidos, pela representação pictórica, então ele permanece escondido para o olho do espírito".

Ao lado da imagem pintada, essa declaração justifica a imagem viva, isto é, a representação teatral da história sagrada, indicando o que a Igreja em Bizâncio já considerava tarefa do teatro cristão: ser uma *Biblia Pauperum* (Bíblia dos Pobres) viva, exatamente como as grandes séries de afrescos e miniaturas medievais viriam a sê-lo.

Mas para a cristandade do Ocidente no século X esse sentimento pela imagem viva do espetáculo teatral era ainda estranho, a julgar por um dos mais perspicazes observadores do teatro bizantino, o arcebispo Liutprando de Cremona, que veio a Constantinopla como enviado de Oto I e registrou suas impressões em dois relatos. Em 949, ele testemunhou com assombro e desprazer duas representações na Hagia Sophia, que culminavam com a subida do profeta Elias ao céu.

A ascensão de Elias na carruagem de fogo é um tema comum nas pinturas murais bizantinas, executadas com grande imaginação e riqueza de colorido. O fato de Liutprando ter assistido a sua representação teatral prova a persistência dos sermões dramáticos dos primitivos bizantinos, relativos aos Profetas, e sugere também que os inventos técnicos do teatro da Antiguidade, tais como os guindastes e as chamadas máquinas voadoras, não haviam sido inteiramente esquecidos em Bizâncio.

O Teatro na Corte

Dezenove anos mais tarde, em 968, Liutprando de Cremona escreveu sobre sua segunda visita a Constantinopla. Esse segundo registro trata dos espetáculos teatrais que ocorriam na corte em ocasiões festivas. Em 7 de junho de 968, o imperador ofereceu um grande banquete oficial. A refeição foi seguida por números de dança e acrobacias e por um espetáculo aguardado com especial interesse: homens usando máscaras terríveis e vestidos com peles de animais representaram o chamado *gothikon*, um tipo de pantomima cultual, acompanhada de gestos selvagens e gritos bárbaros.

A descrição de Liutprando corresponde ao enigmático "Auto Gótico de Natal", que é incluído pelo imperador Constantino Porfirogênito (912-959) no *Livro das Cerimônias*, entre os espetáculos que se organizavam em homenagem ao nascimento de Cristo. Somente a data da representação é diferente: Liutprando assistiu ao *gothikon* em junho. Como ao banquete estiveram presentes muitos outros convidados de países que mantinham relações amistosas com Bizâncio – e, na verdade, Liutprando se queixa de seu lugar à mesa –, parece natural que o imperador tenha querido honrar ocasião tão especial com uma diversão especial.

Os atores do *gothikon* eram soldados da Guarda Gótica de Constantinopla, composta por sete mil homens, que estavam a serviço particular do imperador. Tais atores eram escolhidos pelas delegações dos "Verdes" e dos "Azuis", as duas celebradas e famosas facções do circo. Usando máscaras e peles de animais, os homens entravam em cena aos pares, correndo. Gritando "Tull! Tull!" golpeavam os escudos com suas lanças. Depois de entoar diversos cânticos para celebrar a data, com os "Azuis" à esquerda e os "Verdes" à direita, num semicírculo, e depois da exaltação de Ezequias, que na guerra contra os assírios depositara toda a sua confiança em Deus, vencendo assim os pagãos, o imperador era homenageado como benfeitor da humanidade e defensor do império. Ao final, os dois bandos, "Azuis" e "Verdes", cada qual com seus rudes godos, saíam dançando do salão pelas duas portas opostas.

Essa curiosa representação parece dever muito às práticas natalinas e danças cultuais de guerra dos povos germânicos e aos costumes de Ano Novo dos varangos. Se a interpretação está correta e o texto é de origem gótica, subsequentemente latinizada, com insertos greco-cristãos no estilo das cerimônias da corte bizantinas, o *gothikon* é provavelmente mais uma prova da mescla de elementos pagãos e cristãos, que pode ser repetidamente observada no teatro primitivo do Ocidente.

Assim, ninguém poderia considerar uma profanação indecente a associação de costumes festivos de caráter religioso e circense em lugares sagrados. Na escadaria da Hagia Sophia em Kíev, que Iaroslav, o Sábio, começou a construir em 1037, há uma série de afrescos que nos dá uma demonstração pictórica da essência do teatro bizantino. O imperador e a imperatriz são retratados como espectadores dos *circenses*, no Hipódromo. Acrobatas exibem suas habilidades; uma orquestra, entre cujos membros há uma mulher, acompanha a dança de alguns personagens pouco vestidos; um grupo de mimos aguarda sua entrada em cena.

No teto abobadado da escadaria de Kíev estão postados guerreiros armados encarando uns aos outros. Alguns deles usam máscaras de pássaros. Um dos homens empunha um escudo e um machado, armas dos varangos, a respeito dos quais o *Livro das Cerimônias* comenta que "na sua língua materna desejam-se mutuamente vida longa, cruzando seus machados ao dizê-lo". Aqui existe um paralelo óbvio com o *gothikon*, hipótese muito sedutora para a história do teatro, embora questionada por alguns eruditos. Não há dúvida, entretanto, de que os afrescos de Kíev fornecem evidências significativas de representações teatrais na Igreja do Oriente.

O cerimonial da corte era uma demonstração do poder e da exclusividade do imperador: uma cortina vermelha partia-se para revelá-lo sentado num trono como numa cena teatral e o curso do cerimonial rendendo-lhe vassalagem eram tão rigorosamente regulados quanto os rituais litúrgicos em honra de Deus. A tradição do reino divino, derivada do Egito e do antigo Oriente, encontrou sua última grande glorificação no cerimonial da corte de Bizâncio. O alteado trono do soberano secular estabeleceu o modelo para o altar cristão que, "em sua localização espacial, sua significação no culto e seu sobrecéu com o cibório corresponde ao trono imperial" (O. Treitinger).

O fato de os mimos e atores que exibiam suas artes diante do imperador devessem ser todos sem exceção condenados pela igreja revela uma falta de consistência lógica. O escritor Zonaras empenhou-se em corrigir essa incongruência. Em sua interpretação do quadragésimo quinto cânon do Concílio de Cartago, que condenava igualmente todos os artistas e "amantes do teatro", ele explicou que era preciso traçar uma distinção entre atores, que representavam diante de personalidades imperiais e desfrutavam de todos os direitos civis, e os "desrespeitosos bufões que se metiam em brigas nos festivais campestres".

Em Constantinopla, sua cidade natal, Zonaras foi um importante oficial da corte e do Estado no reinado do imperador Aléxio I Comneno. Quando escreveu sua defesa dos atores da corte, não podia suspeitar que seu próprio senhor imperial iria transformar-se em alvo de comediantes áulicos – na corte dos seldjúcidas, em Konia. Neste caso, talvez tivesse revogado sua boa opinião. Porém, quando a filha do imperador, Anna Comnena, comentou o incidente na *Alexíada*, Zonaras estava entregue à composição de seu próprio *Chronicon*.

Num primeiro período em Bizâncio, imagens e estátuas de mimos eram erigidas em praças e edifícios públicos. Como resultado desse costume, incluiu-se uma passagem no Códice Teodosiano, determinando que monumentos aos mimos fossem permitidos somente no teatro e não em locais onde se erguessem estátuas de homens públicos. Porém, apesar dessa proibição, placas de mármore e fragmentos encontrados sugerem que os monumentos de imperadores, cônsules e comediantes frequentemente desfrutavam de harmonioso convívio.

9. Pintura mural na escadaria da Hagia Sophia, Kiev: mimos, músicos e acrobatas. Metade do século XI.

10. Detalhe do teto na escadaria da Hagia Sophia, Kiev: homem segurando uma lança, com a cabeça coberta por uma máscara de pato, e guerreiro com escudo e machado. Metade do século XI.

A Idade Média

INTRODUÇÃO

O teatro da Idade Média é tão colorido, variado e cheio de vida e contrastes quanto os séculos que acompanha. Dialoga com Deus e o diabo, apoia seu paraíso sobre quatro singelos pilares e move todo o universo com um simples molinete. Carrega a herança da Antiguidade na bagagem como viático, tem o mimo como companheiro e traz nos pés um rebrilho do ouro bizantino. Provocou e ignorou as proibições da Igreja e atingiu seu esplendor sob os arcos abobadados dessa mesma Igreja.

Assim como a Idade Média não foi mais "escura" do que qualquer outra época, tampouco seu teatro foi cinzento e monótono. Mas suas formas de expressão não foram as mesmas da Antiguidade e, pelos padrões desta, foram "não clássicas". Sua dinâmica desafiou a disciplina das proporções harmoniosas e preferiu a exuberância completa. É por isso que o teatro medieval é tão difícil de ser estudado, e é por isso que frequentemente ocupa um lugar inferior no certame das formas rivais do teatro mundial.

A cristianização da Europa Ocidental cultivara florestas e almas. Elementos do "teatro primitivo" sobreviventes nos costumes populares, o instinto congênito da representação e a força não secularizada da nova fé combinaram-se, perto do final do milênio, para conjugar os vestígios esparsos do teatro europeu numa nova forma de arte: a representação nas igrejas. Seu ponto de partida foi o serviço divino das duas mais importantes festas cristãs, a Páscoa e o Natal. O altar tornou-se o cenário do drama. O coro, o transepto e o cruzeiro emolduravam a peça litúrgica a expandir-se cada vez mais e devolviam o eco das antífonas solenes provenientes das alturas imaginárias às quais se dirigiam.

Fizeram-se necessários cinco séculos para que a cerimônia pascal da adoração da cruz levasse aos mistérios da Paixão, estendendo-se por muitos dias, e para que as "boas novas" anunciadas aos pastores se desenvolvessem nos ciclos do Natal e dos Profetas com seus numerosos elencos. Durante esses séculos, a *Ecclesia triunphans* estendeu sua autoridade para além da casa de Deus, projetando-a para as cidades e aldeias, e analogamente a representação litúrgica saiu do espaço eclesial diante do portal para o pátio da igreja e a praça do mercado. O teatro somente ganhou em cores e originalidade ao ser assim colocado no meio da vida cotidiana.

Em locais especialmente preparados, erguiam-se plataformas e tablados de madeira, *tableaux vivants* eram carregados em procissões e encenados em estações predeterminadas. Enquanto os cidadãos atenienses abastados e os ambiciosos cônsules romanos haviam competido pela honra de financiar espetáculos teatrais, na comunidade do tardo Medievo seu lugar foi ocupado pelos grêmios e corporações. Ao lado do Evangelho, descobriram e exploraram as inesgotáveis reservas do mimo, da arte do ator em todas as suas potencialidades – o Carnaval (*Fastnachtsspiel*) e a representação camponesa, a farsa, a *sottie*, a alegoria e a moralidade. O problema artístico do teatro medieval, conforme disse uma vez o filólogo e historiador alemão Karl Vossler, não foi o conflito trágico entre Deus e o mundo, mas antes a submissão do mundo a Deus.

Subsequentemente, uma vez que o mundo estava seguro em termo de igreja, ele [o problema] se deslocou mais e mais para a questão da compatibilidade formal entre o caráter eclesiástico, ritual e litúrgico da ação principal e acréscimos e interlúdios profanos. Por todo o mundo ocidental, a história da representação religiosa é a de uma progressiva dramatização teatral do Sacramento. Assim, como resultado, o palco divorciou-se do elemento divino e tornou-se inteiramente terrenal – quer esse caminho levasse, como na Itália, a uma resultante lírica e melodramática, ou, como na Espanha, a uma de caráter nacionalista e militar, ou ainda, como na França, a uma alegoria didática ou a uma diversão anedótica. Em toda parte, a evolução termina com um espetáculo amplo, espaçoso e de alcance suficiente para encampar toda a riqueza dos interesses e preocupações do mundo.

Representações Religiosas

Celebrações Cênicas no Altar

Nas tardes de sábado, a Igreja do Santo Sepulcro em Jerusalém é o cenário de um espetáculo único e inesquecível: a adoração ao Senhor em corais das mais diversas línguas. O visitante encontrará a Missa Maior, a Divina Liturgia e a procissão; verá os franciscanos em seus hábitos marrom-escuros caminhando da Capela da Aparição ao Catholicon, escutará o *crescendo* do *Kyrie* dos armênios, que avançam pela Rotunda até que seu canto se extinga nas profundezas da Capela Helena. E o forte odor de incenso que sobe das abóbadas mistura-se com os cânticos de rogação que os fiéis ortodoxos gregos e católicos romanos entoavam na elevada Capela do Calvário.

A Igreja do Santo Sepulcro, o local cristão mais sagrado da Terra Santa, testemunha a opulência e a variedade da Cristandade, mas também sua divisão. Por mil e quinhentos anos, conflitos e guerras campearam ao redor do edifício construído sobre o Gólgota. Aqui, na Igreja do Santo Sepulcro, em Jerusalém, as raízes da fé cristã aprofundam-se até os eventos históricos sob Pôncio Pilatos. Aqui, no século IV, a *Adoratio Crucis* foi celebrada pela primeira vez – a adoração pascal da cruz, que seis séculos mais tarde se tornaria o germe da representação cristã na igreja.

Sob a cúpula dessa igreja, erguida originalmente por Constantino, o entardecer parece colocar dois milênios tangivelmente ao alcance do espectador, por meio da fundação comum da fé e da variedade de seu ritual. O cisma entre a Igreja Oriental e a Igreja Latina, que selou a decadência de Bizâncio e que, apesar dos muitos esforços de reconciliação, ainda complica a situação legal da Igreja do Santo Sepulcro, também fez com que as representações religiosas do início da Idade Média se desenvolvessem em duas linhas distintas.

A partir da metade do primeiro milênio, houve um impulso perceptível para encorajar as plasmações cênicas das antífonas litúrgicas na Igreja Bizantina, o qual não encontrou, no entanto, resposta significativa nos países balcânicos. Tais configurações influenciaram, na verdade, detalhes do processo que levou, nas igrejas, da cerimônia puramente cultual ao desenvolvimento da representação dramática – mas isto ocorreu quando a própria Igreja Latina já havia dado um passo considerável nesse sentido, e o processo verificou-se quase simultaneamente em todo o mundo católico romano durante os séculos IX e X.

O ponto de partida era a celebração da Páscoa, a reprodução em atos da crucificação e da Ressurreição e, ordenada nos termos da grande significação atemporal de todos os cultos religiosos, a vitória da luz divina sobre os poderes das trevas. Quanto mais proeminência a cruz ganhava no cânon dos símbolos religiosos, tanto mais enfaticamente devia tornar-se visível para os fiéis o ato da redenção do qual era ela o instrumento.

A sequência da adoração pascal da cruz acompanhava os passos da Paixão. Depois da *Adoratio Crucis*, na manhã da Sexta-Feira Santa, segue-se, à tarde, a *Depositio Crucis*, a colocação da cruz coberta sobre o altar. Os sinos permanecem em silêncio até a manhã de Pás-

1. As Três Marias visitam o túmulo do Senhor no Domingo de Páscoa e são recebidas pelo Anjo. À esquerda, os guardas adormecidos. Miniatura do Benedictional de St. Ethelwood, Escola de Winchester, *c.* 970 (Coleção do Duque de Devonshire).

2. Cena ao ar livre da *visitatio*, com o Sepulcro circundado por um muro. Miniatura, Escola de St. Gall, século X (Basileia, Biblioteca da Universidade).

3. Diálogo de Páscoa entre as três Marias e o Anjo. Miniatura de um *Psalterium Nocturnum* silesiano, *c.* 1240 (Breslau, Staatsbibliothek).

coa. A *Elevatio Crucis*, a elevação da cruz, anuncia a todos a Ressurreição.

O uso do simbolismo da cruz remonta ao século VIII. Durante o século IX, o seu largo emprego trouxe a primeira interpretação gráfica da história do Evangelho. Quase ao mesmo tempo, a liturgia se expandiu. Sequências adicionais em latim foram inseridas nas partituras musicais e poéticas das matinas pascais, atribuídas com certeza ao monge de São Galo, Notker Balbulo, o Gago (840-912). Seu amigo, o monge Tutilo (*c*. 850-915), deu um passo além e inseriu diálogos em prosa na liturgia da Missa. Os chamados *tropos* são cantos antifonais que conduzem ao hino da Ressurreição.

As primeiras testemunhas bíblicas da Ressurreição são as três Marias, na manhã de Páscoa (*Visitatio Sepulchri*). Elas se põem a caminho com uma angustiante pergunta: "Quem moverá a pedra do sepulcro para nós?" Mas o sepulcro está aberto. Um anjo acha-se sentado sobre o sarcófago vazio, que contém apenas os lençóis de linho branco, e decorre o seguinte diálogo entre o anjo e as mulheres alarmadas:

Quem quaeritis in sepulchro, o christicolae?
Jesum Nazarenum crucifixum, o caelicolae.
Non est hic, surrexit, sicut praedixerat.
Ite, nuntiate, quia surrexit de sepulchro.

[A quem buscais no sepulcro, ó cristãos?
Jesus de Nazaré crucificado, ó celícolas.
Não está aqui, ressuscitou, como tinha predito.
Ide, anunciai que ressuscitou do sepulcro.]

(Trad. Paulo Sérgio de Vasconcellos)

Esta antiga forma de *tropo* de Páscoa encontra-se num manuscrito de São Galo, de 950, em conexão imediata com os *tropos* de Tutilo e com a versão de Limoges, na França, do serviço pascal.

Embora seja muito fácil traçar uma linha de ligação de São Galo, um mosteiro aberto ao mundo e empenhado em um vivo intercâmbio cultural, com o ritual da missa dialogada da Igreja Oriental, digamos, com o *Christus aneste* da procissão da segunda-feira da Páscoa bizantina, ainda assim, precisamente na liturgia pascal, aparecem influências inequívocas do Norte. A *Regularis Concordia*, escrita por volta de 970 por Etelvoldo, bispo de Winchester, demonstra essas influências. Essa obra contém instruções precisas sobre a representação dramática da *Visitatio Sepulchri* e mostra que, exatamente em meio às noites nebulosas e tristes da Inglaterra e da Irlanda, a ênfase missionária na luz e na salvação foi das mais fortes.

A *Regularis Concordia* de Winchester, que remonta ao século VII e é um dos pilares mais antigos da Igreja anglo-saxã, é também – no sentido estrito da história do teatro – o primeiro exemplo de "direção teatral" para a representação medieval na Igreja, muito embora não vá além da solenidade cerimonial da celebração litúrgica. A hora e o lugar é a das matinas do domingo de Páscoa e o altar representa o Santo Sepulcro.

"*Dum tertia recitatur lectio, quator fratres induant se...*" – é dessa forma que começam as instruções cênicas de Winchester. O texto completo traduzido diz:

Enquanto se recita a terceira leitura, quatro irmãos deverão preparar-se. Um deles deve vestir uma alva e dirigir-se em segredo ao lugar do sepulcro, onde permanecerá sentado em silêncio com uma palma nas mãos. Quando o terceiro responsório for cantado, os outros três avançarão até o local do sepulcro, vestidos com mantos e portando turíbulos com incenso, caminhando vagarosamente como quem procura alguma coisa. Vê-se que essa é uma imitação das mulheres que chegam com especiarias para ungir o corpo de Jesus. Quando em seguida o irmão sentado junto ao sepulcro, que representa o anjo, vê os três se aproximando, como que vagando à procura de algo, deve começar a cantar numa voz modulada e doce: *Quem quaretis*. Ao final, os três responderão em uníssono: *Ihesum Nazarenum*. O anjo lhes replica: *Non est hic: surrexit sicut praedixerat. Ite nuntiate quia surrexit a mortuis*. A esse comando, os três deverão voltar-se para o coro, cantando: *Alleluia*: *ressurexit dominus*. Depois disso, o anjo que permaneceu no sepulcro os chamará de volta, entoando a antífona *Venite et viadete locum,* e ao soar dessas palavras ele se levanta, remove o véu e lhes mostra que no lugar da cruz coberta restaram apenas os véus que a envolviam. Depois de ter visto isso, os três devem depositar os incensórios no sepulcro, tomar o sudário e estendê-lo diante do coro para mostrar que o Senhor ressuscitou e que não mais está envolvido por ele, e então devem começar a cantar a antífona *Surrexit dominus de sepulchro*, depositando os véus mortuários sobre as toalhas de linho do altar. Quando a antífona terminar, o Prior iniciará o hino *Te Deum Laudamus,* regozijando o triunfo do Nosso Senhor por ter vencido a morte e ressuscitado. Quando o hino começar, todos os sinos deverão ser tocados*.

* Hardin Craig, *English Religious of the Midle Ages*, Oxford, 1955, p. 115.

4. Pedro e João no Sepulcro: Maria Madalena observa por detrás da colina. Miniatura do livro evangeliário do imperador Oto, século X (Aachen, Tesouro da Catedral).

5. Corrida dos discípulos ao Sepulcro, Pedro à frente. Miniatura de um Livro de Pericopes. Clm. 15713. Escola de Regensburg, *c.* 1130 (Munique, Staatsbibliothek).

É dessa forma que a *Regularis Concordia* estabeleceu o padrão básico da dramatização latina da celebração da Páscoa para o conjunto do mundo ocidental. O *Te Deum Laudamus*, um dos mais antigos hinos corais, é ainda hoje cantado em todas as igrejas cristãs. Era originariamente chamado "hino ambrosiano" e atribuído a Santo Ambrósio, mas é provável que tenha sido escrito por Nicetas de Trier por volta de 535. Por todos os países e em todas as épocas, o *Te Deum* entoado em coro constituiu a conclusão de todas as celebrações da Páscoa que proliferaram a partir da *Visitatio* original.

Os acréscimos subsequentes à representação cênica seguiam estritamente o texto dos Evangelhos. Pedro e João, tendo ouvido as boas novas das mulheres que retornam, correm ao sepulcro. A força simbólica da ação não é de maneira alguma diminuída por essa "corrida ao túmulo", preconizando os primeiros elementos grotescos do espetáculo teatral. Pedro, o mais velho dos dois discípulos, manca e ofega atrás de João. Mas João, logicamente, o deixa entrar primeiro no sepulcro. Gestos amplos, compreensíveis para todos, interpretam o texto solenemente cantado. Aqui temos a primeira cena de pantomima na igreja – especialmente quando o coro canta as antífonas, como mostra o códice de São Blás de Brunswick, do século XII, e os dois apóstolos entoam *Ecce linteamina* até que os véus de linho lhes sejam revelados.

Enquanto isso, as três mulheres saíam de cena, exceto quando lhes era permitido permanecer por perto e assistir à corrida por detrás do sepulcro, conforme nos mostra uma miniatura de um manuscrito otoniano de Aachen, datado do século X.

Possibilidades bem maiores de enriquecimento cênico foram oferecidas pela cena do *Mercator*, introduzida pela primeira vez por volta de 1100. De acordo com São Marcos, Maria Madalena, Maria Salomé, mãe de Tiago, e Maria Cleofas haviam comprado doces fragrâncias a caminho do sepulcro, e esta afirmação abriu a porta para um dos caracteres fixos tradicionais do teatro popular: o *Mercator* – boticário, curandeiro, medicastro e piluleiro do burlesco e do mimo. Não foi preciso inventá-lo, mas simplesmente introduzi-lo na peça. Ele aborda as mulheres a caminho do sepulcro e lhes oferece seus produtos com muita gesticulação. Uma mesa com uma balança, caixas de perfumes e potes de unguentos marcam o cenário desse primeiro interlúdio "mundano".

No início do século XI, o iluminador do Evangelho de Uta, em Regensburgo, considerou a cena da compra dos perfumes bastante importante para retratá-la num medalhão ornamental do Evangelho de São Marcos. Nas esculturas das catedrais francesas de Beaucaire e St.-Gilles, o boticário aparece ao lado de sua esposa. Mas havia ainda um longo caminho a percorrer até a pilhéria deslavada que envolveria a compra dos perfumes nas Paixões posteriores. O *Mercator* do Sepulcro Pascal em Constança não sugere nada nesse sentido. Usando o capuz dos eruditos e portando sua lente de aumento, mantém os olhos baixos e silenciosamente tritura os ingredientes de seus unguentos em seu almofariz de boticário. Se esse honrado Hipócrates tivesse alguma fala, esta só poderia ser em solene e pausado latim. Um texto de Praga do século XIII de fato lhe concede algumas linhas:

> *Dabo vobis unguenta optima,*
> *salvatoris unguere vulnera,*
> *sepulturae eius ad memoriam*
> *et nomini eius ad gloriam.*
>
> [Os melhores unguentos lhes darei,
> para ungir as feridas do Salvador,
> em memória de Seu sepultamento
> e para a glória do Seu nome.]

O salto até a cena do mercador de Erlau, do século XV, é enorme. Nela, Medicus ainda discursa num mal falado latim, mas, apoiado por sua esposa Medica e seus assistentes Rubin e Pusterbalk, solta uma enxurrada de invectivas, que deixam as três Marias atônitas. Nada poderia ser mais sincero do que sua ameaça de que deveriam parar de chorar e se recompor, senão "vou lhes dar uma no nariz". No final, o próprio Medicus começa a questionar se ele e seus companheiros não teriam ido longe demais, e volta-se, apologético, para o público. "Talvez os tenhamos aborrecido com nossa gritaria", ele sugere, e anuncia que vai retirar-se e deixar que as Marias sigam seu caminho.

6. As três Marias comprando bálsamos. À esquerda, o boticário e sua mulher. Figuras da frisa do transepto norte da Notre-Dame-des-Pomiers em Beaucaire, século XII.

7. O mercador de bálsamos como erudito, com o pilão de botica e a lupa. Figura da frisa dentro do Santo Sepulcro na Capela de São Maurício, Catedral de Constância, *c.* 1280.

8. Duas Marias na compra de bálsamos. A mais antiga representação existente dessa cena teatral em ilustração de livro. Um medalhão da página ornamental do Evangelho de São Marcos, no Evangelho da Abadessa Uta de Regensburg, *c.* 1020 (Munique, Staatsbibliothek).

Os anjos gritam o seu "*silete!*", e a primeira das três Marias entoa o "*Heu Nobis*" em latim. O tosco interlúdio do *Mercator* vai dando lugar aos lamentos solenemente recitados, parte em alemão e parte em latim.

Mas o *Mercator*, juntamente com sua esposa e assistentes, não tem direito à salvação. Bertoldo de Regensburgo condenou-os categoricamente em seus sermões no século XIII; até mesmo os nomes de seus assistentes, Pusterbalk e Lasterbalk, eram traiçoeiros e repulsivos o suficiente, dois nomes de demônios que os bons cristãos costumavam atribuir aos atores. Essa aguda censura reside num fato da história do teatro. O vendedor de unguentos e sua parentela palradora e abusada foram os primeiros a falar novamente com a voz do mimo imortal. Quando, dessa forma, o mimo voltou de novo à vida, teve necessariamente de fazê-lo em latim, mas isso o ligou tanto mais a seus antigos predecessores.

As 224 dramatizações pertencentes ao serviço pascal, recolhidas por toda a Europa e publicadas por Carl Lange em 1887, provam o quanto o desenvolvimento da liturgia, no que diz respeito à representação dramática, foi universal no conjunto do Ocidente.

O diálogo do "*quem quaeritis*" entre o anjo e as Marias podia ser ouvido no Domingo de Páscoa em São Galo e em Viena, em Estrasburgo e em Praga, no monastério italiano de Sutri e em Pádua, na Catedral de Litchfield na Inglaterra, no mosteiro espanhol de Silos, em Linköping na Suécia e sob os arcos góticos da Catedral de Cracóvia.

A corrida dos apóstolos ao sepulcro, segundo se sabe, nos é transmitida pelos registros do monastério de São Marcial em Limoges, em Zurique e em São Galo, no monastério de São Floriano na Áustria, em Helmstedt, no norte da Alemanha, e também em Dublin. De Dublin, existe inclusive uma descrição de como os apóstolos deveriam estar paramentados: descalços, vestidos em "*albis sine paruris cum tunicis*", João usando uma túnica branca e carregando uma palma, e Pedro, uma vermelha, segurando as chaves do Paraíso.

A cena em si corresponde exatamente às regras estabelecidas nos manuais de pintura da igreja bizantina como guias para os pintores de ícones. O mais famoso deles, o livro do monge-pintor Dionysos do Monte Atos, fornece as seguintes instruções para a "corrida à tumba": "Pedro permanece inclinado dentro da tumba e toca o sudário. João está do lado de fora e assiste a tudo, atônito. Maria Madalena permanece ao seu lado, chorando". Essa é a descrição da cena teatral. Bizâncio codificou a representação, que o miniaturista do códice otoniano de Aachen havia antecipado cinco séculos antes (ver ilustrações página 190).

A questão da relação entre as artes visuais e o teatro na Idade Média é tão fascinante quanto controvertida. Desde que Emile Mâle propôs, em 1904, a audaciosa hipótese de que teria havido "uma renovação da arte por meio da representação dos mistérios", seguiu-se uma série ininterrupta de observações em parte concordantes e em parte discordantes. Estudiosos especialistas no período bizantino assentaram marcos confiáveis. Eles mostraram haver uma concordância comprovável entre a jovialidade narrativa dos testemunhos textuais e os registros pictóricos subsistentes, e levaram em consideração influências teatrais. Relações similares podem ser constatadas na Europa Central, como por exemplo no ciclo da Epifania de Lambach, no Saltério de Santo Albano de Hildesheim, ou no Evangelho de Uta de Regensburgo.

Qualquer suposta relação constitui uma tentativa de extrair do passado imagens que, apesar de todo o cuidado e preocupação na interpretação, podem ter sido pensadas de maneira bastante diferente daquela em que hoje a concebemos. Com essa ressalva, cabe invocar também para o teatro testemunhos pictóricos que não têm a ver com o teatro, mas que refletem o espírito de uma época em que elementos teatrais primitivos estavam presentes. Otto Paecht, que seguiu os rastos fascinantes das influências teatrais, sem no entanto prescindir do mais frio ceticismo, concluiu em 1962 que, na Idade Média, o que "estimulava a imaginação do artista em primeiro lugar não era a experiência visual", mas que "o impulso criativo primário parece ter vindo do mundo da fala", de acordo com uma frase atribuída por Plutarco a Simonides, de que a poesia é uma pintura falada, e a pintura, um poema silencioso.

Todas essas primitivas celebrações dramáticas da Páscoa respeitavam o tempo determinado na *Regularis Concordia*, ou seja, aconteciam durante as matinas no domingo de Páscoa, após o terceiro responsório. Posteriormente, esse horário para as representações dramáticas da liturgia foi mantido mesmo quando os autos da Paixão e os mistérios, cada vez mais numerosos, já haviam de há muito se emancipado da Igreja e transferiram-se para a praça do mercado e para as salas do teatro, sendo encenadas durante os meses do verão. No século XV, ensaiar o "*de vertoonigen van de opstanding des Heeren*" para o serviço matutino de Páscoa na Catedral de Utrecht era ainda uma das atribuições do supervisor da Escola Capitular de Utrecht. Na Catedral de Gerona, conforme nos informa um códice litúrgico do século XIV, a responsabilidade de representar o auto das três Marias cabia aos "jovens cônegos".

Para o serviço da Sexta-Feira Santa, o famoso lamento latino "*planctus ante nescia*" evoluiu já no início da Idade Média para o lamento de Maria, que foi mais tarde ampliado para um diálogo entre Maria e João. Esta é a primeira vez em que se pode perceber o próprio Cristo, embora apenas no recitativo e não realmente visível.

Um manuscrito de Zurique, do final do século XII, traz um diálogo profundamente tocante, apesar de sua brevidade. É um grito sufocado de pesar da mãe para seu filho, pregado na cruz por causa dos pecados dos homens: "Mater: *fili*! Christus: *Mater*! Mater: *deus es*! Christus: *sum*! Mater: *cur ita pendes*? Christus: *ne genus humanum tendat ad interitum*". Exatamente as mesmas palavras foram encontradas num candelabro instalado no mosteiro de Santo Emerão de Regensburgo em 1250, durante o conflito entre a facção papal e a dos Hohenstaufen. O bispo de Regensburgo o havia oferecido como expiação por um atentado contra a vida do Rei Conrado IV, um incidente pelo qual não se sentia inocente.

A extensão em que se operava a transformação do altar no Santo Sepulcro para a cerimônia da Páscoa era deixada a critério de cada monastério. A *Regularis Concordia* se contenta com um "*assimilatio sepulchri velamque*". Porém, já no século XII, estruturas tumulares especiais eram erguidas nas igrejas, numa tentativa de criar um cenário digno da celebração anual da Páscoa. Um dos exemplos mais belos é o Santo Sepulcro na Capela de São Maurício, na Catedral de Constança. Essa capela foi construída pelo bispo Conrado de Constança (934-975), e conta-se que nela "ele adornava o túmulo do Senhor com obras maravilhosas". Ele visitara a Palestina três vezes a fim de ver a "Jerusalém terrena". O atual Sagrado Sepulcro de Constança – que reproduz na forma o de Jerusalém – e suas interessantes esculturas datam de 1280. Ele estabelece uma ponte entre as Cruzadas e o cenário da cerimônia da Páscoa. Os Cruzados não apenas retornaram com um conhecimento pessoal do modelo de Jerusalém e com o desejo de reproduzi-lo o mais fielmente possível em sua terra natal; aqueles que eram afortunados o suficiente para regressar a salvo também tinham todas as razões para celebrar sua volta com generosos donativos.

Walbrun, preboste da Catedral de Eichstätt, regressou das Cruzadas em 1147 com uma lasca da Santa Cruz em sua bagagem, juntamente com as medidas exatas do Santo Sepulcro. Fundou um pequeno monastério fora da cidade e o ofereceu a um grupo de frades irlandeses e escoceses dados a peregrinações. Dedicou a igreja à "Santa Cruz e ao Santo Sepulcro" e, em 1160, construiu dentro dela uma cópia fiel em todos os aspectos à de Jerusalém. Hoje esse monumento romanesco está na Igreja dos Capuchinhos de Eichstätt. Exemplos similares são a cripta do Santo Sepulcro de Gemrode, nas montanhas Harz, o San Sepolcro em Bolonha, São Miguel em Fulda e Saint-Benigne em Dijon.

Todas essas cópias mais ou menos fiéis do Santo Sepulcro tornaram-se o centro espiritual e cênico da cerimônia da Páscoa. O texto do serviço era o mesmo em Jerusalém e no Ocidente. A Biblioteca do Vaticano possui um raro documento, "*Ordin ad usum Hierosolymitanum anni 1160*" (MS. Barberini lat. 659), que contém o texto de uma cerimônia dramática de Páscoa representada, em latim, em 1160 no Santo Sepulcro original, em Jerusalém. O texto corresponde literalmente aos *tropos* de Páscoa de Ripoll e Silos, aos textos das representações de Besançon, Châlons-sur-Marne e Fleury, e aos textos dramáticos litúrgicos, da Sicília à Escandinávia, da costa do Atlântico ao Vístula.

O século XIII foi também a Era da Cavalaria, dos cavaleiros, dos nobres e dos príncipes que se orgulhavam de oferecer sua patronagem especial à arte da cerimônia dramática. O papel do patrono das artes, agradável aos olhos de Deus, sempre continha a promessa de recompensa neste e no outro mundo. Assim Lipoldo, o *advocatus* (protetor) da Abadia de St. Moritz, em Hildesheim, doou à igreja local, em 1230, uma prebenda que pagaria anualmente os custos de uma representação dramática da *Assumptio Christi* na festa da Ascensão. Da mesma forma, em 1268, o Conde Heinrich der Bogener de Wildeshausen transferiu uma soma considerável ao Alexanderstift local, para ser usada "numa solene celebração do sepultamento de Nosso Senhor na Sexta-Feira Santa".

Por sua vez, o auto pascal de Muri, o mais antigo existente em alemão – e numa linguagem muito refinada, claramente moldada na poesia épica das cortes – parece sugerir um patrono principesco. Porém, esse auto provavelmente não foi representado na igreja. Eduard Hartl, responsável por uma nova edição do texto em 1937, sugere que em "um dos grandes castelos da Suíça, por volta de 1250, o auto deve ter sido montado sob a direção do capelão particular, um homem de educação cortesã, para a edificação cristã de seus moradores". A total omissão de hinos latinos, a ênfase reconhecível no sentimento de classe dos cavaleiros e a introdução de figuras de servos – tudo sugere um esforço para apresentar a história da Páscoa ao senhor do castelo e seus hóspedes num meio social adequado. Assim, do oratório eclesiástico saiu o primeiro drama falado nas terras do norte do Ocidente, e sua encenação se deve a um patrono nobre.

O Auto Pascal na Igreja

O século XIII trouxe consigo duas inovações de grande importância para o desenvolvimento do teatro ocidental. Cristo, que até então havia estado presente apenas como "símbolo", agora aparece em pessoa como parceiro que fala e atua, e a linguagem vernácula traz vida aos rígidos textos litúrgicos. A cerimônia dramática ampliou-se para representação adaptada livremente.

Agora, cenas retratando Pilatos e envolvendo os soldados da guarda precedem as da *Visitatio* e das três Marias comprando as fragrâncias. Os soldados romanos montando guarda no sepulcro agora discutem sobre seu soldo. A ressurreição, originalmente indicada simplesmente pelo salto assustado dos soldados, tem agora uma consequência, numa cena em que Pilatos acusa os homens de negligenciar suas responsabilidades. Uma viva linguagem gestual interrompe aqui a solenidade rígida da representação.

A introdução do papel de Jesus abre caminho para a representação dos acontecimentos posteriores à Páscoa: sua aparição a Maria Madalena como jardineiro ("*Noli me tangere*"), ao incrédulo Tomé, aos discípulos no caminho de Emaús (auto dos *Peregrinus*), ao grupo dos apóstolos em Jerusalém e, finalmente, como tema de infinitas possibilidades, a descida ao Inferno e a libertação de Adão e Eva do limbo, primeiro ato de salvação.

Com esse acréscimo de novas cenas, o espaço destinado à dramatização teve de ser proporcionalmente ampliado. Enquanto o encontro de Jesus e Maria Madalena ainda podia acontecer junto ao altar ou ao Santo Sepulcro, a viagem a Emaús exigia necessariamente um intervalo espacial. No auto de Páscoa do século XIII de St.-Bénoit-sur-Loire (Fleury), Emaús situa-se na parte ocidental da igreja, e a mesa da ceia, no centro da nave; Jerusalém fica no coro. A cena interior, em Emaús, é marcada por uma mesa com vinho, um pedaço de pão e três hóstias finas. Antes do início da cena da ceia, traz-se água para a lavagem das mãos.

Todos os espaços necessários à representação eram especificados no início e identificados por cenários e acessórios apropriados. A simultaneidade da ação e as áreas utilizadas determinaram o futuro palco de todo o teatro medieval – seja em forma de uma disposição espacial sobre uma superfície inteira reservada à representação, seja de uma justaposição ao longo de uma passarela estreita. Os espetáculos eclesiais desfilam os eventos bíblicos aos olhos do espectador com a mesma justaposição simultânea de um painel pintado. As duas grandes obras do pintor Hans Memling, *Os Sete Gozos de Maria* e *As Sete Dores de Maria*, com sua abundância de cenas a estender-

9. Ciclo espanhol da Paixão, cuja riqueza narrativa rivaliza com a das cenas dos autos da Paixão. Acima, o beijo de Judas e os soldados levando Jesus. Ao centro, o Gólgota com a crucifixão e os ladrões; abaixo, a descida da cruz; à esquerda, Judas enforca-se numa árvore. Página de miniatura, *Biblia Sacra* de Ávila, *c.* 1100 (Madri, Biblioteca Nacional).

-se largamente pela paisagem, surgiram de uma experiência idêntica à que originou a simultaneidade cênica do palco medieval.

Paraíso e Inferno, Getsêmani e Gólgota, Satã e os Bem-Aventurados são tão didaticamente confrontados no teatro quanto no sermão. O drama eclesial medieval sempre teve uma função pedagógica, mesmo quando passou a ser apresentado na praça do mercado e passou a preocupar-se com o conjunto dos cidadãos. A palavra latina *pulpitum* ainda abrange as divergentes formas de representação, pois pode significar tanto o púlpito quanto o tablado.

A descida de Cristo ao Inferno estabelece uma ponte entre a Redenção do Novo Testamento e a história da Criação no Velho Testamento. Para os iniciadores do drama na igreja ela trouxe um deslocamento efetivo do lugar da ação. Os atores caminham em procissão ao redor da igreja até o pórtico, que simboliza os portões do limbo. Cristo, representado por um clérigo escolhido, bate energicamente diversas vezes. Dentro, Satã, personificado por um diácono vestido para o papel, procura impedir a entrada do Redentor, mas por fim tem de abrir os "portões do Inferno" e libertar as pobres almas prisioneiras de Adão e Eva e dos Patriarcas. Nesse momento, o pórtico da igreja reassume o papel tão ricamente documentado nas decorações esculturais: o de encruzilhada onde se dá a separação entre o mundo do pecado e a salvação eterna. Agora, todos os que participaram da representação entram juntos na igreja, seguidos pela congregação.

Nenhuma outra concepção bíblica fascinou tanto os artistas medievais quanto a do Inferno, o contraste entre a danação e a salvação. Dramatizações teatrais competiram com a imaginação de escultores, pintores, entalhadores e gravadores. Em breve a simbolização do Inferno iria para bem mais além do simples batente do pórtico da igreja, convertendo-se nas mandíbulas abertas de uma fera, soltando fumaça e fogo – ou, interpretada literalmente como a própria boca aberta do Inferno, mostrando entre suas presas uma multidão de demônios horríveis e grotescos, que maltratam as pobres almas com tridentes e correntes de ferro.

O auto pascal do século XIII e XIV era ainda uma ação ritual modesta e imaginativa, conformada ao âmbito físico do cenário da igreja. Nos ciclos da Paixão dos séculos XV e XVI, entretanto, que frequentemente tinham a duração de vários dias, o Inferno assumiu um papel mais importante e provocativo, muitas vezes beirando a violência crua. Na retratação do Inferno, o teatro tentou superar a arte pictórica. O mundo pecador deveria contemplar plenamente o abismo do qual se aproximava. O poder do Inferno, que aguardava imperadores e reis da mesma forma que sacerdotes indignos, usurários, prostitutas, assassinos e alcoviteiras, era assim reconhecido. Uma vez que o auto do Juízo Final se desvinculara do cenário da igreja, foi necessário somente um passo a mais para chegar às sátiras seculares das corporações e para as representações profanas da Dança da Morte. De acordo com velhas crenças populares sobre as orgias noturnas dos mortos, no Banquete dos Mortos e na Dança dos Mortos, a Morte personificada força os vivos a segui-la em seu séquito, independentemente de idade, sexo ou condição social – tanto o papa quanto o velho mendigo, a respeitável burguesa quanto o devasso menestrel. A *Danza de Muerte* espanhola, a *Dance Macabre* francesa, as danças da Morte inglesas, eslavas e alemãs do século XV, com seu didático despertar de consciências, encontraram expressão efetiva na escultura e na pintura. Estranhamente, porém, tiveram pequeno impacto no teatro. (Hugo von Hofmannsthal adota este tema em seu drama lírico *Der Tor und der Tod* – O Louco e a Morte).

Enquanto os espetáculos religiosos primitivos eram escritos e organizados exclusivamente pelo clero regular e secular, mais tarde os professores das escolas de latim encarregaram-se dessas montagens, dirigindo seus alunos nas representações da Páscoa, Pentecostes e do Natal. O período de transição produziu manuscritos em latim comovedoramente imperfeito, que ainda assim tentava sobreviver como um vestígio erudito, ao lado de passagens vernáculas. Do século XIV em diante, por fim, os *wandering scholars*, eruditos errantes, conseguem colaborar nos dramas religiosos – e quem poderia proibi-los de inserir, ocasionalmente, uma palavra em causa própria? No auto pascal de Innsbruck, o apóstolo João, enquanto cede a Pedro a precedência na entrada do Santo Sepulcro, recita uma espécie de epílogo, em que a quintessência do tema da peça combina-se com um pedido aos espectadores para que pensem nos "pobres eruditos" e demonstrem sua gratidão, oferecendo-lhes uma boa refeição:

Ouch hatte ich mich vorgessen:
dy armen schuler haben nicht czu essen!
wer yn gebit ire braten,
den wil got hute und ummirmehr beraten,
wer yn gebit ire vladen,
den wil got in daz hymmelriche laden.

[Além do mais, eu havia me esquecido:
os pobres eruditos não têm nada para comer!
Se lhes oferecerdes um pouco do vosso assado,
Deus vos protegerá e guiará sempre;
Se lhes oferecerdes um pouco de pão,
Deus vos levará para o Céu.]

A perspectiva de ganhar um lugar no Paraíso, graças a um pedaço de carne assada e uma fatia de pão, deve ter feito o público considerar que valia a pena oferecer uma refeição aos padres e eruditos.

Até o século XV, os papéis femininos, mesmo na lamentação de Maria aos pés da cruz, eram desempenhados por clérigos e eruditos. Na Idade Média, da mesma forma que na Antiguidade, no antigo Oriente Próximo e no teatro do Extremo Oriente, a plateia não via nenhuma incongruência na interpretação de um papel feminino por um ator. Parece que até em conventos de freiras os clérigos faziam os papéis femininos. No auto pascal de Praga, montado no convento das freiras de S. Jorge, apenas a cantora (*cantrix*) é especificada como uma participante do sexo feminino, que representa o coro dos apóstolos. Pedro e João são descritos como *duo presbyteri*. O texto não esclarece se os papéis das três Marias são desempenhados por freiras. A abadessa tinha o privilégio de beijar o livro de orações no início e no final do *Te Deum*.

Um entalhe em marfim, remanescente de Ganderscheim, o convento da dramaturga Hrotsvitha, pode talvez ser mais bem interpretado em termos do auto pascal de Praga. Representa uma Anunciação. Maria é retratada como uma canonisa da época de Hrotsvitha, no coro da igreja do convento de Ganderscheim. Essa pequena preciosidade entalhada data da segunda metade do século X. A questão é se ela é ou não baseada numa representação dramática. Se é, antecipa em alto grau desenvolvimentos posteriores. Poderia também ajudar a iluminar o "crepúsculo teatral" que envolve a criativa e prolífica escritora Hrotsvitha, cujos dramas em latim, escritos à maneira de Terêncio, são alternadamente considerados muito importantes ou totalmente insignificantes para a história do teatro. Pode ser também que o marfim de Ganderscheim não signifique mais do que a intenção do artista de prestar homenagem especial a suas protetoras, mostrando Maria vestida como uma venerável canonisa.

Embora a corrente do teatro medieval possa, de modo geral, parecer uniforme no que diz respeito a suas raízes, suas aspirações, possibilidades de representação e sobretudo em suas origens na fé cristã, ele se divide em múltiplas correntes no delta de seu desenvolvimento posterior. Tornou-se incrivelmente mais natural, graças ao uso não apenas de diferentes línguas vernáculas, mas também de diferentes figurinos e acessórios cênicos. Na cena do *Noli me tangere*, Cristo é um jardineiro com um grande chapéu e uma pá, como que para tornar bastante claro aos espectadores por que Maria Madalena não poderia reconhecer o Senhor ressurrecto "*in specie horlulani*". Além disso, Jesus se dirige a ela com palavras ásperas, críticas:

Ist daz guter frawen recht,
daz sy umlauffen alz dy knecht
so fro yn desem Garten?
wez hastu hy czu warten?

[É correto que uma mulher decente
perambule com o coração leve
nesse jardim como os servos?
A quem estais esperando?]

Maria Madalena tinha toda a razão de perguntar-lhe, espantada: "Por que gritais comigo?" Ela informa ao rude jardineiro que está procurando pelo "santo homem" e pergunta se este pode informar-lhe algo sobre ele. Mais tarde, no auto pascal de Innsbruck (e no de Erlau, bem mais grosseiro, mas para o qual muitos paralelismos textuais apontam), o reconhecimento culmina no velho *planctus* latino, *Dolor Crescit*. O monólogo de Maria Madalena cobre o tempo que o intérprete do Cristo necessita para trocar de roupa.

Na viagem a Emaús, Jesus usa um capuz de feltro, um bornal de peregrino e um bastão. A peças, na verdade, o mostra como o mesmo *Peregrinus* que apareceu já no século XII nos vitrais de Chartres, no Saltério inglês de St. Albans e num baixo-relevo do mosteiro espanhol de Silos. O mesmo motivo é adornado com muitos detalhes em pinturas em painéis.

O aspecto timidamente grotesco que ocorrera pela primeira vez no "*Currebant duo simul*" da "corrida ao sepulcro" desenvolve-se numa paródia carinhosa dos anciãos, na qual Pedro é dado à garrafa e se fortifica com um bom gole antes de vir a perceber o milagre da Ressurreição. Anteriormente ainda, no século X, os menestréis faziam troça benévola com a figura do velho de barbas brancas, que tinha características demasiado humanas – mesmo sendo a legendária "pedra sobre a qual eu construirei minha Igreja". Deram-lhe o papel de cozinheiro no banquete dos bem-aventurados, discutindo até que ponto essa atribuição era compatível com sua função de porteiro do Paraíso, o que abriu caminho para o tratamento afetuoso e humorístico dos santos, que mais tarde se refletiria em inúmeras formas, tanto no teatro quanto nas artes visuais.

Os menestréis têm sua vez, e o mimo também, quando se exige que o *Mercator* e o vendedor de unguentos sejam carecas. O *mimus calvus* da Antiguidade se introduzira no drama religioso, arrastando consigo toda a sua parentela – mascarados, malabaristas e bobos. Um afresco da Igreja de Fyn, na Dinamarca, mostra um bobo com chapéu de guizos à frente da procissão em que Cristo carrega a cruz. Nos afrescos na Igreja de São Jorge em Staro Nagoricino, na Iugoslávia, mimos e menestréis participam de uma dança tumultuosa e blasfemam aos pés da cruz. Dois deles usam um traje com as características mangas longas e largas, que lhes cobrem as mãos, e que desempenham papel importante na linguagem gestual de tantas civilizações – sublinhando expressão da dor e parodiando-a. No bom ou no mau sentido, foram elas, durante muito tempo, o símbolo da condição do ator na China, no antigo Oriente e em Bizâncio.

Em meio a toda a sua heterogeneidade, o público do teatro medieval deve ter apresentado reações de uniformidade dificilmente recorrentes no mundo ocidental. Na França, Espanha, Itália e nos países de língua alemã, como também nos países escandinavos e eslavos, os organizadores de espetáculos encontraram uma resposta que, se não encorajava seus esforços, pelo menos não os desencorajava.

Os aspectos organizacionais do teatro medieval desenvolveram-se sobre o mesmo plano que sua superestrutura teológica e didática. Embora o clero haja perdido o controle sobre as cada vez mais numerosas representações profanas, os flagelantes e as corporações religiosas tinham ambições similares.

Na Itália, a *Confraternità dei Batutti* em Treviso, desde 1261, e a *Confraternità del Gonfalone*, fundada em Roma em 1264, produziram, em esplêndidas encenações, a forma tipicamente italiana de espetáculo religioso, a *sacra rappresentazione*. Santos locais e nacionais eram postos a serviço da propaganda teatral religiosa. As confrarias de atores, como iniciadoras das representações dialogadas chamadas *laudes dramaticae*, gravavam orgulhosamente em seus escudos a designação *ioculatores Domini* ("menestréis do Senhor").

No âmbito da língua francesa, as representações religiosas eram de responsabilidade das *Confréries de la Passion* (Irmandades da Paixão), fundadas especialmente para esse propósito. Essas irmandades existiam em Limoges (cenário das mais antigas celebrações pascais), Rouen, Nantes, Amiens, Arras, Angers, Bourges, Valenciennes e, naturalmente, em Paris. A *Confrérie de la Passion* de Paris era famosa por volta de 1400, e, em 1402, superou todas as companhias teatrais europeias similares: a ela foi dado o monopólio absoluto em Paris, conservado até o século XVI. O clero não apenas empreendia e montava os espetáculos, mas participava deles, escrevia o roteiro ou, em alguns casos especiais, os financiava.

O estoque de acessórios e figurinos, cuidadosamente guardado durante duzentos anos pelas igrejas e monastérios, de uma temporada teatral a outra, passava agora às mãos dos burgueses e artesãos, pois, a partir do momento em que os grêmios e corporações se encarregaram do financiamento dos espetáculos, reclamaram também o direito de organizá-los

10. Boca do Inferno com Adão, Eva e os Patriarcas. Face lateral de um cadeiral do coro de Valenciennes, século XIV.

11. Juízo Final com a Boca do Inferno. Parte do tímpano sobre o portal sul da Catedral de Ulm, *c.* 1360-70.

12. Boca do Inferno de uma peça mitológica barroca, apresentada num carro alegórico do Préstito dos Deuses em Dresden, 1695, com a participação da corte. Esboço para uma gravação em cobre (Dresden, Kupferstichkabinett).

a seu modo, de distribuir os gastos e escolher o elenco. O caminho da celebração litúrgica ao espetáculo teatral, que a Igreja havia encetado e incentivado, fundia-se agora com o da ascendente população urbana europeia, que, nos séculos seguintes, determinaria o curso da história e, dessa forma, também o aspecto do teatro ocidental.

A Separação da Igreja: a Peça de Lendas

Os textos dos Evangelhos foram realmente uma importante fonte de material para as dramatizações religiosas, mas não a única. A "irrupção do mundo" manifestou-se não apenas num estilo mais realista de representação, mas nos figurinos e no surgimento de elementos farsescos e grotescos dentro da dramatização na igreja, revelando-se também em referências tópicas e na crítica de acontecimentos contemporâneos, que se tornaram um elemento do teatro europeu no século XII.

As Cruzadas eram a principal preocupação da época. A ideia de Jerusalém e as noções correntes a respeito do milênio, que influenciavam grandemente a política da Igreja, também inspiraram um dos mais magníficos textos do século XII conservados – o *Antichristo* de Tegernsee. Seu autor é desconhecido, embora se suponha que ele tenha sido um membro do monastério de Tegernsee, na Bavária, fiel ao imperador. Na época, essa pitoresca abadia beneditina vivia um período de grande florescimento cultural. A reputação de seus escribas e miniaturistas comparava-se à influência política de seus abades. No *Antichristo* de 1160, proclamavam sua lealdade ao imperador.

De acordo com fontes conservadas, o *Ludus de Antichristo*, era representado por clérigos. Seu texto é escrito em latim e, apesar de suas preocupações claramente políticas, preserva inteiramente o caráter oratório da representação eclesiástica.

O modelo literário do *Ludus* de Tegernsee é o *Libellus de Antichristo*, escrito no século X pelo abade lotaríngio Adso de Toul, o qual, por sua vez, se apoia numa noção que remonta aos primeiros tempos do cristianismo, de que, logo após a Segunda Vinda de Cristo, um falso Messias enviado por Satã surgiria e reuniria todos os poderes do mal no mundo para lutar contra a Igreja Cristã; no final, porém, seria vencido pelo verdadeiro Messias.

No texto da peça de Tegernsee, as cenas que mostram os acontecimentos diretamente ligados ao Anticristo são precedidas por cenas que tratam do declínio do império romano e do triunfo do império germânico. O *Rex Teutonicus* subjuga todos os reis do Ocidente. Os governantes da Grécia e da França e, no final, o *Rex Babiloniae*, príncipe dos pagãos, são derrotados na batalha. Então, o imperador germânico deposita sua insígnia imperial diante do altar, no Templo de Jerusalém. Coroa e cetro abrem caminho para um poder ainda maior. A peça reflete o apogeu do espírito das Cruzadas na época de Barbarossa. Sugere-se que tenha sido escrita em conexão com a Dieta de Mainz em 1184, quando Barbarossa se recusou a ocupar o trono, dizendo que este pertencia somente a Cristo.

Isso invalidaria a data de 1160. Por outro lado, Gerhoh de Reichersberg refere-se claramente ao *Ludus de Antichristo* de Tegernsee em 1162.

À primeira parte do texto, altamente patriótica e tópica, segue-se o verdadeiro auto do Anticristo. Logo que o imperador germânico deposita sua coroa e cetro, o falso Messias aparece. Apoiado pela Hipocrisia e pela Heresia, toma o poder, em parte por meio do terror e em parte por meio de subornos. O *Rex Teutonicus* resiste, mas até mesmo ele é finalmente convencido por falsas curas milagrosas. A *Synagoga* também se submete ao Anticristo.

Quando o Anticristo, porém, torna-se suficientemente audacioso, no auge de seu poder, para se atrever a anunciar "*pax et securitas*", Deus o fulmina com um raio. A *Ecclesia* recupera as honras que lhe são devidas. À frente de todos os participantes, que incluem até mesmo os Profetas, ela entra pelas portas abertas da igreja ao som dos sinos e do canto comunitário do *Te Deum*.

Não se conservou nenhum plano de cenário do Tegernsee, mas presume-se que a peça era representada no espaço aberto e meio ovalado na parte ocidental da abadia, perto do lago. Seu ponto culminante – o lugar onde ficava o

13. O Anticristo, seduzindo os Três Reis com presentes. Miniatura do *Hortus Deliciarium* de Herrad de Landsberg, século XII.

altar, flanqueado pela *Ecclesia* e pela *Synagoga* – era o portal da igreja, uma disposição lógica correspondente ao conteúdo religioso do auto. Assim, se a ala norte fosse ocupada pela *loca* dos reis ocidentais e a ala sul pelo pódio do rei da Babilônia, todo o centro permanecia livre como um espaço neutro de atuação, para ser usado e interpretado conforme se exigisse. Poderia ser o mar Mediterrâneo, a ser cruzado na jornada à Terra Prometida, ou poderia ser um campo de combate onde os adversários cruzassem suas espadas. A representação de batalhas era um ingrediente popular das peças medievais, que os atores de Tegernsee certamente não negligenciaram.

Uma montagem do auto do *Antichristo*, feita na Alemanha por estudantes do Delphische Institut de Mainz, em 1954, diante do portal da ala norte da Catedral de Eichstätt, demonstrou a atemporalidade de sua força artística e dramática. Como *loca* de cada atuante foram usadas pequenas plataformas de madeira sem nenhum adorno. O único acessório cênico era um altar de madeira com a cruz. Os atores eram identificados pelos figurinos, barbas, coroa e espada. Tudo o mais era deixado a cargo do texto e da arte declamatória dos intérpretes. No final da peça, quando *Ecclesia* sai de cena, desaparecendo dentro da catedral à frente do elenco que se retira, o público permaneceu imóvel durante vários minutos.

Os temas do *Antichristo* de Tegernsee foram retomados por vários sucessores, desde as cenas de batalha do auto dos Profetas "*in media Riga*" (1204), que tanto assustou os pagãos chamados à conversão, fazendo com que fugissem, até o auto suíço de Carnaval, *Entkrist* (1445). Passagens inteiras do diálogo foram incorporadas à peça de Natal da abadia beneditina de Beuren – mais uma prova da estima que mesmo a posteridade imediata tinha pelo valor literário e pela eficiência teatral do *Ludus de Antichristo*. Na época da Reforma, a figura do Anticristo ainda fornecia aos protestantes uma imagem útil em sua luta contra o papado. O inflamado polemista anti-Roma e luterano Naogeorgus, aliás Thomas Kirchmayer de Straubing, declarou em seu drama *Pammachius* (1538) que o Anticristo não era outro senão o próprio papa. Naogeorgus dedicou sua peça ao arcebispo Cranmer de Cambridge – onde foi encenada em 1545 por estudantes no Christ's College – ofendendo bastante o bispo Gardiner, Chanceler da Universidade, o que resultou numa correspondência que chegou até nós.

O público dos séculos XIII e XIV era, por enquanto, mais prontamente impressionável pela luta de espadas do que pela sutileza dos argumentos. As guerras religiosas no próprio país por sorte ainda pertenciam a um futuro distante. Quanto mais a habilidade na esgrima dos heróis seculares se convertia no ponto culminante das representações – como, por exemplo, em 1208 e 1224, no *Ludus cum Gigantibus*, em Pádua – mais o efeito das cenas de torneio ia encobrindo o conteúdo religioso da peça. Temas de danças de espadas rituais, hábitos camponeses e lendas da Cavalaria se mesclavam entre si. No auto de Pentecostes de Magdeburgo, *Rolandsreiten*, ou na *Távola Redonda* de 1235, a tradição pagã é mais forte e evidente que o matiz cristão. Mas os cavaleiros e menestréis tinham uma importante função nos espetáculos encenados fora das igrejas, no século XIII: proporcionavam colorido à fábula e à representação. Davam à linguagem a sua marca e eram vistos – ou viam a si próprios – tanto no espelho da exaltação quanto no da paródia. Os *Carmina Burana*, escritos na abadia beneditina de Beuren, por volta de 1230, são um dos mais conhecidos testemunhos não adulterados do prazer sensual medieval. Algumas dessas canções de letrados errantes, os goliardos, devem tanto à arte poética de Ovídio e Catulo quanto ao gosto desses poetas pelo amor e pelo vinho. Os poemas políticos e religiosos mostram aquela atitude irônica diante da autoridade que, sem dúvida, se expressava mesmo na Idade Média, de forma mais frequente e forte do que se aceita normalmente. Os elementos rítmicos e teatrais em algumas dessas canções latinas inspiraram as obras para coral de Carl Orff, *Carmina Burana* (1937) e *Catulli Carmina* (1943).

Jean Bodel, um cruzado, funcionário público da cidade de Arras, membro da *Confrèrie des Jongleurs*, e autor de um auto de São Nicolau (por volta de 1200), oferece uma imagem viva e colorida dos cavaleiros, cidadãos e camponeses de sua época. Um contemporâneo mais velho de Bodel, o erudito errante inglês Hilário, que viera à França em 1125, também devotara um auto de milagre a São Nicolau. *Le Jeu de Saint-Nicolas* (O Auto de São Nicolau) de Jean Bodel é construído em torno dos feitos piedosos do santo. Ele ajudou um rei pagão a recuperar seus tesouros e dessa forma salvou uma vida cristã. Para Jean Bodel, porém, a lenda é meramente a moldura para as alegres cenas do seu gênero – a batalha dos Cruzados contra os pagãos no Oriente Próximo e *la vie joyeuse* ("a vida alegre") na taverna e no bordel, em versos que antecipam o sabor do *argot* francês.

As representações de lendas, alegorias e milagres muito cedo deixaram o interior das igrejas. Pretenderam e alcançaram efeitos que necessitavam de uma área não restrita que permitisse fazer soar o fragor da batalha e – como no caso de Jean Bodel – o estrépito das gargalhadas. Quando os espectadores que assistiam ao auto dos Profetas de Riga fugiram tomados de terror, o cronista pôde desculpar o fato atribuindo-o à sua "ignorância". Mas quando Frederico o Temerário, margrave da Turíngia, voltou as costas com desprezo a um auto sobre as Virgens Prudentes e as Virgens Insensatas, representado em Eisenadi, o conjunto da catequese cristã da salvação viu-se abalada.

"O que é a fé cristã, se o pecador não recebe misericórdia pela intercessão da Virgem e dos Santos?", exclamou o margrave, consternado, e foi-se embora, deixando atrás de si cortesãos desconcertados, uma plateia perplexa e uma não menos perplexa classe de estudantes ginasianos, para não falar de seu professor, que havia envidado o melhor de seus esforços para apoiar com sua peça uma indulgência concedida pela Igreja. A súbita revolta do margrave demonstra a profundidade da impressão que o teatro medieval podia causar com seus temas e representação, ainda que seu nível artístico não fosse muito superior ao de grupos amadores cheios de boa vontade. A lenda conta que,

14. Banquete do arcebispo Balduino de Trier. Miniatura renana, século XIV.

15. As Virgens Sábias e as Virgens Tolas. Pintura mural no coro da capela do castelo, Hocheppan, sul do Tirol, século XII.

16. Cena da legenda de Teófilo, o Fausto medieval que faz um pacto com o demônio. Miniatura do *Liber Matutinalis* de Conrad von Scheyern, começo do século XIII (Munique, Staatsbibliothek).

17. Cena *peregrini*: Cristo com embornal de peregrino e os apóstolos na estrada para Emaús, miniatura do salteiro inglês de Santo Albano, século XII (Hildesheim, Alemanha).

após o choque da alegoria sem perdão, o margrave Frederick sofreu um colapso e morreu dois anos mais tarde. A alegoria das Virgens Prudentes e das Virgens Insensatas – retratada pelos artistas dos manuscritos medievais antigos, do *Codex Rossa-nensis*, do *Genesis* de Viena e nos portais das igrejas de Estrasburgo, Magdeburgo, Trier e Nuremberg – trouxe à tona uma impressão inteiramente nova e surpreendente no teatro.

Não apenas os grandes mistérios e os autos do Juízo Final, mas todas as representações de lendas e milagres por todo o Ocidente aproveitaram fortemente o contraste entre a danação e a redenção. O mundanismo, a ambição, o orgulho e atividades profanas são confrontadas com a danação eterna, como também com a redenção que aguarda o pecador arrependido. Mas o demônio, o tentador, que é a mais frequente personificação do mal no teatro medieval, deve ser enganado no final.

Assim Teófilo, que se vende ao demônio por amor aos bens terrenos, obtém a graça divina por intercessão de Maria. *Le Miracle de Théophile* (O Milagre de Teófilo), escrito pelo *trouvère* parisiense Rutebeuf, antecipa, sob a roupagem da lenda cristã, a quintessência do *Fausto*, de Goethe: "O eterno feminino nos conduz às alturas".

Spiel von Frau Jutten (O Auto da Senhora Jutta) termina com a mesma solução de perdão. Essa peça, escrita por volta de 1480 pelo sacerdote Dietrich Schernberg de Mühlhausen, na Turíngia, é baseada na lenda da "Papisa Joana", uma mulher que supostamente subiu ao trono papal em 855 como João VIII. Disfarçada com roupas masculinas, Joana vai estudar com os grandes eruditos em Paris, juntamente com seu amante Cléricus. Mais tarde, no meio de uma procissão papal, a Morte se aproxima dela e a ataca. Logo em seguida, ela dá à luz uma criança e é desmascarada – não mais o Papa João, mas a "Papisa Joana" – agora como Frau Jutta, em vergonha e desonra. Ela morre, e os demônios levam sua alma para o Inferno. Frau Jutta ora a São Nicolau para que interceda por ela, e Deus envia São Miguel para trazer a pecadora arrependida ao Paraíso. A cena dos demônios, santos e arcanjos, representando simbolicamente a doutrina cristã da redenção, é vivificada pela riqueza imagética da linguagem.

Nesses dois últimos exemplos, encontramos os primórdios da personagem e da ação dramática. Tanto Teófilo quanto Frau Jutta têm a oportunidade de uma decisão livre e individual – e tanto um quanto a outra não se arrependem até ficar face a face com a danação eterna. Dessa forma, presenteiam o teatro com a esplêndida oportunidade de dispor do vistoso aparato do Inferno e dos demônios, para não falar dos alados mensageiros angélicos, de Deus-Pai em toda a Sua glória, dos santos de barbas brancas e das pobres almas no mais profundo desalento.

A primeira peça de teatro no teatro ocorre no auto de milagre holandês *Marieken von Nieumeghen* (Marieken de Nieumeghen), escrito entre 1485 e 1510 por um autor anônimo. A heroína, tão bela quanto apreciadora dos prazeres da vida, vende sua alma ao demônio por sete anos. A apresentação de uma peça religiosa – num palco à parte, montado numa carroça – é o que faz com que se arrependa. Ela pede ao papa que a perdoe de seus pecados e, num paralelismo medieval com a mima da Antiguidade, Pelágia, termina sua vida num convento em Maastricht.

Estações, Procissões e Teatro em Carros

Sem dúvida, o auto holandês *Marieken von Nieumeghen*, como tantos outros desse período, foi encenado num espaço ao ar livre na cidade; porém, o estratagema da peça dentro da peça pressupõe uma outra forma de encenação tipicamente medieval, ou seja, o palco montado numa carroça ou o carro-palco, comum em procissões na Espanha, Itália, Inglaterra, Alemanha, Tirol e Países Baixos.

As origens do carro-palco remontam a 1264, quando o papa Urbano IV instituiu a festa de Corpus Christi, que foi depois celebrada com procissões solenes por toda a Europa ocidental. A peça frequentemente derivava da procissão teatralmente plasmada. Além de sua origem no ensejo religioso cerimonial, a peça de teatro possui também raízes seculares nos torneios e nos cortejos de rua, que se organizavam em homenagem aos soberanos e que foram os precursores dos grandes *trionfi* alegóricos da Renascença.

18. Grande procissão em Estrasburgo (a mais antiga representação gráfica da Catedral). Xilogravura do *Geschichte Peter Hagenbachs*, de Conradus Pfettisheim, Estrasburgo, 1477.

O desenvolvimento do palco processional e do palco sobre carros deu-se de maneira independente da literatura dramática. Sua natureza móvel oferecia duas possibilidades: os espectadores podiam movimentar-se de um local de ação para outro, assistindo à sequência das cenas à medida que alteravam a própria posição; ou então as próprias cenas, montadas em cenários sobre os carros, eram levadas pelas ruas e representadas em estações predeterminadas.

Na Espanha, o cerimonial da procissão de Corpus Christi se transformou no *auto sacramental* e na *fiesta del Corpus*, duas ocasiões para a demonstração de fervor religioso. É revelador da aguda violência da luta religiosa, primeiro contra a infiltração do Islã e mais tarde contra a Reforma, o fato de que o auto sacramental tenha encontrado a sua contraparte no *auto de fé*, o espetáculo da execução dos heréticos sob a Inquisição.

As cenas eram apresentadas na famosa *roca*, carregada em procissão de uma estação a outra. Nos arquivos da Catedral de Sevilha, ela é descrita como uma plataforma transportada por doze homens e sobre a qual o cenário era organizado como um *tableau*. Quando a procissão chegava ao local apropriado, o *tableau* ganhava vida com a representação teatral. Nos dois lados dos Pireneus, conforme os cenários se tornavam mais elaborados e o elenco maior, o pequeno tablado da representação processional passou a ser construído sobre um carro. A ideia do carro-palco espanhol sobrevive até hoje, na expressão *fiesta de los carros*.

Originalmente as representações eram estritamente associadas à celebrações de Corpus Christi, com a simples recitação de textos razoavelmente curtos, relacionados ao mistério do Sacramento; logo, porém, esse tablado móvel para as representações passou a ser utilizado em vários países e também na celebração de outras festividades. Os monges dominicanos de Milão adaptaram, em 1336, a forma processional de carros-palco num auto sobre os Reis Magos. A cidade de Florença utilizou, em 1439 e 1454, nas festividades em homenagem a São João Batista, vinte e dois cenários, que foram transportados pela cidade em plataformas móveis (*edifizi*) – um antegosto dos suntuosos cortejos teatrais que iriam ser vistos mais tarde, sob os príncipes Medici.

Conforme testemunham os registros, nos Países Baixos, especialmente em Flandres, o *Wagenspiel* religioso foi apresentado em 1450 e 1483. Os *Gesellen von de Spele*, associações teatrais de artesãos em Bruxelas e Bruges, aconselhavam suas plateias, das plataformas de seus palcos móveis em miniatura, a atentar para sua consciência e examinar seus modos de vida. Na pequena cidade de Nymwegen, seu "bem intencionado epigrama" abriu caminho até o coração da Marieken da peça teatral, fazendo com que ela se arrependesse. No dia de Corpus Christi, um carro-palco entrava na praça do mercado, onde se representava um julgamento no qual a Virgem Maria intercedia pela humanidade pecadora e arrancava do demônio as pobres almas que haviam caído em seu poder. A peça dentro da peça em *Marieken von Nieumeghen* termina com um piedoso desejo: "Que isto vos conduza ao Paraíso".

A principal característica de todas essas peças era fazer parte de uma procissão – quer fossem dedicadas aos Profetas, como em Innsbruck, em 1391, ou à Paixão, como em

19. *Marieken von Nieumeghen*. De uma edição de xilogravuras, *C.* 1518.

20. A Roda da Fortuna e recepção dos arcebispos pelo imperador Carlos V em Bruxelas, 1515.

Bolzano e Freiburg im Bresgau, quer ainda abrangessem desde a Criação ao Juízo Final, como em Künzelsau, em 1479. Essas procissões provocavam um impacto no público, mesmo que se desenrolassem como um simples espetáculo silencioso. A descrição de Dürer, da grande procissão que testemunhou em Antuérpia, em 19 de agosto de 1520 – "quando toda a cidade estava reunida, todos os artífices e mercadores, em seus melhores trajes de acordo com suas posições" – deixa aberta a questão de se os "carros" e a "peça" eram simplesmente levados de um lado para outro ou se constituíam também ocasião para representações dramáticas. Dürer relata no diário de sua viagem aos Países Baixos:

> Vinte pessoas carregavam a Virgem Maria com o Nosso Senhor Jesus, na mais suntuosa elegância em honra de Deus. E nessa procissão houve muitas coisas agradáveis, e esplendidamente concebidas. Dela participavam muitos carros, representavam-se obras sobre barcos e outros baluartes. Entre eles ia a hoste dos Profetas em ordem cronológica, e, depois dela, o Novo Testamento, como por exemplo na saudação do Anjo, e os Três Reis Magos cavalgando grandes camelos e outros estranhos e miraculosos animais profusamente adornados, e também a fuga de Nossa Senhora para o Egito, em atitude muito devota; e muitas outras coisas aqui omitidas por falta de espaço. No final de tudo, vinha um grande dragão, conduzido por Santa Margarida e suas donzelas por uma rédea particularmente vistosa. A ela seguia-se São Jorge com seus cavaleiros, um couraceiro muito formoso. E em meio a essa multidão cavalgavam também meninos e meninas, vestidos da maneira mais graciosa e esplêndida, de acordo com vários costumes da região, no lugar dos diversos santos. Essa procissão, antes de ter passado completamente diante de nossa casa, demorou mais de duas horas, do início ao fim.

Na Inglaterra surgiu um estilo específico de palco processional e de carro-palco. As celebrações de Corpus Christi, que se desenvolveram de 1311 em diante com uma cenografia cada vez mais rica, encontraram um contraponto formal nas estações dos ciclos de mistérios. Enquanto os cenários múltiplos se tornavam comuns em toda parte, no palco ao ar livre das regiões alemãs e no palco-plataforma da França, os diretores ingleses trabalhavam no interior do estreito cenário do carro-palco – o qual, entretanto, não era tão reduzido quanto até agora se considerava. Diferentemente das personagens do teatro posterior, as do teatro de cortejo não ficavam "aprisionadas em seu camarim", como aponta Glynne Wickham, seu palco era o mundo.

O termo *pageant*, em geral associado ao carro-palco inglês, originalmente se referia aos locais preparados nas várias partes da cidade para os festivais ou para as representações festivas. Tanto um evento profano quanto uma festividade religiosa podiam ser motivo de tais representações. A alegoria que John Lydgate compôs para acolher o jovem rei Henrique VI em Londres foi apresentada em seis cortejos separados, em pontos significativos da cidade. Isso aconteceu em 1432, um exemplo prematuro dos *trionfi* da Renascença.

O primeiro cortejo esperava o jovem soberano no portão da margem sul da Ponte de Londres. Ali, ele foi informado, em palavras bem escolhidas, do que a cidade esperava de seu novo rei e *Cristis champioun*. Os cortejos subsequentes recordavam-no da lealdade adequada a seu alto cargo. Na torre da ponte levadiça, magnificamente guarnecida de seda, veludo e brocado dourado, as figuras alegóricas da Fortuna, Natureza e Graça representavam os atributos necessários a um rei glorioso. Sete donzelas corporificavam os dons do Espírito Santo e outras sete os dons terrenos que lhe seriam concedidos. Em *Cornhill*, a procissão encontrou a Dama Sabedoria, acompanhada por Aristóteles, Euclides e Boécio. Na sexta e última estação do cortejo, no Conduto de Cornhill, a Clemência convocava Davi e Salomão como testemunhas da autoridade adequadamente aplicada:

> *Honour off kyngys, in every mannys siht,*
> *Of comyn custum lovith equyte and riht.*
>
> ["A honra dos reis, segundo a visão do senso comum,
> está em amar a equidade e o direito."]

O conjunto era mais um panegírico inteligentemente orientado do que um acontecimento teatral e, na verdade, Lydgate o havia planejado assim; porém, isso demonstra como o princípio da procissão foi variadamente aplicado, desde o começo. Serviam tanto a fins profanos quanto religiosos. A estrutura externa da representação em estações podia ser preenchida tanto por alegorias que homenageassem alguém como por um *auto sacramental*. Podia servir para a glorificação da Virgem Maria ou do deus egípcio Osíris. Mais do que toda a sua dependência do tempo, o teatro mostra que é atemporal, pela consistência com a qual preserva seus modelos básicos ao longo dos milênios e latitudes.

A Paixão no Palco Simultâneo em Espaço Aberto

À medida que a língua vulgar foi se estendendo, até mesmo o auto pascal rompeu sua estreita ligação com a liturgia. A solenidade dos eventos atemporais abriu caminho para a multiplicidade do presente e a linguagem corrente, trajes e gestos espalharam seu colorido pela história bíblica.

Quando a Igreja abriu suas portas e deixou o drama escapar para a confusão e a animação da cidade, o fato significou mais do que um simples aumento de espaço. A próspera população da cidade apoderou-se com dedicado fervor do drama, esta nova forma de autoexpressão agradável a Deus e que crescia de forma cada vez mais exuberante. Patrícios, burgueses e artesãos tinham a liberdade de apresentar as verdades da fé de acordo com sua própria interpretação da vida. Uma das paredes da nave da Catedral de Limburgo exibia uma tentadora loira, simbolizando a Luxúria; os orgulhosos cidadãos locais, num de seus dramas ao ar livre, transformaram Maria Madalena numa linda cortesã, a quem era permitido levar a mais alegre das vidas mundanas, cantar uma toada profana claramente inspirada em poemas da corte, sentar-se à mesa com José para uma partida de xadrez e tocar alaúde. Depois disso, a mesma Maria Madalena cantava uma das mais tocantes sequências pascais, a *Victimae Paschali*. Os contrastes não entravam em conflito, mas intensificavam-se um ao outro. Formas sofisticadas de expressão podiam ser seguidas das mais rudes vulgaridades, passagens de poética ternura, de sequências completas de obscenidades. Lavradores, servos e demônios competiam entre si na invenção de tesouros de blasfêmias e invectivas.

"Isso vem mostrar", escreveu reprovadoramente o dominicano Franz von Retz, de Viena, por volta de 1400, em sua *Lectura super Salve Regina*, "que esses espetáculos teatrais sobre Pusterbalk e seus desenfreados companheiros, encenados por certos clérigos na Páscoa, são ímpios e deveriam ser banidos dos lugares sagrados. Tais representações teriam provocado ofensa mesmo em outros tempos, nos teatros e espetáculos dos pagãos".

Porém, por trás dessa dura repressão, percebe-se que, mesmo sob as asas do clero, toda sorte de condutas ímpias de há muito já se insinuava dentro das peças religiosas.

Os dramas da Paixão de Frankfurt-am-Main, no mercado de vinhos de Lucerna, na Viena da Baixa Idade Média, na praça do mercado de Antuérpia ou em Valenciennes – cuja apresentação se estendia por vários dias – são exemplos de um desenvolvimento colorido, inventivo, irrestrita e de incontida exuberância.

A próspera e livre cidade-*emporium* de Frankfurt-am-Main pôde produzir um drama de Paixão que durava dois dias, já em 1350. Seu conteúdo abarcava desde o batismo de Cristo no Rio Jordão até a Ascensão. A estrutura didática era fornecida pelas disputas entre *Ecclesia* e *Synagoga* e entre profetas e judeus. Havia também alusões tópicas, como, por exemplo, à peste que assolara a cidade em 1349 e ao fanatismo do movimento dos flagelantes. O porta-voz da verdadeira fé era Santo Agostinho, de quem, numa impressionante lição final, dez judeus recebiam o batismo.

A documentação de Frankfurt relativa a essa representação é um exemplo característico da direção cênica medieval. Conhecido como o *Dirigierrolle* (Pergaminho do Diretor) de Frankfurt, trata-se de um rolo de aproximadamente 4,40 m de comprimento, trazendo um roteiro no lugar da música geralmente escrita nos pergaminhos (*rotuli*) e utilizada por cantores e menestréis. Os diálogos são registrados apenas por palavras chave, com indicações claras das "deixas" dos atores. Mais explícitas, no entanto, são as indicações cênicas. Foram especialmente anotadas com tinta vermelha pelo escriba do *Dirigierrolle* de Frankfurt, Baldemar von Peterweil, cânone na Abadia de São Bartolomeu em Frankfurt. A partir desse pergaminho, Julius Petersen, num esmerado estudo, reconstruiu as cenas e a sequência do espetáculo.

21. Auto da Paixão, apresentado na praça do mercado de Antuérpia: cena do *ecce homo* pintada por Gillis Mostaert, *c.* 1550 (Antuérpia, Koninklijk Museum voor schone Kunsten).

22. O grande *ecce homo*. Gravação em cobre de Lucas van Leyden, 1510.

23. Cena do *ecce homo*. Painel central de um altar da Catedral de Brunswick, de um mestre da Baixa Saxônia, 1506 (Brunswick, Herzog-Anton-Ulrich Museum).

Conforme se pode deduzir a partir de uma descrição contemporânea da cidade, escrita pelo próprio Baldemar, a peça foi apresentada no monte Samydagis Sancti Nicolai, hoje chamado Römerberg. A praça inclinada é fechada ao sul pela Igreja de São Nicolau (*Nikolaikirche*), que era submetida ao capítulo da Catedral e também à Abadia de São Bartolomeu, anexa. Dessa forma, Baldemar tinha à sua disposição um terreno conhecido para sua encenação e para a construção dos cenários individuais da obra. Fora esse o local onde, um ano antes, os cidadãos haviam prestado homenagem ao Imperador Carlos IV.

No plano óptico, havia uma vantagem na inclinação da praça onde a Paixão seria revivida, pois as três cruzes poderiam ser erigidas na parte mais elevada e, assim, vistas a distância. A leste das cruzes, foi erguido o Trono do Céu, apoiado firmemente nas antigas e elegantes residências patrícias (que sobreviveram até o século XX), e a seus pés ficava o Jardim do Getsêmani. Assim, o anjo com o cálice de fel tinha que dar apenas um passo à frente para surgir acima do intérprete do Cristo ajoelhado. Os mestres cênicos medievais eram realmente habilidosos nos truques da sua profissão.

Num espaço oval de aproximadamente 36,5 m, o *loca* dos vários atores e cenas seguiam-se um ao outro: a casa de Maria, Marta e Lázaro, a casa de Simão, o *Carcer* e o *Castrum* de Herodes, o *Palatium* e o *Pretorium* de Pilatos; na extremidade oeste, inferior, da praça, ficava o portão do Inferno (tornando possível a entrada de Satã que emergia do *Wassergraben*, o velho fosso); aqui também ficava a fonte meio coberta usada para as cenas de batismo. A mesa para a Última Ceia (*mensa*), o Templo e a coluna com o galo, cujo canto proclamava a negação de Pedro – tudo isso ficava situado no meio do espaço aberto. O público assistia tanto da rua quanto das janelas das casas próximas. Como ocorre em todos os cenários simultâneos dispostos em espaço aberto, os diversos *loca* individuais eram plataformas baixas, se necessário cobertas por um baldaquino leve arrimado em pilares de madeira, o que não impedia a visibilidade de nenhum dos lados.

Petersen presume que os atores entravam pela Igreja de São Nicolau, onde também podiam trocar de roupa. Os laços do teatro com a Igreja de modo algum foram rompidos pelo fato de este ter deixado materialmente seu recinto. Frequentemente as representações da Paixão se iniciavam ou terminavam pelo serviço divino. Com certeza, os cantos latinos, a música e as passagens corais logo deram lugar a um prazer desenfreado na linguagem e na representação, não limitado por qualquer temor piedoso. O cru realismo observado nos painéis pintados do fim da Idade Média ganhou terreno também nas peças. Os verdugos que pregavam Cristo na cruz deviam ter a aparência horrível, brutal, desprezível, com a face distorcida.

A Paixão de Alsfeld, com seus 8.095 versos, o mais longo exemplo da região francônio-hessiana, mostra a Crucifixão como uma horrível cena de tortura. Os executores gritam uns aos outros: "*An hende und an fusz hyndet em strenge und recket en nach des cruezes lenge*" ("Amarrem-no fortemente pelas mãos e pés, e estiquem-no ao longo da cruz"). Eles demonstram o esforço que precisam efetuar a fim de esticar o corpo de Cristo ao longo da cruz, para que consigam pregar os cravos nos buracos previamente abertos nos lenhos.

Do ator que representava Cristo exigiam-se esforços físicos tremendos. Ele tinha de se deixar puxar, empurrar, arrastar e bater, e sofrer uma violência não muito menor do que era comum numa execução em seu próprio século, XIV ou XV. O pequeno degrau de madeira que lhe deram na cruz para apoiar os pés (*suppedaneum*) era uma pequena compensação pelos maus-tratos recebidos anteriormente, de modo a impedir que o papel acabasse matando o ator. (O suporte dos pés junto à cruz, muitas vezes encontrado nas representações da Crucifixão nas artes plásticas, não deriva dos autos da Paixão, mas de princípios iconográficos. É um último lembrete do fato de que a arte cristã primitiva tentou preservar a imagem do rei entronizado mesmo na figura do Filho de Deus sofredor. *Terra*, a terra, ou Adão, ajoelhado, seguram o Cristo crucificado, erguido sobre o pequeno degrau.)

"Robusto e sensual prazer, combinado com uma forte piedade" – essas eram as características das grandes Paixões cívicas nas regiões de língua alemã. Ao lado dos sítios da região renano-hessiana, onde essas peças eram apresentadas desde muito cedo, elas eram comuns especialmente ao redor de Viena, nas áreas alemânicas no sul do Tirol (Bozen), em St. Gall e Lucerna.

O auto pascal vienense "*von der besuchunge des grabis und von dir ofirstendunge gotis*" ("da Visita ao Sepulcro até a Ressurreição de Deus"), que pode ser datado de 1472 e procede de um mosteiro de eremitas agostinianos, começa somente após a Crucifixão. Ele mostra "*wy Christ ist erstanden von des todes bandin, und hat dy heiligyn veter irlost von der bittern hellin rost*" ("como Cristo escapou dos laços da morte e libertou os Santos Padres das chamas do Inferno"), isto é, a Ressurreição e a descida ao Inferno. Aparecem Abraão e Isaac, o arcanjo Gabriel e Adão e Eva implorando a salvação. A linguagem e os sentimentos estão imbuídos da cordialidade do povo simples e, nas cenas do *Mercator*, transformam-se em farsa desenfreada, intimamente relacionada com as peças carnavalescas. Em terras da Boêmia, o vendedor de unguentos, o *Mastickar*, seguiu o mesmo caminho – o do herói grotesco e profano das pequenas farsas independentes.

O desenvolvimento da Paixão vienense culmina com o nome de um mestre famoso, que alcançou grande reputação como escultor e como diretor teatral, Wilhelm Rollinger. Foi ele quem, no período de 1486 a 1495, criou os painéis em relevo dos famosos "assentos do velho coro" na Catedral de Santo Estêvão, em Viena. (Eles foram destruídos pelo fogo em 1945.) Do total de quarenta e seis cenas, trinta e oito eram sobre a história da Páscoa, começando com o Domingo de Ramos e terminando com a descida de Cristo ao Inferno. Embora não fossem uma cópia das cenas realmente apresentadas na peça, os painéis refletiam seu espírito. Wilhelm Rollinger era um membro da irmandade de Corpus Christi de Viena, que respondia pela representação anual da Paixão e pelo auto de Corpus Christi. Em 1505, Rollinger supervisionou a produção completa e a direção artística de um espetáculo que, com seu elenco de mais de duzentas pessoas, foi o clímax e – à luz da Reforma iminente e do cerco turco – também o canto do cisne da tradição dos autos medievais em Viena. Em meados do século XV, Lucerna, na região de dialetos alemânicos, tornou-se um centro de representações suntuosas. Aqui, também, as peças eram produzidas pelas irmandades religiosas de cidadãos. As representações da Paixão de Lucerna continuaram até o século XVI. Numa época em que o espírito da Renascença há muito rompera com as velhas tradições, os cidadãos de Lucerna ainda se reuniam no Mercado de Vinhos da cidade para devotar dois dias inteiros, da madrugada ao cair da noite, a reviver a Paixão de Cristo, com todas as suas prefigurações e atos subsequentes de Redenção. O cronista da cidade, Renward Cysat, preparava e editava os libretos, ensaiava o elenco, dirigia o espetáculo, negociava com os artesãos encarregados da construção das plataformas e interpretava o papel da Virgem. Ele também projetou, com detalhes meticulosos, o palco em dois planos. A isso se deve o nosso conhecimento da montagem da grande Paixão de Lucerna de 1583. No primeiro dia, o rio Jordão, cenário do batismo de Jesus, cruzava diagonalmente a área de representação; a "*Haus zur Sonne*" ("Casa Frente ao Sol"), situada na parte mais alta e estreita da praça, representava o Céu, e, diante dela, no segundo dia, ergueram-se as três cruzes do Gólgota. Os *loca* dos discípulos, das santas mulheres, de José de Arimateia e de Herodes ficavam ao norte, os do Templo de Jerusalém e da *Synagoga*, ao sul, e a Boca do Inferno de Lúcifer e dos "altos demônios" ficava aberta a oeste, junto da manjedoura da Natividade no primeiro dia, e da coluna dos flagelos, no segundo.

A mesma distribuição fica evidente no chamado plano cênico de Donaueschingen. O Paraíso, o Getsêmani e o Gólgota estão na extremidade leste do espaço cênico, enquanto os representantes do mal e das trevas ficam a oeste, em frente ao pôr do sol. Entretanto, pesquisas recentes provaram definitivamente que o plano, ao contrário do que sugere a denominação pela qual o conhecemos, não se refere à Paixão de Donaueschingen de 1485, mas, tanto no que diz respeito ao conjunto quanto aos detalhes cênicos, ao segundo dia da Paixão apresentada em 21 e 29 de março de 1646 em Villingen, na Floresta Negra. Essa retificação, que devemos a A. M. Nagler, não descarta a possibilidade de que um esquema aná-

24. O Mercado de Vinhos de Lucerna, vista oeste, no primeiro dia do auto pascal de 1583. A fileira de casas à esquerda é mostrada apenas em planta baixa com as indicações dos nomes de seus proprietários na época. No fundo, à direita, a Boca do Inferno. Esboço de reconstrução de A. am Rhyn (do livro de Oskar Eberle, *Theater-geschichte der innern Schweiz*, Königsberg, 1929).

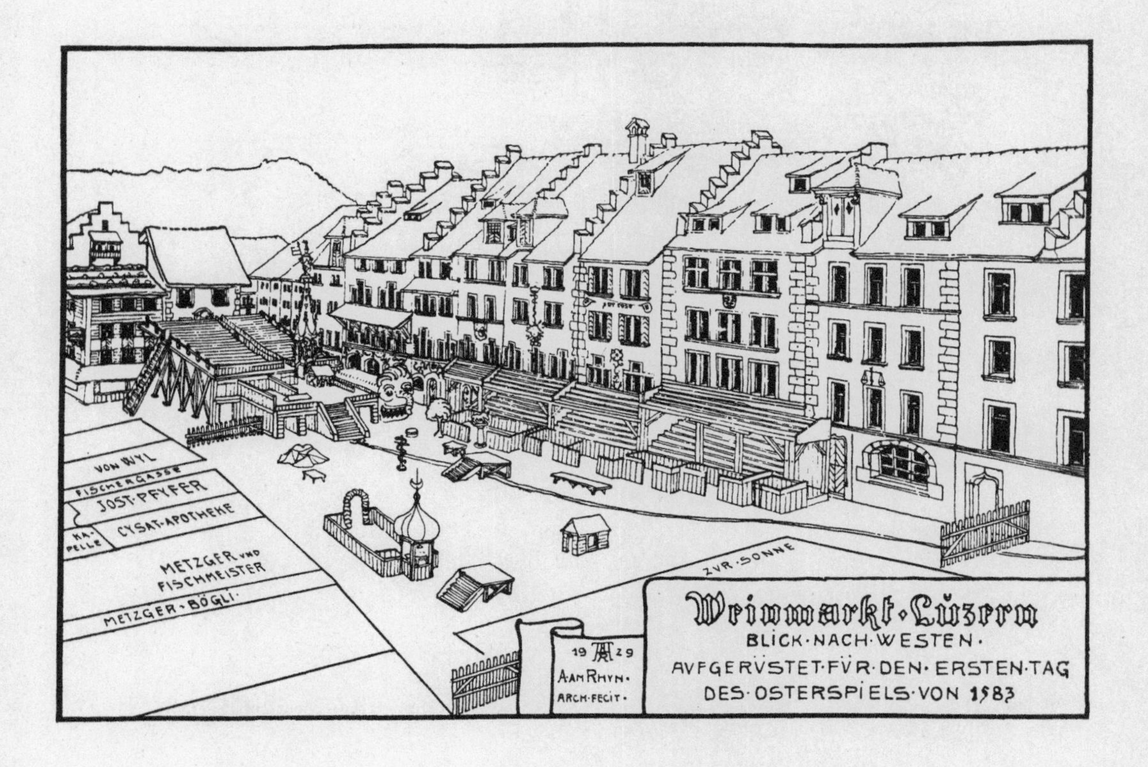

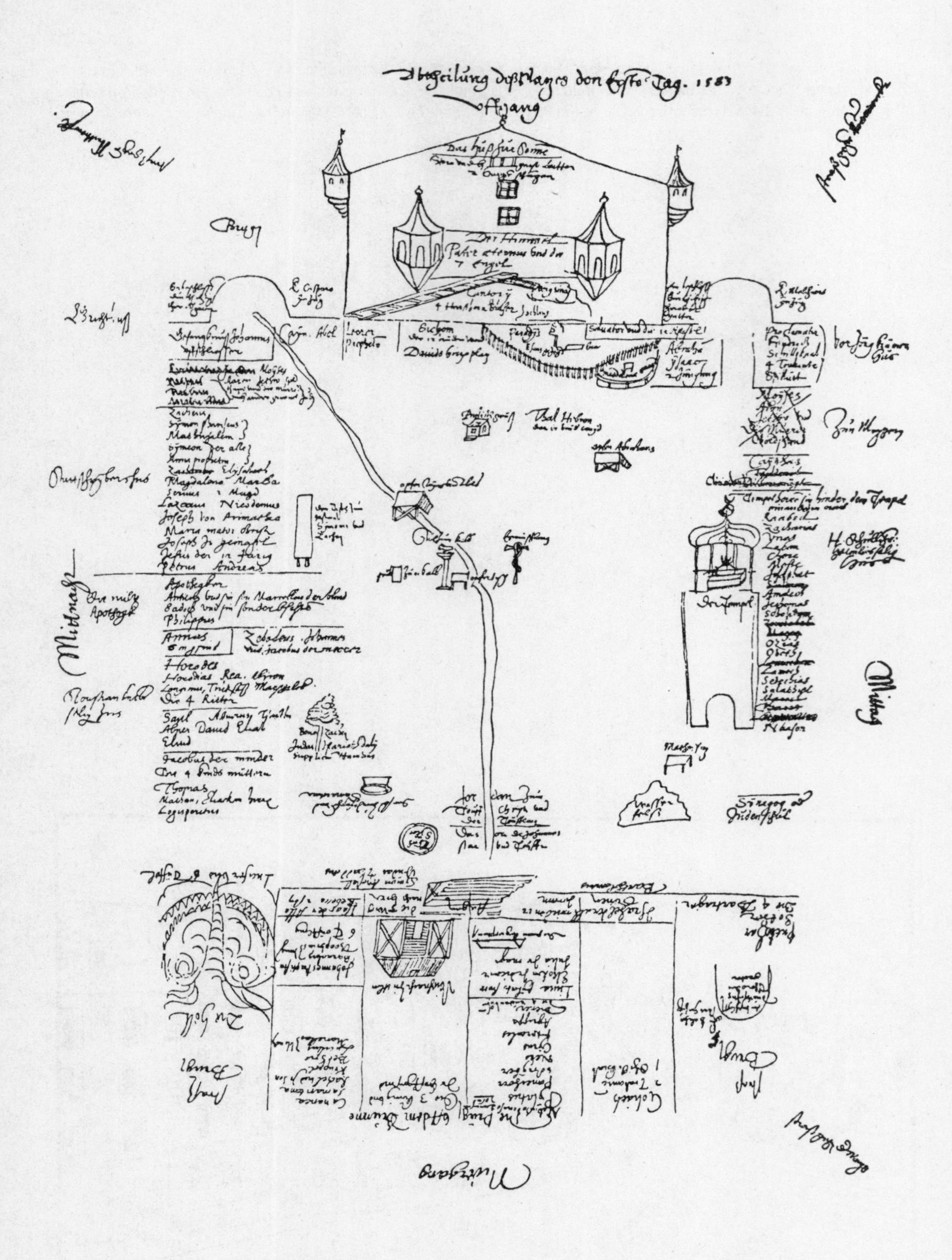

25. Plano cênico de Renward Cysat para o auto da Paixão de Lucerna (primeiro dia), representado em 1583.

logo tenha sido usado para a riqueza das cenas grotescas e cruéis de Donaueschingen, em que, antes da flagelação, a cadeira de Cristo é puxada e, depois de sua inevitável queda, ele é novamente posto em pé – pelos cabelos. Podemos presumir que disposições cênicas semelhantes tenham existido nos grandes autos da Páscoa e da Paixão, que duravam vários dias, em Erlau, na Hungria; na praça do mercado de Eger; ou na cidade hanseática de Lübeck (que muito provavelmente era também o cenário do auto pascal do Redentor, da Baixa Alemanha).

Conhecemos com mais precisão a tradição cênica da Paixão do Tirol do Sul (hoje a província italiana de Bolzano), que foi desenvolvida tanto pelas ambições dos camponeses da região quanto pela dos cidadãos. Os ciclos de peças amplamente planejados, que eram apresentados por prósperas cidades comerciais como Bozen (Bolzano), Brixen (Bréscia) e Stelzing, tiravam proveito de uma tendência nativa para o drama e para a orgulhosa exibição cívica. Cada vez mais, cenas foram adicionadas ao ciclo de peças até que, como num clímax, em 1514 a representação da Paixão de Bozen (Bolzano) durou nada menos do que sete dias. Começava com um prólogo no Domingo de Ramos (entrada de Cristo em Jerusalém), continuava na Quinta-Feira Santa, com a Última Ceia e as cenas do Monte das Oliveiras, e apresentava a flagelação e a Crucifixão na Sexta-Feira Santa. O lamento das Marias e um auto dos Profetas eram apresentados no sábado, a Ressurreição no Domingo de Páscoa e, na segunda-feira, a viagem a Emaús. O ciclo terminava com a glorificação de Cristo no dia da Ascensão.

O espetáculo de sete dias foi dirigido pelo pintor Vigil Raber de Sterzing, artista muito solicitado no Tirol como dramaturgo, cenógrafo, figurinista, diretor e ator. Hoje existe um esquete de Vigil Raber para o prólogo da Paixão de Bozen, que não foi apresentado na praça do mercado, mas no conjunto gótico da igreja paroquial. Os atores entravam em procissão solene, pela porta principal, a *porta magna*. À esquerda, distribuídos pela nave e pelo transepto, ficavam os *loca* de Caifás e Anás, e a casa de Simão, o leproso; à direita, o Monte das Oliveiras e, junto ao coro, o estrado da Sinagoga; do lado oposto, o Inferno, e, no círculo do coro, o Céu e os *angeli cum silete*.

Fora um longo caminho através dos séculos, desde os primórdios do auto da Paixão até a Paixão de Bozen. Em termos de história do teatro, o desenvolvimento era igualmente consistente, tanto em seus aspectos intelectuais quanto nos cênicos. A igreja e a praça do mercado eram o local da representação, o clero e os cidadãos, seus protagonistas. O princípio do cenário simultâneo se diversificava em modificações elaboradas, governadas pelas necessidades práticas e pelos efeitos visuais. Cada participante tinha sua posição predeterminada, seu lugar, variadamente descrito como *locus,* mansão, *sedes*, casa, ou *stellinge.* Quando seu papel o exigia, ele descia de seu praticável para o espaço central de representação, ou recebia os outros atores em seu próprio "lugar" quando o texto os fazia ir até ele.

A disposição dos cenários podia ser topográfica, como no mercado de vinhos de Lucerna; ou podia seguir a sequência cronológica dos eventos, como na Paixão de Donaueschingen/Villingen; podia decorrer de considerações

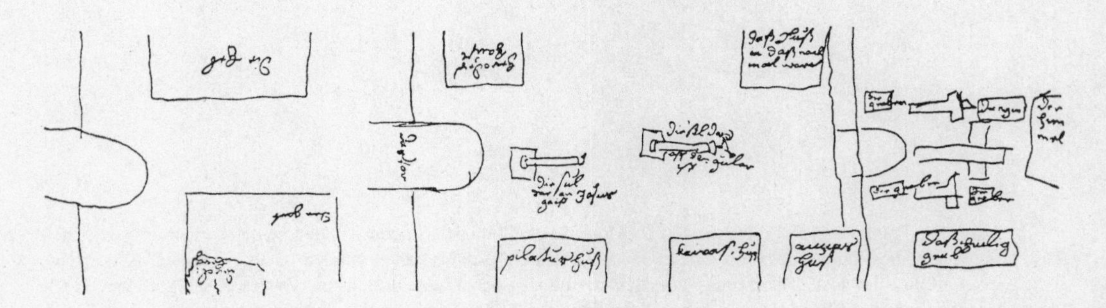

26. Plano cênico da Paixão de Donaueschingen, provavelmente para o segundo dia de representação de 1646, em Villingen.

27. O auto da Paixão de 1583 representado no Mercado de Vinhos de Lucerna. Maquete de reconstrução de Albert Köster, segundo planos cênicos do cronista de Lucerna, Renward Cysat. Na parte frontal, a "Haus zur Sonne" (Casa frente ao Sol), com o Céu entre suas duas sacadas, acessível por uma escada; diante dela, as três cruzes do Gólgota. No centro, à esquerda, a árvore na qual Judas se enforca, e à sua direita, o Templo representado por um baldaquino sustentado por quatro colunas. Na plataforma erguida no primeiro plano, a fonte, cuja coluna foi usada para o flagelo (Munique, Theater Museum).

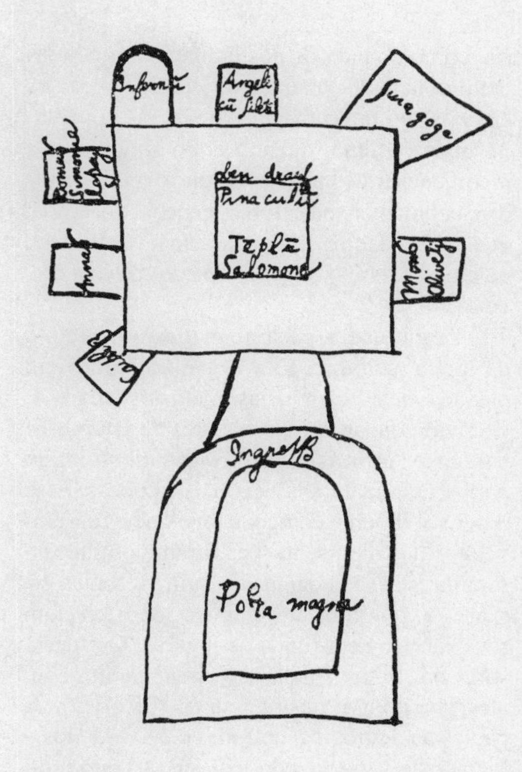

28. Plano cênico de Vigil Raber para o auto da Paixão de Bozen (Bolzano), representado em 1514 na igreja da paróquia da cidade. Os atores entravam pela *porta magna*, o portal principal. Os lugares de Caifás, Anás e Simão, o Leproso ficavam à esquerda; o Inferno, o Céu (*Angeli cum silete*) e o lugar da *Synagoga* encontravam-se na cabeceira; o Monte das Oliveiras situava-se à direita e o Templo de Salomão no centro.

estilísticas, como em Alsfeld; ou ainda, das circunstâncias locais, como na igreja de Bozen.

Os cenários obedeciam à regra inevitável do palco em espaço aberto, onde a visão livre de todos os lados não poderia ser impedida por nenhum muro. As casas de Pilatos, Caifás e Anas, bem como o Templo de Jerusalém, tinham de ser feitas apenas com um teto apoiado em quatro pilares. Um modesto elemento de surpresa era às vezes introduzido por meio de cortinas, que o ator – por exemplo, representando Herodes em seu trono – abria na sua vez de entrar em cena.

O espetáculo era anunciado e comentado pelo *praecursor,* que pronunciava os versos introdutórios e, frequentemente, dava explicações didáticas durante a peça, resumindo os eventos. "*Hut und tret mir aus dem wege, das ich meyne zache vor lege!*" ("Atenção, venham a mim dos caminhos, que eu vos conte as minhas coisas!") – assim ele abre o auto de Páscoa de Viena, com um apelo ao bom comportamento e à atenção da assistência. Pede silêncio aos "*alden flattertaschin*", pois "*wir wellin haben eyn osterspiel, das ist frolich und kost nicht vil*" ("mantenham-se calados, velhos tagarelas, pois vamos assistir a um auto pascal, que é alegre e não custa muito"), embora a "alegria", neste caso, claramente não devesse ser entendida como "terrena", mas, sim, de um tipo espiritual, mais saudável.

Os espectadores se distribuíam ao redor de todo o espaço da representação ou sentavam-se em cadeiras dobráveis que levavam consigo e, se a multidão não fosse muito densa, acompanhavam a ação, quando esta se movia de um lugar a outro. É claro que mal havia essa possibilidade nas peças representadas dentro das igrejas e nos palcos da praça do mercado do fim da Idade Média. Porém, quem fosse afortunado o suficiente para ser um visitante de honra da cidade, ou habitar uma das casas que se abriam para a praça, podia descortinar de uma janela todo o espaço da representação.

Sempre que se anunciava uma representação, o povo das aldeias próximas vinha reunir-se aos cidadãos, e mercadores, menestréis e letrados errantes chegavam de terras longínquas. Os artesãos fechavam suas lojas e a guarda interrompia o acesso à cidade, fechando os portões. Todo o trabalho se paralisava quando soava a ordem: "*Nu swiget alle still!*" ("Silêncio, todos!"). A fórmula latina "*Silete, silete, silentium habete*" sobreviveu como um último vestígio na drasticidade vernacular da linguagem dos autos da Paixão do tardo Medievo adentro. Em numerosas representações, o termo *silete* veio a ser usado tanto para marcar o final como para conectar as cenas individuais. Introduzia a próxima fase da ação e acalmava distúrbios ocasionais entre o público, especialmente na medida em que este se movia para acompanhar a ação. No caso de representações que se estendessem por vários dias, o *silete* assinalava a cesura para uma possível interrupção, até a próxima vez. Amiúde, entretanto, a apresentação de cada dia terminava com uma nota deliberadamente didática ou utilitária, como quando os pusilânimes e os céticos eram concitados a se deixar converter de sua *compassio* a uma nova *promissio*; ou, num plano mais profano, quando eram solicitados a recompensar os "pobres eruditos" com comida e bebida por seu esforço na peça; ou, ainda, quando era dado o anúncio, bastante agrádavel, de que era tempo de parar "para uma boa cerveja".

Desde que a peça abandonara o recinto da igreja, sua direção e organização haviam passado cada vez mais às mãos dos cidadãos. Escrivães da cidade, professores de latim e finalmente "artistas livres" contribuíram muito para secularizar cada vez mais as peças. Esse desenvolvimento começou logo que os desempenhos nas representações foram confiados a seminaristas, estudantes de latim, letrados errantes e, por fim, aos mimos que ofereciam seus serviços em todos os lugares. Os sucessores dos antigos *joculatores* aceitaram, com alegria e com a experiência de seu ofício, os papéis de demônios, de Judas e de verdugos – todos representantes do mal, que davam muito campo para a comédia, mas com os quais um burguês respeitável e estabelecido relutaria em identificar-se.

É à inclusão do mimo que a paixão da Baixa Idade Média deve muito de sua exuberância e da visão terra-a-terra, assim como uma vivência realista do estilo de representação que nunca teria podido se desenvolver dentro dos limites dos círculos laicos.

Os Mistérios com Cenários Simultâneos no Palco-Plataforma

O grande mistério da Paixão do dramaturgo e teólogo francês Arnoul Gréban contém uma cena muito significativa. Como fundo para a agonia no Horto, há uma discussão entre Deus-Pai e *Justitia* sobre a necessidade do sofrimento de Cristo. A ideia escatológica começa a atingir, além da vida humana de Cristo, as premissas do ato da Redenção.

Para a mente racionalista francesa, era algo natural tomar a história do Evangelho, o aqui e agora da Paixão, como o centro da história do mundo, não só nas disputas eruditas dos teólogos, mas também no palco do espetáculo religioso. Isso levou cada vez mais à inclusão de partes do Velho Testamento, as predições dos Profetas e, finalmente, de toda a história da Criação. A Paixão como tal foi substituída pelo *Mystère de la Passion* (O Mistério da Paixão), um espetáculo originado no serviço divino e, ao mesmo tempo, firmemente apoiado na interpretação teológica, com o Céu e o Inferno constantemente presentes em cada palavra e imagem.

Isso não significava, entretanto, que o espaço das representações estivesse atado ao interior da igreja. Ao contrário, o mais antigo dos dramas religiosos existentes em língua francesa, o *Mystère d'Adam*, da metade do século XII, já se realizava fora do portal da Catedral. Em três grandes ciclos temáticos, ele trata do pecado e da redenção prometida à humanidade: a Queda, o assassinato de Abel por Caim e os Profetas. As rubricas sugerem o uso de uma armação de madeira adequadamente decorada, que se apoiava na fachada da igreja – como no espetáculo atual do *Jedermann*, diante da Catedral de Salzburgo. O pórtico era a Porta do Céu. De um lado ficava o Paraíso, sobre um tablado elevado; do outro, mais abaixo, a Boca do Inferno.

A palavra falada, os cânticos solenes (com as partes do coro ainda em latim) e a animada ação pantomímica (Eva e a serpente) integravam-se numa experiência teatral que deve ter deixado uma impressão profunda e duradoura nos espectadores. Um contraponto moderno é o *Mistério de Elche* realizado todos os anos em 15 de agosto, na Espanha, na cidade de Elche, famosa por suas tamareiras. O clímax da peça, que é uma combinação de coro e pantomima, dá-se no momento em que um grupo de crianças, vestidas de anjos, desce – exatamente como se fazia no século XIV – da cúpula da Igreja de Santa Maria até o coro, radiantemente iluminado por milhares de círios. É o mesmo acúmulo de elementos decorativos e psicológicos que encontra uma expressão estonteante na arte das catedrais espanholas.

Os mistérios franceses, igualados às vezes, mas nunca ultrapassados em perfeição teatral pelas *mistery plays* inglesas, tiveram seu máximo florescimento nos séculos XV e XVI. O *Mystère de la Passion*, de Arnoul Gréban, conta quase trinta e cinco mil versos, e sua representação exigia quatro dias. Com uma eficiente alternância de cenas sérias e patéticas e fortemente grotescas, conta a história de Adão, a vida de Jesus na terra e a Sua Paixão e Ressurreição, terminando com o milagre de Pentecostes. O amor maternal de Maria por seu filho é confrontado com o amor divino de Cristo pela humanidade. O manuscrito inclui miniaturas que dão uma ideia da riqueza de cenas e personagens e de sua adaptação teatral altamente funcional.

Um contemporâneo mais jovem e sucessor de Gréban, o médico e dramaturgo Jean Michel, ampliou e modificou o texto de Gréban, produzindo uma nova versão em sua cidade natal, Angers, em 1486, com o título de *Mystère de la Passion de nostre Saulveur Jhesucrist* (Mistério da Paixão de Nosso Salvador Jesus Cristo).

A peça contém uma cena que é altamente relevante para a controvertida questão da influência recíproca da pintura e do teatro na Idade Média. Uma mulher, a "*févresse* Hédroit", forja os pregos para a Crucifixão. O diretor de cena e miniaturista Jean Fouquet a retratou, por volta de 1460, nas *Heures d'Estienne Chevalier*, como também havia feito o iluminador de um manuscrito mais antigo da Paixão de Mercadé. Jean Michel designa a mulher Hédroit como a "*canaille de Jerusalem*", mas a Bíblia não a menciona. De acordo com uma lenda, obviamente muito conhecida na Idade Média, essa "*févresse* Hédroit", uma serva na casa do sumo sacerdote Anás e cunhada de Malchus, carregou a lanterna por ocasião da traição no Getsêmani. Ela é retratada nos relevos em mármore do século XIV. Mas como teria chegado a forjar pregos na Paixão de Angers? Parece que devemos recorrer aos bufões, aos *joculatores*, para uma explicação. A figura de Hédroit aparece numa *Passion des Jongleurs*, do século XII, e também no poema narrativo inglês *The Story of the Holy Rood* (A História do Crucifixo Sagrado, Harleian Library, Ms. 4196). O que se segue é narrado como tendo acontecido ao entardecer do dia da Crucifixão, em Jerusalém: três homens foram ao ferreiro e lhe encomendaram os pregos. O homem, porém, era um seguidor secreto do Nazareno e simulou uma mão machucada para se livrar da vergonhosa tarefa. Em seu lugar, entretanto, a mulher do ferreiro – Hédroit – pegou o martelo, a tenaz e o ferro e foi para a bigorna.

Jean Michel incorporou esta cena à sua Paixão. Existem paralelos interessantes na escultura, nas iluminuras dos livros e nas pinturas murais. No tímpano do pórtico central da ala ocidental da Catedral de Estrasburgo (1280-1290), uma jovem segura três longos pregos nas mãos, abraçando a cruz de Cristo; num manuscrito inglês de 1300, ela é vista na bigorna, uma velha agitando vigorosamente o braço; e, num afresco no mosteiro Zemen, na Macedônia, um grupo inteiro de pessoas está reunido em volta da forja.

O bufão, com seu repertório inesgotável de histórias, muito querido e ao mesmo tempo vilipendiado, conseguiu achar uma estreita porta dos fundos para sua estimulante entrada, mesmo lá aonde as autoridades estavam certas de ter conseguido bani-lo. Escondido nas entrelinhas da tradição comumente aceita, ele espera, junto aos seus semelhantes, para desmentir os velhos clichês que se referem às trevas da Idade Média.

Em 1547, os habitantes de Valenciennes se reuniram para entregar-se ao grande *Mystère de la Passion* durante vinte e cinco dias. Diante de seus olhos distribuíam-se as cenas, sucessivamente, ao longo de um eixo longitudinal, como na *scaenae frons* da Antiguidade. Os princípios cênicos da Renascença têm ligação com o palco de plataformas com cenários simultâneos das peças francesas do final da Idade Média. Os modos de pensamento e representação de outrora são assimilados nas formas renovadas do porvir.

Com toda a riqueza de seus cenários e duração dos espetáculos, Valenciennes encontrava rivais nos ciclos dos Apóstolos e do Velho Testamento de Paris, dilatados de forma gigantesca (1541 e 1542), e nos dramas de quarenta dias dos Apóstolos, de Bourges – acumulações inigualáveis na história do teatro mundial. Se esses monstruosos ciclos ainda permitiam um efeito coerente e a concentração no espetáculo, e em que extensão, é algo que permanece duvidoso. Uma miniatura de Hubert Cailleau retrata o palco-plataforma de Valenciennes, com seus cenários múltiplos, seus *loca*, baldaquinos, tronos, pódios e inte-

Jesus é levado à cidade como prisioneiro.

29. Painéis em relevo do velho cadeiral do coro (destruído pelo fogo em 1945), proveniente do final do período gótico, na Catedral de Santo Estêvão de Viena: entalhes do Ciclo da Paixão, em 46 cenas, realizados pelo escultor e diretor teatral Wilhelm Rollinger, entre 1486 e 1495.

Jesus é enviado a Herodes por Pilatos.

30. Página do texto e miniaturas do *Mystère de la Passion* de Arnoul Gréban. A representação do auto, com quase 35.000 versos, estendeu-se por quatro dias. Aqui são mostradas cenas da infância de Cristo, *c.* 1450 (Paris, Bibliothèque de l'Arsenal).

riores acortinados. Na extrema esquerda, encontra-se Deus-Pai entronado com uma auréola, como o símbolo do Paraíso, e na extrema direita está o Inferno, cercado por fogo e repleto de demônios gesticulando selvagemente. Além das tradicionais mandíbulas de animal, aqui o Inferno possui uma característica especificamente francesa – uma torre fortificada, complementada por um poço, onde Satã é atirado depois de Cristo ter aberto os portões do Inferno.

Os dramaturgos e encenadores dos mistérios do fim da Idade Média francesa podiam, com certeza, contar com técnicas cênicas de alto padrão. Os *conducteurs de secret* (condutores de segredo), os mágicos da produção teatral, nada ficavam a dever aos *mechanopoioi* da Antiguidade. Faziam com que praticáveis envoltos em nuvens baixassem flutuando para trazer Deus-Pai à terra, ou conduzir Cristo para o Céu. Atinaram até com um truque, por meio do qual o Espírito Santo se tornava visível, vertendo-se sobre a cabeça dos Apóstolos, por meio de línguas de fogo, acesas "artificialmente, com a ajuda de conhaque". Jean Michel havia insistido especialmente nessa representação visual do milagre de Pentecostes para a representação de 1491 do seu *Mystère de la Réssurection*.

Para a Boca do Inferno, não bastavam somente portas praticáveis de madeira; as próprias mandíbulas monstruosas precisavam abrir e fechar-se segundo as necessidades. "*Enfer fait en manière d'une grande gueule se clouant et ouvrant quand besoin en est*" ("Inferno feito à maneira de uma grande goela se abrindo e fechando quando for necessário"), é o que lemos nas rubricas do *Mystère de l'Incarnation* apresentado em 1474, em Rouen.

Essa mostra de perfeição técnica correspondia ao estilo realista do espetáculo. A sugestiva drasticidade exibida nas torturas de Santa Apolônia rivalizava com a dos verdugos do auto da Paixão de Alsfeld. A cena é representada numa miniatura de Jean Fouquet, datada entre 1452 e 1460. Atrás da área cênica ao ar livre, em primeiro plano, as plataformas-palcos estão dispostas num semicírculo horizontal – no alto, à esquerda, Deus-Pai entronado e rodeado de anjos e músicos; embaixo, à direita, a Boca do Inferno. Os espectadores, densamente amontoados, sentam-se abaixo do nível dos tablados, embora alguns personagens privilegiados, evidentemente, ocupem lugares mais altos, entre os atores.

Essa miniatura, amiúde reproduzida, é possivelmente responsável pela noção errônea do "palco de mistério em três níveis". Otto Devrient concluiu, a partir das rubricas do mistério francês – que prescreve um Paraíso "*en hauteur*", no alto – que o Inferno, a Terra e o Céu estavam dispostos em três diferentes níveis ou andares, e, em 1876, montou o *Fausto* num palco como este, que ele supunha ser o dos mistérios medievais. Quatro anos depois, estudiosos provaram que essa conclusão era falsa, mas a noção equívoca do "palco de mistério em três níveis" ainda persiste teimosamente.

A duração das representações e a riqueza dos cenários por si já exigiam um espaço aberto de grandes dimensões – em Rouen, o palco tinha cerca de 55 m de comprimento, e em Mons, na Bélgica, 37 m de comprimento por 7 m de profundidade. Mas, além disso, sobretudo em Paris, desde muito cedo há a tendência de transferir o espetáculo para um teatro fechado. O princípio do palco-plataforma com cenários simultâneos era relativamente fácil de ser transposto para uma sala de extensão e amplitude semelhantes, e no teatro ao ar livre já haviam sido construídas fileiras elevadas de assentos.

A Confrérie de la Passion, de Paris, representava desde o ano de 1411 em interiores – a princípio no Hôpital de la Trinité, depois no Hôtel de Flandre e, finalmente, no Hôtel de Bourgogne, onde o teatro francês mais tarde lançou as bases de sua brilhante carreira com Molière e a *Comédie Italienne*.

As despesas da peça e a responsabilidade por sua produção eram divididas entre a *confrérie*, o conselho da cidade e os participantes. Dos ensaios em si ocupava-se o *meneur de jeu*, que – como no conjunto do teatro medieval – em geral também declamava o prólogo e as passagens de ligação ou de esclarecimento, mantendo a unidade de ação. Até meados do século XV, a difícil tarefa de "dirigir" o grupo heterogêneo formado de artesãos, estudantes, letrados e viajantes que trabalhavam numa peça era geralmente realizada por clérigos e, às vezes, por acadêmicos ou patrícios ambiciosos.

A miniatura de Apolônia, de Jean Fouquet, mostra um clérigo como *magister ludens*, usando um chapéu vermelho alto e uma longa túnica azul com bordas brancas. Em sua mão direita erguida, segura um bastão, e na esquerda, o libreto aberto. O diretor cênico de Hubert von Cailleau usa um barrete chato e uma beca roxa sobre calções curtos e largos, e segura o *rollet*, ou o rolo do texto. É como podemos imaginar que Jean Bouchet – promotor público por profissão, e por inclinação encenador de mistérios e autor de agressivas *sotties* – tenha aparecido como *meneur de jeu*. Quando enfrentou o público como narrador do prólogo, Jean Bouchet exigiu de si a mesma rigorosa clareza de dicção que solicitava de seu elenco de leigos. Dialetos eram proibidos, bem como expressões impróprias ou barbarismos. Uma dicção cultivada foi desde sempre uma regra da grande escola teatral de Paris e seus cidadãos, com sua orgulhosa consciência nacional.

Os Pageant Cart *e o* Theater in the Round *Apresentam a História da Criação*

Na Inglaterra, o modelo formal dos mistérios encontrou uma expressão muito menos rigorosa do que na França. O princípio de representação em estações, utilizado para as celebrações de Corpus Christi, foi adotado para os grandes ciclos de mistérios do século XV. Isto significava dividir o texto numa série de pequenas sequências dramáticas, ou em peças teatrais de um só ato de igual duração.

O ciclo de mistérios de York, conservado num manuscrito proveniente mais ou menos de 1430, contém mais de trinta dessas peças, cada qual montada em seu próprio carro, organizados como numa fileira de dominó. Embora cada uma das peças devesse ser dramaticamente concisa, havia uma certa repetição, a fim de que a linha da ação não fosse interrompida. O ciclo de York, que mostra sinais claros de revisões e adições feitas por várias mãos, gasta cento e sessenta versos para cobrir a criação do Universo, a revolta e a queda de Lúcifer, a confirmação da onipotência divina e a criação de Adão e Eva. A determinação de Lúcifer em se vingar, como o texto especifica, deve saltar como uma faísca para o carro seguinte, que começa então a funcionar. Adão e Eva, tentados pela serpente, são suas primeiras vítimas.

Os mistérios de Chester e York, bem como os de Towneley, apresentados em Wakefield, exibem um senso de humor audacioso e em parte altamente original, que se atribui a uma revisão do começo do século XV, feita por um monge do vizinho mosteiro de Woodkirk. Eles contêm uma cena magistral de diálogo, no episódio da Arca de Noé. Reclamando feito uma megera, a mulher de Noé se recusa terminantemente a entrar na Arca: devia ter sido avisada do plano previamente e, além do mais, por que não salvar também suas comadres? Somente quando a água realmente a alcança é que ela se deixa levar para dentro da Arca. Fazer essa cena deve ter exigido muito dos atores, mas também da capacidade do público para aceitá-la. As indicações para os carros-palcos contentam-se em ordenar que a Arca "seja demarcada por um círculo em redor e o mundo animal reunido à beira esteja pintado".

O problema de como era possível representar com coerência, num espaço retangular de pouco mais de 3 m por 6 m, a história do mundo e do Evangelho, subdividida em vinte ou até mesmo quarenta peças de um ato, desde a Criação até a Ressurreição de Cristo, é algo inexplicável para quem não pôde estar lá para ver. Dos relatos de testemunhas oculares, entretanto, fazem isso parecer bastante fácil. Uma descrição do século XVI do arquidiácono Robert Rogers de Chester recapitula assim a mecânica de uma representação *pageant*:

> Iniciavam nos portões da abadia, e quando o primeiro carro-tablado se havia apresentado, era levado para a cruz alta diante do burgomestre, e daí por todas as ruas; e assim [as pessoas em] todas as ruas tinham um carro se apresentando diante delas em algum momento, até que todas as apresentações em carros marcadas para o dia fossem feitas; [...] e todas as ruas tinham seus carros diante de si, todos eles se apresentando ao mesmo tempo.

Cada peça dispunha, portanto, de seu próprio carro. E assim, em cada ponto da cidade, uma sucessão de carros chegava, um após o outro, para representar as peças separadas,

31. Narrador do prólogo.

Miniaturas da *Passion d'Arras*, por Eustache Mercadé. Primeira metade do século XV.

32. A mulher Hédroit forjando os pregos (Arras, Bibliothèque Municipale).

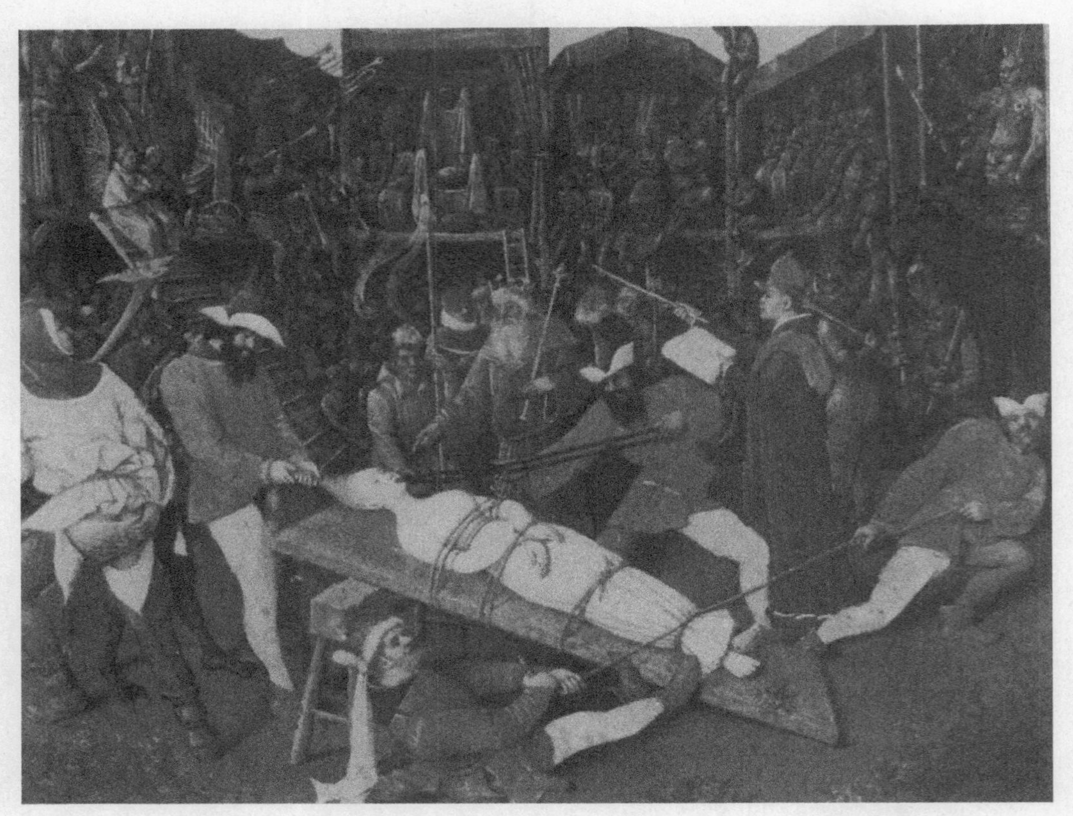

33. Auto de mistério, representando o martírio de Santa Apolônia. À direita, o *magister ludens* envergando uma longa batina e segurando na mão esquerda o libreto aberto e na direita a batuta de regente. Ao fundo, o Céu com uma escada, dois anjos sentados nos degraus mais altos; à direita, Boca do Inferno povoada de demônios. Miniatura de Jean Fouquet, *c.* 1460, para o *Livro das Horas* de Étienne Chevalier (Chantilly, Musée Condé).

34. Plano cênico do *Mystère de la Passion* de Valenciennes, 1547. As estações individuais de atuação são enfileiradas num plano: à esquerda, o Paraíso com Deus Pai em Glória; à direita, ao fundo, o Inferno com a Boca do Inferno e torre da fortaleza, e em primeiro plano uma bacia com água ("la mer") para a pesca de Pedro (Paris, Bibliothèque Nationale).

numa sequência ininterrupta – o que, entretanto, pressupõe que todas as cenas durassem aproximadamente o mesmo tempo, para prevenir qualquer atraso. Durante a procissão, os atores permaneciam nos seus próprios carros-tablados, em atitude estática, até a próxima parada, onde entravam em ação novamente. Cada um tinha seu lugar determinado, onde ficava em pé ou sentado. Poucos objetos pessoais e cênicos constituíam o cenário. A Boca do Inferno, provavelmente, era a parte inferior do carro, escondida por panos – de qualquer maneira, é como a descreve David Rogers, filho do arquidiácono Rogers. Mas Glynne Wickham provou que David Rogers era, sob muitos aspectos, um cronista não muito confiável. As reflexões de Wickham acerca da relação entre as exigências cênicas condicionadas ao texto e as dimensões limitadas do *pageant wagon* o levaram a uma reconstituição dos palcos ambulantes ingleses, e esse modelo nos esclarece muito.

O carro-palco reconstruído por Wickham é aberto em três lados. Ao longo da parede de fundo, de tábuas, ele insere uma *tiring house* (camarim) estreita, ocultada por uma cortina; à sua frente, ficam os *loca*, com os atores adequadamente agrupados durante o trajeto de uma estação à outra. Um segundo carro, o *scaffold cart*, é levado às estações onde as representações acontecem e colocado em posição imediatamente contígua ao anterior. Esse segundo carro contém simplesmente um pódio vazio, da mesma altura que o *pageant cart*. É o verdadeiro palco da ação, onde agora os atores entram e no qual dispõem de espaço para se mover, gesticular e exibir sua habilidade dramática, como não poderia ocorrer no inevitavelmente exíguo *pageant cart*.

A engenhosa combinação de Wickham do *pageant cart* com o *scaffold cart* (os *scaffolds* sempre foram considerados apenas armações cênicas complementares) explica até mesmo como Noé pode ter discutido com sua obstinada mulher no palco da frente e, ao final, tê-la posto a salvo na Arca, sobre o carro principal.

À frente da fila de carros, a cavalo ou a pé, vinha o expositor, que informava ao público reunido nas diferentes estações cênicas o significado e o curso da apresentação que ocorreria. As representações eram dirigidas pelo chamado *conveyor* (condutor), que dava o sinal para o início da peça, atuava como ponto e, no final, fazia com que seu carro seguisse adiante, de acordo com o programa. Em geral, o *conveyor* era um membro da corporação que havia financiado a encenação e os atores de um cortejo específico. Constituía um ponto de honra para cada classe de artesãos participar dos autos dos mistérios de sua cidade. O dinheiro corria solto, e nenhuma economia era feita. Se os carpinteiros se encarregavam da Arca de Noé, os ourives do carro dos Magos e os comerciantes de tecidos da aparência digna dos Profetas, então o público podia esperar não só ouvir, como também assistir a coisas memoráveis. O preparo inadequado de um carro-palco de uma corporação podia acarretar uma

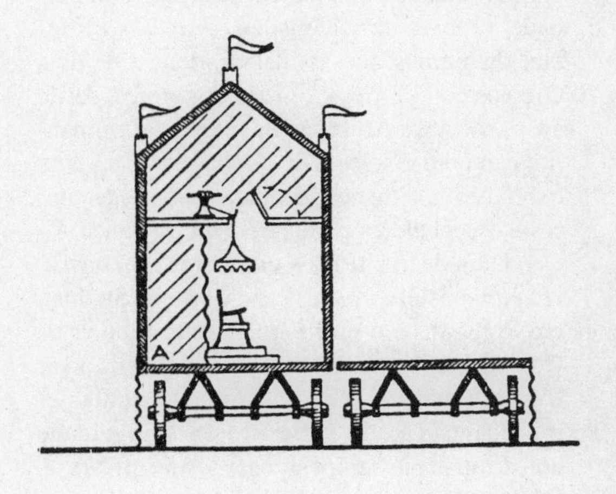

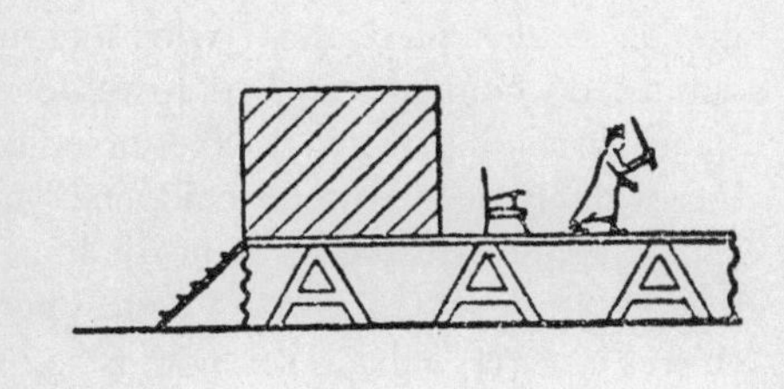

35. Carro-palco inglês usado nos autos da corporação de Chester no século XVI. Reconstrução de Glynne Wickham.

séria reprovação dos vereadores, e até uma pesada multa. Foi o que aconteceu ao grêmio dos pintores de Beverley em 1520, "porque sua peça [...] foi mal e confusamente representada, em desrespeito a toda a comunidade, diante de muitos estrangeiros".

Embora os textos estivessem estabelecidos há tempos, sempre precisavam ser revisados e adaptados aos grupos particulares de atores. Além da rivalidade entre as diferentes corporações, as cidades estavam frequentemente tentando superar umas às outras com suas peças. Os elaboradores de textos podiam brilhar por sua erudição ou, melhor ainda, pela originalidade das grotescas adições de sua autoria. Foi assim que o monge de Woodkirk, que fez acréscimos ao ciclo de Towneley, teve a ideia de inserir, antes da Adoração dos Pastores, uma farsa que pode tranquilamente ser comparada às de Hans Sachs. O pastor Mak, astuto e patife, rouba um carneiro dos outros pastores e o leva para casa, para a mulher. Por tudo isso, ela o repreende ruidosamente, embrulha o animal (claramente treinado para o palco), coloca-o no berço, deita-se ela própria na cama e, quando os companheiros pastores de Mak chegam e revistam a casa com desconfiança, ela lhes pede silêncio, em consideração a si mesma e ao novo bebê. Mas quando um deles levanta a coberta do "bebê", a fraude é descoberta, e Mak apanha. Exaustos, todos caem em sono profundo, para serem despertados pelo *Gloria in excelsis* dos anjos.

As fontes da coleção de peças de 1468, *Ludus Coventriae* – embora pareça não haver nenhuma conexão com Coventry (Craig as atribui ao condado de Lincoln) – remontam a Bizâncio. Uma de suas cenas de maior efeito, "A Volta de José", coincide quase literalmente com o fragmento de um diálogo atribuído ao Patriarca Germano de Constantinopla. A Igreja Oriental e o carro-palco se encontram, ao longo dos séculos, na expressão dos sentimentos demasiado humanos de São José, dos quais fontes sírias tinham falado abertamente e sobre os quais os intérpretes ocidentais haviam solicitamente estendido o manto da Imaculada Conceição. José acusa Maria de ter-lhe posto chifres e envergonhado seu nome:

Joseph: *Sey me Mary this childys fadyr ho is...*
Mary: *This childe is goddys and your.*
Joseph: *Goddys childe thou lyist in fay*
God dede nevyr jape so with may
And I cam nevyr ther I dare wel say
yitt so nyh thi boure
but yit I sey whoose childe is this.
Mary: *Goddys and youre I sey i-wys.*
Joseph: *Ya ya all olde men to me take tent*
and weddyth no wyff in no kynnys wyse
that is a yonge wench be myn a-sent
for doute and drede and swych servyse
Alas alas my name is shent
all men may me now dyspyse
and seyn olde cokwold thi bow is bent
newly now after the frensche gyse.

José: Dize, Maria, quem é o pai desse menino?
Maria: Esse menino é de Deus e é teu.
José: Filho de Deus! Na verdade, tu mentes. Deus nunca me consideraria tão louco, e ouso dizer que eu nunca estive assim tão perto de ti, e por isso te pergunto: de quem é esse menino?
Maria: Filho de Deus e teu filho, eu sei com toda a certeza.
José: Sim, sim! Que todos os velhos sejam prevenidos de casar-se dessa maneira, que a mim foi confiada uma donzela para fazer-me, sem nenhum medo ou dúvida, esse serviço. Ai, ai, meu nome está desonrado! Todos os homens podem agora desprezar-me e dizer: velho cornudo, passaram-te a perna, como dizem os franceses.

Conquanto o carro-palco fosse uma forma assaz característica dos mistérios ingleses, não era a única. Na região da Cornualha, os cenários múltiplos, simultâneos, eram também utilizados no século XV, tanto num palco circular, que acomodava os *loca* ao nível do chão (como na moralidade *The Castle of Perseverance* – O Castelo da Perseverança), ou num arco mais amplo, remanescente do anfiteatro da Antiguidade. O texto das chamadas *cornish plays* inclui diagramas que assinalam, dentro de dois círculos concêntricos, os *loca* dos atores, desde a Criação até a Ascensão de Cristo, e terminando, não com o solene *Te Deum*, mas com uma exortação aos menestréis para tocar e aos atores e espectadores para participar da dança.

Dois desses teatros circulares ou *cornish rounds* existem ainda hoje – um em St. Just, em Penwith, e o outro em Perranzabuloe, na Cornualha. Ambos são palcos medievais ao ar livre, de mais ou menos 38 m a 43 m diâmetro, adaptações do anfiteatro da Antiguidade construídas nas tempestuosas terras do Norte. William Borlase, um antiquário que publicou, em 1745, suas *Observations on the Antiquities*

Historical and Monumental of Cornwall (Observações sobre as Antiguidades Históricas e Monumentais da Cornualha), assim os descreve: "Nesses *rounds*, círculos completos, ou anfiteatros de pedra (não interrompidos como os circos de pedra), os britânicos costumavam reunir-se para ouvir peças representadas", e acrescenta que "o monumento mais notável desse tipo fica perto da Igreja de St. Just, em Penwith". O fascínio do lugar manteve-se até hoje – em montagens retrospectivas, muito distantes de todos os estereótipos de festivais. Richard Southern cita um espectador do século XX que assistiu aí a uma representação:

> Só o plano em granito de St. Just, à vista do cabo Cornwall e do oceano transparente que bate contra aquele magnífico promontório, já seria um teatro perfeito para a exibição [...] da grande História da Criação, da Queda e da Redenção do Homem [...]. O enorme afluxo de pessoas vindas de longe quase não parecia uma multidão nessa região erma, onde nada cresce que limite a visão, seja de que lado for [...].

Southern acrescenta, com referência às "influências mentais da expectativa e da religião", que os espectadores originais eram

> gente do campo ou das cidades interioranas, de uma época agrícola, ansiosa por qualquer diversão, reunida em multidão em meio a um alegre jogo de vestimentas, entre colinas e bandeiras, com um fosso e uma barreira separando-a do mundo do cotidiano de trabalho [...]. Devota ou não, isso dependia de cada um, mas a multidão como um todo pertencia a uma época de formato religioso dominante: e assim sendo, penso eu, ela estaria preparada para ouvir o longo argumento de linha teológica que atravessara toda a representação.

A infinita amplitude da terra e do mar desempenhava seu papel, assim como o céu azul de Atenas, ainda que, em lugar da claridade grega, nuvens cinzentas e tempestuosas servissem de abóbada para o Juízo Final nessas terras do Norte.

O Auto de Natal

O tempo todo as Paixões, os mistérios e as representações das lendas foram acompanhados pelos ofícios e ciclos relacionados com o Natal. Originaram-se do mesmo *Quem quaeritis* oratorial que é o germe do auto pascal. "A quem buscais?", era a pergunta dirigida tanto às três Marias, no domingo de Páscoa, como aos pastores que chegavam à manjedoura, na noite de Natal.

Tutilo de St. Gall foi o primeiro a incluir uma passagem dialogada no seu *tropo* de Natal *Hodie Cantandus*. A cena presta-se por si à imediata dramatização. Os pastores que se aproximam são saudados por dois diáconos com longas e largas dalmáticas. Eles representam as mulheres que, de acordo com o evangelho apócrifo de Tiago, ou *Protevangelium*, assistiram Maria no parto. Além disso, incumbe-lhes a tarefa adicional de serem testemunhas da imaculada concepção e partenogênese – um duplo papel que a arte medieval lhes confiou muito cedo, especialmente nos monumentos bizantinos. Como *obstetrices* (parteiras), ocupam-se da Mãe e do Menino e banham o recém-nascido em bacias e cálices de ouro.

Nas versões mais antigas do *officium pastorum*, as *quasi obstetrices* agem vicariamente em lugar da Sagrada Família. As informações mais antigas sobre a "encenação" dessas celebrações de Natal estão nos *tropos* do século XI. Um deles é de St.-Martial, em Limoges, e o outro, de origem desconhecida, encontra-se hoje em Oxford. A pergunta introdutória, "*Quem quaeritis in presepe, pastores, dicite*" ("A quem procurais na manjedou-

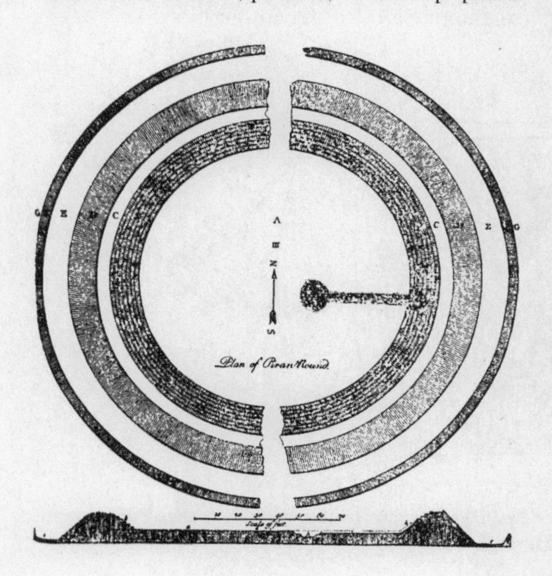

36. O teatro de arena (*Perran Round*) de Perranzabuloe, Cornualha, datado do século XV. Gravura de 1758.

ra, ó pastores?") e a subsequente adoração são seguidas, enquanto transição para o Aleluia da Missa, pela ordem: "*Et nunc euntes dicite quia natus est*" ("Ide e dizei a todo o povo que Ele nasceu"). O texto do *officium* é ainda muito próximo do texto do Evangelho.

Por volta do século XI, a cena foi enriquecida com a inclusão de novas personagens. Ao retornar, os pastores encontram os três Reis Magos que, escutando as boas novas, por sua vez se aproximam do Menino, oferecendo-lhe respeitosamente seus presentes. Nessas antigas representações, eles não se ajoelham. Na arte antiga tal como na do Medievo inicial, o *genuflexio* não era uma expressão de veneração, porém de súplica por misericórdia. A primeira representação que mostra um dos Reis Magos ajoelhado aparece no *Antependium* de Klosterneuburg, de Nicholas de Verdun (1181), que sugere, com o vívido impacto de suas numerosas cenas, uma conexão com as peças representadas em Klosterneuburg, perto de Viena. Os três Reis Magos também só ostentam coroa a partir de meados do século XII; antes, apresentam-se "sábios", como magos usando o capuz frígio.

Até o século XIII, a própria Madona aparecia como imagem esculpida, geralmente como a Virgem entronada com o Menino, no altar decorado para representar a manjedoura. O Menino Jesus, prenunciando o futuro *Pantocrator*, levanta a mão direita, em atitude de bênção. À sua volta estão as numerosas personagens dos ciclos da Epifania. As pinturas murais românicas, do antigo coro oeste da igreja da Abadia de Lambach, no Danúbio, que foram completamente resgatadas em 1967, são provavelmente um reflexo plástico do *Officium Stellae* de Lambach, um auto dos Magos também conservado em latim. As três mulheres ao redor da Madona entronada são as *obstetrices,* as primeiras a receber os Magos quando estes chegam à manjedoura. Karl M. Swoboda, em 1927, foi o primeiro a afirmar que o pintor do afresco deve ter se inspirado nas figuras do auto latino dos Magos.

A cena foi posteriormente ampliada, com a inclusão dos anjos anunciando, das alturas, as boas novas (como em Orléans). As galerias em arcos das igrejas românicas e os trifórios das catedrais góticas proporcionavam os *loca* ideais para esse fim.

O *officium* litúrgico transformou-se em teatro no momento em que aparece um antagonista: o rei Herodes, a personificação do mal. Sobre ele e sua corte, os compiladores de textos medievais concentraram livremente toda a sua riqueza imaginativa. Sentado em seu trono púrpura e rodeado de escribas, Herodes recebe os Magos, depois de um mensageiro ter anunciado os visitantes orientais. No ato de Natal de Orléans, o filho de Herodes, Arquelau, está ao seu lado. Encolerizado com as revelações dos escribas, Herodes joga ao chão o livro dos Profetas. Em sanha pantomímica, os atores retratam a fúria do pai e do filho brandindo suas espadas contra a estrela – pendente de corda, ela é puxada ao longo da igreja – que anuncia o Rei recém-nascido.

37. Ciclo epifânico com as personagens do auto dos Magos. Cópia de uma pintura mural no antigo coro oeste da igreja da Abadia de Lambach, junto ao Danúbio, alta Áustria, século XI.

Acessos de cólera e ameaças violentas, em contraste com a credulidade e a confiança inocente, sempre foram um tema de efeito teatral.

Os autos de Natal são um outro exemplo da antiga intromissão, desde muito cedo, do mimo na solenidade da igreja. Por volta de 1170, a abadessa Herrad de Landsberg reclamou da bufonaria que havia se propagado desmedidamente, em especial nas cenas de Herodes. Para mostrar a maneira adequada de tratá-las, apresenta, em seu *Hortus Deliciarum* (destruído num incêndio em Estrasburgo, em 1870), Herodes entronado com toda a dignidade.

As peças, nesse meio tempo, seguiam seus próprios caminhos, em parte condenadas pela Igreja, em parte promovidas pelo clero. As cenas básicas eram cada vez mais enriquecidas com detalhes episódicos, embora ao mesmo tempo nenhum esforço fosse poupado para apresentar provas teológicas do milagre do Natal.

O auto de Natal da abadia beneditina de Beuren, incluído nos *Carmina Burana* do século XIII, começa com uma disputa dos Profetas. Aparecem Balaão e seu asno, Santo Agostinho e um *episcopus puerorum*. O Bispo Criança, que na Festa dos Loucos francesa e na *Festum Asinorum* preside uma grande quantidade de frivolidades clericais, no auto da abadia beneditina de Beuren apenas anuncia, precocemente, que a questão do nascimento virginal só pode ser adequadamente explicada por Agostinho.

A Anunciação à Maria e a Visitação baseiam-se na história autêntica do Natal. A estrela aparece aos *tres Reges* no Oriente. Eles visitam Herodes, que os recebe em presença de um mensageiro. O anúncio da Natividade aos pastores contém um contraste teatral de grande efeito na pessoa do *diabolus*, que faz o melhor que pode para demolir a credibilidade da mensagem angélica. Os pastores vão à manjedoura, adoram o Menino e na volta encontram os Três Reis, que por sua vez chegam ao presépio e O veneram. Avisados em sonho por um anjo, eles iniciam a jornada para casa sem voltar a Herodes. Mas Herodes ouve do *Archisynogogus* e de seus sumos sacerdotes que a profecia se realizou. Ele determina o Massacre dos Inocentes. Nas colinas de Belém ressoam os lamentos das mães. Raquel, a mãe judia representativa, chora por seus filhos: "*O dulce filii*...". (À parte dos autos, o *ordo Rachelis* faz parte, de qualquer modo, da liturgia de 28 de dezembro, o dia dos Santos Inocentes.)

Herodes sente o seu fim aproximar-se. Entrega a coroa a seu filho Arquelau, cai morto do trono, "consumido por vermes", e é levado pelos demônios em júbilo selvagem. Um anjo aparece a José em sonho e lhe ordena que fuja para o Egito. Ele o faz, com Maria e o Menino. A isso se segue um *Ludus de Rege Aegypti*, que fala da chegada da Sagrada Família ao Egito e da queda dos deuses do império do Nilo – e partes desse diálogo são tiradas do *Antichristo* de Tegernsee.

E assim vários episódios cobrem, de forma abrangente, cada aspecto dogmático da história do Natal, com todos os seus antecedentes e ramificações. Com alguns detalhes a mais ou a menos aqui e ali, podemos encontrar paralelos nas peças de Natividade de Nevers (1060), Compiègne, Metz, Montpellier e Orléans, no mosteiro de Einsiedeln na Suíça, no mosteiro belga de Bilsen e, na Espanha, com o *Auto de los Reyes Magos*, da Catedral de Toledo.

Com a expansão dos idiomas vernáculos, o caráter dogmático das peças foi gradualmente perdendo terreno para cenas populares, centradas na manjedoura e no Menino no berço, conforme sobrevivem até hoje em canções e costumes locais. José aviva o fogo e se ocupa com foles e velas, prepara um mingau para o infante (como no *Mystère* de Gréban), flerta com as servas e é alvo de muita zombaria.

Na capela do castelo de Hocheppan, um pintor tirolês de afrescos do século XII retrata uma donzela ajoelhada junto ao fogo, com uma frigideira, experimentando os habituais bolinhos de massa da região, antes que a puérpera receba os seus. Duzentos anos depois, no auto de Natal de Hesse, uma alma gêmea dá um tratamento semelhante à cena. Enquanto em Hocheppan José permanece quieto e entregue a seus próprios pensamentos e Maria supervisiona a preparação dos bolinhos em seu divã bizantino, no auto de Hesse ela está inteiramente tomada pela preocupação de fazer com que as recalcitrantes serviçais cuidem da cozinha. "Que queres, velho barba de bode?" – recebe como resposta. Ele as ameaça "com uma esfrega no lombo" e elas, por sua vez, o ameaçam "empurrá-lo sobre os carvões" e ministrar-

38. Cena do *ecce homo*, representada num carro-palco inglês. Pilatos em seu trono; à esquerda, a coluna do flagelo e um servo com a bacia d'água. Gravura de David Jee. Extraído de Thomas Sharp, *A Dissertation on the Pageants or Dramatic Mysteries Anciently Performed at Coventry*, 1825.

39. O Nascimento de Cristo. Cena natalina, com espectadores em trajes contemporâneos. Pintura de Hans Multscher, 1473 (Berlim-Dahlem, Staatliche Museen, Gemäldegalerie).

40. A mulher Hédroit forja os pregos, enquanto seu marido exibe a mão machucada; à esquerda, dois homens fazem perfurações na cruz. Do manuscrito Ms. 666 Holkam Hall, *c.* 1300 (Biblioteca de Lorde Leicester).

41. A Sagrada Família com anjos. Painel pintado por um artista do Reno, *c.* 1400. O realismo popular, a riqueza de detalhes e o presépio do tipo baldaquino combinam com a exuberância narrativa dos autos de Natal (Berlim-Dahlem, Staatliche Museen, Gemäldegalerie).

-lhe umas bofetadas. José grita "socorro, ajudem-me!" e tudo o que consegue é que as criadas com os dois estalajadeiros se ponham a dançar lassivamente em volta do berço.

Mais ou menos na época do auto de Natal de Hesse, Konrad von Soest, o criador do magnífico altar de Niederwildung, com seu piso de ouro, mostra José, de barbas brancas, ajoelhado junto ao fogo, cozinhando prudentemente o disputado mingau. O altar pode ser datado de 1404, enquanto o auto foi escrito entre 1450 e 1460, embora, provavelmente, já tivesse sido apresentado desde o final do século XIV. Os mosteiros de Hesse, mais particularmente o dos franciscanos de Friedberg, eram notórios, nessa época, por sua "vulgaridade imprópria". Em 1485, os edis foram levados a exigir nos termos mais categóricos que os dois mosteiros de frades agostinianos e descalços passassem a comportar-se de maneira mais decente.

Nos autos de Natal, como em outras peças religiosas, o robusto prazer sensual e a piedade singela estão intimamente ligados. O monge que escreveu o manuscrito de Hesse coloca uma estranha cantiga de ninar nos lábios do Menino Jesus na manjedoura: "*Eya, eya, Maria liebe mutter myn, sal ich von den joden liten grosse pin*" ("Ai de mim, ai de mim, Maria, minha mãe querida, os judeus me farão sofrer tão grande dor"). Maria o conforta: "*Swige libes kindelyn iesu christ, beweyn dein martel nicht zu dieser frist*" ("Quieto, quieto, querido menino Jesus Cristo, não lamentes agora a tua morte de mártir"). A tosca comicidade de taberna é repentinamente sobrepujada pela premonição infantil da sua Paixão vindoura.

Na *Representación del Nacimiento de Nuestro Señor,* um auto da Natividade escrito pelo poeta espanhol Gómez Manrique em meados do século XV, mostram ao menino na manjedoura os instrumentos da Paixão; a cena termina com uma cantiga de ninar, cantada em forma de salmódia e, a cada estrofe, apoiada por um duplo grito: "*Ay dolor*!"

O pintor flamengo Roger van der Weyden incorporou, no seu retábulo dos Magos (*Alte Pinakothek*, Munique), a ideia da Crucifixão antecipada na manjedoura. Discretamente, quase despercebido, um crucifixo está colocado junto à arcada central das ruínas da Natividade. (Uma cópia contemporânea do Mestre de Santa Catarina, que em todos os demais detalhes corresponde exatamente ao original, não levou em consideração esse *Mene tekel.*)

O drama natalino mal necessitava de equipamentos técnicos especiais. Nos países de língua alemã, eslava e românica, ele manteve-se dentro das igrejas, mesmo quando os autos da Paixão e das lendas começaram a expandir-se pelos pátios dos mosteiros e pelas praças dos mercados. Quando mais tarde se transformou no elemento imprescindível dos grandes ciclos da Paixão, obviamente a "choupana natalina" teve seu lugar, como no grande palco ao ar livre com cenários simultâneos de Lucerna, em 1583, ou nos mistérios apresentados nos *pageant carts* ingleses.

Os autos dos Profetas, originalmente ligados ao ofício de Natal, haviam se tornado independentes da cena da manjedoura já por volta do século XII. Em vez da interpretação teológica e didática do Evangelho, como a introduzida pelos Padres da Igreja sob a cúpula da Hagia Sophia, em Constantinopla, o norte preferiu as danças de diabos e as lutas de espadas, às vezes de realismo tão cruel que alguns espectadores menos avisados ficavam tomados de horror. A crônica do bispo Alberto da Livônia registra, com satisfação questionável, que seus compatriotas, de maneira alguma covardes, fugiram apavorados do *Ludus Prophetarum Ornatissimus*, representado em 1204 por clérigos de Riga.

Um auto profético levado dez anos antes em Regensburg (Ratisbona), em 1194, não causou pânico, embora abarcasse a criação dos anjos, a queda de Lúcifer e seus seguidores, a criação do homem e o Pecado Original. Talvez as retratações fossem mais modestas – ou talvez os habitantes dessa cidade cosmopolita do Danúbio estivessem mais familiarizados com os efeitos das profecias, pelos sermões que ouviam. Além disso, o povo de Regensburg vivia numa encruzilhada de influências bizantinas e antigas; talvez conhecessem não apenas as histórias de Balaão e seu asno, dos três jovens na fornalha ardente e das profecias das Sibilas, mas também soubessem como Virgílio devia apresentar-se na função de testemunha da história do mundo pré-cristão.

O desenvolvimento posterior do auto de Natal não foi, de modo algum, influenciado

42. Cena de Natal com "a provadora de bolinhos", uma serva que prepara e experimenta o prato local para Maria. Pintura mural na capela do castelo de Hocheppan, sul do Tirol, século XII.

43. Os Três Reis com Herodes, a cujos pés se encontram sentados três escribas sentados. Miniatura do *Codex Aureus* de Echternach, *c.* 1020 (Nuremberg, Germanisches Nationalmuseum).

por disputas teológicas eruditas. Tendo se livrado de todo o lastro do Velho Testamento, ele conservou a magia da manjedoura de Belém até hoje, enriquecida pelos mais diversos costumes populares locais.

Autos Profanos

Joculatores, Menestréis e Errantes

Os mesmos argumentos com os quais o estadista bizantino Zonara defendia, por volta de 1100, a reabilitação dos atores da corte foram propostos mais tarde a um governante ocidental por um outro intercessor aficionado dos autos. Na corte do rei espanhol Alfonso X de Castela (1252-1284), o trovador Giraut Riquier pediu ao rei para estabelecer, com a força da sua autoridade real, uma nomenclatura precisa para os menestréis, de modo que os artistas "nobres" e os "vulgares" pudessem ser diferenciados uns dos outros. Não era justo, ele argumentava, tratar os mais altos representantes da arte recitativa, cujos versos bem-torneados e canções divertiam a corte, da mesma forma que toda a hoste de palhaços, bufões, comediantes, charlatães e domadores de animais que desempenhavam seu ofício na praça aberta do mercado, diante de qualquer um do poviléu.

A declaração rimada e cheia de benevolência que Riquier afirmou ser a resposta do rei a seu pedido provavelmente partiu de sua própria pena. O único registro oficial que temos é uma justificação para os autos nas igrejas, contida nas *Leyes de las Partidas*, o código de leis compilado sob Alfonso X. Depois de censurar severamente toda a "libertinagem bufa que diminuía a dignidade da Casa de Deus", ele afirma: "Mas há representações permitidas aos sacerdotes, como por exemplo a do nascimento de Nosso Senhor Jesus Cristo..."

Essas palavras não satisfizeram o orgulho do ambicioso trovador Guirot de Riquier. Ele, porém, teve de contentar-se com o favor pessoal que alcançara e, com ele, as centenas de menestréis, cantores e músicos, extremamente solicitados como poetas da corte, organizadores de festivais, conselheiros e arautos da fama de seu príncipe. Muito viajados e experimentados em toda classe de missões delicadas, puderam com frequência comparar-se com os melhores representantes da nobreza em habilidade diplomática e cultura geral. "Eu vivo na generosa família do Landgrave", canta Walter von der Vogelweide a respeito de si mesmo, "é de meu feitio estar sempre entre os melhores".

Crônicas, tratados e editos da Igreja referem-se aos cantores ambulantes – os menestréis, *ministeriales*, *minstrels*, *ménestreles*, *ménetriers* – e contam que eles "serviam" a seus príncipes com o alaúde e as canções. Por fim, essa designação acabou se fundindo quase indistintamente com a à de *joculator*, herdada da Antiguidade, ao termo francês *jongleur* e ao alemão *Spileman*.

É verdade que Afonso de Castela – o rei erudito, poeta e astrônomo – recusou a Riquier, o mais nobre de seus trovadores, o reconhecimento legal que ele tão fervorosamente desejara. No entanto, os sucessores do rei Afonso sentiram-se tanto mais ansiosos por se ver retratados no *Tratado de Batallas* como soberanos de Oriente e Ocidente, adotando a atitude de príncipes clementes, rodeados de negrinhos, bufões e símios burlescos.

Os bufões, saltimbancos músicos, dançarinos e domadores de animais da Idade Média certamente não podiam reclamar de que sua existência fosse deixada no esquecimento. Eles sobrevivem nos pórticos das igrejas, nos tímpanos e capitéis, nos painéis dos coros, em cornijas, manuscritos e objetos esmaltados e de marfim – retratados nos mais esmerados detalhes e variedade.

Nos séculos VIII e IX, o mosteiro de St. Gall considerava um ponto de honra receber o senhor feudal não apenas com cânticos piedosos, mas com música, dançarinos e acrobatas. Seus Natais eram tão famosos que, em 911, o rei Conrado I decidiu visitar St. Gall para vê-los pessoalmente. (Por outro lado, São Luís, o Pio, não se interessava por esses espetáculos; seu cronista Theganus nos conta que ele nunca ria, mesmo nas festividades mais alegres, quando bufões e mimos, flautistas e tocadores de cítara faziam rir a todos os presentes.) A julgar pela biografia do erudito arcebispo Bruno de Colônia, escrita por Ruotger, a herança tea-

44. Saltimbanco com macaco. Baixo relevo românico. Catedral de Bayeux.

45. Saltimbanco e São João Evangelista. Miniaturas de um comentário de Beatus sobre o Apocalipse. Manuscrito espanhol do mosteiro de Santo Domingo de Silos, *c.* 1100 (Londres, British Museum).

46. Menestréis usando capuzes com guizos, dançarinos mascarados e cenas de domadores de cavalos. Margens inferiores ornamentadas de figuras do *Li Romans d'Alixandre*, século XIV (Ms. Bodleiano 265, Oxford).

tral da Antiguidade estava tão em evidência nesse tempo quanto a comédia atelana. As farsas e autos de mimos – ele nos conta – com os quais os outros se torciam de rir, Sua Eminência somente os lia com propósitos sérios; na verdade, ele pensava muito pouco no conteúdo dessas comédias e tragédias, e muito mais no seu valor como modelo para figuras de oratória.

A *Comedia Bile* dos peixes falantes, uma farsa popular de ventriloquia dos *histriones* do final da Antiguidade, também sobreviveu até o século XV como um número de gala dos mimos. Danças de animais, imitação de suas vozes e a farsa de tipos como meio de crítica social eram as fontes inesgotáveis do mimo. Quando, no século X, o *Ecbasis Captivi* se inspirou em Esopo, numa alegoria divertida que zombava da vida monástica transpondo-a para o reino animal, seu autor clerical bebeu da mesma fonte que os ousados mimos e *joculatores*. Quando o *trouvère* parisiense Rutebeuf, em seu *Dit de l'Erberie*, apresenta um médico charlatão que se gaba das centenas de medicamentos que experimentou no sultão do Egito, revive nessa personagem o curandeiro da Antiguidade, tanto quanto o *Mercator* no auto da Páscoa. Esse papel é sempre do *joculator*, tanto nas canções de *ménestrel* e dos *goliardi*, quanto no drama religioso.

Sozinhos ou aos pares, esses artistas apresentavam suas cenas com trajes e maquiagem. Gestos vívidos e danças sugestivas revelam o *joculator*, por todas as suas ambições literárias, como um sucessor direto da arte declamatória dos mimos e pantomimos da Antiguidade – embora ele tenha tomado a história bíblica do Filho Pródigo do "poema dramático" francês *Courtois d'Arras*, escrito e recitado por um *jongleur* por volta de 1200. De sua participação nos *mystères mimés* não há dúvida alguma. Quando Filipe, o Justo, fez representar em pantomima toda a Paixão de Cristo em 1313, durante os festejos em honra do rei da Inglaterra, com certeza foram "atores profissionais" que se ocuparam da expressividade exigida pelo auto mudo. E quando o autor da Paixão de Kreuzenstein, do século XIV (da qual só restaram fragmentos) prescreve um balé formal para Salomé e quatro de suas donzelas, decerto não pretendia que fosse interpretado por desajeitados monges. Para isso, contava com o menestrel errante e sua companheira de ofício, a *spilwip*. Já no início do século XII, a eremita Frau Ava, que vivia perto de Göttweig, junto ao Danúbio, escreveu um poema rimado sobre João Batista, apresentando Salomé como uma *spilwip*, conhecedora de todas as artes da pantomima e da dança: "*vil wol spilt div maget. Si begunde wol singen, snaellichlichen springen mit herphin vnde mit gigen, mit orgenen vnde mit lyren*" ("Como atua bem essa moça. Sabe como cantar e dançar com agilidade, ao som da harpa e do violino, do órgão e da lira").

Assim a Salomé da região do Danúbio, de 1120, que Frau Ava faz aparecer em "*chunichlichem gaerwe*", em trajes reais, é a própria imagem da mima bizantina descrita por Crisóstomo, por volta do ano 400.

Mas na vida monástica do século XIII os deuses sorriam até mesmo ao mais pobre acrobata. A lenda francesa *Le Tombeur Notre Dame* conta uma história comovente. Um acrobata, cansado de vagar pelo mundo, renega seu dinheiro, cavalo e roupas, e ingressa num mosteiro. Todas as noites, secretamente, ele desce à cripta, onde há uma estátua de Nossa Senhora na capela. Tira seu hábito, veste sua camisa fina e a venera, não com orações, mas com danças acrobáticas. Executa os saltos francês, espanhol e bretão, "rodopia seus pés no ar", caminha apoiado nas mãos – até que, exausto, desmaia. O abade, advertido de seu estranho comportamento, o observa secretamente e testemunha um milagre: Maria desce do Céu e abana o acrobata prostrado. Profundamente comovido, o abade o toma nos braços e o admite

47. Salomé dança diante de Herodes. Miniatura do *Hortus Deliciarium* de Herrad de Landsberg, século XII.

48. Ilusionista. Pintura de Hieronymus Bosch (St.-Germain-en-Laye, Musée Municipal).

49. Titereiros apresentando-se para o rei. Miniatura do *Hortus Deliciarum* de Herrad de Landsberg, século XII (o original foi destruído pelo fogo em Estrasburgo, em 1870).

na comunidade dos frades. Mas ordena-lhe ele que continue fazendo o "serviço" diante da imagem da Virgem, até que o "*tumbeor Nostre Dame*" morre em bem-aventurança. A ópera de Massenet, *Le Jongleur de Notre Dame* (1902), é baseada nessa velha lenda.

Conta-se que Santa Angústia de Lucca recompensou um violinista com seu sapato de ouro e que a Madona de Rocamadour teria baixado uma lâmpada do altar sobre o instrumento de um humilde *joculator* que a venerava. E, como no fim de contas a Igreja não podia ficar atrás de suas próprias lendas, todas as interdições não evitaram que os vagantes e "habilidosos menestréis" fossem empregados como músicos nas igrejas.

Finalmente, também aos *joculatores* deve-se agradecer a conservação de uma das formas teatrais mais antigas e populares: o teatro de bonecos e marionetes. As figuras articuladas, movidas por cordéis e varas, como retratadas no *Hortus Deliciarium* de Herrad de Landsberg, gozavam de tanta popularidade quanto os bonecos do imortal espetáculo *Punch und Judy*, nos quais os atores ficavam ocultos por uma cortina atrás de uma barraca. O palco dos bonecos podia, na ocasião, ser esplendidamente trabalhado, como testemunha uma miniatura no manuscrito flamengo do século XIV, *Li Romans du Boin Roi Alixandre*, em que o palco é equipado com ameias e balcões e os guerreiros estão ladeados por duas sentinelas armadas com clavas e maças. A sociedade cortesã parece incitada a uma viva discussão pelo conteúdo da peça. Um tema de tão amplas possibilidades e tão rico em elementos lendários e históricos quanto o romance de Alexandre exigia com certeza do titereiro medieval uma familiaridade não menos pormenorizada de seu ambicioso tema do que a exigida do *wayang* indonésio ou do artista do *bunraku* japonês. Num aspecto, entretanto, o titereiro medieval levava vantagem: não precisava fazer com que sua hoste de heróis atuasse, sem interrupções, por horas a fio, nem renunciar a uma boa refeição com os servos – ou, se fosse aceito como igual, na mesa do senhor.

Do Préstito de Máscara à Peça de Palco

O cronista normando Ordericus Vitalis descreveu, por volta do fim do século XI, uma terrível experiência de um sacerdote. Certa noite, no começo da primavera, passou junto dele, no ar, uma hoste selvagemente mascarada, ululante e exaltada de demônios conduzida por um gigante armado com uma clava. Era a caçada selvagem dos arlequins, a *família Herlechini.*

Menos de cem anos mais tarde, Peter de Blois, na sua décima quarta epístola para os oficiais da corte do rei inglês (1175) mencionou os feitos nefastos dos arlequins. Eles eram filhos de Satã, dizia, imagem do gênero humano presa da vaidosa mundanidade; seu líder, o arquidemônio, não tinha outro objetivo senão o de acometer a Igreja e todas as suas obras e levar à tentação e ao pecado até o mais virtuoso e sábio dos homens.

A antiga *mesnie Herlequin* francesa é uma das inúmeras versões da caçada selvagem, do exército de almas penadas, do exército dos mortos – todos profundamente enraizados nos cultos demoníacos pagãos. Seus atributos são máscaras de animais apavorantes, lobos e cachorros como acompanhantes, o bimbalhar de sinos, urros e fúria, assobios e gritos. Surgem assim em muitos exemplos, desde a hoste germânica de Odin e suas muitas derivações nos costumes populares, até os lobisomens na Ásia Menor e, mais tarde, na silenciosa aproximação de um halo de neblina no *Erlkönig* (O Rei dos Elfos), de Goethe. O arquidemônio Herlequin acabou emprestando seu nome ao Arlecchino da *Commedia dell'arte*.

Adam de la Halle, ex-teólogo, apaixonado defensor da justiça, poeta e músico, confiou um importante papel ao *Herlekin Croquesot* em seu *Jeu de la Feuillée* (Jogo da Ramada). Nesse auto, que foi apresentado em Arras, em 1262, a personagem Croquesot surge com uma máscara de demônio peluda e de boca grande. "*Me sied-il bien, li hurepiaus*?", são suas primeiras palavras, com as quais se apresenta à plateia, ao toque dos sinos da hoste de arlequins que passa ululando pelos ares: "Não me cai bem essa máscara, essa careta desgrenhada?" Possivelmente também usava um manto vermelho com capuz, que, como vestimenta comum ao diabo e ao arlequim, serve para identificar a ambos.

Le Jeu de la Feuillée de Adam de la Halle pode ser considerado o mais antigo drama profano francês. Combina elementos cultuais, contos de fadas e superstições de uma maneira inspirada. Foi a despedida imaginativa e espirituosa do autor de sua cidade natal, Arras, antes de partir para Paris e para a universidade, certo de que sua plateia entenderia perfeitamente as suas alusões diretas ou disfarçadas. A ruidosa e desenfreada festa dos arlequins falava ao coração de sua época e de sua cidade, assim como a sua sátira, repleta de alusões lógicas, grosseria e encanto, malícia e palavras mágicas.

Vinte anos depois, com seu *Jeu de Robin et Marion*, uma graciosa *pastourelle* com acompanhamento musical, Adam de la Halle antecipou o modelo dos autos pastorais da Renascença.

No decorrer do século XIV, a *familia Herlechini* emancipou-se de uma forma das mais prosaicas. Na *Charivari*, os arlequins desmitificados transformavam-se em demônios barulhentos, que saíam às ruas fazendo maldades e perturbando o sossego. A *Charivari* era uma espécie de parada carnavalesca de bufões; seus participantes assustavam os honestos burgueses com empurrões e com o bater de panelas de cobre, chocalhos de madeira, sinos e sinetas de vaca.

Sob a proteção de peles de animais e máscaras grotescas, a mascarada, que em Adam de la Halle apresentava ainda um aspecto de comédia e teatro, se convertera agora num fim em si mesma, alheia a toda intenção artística. Demônio ou bobo, o mascarado podia estar seguro de sua impunidade para todo o sempre. A liberdade dos bufões é a única que a humanidade tem preservado, da pré-história até hoje.

Nenhuma regra de moralidade e decoro punha limites às algazarras noturnas. Não admira que a Igreja exortasse clero e leigos a "não assistir nem tomar parte nas festividades chamadas *Charivari*, nas quais o povo usa máscaras de demônios e coisas terríveis são perpetradas".

Os autos de Neidhart, desenvolvidos nos Alpes austríacos e no Tirol, pertencem à tradição ligada ao solstício de inverno, ao Carnaval e aos ritos da primavera. Remontam a costumes como o da eleição de um rei e de uma rainha de maio, na Festa de Pentecostes, lembrando a italiana "*sposa di maggio*" e o "*Lord and Lady of the May*", o equivalente inglês do *Robin et Marion* de Adam de la Halle.

Os autos de Neidhart alemães tiram seu nome do trovador alemão Neidhart von Reuenthal, um cavaleiro e vassalo do duque da Bavária, Otto II. Por volta de 1230, Neidhart von Reuenthal tornou-se desafeto do duque. Mais tarde encontrou refúgio na Áustria, onde rompeu com as convenções poéticas das *minnesang*, que naquele tempo haviam se tornado rígidas, transformando-se no representante máximo do que é conhecido como "*höfische Dorfpoesie*", isto é, "poesia das aldeias sob influência da corte". Mediante essa nova forma, uma ponte é construída entre os costumes da corte e os dos aldeões – expressa tão bem na antiga cerimônia popular da colheita anual das violetas, da qual tanto os aldeões quanto os cortesãos participavam. No antigo auto de Neidhart, a duquesa da Áustria promete ao Cavaleiro de Reuenthal elegê-lo seu "amante de maio", se ele lhe entregar a primeira violeta.

Precedidos por flautistas, os senhores e as damas da corte dirigiam-se em cortejo festivo ao campo, às margens do Danúbio. Neidhart acha a flor que contém tantas promessas. Ele a cobre com o chapéu e se apressa a contar à duquesa sua "grande alegria". Mas os camponeses, que tem contas a acertar com Neidhart por causa de seus versos satíricos, amargam seu triunfo. Quando chega acompanhado da nobre dama e com floreios levanta o chapéu, encontra sob ele algo bem menos aromático que uma doce violeta.

A primeira versão do auto de Neidhart está conservada num fragmento de um mosteiro beneditino de São Paulo, em Kärnt (datado de aproximadamente 1350). A peça provavelmente deve ser recitada por dois menestréis, e ela é teatro no sentido de que seu tema é um festival de primavera, em campo aberto; não obstante todas as piadas rústicas, ainda é um poema distinto e cortês. No final, todos se reúnem numa roda para dançar e concluir a peça numa atmosfera geral de dia de festa.

Na versão tirolesa, mais extensa, do auto de Neidhart do século XV, a recitação por duas pessoas se transforma na riqueza de cenas e atores dos autos da Paixão. O cenário muda do prado primaveril para a cidade. Nada menos do que cento e três atores participam da peça. Trajes típicos coloridos, gestos animados, episódios humorísticos e grotescos, um contraste óbvio

50. Menestréis. Miniatura do poema satírico *Roman de Fauvel*, cujo herói é representado pela figura de um cavalo. A serenata a uma viúva que deseja se casar corresponde ao Charivari, com instrumentos musicais e ruidosos, como era costume nos cortejos de mascarados da "mesnie Herlequin" francesa e nos espetáculos das farsas. Manuscrito de Gervaise du Bus, anterior a 1314 (Paris, Bibliothèque Nationale).

51. *Neidhart e a Violeta*. Xilogravura, provavelmente de uma impressão de Augsburg. Anterior a 1500.

com as falas elegantes e corteses e com as roupas dos cavaleiros transformam o romance numa turbulenta comédia carnavalesca. O Inferno inteiro desata-se agora em torno do incidente da violeta, demônios entregam-se a uma discussão barulhenta, camponeses com pernas de pau dançam sobre seu fantástico brinquedo e velhas megeras lutam com estalajadeiros. É quase um prenúncio de Hans Sachs que, em 1557, reescreve o tradicional auto de Neidhart, transformando-o no carnavalesco *Schwank*.

Autos de Carnaval

O conselho da Cidade Livre de Nuremberg era composto de homens muito preocupados com o decoro e a ordem públicos. E uma vez que seus porta-vozes eram pessoas inteligentes, sabiam que a primeira coisa a fazer era controlar os entretenimentos. Assim, em 19 de janeiro de 1486, assinaram e selaram um documento estabelecendo que era permitido ao "mestre Hans, o barbeiro, e ao resto do seu grupo" apresentar-se num auto de Carnaval em verso, desde que observassem decoro e não recebessem dinheiro por ele.

O mestre Hans a quem era dada essa permissão era Hans Folz, nascido em Worms, mestre cirurgião e barbeiro, que viera para Nuremberg em 1479, ficando logo conhecido como realizador e autor de peças carnavalescas de robusta comicidade. Suas atividades encontraram um campo ideal em Nuremberg, com sua constituição aristocrática, sua riqueza, seu orgulho burguês e artesão, seu culto às artes e as ciências.

Seu predecessor, o funileiro e armeiro de Nuremberg, Hans Rosenplüt, levara a antiga e tradicional forma de cortejo, com suas piadas de disfarce e desmascaramento de identidades secretas, a um rude grotesco de anedota em verso, a chamada *Schwank*. Hans Folz era conhecido por seus contemporâneos e companheiros de ofício como o "*Schnepperer*" (o sangrador). Ele não apenas desferiu poderosos golpes na contenda entre o povo de Nuremberg e o margrave de Brandemburgo, como também exaltou a burguesia em seus *Fastnachtsspiele*, ou autos carnavalescos nos quais falava contra os nobres cavaleiros política e moralmente decadentes. Numa das peças a ele atribuídas, *Des turken Vasna-chtspil* (Auto Carnavalesco Turco), vai tão longe a ponto de contrastar o Oriente, "onde o sol se levanta, e as coisas estão bem e em paz", à corrompida situação de sua pátria. Para reforçar o argumento, o arauto, que preside e apresenta todo o cortejo de participantes, inclusive o escudeiro turco, faz um pronunciamento evidentemente crítico: "Seu país é chamado Grande Turquia, onde ninguém precisa pagar impostos". Segue-se então toda sorte de disputas ruidosas e violentas ameaças entre os cavaleiros e os delegados do imperador, do papa e do grão-turco, que reprova os cristãos por sua "arrogância, usura e adultério". Os cristãos respondem avisando ao muçulmano que vão escanhoá-lo com uma foice e lavar seu rosto com vinagre.

Dois burgueses de Nuremberg têm de interromper seu trabalho para assegurar um salvo-conduto ao hóspede maltratado. Agradecido, o turco parte com gratidão e bênçãos de prosperidade, e o arauto anuncia uma mudança para um lugar melhor. Essa é uma conclusão frequente dos autos carnavalescos, que sugere, como nas cenas originais dos cortejos, que tudo se repetirá algumas ruas adiante.

Uma antiga pousada ou taberna, com cenário adequado, podia servir como local de representação sem preparativos especiais. Um tablado de madeira sobre tonéis, uma parede como fundo e uma porta para as entradas dos atores, talvez uma mesa ou cadeira servindo

52. O Rei Davi, seguido por um violinista e um tocador de alaúde, dança diante da Arca da Aliança, puxada por uma junta de bois. Miniatura da Bíblia do rei Venceslau IV, *Codex Vindobon*, 2960, *c.* 1400. Os músicos da cidade e da corte boêmias já então gozavam de grande fama (Viena, Österreichische Nationalbibliothek).

53. Gravura do frontispício do auto carnavalesco *O Mercador de Indulgências*, de Niklaus Manuel, 1525 (Berna, Stadtbibliothek).

54. *A Mulher Atirada e a Mulher Recatada*. Xilogravura de um auto carnavalesco, de Hans Folz. Nuremberg, *c.* 1480.

de barra de tribunais, balcão de loja ou trono – tais eram os simples acessórios. Essas farsas sobre os cavaleiros, judeus e clérigos, canônicos e alcoviteiras, imperadores e abades, acusadores e acusados, médicos e pacientes, camponeses e damas da nobreza deviam todo o seu efeito à tirada de espírito e à agudeza verbal. A vitalidade do povo da cidade e o alegre desfrutar da vida violavam todos os tabus, deliciando o público com falas rudes e diretas, tanto no aspecto sexual e fecal quanto no político e moral.

As velhas se convertem em jovens donzelas na roda dos bufões; juízes de paz matreiros tiram vantagem de seus demandantes, principalmente se forem mulheres; um pai de três filhos promete sua herança ao filho que demonstra ser o mais rematado caluniador e vadio; camponeses lascivos têm de suportar punições cuja obscenidade faria enrubescer um soldado.

Um tema favorito dos autos de Carnaval, usado mais de uma vez por Hans Sachs, era a história de Aristóteles e Fílis. O triunfo da astúcia feminina sobre a erudição é um motivo que já havia sido explorado teatralmente três mil anos antes pelos sumérios. A resoluta e epigonal Fílis tenta agora colocar o mestre de joelhos e fazê-lo andar de quatro, apressando-o com o chicote de montaria.

Outro entretenimento que fazia parte das diversões carnavalescas de Nuremberg era a *Schembartlauf* ou *Schönbartlauf*, cujos vestígios ainda sobrevivem em costumes populares da Bavária, da Áustria e do Tirol. Etimologicamente, a palavra tem raízes linguísticas no vocábulo do alto-médio alemão da Baixa Idade Média, *schembart*, *schenebart*, uma máscara barbuda. Goethe estava familiarizado com ela como epítome de mascarada. "Mas diga-me por que em dias tão bons, quando nos livramos de preocupações e usamos belas máscaras barbudas..." – diz o Imperador, na segunda parte do *Fausto*.

Em Nuremberg, o *Schembartlauf*, privilégio alternado das corporações, rivalizava violentamente em certos trechos com o auto carnavalesco. Os digníssimos magnatas, por vezes de uma idade madura, que se dedicavam com predileção a esses festejos permitidos oficialmente, tentavam ocasionalmente ofuscar o prestígio das representações carnavalescas. Em 1516, o Conselho da Cidade concedeu ao auto de Carnaval uma licença limitada a dois dias, "para que a *Schembart* não fosse desacreditada".

Nas regiões alpinas, os autos de Carnaval e a *Schembartlauf* mantiveram seu estreito vínculo com os costumes populares. As controvérsias predominantes entre a gente da cidade e os camponeses eram menos acentuadas – ou, ao menos, não tão caracterizadas – de modo que o *Schwank* tirolês, ou anedota cômica, baseava seu efeito no bom senso inato e humor bonachão. E como o Sul sempre tivera uma fraqueza pelo Norte, os autos passaram a situar-se na corte do rei Artur. A fama dos feitos heroicos do lendário rei celta havia se espalhado já no curso dos séculos XI e XII por intermédio dos menestréis britânicos e bretões, e seus cantares (*lais*) eram bem conhecidos nas regiões alemãs. Na Suíça, o rei Artur, o modelo dos reis cavaleiros, tinha por companheiro o Anticristo, transformado em tema farsesco no auto *Des Entkrist Vasnacht* (O Carnaval do Anticristo).

Nenhuma das impropriedades dos autos do sul da Alemanha, Áustria, Tirol e Suíça invadiram os círculos de Lübeck, os chamados *Zirkelgesellschaften*. A dignidade das maneiras patrícias proibia qualquer piada indecente e obscenidades. A tendência para a alegoria mo-

55. Assalto ao Inferno Schembart, Nuremberg, 1539. O Inferno é representado por um navio sobre rodas, repleto de máscaras de demônios e de pássaros (do manuscrito *Schembart*, Nor. K. 444, Nuremberg, Stadtbibliothek).

56. *Festa do Asno* numa catedral francesa, representação francesa do século XV (Paris, Bibliothèque de l'Arsenal).

57. "Aristóteles e Fílis", tema que reaparece nos autos carnavalescos de Hans Sachs, mas que também pode ser encontrado numa pintura mural toscana do século XIV, em San Gimigniano. Xilogravura de Hans Burgkmair (Berlim, Staatliche Museen, Kupferstichkabinett).

58. Máscara de carnaval, 1484. Esboço do armorial de Gerold Edlibach (Staatsarchiv, Zurique).

ral já se fazia evidente no auto carnavalesco. Os registros administrativos da cidade hanseática livre de Lübeck, dos anos de 1430 a 1515, mostram que esses círculos fraternos, constituídos por membros do patriciado, dedicavam-se à representação de pequenas comédias fechadas. Seu palco era uma plataforma sobre rodas predestinada, já pela forma externa de carro-palco, a ir ao encontro das aspirações da peça de moralidades.

Farsa e Sottie

"Mas voltemos aos nossos carneiros" – em outras palavras, tomemos o mui citado *corpus delicti* como evidência de que também o *esprit* francês não dispensou o traje de bufão. Conta-se que as palavras "*Revenons à ces moutons*" foram usadas pela primeira vez num palco perto do Sena, em Ruão. Elas derivam de um gênero de representação cujo aguçado especaçar teatral deve tudo à espirituosidade gaulesa: a farsa.

Suas origens remontam tanto às festas dos bufões quanto às recitações dialogadas dos agressivamente chistosos menestréis. Sua brilhante entrada na história da literatura e do teatro foi marcada por *Maistre Pierre Pathelin*, uma obra que trata de um trapaceiro trapaceado com o negócio do carneiro acima mencionado. Escrita por um autor desconhecido, foi representada pela primeira vez por volta de 1465. Sua primeira edição, não datada, aponta para Ruão como local de origem. O diálogo mordaz, as frases polidas a desembocar em brincadeiras grosseiras traem o conhecimento do meio profissional contemporâneo dos advogados. Autores posteriores, de Rabelais a Grimmelshausen, da *Henno* de Reuchlin às *Kleinstädter* (Os Pequenos Citadinos) de Kotzebue, apropriaram-se do tipo estúpido e confiante dessa farsa.

Mestre Pierre Pathelin é um advogado respeitado, verdadeiro ornamento de sua profissão. No entanto, não apenas é inescrupuloso como encontra real prazer em enganar seu vizinho, o negociante de tecidos Guillaume, quanto ao preço de alguns metros da melhor fazenda. Além disso, aceita defender um pastor a quem Guillaume acusa de ter lhe roubado carneiros. Porém, depois de conseguir a absolvição de seu cliente, Pathelin é enganado na mesma moeda. Tendo orientado o pastor a fingir-se de bobo e só responder "bé-bé" a todas as questões na corte, quando chega a hora de pagar o advogado é exatamente isso o que

59. *Maistre Pierre Pathelin*. Xilogravura de uma edição de 1490.

aquele faz; tudo o que Pathelin recebe, em vez do seu dinheiro, é "bé-bé".

O núcleo da peça, naturalmente, é o julgamento, que se perde numa confusão de assuntos irrelevantes a ele. Em vão o juiz tenta trazer os litigantes de volta ao ponto com o seu "*Revenons à ces moutons*".

A crítica social e a sátira encontraram uma benvinda válvula na farsa. Seus fundadores eram advogados e escritores, estudantes e associações cênicas de cidadãos, eruditos errantes, mercadores e artesãos. As melhores em astúcia e originalidade eram as associações de juristas conhecidas como *Basoches*, que haviam se estabelecido durante o século XIV em Paris e nas províncias. Essas associações realizavam reuniões anuais, em que se entretinham com pantomimas e pequenos diálogos farsescos. Possuíam um estoque incrível de cenas de julgamento, casos fictícios de direito e problemas de jurisdição, vistos ao espelho distorcido da sátira a si mesmos. Sem dúvida, o autor anônimo do *Maistre Pierre Pathelin* veio da *Basoche*. Existe uma prova histórica de que a origem da farsa remonta a um edito do Preboste de Paris, de 1398, e que ela se desenvolveu a partir daí com as representações das *Basoches du Palais* de Paris, documentadas desde 1442. Estas eram marcadas principalmente para a terça-feira gorda e, alcançando um público bem maior do que o círculo dos seus membros, eram muito aplaudidas como divertidas "bufonarias".

A farsa não tinha escrúpulos. Sua eficiência dependia da autoironia, da zombaria dos abusos correntes, da impudência com que as polêmicas políticas eram mordazmente dissimuladas como alegorias inofensivas. Quando o marechal Pierre de Rohan teve de pagar por um processo de Estado contra a rainha Ana da Bretanha com seu descrédito na corte, os parisienses puderam divertir-se com uma farsa de impacto certeiro. Um ferreiro tentando ferrar uma mula é recompensado por seus esforços com um pesado coice traseiro. Todos sabiam a que a grossa piada teatral aludia. A anexação da Bretanha à França, a ferradura política, era a malograda ideia diretriz de Rohan.

Entretanto, uma irrestrita disposição agressiva podia resultar num epílogo judicial, mesmo na França do século XV. Em 1486, as *Basoches* de Paris montaram uma farsa na qual o jovem rei Carlos VIII era representado alegoricamente como uma fonte cristalina "enlameada pelos cortesãos, pois podiam pescar melhor em águas revoltas". Era uma picada num vespeiro. A tempestade de protesto desencadeou-se de pronto. Eles mandaram prender o autor e realizador da peça, Henri Baude, e também os atores. Mas o Parlamento não viu razão para condená-los e, quase em conivência secreta, os libertou.

A farsa triunfara. Mais tarde, mudou de pena e mostrou até habilidade cortesã. Quando em 1499 o palácio arquiepiscopal em Avignon foi preparado para a visita do escandalosamente notório César Bórgia, nenhum esforço foi poupado para conquistar os favores do imprevisível visitante. Assim, o sapateiro Jean Bellieti, um obscuro precursor de Hans Sachs, foi incumbido de montar uma farsa apropriada para a ocasião. O cronista cala-se sobre o sucesso dessa empresa. De qualquer maneira, César não saiu descontente do palácio. E quando mais tarde Bellieti empobreceu, foi mantido por fundos públicos, pois "compensara a cidade, com suas obras e farsas".

Como seu primo-irmão, o auto carnavalesco, a farsa não necessitava de técnicas cênicas especiais. Um simples pódio, com acessos laterais ou por trás – como no palco de Terêncio – eram suficientes. A farsa vivia da astúcia verbal, não importando se seu palco fosse montado numa sala pública, num auditório da universidade, numa casa particular ou no palácio arcebispal. Situações e personagens cômicas, identidades trocadas e planos para enganar alguém ofereciam esplêndidas oportunidades para os destaques de atuação e tornavam-se assim um incentivo para que os mimos profissionais viessem ajudar os amadores e conseguir aplausos especiais.

O que podia faltar ao elenco em técnica de representação sobrava em indumentária e máscaras. A barba cuidadosamente penteada do pomposo filisteu, as atitudes solenes do advogado de peruca e beca, o ousado penteado da *cocotte*, os costumes requintados dos cortesãos, o capuz de guizos do bobo identificavam as pessoas e o ambiente da farsa e de sua irmã gêmea, a *sottie*. Farsa e *sottie* divertiam público e atores de forma tão igual que é quase impossível determinar uma diferença precisa entre elas. Os heróis da farsa são truões em trajes comuns ou cortesãos – os heróis da *sottie* são gente comum ou da corte em vestimenta de bobo.

A *sottie* está intimamente ligada aos *Enfants sans Souci* (crianças sem preocupações) de Paris e outros incontáveis grupos de tipo semelhante, que se espalharam pela França no século XV. Cada um possuía seus próprios estatutos, seu próprio rei dos bufões, seu *prince des sots* (príncipe dos bobos) e sua *mère des sots* (mãe dos bobos). Em conceito e imagem, a *sottie* era realmente muito mais antiga. Já no século XII, um entalhe de consolo na torre sul da catedral de Chartres mostrava a mãe gorda e feia de um bobo, conduzindo um asno a tocar lira.

O príncipe dos bobos e a mãe dos bobos são os papéis-título da peça mais conhecida do parisiense Pierre Gringoire, autor de sátiras e *sotties*. Seu *Jeu du Prince des Sots et de la Mère Sotte* foi apresentado na terça-feira gorda de 1512, em Paris; era um afiado ataque à Igreja, um panorama da época sob a roupagem da bufonaria.

Gringoire era membro dos *Enfants sans Souci* de Paris e, não à toa, o favorito de Luís XII. O rei não poderia ter desejado propagandista melhor em sua controvérsia com o Papa Júlio II. A *sottie*, representada em trajes de bufão, foi o cabaré político do século XVI. Além de escrever *sotties*, Pierre Gringoire, como o seu contemporâneo Jean Bouchet, também representava o *magister ludi* nos mistérios. Além disso, escreveu uma peça exaltando os feitos de São Luís, e foi também um produtor teatral de sucesso. Gringoire é idealizado na novela de Victor Hugo, *O Corcunda de Notre Dame*.

Sotternieën, Klucht *e Peças Camponesas*

O Falstaff de *As Alegres Comadres de Windsor* teve muitos precursores – na farra da bebedeira, no parasitismo pimpão à tripa forra como bom companheiro, alegre parasita e até mesmo na cena do cesto. No teatro holandês, encontramos um de seus predecessores em Mijnheer Werrenbracht, embora aqui a história aconteça ao revés. Werrenbracht é um respeitável burguês, atormentado pelo destino e por seus queridos vizinhos. Ele se faz levar à própria casa dentro de um cesto, para surpreender sua malvada cara-metade flertando com um padre.

O Tartufo de Molière estava a caminho. Mas, enquanto isso, havia as *burlesques* holandesas, as farsas *Sotternieën* e *Klucht*, cruéis e robustas, que faziam uma ponte entre a farsa francesa e o *Fastnachtsspiel* alemão. Suas cores são fartas e firmes, seu humor vigoroso e saturado daquela autoironia arredonda, que é a marca do povo camponês nas pinturas de Pieter Brueghel, o Velho. A peça *Klucht* que está sendo levada em seu quadro *A Quermesse*, em meio a uma multidão feliz que come, bebe e dança, pode se referir ao *Mijnheer Werrenbracht*. Há uma mulher sentada à mesa com um galã a enternecer-se, enquanto um homem com um pesado fardo às costas está entrando na cena. Claramente, as coisas não vão acabar bem. No fundo do palco, atrás da cortina, alguém está recebendo um escabelo. É fácil de imaginar a confusão que cabe aguardar.

As farsas *Sotternieën* e *Klucht* haviam sido precedidas pelas "companhias de bobos" *Vastenavondgrappen*, a versão holandesa dos autos carnavalescos, com suas mascaradas e identidades trocadas. As crônicas municipais de Dendermonde se referem, em 1413, ao costume há muito estabelecido de oferecer aos jo-

60. Príncipe e Mãe dos Tolos, frontispício de *Jeu du Prince des Sots et de la Mere Sotte*, de Pierre Gringoire, representada em Paris em 1512.

61. Palco de rua francês, *c.* 1540. Desenho (Ms. 126, Cambrai, Bibliothèque Municipale).

62. Representação de uma farsa francesa em Paris, por volta de 1580. Gravura em cobre de Jean de Gourmont.

63. Palco de rua na Holanda, *c.* 1610. Detalhe de uma gravação em cobre com cenas de quermese. Segundo uma pintura de 1610 atribuída a David Vinckboons, no Koninklijk Museum voor schone Kunsten, Antuérpia.

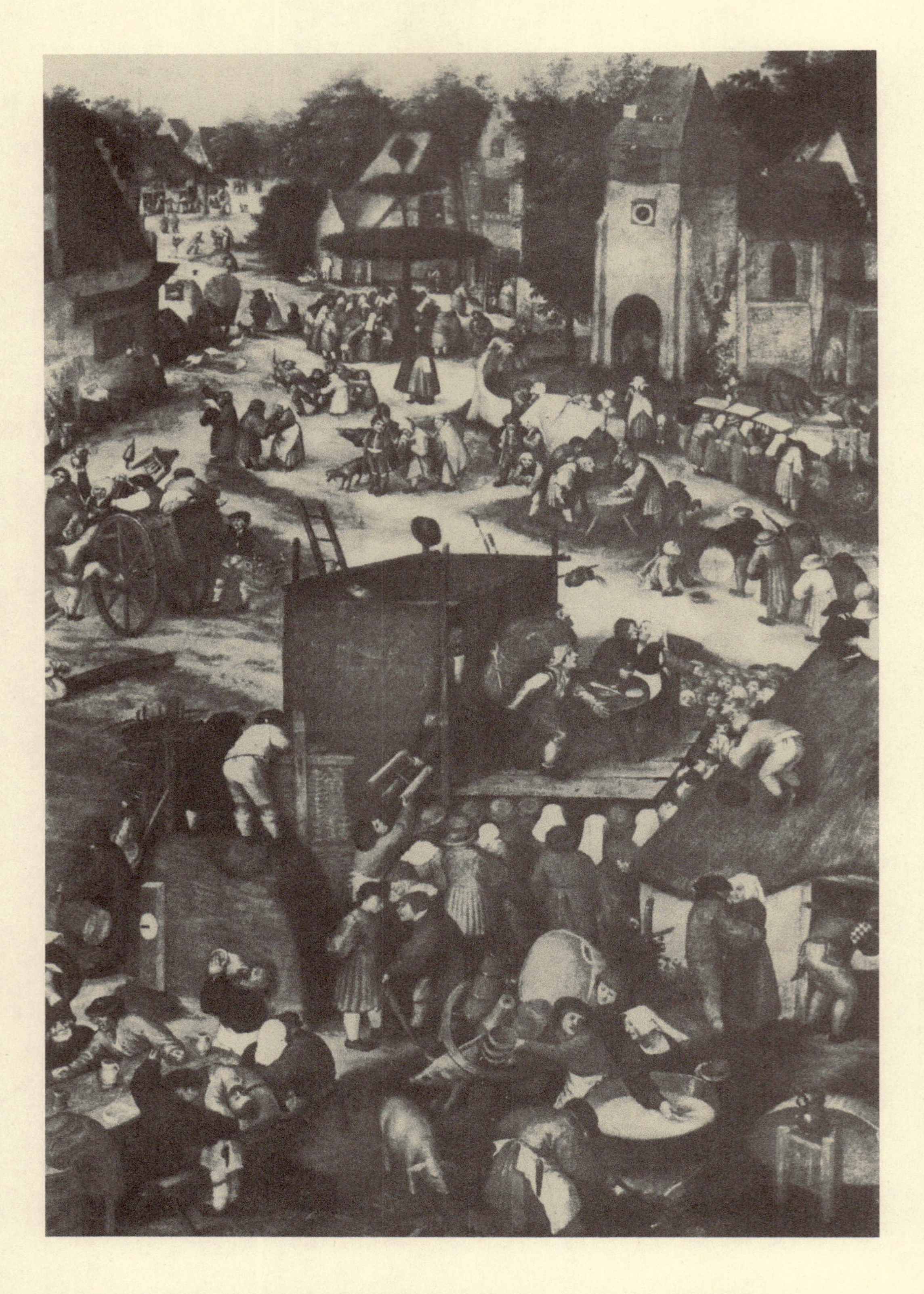

64. Auto farsesco de *Klucht* numa quermese do século XVI. Detalhe de uma pintura da Escola Flamenga, segundo a linha de Peter Brueghel, o Velho (Viena, Kunsthistorisches Museum).

vens "peças divertidas" no Carnaval, "*goede solaselike spele*", como as apresentadas sobre os carros-palcos.

Essas bufonarias usavam as mesmas formas teatrais do Corpus Christi e das representações de lendas. As *Sotternieën* foram além, num parentesco análogo ao da peça satírica da Antiguidade. Formavam uma retaguarda mais alegre de uma forma dramática especificamente holandesa de teatro, que surgira no Brabante por volta de 1350: os *Abelespele*, produções dramáticas eruditas, que no século XVI se tornariam a especialidade dos *Rederijkers*. Nos séculos XIV e XV, na Holanda, como em toda parte, não obstante as elevadas regras da poesia, a farsa também teve seu lugar reconhecido. No final do *Abelespele*, os espectadores eram convidados a dar a sua atenção especial também à *Sotternie* que se seguiria.

Naquela época, as *burlesques* e os autos camponeses, que estavam no mesmo nível das *Sotternieën* e das farsas *Klucht*, começavam a tornar-se muito populares por toda a Europa. Na Itália, os estudantes da Universidade de Pávia levaram o *Ianus Sacerdos* em 1427, e a *Commedia del Falso Ypocrito* em 1437, ambas peças que combinavam a sátira local com as patuscadas eruditas.

Um grupo sienês, a Congrega dei Rozzi, obteve tanto sucesso com seus autos camponeses que foi convidado a se apresentar em Roma e no Vaticano. Um dos seus membros mais ativos era o autor, ator e empresário Niccolò Campani, cujo talento o colocava na proximidade imediata do famoso "Ruzzante", Angelo Beolco de Pádua: ambos foram, em sua obra, os precursores da *Commedia dell'arte*. Campani tornou-se tema de conversa na cidade de Roma sob o nome de "Strascino", seu papel favorito numa de suas próprias peças. O papa Leão X não lhe poupava seus favores, e em 1518 "Lo Strascino" apareceu num casamento em Orsini, no qual, depois da apresentação de alguns outros comediantes, foi aclamado como um intérprete solista de seus próprios textos.

Porém, diferentemente de seu contemporâneo "Ruzzante", cujas peças ainda eram impressas no século XVI, "Strascino" deixou uma marca tão pequena na história da literatura quanto a de todos os burlescos anônimos e atores camponeses que, na tradição dos mimos da Antiguidade, utilizaram os temas populares do passado e do presente – do vendedor de unguentos *Mastickar* da Boêmia ao *Karagöz* turco.

Todos partilhavam do palco comum e modesto – simples tábuas sobre barris ou pilares de madeira nas quermesses e feiras, não importando se os trajes dos atores e do público fossem de camponeses ou burgueses italianos, eslavos ou holandeses. Deles era a sabedoria dos palhaços e bobos, atemporal e à vontade em qualquer lugar do mundo. O comediógrafo dinamarquês Ludvig Holberg, ao final de sua obra *Quarto de Parto*, resumiu esse fato: "E agora vocês viram, minha boa gente, como alguém que alimenta quimeras torna-se bobo e é objeto de riso".

Alegorias e Moralidades

No final da Antiguidade, por volta do ano 400, o retórico Prudêncio escreveu uma obra em louvor à Cristandade, chamada *Psychomachia*. Seu tema – a batalha das virtudes e vícios pela alma do homem – viria a ser o favorito dos autos de moralidade, mil anos depois. Prudêncio foi o primeiro a personificar os conceitos fundamentais da ética cristã. Ele havia falado da *Ecclesia* (Igreja) e da *Synagoga*, do Príncipe deste mundo e da Roda da Fortuna. Desde então, os escultores e miniaturistas medievais do início do Medievo os representaram, antes que o teatro reconhecesse o seu valor cênico.

Igreja e Sinagoga, Hipocrisia e Heresia já haviam aparecido antes, no *Antichristo* de Tegernsee, e esporadicamente em algumas Paixões, mas somente no século XV lhes foi dada uma função direta na ação. Georges Chastellain, cronista e diplomata na corte de Filipe, o Bom, duque da Burgúndia, escreveu e produziu em 1431 uma peça chamada *Le Concile de Bâle*. Entre suas figuras alegóricas estavam não apenas a Igreja e a Heresia, mas também a Paz, a Justiça e até o próprio Concílio de Basileia (Bâle). Elas não são, como nas Paixões e nos autos das lendas, meros alicerces da superestrutura espiritual e religiosa, mas ativos protagonistas da própria peça.

A personificação do mundo conceitual correspondia aos crescentes esforços do século XV no sentido de ver e descobrir por trás das coisas a relevância essencial da "moral". Para o teatro, isso signifcava considerar o representado tradicionalmente de maneira abstrata não apenas como as respeitáveis figuras ambientais do Prólogo ou do Epílogo, mas como o próprio tema das peças.

Os estudantes do Collège de Navarre de Paris, em 1426, converteram numa moralidade um sermão pronunciado pelo chanceler da Universidade e *doctor christianissimus*, Jean de Gerson. A Razão aparecia como uma "*bona magistra*", e seus alunos eram os órgãos humanos dos sentidos, cuja tarefa era resistir às tentações terrenas e sustentar os ensinamentos cristãos da virtude. O centro da obra era a inevitável cena do julgamento, um exercício de disputa dialética, nesse caso uma consequência natural do próprio tema, sob os auspícios da "*bona magistra*".

O palco e o cenário das primeiras moralidades eram despretensiosos. Já que os elementos teológicos e pedagógicos dominavam, e a representação servia como experiência retórica; só se fazia necessário um pódio. A dicção clara era essencial, e, no caso dos espetáculos de estudantes, a declamação devia ser bem ensaiada. Os figurinos também não precisavam ser muito luxuosos. A "*bona magistra*" usava uma longa beca de letrado, a Igreja, uma coroa, a Sinagoga, uma venda sobre os olhos, e os eruditos eram identificados por seus capelos.

Por outro lado, a representação da moralidade *Bien avisé, mal avisé,* em 1439, na cidade de Rennes, fez consideráveis exigências quanto aos gastos e o poder criativo. A rivalidade entre o "Bem-avisado" e o "Mal-avisado" foi elaborada em 8.000 linhas e requereu um elenco de sessenta pessoas. A Roda da Fortuna tinha de girar no palco e, no momento de sua morte, o "Bem-avisado" era levado pelos anjos ao Céu. O palco da moralidade aproveitava os apetrechos técnicos da Paixão e, na segunda metade do século, igualou-se a ela tanto na duração do espetáculo quanto na riqueza de conteúdo.

O auto *L'Homme Juste et l'Homme Mondain* (O Homem Justo e o Homem Mundano), representado em Tarascon no ano de 1476, durou vários dias. Seu autor, Simon Bougoin, valete de Luís XII, desenvolveu um "*véritable carnaval d'allégories*", um verdadeiro carnaval de alegorias. Mondain, o homem mundano, se entrega alegremente a todos os vícios personificados, enquanto Juste, seu contraponto, não lhes presta atenção, em renúncia cristã.

Nesse caso, a aparição das figuras alegóricas pressupunha sem dúvida alguma um destaque, por meio de figurinos originais. O mesmo se aplica à representação de 1494, em Tours, de *L'homme pécheur*, o pecador cuja alma "ascende" no final, enquanto seu corpo "apodrece" no chão, e também à famosa *Condamnation de Banquet*, impressa em Paris em 1507, e sem dúvida encenada nessa época.

O autor e encenador dessa moralidade, Nicolas de Chesnaye, esboça um panorama, fundamentado em argumentos médicos, da higiene do corpo e do espírito, em parte pintado com a irreverência rabelaisiana e, em parte, com requintes de *esprit. Dîner* (Jantar), *Souper* (Ceia) e *Banquet* (Banquete) tentam provar que o outro está errado e, com a ajuda de *Bonne Compagnie* (Boa Companhia), *Gourmandise* (Gulodice), *Passe-temps* (Passatempo) e de personificados Brindes, culpam-se mutuamente pelos males atentatórios à boa vida, incluindo *Colic* (Cólica), *Gout* (Gota), *Jaundise* (Icterícia), Apoplexia e a Hidropisia. O compêndio médico inteiro é passado em revista. *Souper* e *Banquet* terminam diante da corte. Hipócrates e Galeno atuam como assessores. *Souper* é condenado a usar, daí por diante, "*manchettes de plomb*" (algemas de chumbo) a fim de evitar qualquer recaída na gula; *Banquet*, porém, é condenado a morrer enforcado. Seu carrasco é *Diet*, a Dieta.

Nessa obra ambiciosa, Nicolas de la Chesnaye oferece uma variedade de informações sobre as maneiras e a arte de servir e preparar a mesa, assim como sobre a música às refeições. Ele descreve detalhadamente com quais trajes suas personagens devem aparecer. *Moderation*, *Diet* e todos os outros servos de *Dame Expérience* surgem vestidos de homem e falam com voz masculina, porque exercem funções na corte judicial e "se ocupam de coisas às quais os homens se sujeitam mais a fazer do que as mulheres". O bobo usa seu tradicional capuz com orelhas de asno, um casaco multicolorido, guizos no gibão e nos sapatos –

65. Planta do palco para *O Castelo da Perseverança*, representado em 1425. Do manuscrito do *Macro Morals*.

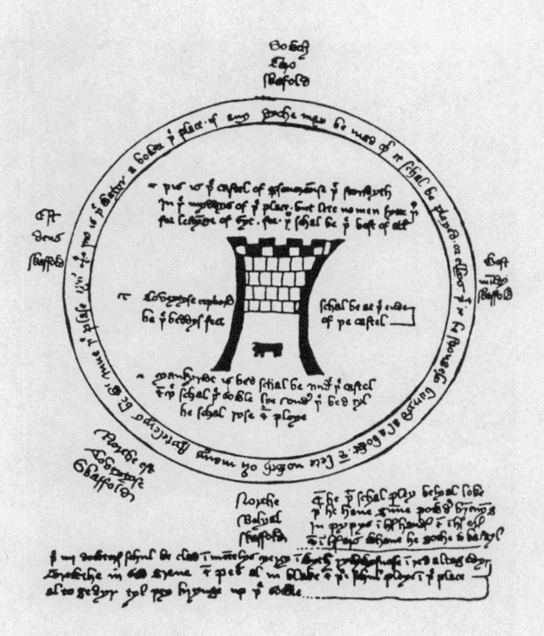

66. Planta do teatro em que foi apresentado *O Castelo da Perseverança*, 1425. Reconstrução de Richard Southern.

67. Teatro da Antiguidade, como concebido pelos primeiros humanistas. Representação de Calíope como *recitator* e, à esquerda, na metade inferior, o retrato do dramaturgo Terêncio. Miniatura do *Térence des Ducs*, início do século XV (Paris, Bibliothèque de l'Arsenal).

de forma não diversa do que seu irmão nas miniaturas do mistério de Santa Apolônia de Jean Fouquet, ou do que toda a sua parentela representada nas miniaturas dos manuscritos, nos marfins, esmaltes, pinturas murais, na infinita variedade de representações pictóricas medievais.

Um século inteiro estava segurando um espelho diante de si e recebendo sua imagem de volta, mil vezes ampliada. O espelho refletia as figuras caricatas da libertinagem e da gula contra o rico fundo de proclamas em parábola da jurisprudência, medicina e filosofia – mas também mostra, em traços mais discretos, como é difícil a honrados pais pequenos-burgueses lidar, "hoje em dia", com seus filhos. Esses filhos, *Les Enfants de Maintenant*, são os filhos de um padeiro. Um deles, Finet, acaba na forca, enquanto o outro, Malduiot, só é disciplinado pela vara. Um esperto pedagogo havia escrito essa peça despretensiosa, mas instrutiva, para ser representada por estudantes. *La Moralité* era um instrumento de resposta tão sensível no espaço do dia a dia quanto no cenário maior e mais rico em alegoria do campo de batalha.

No continente europeu, as moralidades mostraram um ceticismo crescente: da "Verdade, como ela é expulsa de toda parte", da fé, que é "procurada, mas nunca encontrada", até o *Henselyn* de Lübeck, peça na qual a sabedoria dos bobos prevalece uma vez mais, em uníssono com o auto carnavalesco.

Entrementes, as moralidades se arraigaram firmemente na Inglaterra, que partilha com a França as honras de ser o berço clássico do gênero. Já em 1378, John Wiclif se refere a um *Play of the Lord's Prayer* (Auto do Padre-Nosso) alegórico, apresentado em seu condado natal de York. Em 1399, de novo, um documento de York menciona uma Irmandade do Padre-Nosso, que certamente apresentava autos do *Paternoster* todos os anos. Outros registros similares de Lincoln e Beverley estão conservados até hoje.

As Virtudes e os Pecados Mortais, Boa Fama e Desgraça, Preguiça e Avareza, Astúcia e Ciência mediam forças nas moralidades inglesas, tão ricas em propósitos didáticos e retóricos quanto as conferências dramatizadas sobre Ética, no continente. A moralidade inglesa atingiu seu auge com *The Castle of Perseverance* (O Castelo da Perseverança), representada em 1425. O manuscrito reúne ao todo três autos das chamadas *Macro Morals*, que também incluem um plano cênico detalhado – um dos primeiros esboços, senão o primeiro, de uma cenografia teatral na Inglaterra.

O manuscrito consiste em quatro partes: "The Banns" ("Os Proclamas"), um anúncio da obra em forma de prólogo; a própria obra; uma lista de personagens; e, na última página, o plano cênico. Richard Southern publicou uma exaustiva pesquisa sobre todos os aspectos das técnicas teatrais utilizadas, em seu livro *The Medieval Theatre in the Round* (O Teatro Medieval na Arena) (1957), e, com a ajuda do texto e do plano, reconstruiu toda a representação.

Dois porta-estandartes anunciavam o auto nas vilas e cidades próximas, uma semana antes da representação. Despediam-se com a esperança de voltar a encontrar seus *fair friends* (bons amigos) no dia do espetáculo, como bons ouvintes. Essa proclamação correspondia a um costume generalizado entre as companhias de teatro (embora não existam outros textos medievais comparáveis), que a gente do circo conservou até hoje.

O cenário do *Castelo da Perseverança*, encontrado pelo público em sua chegada, era único e sem paralelos no Continente: uma área de representação de forma circular, circundada por um fosso de água e uma barragem de terra (ou paliçada) da altura de um homem. No centro, erguia-se o "castelo", uma torre com ameias e, na periferia, ficavam as plataformas para Deus, o Mundo, Satanás, a Carne e a Cobiça. As plataformas, de acordo com a reconstrução de Southern, eram construídas segundo os mesmos princípios e assemelhavam-se às "*mansions*" da miniatura de Santa Apolônia, de Fouquet. Cada uma das cinco plataformas era fechada por uma cortina. A primeira a se abrir, no início do espetáculo, era a do tablado do Mundo, que apresenta a si e a sua gente: *Voluptas* (Volúpia), *Stulticia* (Estultícia) e um Menino. Em seguida, entram Satã (*Belyal*) e a Carne (*Caro*). Eles anunciam que estão ocupados, dia e noite, em destruir a Humanidade. A pequena alma da Humanidade, "nascida esta noite de minha mãe", que agora começa a mover-se debaixo da torre central (que Southern erige sobre quatro pés altos, de modo que a cama embaixo seja visível por todos), é submetida a todo tipo de tentação. Ela resiste muito bem ao cerco, mas na velhice, quando a pobre alma muito tentada já se acredita acima do bem e do mal, os poderes da destruição planejam o ataque final. Satã solta fogo e fumaça. A Salvação parece derrotada. Mas a Misericórdia intervém e conduz a pobre alma do homem ao trono de Deus. "*Pater sedens in trono*" pronuncia as palavras finais do alto de sua plataforma, lançando-as sobre o público e os atores reunidos: "Assim terminam nossos jogos. Para livrar-vos do pecado, pensai, desde o princípio, em vosso último momento".

Há uma evidente analogia entre o cenário circular do *Castelo da Perseverança* e o das *Cornish Rounds*. Segundo se sabe, o teatro de arena era desconhecido no continente como uma forma medieval distinta de teatro. Um paralelismo aproximado se encontra somente em teoria, nas primitivas concepções humanistas do palco de Terêncio, conforme exemplificadas nas miniaturas do *Térence des Ducs*, datadas de 1400. Os atores, designados como *joculatoirs*, usam meias máscaras, claramente reconhecíveis, mais próximas do estilo cênico da *Commedia dell'arte* do que do da Idade Média. Em ambos os casos, entretanto, encontramos uma falta quase total de cenários. Os gestos e os movimentos tinham de ser extremamente habilidosos para criar a ilusão e não tornar visível o invisível. Entrementes, uma ou outra vez o ator medieval podia abandonar seu papel e voltar à vida cotidiana, como o "pobre erudito" Johannes do auto pascal de Innsbruck e as personagens do teatro épico do século XX – por exemplo, a família Antrobus de Thornton Wilder em *The Skin of Our Teeth* (Por um Triz), ou *Seis Personagens à Procura de um Autor*, de Pirandello.

Na última obra das três *Macro Morals* inglesas, chamada *Mankind* (Humanidade) e escrita por volta de 1475, um dos atores dá um passo à frente no momento mais crucial da representação e anuncia que o arquidemônio Titivillus só poderá fazer sua prometida aparição "se a coleta que acaba de ser iniciada na plateia juntar dinheiro suficiente". O salto do plano teatral para o da realidade tem um objetivo bem claro e significativo. O pequeno elenco da *Mankind*, composto de apenas cinco a sete intérpretes, provavelmente não atuava em conexão com os eventos das corporações, mas à custa do próprio bolso. Com certeza formavam uma companhia ambulante e tinham de fazer de tudo para garantir o seu dinheiro, antes que o público se dispersasse ao final do espetáculo.

De volta à sociedade cortesã e sob os auspícios de um patrono influente, a moralidade *Nature* ("um belo interlúdio da natureza") foi representada em 1495 diante do cardeal Morton, de Canterbury. Foi escrita pelo capelão de Morton, Henry Medwall, autor também da primeira peça profana inglesa conhecida, o interlúdio *Fulgens and Lucrece*. No que se refere ao teatro, está completamente esquecido.

Não está esquecida, porém, a obra de um poeta anônimo que permanece viva até hoje: *Everyman* (Todo Mundo). Enquanto os estudiosos discutem se concedem prioridade à primeira edição inglesa, surgida em 1509, ou à publicada em Delft, na Holanda, em 1495 (*Spyeghel der Salicheyt van Elckerlijk*), o teatro conserva-se fiel a ela há quinhentos anos.

Foi Hugo von Hofmannsthal quem deu ao *Everyman* a forma verbal do *Jedermann* sob a

68. *Everyman*. Frontispício de uma edição de John Skot, *c.* 1520.

qual o mundo o conhece hoje. E Salzburgo tem sido a cidade do *Everyman* no século XX, graças às suas representações na praça da Catedral. A obra preserva um reflexo do que foram os cenários das moralidades da Baixa Idade Média – o caráter simultâneo, a alegoria de brilhante colorido, as raízes numa concepção religiosa do mundo – mesmo quando a peça precisava ser transferida para o teatro coberto por causa da chuva. Como o *Everyman* inglês do passado, o atual continua reunindo os peregrinos do teatro vindos dos quatro cantos do mundo, mesmo que alguns críticos contemporâneos céticos se perguntem "se essa ingênua e singela simplificação do tema da culpa e expiação é ainda válida", e mesmo que a maioria dos espectadores não reflita se é, e em que extensão, um último representante do teatro medieval.

A Renascença

Introdução

Jacob Burckardt afirmou que as duas molas propulsoras da Renascença foram a liberação do individualismo e o despertar da personalidade. Dante e Petrarca, em sua solitária altitude literária, já haviam sonhado com o renascimento do homem, dentro do espírito da Antiguidade. Entre os pintores, Giotto tinha encetado a desvinculação do código de formas bizantino. No entanto, somente no final do século XV o novo ponto de vista se espraiou, e a visão de mundo escolástica do medievo foi finalmente ultrapassada. Influências decisivas emanaram dos círculos humanistas romanos e florentinos.

A queda de Constantinopla tornou as obras dos escritores gregos acessíveis ao Ocidente. Milhares de eruditos e letrados bizantinos, em sua fuga para o Oeste, carregaram seus mais preciosos tesouros, os manuscritos da Antiguidade. Nos mosteiros, que deram asilo aos refugiados, empilharam-se grandes riquezas espirituais à espera de exploração.

O papa Paulo II instalou o primeiro prelo em Roma, no ano de 1467, e publicou obras em grego. Seguiu-o, em Veneza, a imprensa de Aldo Manutius, com a longa série dos "Clássicos Aldinos". A Renascença tornou-se a grande era da descoberta nos campos do intelecto e da geografia. Os navegadores exploraram novos continentes e mares desta Terra, à qual, no mesmo momento, Copérnico negava sua posição central no Universo, atribuindo-lhe a categoria de um astro entre outros. Pela primeira vez, a Cristandade viu-se confrontada com a Antiguidade em largo plano.

Nicolau de Cusa procurou conceber a ideia de Deus como "unidade de contrários". Os papas mundanos do Renascimento não viam problema algum em lançar pontes sobre a aparentemente irredutível contradição entre a fé cristã no além e o apego da Antiguidade à terrenalidade. Sisto IV oferecia suntuosos banquetes com guarnições que se tornaram mitológicas. Júlio II encarregou o jovem Rafael de pintar uma *Escola de Atenas* em tamanho natural, para os aposentos do Vaticano – uma expressão pictórica do desejo de alcançar uma síntese harmoniosa entre a Antiguidade e o cristianismo, segundo o ideal da Academia Platônica. Ao palmilhar em procissão o caminho que vai do Vaticano à Igreja de São João, Leão X passava por pedestais encimados de estátuas de Apolo, Ganimedes, Minerva e Vênus. Ele permitia que sua criadagem travasse, como diversão carnavalesca, uma batalha de laranjas em frente ao Castelo de Sant'Angelo e assinou, ao partir para uma caçada, a bula de excomunhão do monge agostiniano Martinho Lutero.

Os mercenários alemães e espanhóis do imperador Carlos V invadiram a Cidade Eterna e, com sua pilhagem e saque deram um fim abrupto ao florescimento das artes e extravagâncias. Embora o velho trono de Pedro caísse vítima desse saque de 1527, a vitalidade do Vaticano não foi abalada. Michelangelo recebeu o encargo de desenhar a grandiosa cúpula da nova catedral.

Já no desvanecer da Idade Média, o monaquismo e a cavalaria cederam seus papéis de liderança às classes médias emergentes. Guildas, corporações e o que os testemunhos contemporâneos chamam de academias "vulgares", vernáculas, tornaram-se forças vitais na vida cultural. O cultivo humanista do drama, de um lado, ia ao encontro do impulso lúdico das classes populares, de outro.

A Inglaterra rompeu com o papado sob Henrique VIII. A rivalidade entre sua filha Elizabeth I e Maria Stuart, rainha da Escócia, na disputa pelo trono, foi um choque de poder político e também religioso: o protestantismo espalhava-se por toda a Europa setentrional. Animado pelo sentimento de autovalor do nascente poderio mundial inglês, o teatro elizabetano floresceu às margens do Tâmisa iluminado pela estrela de Shakespeare.

As cortes imperiais de Paris e Viena começaram a revelar seus esplendores monárquicos. Paris e Madri, sob Francisco I e Filipe II, tornaram-se novos centros da política europeia de poder. Foi, entretanto, da Itália que o mundo recebeu as diretrizes no domínio das ciências e artes, da literatura e diplomacia, da cultura e educação.

O orgulho dito potestativo do tempo do império dos Césares, segundo o qual "todos os caminhos levam a Roma", mostrou pela segunda vez sua validade na história do mundo. Enquanto no passado as vitoriosas legiões haviam levado a cultura do império romano a três continentes, agora, as forças espirituais da Itália atraíam toda a Europa para seu campo magnético.

Se fôssemos escolher um marco para a "Renascença" do teatro, a data seria 1486. É o ano em que a primeira tragédia de Sêneca foi montada em Roma pelos humanistas e a primeira comédia de Plauto pelo duque de Ferrara. E foi nesse ano também que saiu do prelo a *De Architectura* (Dez Livros sobre a Arquitetura) de Vitrúvio, uma contribuição essencial para plasmar o palco e o teatro segundo o modelo da Antiguidade.

O Teatro dos Humanistas

Quando o ainda jovem Nicolau de Cusa, graduado em leis pela Universidade de Mainz, descobriu em 1429 os textos de doze comédias de Plauto, até então conhecidas apenas pelo nome, saudou o achado como um ganho para a retórica erudita e não como um acréscimo para o teatro. Do mesmo modo, um comentário de Donato sobre Terêncio, encontrado, pouco depois, pelo cardeal Giovanni Auspira, na mesma cidade, chamou a atenção exclusivamente de eruditos. Um certo mestre Johann Mandel, de Amberg, fez uma preleção na Universidade de Viena, em 1455, sobre a peça *Adelphi* (Os Adelfos) de Terêncio. Considerou a matéria como um tema para as humanidades e para a prática da linguagem latina – aspecto que já os escolásticos haviam enfatizado e que ainda era crucial para Erasmo de Roterdã no começo do século XVI. "Sem Terêncio", declarou ele, "ninguém conseguiu ainda tornar-se um bom latinista".

Um filólogo romano e o príncipe renascentista, de Ferrara, foram os primeiros a resgatar o drama antigo de seu cristalizado estatuto de mero objeto de estudo e a reconvertê-lo em representação corpórea e visível. Pompônio Leto, em 1486, promoveu a apresentação em Roma do *Hipólito* de Sêneca; ao mesmo tempo, *Menaechmi* (Os Gêmeos) de Plauto, foi encenada na corte dos Este de Ferrara. O que nunca havia ocorrido em vida a Sêneca veio a se concretizar mil e quinhentos anos depois, em alto nível acadêmico. Os mais renomados humanistas de Roma tomaram parte na produção. Sulpício Verolano escreveu o prólogo, e o papel de Fedra esteve a cargo de Tommaso Inghirami, discípulo de Pompônio e, mais tarde, favorito do papa Alexandre VI. O patrono financeiro da realização foi o cardeal espanhol Riario, o encenador, Pompônio Leto e a primeira apresentação, no Fórum. A esta, seguiu-se uma reapresentação perante o papa Inocêncio VIII, no Castelo de Sant'Angelo, e outra no Palácio Riario.

Ao evento dramático acresceu uma deliberada reconstrução do palco antigo. Sulpício Verolano, que estava preparando a obra *Architectura* de Vitrúvio para publicação, forneceu ao amigo informações seguras sobre a *scenae frons* romana, descrita detalhadamente no quinto livro de Vitrúvio.

Com isso deu-se a definitiva refutação de todas as vagas e confusas concepções do teatro antigo de arena, que se encontravam em manuscritos medievais. Os escolásticos aceitavam que um leitor erudito recitasse o texto, enquanto mascarados *joculatores* o representassem em forma pantomímica. O último e mais esplêndido testemunho dessa visão, baseado em parte em erros de tradução e em parte em fértil imaginação, é o manuscrito francês *Térence des Ducs*, do início do século XV. Suas miniaturas de página inteira, cercadas de ornamentos rebuscados, mostram, em vez da espaçosa arena do teatro antigo, um cilindro estreito. Ao centro, ladeado por músicos, um *recitator*, em uma tenda cortinada, designada como *scena*; à sua frente, os *joculatores* representam, rodeados pelo público, *populus romanus*. O narrador é chamado de *Calliopius*, em referência completamente infundada ao gramático latino Calíopo, do século III, que jamais foi conhecido por estar empenhado em qualquer atividade teatral. Ele foi designado para esse papel singular por uma tácita convenção póstuma, cujas origens são desconhecidas.

O palco "autêntico", orientado por Vitrúvio, para o *Hipolytus,* era bem diferente. Ele adotou o princípio da *scenae frons* romana, com sua fileira de portas de acesso. Em lugar das colunas ricamente ornamentadas, um tablado simples de madeira. Sulpício Verolano explicou na introdução à obra de Vitrúvio, publicada em 1486, logo após a apresentação que o palco ficava a um metro e meio de altura e era equipado com uma "grande variedade de efeitos de cor". Trata-se presumivelmente de parede ou telão de fundo de um cenário-padrão.

Comparado à pompa cênica dos palcos simultâneos do Medievo tardio – como por exemplo as esferas rotativas do microcosmo, construídas em 1438 por Brunelleschi para a *Sacra Rappresentazione* da Festa da Anunciação em Florença –, o teatro dos primeiros humanistas parecia muito modesto. O texto interessava mais que quaisquer esforços artísticos em relação aos efeitos do palco. Sêneca, Terêncio e Plauto eram dominantes, como mestres da linguagem latina e do discurso fluente, protótipos de um modo culto de vida como padrão de tudo o que o drama tinha a contribuir para a nova imagem do homem (em que Plauto era o modelo da pronta e vivaz resposta de espírito e Terêncio, de uma inteligência urbana e polida).

Em 1513, na Praça Capitolina (hoje Piazza del Campodoglio), *Poenulus* (O Jovem Cartaginês) de Plauto foi representada. Para essa engalanada produção, toda a praça (entre o Palácio dos Senatori e o dos Conservatori) foi transformada em um amplo *theatrum*, coberto por toldo.

A ação decorria em um palco aberto, com cinco portas de acesso. Tommaso Inghirami, bibliotecário do Vaticano coroado com a láurea de poeta por Maximiliano I, supervisionou a encenação, nos moldes preconizados por seu mestre, Pompônio Leto. Louvor particular coube à pronúncia culta do latim por seus atores, os "jovens mais belos da nobreza romana".

Durante os trinta anos em que Pompônio Leto devotou seu ensino da retórica e experiência teatral, sua sala de conferências era o ponto de encontro dos jovens eruditos europeus. Enquanto os aspirantes a juristas dirigiam-se a Bolonha e os futuros médicos a Pádua, os estudantes de filosofia e retórica acorriam a Roma, à Academia Platônica de Pompônio Leto.

Konrad Celtis, humanista germânico e professor itinerante, ficou conhecido em Ferrara e Roma por suas reconstruções práticas dos clássicos antigos. Jodocus Badius, filólogo clássico e importante colaborador da edição Lyons de Terêncio, em 1493, também encontrou-se com Pompônio em sua viagem de estudos pela Itália. Em 1497, quando o humanista Johann Reuchlin, de Pforzheim, montou seu *Henno*, peça na tradição da farsa francesa de *Maître Pathelin*, utilizou-se de tudo o que havia visto e aprendido em suas visitas a Roma, em 1482 e 1490.

O professor Jacob Locher, da Universidade de Freiburg, fez bom proveito das impressões teatrais que colheu em 1492 e 1493 na Itália, mais especialmente em Ferrara, quando, em 1497, veio a publicar com sua *Tragedia de Thurcis et Suldano*, uma peça ao modo de Celtis e que tematiza a ameaça turca à Europa cristã.

O teatro dos humanistas desenvolvido a partir da atividade de ensino e promovido por sociedades acadêmicas especialmente fundadas para esse propósito, foi visto com alta consideração tanto ao sul quanto ao norte dos Alpes. Universidades e escolas latinas armaram palcos improvisados em seus pátios. Príncipes e cardeais compraziam-se em ser patronos do teatro. Reis, imperadores e papas atraíam para suas cortes poetas, atores e pintores para organizar suas festas.

A arte do discurso dramático, domesticado pelo teatro escolar, para aplicação didática e pedagógica, era combinada com os padrões da procissão e da homenagem no programa das festividades cortesãs. Nas peças pastorais, revestia-se de graça sentimental. Na tragédia, era submetida às regras recém-redescobertas das unidades aristotélicas e, eventualmente, ajudou que os primeiros temas históricos relacionados com a atualidade da época ganhassem a luz do palco.

Enquanto pintores e escultores glorificavam o aqui e agora, o teatro respondia com o drama histórico, oferecido no melhor estilo da tragédia – a única forma "digna de homens sérios", como afirmou Jean de la Taille. O teatro medieval, escreveu ele em seu tratado *L'Art de la Tragédie* (A Arte da Tragédia), havia descido ao nível dos servos e das pessoas de baixa extração – um áspero julgamento, que se pode atribuir tanto à arrogância da aristocracia intelectual francesa do século XVI, quanto ao tom frequentemente vulgar dos últimos mistérios medievais.

Para seus próprios dramas, entretanto, que eram exemplares, segundo pretendiam, Jean de la Taille elegeu temas bíblicos. Na introdução ao *Saul Furieux* (Saul Furioso) de 1560, em forma de livro, faz uma interpretação das três unidades aristotélicas, reduz os múltiplos cenários exigidos a apenas um e sublinha, especificamente, que o "Monte Guilboa" e a "gruta de Endor" devem ficar muito próximas (*icy près*). Inadvertidamente, utilizou-se da concepção cenográfica do Medievo tardio – com seus cenários simultâneos dispostos em plataforma – para dar ao seu drama a requerida unidade de lugar "*selon l'art et la mode des vieux autheurs tragiques*" ("segundo a arte e o estilo dos antigos autores trágicos"). Para Jean de la Taille, a tarefa do dramaturgo era misturar o bem e o mal, a paixão e o sentimento, em combinação que deveria revelar uma ação claramente definida – no sentido renascentista – a fim de representar "uma verdadeira imitação da vida humana, em que a dor e a alegria seguem-se uma à outra e vice-versa".

Em Aristóteles, os humanistas encontraram a necessária autoridade antiga para o drama, em harmonia com as regras de Vitrúvio para a forma do palco. Os problemas formais e temporais dos dramaturgos constituíam a contrapartida dos problemas de espaço para os outros artistas. O teatro dos humanistas tentou fazer justiça a ambos. Envidou seus melhores esforços para encarar a herança medieval, relacionando-a com a nova e contrastante teoria da arte da Antiguidade, preparando, assim, uma base intelectual e teatral para o novo espírito da Renascença.

A Tragédia Humanista

O generoso patrono espanhol da primeira apresentação de Sêneca em Roma, o cardeal Riario, passou às mãos de Pompônio Leto, em 1492, um drama histórico. Estava particularmente interessado na representação da *Historia Baetica* de Carlo Verardi, uma vez que o assunto era extraído da história contemporânea: a recente libertação da cidade espanhola de Granada do domínio mouro.

A peça foi levada no Palácio Riario, em honra ao hispânico príncipe da Igreja, o qual, como se compreende facilmente, estava empenhado no caso. Foi representada pelos estudantes da academia de Pompônio Leto – com sua devida autorização, decerto, mas sem sua participação direta – como provou Max Herrmann em sua *Entstehung der berufsmäbigen Schauspielkunst im Altertum und in der Neuzeit* (Origem da Arte do Teatro Profissional na Antiguidade e nos Tempos Modernos).

O tema da peça, embora de interesse imediato, não conseguia escamotear sua inadequação literária aos olhos do humanista romano apreciador de teatro. Pompônio Leto permanecia inarredavelmente fiel aos inigualáveis modelos da tragédia clássica. As inovações do momento ficavam muito abaixo dos padrões aceitáveis para esse exigente erudito.

A tragédia humanista, entretanto, seguiu uma trilha sombria. Na tentativa de punir seus heróis com o destino da antiga perdição e ruína, chafurdou em sangue e horror.

Enquanto Trissino ainda se orientava, relativamente, pelos padrões objetivos da tragédia antiga, tanto em sua *Arte Poética* baseada em Aristóteles quanto em seu paradigmático *Sofonisba*, drama de 1515, em Ferrara o professor de filosofia e retórica Giovanni Battista "Cinthio" Giraldi nutria a ambição de sobrepujar os horrores da saga dos Átridas. Sua tragédia *Orbecche* foi representada em 1541, na própria casa do autor. Era um amontoado de horrores. Incesto, assassinato do marido e dos netos, parricídio e, finalmente, suicídio da infortunada princesa Orbecche, acumulavam-se num pandemônio de Nêmesis e das Fúrias. O horror e o medo dominavam a cena, apoderavam-se do público. "*L'orribile*" era a palavra de ordem que Giraldi, em seu *Discorso delle Commedie e delle Tragedie* (Discurso sobre a Comédia e a Tragédia) de 1543, prescrevia a si mesmo, com o apoio de Aristóteles. Como precursor do classicismo barroco francês e de Lessing, ele usava a definição da catarse aristotélica como purificação das paixões por meio do temor e da compaixão.

Na construção dramatúrgica de suas tragédias de horror, que mais tarde suavizou um pouco, Giraldi atinha-se à antiga unidade de lugar e de ação. Em *Orbecche*, a cena desenrola-se em frente ao Palácio. Os assassinatos no interior do edifício são descritos pelo coro e por mensageiros.

Giraldi desatou uma verdadeira inundação de dramas eruditos e com suas novelas em prosa abasteceu os grandes autores da literatura universal. Sua obra *Moro di Venezia* (O Mouro de Veneza) foi a fonte do *Otelo* de Shakespeare. O tema do incesto pareceu tão atraente a Sperone Speroni, professor de literatura e filosofia em Pádua, que o levou a escrever a tragédia *Canace*, inspirada em *Orbecche*. Ele conseguiu, com essa obra, despertar o interesse de seu compatriota, Angelo Beolco, que, como diretor de um grupo de teatro, construiu a ponte entre a *commedia erudita* e a *Commedia dell'arte* profissional.

A dura disputa das Academias provocada pela publicação da obra de Speroni, em 1542, durou até depois de sua morte, mas o teatro mesmo manteve-se completamente à margem. A corte e a Cúria divertiam-se mais com os gracejos da comédia do que com o sombrio furor da tragédia e deixavam aos círculos literários o encargo de desavir-se sobre os prós ou contras dos princípios artísticos.

A *tragédie à l'antique*, entretanto, encontrou na corte francesa maior ressonância. Em Paris, a Pléyade, grupo de autores liderados por Pierre de Ronsard, preocupou-se em remodelar o palco segundo o modelo clássico. O movimento de reforma foi fortalecido pela proibição de representar Mistérios em 1548. Étienne Jodelle, em 1552, colheu o aplauso unânime da aristocracia parisiense com sua tragédia *Cléopatre Captive* (Cleópatra Cativa), inspirada em Plutarco. O autor, à época com vinte anos de idade, representou o papel-título. O rei Henrique II assistiu à montagem no Hôtel de Reims e concedeu a Jodelle a honra, sempre relembrada, de lhe ser pessoalmente apresentado: não está claro se como reconhecimento pelos ambiciosos versos alexandrinos da peça, ou como recompensa pela comédia mostrada em seguida, *Eugène*. De qualquer modo, o Abade Eugênio, personagem criada por Jodelle, rico em alusões contemporâneas e diretas, pode reivindicar a condição de precursor imediato do Tartufo de Molière.

A peça foi apresentada com um cenário único, em um salão, sobre um "*magnifique appareil de la scène antique*" ("magnífico aparato da cena antiga"), que deixou Jodelle muito satisfeito. Seguindo estritamente as regras de unidade de lugar e tempo, representou-se o trágico fim de Cleópatra, diante da fachada do palácio, com a tumba de Antônio ao lado, onde a rainha se suicida para escapar ao cativeiro. Em uma segunda apresentação, realizada pouco depois no Collège de Boncourt, Jodelle queixou-se da indigência do cenário. Mais importante, porém, do que essa pobreza, foi a influência que Jodelle conquistou nos círculos acadêmicos interessados em teatro com sua tragédia em cinco atos em versos alexandrinos. Os colegas da Pléyade o celebraram como um promissor e jovem talento, que apontava o caminho para o futuro da *tragédie*. Ele satisfez, inclusive, as exigências de Du Bellay relativas ao cultivo do idioma e, do mesmo modo, aos ideais poéticos de Ronsard, Baïf e Péruse.

O êxito de Jodelle e o crescente prestígio da Pléyade incitaram o bibliotecário real, Mellin de Saint-Gelais, a traduzir para o francês a tragédia modelo de Trissino, *Sofonisba*. Henrique II proporcionou uma pomposa representação de gala na corte. As filhas do rei, "faustosamente vestidas", colaboraram e, entre elas, a prometida do delfim, Maria Stuart.

A representação de 1556 no Castelo de Blois, animada por interlúdios musicais e montada com *grande pompe,* foi apenas um entre muitos entretenimentos em uma série de dias festivos organizados em honra da jovem princesa da Escócia. Que significado poderia ter, para ela, Sofonisba – a desgraçada rainha da Numídia – que precisa beber o veneno da taça enviada pelo próprio marido? Maria Stuart, depois da apresentação, dançou como todas as demais e com todos, sem pressentir quão logo ela própria se tornaria título e heroína de uma tragédia europeia.

Menos de cinquenta anos mais tarde, em 1601, Antoine de Montchrestien escreve a peça *L'Ecossaise* (A Escocesa ou A Má Estrela). Esse primeiro drama sobre Maria Stuart, escrito por um huguenote, surgiu trinta e três anos após a sua morte e ainda durante o reinado de Elizabeth I. Era a segunda obra teatral de Montchrestien. Fora antecedida por um tema clássico: *Sophonisbe*.

A nêmesis da tragédia quis que os fios do drama renascentista se enlaçassem na Inglaterra também com o destino de Maria Stuart. George Buchanan, tradutor de Eurípedes e autor das tragédias *Baptistes* e *Jephtes*, foi tutor de Maria Stuart até 1567; após o assassinato de Darnley tornou-se seu inimigo e, em 1572, publicou um sumário de culpa – *Detectio Mariae Reginae* – contra ela.

A tragédia humanista inglesa, ao contrário do culto francês pelos alexandrinos, preferiu o emprego do verso livre. O primeiro exemplo desse estilo foi a obra declamatória *Gorboduc or Ferrex and Porrex*, inspirada em Sêneca, surgida em 1561. Seu enredo trata da luta pelo trono de dois irmãos inimigos que precipitam o país no infortúnio. Seus dois autores, Thomas Sackville e Thomas Norton pertenciam ao Parlamento e ao Inner Temple (Colegiado Jurídico de Londres). No mesmo ano, Maria Stuart voltou à Escócia. Nada é mais tentador do que ver em *Gorboduc* uma premonição da luta pelo trono entre as duas rainhas, tão diferentes entre si. Coube, porém, a Thomas Sackville, Barão de Buckhurst e primeiro Duque de Dorset, a tarefa de ir ao Castelo de Fotheringay anunciar a Maria Stuart, rainha da Escócia, sua sentença de morte. Após esse prólogo, no estilo de Sêneca, o drama renascentista inglês emancipou-se das regras formais. Shakespeare, do mesmo modo que os espanhóis, preferiu o livre emprego do lugar e do tempo. Apresenta um mosaico de momentos que, pela contínua mudança de cenas e contraste entre o trágico e o cômico, formam um grande painel. Ele resolveu na ação o que a tragédia francesa do Renascimento acumulava em imponentes solos declamatórios. O relato da morte de Hipólito em *Hyppolyte, fils de Thésée*, peça de 1573 de Robert Garnier, tem mais de cento e setenta versos, o que pressupõe, além de um grande poder de concentração do ator, uma sala de teatro fechada. Os voos oratórios de Garnier, precursor imediato de Corneille e Racine, exigiam proximidade com um público livre de qualquer distração. Como paradoxal contraste, essa exigência fez surgir na *tragédie classique* o mau hábito de reservar a espectadores privilegiados assentos sobre o próprio palco.

Na segunda metade do século XVI, o drama renascentista de estilo clássico começou a espalhar-se pela Europa. O poeta e dramaturgo polonês Jan Kochanowski escolheu um tema da *Ilíada* para falar à consciência de seu rei. Seu drama patriótico *O Despedimento dos Embaixadores Gregos*, em cenário único, aludia inequivocamente à Polônia, ameaçada por Ivã, o Terrível. Quando no palco o troiano Antenor exortava o vacilante rei Príamo a agir, respondia o público com um aprovatório tinir de armas. Essa representação de janeiro de 1578 celebrou o noivado do chanceler polonês Jan Zamoyski com Christine Radziwill, princesa da Lituânia, no Castelo Jazdowo, perto de Varsóvia, e cumpriu seu duplo objetivo: deu aos jovens acadêmicos no palco o esperado aplauso e trouxe aos impacientes patriotas na plateia a aprovação do rei Estêvão Bathory das medidas de defesa que eles ardentemente advogavam – medidas que este Vaivoide da Transilvânia, eleito rei da Polônia

1. Inicial com cenas teatrais de *Hercules furens*, de Sêneca. À direita, no alto e embaixo, os espectadores. Do *Codex Urbin*, século XIV (Lat. 355, Roma, Biblioteca do Vaticano).

2. Palco humanista, por volta de 1550: provavelmente cena de monólogo de *Il Pellegrino*, de Girolamo Parabosco. Primeira edição em Veneza, 1552.

3. Cena da comédia *Ândria*, de Terêncio. Xilogravura de uma edição das obras de Terêncio, Veneza, 1497.

apenas dois anos antes, teria dispensado de bom grado.

A Comédia Humanista

Os príncipes da família Este de Ferrara sabiam manter a posição de mecenas da comédia literária renascentista. A retomada do drama clássico, iniciada em 1486, com *Menaechmi* (Os Gêmeos) de Plauto, foi seguida por numerosas representações em italiano. Em 1491 representou-se *Andria* e, em 1499, *Eunuchus* (O Eunuco) de Terêncio.

A corte ducal de Ferrara atraiu humanistas e poetas. Quando Isabella D'Este mudou-se para Mântua após o seu casamento e ali promoveu a produção dos *Adelphi* (Os Adelfos) de Terêncio, em 1501, auxiliando os duques de Gonzaga a entrar para a história do teatro, em Ferrara aparecia uma nova estrela: Ludovico Ariosto.

Na verdade, no início de sua carreira, do mirrado poeta, dotado de luxuriante fantasia, mas vivendo em circunstâncias apertadas, mal se ofereceu a oportunidade de colher a mancheias. E por isso mesmo sentiu-se tanto mais incitado a enriquecer as festas cortesãs com comédias de sua lavra. Assim, em 1508, escreveu *La Cassaria* (A Caixinha) e, em 1509, sua obra teatral mais famosa, *I Suppositi* (Os Impostores), diretamente inspirada em Plauto, tanto nos tipos quanto na técnica cênica. A forma do palco em Ferrara, desde a primeira representação em 1468, era uma fachada plana de rua, com cinco casas, cada uma com uma porta e uma janela.

O princípio do palco elevado, com uma fileira de casas – uma adaptação reduzida da clássica *scenae frons* romana – tornou-se característica do teatro dos humanistas. Aparece em gravuras de muitas edições de Terêncio e era realizável mesmo com os modestos meios do teatro erudito. Em sua forma mais primitiva, se houvesse necessidade, era dividido em gabinetes, com cortinas de correr, "parecidos com cabines de banho em vestiário de piscinas" (Creizenach). No início do século XX, cunhou-se o termo "cabine de banho" para descrever esse tipo de cenário.

A peça *I Suppositi* levou Ariosto ao salto para Roma. Em 1519, ela foi apresentada, como espetáculo de gala no Castelo de Santo Angelo, diante do Papa Leão X. Ninguém menos do que Rafael desenhou os cenários. Estes, "fiéis à natureza da arte da perspectiva", representaram a cidade de Ferrara como o local de ação da comédia. Para assegurar à sua obra-prima cênica o necessário efeito de surpresa, Rafael ocultou o *décor* atrás de uma cortina, que no início da representação – ao antigo estilo romano – caía num fosso aberto diante do palco. Ariosto e Rafael foram igualmente celebrados. Entretanto, o secretário da embaixada ferrarense Paolucci não fez menção ao nome de Ariosto, ao informar seu príncipe sobre o Carnaval romano de 1519: "Não se falava de outra coisa a não ser de mascaradas e comédias [...] e do aparato cênico de Rafael de Urbino construído para as mesmas".

Mas *Os Impostores* fizeram carreira nas festas da corte, na *Commedia dell'arte* e pelo teatro de escola. Antonio Vignali, membro da Academia degli Intronati di Siena, encenou a peça em Valladolid, em 1548, como contribuição teatral às festividades de núpcias de Maximiliano da Áustria com a infanta Maria, filha do imperador Carlos V. A *Commedia dell'arte* reportou-se à figura do sarraceno Rodomonte do *Orlando Furioso*, de Ariosto: as fanfarronadas bombásticas das quais se gaba o *Capitano,* endossado por outros valentões, receberam o nome de "rodomontadas".

Entre 1518 e 1521, pessoas ilustres rivalizavam como autores de comédias, encorajados pelo papa Leão X, cujo *Gaudeamus* (canto litúrgico) de alegria terrena estendia-se também ao teatro. Um homem de intelecto e cul-

4. Ilustração panorâmica da *Ândria* de Terêncio, impressa em Estrasburgo, 1496. O gravador criou um cenário imaginário para eventos que são aparecem no texto sob a forma de relato, e indicou a relação entre as personagens por meio de linhas que as conectam.

5. Apresentação de *Fórmo*, de Terêncio. Xilogravura de Albrecht Dürer destinado ao frontispício de uma edição ilustrada que não chegou a ser publicada das comédias de Terêncio, *c.* 1492 (Basileia, Kupferstichkabinett).

6. Xilogravura para *Fórmio*, comédia de Terêncio. Da edição de Lyon de 1493.

7. Cena da comédia *Aquele que se Tortura a si Mesmo* (*Heautontimorumenos*). Xilogravura de uma edição das obras de Terêncio, Veneza, 1561.

tura devia mostrar igualmente, como parte do bom-tom, domínio da linguagem polida enquanto dramaturgo. Já Enéas Silvio Piccolomini, mais tarde Papa Pio II, baseou sua comédia *Chrysis*, de 1444, em leituras de Terêncio feitas na juventude, quando estudante em Viena. O pintor e artista Leão Batista Alberti escreveu a comédia latina *Philodoxeos* e, em 1582, Giordano Bruno ainda fazia sua tentativa com *Il Candelaio,* sátira aos alquimistas em comédia escrita segundo as regras.

Antes de sua partida para a França como enviado papal, o cardeal romano Casentino Bibbiena, em 1518, organizou em Roma uma dispendiosa representação de gala – em homenagem ao Papa Leão X – de sua *Calandria*, explorando o tema dos irmãos gêmeos, conforme o modelo de Plauto, repetindo o êxito que alcançara na estreia de 1513, em Urbino (trinta anos mais tarde, em 1548, a peça foi escolhida como contribuição da colônia florentina de Lyon à recepção em honra do rei Henrique II e sua jovem noiva, Catarina de Medici).

Ao autor-cardeal juntou-se, em 1520, o autor-político, na figura de Nicolau Maquiavel, outro adaptador de Terêncio. Sua comédia *Mandragola* (A Mandrágora), representada em Florença e pouco depois em Roma, superava de longe todas as suas predecessoras em originalidade, atrevimento e espírito. Os críticos modernos da literatura italiana vão além, ao considerar a peça "obra-prima dramática não somente do *cinquecento*, mas de todo o teatro italiano" (G. Toffanin).

Somente Pietro Aretino, amigo de Ticiano e mestre da *chronique scandaleuse* (crônica escandalosa) veneziana, com sua comédia *La Cortigiana* (A Cortesã), pôde – com reservas – comparar-se a Maquiavel. Sua mordacidade, entretanto, custou-lhe os favores da Cúria. *La Cortigiana* cedeu seus direitos cênicos à "Cortesã" da *Commedia dell'arte*, ao passo que seus conhecimentos de ofício Aretino os retomou em *I Ragionamenti* (Os Argumentos).

Em geral, na época da Renascença, os autores de comédia não podiam queixar-se de uma falta geral de magnanimidade. O Papa Leão X perdoava ao espírito polido até os ataques abertos à sua própria corte. Torres Naharro, precursor das comédias espanholas de capa e espada, familiarizou-se em casa de seu amo em Roma com a intriga e o cabo de guerra por poder e influência, benefícios e sinecuras. Deu largas a seu desagrado em uma comédia chamada *Tinelaria*, um afiado ataque às intrigas das antessalas (*tinelos*) de um cardeal. No prólogo, o autor adverte: "o que aqui vos faz rir podeis castigar em casa"; nas palavras finais volta a advertir que esses abusos não beneficiavam Suas Eminências.

A ousada comédia foi representada em 1517, na presença de Leão X e do cardeal Giulio de Medici, que, mais tarde, seria o Papa Clemente VII. Os excelsos senhores não vestiram a carapuça e divertiram-se com o grotesco parlapatório desencadeado pelo autor. Para eles, era como um registro – como se fosse uma gravação – de uma assembleia de todos os rincões do globo. No palco, havia a mesma babel de dialetos espanhóis, franceses, alemães e italianos, intensificada nas cenas de bebedeira, a ponto de assumir o aspecto de um verdadeiro sabá de bruxas. Leão X ficou tão entusiasmado que concedeu a Torres Naharro um privilégio de dez anos para a impressão de suas comédias. Até o cardeal Bernardino de Carvajal, cuja casa era referida na *Tinelaria*, aceitou, sem ofender-se, a edição a ele dedicada. Torres Naharro conseguiu seu intento, ao incluir, inteligentemente, a peça entre suas *comedias a noticia*, comédias de observação, distintas das *comedias a fantasia,* eventos fictícios com mera aparência de realidade.

8. Cenas da comédia *Gli Inganni*, de Curzio Gonzaga.
Xilogravura de uma edição impressa em Veneza, 1592.

Logo a seguir, sem que se saiba o nome dos autores, duas comédias famosas do Renascimento encetaram sua marcha triunfal por toda a Europa: a espanhola *La Celestina* (A Celestina) e a sienense *Gli Ingannati* (Os Enganados). A personagem Celestina, que dá nome à primeira obra (hoje atribuída a Fernando de Rojas), é uma alcoviteira de alto nível, com um sutil conhecimento dos problemas de seu ofício. A primeira edição que veio a público é de 1499, surgida em Burgos. Vinte anos mais tarde já circulavam traduções italianas, francesas, inglesas e alemãs. A comédia dos *Ingannati* foi representada pela primeira vez em 1531, pela Academia degli Intronati di Siena, e impressa anonimamente em 1537. O espanhol Lope de Rueda, autor dramático e diretor de uma companhia de teatro ambulante, representou-a em ruas e pátios sob o nome *Comédia de los Engañados*.

O profícuo tema dos dois irmãos e seus disfarces, com a decorrente potencialidade dramática, foi adotado por Shakespeare em *Twelfth Night* (Noite de Reis). Uma tradução francesa de Charles Estienne, publicada em 1540 e dedicada ao delfim, registra conscienciosamente a origem da peça: "*Ingannati*: comédia segundo o estilo e temática dos Antigos, chamada *Os Enganados*. Composta primeiramente em língua toscana pelos professores da Academia Vernacular de Siena, de nome *Intronati*, e traduzida para o nosso idioma francês por Charles Estienne".

Apesar da cuidadosa referência às fontes, Estienne se considerou criador de uma nova e original comédia francesa. No prólogo, o autor afirma ter superado a farsa primitiva medieval, e recomenda com insistênsia que a nova arte seja provida de "uma nova casa [...] com assentos confortáveis, dispostos em anfiteatro, para que mesmo um público exigente se sentisse à vontade".

Apesar da solicitação, várias décadas se passaram antes que isso ocorresse. Somente com o advento da ópera, passou o público a deliciar-se com as mágicas transformações de cenas por meio da maquinaria teatral e a desfrutar teatros suntuosos e confortáveis. A *commedia erudita* do Renascimento prosseguiu por várias décadas em cenários únicos, fiel às regras, ainda que beneficiada pela utilização da perspectiva em seus cenários, além da ornamentação de estuque. Os cronistas da época qualificaram de "suntuosa produção da corte" a comédia *Le Brave* (O Bravo) de Jean Antoine de Baïf, versão francesa do *Miles Gloriosus* (O Soldado Fanfarrão) de Plauto, representada em 1567 no Hôtel de Guise em Paris. Os elogios, porém, devem talvez ser creditados a Ronsard e outros poetas da Pléyade, responsáveis pelos interlúdios com versos em homenagem aos convidados, o rei Carlos IX e Catarina de Medici.

A influência direta da comédia romana é evidente no dramaturgo Martin Držić, de Dubrovnik, viajante incansável e aventureiro ancestral do teatro iugoslavo. Seu *Dundo Maroje* colocou em cena um avarento que – situado entre Plauto e Molière –, em ricocheteantes situações cômicas, mostra já suas relações com a comédia de caracteres. A cena de *Dundo Maroje* (1551) é Roma, para onde um pai viaja atrás de seu frívolo filho, lá encontrando apenas compatriotas da Ragusa (Dubrovnik) natal do autor. A peça reflete a moral da época, em nível comparável à *Tinelaria* de Torres Naharro.

Na mesma linha acha-se também *Mother Bombie,* surgida em 1594, obra do dramaturgo inglês John Lily, que oferece um quadro realista do cotidiano da época elizabetana, inspirada em temas de Terêncio. Na mesma década, porém, apareceu em Londres a estrela de Shakespeare. *Mother Bombie* foi eclipsada por *Romeu e Julieta* e *Sonho de uma Noite de Verão*.

9. Cena da comédia *La Celestina*. Frontispício da edição espanhola, Toledo, 1538.

A Peça Pastoral

"A Idade do Ouro, para onde fugiu ela?", lamentava-se o Tasso de Goethe, evocando a imagem daqueles Campos Elíseos também cantados pelo Tasso histórico: "reino da beleza, livre de erro", onde heróis e poetas conviviam harmoniosamente, onde faunos e ninfas, pastores e pastoras cortejavam-se com graciosos versos. O ar fresco da sapiência humanista e as inescrupulosas lutas políticas pelo poder levaram – como outrora nos tempos de Teócrito e Virgílio – à fuga para o outro extremo, à busca de um irreal e idealizado mundo de "pura humanidade", um mundo "no coração da natureza".

Desde o inatingido amor de Dante por Beatriz e desde os líricos sonetos de Petrarca dedicados a Laura começou a soar o novo e sensível acorde. Pintores, poetas e cortesãos rendiam preito à beleza e à juventude. Lourenço de Medici, em suas canções de Carnaval, exortava a gozar a fugitiva e *bella giovinezza* e, em louvor à formosa Simonetta Vespucci, organizou um concurso teatral que durou vários dias. Angelo Poliziano aproveitou a ocasião para compor um longo poema panegírico, e Botticelli inspirou-se para pintar o alegórico *Nascimento de Vênus*. Lorenzo Lotto descreveu *O Sonho de uma Jovem* como romântica paisagem rupestre com fontes e sátiros. A felicidade do poeta alcançava seu ápice quando a dama de seus sonhos lhe entregava a coroa de louros, em meio a um campo florido.

A nostalgia – literariamente cultivada – do homem urbano por um idílio bucólico havia encontrado em Ferrara, na corte dos Este, um centro de cultivo afamado pelo mundo afora; uma Arcádia como celebravam Bojardo em suas éclogas, Ariosto em suas estâncias, Tasso em sua peça pastoral *Aminta*. Mas, no caso de Ariosto, já havia sinais de dúvida – percebida nas entrelinhas – sobre se esse nobre e heroico espírito ainda deveria ser levado inteiramente a sério. Durante sua época de organizador de teatro e das festas da corte de Ferrara, um novo e mais prosaico elemento começou a invadir a peça cortesã, trazido pela companhia de Ruzzante, com seus diálogos camponeses de Pádua. No início, em 1529 e 1531, os atores de Ruzzante recitavam seus madrigais e conversações como entretenimentos de mesa. Por volta de 1532, entretanto, uma encenação parece ter sido planejada, porquanto Ruzzante pediu de antemão a ajuda de Ariosto, que tinha consumada experiência em arranjos teatrais.

Tasso, também, se encarregou pessoalmente dos ensaios de sua peça *Aminta*. Por toda a Europa, esta emocionante história de amor, com sua louvação à Idade do Ouro, converteu-se em modelo, muitas vezes copiado, da peça pastoral. Em sua estreia em 1573, na pequena ilha de Belvedere, do rio Pó, na casa de campo dos Este, o elenco incluía não apenas membros da sociedade palaciana, mas alguns atores profissionais da já famosa companhia dos Comici Gelosi.

A ação de *Aminta* reúne todos os elementos da alegoria bucólica: o prólogo é apresentado pelo Amor, em traje pastoril. O pastor Aminta, neto de Pan, corteja em vão a fria ninfa Sílvia. A prestativa intervenção de Dafne – assim como a de animais, a de um sátiro impertinente e a de um providencial arbusto de espinhos – ajudam o fiel Aminta a conquistar sua felicidade, tão arduamente porfiada.

Giambattista Guarini, sucessor de Tasso na corte de Ferrara, tentou superá-lo com todas as complicações poéticas imagináveis: o pobre pastor Mirtilo, herói e personagem principal do *Pastor Fido*, tem de pelejar contra um labirinto de ciúmes e intrigas, antes de ganhar a mão da bela Amarílis. O *Pastor Fido* foi encenada pela primeira vez em Crema, em 1595, mesmo ano da morte de Tasso. Constituiu o ponto culminante e o canto do cisne da peça pastoral do Renascimento italiano, que começara, exatamente cem anos antes sob Lorenzo de Medici, com a pastoril *Favola d'Orfeo* (Fábula de Orfeu) de Angelo Poliziano, o primeiro drama profano italiano, cuja concepção estilística ainda está inteiramente comprometida com a *sacra rappresentazione*.

Nos cem anos que separam o período do *Orfeu* de Poliziano e o *Pastor Fido* de Guarini, floresceu por todo o mundo ocidental uma profusão de idílios pastoris, que, transpondo todas as fronteiras, louvavam em harmonia lírica os bosques da Arcádia.

Juan del Encina, talentoso precursor do teatro espanhol, preferia levar suas *repre-*

10. F. Leclerc: cenas de *Aminta*, de Tasso. Gravuras impressas em Amsterdã, 1678.

11. Gravação em cobre para a peça pastoral *Pastor Fido*, de Giambattista Guarini, Veneza, 1602.

12. Xilogravura do antigo *Urner Spiel de Tell*, 1545. A história de Guilherme Tell de Uri era conhecida na Suíça a partir da metade do século XV. O antigo *Urner Spiel* foi apresentado pela primeira vez em Altdorf, em 1512.

sentaciones e églogas em ambientes rurais, com pastores e figuras mitológicas. Seus intérpretes envergavam trajes pastoris, mesmo na apresentação de gala de sua *Egloga del Amor*, em 1497, na festa de casamento do príncipe D. João de Castela com Margarida D'Áustria, filha do imperador Maximiliano. Na encenação de sua *Egloga de Plácida y Vitoriano*, na casa do cardeal Arborea em Roma, foi utilizado um cenário de bosques e florestas. Presumivelmente, o autor esteve presente a essa apresentação, pois, sendo agora arquidiácono em Málaga, desde 1508, renovou várias vezes o contato com Roma.

Gil Vicente, organizador de festividades na corte de Portugal e maior dramaturgo do país, também preferia o ambiente pastoril. A Deusa da Fama, em seu *Auto da Fama*, de 1510, surge como uma alegre pastora.

Do outro lado dos Pireneus, como em todo lugar, peças pastorais eram apresentadas nas salas teatrais dos palácios e nas casas de nobres. Nos meados do século XVI, o idílio bucólico também se tornou parte do repertório das trupes ambulantes. Lope de Rueda – autor e diretor que, de 1544 a 1565, percorreu toda a Espanha com sua companhia – frequentemente escolhia roupas de pastores para representar cenas da vida popular. Seu acervo teatral, conforme registra Cervantes, consistia em "quatro pelegos brancos, guarnecidos de couro dourado, quatro barbas e cabeleiras e quatro cajados – mais ou menos. As peças eram colóquios ou estrofes entre dois ou três pastores e uma pastora; as funções eram enfeitadas e completadas por dois ou três entremezes, acerca de uma negra, um rufião, um idiota ou um basco: essas quatro personagens e muitas outras fazia esse tal Lope com mais habilidade e excelência que se pode imaginar..." Cervantes acrescentava que o palco consistia meramente em quatro bancos dispostos em quadrado, quatro ou seis tábuas em cima, de modo que o tablado se alçava do chão cerca de quatro palmos; a única decoração era uma velha manta, pendurada em cordéis, que servia de camarim e atrás do qual estavam os músicos.

O acompanhamento musical era parte indispensável da peça pastoral, pois um infeliz pastor que ama sem ser correspondido e uma jovem rústica e bela, naturalmente, precisavam cantar para expressar suas emoções. Da peça pastoral e da peça musicada à ópera havia somente um pequeno passo a ser dado. Mas seu caminho atravessava primeiro o cenário das homenagens corteses.

O poeta inglês George Peele, um boêmio que combinava um dom lírico e panegírico com uma educação universitária, alcançou os favores da rainha em 1584, com *The Arraignment of Paris* (O Julgamento de Páris).

Páris, que aparecia vestido de pastor, tocando flauta, em versos muito bem compostos, saudava a beleza de Vênus, a majestade de Juno e a sabedoria de Palas Atena. A maçã dourada, entretanto, caberia a Elizabeth I, "a nobre fênix de nossa época, nossa fada Elisa, nossa Zabeta fada". Diana e suas ninfas entregaram-lhe o fruto, enquanto Vênus, Juno e Palas Atena confirmavam o prêmio:

> Este prêmio dos céus e de celestes deusas.
> Aceita-o agora, que te é devido por Diana,
> louvor da sabedoria, beleza e poder,
> que melhor convém à tua incomparável excelência!

Todavia, a peça pastoral somente em aparência era feérica, pois não perdia totalmente de vista suas intenções amiúde muito realistas. A floreada homenagem, no mais das vezes, era endereçada a um receptor muito concreto e perseguia objetivos muito concretos: poderia ser uma mulher, uma rainha, uma cidade – e o objetivo era obter favor.

O poeta servo-croata Gjivo Franje Gundulić humanista de família tradicional e admirador de Tasso, glorificou em 1628 sua cidade natal, Dubrovnik, com a peça pastoral *Dubravka.* Um patrício de Nuremberg, George Philipp Harsdörffer, glorificou, em 1641, a laboriosidade do povo da cidade sobre o rio Pegnitz com sua composição *Pegnesisches Schäfergedicht*, uma pastoral de exuberância alegórica anacreôntica, um artificial conglomerado de diálogos, poesia lírica e interlúdios musicais, que não tinha nada mais a ver com o teatro.

O cenário da peça pastoral, porém, acompanhado no romance e na poesia lírica, sobreviveu por séculos, plasmando ainda *Bastien und Bastienne,* de Mozart, e *Die Fischerin (*As Pescadoras*)* e *Die Laune des Verliebten (*O Capricho do Enamorado*)*, de Goethe. Em 1545, Sebastiano Serlio, em sua *L'Architettura,* deu-lhe como modelo básico a *scena satirica*, com grupos de árvores, grutas e caramanchões.

O Desenvolvimento do Palco em Perspectiva

A perspectiva foi a grande paixão do *Quattrocento.* Ao ideal humanista da harmonia do universo correspondeu a sistematização matematicamente precisa da arte e da ciência, a construção de um equilíbrio harmonioso entre o detalhe e o todo. As proporções de um rosto ou de uma taça eram submetidos a cálculos não menos complicados que os da fachada de um prédio, ou das medidas de uma composição pictórica monumental.

Brunelleschi, Alberti e Bramante deram expressão em arquitetura à ilusão de perspectiva do espaço; Piero della Francesca, em pintura; Ghiberti e Donatello, em escultura. Todos eram tanto artistas como cientistas. Similarmente, uma aplicação proveitosa do capítulo sobre teatro, no quinto livro do *De Architectura,* de Vitrúvio, pressupunha um construtor experiente. O formato de um teatro, explicou Vitrúvio, deve ser planejado de modo que, de acordo com comprimento do diâmetro da área mais baixa e partindo de seu centro, um círculo possa ser descrito e, dentro dele, quatro triângulos equilaterais e equidistantes. Esses triângulos tangenciam o círculo, à maneira dos astrônomos quando determinam os doze signos do zodíaco, de acordo com as leis musicais das esferas.

Geometria, matemática, astronomia e música – de fato, Vitrúvio apresentava credenciais notáveis para a aparência modesta e ocasional do teatro. A edição de Vitrúvio de 1486, preparada por Sulpício Verolano, servia antes de tudo para estudos eruditos e, na medida em que assuntos teatrais estavam implicados, raramente para a aplicação prática. As prescrições de Vitrúvio não exerceram influência em círculos mais amplos até a nova edição de 1521, suprida de desenhos de Cesariano e, ainda mais importante, a edição comentada de 1556 em italiano, feita por Daniele Barbaro, patriarca de Aquileia.

No primeiro período da Renascença, as representações em Roma e Ferrara presumivelmente ainda adotavam cenários relativamente modestos, em forma de ruas achatadas – ou assim cabe supor, já que eram descritos como *picturatae scenae* (cenários pintados). Mas, por volta da época em que a *Calandra* do cardeal Bibbiena era levada em Urbino, em 1513, o cenário ganhou alguma profundidade em perspectiva. Nessa montagem foi mostrada no palco, conforme Baldassare Castiglione escreveu em uma carta ao conde Ludovico Canossa, "uma cidade com ruas, palácios, igrejas e torres, tudo em relevo".

Para a reapresentação em Roma, promovida por Bibbiena em 1518, perante o papa Leão X, Baldassare Peruzzi criou um cenário tão bem-feito, como relata Vasari, que parecia "não ser de faz de conta, mas tão verdadeiro quanto possível, e a praça não uma coisa pintada e pequena, mas real e muito ampla". Peruzzi havia transformado o bastidor unicamente pintado de fundo em uma utilizável área de atuação a projetar uma profundidade real. Isso foi conseguido pela combinação entre um cenário com praticáveis no proscênio e uma parede de fundo pintado em perspectiva plena.

Em sua *Architettura* (publicada em Veneza em 1545), Sebastiano Serlio, o grande teórico e arquiteto que fora discípulo de Peruzzi, des-

13. Sebastiano Serlio: *scena comica*. Cenário arquitetônico fixo para comédia, desenhado em 1545. Xilogravura do *Libro secondo di Perspettiva* da *Architettura* de Serlio, Veneza, 1663.

14. Baldassare Peruzzi: desenho de cenário em perspectiva, *c.* 1530 (Florença, Uffizi).

15. Interior do Teatro Olímpico de Vicenza, construído por Andrea Palladio e concluído por Vincenzo Scamozzi. Inaugurado em 1584 com *Oedipus Tyrannus* de Sófocles.

16. Joseph Furttenbach: palco de um palácio principesco. Extraído do *Architectura Civilis*, Ulm, 1628. Gravações em cobre de Jacob Custodis.

creveu como, mediante a ajuda de bastidores em ângulo, era possível construir toda uma vista de ruas com colunatas e *loggias*, torres e portões. Bramante, os irmãos Sangallo e o próprio Peruzzi, antes de sua inovação, sempre haviam fixado a perspectiva principal e seu ponto de fuga dentro do quadro de pintura, tanto em seus afrescos monumentais quanto em seus desenhos para o palco. Serlio agora projetava isto na distância, para além do prospecto pintado, ou seja, para além da parede de fundo do palco. Visava com isso frear a rapidez de redução no plano do escorço e desta profundidade ilusória ganhar algum espaço real de atuação no palco.

De acordo com as três categorias do teatro humanista, Serlio estabeleceu três tipos básicos de cenário: uma arquitetura de palácio para a tragédia (*scena tragica*); a vista de uma rua para a comédia (*scena comica*) e uma paisagem arborizada para a pastoral (*scena satirica*). Ele as moldou como prescrevera Vitrúvio: "Os cenários trágicos são dotados de colunas, estátuas e outros acessórios reais. As cenas cômicas mostram casas particulares com janelas, segundo a disposição das residências comuns. As cenas satíricas são decoradas com árvores, cavernas, montanhas e outros elementos rústicos, ao estilo da pintura de paisagens".

Giacomo Barozzi de Vignola, autor do tratado *Le Due Regole della Prospettiva Pratica*, publicado postumamente por Danti em 1583, visa a um palco praticável composto em perspectiva até a terceira rua, isto é, com entradas para o palco tão recuadas quanto a distante vista pintada. Ele recomenda que os bastidores em ângulo sejam substituídos por *periaktoi* moldados conforme os modelos da Antiguidade. A cena deve ser formada por cinco prismas triangulares equiláteros de madeira, que podem girar em pinos, com dois prismas menores, também de madeira, de cada lado, como limites laterais, e outro, três vezes maior, atrás. O problema de como enfrentar as dificuldades técnicas decorrentes da inclinação (rampa) do palco foi cabalmente investigada, cinquenta anos mais tarde, pelo teórico de arquitetura alemão Joseph Furttenbach, em Ulm.

O melhor exemplo ainda hoje existente de um teatro renascentista italiano é o Teatro Olímpico de Vicenza. Foi construído por Andrea Palladio, que, após colaborar com Barbaro na edição que este fez de Vitrúvio, propôs-se a tarefa de reconstruir um teatro romano antigo. Ele se manteve estritamente fiel a Vitrúvio no que diz respeito ao formato do auditório e das *scaenae frons*. Três portas de acesso integram-se na elaborada arquitetura das paredes do palco, feitas de madeira e estuque, e com uma porta de proscênio de cada lado. O auditório semielíptico, com treze fileiras, é diretamente ligado às paredes do palco e coroado por uma galeria e uma colunata com estátuas. O conjunto constitui uma cópia proporcionalmente reduzida dos enormes teatros tardo-romanos de pedra ao ar livre, transposta para dentro do espaço fechado de uma encantadora caixa de brinquedos. Presumivelmente, o projeto original de Palladio previa que as entradas das *scaenae frons* se apresentassem fechadas por prospectos pintados, mas ele morreu pouco antes que o teatro fosse acabado, e seu sucessor Vincenzo Scamozzi transformou as vistas pintadas em vielas praticáveis. Seguindo Serlio, ele situou o seu ponto de fuga para a perspectiva além da cena, nas telas de fundo vistas através das três entradas, intensificando assim a ilusão de profundidade.

O teatro havia sido encomendado pela Academia Olímpica de Vicenza, uma das numerosas academias teatrais humanísticas, para cujas apresentações Palladio erguera, em várias ocasiões anteriores, palcos provisórios no saguão da basílica em Vicenza. A nova casa de espetáculos foi inaugurada em 1584 com o *Édipo Rei* de Sófocles. O teatro é utilizado ainda hoje para espetáculos em ocasiões festivas.

No início do século XVII, ninguém que viajasse pela Itália e tivesse interesse em arquitetura ou em teatro deixava de visitar o Teatro Olímpico. Joseph Furttenbach o inspecionou em 1619, em seu retorno de Florença para a Alemanha, e anotou apreciativamente em seu *Itinerarium Italiae* que, embora "feito simplesmente de madeira, o cenário era construído com perfeita beleza, conforme a arte da perspectiva". Ele conjectura que 5.400 espectadores poderiam assistir às comédias nesse teatro sem ter a visão obstruída, mas esta é uma superestimativa grosseira da capacidade do teatro, que mal ultrapassa 2.000 espectadores.

17. Vincenzo Scamozzi: desenho de um cenário de rua (Florença, Uffizi).

18. Interior do Teatro de Sabbioneta, construído por Vincenzo Scamozzi para Vespasiano Gonzaga, 1587. Foram instalados novos bancos no *auditorium* oval, mas a colunata, estátuas e decorações murais originais foram preservadas.

19. Palco e cenário do Teatro Olímpico de Vicenza, projetados por Scamozzi, com vistas em perspectiva para ruas praticáveis. O ponto de fuga está atrás do cenário. No centro, a *porta regia*, mais tarde transformada e ampliada no palco *peep-show* do Teatro Farnese de Parma.

20. Corte longitudinal do Teatro Olímpico de Vicenza. À esquerda, o cenário da rua central no ângulo do palco; à direita, os acentos em níveis, à maneira de um anfiteatro.

Três anos depois da conclusão do Teatro Olímpico, Scamozzi construiu outro teatro em Sabbioneta. Vespasiano Gonzaga, o último descendente de um ambicioso ramo da casa governante de Mântua, estava transformando o povoado de Sabbioneta, no sul de Mântua, em sua sede de governo. O trabalho de construção levou trinta anos, e o local emergiu antes como um dos modelos de "cidade ideal" de Ammanati e Vasari, projetado com régua e compasso, elegantemente encravado numa espécie de fortaleza pentagonal. Um edifício simples e sem adornos contém o teatro. Este é menor que o Teatro Olímpico de Vicenza e tem o estilo de uma elegante casa de espetáculos partitular. Graças à disposição orgânica de suas entradas e salas laterais, dá a impressão de constituir-se numa peça única. Mesmo as pinturas e os bustos "clássicos" dos nichos nas paredes foram projetados pelo próprio Scamozzi, enquanto o Teatro Olímpico de Vicenza ganhou suas últimas estátuas tão somente depois de 1700. No que diz respeito às proporções, Scamozzi seguiu as regras de Vitrúvio mais fielmente até do que seu mestre Palladio havia feito. O modelo de cidade do duque Vespasiano não admitia concessões. Após a morte do duque, o sítio recaiu em seu isolamento rural; mas o teatro de Scamozzi existe ainda e é conservado com muito carinho.

Do século XVI em diante, os teatros em palácios assumiram importância, tanto do ponto de vista da história cultural quanto do da arquitetura. Em Florença, Bernardo Buontalenti expressou o esplendor dos príncipes de Medici nos arranjos decorativos e teatrais das festividades. Em 1585, Buontalenti construiu o famoso grande palco da corte no lado leste das Uffizi, e ali foram encenados suntuosos *intermedii* e comédias durante o inverno de 1585-1586. A sala media mais de 46 m de comprimento e 18 m de largura, e seu eixo longitudinal era suficientemente inclinado para permitir uma boa visão a todos os espectadores. O palco ficava na extremidade inferior, e os tronos para a família governante encontravam-se imediatamente à sua frente, sobre um tablado. Quatro anos mais tarde, em 1589, Buontalenti remodelou o auditório, convertendo-o num anfiteatro com cinco fileiras concêntricas de cadeiras, divididas por passagens com escadas, no estilo do teatro romano antigo.

Em Florença, no início do século XVII (como confirmam as plantas e esboços das obras de arquitetura de Joseph Furttenbach), o grande salão do Palazzo Pitti era usado expressamente para torneios, justas, danças e comédias. Buontalenti estava familiarizado com todos os mecanismos técnicos; ele foi o primeiro a providenciar efeitos decorativos para o palco, tais como os que o teatro barroco efetivamente adotou em larga escala. Não se sabe como Buontalenti planejou as transformações cênicas. Supõe-se, todavia, que tenha empregado os prismas giratórios de madeira, desenvolvidos por Sangallo, Barbaro, Vignola e Danti – os quais, no início do século XVII, foram substituídos por um sistema de rotundas planas e deslizantes.

No decorrer de um século, o teatro renascentista viveu uma repetição em câmera rápida do teatro romano. Quanto mais suntuoso o palco se tornava e quanto mais atenção era dispensada a seus aspectos visuais, mais desvalorizado ficava o conteúdo literário. Pois agora, antes e acima de tudo, o principal mandamento para os atores era subordinar seu movimento e composição ao cálculo ótico do cenário. Assim como a monumentalidade arquitetônica das últimas *scaenae frons* romanas não havia deixado espaço para um drama de qualidade semelhante, as decorações cada vez mais elaboradas do fim da Renascença relegaram de fato a palavra a uma função secundária.

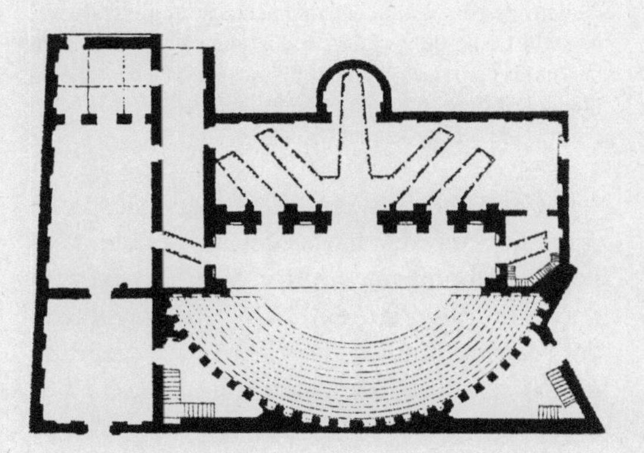

21. Planta do Teatro Olímpico de Vicenza. Construído por Andrea Palladio e concluído em 1584 por Vincenzo Scamozzi.

O palco, com seus bastidores em ângulos ou prismas rotativos de madeira, era, na melhor das hipóteses, aproveitável para a atuação somente até a altura da segunda rua transversal e raramente para entradas na altura do prospecto pintado. Os atores deviam ficar longe desta área, porque o tamanho natural de seu corpo chocava-se com a ilusão de perspectiva e destruía a perfeição do cenário, concebida pela matemática de princípios estéticos. A regra suprema da pintura renascentista, segundo a qual o olho não deveria ser ofendido por sobreposições discordantes, aplicava-se também ao arranjo das pessoas no palco.

O tipo de peça encenada e o consequente tipo de decoração também determinavam a escolha da indumentária. Quando o Teatro Olímpico de Vicenza foi inaugurado em 1584 com a encenação do *Édipo* por Angelo Ingegneri, este escreveu:

> É preciso considerar em que país se passa a ação da peça a ser encenada, e os atores devem estar vestidos ao modo desse povo. E se a peça for uma tragédia, os trajes devem ser ricos e suntuosos; se for uma comédia, comuns, porém elegantes; se, finalmente, for uma pastoral, humildes, mas de bom corte e graciosos, o que vale tanto quanto a ostentação. No último caso, já se tornou constante a prática de vestir as mulheres à maneira de ninfas, mesmo se forem simples pastoras.

Ingegneri empreendeu esta produção com membros da Academia, antes de tudo como um exercício coreográfico. "Foi uma maravilha como todos dominaram suas posições e movimentos e o quão acuradamente se colocaram", relatou ele. O piso do palco havia sido disposto em quadrados, como um tabuleiro de xadrez, e

> cada qual sabia em quantos quadrados deveria ir e vir, e depois de quantos quadrados deveria parar. E quando o número de pessoas em cena aumentava e tornava-se necessário trocar de posições, todos mostravam estar bem instruídos com relação a qual fileira ou a qual cor de quadrado deveriam se recolher; assim, todos aprendiam sem dificuldade a fazer sua parte.

Cem anos haviam se passado desde as primeiras apresentações oferecidas pela Academia Pomponiana em Roma, desde sua produção do *Hipólito*, em 1486. A inauguração do Teatro Olímpico de Vicenza foi o fim de um processo que começara como uma ilustração de textos, a transposição de temas clássicos, expressos apenas em palavras, para sua representação corporal e palpável. Tommaso Inghirami, como ator em *Fedra*, sobressaiu por sua maestria no latim. Um século mais tarde, não era mais a palavra que predominava, mas a organização cênica. O que importava a Angelo Ingegneri era a perfeição do agrupamento estético.

Os Festivais da Corte

Maquiavel considerava mais vantajoso para um príncipe ser temido do que amado. Contudo, uma de suas recomendações em *O Príncipe* era de que este, "nas estações convenientes do ano, deve manter o povo ocupado com festivais e mostras", uma prática que foi abundante no tempo da Renascença.

Os príncipes jogavam o jogo do poder com igual perícia tanto dentro do esplendor da corte quanto nas teias da conspiração. Quando o ambicioso Ludovico Sforza, "o Mouro", organizou uma enorme apresentação alegórica na corte de Milão em 1490, seu objetivo era obter os favores da jovem Isabella de Aragão, a recém-chegada noiva de seu sobrinho Gian Galeazzo Sforza. A celebração do casamento oferecia a melhor oportunidade para adular a "duquesa boneca". Pouco tempo depois, Ludovico desposou Beatriz d'Este, outra ocasião a ser celebrada com grande pompa e ostentação. Os poetas da corte torneavam em incessante produção hipérboles panegíricas em rima elegante.

O próprio Ludovico planejou uma grande *masque* alegórica que culminava numa homenagem a Isabella. Ela foi escrita pelo poeta da corte florentina Bernardo Bellincioni e organizada por Leonardo da Vinci, que nessa época trabalhava na corte de Milão como engenheiro militar, inventor, construtor de canais, pintor e organizador de festivais. Leonardo desenhou um sistema planetário móvel, trajes pitorescos para deuses e deusas, máscaras representando selvagens e fantásticos animais de fábula. Os versos de Bellincioni mergulhavam em elogios arrebatadores: Apolo dá as boas-vindas a Isabella como o novo sol entre os planetas, os governantes do céu e da terra mandam mensagens em sua honra, e até mesmo Vênus curva-se ante o esplendor da nova duquesa. Apolo oferece as sete virtudes a Isabella, e, em conclusão, entrega-lhe um livro contendo o texto completo de Bellincioni, *Festa del Paradiso*. Com esta apresentação, Ludovico o Mouro reforçou sua posição.

Os engenhosos mecanismos de Leonardo, exibidos no cintilante festival de Milão, asseguraram-lhe um lugar na história da decoração cênica. Bellincioni gabou-se por muito tempo de sua colaboração com Leonardo nesta ocasião festiva; na posterior edição impressa de sua *Rima*, introduziu a *Festa del Paradiso* com a seguinte explicação:

> A seguinte obra de Messer Bernardo Bellincioni é uma peça-festival ou antes um espetáculo (*rappresentazione*), intitulado *Paradiso*, que o senhor Ludovico mandou organizar em honra da duquesa de Milão. Intitula-se *Paradiso* porque, pelo grande dom de invenção e pela arte do mestre Leonardo da Vinci de Florença, construiu-se o Paraíso com todos os sete planetas girando num círculo, os planetas sendo representados segundo as personagens e vestimentas descritas pelos poetas.

"O Paraíso que gira num círculo" é o famoso primeiro exemplo de um palco giratório, do qual, além da descrição de Bellincioni, possuímos também alguns esboços de Leonardo. Estes nos dão algumas indicações de como o mecanismo deve ter funcionado. O engenheiro italiano Roberto Guatelli o reconstruiu para uma mostra sobre Leonardo em Los Angeles, em 1952. George J. Altman, por cuja incitação este modelo foi executado, cita a declaração de uma testemunha ocular de como o original funcionava: "O semicírculo era dividido ao meio. Os dois quartos de círculo rodavam para a frente e voltavam a fechar-se, e o palco era subitamente transformado em cume escarpado de montanha". Leonardo utilizou seu palco giratório por uma segunda vez em 1518, no Château Cloux perto de Amboise, onde organizou outra apresentação de *Paradiso* para o casamento de uma das sobrinhas do rei Francisco I e do duque de Urbino. Galeazzo Visconti relata que a apresentação foi organizada da mesma maneira que a do Castello Sforzesco.

Seria, porém, subestimar as forças motivadoras dos grandes festivais da Renascença interpretá-las meramente como uma expressão do prazer das cortes em representar. Por trás da dispendiosa propaganda pessoal escondia-se a reivindicação de poder político, a expressão de medidas táticas e razões de Estado. Isto pode ser levado muito além, no exemplo de Ludovico Sforza. Nas festividades promocionais em Pávia, em 1492, por exemplo, logrou neutralizar elegantemente o sentimento hostil da família de Beatriz contra ele. Nessa ocasião, havia encarregado Bellincioni de escrever uma composição proclamando Beatriz o "novo sol" e as cortes de Ferrara e Mântua, os campos elíseos da arte e da erudição. O poema também festejava, em elegias loquazes, o duque Ercole d'Este de Ferrara e sua segunda filha Isabella, duquesa de Mântua, que estava também presente. Intenções similares podem ser detectadas nos inumeráveis cortejos alegóricos e procissões, por meio dos quais du-

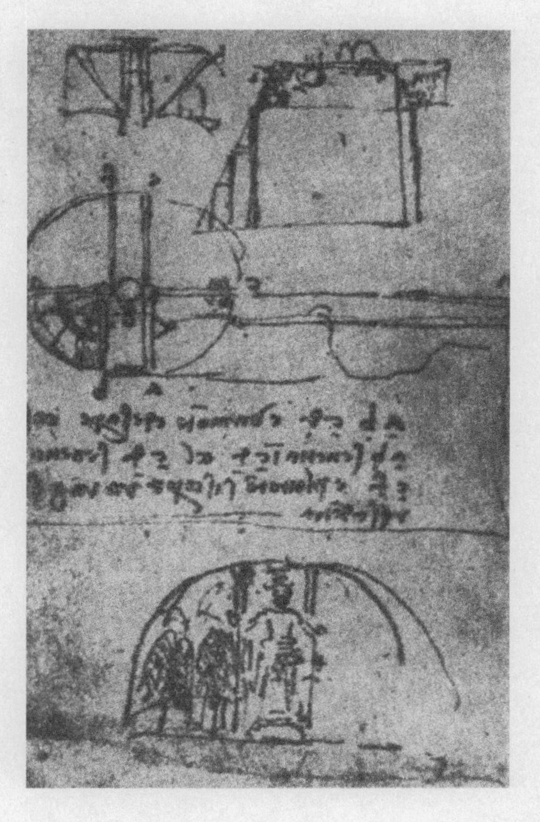

22. Leonardo da Vinci: desenho de um palco giratório para a Festa del Paradiso no Paço de Milão, janeiro de 1490. Embaixo, vê-se Júpiter sentado no trono, rodeado pelos sete planetas; o cenário é uma espécie de gruta, que pode ser fechada por segmentos circulares móveis.

23. Francesco del Cossa: Carruagem festiva retratando o *Trionfo di Apollo*. Mural pintado em 1470, representando o mês de Maio, no Salone dei Mesi do Palazzo Schifanoia, Ferrara.

24. Bernardo Buontalenti: figurinos para o *intermedii* do grande festival de teatro dos Medici, organizado em 1589 no salão do teatro da Uffizi, Florença (Londres, Victoria and Albert Museum).

25. Cena de torneio, assistida pelo rei e sua corte. Decoração em uma arca, *c.* 1480. Atribuída a Domenico Morone (Londres, National Gallery).

ques e reis, usurpadores e governantes pagavam-se tributos, buscando persuadir ou tapear uns aos outros.

Como forma específica desses festivais da corte, a ideia da triunfal procissão romana foi revivida e transformada no esplendor reluzente dos *trionfi* da Renascença. Enquanto o teatro processional do final da Idade Média em geral satisfazia-se com o princípio único da sequência, ou seja, com uma única passagem pelos espectadores enfileirados ao lado de ruas e praças, o novo empenho era "apreciar a procissão não apenas em suas seções separadas, individuais, como o farão os espectadores posicionados na periferia, mas antes em sua totalidade: de cima e, se possível, até mesmo no eixo da procissão" (Joseph Gregor).

Os átrios dos palácios, com seus arcos e galerias, as praças das cidades com suas arcadas e balcões, ofereciam uma oportunidade para que convidados de honra assistissem aos *trionfi* literalmente colocados no alto, em cima – enquanto o cortejo passava num curso circular. Em Florença, a Piazza Santa Croce, com seus balcões e tribunas de honra especialmente construídas, e o pátio do Palazzo Pitti eram locais favoritos para os famosos festivais dos Medici, nos quais Buontalenti fez valer toda a riqueza de sua fantasia alegórica. Desenhou trajes para os planetas, para as virtudes, para ninfas e deuses; delfins com rodas e tritões flutuantes – até mesmo barcos de gala, usados quando os átrios ou praças eram inundados, para intensificar o efeito. Idealizou também trajes para gênios alados, dragões que cuspiam fogo e querubins dançarinos que mergulhavam em cornucópias douradas para espalhar flores perfumadas entre os membros da sociedade da corte.

O povo maravilhava-se com a pompa teatral de seus governantes, ou a pressentia, na medida em que conseguia captar algum vislumbre dela. Não raro, a aparentemente despreocupada magnificência representava o último e eufórico lampejo de um poder há muito debilitado.

Quando Henrique III da França celebrou em 1581 as núpcias do duque de Joyeuse com pretensiosa pompa teatral, toda a sua corte, politicamente em extremo perigo como estava, foi mergulhada num frenesi festivo. O programa começou, no estilo italiano, com *trionfi* mitológicos e alegóricos, ou antes com seus correspondentes franceses, as *entrées solenelles*, e culminou com o internacionalmente famoso *Ballet Comique de la Royne*, uma combinação de números de dança, recitações, árias e pantomimas em homenagem à rainha.

O grande salão Bourbon do Louvre, em Paris, resplandecia em ouro e fulgia com candelabros, enquanto Versailles, na época, ainda era apenas um vilarejo nos campos e havia sido contemplada com um único pavilhão de caça por Henrique IV. Quão extraordinário deve ter sido o efeito do cenário com um jardim em perspectiva como locação para os entretenimentos que o rei pedira a seus colaboradores mais próximos para projetar: seu *chamberlain* Balthasar Beaujoyeulx encarregou-se da encenação, seu conselheiro d'Aubigné da administração e o poeta da corte de la Chesnaye providenciou o texto.

O *Ballet Comique de la Royne*, expressão de uma monarquia enganosamente confiante em si, marcou o declínio de uma dinastia à qual o país arruinado e dividido perdoou tanto menos essa dispendiosa *fata morgana* teatral. O duque de Joyeuse foi derrotado em 1587 e, em 1588, Henrique III não conseguiu reprimir as barricadas em Paris, nem suprimir os tumultos. Teve que fugir e morreu em 1589 retalhado pela faca envenenada de um dominicano. Mas o novo gênero teatral-dançante sobreviveu, e oitenta anos mais tarde floresceu de novo na corte, graças a Molière e Luly e sua *comédie-ballet*.

A arte do festival alegórico sobreviveu a catástrofes e dinastias. Foi cultivada, de norte a sul dos Alpes e de ambos os lados dos Pireneus. Quando, em 1581, o rei Filipe II uniu as coroas de Portugal e Espanha, os padres do Colégio Jesuíta de Santo Antônio, em Lisboa, o receberam com a *Tragicomedia del Descubimiente y Conquista del Oriente*, encenada numa armação de três andares ao ar livre, semelhante ao da Antiguidade. João Sardinha Mimoso o descreveu em sua obra *Relacion* (1620) como um palco guarnecido de damasco colorido e ricamente adornado com "pilastras, cornijas e arquitraves". À direita e à esquerda foram construídos portais de acesso aos bastidores, à semelhança das entradas do

26. Festa teatral aquática (Naumachia) no parque do castelo de Fontainebleau: guerreiros, à bordo de barcos ornamentados, assaltam uma ilha; em primeiro plano, à direita, o rei Henrique III e sua esposa. Tapeçaria mural do século XVI (Florença, Uffizi).

Atrações festivas para a celebração do casamento do príncipe herdeiro Wilhelm da Baviera e de Renata de Lorena, em Munique, 1568. Gravuras coloridas de Nicolas Solis.

27. Torneio de cavaleiros no grande salão do Residenz (*Alter Hof*) em Munique.

28. *Kübelstechen* (justa) na Marienplatz. O eixo leste-oeste da praça está assinalado por dois arcos triunfais (Munique, Stadtmuseum).

palco das *paraskenia* gregas. Nesta produção, o rei português Emanuel e seu séquito entravam no palco pela direita, e seus oponentes mouros, pela esquerda. Dois nichos no pavimento superior representavam a casa de Eolo, deus dos ventos, e a boca do inferno; bem acima, ficava o trono dos anjos. Aqui, vestígios dos múltiplos cenários do final da Idade Média combinavam-se com as características arquiteturais das antigas *scaenae frons* num estilo altamente original de homenagem cortesã, antecipando as futuras formas do teatro jesuítico.

Alegorias cênicas e arranjos similares eram comuns nos festivais áulicos da Renascença inglesa, os interlúdios. Com as mascaradas da corte, populares entretenimentos de mesa, constituíam uma variante autônoma da ideia antiga do *trionfo*. Um dos interlúdios de maior sucesso de John Heywood, *Play of the Weather* (Auto do Tempo), foi encenado em 1533 para a corte real num palco de dois andares, com Júpiter no topo, ouvindo as queixas proferidas contra o dispensador dos ventos Eolo, e o das chuvas, Foibe. Os mercadores do mar pedem ventos favoráveis, exatamente como os navegadores de Vasco da Gama na *Tragicomédia* portuguesa. No ano decisivo de 1588, Eolo estava do lado da Inglaterra quando fez com que os remanescentes da derrotada Invencível Armada espanhola afundassem nas tempestades do golfo de Biscaia. Enquanto os poetas corteses de nações navegantes preferiam extrair seus temas e alegorias do reino de Netuno e Saturno, seus companheiros sem acesso ao mar preferiam a imagem das videiras e da caça. Diana dava seu nome a muitos dos espetáculos de corte; um dos primeiros a ela devotados foi escrito pelo humanista alemão Konrad Celtis.

Esse alemão oriundo das margens do Main levou sua plateia de volta no tempo e para a Itália, a origem do triunfo e do panegírico da corte. Ele começara a interessar-se pelo teatro em Roma e Ferrara e, em março de 1501 levou à cena o primeiro exemplo famoso de um panegírico-*trionfo* ao norte dos Alpes. Juntamente com seus amigos da academia humanista vienense Sodalitas Litteraria Danubiana, organizou uma apresentação de sua *Ludus Dianae* em cinco atos, no castelo de Linz, no Danúbio, em honra de Maximiliano I. O imperador havia instalado sua corte em Linz para as semanas de Carnaval, e rodeara-se dos leais humanistas vienenses, tão dedicados a ele.

O que poderia ser mais adequado em tal ocasião do que homenagear a Sua Majestade com deuses, ninfas, faunos, sátiros antigos, com verbosos panegíricos a pintar a glória do império, coroados com o louvor do vinho do Danúbio – que era despejado em "taças e tigelas de ouro" ao estímulo de um Sileno bêbado e ao som de tambores e trompas?

No final, Diana tomava a palavra. Prometia ao casal imperial todas as boas graças dos deuses, desejava a Maximiliano e à sua esposa italiana Bianca Sforza muitos filhos esplêndidos, reunia todos os participantes em torno de si e declarava, num último quadro vivo com acompanhamento musical, que agora retornaria aos bosques de Wachau. No dia seguinte, como informa a edição impressa da peça (maio do mesmo ano), o "divino Maximiliano ofereceu um banquete real a todos os participantes [que perfaziam um total de vinte e quatro] e os presenteou com dádivas reais".

Konrad Celtes e os humanistas de Viena agradeceram-lhe com um sem-número de jogos similares de homenagem que variavam de uma ode polifônica ao texto latino da *Marcha Triunfal* de Maximiliano – engenhosamente idealizado; construções bombásticas de palavras, que hoje jazem enterradas em bibliotecas e arquivos. De há muito esqueceu-se que o abade Benedictus Chelidonius (que costumava organizar apresentações de Celtes na escola latina de Viena, chamada Schottengymnasium) exaltou *Maximilianus triumphator* em versos eruditos. Não foram esquecidas, porém, as obras de arte que o inspiraram: a magnífica xilogravura de Albrecht Dürer, "Ehrenpforte des Kaisers Maximilian" ("Porta de Honra do Imperador Maximiliano") de 1515, e seus esboços de 1522 do "Triumphwagen" ("Carro Triunfal") – uma glorificação póstuma de Maximiliano, o "último dos cavaleiros", que falecera em 1519.

O Barroco, com sua incansável riqueza cênica e decorativa, pagaria o mais suntuoso e último tributo ao Sacro Império Romano, nas *Ludi Caesarei* encenadas nas cortes de Praga e Viena.

O Drama Escolar

O estudante de filosofia e teologia Christoph Stummel, de Frankfurt sobre o Oder, mal contava vinte anos quando chegou a uma inesperada fama dramática. Em 1545, foi celebrado em Wittenberg como autor de uma peça que "agradou grandemente" aos doutos eruditos. Era chamada *Studentes*, sem dúvida inspirada na comédia do mesmo título de Ariosto, e tratava-se de uma descrição alegre e sem rodeios da vida estudantil da época e de todos os prazeres e perigos que espreitavam o jovem estudante, entre a severa Filosofia e a convidativa *filia hospitalis*. Ao final de cada ato, o coro profere bons conselhos, sem dúvida bem a propósito, após as bebedeiras, brigas barulhentas e aventuras noturnas precedentes. Finalmente, os pais dos jovens irrompem em cena alarmados e decidem resgatar os respectivos filhos, com um "mergulho" na bolsa de dinheiro e um forçado "sim" ao matrimônio.

Stummel – que havia estudado a técnica dramática com seu mestre, o comentador de Terêncio Jodocus Willich – possuía quer o dom para a observação astuta, quer bom senso suficiente para perceber que o êxito nos palcos escolares requeria prova de aplicação moral profunda.

Studentes de Stummel foi apresentada duas vezes em Wittenberg. Entre os convidados de honra estava Melanchton, que lhe conferiu o atributo de "elegantíssima", elogio que se referia tanto aos diálogos latinos ao estilo de Terêncio e Plauto, como à erudição que o autor demonstrava. Isto, na verdade, se evidenciava já na lista de *dramatis personae*. Um dos estudantes tinha o nome de *Acolastus*, o dissoluto – uma reverência ao dramaturgo protestante holandês Gnapheus, que em 1528 havia escrito, no gênero para escola, uma peça sobre o filho pródigo, chamada *Acolastus*. Eubulos, o bom conselheiro, mostrava que Stummel estava familiarizado com os escritores gregos de comédias. Eleutheria, a sem preconceitos, testemunhava seu conhecimento da mitologia antiga.

Os historiadores do teatro não concordam quanto ao tipo de palco usado nessas encenações. Alguns, como F. R. Lachman, visualizam uma cena feita de diversos conjuntos de cortinas; outros, um cenário neutro e simples, do tipo "cabine de banho". A contrapontística troca de local entre universidade e cidade natal dos estudantes, tudo num único cenário, é ainda influenciada pelo princípio da sucessão da moralidade do Medievo tardio. Transições desse tipo eram frequentes no drama escolar, e ainda foram usadas, por exemplo, na peça *Laurentius*, representada em Colônia, em 1581.

Não obstante todas as tentativas de vivificação cênica, o palco escolar era um pódio para a arte da declamação. Professores, mestres e reitores atuavam como autores, adaptadores ou tradutores de peças. Seus nomes são uma legião, do alsaciano Jakob Wimpheling e sua comédia *Sylpho* (1494), a Johann Reuchlin e sua *Henno*, encenada em 1497 por estudantes em Heidelberg, e da *Tragedia de Thurcis et Suldano,* de Jakob Locher, a Philipp N. Frischlin. A este último a comédia escolar latina protestante deve o fato de que "não morreu de fraqueza e tédio, mas foi absorvida nas novas formas de arte dramática, representadas, de um lado, pelo aluno de Frischlin, Heinrich Julius von Braunschweig e Ayrer, e, de outro, pelo drama jesuíta" (G. Roethe).

Philipp Melanchton, o *Praeceptor Germaniae* e grande reformador do sistema educacional e escolar, empreendeu intensos esforços para reviver o drama da Antiguidade. Em sua academia particular, em 1525, foram encenadas *Hécuba* de Eurípedes, *Tiestes* de Sêneca, *Miles Gloriosus* de Plauto e muitas das comédias de Terêncio, todas com prólogos do próprio Melanchton.

Martinho Lutero admitiu que o teatro poderia exercer uma influência benéfica, como testemunha a seguinte passagem de seu *Tischreden*:

> Comédias encenadas não deveriam ser proibidas, mas, em consideração aos rapazes da escola, permitidas e toleradas. Em primeiro lugar, porque é boa prática, para eles, da língua latina; em segundo lugar, porque nas comédias há pessoas criadas, descritas e representadas com arte, de modo a instruir o povo e recordar a cada um sua situação e ofício, lembrando o que é adequado para um servo, um mestre, um jovem ou um velho, e o que ele deve fazer. Na verdade, tornam claro e evidente como num espelho a posição, ocupação e os deveres de todos os dignitários e como cada qual se deve comportar e conduzir sua vida pública em sua posição social.

A Reforma não apenas acrescentou profundidade ao conteúdo do teatro escolar, mas também lhe deu uma nota combativa. Porém, tomando partido nas controvérsias religiosas, entrou em conflito com a intenção pedagógica. Quando Agricola, em 1537, compôs uma ríspida acusação em sua *Tragédia de Johannis Huss*, Lutero o censurou por ser tendencioso demais. Isto, afirmou Lutero, não era bom para a peça escolar.

Da Suíça, também, vieram violentos ataques contra Roma. Em 1539 Jakob Ruoff, talhadeiro e cirurgião de Zurique, escreveu *Weingartenspiel*, uma peça que acusava os taberneiros pelo assassinato do Filho de Deus e os apresentava como papistas.

Thomas Naogeorgus, em sua *Pammachius* (1538), aproveitou o tema do Anticristo e elaborou uma complexa construção intelectual cobrindo um milênio de história da Igreja. A peça deve o seu título à figura do bispo Pammachius, um contemporâneo do imperador romano Juliano, o Apóstata. Numa cena grotesca no inferno, ele recebe a tiara de Satã. O ruidoso festim onde o papa Anticristo Pammachius e Satanás celebram sua vitória é interrompido pelas notícias de que Lutero pregava suas Teses no portal da igreja em Wittenberg. No epílogo, anuncia-se que a batalha do Anticristo contra Lutero ainda é violenta, e que seu resultado não seria decidido até o Dia do Juízo.

Naogeorgus dedicou seu drama ao "maior príncipe antipapista da igreja da Inglaterra", o arcebispo Thomas Cranmer de Canterbury. Cranmer estabelecera contatos pessoais com os partidários da Reforma durante uma viagem à Alemanha e desposara uma sobrinha do pregador evangélico de Nuremberg, Osiander. Presume-se que *Pammachius* foi representada na casa do arcebispo, em Canterbury. Mas sua primeira encenação documentada ocorreu em março de 1545, no Christ's College da Universidade de Cambridge.

Cranmer cuidou também de fixar o drama escolar protestante na Inglaterra. Encorajou John Bale, um dramaturgo inglês influenciado por Naogeorgus, e ajudou a levar seu drama histórico-alegórico *King John* em palcos universitários. Naogeorgus desde o início havia encaminhado sua polêmica diretamente pelo confronto com o Anticristo, mas Bale seguiu por um caminho indireto, com figuras alegóricas a assumir as personagens reais, de modo que o Poder Usurpado veio a ser o Papa.

Enquanto as controvérsias religiosas se tornavam mais e mais veementes, a rainha francesa Margarida de Navarra tentou transpor os conflitos com o seu *Miroir de l'Âme Péchéresse* (1531). Mas seu escrito foi queimado como "protestante" em 1533 pela Faculdade Católica da Universidade de Paris. Como Calvino escreveu em outubro de 1533 aos seus amigos em Orleans, os professores e alunos da Faculdade Católica de Navarra sentiram-se ultrajados com a atitude pró-protestante da rainha. As tentativas de mediação de parte dessa inteligente, sensível e cultíssima humanista, cujas peças religiosas alegóricas testemunham profunda devoção, foram irremediavelmente afogadas numa onda de ódio mútuo. Os antagonistas religiosos invocavam o direito de expressão livre e individual de opinião tal como entendido na democracia antiga, mas esqueciam o segundo e crucial ingrediente: a tolerância.

Ao mesmo tempo os principais representantes do drama escolar estavam assim empenhados num agressivo cruzar de espadas; para consumo interno seus praticantes recolhiam-se a um terreno confessional mais neutro. Como que num acordo secreto, e não raramente mesmo em relação direta, material do Velho Testamento emergia como temas favoritos por toda a Europa, com Susana, Jacó e Tobias à frente.

Sixt Birck de Augsburg produziu, em 1532, primeiramente uma versão alemã, e cinco anos mais tarde uma versão latina, de *Susanna*. Em Estrasburgo, em 1535, por ocasião da inauguração do novo *Gymnasium* (escola secundária), constituído de três escolas latinas, Johannes Sturm escolheu o tema de Lázaro para sua peça. Na pequena cidade universitária de Steyr sobre o Enns, na Áustria, o dramaturgo evangélico e realizador Tobias Brunner encenou um *Jakob* e um *Tobias*. Em Praga, Mathias Collin, um discípulo de Melanchton e professor de filologia clássica, ganhou os favores do rei com *Susanna*. A primeira apresentação, feita em

29. Xilogravura para a *Tragedia de Thurcis et Suldano*, de Jacob Locher, representando a cena dos sultões: "Consultatio baiazeti et suldani". Do *Libri Philomusi*, Estrasburgo, 1497.

30. Desenho de cenário para o auto de Laurentius, por Stephan Broelman, Colônia, 1581. A peça foi apresentada no pátio do Laurentianer Burse; o palco é construído ao redor de duas árvores (Colônia, Stadtmuseum).

1543 no Collegium Recek, teve de ser repetida, conforme o desejo expresso de Ferdinando I, no castelo, em presença de toda a corte: a rainha Ana e os dois príncipes, Maximiliano e Ferdinando, encontravam-se no camarote real, próximo do rei.

Na Hungria, na escola clássica de Bartfield, Leonhard Stöckel levou uma *História de Susana* como "um exercício público de oratória e de comportamento moral" para a juventude.

Outra *Susana* apareceu na Dinamarca, escrita e encenada por Peder Jansen Hegelund e baseada na obra de Sixt Birck. A peça contava com um interlúdio chamado *Calumnia*, no qual a virgiliana figura simbólica da calúnia de muitas línguas, *Fama Mala*, surge no palco num figurino pitorescamente costurado com línguas de pano.

A escolha de um tema do Velho Testamento ou da Antiguidade colocava professores e alunos a salvo, do campo escorregadio da controvérsia confessional e política. Quem ousasse apartar-se tinha de pagar caro por sua agressividade. O valente suábio Philipp Nikodemus Frischlin – que havia recebido a coroa de poeta do imperador Ferdinando em 1576 e favorecera o teatro escolar como reitor das escolas latinas de Leibach (Ljubljana) e Braunschweig, – foi longe demais em sua obra principal, *Julius Redivivus*. Nessa peça, combinava o louvor às realizações técnicas alemãs com a culpa por suas fraquezas nacionais. Frischlin morreu em 1590, prisioneiro no castelo de Hohenurach, por "insultos contínuos às autoridades".

Na Suécia, no período de 1611-1614, o viajado jurista Johannes Messenius, professor na Universidade de Uppsala, procurou despertar o interesse histórico de seus alunos com apresentações de episódios históricos em diálogo. Mas seus projetos teatrais levantaram suspeitas; ele foi acusado de conspiração com os poloneses e levado a julgamento. Assim, as ramificações do teatro escolar, cuja origem está na inofensiva declamação latina, perderam-se em polêmicas religiosas e, finalmente, terminaram no fogo cruzado da política.

O drama escolar foi representado em pátios de colégios, em salas de aula, auditórios de conferência em universidades, prefeituras, sedes de grêmios, salas de dança ou em praças públicas, quando o tamanho da audiência assim exigia. Em Eger, o cantor Betulius pediu permissão ao conselho da cidade, em 1535, para encenar sua comédia *De Virtute et Voluptate* no mercado, depois de ter sido apresentada "várias vezes antes, na escola e no *Deutscher Hof*, e, domingo retrasado, também na prefeitura".

O palco simples, de um único cenário, erguido sobre vigas cruzadas ou sobre barris, não necessitava de nenhum equipamento especial. Um recurso popular e útil para seguir a ação, com seu elenco frequentemente numeroso e com suas complicações, era a prática de escrever os nomes das personagens no alto de suas "casas", em letras claras e legíveis. Quem são as personagens que estão falando? De onde vêm? Para onde vão? Essas eram perguntas para as quais o público leigo, que não sabia latim, precisava de algumas indicações. Havia muitos precedentes disponíveis nas numerosas edições de Terêncio, cujas ilustrações em xilogravura apadrinharam, da mesma maneira, o palco "cabine de banho". Se algum acessório de palco fosse necessário, os carpinteiros locais ajudavam.

O teatro escolar buscava exercer seu efeito mais pela palavra do que pela imagem visual. (O drama barroco encenado pelas ordens religiosas utilizou o caminho oposto.) Era pela declamação alta e audível em latim – mais tarde, na língua nacional – que os pedagogos demonstravam suas intenções didáticas aos pais e autoridades públicas. A atenção do público era chamada para o fato de que "o que não é representado na realidade está descrito nos versos", como Tobias Brunner indicou no prólogo de sua peça *Jakob* (1566). Apesar do desprendimento, o mestre-escola de Steye parece ter condescendido com o luxo de um palco cortinado. Ele fala de uma "cortina", necessária em parte para ocultar a cena e, em parte, a fim de "puxar para a frente" no curso da peça.

O *Meistersinger* e dramaturgo alsaciano Jörg Wickram sem dúvida encenou seu *Tobias* de uma maneira similar, quando foi representado por "cidadãos respeitáveis" em 1551, na praça do mercado de Kolmar, e o mesmo se aplica à apresentação de 1573 de *Spiel von der*

31. Duas cenas do Spiel von der Kinderzucht, de Johann Rasser. Xilogravuras de uma edição impressa em Ensisheim, 1574.

Kinderzucht (Auto da Educação das Crianças) do pedagogo Johann Rasser, na vizinha Ensisheim.

As possibilidades cênicas dos pátios escolares (Estrasburgo já possuía um festival *theatrum* em 1565) são ilustradas por um esboço da peça de Laurentius, em Colônia. Seu autor, Stephan Broelman, era professor no *Laurentianer Burse*. Entre 8 e 12 de agosto de 1581, seus alunos organizaram, em homenagem a seu santo padroeiro, quatro apresentações do drama latino no arborizado pátio, e duas das árvores foram habilidosamente incorporadas ao cenário. O piso da rampa consistia em tábuas unidas pelas extremidades e apoiadas em sólidas vigas alinhadas, suportadas por barris de vinho. Painéis de lona verde emolduravam o palco como numa lanterna mágica. Os adereços para as várias cenas de ação – portas inseridas, um obelisco, um trono imperial e uma cadeira curul para o pretor, uma prisão gradeada (cárcere) e um altar de sacrifícios pagão caracterizam as cenas das peças – ordenadas de maneira simultânea como nos autos "de lendas" do Medievo tardio.

O manuscrito de Broelman, que foi encontrado pelo estudioso de teatro Carl Niessen, de Colônia, contém não somente o texto de sua peça e um esboço colorido do palco, mas também numerosas notas sobre indumentárias, gestos e o curso da ação. O herói e mártir veste uma longa e folgada túnica e uma capa amarela ornamentada com motivos vegetais. Faustina aparece em um manto negro e com um penteado alto; seu nome está afixado em letras prateadas no seu ombro.

Em ocasiões mais modestas, um pano atirado sobre os ombros fazia as vezes de uma toga romana, alguns atributos óbvios identificavam os deuses ou figuras alegóricas, e um emblema corporativo servia como indicador de *status* profissional. Um penacho no chapéu significava um nobre, uma clave indicava um lansquenê, uma barba branca indicava um velho e uma faixa em torno da cabeça, um turco.

O que o emérito professorado esperava do teatro escolar enquanto meio de expressão e gesto pode ser aprendido no *Liber de Prononciatione Rhetorica*, de Jodocus Willich, que é o texto das preleções por ele proferidas em Basileia e Frankfurt sobre o Oder. Cabeça, testa, lábios, sobrancelhas, nuca, pescoço, braços, mãos, pontas dos dedos, joelhos e pés – tudo tem seu papel predeterminado na interpretação "*in theatro aut in theatralibus ludis*". Dificilmente pode-se considerar Jodocus Willich um especialista em estudos indológicos. Ele ficaria irritado se soubesse quão literalmente perto chegou do *Natyasastra*, o grande manual indiano de dança e atuação. O que ele escreveu, sem pensar nas artes elevadas, somente para o uso de escolas, ainda iria ocupar Riccoboni na França, Goethe em Weimar e Stanislávski em Moscou, muitas gerações e séculos mais tarde.

As *Rederijkers*

Existe uma pintura, da oficina do pintor Jan Steen, de Leyden, que mostra um grupo de probos mestres de ofícios numa janela. Um homem idoso e barbado lê alguma coisa num pedaço de papel, com visível esforço, pontuado pelo indicador erguido de seu vizinho, um terceiro aponta displicentemente, com uma jarra de cerveja vazia, para uma tabuleta na parede com a inscrição "*in liefde bloeinde*" ("florescendo no amor") sobre um vaso florido. Trata-se de membros da famosa *Rederijker-Kammer* "Eglantine", de Amsterdã. Ela se refere não apenas ao seu ofício, mas igualmente à arte do teatro, que as guildas holandesas praticavam com crescente devoção do século XV em diante.

Tomados pelas aspirações culturais humanistas, resgataram as últimas moralidades medievais e canalizaram-nas para a arte da retórica volúvel – de acordo com seu nome, que é derivado do francês *rhétoriqueur*. Eram o contraponto das *Meistersinger* alemãs, no que diz respeito à sua origem nas guildas, seus objetivos, e também quanto à sua orgulhosa hierarquia, que ia do patrono, passando pelo deão, o porta-estandarte e o poeta, até o simples membro. No século XVI, todas as cidades de maior tamanho, na área entre Bruxelas e Amsterdã, possuíam sua própria câmara de retórica. O clímax de suas atividades dramáticas e teatrais era o *landjuweel* anual, um festival para o qual as câmaras convidavam umas às outras. Esses festivais duravam vários dias, incluíam procissões alegóricas e *tableaux vivants* (*Vertooninge*), e culminavam numa competição de peças alegóricas morais e religiosas. Aí também apareciam as primeiras ideias da Reforma, como por exemplo, em 1539, na assembleia *Rederijker* em Gand, quando o *motto* escolhido para o dramático *Speel van Sinne* foi: "O que dá mais consolo a um homem que está morrendo?"

Quando os "Violetas" de Antuérpia estavam preparando seu grande *landjuweel* em 1561, deixaram a escolha final do assunto para a regente Margarida da Áustria, duquesa de Parma. Dos vinte e quatro títulos a ela propostos, Margarida considerou três: A sabedoria é mais estimulada pela experiência ou pelo aprendizado? Por que um avarento rico deseja mais riquezas? O que pode melhor despertar um homem para as artes liberais? Os "Violetas" finalmente optaram pela última questão, um tema que oferecia maior liberdade de ação à sua tradicional preferência pelas alegorias na retórica e na decoração. O convite enviado pela "Camer van den Violieren", na forma de uma xilogravura, antecipa o conjunto das virtudes iluminadas pelo sol, de um lado; a desordem dos vícios, do outro; e, entronada no meio, a Retórica.

A "Peoen-Camere" em Malines imprimiu o programa completo de todos os números falados e cantados em seu festival de 3 de maio de 1620. Ele foi publicado em 1621, ilustrado com xilogravuras, sob o pretensioso título "Uma Arca do Tesouro dos Filósofos e Poetas".

Eruditos e artistas acorriam em massa às *Rederijkers*. Príncipes governantes aceitavam

32. Grupo alegórico de um "Speel van Sinne". Xilogravura num convite para a Landjuweel apresentada pela Camer van den Violieran, Antuérpia, 1561.

33. Grupo da Rederikker-Kammer de Amsterdã, retratado com seu *motto* "in liefde bloeinde". Inspirado numa pintura da escola de Jan Steen, século XVII.

34. Palco de rua, no mercado de cavalos de Bruxelas. Pintado por Adam Frans van der Meulen, *c.* 1650 (Vaduz, Galerie Liechtenstein).

35. *Tableau vivant* num carro-palco: Judite e Holofernes. Do cortejo comemorativo para a recepção de Joana de Castela em Bruxelas, no ano de 1496. Desenho colorido (Berlim, Staatliche Museen, Kupferstichkabinett).

de bom grado a qualidade de membros honorários, e a câmara amsterdamesa Eglantine podia orgulhar-se de ter recebido sua flâmula do imperador Carlos V em pessoa. De seu âmbito emergiu o dramaturgo Pieter Corneliszoon, filho do prefeito de Amsterdã. A apresentação de *Achilles en Polyxena* deste autor, em 1614, inaugurou o reflorescimento do clássico antigo nos Países Baixos. Sua peça pastoral *Granida* foi inspirada pelo *Pastor Fido* de Guarini, e sua tragédia *Geeraerd van Velsen*, embora formalmente na tradição de Sêneca, tirou seu tema da própria história de seu país de origem e, assim, foi o primeiro trabalho no palco holandês a respeitar a regra aristotélica da unidade de lugar e tempo. O contemporâneo de Hooft, G. A. Bredero, membro dos Eglantines de Amsterdã, é famoso pelas farsas e comédias populares e realistas, ricas em tipos reminiscentes de Plauto e Brueghel. Elas eram encenadas principalmente nos palcos camponeses (*Klucht*), mas às vezes, como por exemplo *Spaanchen Brabander* em 1617, também por membros da própria câmara de retórica do autor.

Pelo início do século XVI, o palco *Rederijker* havia adquirido eminência representativa. A combinação da peça dramática e retórica e dos *Vertooninge* didáticos e decorativos exigia uma moldura que fizesse justiça a ambos. E assim, um palco arquitetural recuado foi desenvolvido para encerrar a área de atuação; esta divisão era ornamentada com colunas e arcadas, às vezes dois andares acima e assim podia fornecer a localização para os *tableaux vivants* dos *Vertooninge*. O derradeiro teatro *Rederijker*, instruído na erudição humanista e influenciado tanto pela tradição teatral nativa dos artífices quanto pelos atores ambulantes ingleses, usava uma forma de palco no qual as relíquias das antigas *scaenae frons* fundiam-se com elementos do palco elizabetano.

Os *Meistersinger*

Os *Meistersinger* alemães dividem com as *Rederijkers* holandesas o mérito de terem preservado a continuidade entre as artes da atuação e recitação do final da Idade Média e o mundo da Renascença. As origens dos *Meistersinger* remontam à cultura cívica do século XIV, e seus precursores foram os *Minnesänger*. O período de seu maior florescimento em Nuremberg, na época de Hans Sachs, foi imortalizado na ópera *Os Mestres-Cantores* de Richard Wagner.

Enquanto as "escolas de canto" dos *Meistersinger* ensinavam as leis e regras de sua arte, estritamente de acordo com o *Tabulatur*, e enquanto as peças carnavalescas entregavam-se a dísticos rimados conhecidos como *Knittelverse*, Hans Sachs, sapateiro e poeta, buscava familiarizar seus camaradas artífices também com a mais alta herança do humanismo. Ele se aventurou no drama erudito e, além das farsas, escreveu volumosos dramas e tragédias para o palco *Meistersinger*. Seus temas eram clássicos e medievais, bem como frequentemente bíblicos, o que explica como puderam ser feitas apresentações na Igreja de Santa Marta de Nuremberg, conforme se tornou praxe a partir de 1550, e começar com *Enthauptung Johannis* (A Decapitação de São João). Um pódio de quase 9 m de altura foi erguido abaixo da abóbada gótica do coro, fechado no fundo por uma cortina, com entradas por trás e também à direita, pela porta da sacristia. Foi assim que Max Hermann reconstituiu o palco *Meistersinger*, no seu *Forschungen zur deutschen Theatergeschichte des Mittelalters und der Renaissance* (Investigação para a História Teatral Alemã da Idade Média e da Renascença) (1914). Albert Köster, em contrapartida, defendeu o ponto de vista de que o palco teria sido construído na nave. A controvérsia foi acirrada e permaneceu sem solução. Os arquivos de Nuremberg nada contribuíram para o esclarecimento da questão, mas a Igreja de Santa Marta ainda existe – e deixa abertas conjecturas sobre ambas as possibilidades.

Podemos ter certeza de que, no geral, o tablado dos dias de festa dos Mestres-Cantores se contentava com a decoração verbal. Por outro lado, Hans Sachs tampouco renunciou a ter um navio que era rolado para dentro da cena, como acontecera na corte de Ferrara, na apresentação de 1486 do *Menaechmi*. Nas instruções cênicas de sua *Beritola*, representada em 1559, lemos: "Ela beija o rapaz e desce do navio. Eles partem no navio". Cumpre confiar nas guildas de Nuremberg, em que elas foram tão criativas quanto os *ingegnieri* italianos.

36. "Rhetorica", a retórica personificada, contra um palco de rua, ao fundo. Aquarela do caderno de esboços de Hans Ludwig Pfinzing, Nuremberg, *c.* 1590 (Msc. Hist. 176, Bamberg, Staatsbibliothek).

37. *O Juízo de Salomão*, encenado na praça do mercado de Louvain, 1594. A partir de um desenho de Guillaume Boonen, 1594; copiado por L. van Peteghem, 1863 (Louvain, Museu da Cidade).

38. A grande "Ommeganck" (Procissão) em Bruxelas. Detalhe do carro alegórico da Natividade. Na margem inferior da pintura, a rainha das Amazonas e seu séquito a cavalo. A procissão dos grêmios e corporações compreendia numerosos carros alegóricos e grupos de temas bíblicos e mitológicos. Pintado por Denis van Alsloot, 1615 (Londres, Victoria and Albert Museum).

39. Procissão de *Rederijkers*, chegando a Malines para apresentar a *Landjuweel* em 1620: a Câmara "Maria Crans" de Bruxelas com seu carro alegórico e escudo d'armas (Blasoen). Do volume comemorativo *De Schadt-Kiste der Philosophen ende Poeten*, impresso em Malines, 1621.

40. Um ator. Bico de pena de Rembrandt (Hamburgo, Kunsthalle).

O Teatro Elizabetano

Londres possuía três teatros públicos quando o jovem Shakespeare chegou à cidade em 1590. Nos subúrbios setentrionais, bem próximos um do outro, ficavam The Theater e The Curtain, e no bairro das diversões, ao sul do Tâmisa, entre as arenas de *bear-baiting* e *bull-baiting**, A Rosa. Os barqueiros tinham muito trabalho, quando a bandeira tremulava no telhado, indicando que nesse dia uma peça seria apresentada – uma bandeira branca para comédia, uma preta para tragédia.

O teatro tornara-se uma instituição na vida da cidade. Qual uma lente convergente, ele captava as radiações literárias do Continente e as focalizava em cores vivas, florescendo com a recém-despertada consciência nacional. O tema principal da Renascença, o indivíduo consciente de si mesmo, alcançou seu zênite de perfeição artística no teatro elizabetano. À força de seus dramaturgos correspondia a resposta criativa da audiência. O teatro deu expressão à confiança em um poder mundial ascendente, cuja esquadra havia derrotado a Invencível Armada. Os atores tornaram-se, nas palavras de Hamlet, "as abstratas e breves crônicas do tempo".

Sob Elizabeth I – filha de Henrique VIII e Ana Bolena, que desprezava o papado e era antagonista de Maria Stuart – meio século ganhou seu semblante. Nesse período, também o teatro encontrou seus pressupostos artísticos, seus temas e seu estilo. O novo lema da Inglaterra elizabetana era: livre da França, livre do papado, um orgulhoso reino insular "em um mar de prata".

Em 1589, Richard Hakluyt publicou sua grande obra *The Principall Navigations, Voiages and Discoveries of the English Nation*. O *Tamburlaine* de Christopher Marlowe regozijava-se com os recém-descobertos tesouros do mundo terrestre, os "mimos de ouro, drogas inestimáveis e pedras preciosas", e com a expectativa do que estava para ser conquistado "a leste do polo antártico".

Ao aceno da distância correspondia a reflexão sobre os heróis da história nacional. John Bale foi o primeiro com seu *King John* em 1548. As *Chronicles* (1578) de Raphael Holinshed constituíram uma fonte inesgotável de material. Shakespeare e seus colegas dramaturgos encontraram nelas tudo aquilo de que precisavam para seus dramas históricos.

Ao mesmo tempo, influências clássicas ainda emanavam do continente. John Lyly escolheu temas mitológicos para suas comédias; o poema *Hero and Leander*, de Marlowe, que deu ao frio e cético Thomas Nashe oportunidade para zombaria, é uma adaptação livre de *Musaeus*. Mesmo *Titus Andronicus* de Shakespeare está ainda embebido na paixão da vingança e do horror de Sêneca. O tema dos *Suppositi* de Ariosto volta uma vez mais em *A Megera Domada* de Shakespeare. Romeu e Julieta, em seus diálogos de amor, não negam seu débito para com o *Canzoniere* de Petrarca, e com o jogo de esconde-esconde de Rosalinda na floresta de Arden, *Como lhes Apraz* conserva ainda um pé na tradição pastoral.

Mas, em suas peças históricas, Shakespeare mergulhou na história da própria Inglaterra e posicionou-se apaixonadamente em relação aos problemas do poder e do destino. Ascensão repentina e queda abrupta, a embriaguez do poder, crime, vingança e assassinato dão vazão às imagens plenas de linguagem e, na rápida mudança de cenas fragmentárias, culminam numa brilhante síntese. Enquanto a batalha se intensifica, uma luz é lançada sobre ela, ora do campo do rei, ora do campo inimigo. A ação salta como uma faísca de cena em cena. A última retirada de Ricardo III o leva a seu fim num combate sem palavras.

O hálito ardente dos acontecimentos, que a *tragédie classique* francesa aprisionou nos grandes monólogos do drama com unidade de lugar, explodiu com Shakespeare em diálogos curtos e poderosamente delineados. Cada ocorrência é transposta para a ação. "Um reino por palco", almeja ele no prólogo do drama real *Henrique V*, em vez do "indigno tablado" e invoca as "forças da imaginação" do espectador: "Imaginai que no cinturão destas muralhas / Estejam encerradas duas poderosas monarquias [...]. Porque é vossa imaginação que deve hoje vestir os reis, transportá-los de um lugar para outro, transpor os tempos, / colocando a realização de acumular numa hora de

* Arena de açulamento de cães contra ursos e touros acorrentados. (N. da T.)

ampulheta os acontecimentos de muitos anos" (trad. Oscar Mendes).

As peças de Shakespeare oferecem alimento abundante para a transformadora capacidade da imaginação, da magia poética do *Sonho de Uma Noite de Verão* à loucura do Rei Lear na charneca tormentosa. Ele saltou por cima das regras clássicas pela força de seu gênio poético. Trouxe à vida períodos e lugares, ternura e rudeza na "arena" do teatro.

Shakespeare não tomou partido na controvérsia a respeito das regras teóricas, embora ela tenha se inflamado também em Londres. Sir Philip Sidney, nobre letrado altamente estimado na corte como sobrinho do conde de Leicester, havia defendido as unidades aristotélicas – em sua *Apologie for Poetry* (escrita por volta de 1580, mas impressa postumamente em 1595) e denunciado seus compatriotas por não lhe dar a devida atenção. Mas quando, em 1603, Ben Jonson se apresentou com sua tragédia romana *Sejanus,* construída estritamente segundo as normas, foi um fiasco. Sua força residia no terreno da comédia crítica contemporânea, realista, no qual de fato também respeitou as três unidades clássicas, em protesto contra a indisciplina dramática de muitos dramaturgos da época.

Shakespeare divertiu-se arrolando um irônico catálogo dos gêneros exemplares de drama. Quando Polonius anuncia a Hamlet a chegada dos atores, exalta-os como "os melhores atores do mundo, tanto para a tragédia, como para a comédia, a história, a pastoral, a pastoral cômica, a pastoral histórica, a histórica trágica, a pastoral tragicômica-histórica, a ação indivisível ou o poema continuado. Sêneca não pode ser demasiado triste para eles, nem Plauto leve demais. Para o que está escrito e para o improvisado, eles não têm quem os iguale" (trad. Oscar Mendes).

O jovem Shakespeare irrompeu no palco elizabetano numa época em que o ator profissional já tinha uma posição segura na estrutura da sociedade. Sobre suas qualidades como ator não se sabe nada que seja confiável. Supõe-se que ele tenha aparecido na comédia *Every Man in His Humour* em 1598 e, presumivelmente, haja desempenhado o papel de Adão em sua própria comédia *Como lhes Apraz*. Seu biógrafo Nicholas Rowe julgou no entanto que o melhor papel de Shakespeare foi o de Espectro, em *Hamlet*. Aparentemente, ele não mais aparece no palco depois de 1603, pois seu nome não está incluído em nenhuma das listas de atores impressas para cada peça. Pesquisas sobre esse assunto, embora abundantes, são muito dificultadas pelas repetidas mudanças de nome de sua companhia, sucessivamente conhecida como Lord Hunsdon's, Lord Chamberlain's e, finalmente, The King's Men.

Os nobres patronos conferiam às companhias de atores que patrocinavam não somente a licença para atuar, mas com muita frequência seu próprio nome principesco. Davam-lhes proteção legal, grandemente necessária aos atores naquela época, dada a hostilidade do clero puritano.

Na corte, entretanto, sempre foram bem-vindos. Ricardo, duque de Gloucester, tinha atores a seu serviço antes de subir ao trono como Ricardo III. O rei Henrique VIII mantinha uma companhia e, de tempos em tempos, permitia que excursionasse, o que lhe poupava a despesa de habitação e comida, e era bom para a moral pública. A rainha Elizabeth mostrou bem menos propensão para a bela arte da representação. Apesar disso, Lorde Leicester conseguiu obter dela, em 1574, para sua própria companhia de teatro, uma licença real autorizando seus próprios homens "a usar, exercer e ocupar-se da arte e da faculdade de encenar comédias, tragédias, interlúdios, espetáculos e similares [...] tanto dentro da nossa cidade de Londres e seus arredores, como também em todo o nosso Reino da Inglaterra".

Mas as peças a serem representadas deviam primeiramente ser submetidas ao Mestre de cerimônias, *Master of the Revels*, um funcionário que supervisionava as festividades reais. Em 1581 outra carta-patente estendeu esse serviço de censura aos programas de todos os palcos públicos. O *Master of the Revels* adquiriu então o controle todo-poderoso e centralizado que governaria o destino dos teatros e seus dramaturgos por quatro séculos. Ainda no século XX, jovens dramaturgos, em que se salienta a crítica de época, encontraram fechado o caminho para o palco quando o Gabinete do Lorde Camareiro negava sua aprovação; John Osborne e Edward Bond tiveram de início que se contentar com apresentações em

41. Mapa de Londres em 1616, de J. C. Visscher: detalhe do panorama, mostrando a margem Banlside do Tâmisa à época de Shakespeare; à frente e ao centro, o Globe e o Bear Garden.

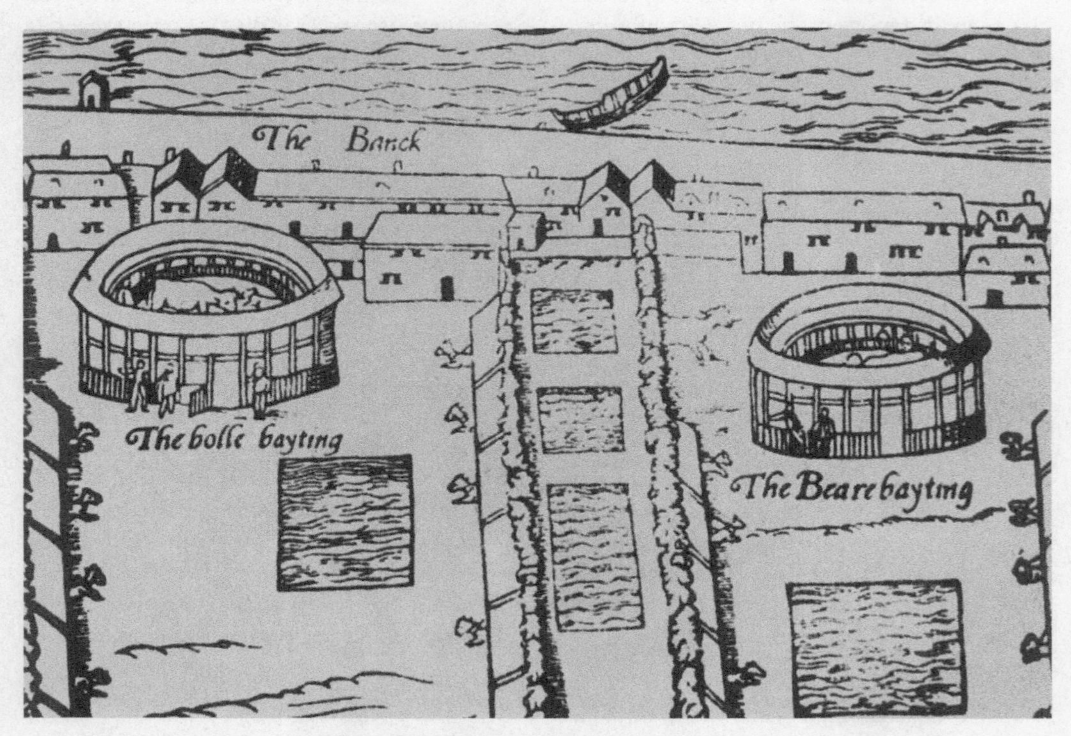

42. Detalhe do mapa de Londres de Ralph Aga, 1569-1590 (ed. 1631): Bairro das diversões no Bankside com arenas para touros e ursos, precursoras dos teatros elizabetanos construídos após 1587 na margem direita do Tâmisa.

43. Mascarada Nupcial na casa de Sir Henry Unton, *c.* 1600: com os convivas à mesa do banquete, músicos e dança de roda. Detalhe de uma pintura anônima representando os eventos mais importantes da vida de Sir Henry Unton (Londres, National Portrait Gallery).

44. Cena de *Titus Andronicus*, 1595. Único desenho da época conservado de uma peça de Shakespeare, atribuído a Henry Peacham (Coleção da Marquesa de Bath, Longleat).

45. Xilogravura do frontspício da *Spanish Tragedy*, de Thomas Kyd. À esquerda, no caramanchão, Horácio enforcado por assassinos; Hieronimo (pai de Horácio), Belimpéria e Lorenzo precipitam-se para a cena. De uma edição de 1633.

46. Xilogravura da *Tragical History of Doctor Faustus*, de Christopher Marlowe, *c.* 1620.

clubes – já que o clube inglês é sacrossanto e livre de interferências, mesmo da Coroa. Foi somente em 1968, e após vigorosos protestos por parte da vanguarda, que Elizabeth II aboliu a censura teatral, originalmente exercida pelo *Master of the Revels*.

O serviço de controle real foi duplamente opressivo para o teatro elizabetano do final do século XVI, pois o Conselho Municipal (Common Council) de Londres sentiu-se preterido em seus direitos de censura, e estipulou, de sua parte, restrições. Não poderia haver espetáculos aos domingos, e jamais quando houvesse perigo de peste; fez também objeções às desordens decorrentes de apresentações em "estalagens, havendo aposentos e lugares secretos anexos a seus palcos abertos e galerias".

O primeiro a exercer o poder de censura absoluto foi Edmund Tilney, *Master of the Revels* por trinta anos, de 1579 até sua morte, em 1610. Por suas mãos passaram as obras-primas dramáticas do teatro elizabetano, assim como a torrente das produções efêmeras boas, ruins e indiferentes. Nenhum dos registros oficiais de Tilney foi conservado, mas possuímos o registro das licenças emitidas por um de seus sucessores. Sir Henry Herbert, que assumiu o cargo em 1623, anotou cuidadosamente não apenas o título e autor de cada peça, como também todas as objeções – frequentemente tolas – e cortes exigidos.

Os in-fólios de Tilney, como o próprio teatro, podiam bem ser descritos, nas palavras de Shakespeare, como "resumos e breves crônicas do tempo". Suas entradas eram um inventário vivo. Elas registravam os diálogos de Lyly, modelos de refinada e elaborada lisonja em versos polidos, e certamente tão irrepreensíveis quanto as pastorais alegoricamente enfeitadas de George Peele; mencionavam as peças de maior sucesso de Thomas Heywood e Thomas Dekker – *A Woman Killed with Kindness*, do primeiro, e *The Honest Whore*, do segundo – ambas precursoras da tragédia burguesa; falavam sobre os milagres satíricos de Robert Greene e sobre as sangrentas tragédias em verso branco de George Chapman, e, finalmente, citavam como mais importantes, no cômputo geral, todas as peças de Shakespeare, que Tilney foi o primeiro a ler. Demonstra bem sua tolerância e capacidade de julgamento o fato de ele ter deixado passar sátiras brilhantes e cáusticas como *Volpone* e *O Alquimista* de Ben Jonson. O *Master of the Revels* Tilney talvez tenha sido a figura mais imparcial no cabo de guerra pela autoridade em questões de teatro. Os edis londrinos se mostraram exageradamente suscetíveis a panfletos polêmicos como *Playes Confuted in Five Actions* (1582) de Stephen Gosson, e chegaram a opor-se ao teatro como um antro de iniquidade que, nas palavras de Thomas White (1577), "incitava ao roubo e prostituição; orgulho e prodigalidade; torpeza e blasfêmia". Porém, nenhuma restrição ou represália poderia reduzir a importância e a florescência do teatro elizabetano. De errantes e proscritos sem direito, os comediantes tinham-se tornado homens de uma profissão respeitável e às vezes de considerável riqueza. As companhias avulsas eram organizadas em forma de cooperativa; os proprietários de casas de espetáculos possuíam às vezes vários empreendimentos comerciais, participavam das receitas de bilheteria e astutamente aumentavam suas fontes de renda.

James Burbage, construtor da primeira casa de espetáculos pública permanente de Londres, era conhecido sobretudo como membro privilegiado da companhia do conde de Leicester. Quando, em 1576, ele abriu sua *Play House* (Casa de Espetáculos) em Shoreditch, fora dos limites da cidade e ao norte de Bishopsgate, orgulhosamente deu-lhe o mais direto dos nomes: The Theatre. Escolhendo um local nos subúrbios, prudentemente colocou-se fora da jurisdição imediata do Lord Mayor (Prefeito). The Theatre era uma construção circular de madeira com galerias e camarotes e causou sensação. Até o severo pregador John Stockwood elogiou-o ao descrevê-lo como "magnífico local de atuação".

Um ano mais tarde, outra casa de espetáculos foi construída na vizinhança. Foi chamada The Curtain (A Cortina). Com suas três fileiras de balcões, o Curtain era muito semelhante ao Theatre, assim como todos os futuros teatros de arena ao ar livre da Londres elizabetana. Já era, evidentemente, um fato muito conhecido que um teatro nesse distrito poderia atrair grandes multidões. O próprio James Burbage atuara no Cross Keys, uma estalagem em Gracechurch Street, que em 1594 ainda servia como quartel de inverno aos Lord Chamberlain's Men (Homens do Lorde Camareiro), grupo de que Shakespeare era membro. No Bull (o Touro), perto de Bishopsgate, Richard Tarleton, o grande *clown* e improvisador dos Queens Men (Homens da Rainha), lotara as dependências das estalagens, dez anos antes, com multidões amontoadas.

Outro bom ponto era Bankside, ao sul do Tâmisa. Aqui os melhores locais de entretenimento eram uma arena de touros, onde se praticava o *bull-baiting*, indicada nos mapas de Londres desde 1542 como Bull Ring, e um *bear garden*, em que o urso era o objeto do *bear-baiting*, para não falar dos acrobatas, funâmbulos, prestidigitadores e atores ambulantes.

Aqui Philip Henslowe, pintor e agiota, construiu seu primeiro teatro em 1587, "The Rose" (a Rosa). Este provou ser um negócio lucrativo, a julgar pelo diário e cômputos de Henslowe, que chegaram até nós. Henslowe fundou outros dois teatros, The Fortune (A Fortuna) por volta de 1600, em Finsbury, a setecentos metros do Curtain, e The Hope (A Esperança) em 1613. The Hope ficava no local do *bear garden*, que havia sido demolido, e foi a última das casas de espetáculo londrinas ao ar livre. A rendosa margem direita do Tâmisa tornou-se o centro do mundo do teatro elizabetano. The Swan (O Cisne), construído em 1595 por Francis Langley, foi seguido em 1605 pelo Red Bull (Touro Vermelho).

O holandês Jan de Witt, que visitou Londres em 1596, descreveu o Rose e o Swan como os melhores dentre os quatro teatros da Londres da época. Do Swan, o maior, ele mandou confeccionar um desenho, que mostra o interior com o palco e é o único registro gráfico conservado de um teatro elizabetano, com exceção dos mapas.

A estrutura cilíndrica acomoda três galerias de espectadores, sendo a mais alta protegida por um telhado inclinado para dentro. O círculo fechado do auditório é acessível por dois lances de escadas pelo lado de fora, dentro eleva-se acima da estrutura do palco. O amplo pódio de atuação, denominado *proscaenium*, projeta-se na arena interna descoberta. Duas portas levam ao *mimorum aedes*, camarins e contrarregragem. Em cima há uma galeria coberta por um toldo suportado por pilares. Esta poderia ser ocupada por músicos, tornar-se parte da peça como um palco superior ou servir de camarote.

Acima dessa galeria eleva-se um estreito ático com duas janelas e um balcão à direita. Dali o corneteiro anunciava o começo da apresentação (que de Witt, por conveniência, mostra já em plena atividade).

O esboço de Witt pode ser visto em conjunção com um mapa de Londres de Visscher, publicado em 1616. Este mostra o circular Swan como um dodecágono equilátero.

A reconstrução do Globe feita por George Topham Forrest é similar na forma. A parede de fundo do palco pode servir de sala interna, a galeria central de palco superior. Existem camarins nos dois lados do "Inner Stage" (palco interno). Acima deles, no andar superior, estão os "Lords' Room", reservados aos nobres da plateia.

Esse modelo básico, excetuando-se algumas variações, foi provavelmente o mesmo para todos os teatros redondos ou poligonais

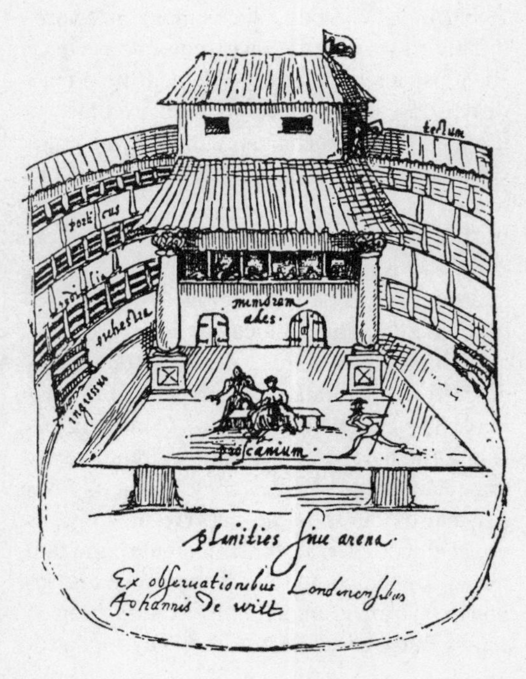

47. Vista interna do teatro de Swan, em Londres. Desenho baseado em notas de Jean de Witt, 1596.

ao ar livre da era elizabetana. (Depois de 1620, somente salas de teatro fechadas foram construídas.) Os espectadores pagavam um *penny* no portão externo, que dava acesso ao pátio interno – a famosa arena (*Pit*) – onde os *groundlings** elevavam suas vozes em aprovação ou desaprovação, muitas vezes selando irreversivelmente o destino de uma peça. A origem desse emprego do termo *groundling* não é conhecida. Talvez a proximidade do Tâmisa sugerisse a transferência do termo "peixe de fundo de rio" para os ocupantes da arena. Aqueles que pudessem custear um assento pagavam um suplemento à entrada da galeria apropriada.

A receita da bilheteria ia para um fundo comum do qual cada ator recebia sua quota contratual. Essa distribuição nem sempre era pacífica, porém este primeiro sistema de participação nos lucros do teatro sobreviveu por séculos. Em regra, pouca remuneração cabia ao dramaturgo, a menos que ele fosse um membro permanente da companhia e como tal tivesse participação em todas as receitas. Caso contrário, ele vendia sua peça a um diretor, que então tirava tanto proveito quanto possível das apresentações. Conta-se que tudo o que Thomas Heywood recebeu por sua peça mais popular, *A Woman Killed with Kindness*, foi seis libras, enquanto Henslowe não pagou menos do que seis libras e treze *shillings* pelo traje de veludo negro da primeira atriz.

Em geral, as motivações dos dramaturgos eram as "panelinhas" e a rivalidade mútua. Enquanto Shakespeare estava ocupado reformulando o Hamlet original de Thomas Kyd – hoje desaparecido – em seu próprio herói trágico, Ben Jonson se debruçava sobre uma tarefa similar. Ele estava adaptando o principal trabalho de Kyd, *The Spanish Tragedie*, que também envolve um tema de vingança, a aparição de um fantasma e uma peça dentro da peça. O *Hamlet* de Shakespeare foi encenado no Globe no verão de 1600. A peça conquistou Londres e acabou fornecendo o mais representado herói do teatro mundial. O esforço de Jonson chegou tarde demais e caiu no esquecimento.

O poder de atração de uma peça preponderava grandemente sobre a questão de sua origem literária. O que importava no teatro elizabetano, como em outros, não era a invenção de uma trama, mas sua elaboração criativa. Frequentemente, vários autores se juntavam para uma produção conjunta. Francis Beaumont e John Fletcher escreveram juntos umas cinquenta comédias populares nos anos de 1606-1616, contribuindo Fletcher com seu espírito frívolo e viva fantasia, e Beaumont com seu talento dramático.

Podia-se ganhar muito dinheiro no teatro. Philip Henslowe fez fortuna com suas três casas de espetáculos. Edward Alleyn, então o mais famoso membro das companhias Lord Admiral's e Lord Chamberlain's e ator principal e empresário das peças de Shakespeare, retirou-se do palco aos trinta e nove anos, como um homem rico. Dedicou-se então às suas inclinações filantrópicas e fundou um *college*.

Richard Burbage, decano da mais famosa família de atores da Inglaterra elizabetana, dispunha, segundo alguns, de uma substancial renda proveniente das propriedades que possuía. Em comparação, a casa em Stratford-on-Avon para a qual Shakespeare se retirou em 1610 – agora um homem de renome e de situação financeira confortável – parecia bastante modesta.

As *troupes* de meninos, dirigidas por mestres de coro e professores diligentes, eram vistos mais como um estorvo pelas companhias profissionais elizabetanas. Grupos como The Children of the Royal Chapel e The Children of St. Paul's constituíam-se de rapazes cantores originalmente treinados para cantar no ofício divino. No decorrer do século XVI, eles apareceram diante do público em apresentações teatrais. Atuavam no Convent of the Blackfriars na cidade, e por volta de 1600, num teatro próprio. Seu público consistia em um círculo de patrocinadores e amigos, e eles gozavam da estima tanto da corte como dos magistrados. Christopher Marlowe, cujos *Tamburlaine the Great* e *Doctor Faustus* foram encenados pela primeira vez pelos atores da Lord Admiral's e da Lord Chamberlain's, desentendeu-se com os atores profissionais a respeito de uma referência às companhias de meninos e, a certa altura, pensou em confiar sua *Dido* aos Children – uma ideia não muito prudente, em vista da paixão amorosa suicida da

* Os que ficavam em pé na parte mais barata do teatro.

heroína. Mas as companhias de crianças podiam ser bem aproveitadas na acirrada disputa para causar efeito. Até Ben Jonson, na época de sua contenda com Shakespeare, houve por bem suprir os "fedelhos" com versos que ridicularizavam o teatro de Shakespeare.

Mas Shakespeare, de sua parte, revidou, em Hamlet: "apareceu uma ninhada de crianças, pintos na casca do ovo, cujas vozes de falsete se elevam tanto mais alto quanto mais são aplaudidos. Estão agora na moda e de tal modo vociferam contra os teatros vulgares (assim os chamam eles) que muita gente de espada à cinta ficou com medo da crítica de certas penas de ganso e mal se atreve a pôr ali os pés*.

O medo das "penas de ganso" confirma a importância atribuída à palavra falada e à dicção clara, seja no verso poético ou no polêmico. As rubricas sugerem uma arte de representar sutilmente refinada. Mas a declamação grandiloquente sem dúvida também estava lá. O palco descoberto, as galerias apinhadas e a multidão de *groundlings* no fosso exigiam obrigatoriamente do ator uma voz penetrante e gestos amplamente visíveis.

James Burbage era famoso por seus poderes de expressão mesmo em pantomima. Mas, para ele, assim como para Edward Alleyn, o grande momento chegava quando avançavam até a beira do palco e lançavam-se em um grande solilóquio. "Afogar o palco em lágrimas e fender o ouvido comum com terrível discurso", tal era a ambição do ator elizabetano. Edward Alleyn, disse Ben Jonson, havia dominado tão perfeitamente essa arte, que nada jamais se afigurava exagerado ou artificial, e ele parecia totalmente tomado pelo espírito de sua personagem.

Shakespeare usou o próprio palco para criticar o excesso patético, quando Hamlet instrui os atores:

> Dize, por favor, aquela tirada tal como a declamei, com desembaraço e naturalidade, mas se gritares, como é de hábito em muitos de teus atores, melhor seria que eu desse meu texto para que o pregoeiro público o apregoasse. Nem serres muito o ar com a mão, deste jeito. Sê em tudo moderado, pois até no próprio meio da caudal, tempestade e, poderia dizer, torvelinho de tua paixão, deves manter e mostrar aquela temperança que torna suave e elegante a expressão. Oh!, fere-me a alma ter de ouvir um robusto camarada, com uma enorme peruca, despedaçar uma paixão até convertê-la em frangalhos, em farrapos, fendendo os ouvidos do baixo povo, o qual, na maior parte, só se deixa comover, habitualmente, por incompreensíveis pantomima e barulhada. [...] Nem tampouco sejas tímido demais; porém deixa que teu bom senso seja teu guia. Que a ação responda à palavra e a palavra à ação, pondo especial cuidado em não ultrapassar os limites da simplicidade da natureza, porque tudo o que a ela se opõe, afasta-se igualmente do próprio fim da arte dramática, cujo objetivo, tanto em sua origem como nos tempos que correm, foi e é apresentar, por assim dizer, um espelho à vida; mostrar à virtude suas próprias feições, ao vício sua verdadeira imagem e a cada idade e geração sua fisionomia e características. [...] (*Id.*, *ibid.*)

Para efeito externo, os atores podiam contar com trajes coloridos e frequentemente suntuosos, e com os adereços pessoais e acessórios de palco necessários, que poderiam ser trazidos para o proscênio durante a peça e retirados novamente. Nos bastidores, um interior e um balcão eram providenciados. Se preciso, guindastes e alçapões estavam disponíveis. Estes eram indispensáveis, tanto para Shakespeare como para Calderón; geralmente entravam em ação com o acompanhamento de um som de trovão, que não só aumentava a tensão, mas também encobria o rangido do maquinário. Mas o "cenário climático" precisava ser criado pelo próprio ator, interpretando as palavras do dramaturgo. Ele tinha de evocar a hora do dia, o sol que tinge o céu noturno de vermelho, "a aurora, envolta num manto avermelhado" (*Id.*, *ibid.*) surgindo atrás das montanhas do Leste e as estrelas brilhando no céu – apesar da pálida e enevoada tarde londrina (as peças eram em geral apresentadas entre três e seis horas), não obstante as nuvens carregadas a trovejar e o barulho inoportuno do Tâmisa.

O "cenário falado" é um traço estilístico crucial do palco elizabetano. Shakespeare manipula-o com gênio. Os espanhóis Lope de Vega e Calderón não lhe ficaram atrás. É revelador que mesmo um teórico da *tragédie classique* francesa, que obedecia a leis totalmente diferentes, reconhecesse a necessidade da conjuração poética do cenário. Em seu tratado *La Pratique du Théâtre,* o abade d'Aubignac exigia que o décor fosse explicado nos versos, "para

* Extraído da tradução de F. Carlos de A. C. Medeiros e Oscar Mendes, Editora Nova Aguilar, 1989. (N. da T.)

48. Palco da casa de espetáculos Red Bull, em Londres. Frontispício de *The Wits*, de Francis Kirkman, 1672.

assim conectar a ação com o lugar e os eventos com os objetos, e assim ligar todas as partes para formar um todo bem ordenado".

Seria um choque atroz se ocorresse a algum encenador combinar um canto de pássaro com as suaves palavras de amor: "Foi o rouxinol e não a cotovia". Às vezes, Shakespeare recorre à música quando quer acentuar um contraste no clima. Em *Romeu e Julieta*, os músicos param abruptamente, quando a "alegria de casamento" transforma-se em "triste velório". Em *A Tempestade*, Ariel entra, invisível, tocando e cantando, música solene e estranha envolve Próspero; o banquete desaparece em meio a raios e trovões e um estrondo surdo e confuso persegue as ninfas, que dançam. O poeta diz adeus ao palco, que era seu mundo.

"Agora os meus sortilégios estão todos desfeitos", diz Próspero com sabedoria melancólica, e solicita ao espectador a sua prece e a sua graça, "que assalta / até mesmo a mercê mais alta, / apagando facilmente / as faltas de toda gente. / Como quereis ser perdoados / de todos vossos pecados, / permite que sem violência / me solte vossa indulgência".

Estes foram os últimos versos escritos por Shakespeare.

O Barroco

Introdução

O historiador de arte suíço Heinrich Wölfflin caracterizou certa vez o barroco como "a convulsão das formas renascentistas". A observação é literalmente confirmada pelos grandes botaréus com volutas da Igreja de Santa Maria della Salute em Veneza. Na era barroca a linearidade clara e clássica da Renascença adquiriu apelo emocional, a linha reta – tanto nas estruturas quanto no pensamento – dissolveu-se no ornamento, a clareza deu lugar à abundância, a autoconfiança, à hipérbole. Os conceitos vestiram os trajes da alegoria, e a realidade perdeu-se num reino de ilusão. O mundo se tornou um palco, a vida transformou-se numa representação, numa sequência de transformações. A ilusão da infinitude procurou exorcizar os limites da breve existência do homem na Terra.

O barroco reviveu a abundância alegórica do fim da Idade Média e a enriqueceu com o mundanismo sensual da Renascença. Mas, ao fundo da cena, a areia do tempo estava correndo, e o *memento mori* da Dança da Morte soava de novo. Os prazeres do mundo e a sombra da morte, coisas terrenas e coisas celestiais, fluíam juntas teatral e espiritualmente, num grande crescendo. Uma era estava encenando a si mesma.

Nunca, antes ou depois, uma época pintou sua própria imagem em cores tão exuberantes. E assim como a arte barroca desabrochava em teatralidade resplandecente, do mesmo modo o absolutismo lutava por uma apoteose grandiosa da soberania, e a Contrarreforma invocava todos os meios óticos e intelectuais da arte do palco – assim também o teatro vivia um momento de extraordinária ascensão.

Palavra, rima, imagem, representação, fantasmagoria e aplicações pedagógicas uniam-se agora à música, que emergia, de mero elemento de acompanhamento do teatro, para uma arte autônoma. O barroco viu o nascimento da ópera. Das cortes da Itália, a ópera seguiu em marcha triunfal, levada pelo patrocínio de papas, príncipes, reis e imperadores. Pintores e arquitetos se lhe entregavam. Romain Rolland descreveu o teatro musical do tempo do papa Clemente IX como uma paixão doentia (*passion maladive*), que exibia todos os sintomas de uma loucura coletiva:

> Um papa compõe óperas e envia sonetos a primadonas. Os cardeais fazem o trabalho de libretistas e cenógrafos; desenham figurinos e organizam apresentações teatrais. Salvator Rosa atua em comédias. Bernini escreve óperas, para as quais pinta cenários, esculpe estátuas, inventa maquinarias, escreve o texto, compõe a música e constrói o teatro.

Nos últimos dias da Renascença e nos primeiros dias do período barroco, a sala de espetáculos tornou-se um dos mais importantes espaços de representação de qualquer palácio. Foram erguidos palcos no Vaticano em Roma, no palácio Uffizi em Florença, no Palais Royal em Paris. Cercado pelo esplendor do castelo de Versailles, a graça cadenciada da dança cortesã deu origem à arte do *ballet*. Luís XIV apareceu num figurino dourado de raios de sol como o jovem *Roi Soleil*, muito antes da história ter-lhe outorgado este nome. Rainhas faziam o papel de ninfas, príncipes e princesas vestiam-se de querubins – tanto no palco quanto nas telas dos pintores. Para agradar à rainha Cristina da Suécia, o filósofo René Descartes escreveu um balé chamado *O Nascimento da Paz*, que foi encenado no Castelo de Estocolmo em 1649, logo após o término da Guerra dos Trinta Anos. Enquanto isso, os atores ambulantes e a *Commedia dell'arte* serviam de ponte entre os campos inimigos.

Partindo da improvisada sala de espetáculos dos patronos da arte, o passo seguinte levou à casa de ópera independente e autônoma: o teatro arquitetonicamente ornamentado, com seu auditório de fileiras e galerias, com um camarote do soberano e articulado de acordo com a hierarquia áulica dos espectadores. O palco assumiu a forma de lanterna mágica, emoldurado por um esplêndido arco no proscênio. Cariátides suportavam arquitraves, querubins seguravam cortinas de estuque. O recém-desenvolvido sistema de bastidores laterais alternados possibilitava a ilusão de profundidade e as frequentes trocas de cena.

Transformação é a palavra mágica do barroco. A metamorfose tornou-se o seu tema favorito, inexaurível em suas potencialidades de exaltação glorificante. Vendo a Natureza como a grande manifestação de Deus, nas palavras de Giordano Bruno, o Homem agora emergia como o encenador de si mesmo. Porém, "a Vida é Sonho". O universo é o grande teatro do mundo cujos papéis são distribuídos pelo mais poderoso dos mestres de cena. Calderón desnuda o avesso da *hybris* do barroco, num símbolo apropriado de sua era: a imagem do teatro no teatro. Quando seu mendigo reclama que só a ele fora adjudicada "a obrigação da pobreza", que ele não recebera nem cetro nem coroa, a resposta vem das mais profundas convicções da cosmovisão cristã: "Quando um dia a cortina cair, você (e o soberano) serão iguais".

Ópera e *Singspiel*

No ano de 1531, quando Galileu Galilei, aos dezessete anos, matriculou-se na Universidade de Pisa, seu pai Vincenzo publicou uma obra altamente erudita sobre teoria da música, *Dialogo della Musica Antica e della Moderna*. Vincenzo Galilei, um matemático, era além disso um *uomo universale* no sentido completo do ideal clássico. Foi ele quem deu o passo ousado que Vitrúvio apenas ensaiara, ou seja, partir da lógica dos números para calcular o segredo das notas musicais.

Vincenzo pertencia ao cenáculo florentino de conde Giovanni de' Bardi, um círculo acadêmico. Seus membros passavam longas horas conversando sobre a doutrina aristotélica da música como parte essencial da tragédia. Nessas discussões, embora procurassem demonstrar com exemplos práticos a "dramatização da música", também tinham por certo em alta conta a arte da comédia. Bardi, com seu *Amico Fido* (O Amigo Fiel) encenado em 1585 por Buontalenti, foi aclamado por toda Florença. Este amigo e patrono escolheu Vincenzo como seu interlocutor no animado debate sobre a polifonia contemporânea e composição instrumental. Enquanto Bardi defendeu a posição mais moderada nesse diálogo, pois, afinal, devia a seus amigos, os músicos florentinos, a música festiva e os intermédios de dança de seu *Amico Fido*, Vincenzo atacou com palavras duras a música cortês de seu tempo. Acusava-a de impropriedade e chamava-a de "prostituta depravada e sem pudor". Exigiu a subordinação da música à poesia e, como exemplo do que pretendia dizer com *stilo reppresentativo* da composição do futuro, musicou algumas passagens da *Divina Comédia* de Dante e as lamentações de Jeremias.

Em 1594, três anos depois da morte de Vincenzo Galilei, a primeira obra no novo estilo dramático foi encenada diante de um círculo pequeno e seleto em Florença. Foi esta a famosa primeira ópera do mundo, *Dafne*, com música de Jacopo Peri para um texto de Ottavio Rinuccini e intermédios cantados de Giulio Caccini.

Em 1597, numa reapresentação no palácio do erudito florentino Jacopo Corsi, o anfitrião, o compositor e o libretista foram felicitados por uma plateia ilustre a propósito de sua "revivificação do drama antigo no espírito da música".

O produto erudito de arte tinha, porém, afora louváveis intenções, pouco em comum com o drama da Antiguidade. Mas, no fundamento de seu teor lírico-dramático ia ao encontro dos esforços da peça pastoral, dos *intermedii* e dos *trionfi*. Com sua graciosa pintura sonora, transfigurou os campos eliseus de pastores e ninfas e absorveu suas canções corais, originalmente independentes, no novo *stilo reppresentativo*. Orfeu, o bardo da Trácia que lançava seu encantamento sobre árvores, rochas e animais selvagens guiava a nova arte com sua lira.

Peri e Rinuccini cooperaram mais uma vez numa "tragedia di musica" conjunta, para o casamento de Maria de Medici e Henrique IV da França. Eles escolheram o tema de Orfeu e chamaram sua segunda ópera de *Eurídice*. Ela foi encenada com grande esplendor em 9 de fevereiro de 1600, no salão do Palazzo Pitti. Caccini novamente contribuiu com algumas inserções cantadas, como havia feito em *Dafne*.

Jacopo Peri cantou Orfeu, o papel de Eurídice foi interpretado por Vittoria Archilei, a celebrada soprano coloratura da época. Pastores, ninfas e espíritos do inferno estavam representados no coro, encabeçado por um coreuta principal, conforme o exemplo da Antiguidade. Rinuccini seguiu à risca a peça pastoral *Orfeo* de Poliziano, mas uma vez que sua "tragédia" pretendia ser uma celebração nupcial, ele concedeu-lhe um final feliz: Orfeu faz Plutão enternecer-se e é autorizado a trazer Eurídice do Hades, de volta à vida.

O cenógrafo desta apresentação de gala, provavelmente Buontalenti, tinha a tarefa desafiadora de contrastar o cenário pastoral dos "maravilhosos campos" com os sombrios horrores do inferno, que, no final, são retransformados e voltam à linda cena pastoral. *"Si rivolge la scena, e torna come prima"* ("A cena se transforma, e volta a ser como antes"), conforme Rinuccini especifica em suas instruções cênicas. Cabe supor que Buontalenti tenha trabalhado com os prismas rotatórios de madeira, já utilizados em 1535 no *Amico Fido*.

Três dias depois de *Eurídice*, outra ópera foi encenada na sala de espetáculos do Uffizi. Era *Il Rapimento di Cefalo*, de Giulio Caccini, que desta vez é citado como único compositor. Gabriele Chiabrera havia escrito o libreto, e Buontalenti mais uma vez criara os cenários. As despesas foram custeadas pela cidade de Florença. Perto de quatro mil convidados, de acordo com a generosa contagem dos cronistas, admiraram os milagres cênicos revelados quando a cortina de seda vermelha ornamentada se abriu: a carruagem dourada de Hélio, o trono magnificente de Júpiter, montanhas que desapareciam no chão, baleias surgindo aqui e ali, terremotos assustadores e prados adoráveis rescendendo a perfume.

Lançava-se a ópera em sua marcha triunfal, com toda a luxuosa extravagância cênica da arte da transformação cênica do palco no início do barroco. Seus cenógrafos e encenadores mostraram-se incansáveis na invenção de mecanismos sempre novos, de puxar, voar e deslizar para movimentar a multidão de figuras alegóricas que sufocavam o verdadeiro tema da ópera.

Levando-se em conta a variedade de temas da Antiguidade, é surpreendente a monotonia com a qual os primeiros compositores de óperas se fixaram nos mesmos poucos temas. Sem dúvida, os pioneiros do *stilo rappresentativo* percebiam o quanto era questionável sua interpretação musical do teatro clássico. Por décadas, agarraram-se aos dois temas que não podiam ser contestados porque ninguém conhecia nenhum melhor, ou seja, Orfeu e Dafne. Nenhum texto teatral a respeito de ambas as personagens nos foi transmitido pelos dramaturgos gregos ou romanos antigos.

A *Dafne* de Rinuccini foi novamente musicada em 1608, desta vez pelo mestre de capela florentino Marco da Gagliano. A nova obra foi encenada a pedido do Duque Vincenzo Gonzaga na corte de Mântua, onde prevalecia um alto padrão no cultivo tanto do teatro quanto da música. Já em 1601 o príncipe havia indicado, como *maestro di cappella* de sua corte, o violista e cantor Claudio Monteverdi de Cremona. Nas festividades do Carnaval de 1607, Monteverdi surgiu pela primeira vez como compositor. *Orfeo* era o tema e o título de sua obra. O texto, de Alessandro Striggio, conservava o desfecho original. Orfeu olha para trás ao deixar o Hades; Eurídice está perdida para ele. Apolo o consola com a promessa de que os dois se encontrarão novamente no outro mundo. O espetáculo encerrava-se com uma dança mourisca.

Os primeiros admiradores da obra foram os membros da Accademia degli Invaghiti (Academia dos Apaixonados), que costumavam marcar seus encontros no palácio do duque e que haviam recomendado a encenação. Conforme o desejo do duque, *Orfeo* foi reapresentada na corte em 24 de fevereiro e em 1º de março daquele ano. A Itália inteira falava de Monteverdi. Os admiradores do mestre estavam entusiasmados; era impossível, afirmavam, dar melhor expressão aos sentimentos da alma na harmonia da poesia e da música do que havia sido feito em *Orfeo*.

O grande lamento de Ariadne na segunda ópera de Monteverdi, *Arianna*, tornou-se a mais famosa ária heroico-dramática de seu tempo. A primeira a interpretar o papel foi Virginia Andreini, cuja expressiva interpretação, como lembram os cronistas, contribuiu muito para o sucesso da apresentação inicial em 1603. A era da *prima donna* estava próxima.

Por cinco anos ainda, a estrela do nome de Monteverdi brilharia sobre a corte de Mântua. Em 1613, após a morte do duque Vincenzo Gonzaga, Monteverdi aceitou um convite de Veneza, onde, como diretor de música em S. Marco, testemunhou, em 1637, a abertura da primeira casa de ópera pública, o Teatro di S. Cassiano. Seu fundador foi o músico, compositor e libretista Benedetto Ferrari, que havia escrito o texto para o espetáculo de abertura, uma ópera chamada *Andromeda*, com música de Manelli.

A nova arte da ópera – termo usado pela primeira vez pelo discípulo de Monteverdi, Francesco Cavalli – imediatamente conquistou Veneza. Construir casas de ópera tornou-se um negócio lucrativo. Ingressos baratos atraíam multidões de espectadores. Quem quer que se desse alguma importância alugava um camarote e fazia-se de patrono. Dentro de poucos anos, Veneza possuía meia dúzia de casas de ópera, que eram muitas vezes abertas simultaneamente durante a principal estação cênica, as semanas do Carnaval.

Nápoles inaugurou sua primeira casa de ópera em 1651, com uma produção de Monteverdi, *L'Incoronazione di Poppea* (A Coroação de Pompeia). Florença, Roma, Bologna, Gênova e Módena logo seguiram o exemplo.

Ao norte dos Alpes, Salzburgo, Viena e Praga adotaram a nova forma de arte, inicialmente no quadro do teatro dos festivais da corte e com elencos de cantores predominantemente italianos. Ao poeta Martin Opitz e ao compositor Heinrich Schütz coube a glória de terem levado a primeira ópera em língua alemã – *Dafne*, baseada nas obras de Rinuccini e Peri, e encenada no castelo Hartenfels perto de Torgau, por ocasião do casamento da princesa Luise da Saxônia e do landgrave Georg de Hesse-Darmstadt.

Na corte de Viena, estreitos laços de família com a Itália asseguraram à ópera uma recepção hospitaleira. A imperatriz Eleonora, esposa de Ferdinando II, que pertencia à casa ducal dos Gonzaga em Mântua, recebeu as notícias dos últimos acontecimentos musicais em primeira mão, por assim dizer. Em 1627, ela patrocinou a encenação de um *dramma per musica* com personagens da *Commedia dell'arte*, apresentada no grande salão do Hofburg em Viena. Monteverdi foi homenageado com uma encenação de sua *Arianna*. Francesco Cavalli dedicou sua ópera *Egisto* à dinastia dos Habsburgos. O músico italiano Antonio Bertoli foi nomeado regente do coro da capela da corte imperial.

Mas a magnificência cênica da casa de ópera de Viena deu-se com Giovanni Burnacini, um arquiteto e desenhista que provara seu gênio em Veneza e Mântua, e que Ferdinando III chamara para sua corte em 1651. Burnacini fez sua estreia em 1652, com a montagem de uma ópera chamada *Dafne*, provavelmente a versão de Rinuccini-Peri. Um ano mais tarde, impressionou a Dieta de Regensburg com uma construção improvisada para o festival, "um teatro erigido simplesmente com tábuas, nas dimensões e altura de uma igreja de tamanho médio". Foi ajudado por seu filho Ludovico, que logo em seguida sucedeu ao pai em Viena e igualou-se a ele tanto em habilidade quanto em fama.

Ludovico Burnacini desenhou cenários, maquinaria de palco, carros alegóricos e figurinos para mais de cento e cinquenta óperas, além de festivais aquáticos no lago do castelo Favorite, e de balés a cavalo, no estilo florentino.

1. Interior da casa de ópera de Munique, na Salvatorplatz, construída por Francesco Santurini e inaugurada em 1654. O camarote real foi acrescentado em 1685, por Domenico e Gasparo Mauro. Gravura de Michael Wening, 1686.

2. Apresentação ao ar livre da grande ópera *Angelica, Vincitrice di Alcina*, de J. J. Fux, no Parque Favorite de Viena, 1716. Criação de cenário de Ferdinando e Giuseppe Galli-Bibiena; gravura de F. A. Dietel.

3. Ludovico Burnacini: projeto de cenário para a ópera *Il Pomo d'Oro* de Cesti e Sbarra, Viena, 1668. Boca do inferno com o barqueiro caronte. Gravura de Mathäus Küsel.

4. Espetáculo de gala de *Il Pomo d'Oro* na nova casa de ópera de Viena, construída por Ludovico Burnacini em 1668. Na primeira fileira da plateia, o imperador Leopoldo I e Margareta com seu séquito. Gravura de Frans Geffels (o edifício foi destruído em 1783).

5. *Acis et Galathée*, ópera de J. B. Lully, levada em Versailles, 1749, com a Madame de Pompadour e o Visconde de Rohan nos papéis principais. Bico de pena de C. N. Cochin, O Jovem.

6. *L'Opera Seria* num teatro do século XVIII. Pintura da escola de Pietro Longhi (Milão, Museo Teatral e Alla Scala).

A nova casa de ópera de Viena foi aberta em junho de 1668 com o provado tema do *trionfo*, de Páris e seu pomo de ouro. Nesta ocasião, Burnacini superou a si mesmo – e à obra musical também. Apresentou um gigantesco desfile de coros de deuses, pitorescamente agrupados; nuvens maciças que recuavam para um fundo infinito e finalmente deslizavam para os lados, para revelar Júpiter em seu trono; ondas sobre ondas espumantes de um mar coalhado de navios; terríveis monstros marinhos e ninfas delicadas – tudo isso sem dúvida prendeu mais a atenção da admirada assistência festiva do que os esforços comparativamente modestos dos cantores e da orquestra. O ator que fazia o papel de Páris teve a honra de descer do palco, na apoteose final, e entregar o pomo de ouro à jovem imperatriz Margareta. Ela o aceitou com um sorriso, não menos lisonjeada do que a rainha Elizabeth da Inglaterra se sentira um século antes, na apresentação da peça pastoral de George Peele.

A ópera, nesse meio tempo, havia chegado ao ponto em que o próprio teatro, pretensamente seu servo, fazia-se seu mestre. A ópera era um meio para um fim, uma oportunidade para a exibição da magia da decoração e maquinaria barrocas. Quando *Il Pomo d'Oro* foi apresentada em Viena em 1668, sua música, composta por Marc Antonio Cesti, e seu libreto, de autoria do jesuíta Francesco Sbarra, tiveram um papel secundário, diante do suntuoso cenário desenhado por Ludovico Burnacini, sob cujo nome o espetáculo encontrou seu lugar na história do teatro.

O *Ballet de Cour*

Plutarco, que certa vez descreveu a dança como "poesia sem palavras", foi uma das principais autoridades invocadas por Baif e seus colaboradores em seus esforços para reviver o drama antigo. Na sua visão, a combinatória das quatro grandes formas de arte – música, poesia, dança e pintura – ofereciam a única possibilidade legítima de "expressar tudo, representar tudo e ilustrar tudo, até os mais profundos segredos da alma e da natureza".

Na França, essa ideia renascentista de "fusão das artes" gerou uma forma de teatro especificamente adequada à corte e à alta sociedade. Nesta nova forma teatral a parte principal dizia respeito à dança: o *ballet de cour*. Ele respondia ao reclamo de pompa da corte e abria um infinito campo de ação para homenagens magnificamente encenadas. Ao mesmo tempo, dava ao rei uma oportunidade de exibir-se em sua mais adorável faceta, como o destinatário e patrocinador de todos os suntuosos cortejos, *masques, intermezzi* e danças organizadas para o prazer da corte, em última instância, do povo.

O absolutismo encontrou no cortejo teatral uma forma congenial de expressão. "Foi um remoinho e um êxtase – muita beleza e cultura, uma grande espirituosidade e prodigalidade de riqueza e caráter", escreveu o historiador Veit Valentin, "a mágica total da aventura, da vida improvisada, do espetáculo despreocupado com as questões mais sérias; a sedutora atração do mal envolvia essas cortes governadas pelo absolutismo, e é por isto que elas eram sempre censuradas pelos teólogos, mas admiradas e amadas pelos artistas".

Quando Ottavio Rinuccini e Giulio Caccini, os dois pioneiros da ópera italiana, chegaram a Paris em 1604, tiveram de começar a pensar em termos completamente diferentes. O rei Henrique IV não desejava recitativos estatuescos, mas, sim, a graça da dança. Ele amava as "mascaradas-balé", bailes à fantasia dos quais toda a corte participava.

Nem Rinuccini nem Caccini poderiam vencer na vida teatral francesa com seu *drama per musica*. Contudo, foram bem-sucedidos ao intercalar recitativos em estilo italiano no balé da corte – primeiramente, nos versos recitados pela feiticeira Alcine no balé do duque de Vendôme, encenado em janeiro de 1610, uma ocasião lembrada como evento teatral e cortesão memorável no reino de Henrique IV.

Mas o próprio nome que aparece no título desse baile noturno às margens do Sena mostra que o evento correu mais sob a estrela da graça real do que sob o signo de uma arte capaz de marcar época. O duque de Vendôme – filho legitimado de Henrique IV e Gabrielle d'Estrées, um homem elegante, inteligente e ambicioso – dirigiu ele próprio o balé, com três apresentações em uma semana. À primeira apresentação no grande salão de baile do

7. *Ballet Comique de la Royne* em Paris. Apresentado em 1581. Gravura do programa, Paris, 1582.

8. Torneio na corte de Lorena em Nancy. Jacques Callot: “Le Combat à la Barrière”, 1627.

9. Representação de gala da ópera *Alceste*, de Lully e Quinault, no pátio de mármore de Versailles, na abertura do festival de corte organizado ali por Luís XVI, em julho e agosto de 1664. Gravura em cobre de Le Pautre, 1676.

10. O teatro do castelo do Príncipe Schwarzenberg em Cesky Krumlov, decorado por J. Wetschel e L. Merkel (1766-1767). Palco com cenário de bastidores representando uma cidade e pano de fundo pintado.

11. Teatro do Castelo em Cesky Krumlov: vista dos bastidores do lado esquerdo do palco.

Louvre, em 12 de janeiro de 1610, seguiram-se outras duas nos dias 17 e 18 do mesmo mês, no Arsenal. O duque de Sully, superintendente de finanças, não quis ser lembrado por suas medidas de poupança nessa ocasião e mandou guarnecer o salão com dois palanques para espectadores e outros arranjos para o espetáculo de balé.

O rei e toda a sua corte homenagearam *Monseigneur le Duc* com sua presença:

> Sua Majestade em seu trono, a rainha Maria de Medici e a rainha precedente, Marguerite, ao seu lado, o delfim aos seus pés, e por toda a extensão do salão, todos os príncipes e princesas de sangue real, e outros príncipes e princesas do reino, funcionários da coroa, duques, marqueses, condes, barões, cavalheiros, nobres, as damas da corte – todos colocados de acordo com sua posição e mérito. Os capitães da guarda às costas de Sua Majestade, e atrás deles, os arqueiros armados; oficiais de polícia com os mestres de cerimônia próximos às paredes, para impedir qualquer perturbação ou confusão.

O balé do duque de Vendôme foi um dos últimos grandes festivais de teatro organizados no reino de Henrique IV, que morreu assassinado em 14 de maio de 1610.

Seu filho Luís XIII a princípio deixou as ambições teatrais para sua mãe, Maria de Medici – que foi sua tutora e logrou também fazer-se regente – e, mais tarde, para o cardeal Richelieu, que, em 1624, tomou as rédeas do destino da França.

Richelieu encenou o suntuoso *Ballet de la Prospérité des Armes de la France* (Balé da Prosperidade das Armas da França) em homenagem ao casal real. O espetáculo foi apresentado no recém-construído teatro do Palais Cardinal, e pela primeira vez a ação aconteceu exclusivamente no palco, deixando a plateia para os espectadores. O cenário foi montado a partir dos bastidores laterais, segundo o modelo italiano, e algumas das máquinas, utilizadas para a abertura um mês antes, com o drama *Mirame*, foram dessa vez utilizadas para o balé. Como resultado, o *ballet du cour* adquiriu uma forma inteiramente nova. Doravante seria encenado exclusivamente no palco e, assim, separado do piso principal da sala, o que significava uma divisão entre a dança no palco e a dança áulica. Foi a primeira abordagem da dança profissional e do "balé clássico".

Na verdade, em 1653, Luís XIV, então com 15 anos, participou de uma peça-dança da corte, intitulada *Ballet de la Nuit* (Balé da Noite), em que se apresentava como "o Rei-Sol" flamante de ouro, mas em seu reinado, Jean Baptiste Lully e Molière desenvolveram uma nova forma de arte, na qual a dança estava mais intimamente do que antes ligada à palavra. Era a *comédie-ballet*, uma tentativa bem-sucedida de fundir o espírito da comédia com a graça cortesã do *ballet de cour*, e, para Molière e sua companhia, uma chave para a benevolência de Sua Majestade. Um grande festival de teatro aconteceu em Versailles em maio de 1664. Sob o lema de *Plaisirs d'Isle Enchantée* (Prazeres da Ilha Encantada), sucederam-se duas semanas de torneios, banquetes, cortejos, fogos de artifício, balés e pastorais. Nesta ocasião Molière contribuiu com as *comédie-ballets Les Fâcheux* (Os Impertinentes), em Vaux, *Le Mariage Forcé* (O Casamento à Força) e *La Princesse d'Elide* (A Princesa d'Elide).

Quando, em outubro de 1670, Luís XIV expressou o desejo de ver encenada uma *turquerie* – tudo o que era turco estava altamente em moda na época – Molière o obsequiou com uma *comédie-ballet*, *Le Bourgeois Gentil-homme* (O Burguês Fidalgo), a qual, com seus elementos da *Commedia dell'arte*, é uma sequência cintilante de paródias de atualidades sobre presunção de cultura e moda, estupidez e vaidade, canção pastoral e minueto na casa burguesa e, sobretudo, sobre os efeitos secundários do estabelecimento da embaixada otomana, cuja entrada em Paris poucos anos antes havia provocado uma onda de pitorescas aberrações de gosto.

"O Senhor sabe que o filho do Grão-Turco está na cidade, não sabe?", o criado Coviello pergunta a Jourdain, o "burguês fidalgo", cuja filha ele conquista para o seu amo graças a uma desenfreada mascarada. "Como, o Senhor não sabia? Ele trouxe um séquito esplêndido, e todo mundo foi lá para saudá-lo, e ele foi recebido por aqui no país como convém a um grande senhor".

O rei divertiu-se muito com esta obra-prima da comédia e não se ofendeu com as indisfarçadas alusões de Molière à sua própria diplomacia pró-turca. No final, uma lembrança do *ballet de cour*, um pequeno balé de *canciones* espanholas, duetos italianos, com Arlecchino, Scaramuccia e Trivellino. Isto permitiu uma transição ao festival de corte e deu a Lully, parceiro de Molière, a oportunidade de contribuir com os ingredientes musicais e de dança para a bem-sucedida apresentação.

Bastidores Deslizantes e Maquinaria de Palco

Os bastidores em nível e deslizantes constituíram a grande novidade do teatro barroco. A nova forma de decoração de palco veio da Itália, e a partir de 1640 aproximadamente espalhou-se por toda a Europa. Sua invenção é creditada a Battista Aleotti, arquiteto da corte de Ferrara, que desenvolveu um sistema de mudança de cenário que diferia dos bastidores em ângulo e dos prismas giratórios de madeira usados então, oferecendo possibilidades mais ricas do que os habituais três cenários padrão do palco da Renascença. Este novo cenário consistia em uma série lateral de molduras de ripas revestidas de tela pintada que deslizavam sobre trilhos. Sabe-se que foram usadas no Teatro Farnese em Parma, construído por Aleotti em 1618. Em 25 de julho, é registrado, "a *scena tragica* ali estava, completa". O bastidor em nível havia chegado. O público, todavia, não conseguiu ver a inovação senão dez anos depois, quando o Teatro Farnese lhe foi tardiamente aberto, em 1628.

Possivelmente, Aleotti instalou um sistema similar de troca de cenário no teatro que construiu em 1606 para a Accademia degli Intrepidi (Academia dos Intrépidos) de Ferrara, que gozara a fama na época de ser o mais belo teatro barroco da Itália. Ele pegou fogo em 1679, e os croquis que chegaram até nós não fornecem indicação correta do mecanismo da cenografia de palco.

O magnífico edifício de madeira do Teatro Farnese em Parma, que foi bombardeado na Segunda Guerra Mundial, consistia numa sala de espectadores em forma de ferradura diante de um palco, onde a *porta regia* central se alargava a fim de formar um arco de proscênio para um palco interior, ou do tipo lanterna mágica, atrás do qual se escalonavam seis pares de bastidores deslizantes. Assim Aleotti foi o primeiro a aumentar a área de atuação em profundidade até a parede de fundo do palco, característica do melhor período do teatro barroco e decisiva ruptura formal com a área de ação transversal do proscênio da Renascença.

Seis anos após a morte de Aleotti, Nicola Sabbattini, arquiteto de palcos em Pesaro, publicou um trabalho pioneiro em maquinaria teatral, chamado *Pratica di Fabricar Scene e Machine ne' Teatri* (Prática de Fabricar Cenários e Maquinarias no Teatro) (1638). Recorrendo à sua própria experiência, ele requer, como primeiro pressuposto para uma troca de cenário funcional, um palco com bastante espaço, de maneira que "atrás, ao lado, em cima e abaixo do fundo da cena e do cenário haja espaço suficiente para todos os tipos de maquinaria que devam ser usados para o aparecimento de céu, terra, oceano e mundos infernais, bem como para os necessários afastamentos e aproximações". Em uníssono com os bastidores móveis, ele também modificou a cortina de fundo com sua pintura em perspectiva, suspendendo-a ou abaixando-a dentro de um poço atrás do palco.

Giacomo Torelli, que estabelecera o sistema de bastidores nivelados e deslizantes, foi celebrado em Veneza, Paris e Versailles como o "grande mágico" do cenário barroco. Tecnicamente, a mágica de Torelli residia no sistema inventado por Aleotti e desenvolvido pelas técnicas de Sabbattini. Em Florença, Alfonso Parigi realizou uma obra importante com cenas fantásticas em bastidores. Seu *décor* para *La Flora* (A Flora) (1628) e *Le Nozzi degli Dei* (As Núpcias dos Deuses) (1637) introduziu no teatro barroco as visões em profundidade que Ludovico Burnacini levaria à perfeição na Ópera de Viena.

Enquanto isso, em Ulm, Joseph Furttenbach continuava usando o "método correto de transformação do palco", o confiável sistema *telari* que havia aprendido em Florença (por volta de 1620) com Giulio Parigi (pai de Alfonso). O teatro por ele construído em 1641 no Binderhof, em Ulm, que é descrito em pormenor no seu *Mannhaffter Kuntspiegel* (publicado em 1663), possuía três pares de prismas

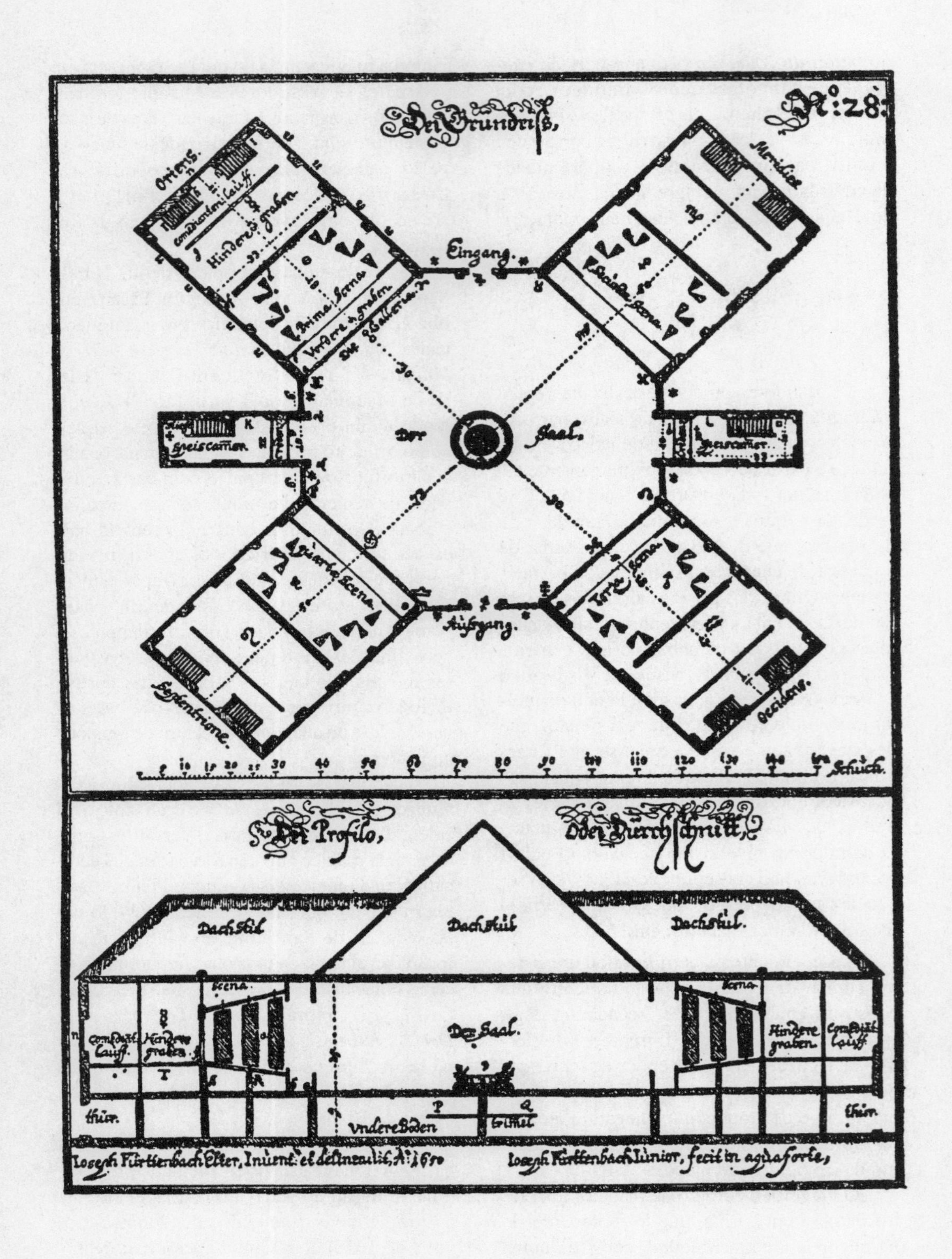

12. Projeto para uma sala de espetáculos com quatro palcos, por Joseph Furttenbach. Gravura do *Mannhaften Kuntspiegel*, Augsburgo, 1663.

de madeira, um para cada tipo convencional de cena, segundo Serlio. Apesar desse "retrocesso", Furttenbach guarneceu seu palco com navios e monstros marinhos, que eram movidos no fundo, ao longo de um poço à moda típica barroca, com sofitos pendentes que representavam nuvens, com prospectos móveis, na parte de trás do palco, com luzes que podiam ser diminuídas para efeitos de iluminação e máquinas voadoras. Outra das ideias de Furttenbach, inteiramente no espírito do conceito barroco da necessária ilusão de profundidade, foi seu dispositivo para, em casos especiais, iluminar os espaços dos camarins atrás do prospectos do fundo do palco e incluí-los no quadro cênico para efeitos espetaculares. Modesto como parecia ser por fora, estreito como era por dentro e mobiliado somente com cadeiras planas e fileiras de bancos, do ponto de vista de seu construtor era comparável aos teatros posteriores das cortes de Schwetzingen, Hannover e Ludwigsburg do fim do barroco.

O teatro de Furttenbach foi, na verdade, a primeira casa de espetáculos civil da Alemanha (construída nas redondezas de onde outrora existira um monastério dominicano); pertencia aos munícipes da cidade. Servia ao teatro escolar e aos *Meistersinger*, como também a atores ambulantes ingleses e alemães. Em 1652, Furttenbach vendeu todo o seu equipamento de palco para uma sociedade de comediantes da sua Leutkirch natal, "*telari*, aparelhos, máquinas, figurinos, e, para resumir, tudo o que lhe pertencia, por um preço baixo", como sabemos por seu diário manuscrito. O edifício foi utilizado mais tarde para outros fins e destruído na Segunda Guerra Mundial.

Enquanto Furttenbach se mostrava tão generosamente informativo, outros cenógrafos guardavam seus segredos com mais ciúmes. Isto se evidencia numa carta que Furttenbach recebeu em 1653 de Regensburg, datada de 17 de fevereiro e assinada pelo engenheiro de Frankfurt, Georg Andreas Böckler. Refere-se à famosa construção do teatro, erguido em Regensburg por Giovanni Burnacini com ajuda de seu filho Ludovico. A instalação teatral havia sido encomendada pelo imperador Ferdinando III em homenagem à Dieta e, depois de terminada a celebração, foi cuidadosamente desmontada, carregada em barcaças e despachada rio abaixo até Viena, onde a utilizaram posteriormente em apresentações populares. Foi o que Böckler relatou ao *expert* em matéria teatral, Furttenbach, sobre o "Teatro" de Burnacini:

> Em 12 de fevereiro, Sua Majestade Imperial fez com que fosse encenada uma comédia extremamente bela, na qual mais de duas mil e quinhentas pessoas tomaram parte. O teatro é espaçoso e equipado com cinco trocas de cena muito bonitas, e, segundo se alega, custou 16.000 coroas. O mestre que o construiu é chamado Johann Burnacini, um italiano. Dado que os italianos são muito sigilosos no que diz respeito a seus preciosos interesses próprios, não pude ver o equipamento. Mas, como sei que o Senhor é um perito nestes assuntos, imploro-lhe que me explique de que maneira as pessoas vão tão rapidamente de um lugar para outro, do palco para dentro das nuvens. Construí um dispositivo movido por um balanço. Porém, não sei se o seu funciona do mesmo modo.

Os miraculosos truques da técnica cênica não eram compreendidos nem mesmo por colegas de ofício. Isto não somente explica porque Furttenbach se limitava tão conservadoramente aos seus *telari*, mas tem um paralelo nos projetos cênicos do inglês Inigo Jones. Jones estivera em Florença mais ou menos ao mesmo tempo que Furttenbach e também havia estudado com Giulio Parigi. Assim como Furttenbach, Inigo Jones obedeceu, por décadas, ao sistema renascentista italiano dos *periaktoi*. Após 1640, entretanto, abandonou o esquematismo rígido dos prismas giratórios de madeira com cenas diferentes em cada face. Passou a desenhar cenários de florestas revolvidas por um olhar impressionista, que influenciaram, a partir do palco, o desenvolvimento da pintura da paisagem inglesa.

Outro arquiteto de teatros de sucesso deste tempo foi o veneziano Francesco Santurini. Em 1650 ele foi chamado pela corte bavariana em Munique, onde começou sua carreira ao construir uma casa de ópera em estilo italiano no lugar de um celeiro na praça Salvator, que foi inaugurada em 1654. Santurini também projetou os cenários, embora tenham sido confeccionados por Francesco Mauro, o "mestre de maquinaria" do novo teatro. Mais tarde, os filhos de Francesco Mauro, Domenico e Gasparo, por sua vez, aplicaram bem o conhecimento de técnica teatral transmitido pelo pai, no teatro de Munique. Alessandro, neto de Francesco Mauro, veio a Dresden, onde Johann

Oswald Harms, o "pintor da corte e o mais importante pintor de teatros" nascido em Hamburgo, trouxera fama para o Teatro Saxão Barroco com seu suntuoso cenário de ópera e balé. Alessandro Mauro aumentou o renome de Dresden com suas espetaculares e suntuosas encenações de gala, gigantescos fogos de artifício e festivais aquáticos. No espírito do alto barroco, a característica dominante de todas essas produções era o efeito sensível das mudanças de luz.

A arte do cenário em perspectinva barroco – e sua exposição na escrita e na ilustração – atingiu seu zênite nos trabalhos do jesuíta italiano Andrea Pozzo. Em seu tratado *Perspectivae Pictorum atque Architectorum* (Perspectiva na Pintura e Arquitetura), publicado em Roma em 1693, ele estabeleceu os preceitos para os artistas do barroco e do rococó nascente: a perspectiva ilimitada, contínua, que dava a ilusão de expansão infinita do espaço – a ser conseguida por meio da pintura. Andrea Pozzo aplicou tais preceitos em afrescos, em altares e, em Viena, nos projetos de arquitetura para as celebrações jesuítas das grandes festividades da Igreja.

Na arte dos teatros e dos palcos, este preceito foi realizado genialmente pela família dos Galli-Bibienas. Mestres consumados na aplicação da perspectiva diagonal e no uso de complicadas escadarias, arcadas e na arquitetura de palácios, criaram projetos de palco de profundidade ilimitada, superlativos na tradição do palco ilusionista, levada até o século XIX adentro, graças a artistas como Quaglio, Gagliardi e Fuentes.

Giuseppe Galli-Bibiena, o mais famoso representante da família, desenhou cenários de ópera em Viena, Dresden, Munique, Praga, Bayreuth, Veneza e Berlim. Em seus imponentes cenários ao ar livre, ele replasmava o jardim que lhe era dado ou a locação arquitetural numa apoteose em perspectiva na qual realidade e ilusão se fundiam harmoniosamente. Há uma série de gravuras de seus cenários para a ópera *Constanza e Fortezza* (Constância e Força), que foi encenada em 1723 no parque do Castelo Imperial de Praga, em honra ao imperador Carlos VI: compunham uma polifonia ótica cuja grandiosa autossuficiência tornava quase paradoxal esperar que uma orquestra e cantores pudessem ainda impor-se em tal cenário.

Em 1748 Giuseppe Galli-Bibiena foi chamado a Bayreuth. Ali, juntamente com seu filho Carlo, executou o projeto do interior, mobília e decoração da Ópera de Margrave. Na reforma da Ópera de Dresden, em 1750, pôs em ação seu ideal de fusão da sala de espectadores e do palco. Em 1751, Frederico o Grande o chamou a Berlim. Ali, em 1756, Giuseppe Galli-Bibiena morreu, enquanto trabalhava numa ópera em colaboração com o compositor Carl Heinrich Graun. Sua morte pôs fim à grande era do cenário teatral barroco.

Três anos antes, "a mais preciosa joia do rococó" era concluída em Munique: o Residenztheater de François Cuvilliés, resplandecendo em branco, dourado e vermelho.

O Teatro Jesuíta

A consagração da Igreja de São Miguel em Munique culminou, em 1597, num espetáculo de massa como nunca se havia visto antes na Baviera. Ao som de tambores e trombetas, centenas de participantes, em parte a pé e em parte a cavalo, uniram-se durante horas num gigantesco desfile de grupos alegóricos: representavam o Triunfo de São Miguel. Enviados do céu e dragões das profundezas, idólatras, apóstatas, hereges e déspotas imperiais podiam ser vistos. A mostra concluía com uma cena tumultuosa, na qual trezentos demônios, dotados de máscara e cauda, eram arremessados ao inferno. Esta memorável festa de consagração da nova Igreja de São Miguel foi organizada pelo Colégio Jesuíta. Imponente igreja, inspirada pela Il Gesù de Roma, ela foi a primeira construção do barroco inicial ao norte dos Alpes. Ela conferiu expressão efetiva ao poder da Companhia de Jesus (fundada por Inácio de Loyola em 1540) e tornou-se um baluarte da Contrarreforma. O teatro, tão comprovado em seu serviço da religião quanto condenado como um perigo para a fé quando enveredado por trilhas erradas, encontrava patrocinadores decididos nos jesuítas.

Em toda parte, nas escolas latinas secundárias, nos colégios da Societas Jesu, a arte da retórica, a *disputatio* na eloquência, era posta à prova no palco.

O drama escolar protestante, em sua maneira modesta, havia ajudado os defensores da

13. Projeto de cenário de Inigo Jones para a peça pastoral *Florimène*, *c.* 1625 (Coleção do Duque de Devonshire, Londres, Courtauld Institute of Art).

14. Giuseppe Galli-Bibiena: apresentação de gala da grande ópera *Constanza e Fortezza*, de J. J. Fux, no Castelo Imperial de Praga, 1723. O palco ao ar livre, ladeado por duas torres e limitado por nove bastidores, abre-se em perspectiva ilusionista em profundidade. As construções arquitetônicas, no plano de fundo, podem ser alteradas para combinar com a tripla troca de cenários (Munique, Museu do Teatro).

15. Giuseppe Galli-Bibiena: cenário em perspectiva diagonal para uma apresentação de gala para a celebração do casamento do príncipe eleitor da Saxônia (mais tarde Rei Augusto III) e da princesa austríaca Maria Josepha, em Dresden, 1719. Gravura de J. A. Pfeffel.

16. Ferdinando Galli-Bibiena: desenho de um cenário, com duas escadarias ornadas com estátuas e um teto quadriculado projetando a ilusão de profundidade barroca (Londres, Victoria and Albert Museum).

Reforma a afiar o fio de sua navalha verbal. Agora o teatro jesuíta, por outro lado, procurava deliberadamente efeitos cênicos e endossava as artes que falavam aos olhos e ouvidos, à mente e aos sentidos. A palavra simples do púlpito foi superada pela representação viva no palco. O poder do júbilo, ao qual a arquitetura da igreja barroca devia tão decisivo estímulo, provou estar "em primeiro lugar em efeitos frutíferos".

Assim lemos no prefácio da edição de 1666 das peças de Jakob Bidermann, um jesuíta e dramaturgo do sul da Alemanha:

> É sabido que *Cenodoxus*, que como quase nenhuma outra peça sacudiu a plateia inteira com uma gargalhada tão festiva a ponto de os bancos quase desabarem, causou, apesar disso, uma grande movimentação de piedade verdadeira no espírito do espectador, de modo que as poucas horas devotadas a esta peça fizeram o que uma centena de sermões dificilmente poderiam ter feito. Porque catorze homens da mais eminente corte da Bavária e da cidade de Munique foram unidos por salutar temor a Deus, o severo juiz dos atos humanos, e não muito depois de a peça haver terminado, retiraram-se conosco para os exercícios inacianos, e, como resultado disso, muitos deles experimentaram uma conversão miraculosa [...]. Entre aqueles que se retiraram para os exercícios, estava o homem que havia feito o papel de Cenodoxus excepcionalmente bem. Foi recebido em nossa Companhia não muito tempo depois, e viveu nela por muitos anos uma vida tão sem pecado e santa que conseguiu a vitória eterna e agora habita entre os anjos sagrados.

O objetivo pedagógico e propagandístico fora atingido: catorze áulicos renunciaram ao mundo. A *Comico-Tragoedia* de Bidermann sobre a vida vaidosa, a danação e a conversão do letrado Cenodoxus, que mais tarde fundou a ordem cartusiana como São Bruno, tem o apelo da perfeição real e suprema. Elementos da comédia antiga misturam-se à alegoria cristã num todo eficaz. A peça – encenada pela primeira vez em Augsburg em 1602 e reapresentada em 1609 no Colégio Jesuíta em Munique com o sucesso missionário acima relatado – foi o protótipo da forma barroca da tragédia de mártires. Personagens da Bíblia, especialmente do Antigo Testamento, da história da Igreja e as lendas dos santos forneciam material que demonstrava a futilidade de todas as procuras terrenas diante da ameaça da danação eterna; aqui o espectador era dispensado, como em *Cenodoxus*, com a admoestação: *Mundi disperite gaudia!*

O bávaro Jakob Balde, pregador e tutor da princesa, foi o autor de uma tragédia chamada *Jeftias*, apresentada em Ingolstadt em 1637. A narrativa bíblica e a herança cultural humanística entrelaçam-se com as ideias missionárias da Contrarreforma, e o tema aparentado com o de Ifigênia é apresentado de modo a apontar simbolicamente para o sacrifício e a morte de Cristo. A caracterização habilidosa da obra e sua construção dramática são tais que, mesmo na época de Herder, ela mereceu comentários apreciativos.

Em Praga, os estudantes jesuítas do Clementinum encenaram um drama intitulado *Maria Stuart,* em 1644, que, com a ajuda de uma rica alegoria, demonstrava quão vergonhoso era esse julgamento aos olhos dos católicos. No *argumentum*, um programa em alemão que explicava o significado e história das peças jesuíticas para o público, a peça era chamada uma "Tragédia Real", ou "Maria Stuart, Rainha dos Escoceses e Herdeira do Reino da Inglaterra, que Elizabeth, a Rainha Regente da Inglaterra, mandou decapitar por ódio à religião católica e por ambição". A. A. Haugwitz, o dramaturgo do alto barroco silesiano, tomou o mesmo tema em 1683 em sua tragédia *Maria Stuart*, baseando porém seu tratamento nas heroínas de Gryphius e Lohenstein, que, em nome da fé, passam por duras provações, sem discutir a questão da culpa.

O tratado teórico *Ars Nova Arguntiarum* (1649), de Masenius, um professor jesuíta atuante em Rhineland e na Vestfália exerceu enorme influência no drama jesuítico da segunda metade do século XVII. Jakob Masen ingressara na Companhia em 1629, e seus próprios dramas contribuíram muito para o florescimento do teatro jesuíta na Alemanha setentrional. À sua tragicomédia, *Androphilus,* foi concedida a honra de ser encenada nas negociações de paz no fim da Guerra dos Trinta Anos, em Münster, na Vestfália, em 1647 e 1648. *Sarcotis,* outra peça deste autor, influenciou Milton na execução de seu grande épico religioso *Paradise Lost* (Paraíso Perdido).

Ao lado dos jesuítas, as ordens dos piaristas e beneditinos promoveram o drama em grande escala. A Akademietheater em Salzburgo e o monastério beneditino em Kremsmünster tornaram-se grandes centros do teatro monástico no alto barroco, sob Simon Rettenbacher. Ele próprio, quando era professor de ginásio, escreveu e compôs a música para cerca de vinte dramas em latim, dos quais apenas uns poucos foram impressos.

Como as ordens religiosas pretendiam que seus dramas falassem não tanto à mente por meio da palavra, mas aos sentidos pela imagem, os limites nacionais e de linguagem não eram obstáculos. Se a apresentação era em latim, o espectador podia seguir a ação com a ajuda do *Argumentum*, escrito em sua própria língua. Além disso, flexíveis como eram, os jesuítas sempre tentavam encorajar talentos locais para suas propostas missionárias. Isto se aplica mais particularmente ao drama escolar. Os ginásios jesuítas em Liubliana, Krumlov e Chomutov na cidade da coroação húngara, Pressburgo, hoje Bratislava na Eslováquia, e na Polônia, logo atraíram os dramaturgos locais. Por volta de 1628, foram encenadas peças em latim em Pressburgo, inicialmente num palco simples ao ar livre, e mais tarde em recintos fechados; em Tirnau, hoje Trnava, por outro lado, a lingua húngara foi usada no palco do Colégio Jesuíta já em 1633. Na Polônia, o jesuíta Gregório Cnapius dirigiu seu martiriológico e moralizante *Exempla Dramatica*; iniciou o desenvolvimento de um estilo étnico, distinto, do drama polonês, que se espalhou até cidades distantes como Pultusk, Vilna e Poznam.

Enquanto nas terras distantes o drama monástico se contentou por um longo tempo com um palco neutro erguido no pátio do colégio, na sala de reuniões (*aula*) e às vezes até mesmo numa igreja, o teatro jesuíta na terra natal da Companhia logo proveu a si mesmo de todos os meios existentes de ilusionismo.

Em Viena, Nikolaus de Avancini escreveu alegorias e milagres para os quais exigiu a magia completa da decoração e transformação cênicas do barroco: iluminação e fogos, deuses, fantasmas e demônios, com interlúdios de música e insertos de balé, e outros veículos do barroco. Sua peça *Pietas Victrix* foi apresentada diante do imperador Leopoldo I, em Viena, em 1659. Esta apresentação foi o clímax da contribuição da ordem jesuíta para o "estonteante esplendor do catolicismo barroco", dentre todas as peças imperiais panegíricas (Ludi Caesarei) que, a partir da metade do século XVII, exaltaram a dinastia de Habsburgo no teatro. Tais projetos levaram o drama jesuítico muito além dos limites do teatro de colégio e escolar. A glorificação da dinastia reinante havia garantido o generoso apoio desta última. Para *Pietas Victrix*, a corte providenciou o dinheiro, parte dos figurinos e – a mais importante de todas as ambiciosas fantasias cênicas de Avancini – os serviços do arquiteto de teatros Giovanni Burnacini.

O tema da *Pietas Victrix* de Avancini é a vitória do imperador cristão Constantino sobre o "imperador pagão" Maxêncio. Ambos os governantes são guiados por visões em sonhos; Pedro e Paulo fortalecem Constantino, o espírito do faraó incita Maxêncio contra o povo de Jeová. A batalha de Roma em 312 faz parte do enredo, assim como o sonho de Constantino antes da batalha, no qual, de acordo com a lenda, ele vê uma cruz incandescente no céu com as palavras "*Hoc signo Victor eris*" – acontecendo à direita do palco. Anjos emergem de colunas de fogo, os espíritos do inferno intervêm na batalha, chamas bruxuleiam no Tibre. Os soldados de Constantino constroem escadarias vivas, que seus companheiros escalam até o topo dos muros da cidade, enquanto no outro lado do palco uma batalha naval raivece no Tibre. Mesmo para um técnico de cena experiente como Giovanni Burnacini isto não era um trabalho fácil.

O *furioso* das dinâmicas de palco de Avancini era estilisticamente significante, na medida em que trabalhava de modo consistente com o deslocamento tipicamente barroco da frente para o fundo do palco. A visão onírica de Constantino acontecia na retaguarda do palco e, ao acordar, ele caminhava para a frente a fim de proferir um grande monólogo; enquanto isso, a cortina caía para esconder a transformação que ocorria atrás. Este ritmo espantosamente teatral de "frente" e de "trás" pode ser traçado ao longo de toda a peça.

Pietas Victrix terminava com uma apoteose barroca no estilo das *Ludi Caesarei*, mostrando o imperador Constantino entronado como vencedor, rodeado por seus súditos e abençoado por um anjo que flutuava numa nuvem. O arco triunfal de três portais atrás do trono, decorado com a dupla águia dos Habs-

17. *Phasma Dionysiacum*, festa-balé no estilo dos *Ludi Caesarei* romanos, na corte imperial de Praga, em 1617.

burgos, tornavam a quintessência da peça clara até mesmo para aqueles que não eram capazes de compreender a totalidade do texto em latim: o império cristão dos Habsburgos baseava-se na vitória de Constantino. Nove gravuras de cenas da *Pietas Victrix* estão conservadas e mostram o quanto este drama, com seus interlúdios de coral e balé, estava próximo da ópera barroca.

Na França, o teatro jesuíta harmonizava, no princípio, com o gosto da corte pela ópera e balé. A densa rede de escolas e colégios da Companhia de Jesus garantiram o grande alcance de sua influência no desenvolvimento do teatro. Algumas das obras teóricas fundamentais foram produzidas em círculos jesuítas. O padre Ménéstrier escreveu a primeira história e metodologia do balé francês, e a *Perspective Pratique* (Perspectiva Prática) do padre Jean Dubreuil foi uma importante contribuição para o desenvolvimento da perspectiva de palco.

Mais do que isso, da escola da influente Societas Jesu, vieram os maiores escritores clássicos franceses: Corneille, Molière, Voltaire e Le Sage.

França: Tragédia Clássica e Comédia de Caracteres

Desde que Aldus Manutius publicara o texto grego original da *Poética* de Aristóteles em sua prensa veneziana em 1508, o afluxo de comentários eruditos a respeito desta obra nunca cessou. Na França do século XVII, assumiu proporções torrenciais. O problema mais discutido e controvertido era o apresentado pela regra das três unidades, que Aristóteles de modo algum havia estabelecido tão inequivocadamente quanto seus intérpretes posteriores alegavam. Todos concordavam sobre a requerida unidade de ação – porém, em relação à unidade de lugar e a unidade de tempo – "uma revolução solar ou pouco mais" –, não se sabia se deveriam ou não, e em que extensão, ser consideradas igualmente obrigatórias. Esta última questão estava no cerne dos debates teóricos que formavam o clima intelectual no qual a *tragédie classique* francesa se desenvolveu.

A questão do tempo que o dramaturgo pode conceder à ação dramática e a do lugar da cena é discutida com grande minúcia na *Pratique du Théâtre* (Prática do Teatro) do abade François Hedelin d'Aubignac. O cardeal Richelieu, não menos meticuloso como administrador do capital intelectual do que o era em relação aos bens econômicos, fundou a famosa Sociedade dos Cinco Autores, para investigar e experimentar as regras teóricas em um trabalho conjunto. Entre os indicados por Richelieu para formar esta sociedade estava um jovem advogado de Rouen, que conseguira seu primeiro sucesso teatral em Paris, em 1629 – Pierre Corneille.

Um ano antes, Corneille havia encontrado, em Rouen, o ator e empresário Mondory, que lá realizava espetáculos sob uma licença provincial concedida por Richelieu. Mondory começara sua carreira como membro da companhia de Valleran-Lecomte e, tal como o seu antigo patrão, representava um vínculo entre os teatros tardo-medieval e humanista, e a irrupção da grande época do drama clássico francês. Em Paris, Mondory partilhou de início com os *comédiens italiens* o tradicional teatro do Hotel de Bourgogne, que pertencia à Confrérie de la Passion, mas, em 1634, transferiu-se com sua companhia para uma sede própria, na Vieille Rue du Temple no bairro do Marais, em Paris. Este novo Théâtre du Marais estava destinado a tornar-se um dos três esteios da vida teatral parisiense.

O repertório de Mondory consistia em pastorais e tragicomédias, do prolífico escritor de peças Alexandre Hardy, de tragédias inspiradas em Sêneca, de autoria do advogado criminal Robert Garnier, de adaptações de Plauto e Terêncio e, finalmente, de peças alegóricas bíblicas. Era um conjunto que correspondia ao programa do teatro da corte e do teatro amador acadêmico. Quando, em 1628, o advogado de vinte e oito anos, Pierre Corneille, lhe ofereceu em Rouen uma comédia que havia escrito, Mondory concordou imediatamente em estreá-la em Paris. Chamava-se *Mélite ou les Fausses Lettres* (Mélete ou as Cartas Falsas), e era uma peça inteligente e elegante à moda espanhola, de acordo com o gosto da época. Seu sucesso abriu ao jovem e promissor autor as portas da aristocracia parisiense, e trouxe-lhe a honrosa indicação para a Sociedade dos Cinco Autores, de Richelieu.

Richelieu encarregou este grupo de escrever em conjunto peças sobre um tema dado, cada autor um ato, e estritamente de acordo com a regra aristotélica das três unidades. Corneille obedientemente contribuiu para a *Comédie des Tuileries*, que foi elaborada em 1635 por este método. Ele tinha grande esperança de vir a ocupar uma cadeira na Académie Française, que havia sido fundada por Richelieu. Sua primeira tragédia, *Médée* (Medeia), também se mantinha fiel ao esquema clássico. Porém, um ano mais tarde, Corneille viu-se privado das poderosas graças do cardeal devido a um acesso de gênio dramático. Ele pôs em cena um tema que transgredia todas as regras acadêmicas. De uma fonte espanhola, *Mocedades del Cid*, Corneille criou *Le Cid*, o jovem herói ideal, ardente de amor e paixão, coragem e espírito de luta. Nenhum palco francês ouvira antes linguagem poética de tal força.

Le Cid tornou-se o ídolo da geração jovem. O teatro rompeu sua casca de esteticismo conservador, e voaram faíscas. O drama de Corneille, que foi montado pela primeira vez em 1636 no Théâtre du Marais, desencadeou uma onda de entusiasmo. A *jeunesse de France* viu sua própria glorificação na postura resoluta de dom Rodrigo no fatídico conflito entre a honra e o amor. O Cid espanhol tornou-se o herói nacional francês.

Mas Corneille foi severamente censurado por seus colegas dramaturgos. Eles o acusavam de ofensas imperdoáveis às leis da moralidade e da verossimilhança. As temerárias mudanças de cena, a unidade de lugar e de ação ditada não por um princípio, mas por uma disposição poética, contradiziam toda a sua penosamente praticada arte regrada. Amigos e adversários tomavam partido na disputa. Uma caudal de panfletos manteve a controvérsia acesa por meses. Em nome de Richelieu, a Academia Francesa condenou o dramaturgo e sua obra.

Desiludido, Corneille retirou-se para Rouen. E assim deixou de figurar entre os convidados de honra no mais resplandecente dos eventos teatrais da Paris de sua época – a abertura da nova sala de espetáculos no Palais Cardinal em 1641. Richelieu convocara o arquiteto Le Mercier para equipar o palco de seu *palais* urbano com todos os mecanismos transformadores da maquinaria cênica barroca. Uma dispendiosa cortina de tecido escondia o *décor* de bastidores escalonados em perspectiva que, ao ser suspensa, revelava o cenário de George Buffequin em atmosferas variadas, com iluminação mutante de acordo com a hora do dia desejada. A peça era *Mirame*, hoje esquecida, assim como o grupo de dramaturgos recrutado para escrevê-la. Diz-se que o próprio Richelieu teria assinado como autor. Na apresentação de balé que se seguiu a *Mirame*, relatam os registros, o novo teatro exibiu seus assombrosos e engenhosos dispositivos de transformação.

Corneille precisou esperar o devido reconhecimento até 1647, quando finalmente foi admitido na Academia Francesa. No entremeio, escreveu os dramas históricos *Horace*, *Cinna* e *Polyeucte*, nos quais se submeteu aos princípios acadêmicos da forma. Sua *Andromède* foi encenada em Paris no Petit Bourbon durante as semanas do Carnaval de 1650, com os mui afamados bastidores em cena criados por Torelli em 1647 para a representação de *Orfeo* em Paris. O privilégio do reaproveitamento de adereços de ópera sugere que mesmo em Paris uma eventual economia de recursos não era desprezada no campo das artes. Mas havia a contradição de estilos. A ópera da corte da França trazia a marca da arte teatral do barroco italiano. A *tragédie classique*, por outro lado, era, do ponto de vista da linguagem, um temperado em linhas classicistas, como nas pinturas em *antique* de Poussin. Sua força emocional era expressão, não de sentimentos transbordantes, mas de uma escala cuidadosamente graduada. "Espectadores glaciais de sua própria fúria, professores de sua paixão", definiu Schiller certa vez as personagens da *tragédie classique* francesa.

As regras do verso alexandrino (a linha iâmbica de doze sílabas, cujo nome se origina dos versos utilizados num velho romance francês sobre Alexandre, o Grande), com sua rigidez antitética, determinavam o ritmo do verso. Por uma regra correspondente, o número de atos devia ser obrigatoriamente cinco, sendo o terceiro seu eixo central. A ligação das cenas era indispensável; quando uma personagem deixava o palco, tinha de estabelecer uma conexão com a cena seguinte, mesmo que fosse com frases tão banais como: "Mas quem vejo chegar? A rainha se aproxima. É preciso que eu me vá rapidamente".

Corneille e, melhor ainda, seu jovem contemporâneo e rival Jean Racine conduziam o verso alexandrino com elegância soberana. Por vinte anos, disputaram entre si quem seria o mestre da *tragédie classique*. Quando Racine estreou em 1664 com sua peça *La Thébaïde* (A Tebaida), Corneille havia começado a registrar a colheita de sua experiência anterior. Em *Discours des Trois Unités* (Discurso das Três Unidades) e na autocrítica *Examen* incluída na edição de 1660 de suas obras completas, curvou-se à reprovação por ter feito mudanças de cena demais e muito arbitrariamente em *Le Cid*. Quão afastado estava, então, de Lope de Vega, que zombou dos pedantes magísteres e desafiou as regras aristotélicas – e quão afastado estava, também, de *Le Soulier de Satin* (A Sapatilha de Cetim) de Claudel, que tão imaginativamente se deleitava na plenitude cênica do drama espanhol barroco. Apenas o absolutamente essencial deveria ser mostrado no palco, declarou Racine no prefácio ao *Mithridate*.

A coerção autoimposta de linguagem e lugar da *tragédie classique*, à qual mesmo Voltaire ainda se sentia obrigado, tinha seu contraponto na estilização deliberada do mundo e da imagem humana, que só ela parecia apropriada à exigência ética. "Doravante, as personagens do palco clássico francês são atreladas como trabalhadores da empreitada ao esquema de tempo da ação e, acorrentadas à estaca de suas próprias crises, devem deixar sua alma nua" (Karl Vossler).

Em questões técnicas, Corneille sempre se submeteu ao sistema do palco barroco. Apesar de toda a sua atrevida irregularidade, mesmo *Le Cid* atém-se ao princípio barroco do palco frontal e posterior. O palácio imperial ao fundo permanece constante, enquanto a plataforma livre à sua frente permite todas as mudanças necessárias de cena. "Os juristas admitem certas ficções de lei", Corneille escreveu em seu discurso sobre as três unidades aristotélicas, "e eu pretendo seguir seu exemplo e introduzir certas ficções de teatro, de maneira a criar um lugar no palco que não seja nem o quarto de Cleópatra, nem o de Rodogune na peça com título, nem o de Focas, Leontina ou Pulquério em *Héraclitus* (Heráclio), mas um espaço sobre o qual estes diferentes aposentos se abram..."

Tanto as figuras dramáticas de Corneille como as de Racine foram dominadas pela suntuosidade dos figurinos barrocos. Entravam em sapatos de crinolina e com fivelas, Polyeucto tirava o chapéu emplumado para rezar, e será preciso Diderot para que alguém encontre ensejo para louvar uma atriz – Mlle Clairon – pela tentativa de representar realisticamente o desespero. Além disso, na época da tragédia clássica francesa, ganhou terreno o hábito nocivo de dar a espectadores dispostos a pagar lugares privilegiados no palco, um abuso do qual ninguém antes de Voltaire conseguiu se livrar.

Jean Racine, filho de um advogado e discípulo dos jansenistas de Port-Royal, deve seus primeiros sucessos no palco – *La Thébaïde* (A Tebaida) em 1664 e *Alexandre le Grand* (Alexandre, o Grande) em 1665 – a um empresário teatral e colega dramaturgo cujo nome conheceu uma subida meteórica como o do próprio Racine: Molière. Controvérsias pessoais e rivalidades pelos favores da atriz Du Parc levaram Racine a entregar sua *Andromaque* (Andrômaca) e os dramas subsequentes aos rivais de Molière, a companhia do Hôtel de Bourgogne. Foi aqui, no venerável e ancestral berço da tradição teatral de Paris, que o grande estilo declamatório da *tragédie classique* se desenvolveu. Este foi o solo no qual se enraizou o "sublime ai!" que Racine exigia de suas personagens em um grito metricamente temperado. Racine não via a regra aristotélica das três unidades como uma imposição árida, formal, a ser aceita de má vontade – mas como uma estrita concepção dramatúrgica que é o pressuposto necessário para a intensidade psicológica.

O conflito de consciência de Berenice, o tormento d'alma em *Mithridate*, ambos declamados em grandes e ariosos monólogos, dificilmente requeriam algum cenário. Até hoje fascinam qualquer frequentador de teatros em Paris, preservados das agruras do tempo como estão, no grandiloquente estilo da Comédie

Française. Nenhuma outra língua, nenhum outro dramaturgo, jamais fez o metro alexandrino obter poder tão majestoso.

Em sete prodigiosas tragédias, contando-se de *Andromaque* a *Phèdre* (Fedra), Racine percorre a gama de sua experiência moral e artística. Sua admissão à Académie Française reforçou o seu prestígio público, mas sua autoconfiança foi minada por violentos atritos com os jansenistas, que detestavam o teatro. Após uma intriga de corte que restringiu sensivelmente o sucesso de sua *Phèdre*, pela apresentação de uma peça rival de mesmo título, e após seu rompimento com a atriz Mlle de Champmeslé, ele se afastou do teatro por doze anos.

Um novo interesse por questões religiosas reconciliou Racine com Port-Royal. A ativa Madame de Maintenon, esposa morganática do envelhecido *Roi Soleil*, conseguiu finalmente reconquistar Racine para o palco. Em 1689, ele escreveu a tragédia bíblica *Esther* para a Maison de Saint Cyr, pensionato fundado por Mme De Maintenon para a educação de meninas pobres da nobreza arruinada, e, dois anos mais tarde, *Athalie*, uma tragédia baseada no Livro dos Reis, com um papel-título que, à época de Voltaire, ainda era cobiçado pelas atrizes trágicas.

Ao longo de poucas décadas, a *tragédie classique* havia erguido a fama do teatro barroco francês a alturas literárias estonteantes, que levou também Molière a arriscar sua pena no gênero. Em 1661 ele escreveu um drama heroico chamado *Don Garcia de Navarre* ou *Le Prince Jaloux*. A peça teve uma pobre carreira de sete apresentações e ensinou-lhe que sua força residia em outro campo.

No mesmo ano, 1661, o rei cedeu a Molière e sua companhia o teatro do Palais Royal, outrora o Palais Cardinal de Richelieu, em reconhecimento aos longos e duros esforços a serviço do teatro. Foi aqui que a contraparte e *pendant* da *tragédie classique* desenvolveu-se como a *haute comédie*, a comédia clássica francesa. Seu gênio soberano foi Molière. Desde 1643, Jean Baptiste Poquelin, filho de um tapeceiro e valete real, discípulo dos jesuítas e estudante de direito graduado, dedicava-se ao teatro. Fundou a companhia L'Illustre Théâtre (O Teatro Ilustre) juntamente com a atriz Madeleine Béjart e assumiu o nome artístico de Molière. Representou num salão perto da Porte de Nisle e em uma quadra de jogo de pela, foi detido por dívida em uma prisão para devedores e manteve viva sua paixão pelo teatro ao longo de anos de pobreza enquanto excursionava pelas províncias.

Em 24 de outubro de 1658, veio a grande oportunidade com a qual qualquer diretor de companhia sonhava: Molière e seu conjunto apresentaram-se no Louvre diante do rei. O programa consistia na *Nicomède* de Corneille, seguida da farsa do próprio Molière, *Le Dépit Amoureux* (A Decepção Amorosa). A peça principal redundou em um fracasso, mas a divertida intriga que se lhe seguiu e seu autor – e intérprete – foram calorosamente aplaudidos por Luís XIV e sua corte.

A feliz ocasião trouxe uma consequência. O jovem rei, ainda sob a tutela de Mazarin nas questões de Estado, agradou-se em ser patrono do teatro. Molière e sua *troupe* tornaram-se uma companhia de atores oficiais de "Monsieur de frère unique du Roi", e receberam primeiro o palco do Petit Bourbon e mais tarde, em 1661, o Palais Royal. Sob o sol da benevolência real, Molière começou a colaborar com Lully, e juntos criaram a *comédie-ballet* para o divertimento da sociedade da corte. O "esprit gaulois" (espírito gaulês) com o qual Molière contribuía para essas brincadeiras de comediantes serviu de abertura para a arte elevada da comédia de caráter.

Em *École des Maris* (Escola de Maridos), em 1661, Molière extrai seu tema do *Adelphi* de Terêncio, mas um ano depois, na peça que lhe faz par *L'École des Femmes* (Escola de Mulheres), ele usou como modelo e confiou inteiramente em sua própria perspicácia, quanto à crítica de época. Durante dez criativos anos, numa obra-prima após outra, Molière declarou guerra aos hipócritas, fanáticos e invejosos, ou a quem mais a carapuça servisse. Dois anos antes, em 1659, Paris inteira havia percebido, em *Les Précieuses Ridicules* (As Preciosas Ridículas), a sátira subjacente ao afetado círculo literário do Hôtel de Rambouillet. Ele não poupou nem sequer seus atores rivais do Hôtel de Bourgogne, como descobriram em 1663 por ocastão do *L'Impromptu de Versailles* (O Improviso de Versailles).

18. Sala de teatro do Palais Cardinal em Paris – os convidados de honra, incluindo o Cardeal Richelieu, o Rei Luís XIII, a Rainha e o Delfim. Gravura de Lochon, anterior a 1642, segundo uma *grisaille* (pintura escura ou cinzenta) agora no Musée des Arts Décoratifs em Paris.

A competição era aguda, e não foi fácil para a companhia de Molière manter-se em face das duas comprovadas casas teatrais, o Hôtel de Bourgogne, onde a grande tragédia clássica imperava, e o Théâtre du Marais, com suas comédias recreativas. Em adição, havia a *comédie italienne*, adaptação francesa da *Commedia dell'arte*, também autorizada a representar quatro vezes por semana.

Molière expôs-se à hostilidade dos círculos clericais e literários. Os ataques mais violentos foram dirigidos a *Le Tartuffe* (O Tartufo). Intrigas de corte e rivais, más-línguas e irritadas reações dos ofendidos resultaram na proibição de apresentá-lo ao público; só depois de vinte anos de um cabo de guerra exasperante conseguiu Molière mostrar a peça às plateias em geral.

A profunda e vulnerável tristeza por trás do Tartufo, do Misantropo, do Avarento e também do Doente Imaginário reflete sem dúvida crítica social e moral, mas também os desenganos pessoais de Molière. O casamento instável com Armande Béjart, filha de Madeleine, solapou sua saúde. A proposta de eleição para a Académie Française não foi adiante, porque significaria abandonar o palco, e isto parecia-lhe um preço alto demais pela honra. Era tão apaixonado como comediante quanto como comediógrafo. Como autor, escrevia para o ator; como ator, guiava a pena do autor.

Molière foi profundamente influenciado pela *comédie italienne*. Baseava sua atuação em Tiberio Fiorilli, o famoso Scaramuccia; sua *troupe* e os italianos representaram durante um período o mesmo teatro, e a linhagem de tipos da *Commedia dell'arte* forneceram-lhe contornos, e às vezes até nomes, de suas próprias personagens. Molière, porém, o criador da comédia de caracteres, deu-lhes uma vida nova, individual. Colocou no palco figuras que eram mais que meros pretextos para situações en-

19. Cenas de *Le Bourgeois Gentilhomme* de Molière e *Les Précieuses Ridicules.* Gravura em cobre de P. Brissart, subsequente à edição de Paris de 1682.

20. Cena de *O Doente Imaginário* de Molière. Pintura de Cornelius Troost, 1748 (Berlim, Staatliche Museen).

21. *O Doente Imaginário* de Molière em Versailles, 1674. Gravura em cobre de Le Pautre, 1676.

22. *Les Comédiens Français*. Pintura de Antoine Watteau, *c.* 1720 (Nova York, Metropolitan Museum of Art).

graçadas. Seu Scapino e seu Sganarello, o guardião Arnolfo em *Escola de Mulheres* e a piada do clister no final de *O Doente Imaginário* não negam sua origem na *Commedia dell'arte*, mas revelam maior diferenciação e sensibilidade. Molière deu forma literária a personagens derivados do repertório de tipos da peça de improviso.

De início, Molière utilizou também a gama de máscaras dos italianos. No papel de Sganarello, simplesmente escurecia suas sobrancelhas e bigode, como é bem mostrado na conhecida gravura de Simonin. Algumas personagens que ele tomou deliberadamente da *commedia*, tais como os dois pais em *As Artimanhas de Scapino*, ou os filósofos em *O Casamento Forçado*, continuaram em sua *troupe*, para surgir com as tradicionais meias máscaras de couro.

Molière atuou em mais de trinta papéis em suas próprias peças, até o fatídico dia 17 de fevereiro de 1673, quando, na pele de Argan, em *O Doente Imaginário*, teve um colapso no palco e morreu.

Sua companhia, agora sem patrão, uniu-se, sob o ator La Grange, ao elenco do Théâtre du Marais, e toda esta nova *troupe unique* mudou-se para o Hôtel Guénegaud. A peça apresentada no espetáculo de abertura, em 9 de julho de 1673, foi a obra mais violentamente atacada de Molière: *Le Tartuffe*.

Sete anos mais tarde, a Comédie Française nascia, por uma proclamação de Luís XIV, ditada num campo militar em Charleville. Este famoso documento, que traz a data de 13 de agosto de 1630, e é contra-assinado por Colbert, declara:

> Sua Majestade decidiu unir os dois grupos de atores estabelecidos no Hôtel de Bourgogne e na Rue de Guénegaud, e providenciar para que no futuro prossigam como um só empreendimento, com o objetivo de chegar a atuações ainda mais perfeitas.

La Grange foi nomeado diretor das duas companhias unidas. A nova Comédie Française permaneceu no começo no Hôtel Guénegaud, com a comédia predominando no verão e a tragédia no inverno. Mas a proteção do rei não conseguiu evitar que os professores do vizinho Collège des Quatre-Nations (fundado por Mazarin) reclamassem que o zelo acadêmico de seus estudantes estava sendo posto em risco pelos "costumes livres" dos comediantes. La Grange transferiu então sua *troupe* para o Jeu de Paume de l'Étoile desocupado, uma quadra de pela com uma área espaçosa o suficiente para abrigar o palco e uma plateia para mil e quinhentas pessoas, construída pelo arquiteto François d'Orbay. O novo teatro foi inaugurado em 1689 e logo se tornou o centro dos círculos literário, artístico e galante de Paris.

É mais ou menos desta época, também, que procedem os primeiros registros de pagamento de percentagem na Comédie Française. Eles rezam que ao autor cabia um nono da receita, e concediam em contrapartida ao elenco o direito de riscar do programa uma peça que, abaixo de um certo percentual mínimo de caixa, não é mais rentável. A quota mínima foi originalmente fixada em trezentos *livres* no verão e quinhentos no inverno, sendo mais de uma vez subsequentemente alterada e aumentada. Os dramaturgos procuravam melhorar seu *status* legal. Em 1775 Beaumarchais pediu vistas dos balancetes de bilheteria quando a Comédie Française quis tirar do repertório *O Barbeiro de Sevilha*, de sua autoria. Ele fundou a Société des Auteurs Dramatiques (Sociedade dos Autores Dramáticos), a primeira associação para a proteção dos direitos dos autores da Europa. Mas ela foi arrastada pela Revolução Francesa, e mais uma vez a única oportunidade de o autor proteger-se, tanto financeira como artisticamente, era o contato pessoal com o teatro.

A morte de Luís XIV, em 1717, marcou o fim de uma era. Os Comédiens du Roi estavam estabelecidos em Paris em seu próprio teatro, do qual nenhuma calúnia maldosa conseguiu desalojá-los, porém a escassez de espaço forçou-os a migrar duas gerações mais tarde.

A Salle Richelieu, onde a Comédie Française ainda hoje representa, deve sua destinação a uma ordem emitida por Napoleão em 1812, às portas de Moscou – uma analogia extraordinária com o edito de fundação que Luís XIV expediu no acampamento de Charleville. A Comédie Française ainda relembra com orgulho este "ato que redunda na fama eterna de Napoleão que, mesmo no campo de batalha, e como Luís XIV antes dele, se preocupava com o destino de seus comediantes". Não poderiam desejar melhor lema do que as tão citadas palavras de Napoleão: "O teatro francês é a glória da França, a ópera, meramente uma expressão de sua vaidade".

Commedia dell'Arte e Teatro Popular

Commedia dell'arte – comédia da habilidade. Isto quer dizer arte mimética segundo a inspiração do momento, improvisação ágil, rude e burlesca, jogo teatral primitivo tal como na Antiguidade os atelanos haviam apresentado em seus palcos itinerantes: o grotesco de tipos segundo esquemas básicos de conflitos humanos, demasiadamente humanos, a inesgotável, infinitamente variável e, em última análise, sempre inalterada matéria-prima dos comediantes no grande teatro do mundo. Mas isto também significa domínio artístico dos meios de expressão do corpo, reservatório de cenas prontas para a apresentação e modelos de situações, combinações engenhosas, adaptação espontânea do gracejo à situação do momento.

Quando o conceito de *Commedia dell'arte* surgiu na Itália no começo do século XVI, inicialmente significava não mais que uma delimitação em face do teatro literário culto, a *commedia erudita*. Os atores *dell'arte* eram, no sentido original da palavra, artesãos de sua arte, a do teatro. Foram, ao contrário dos grupos amadores acadêmicos, os primeiros atores profissionais.

Tiveram por ancestrais os mimos ambulantes, os prestidigitadores e os improvisadores. Seu impulso imediato veio do Carnaval, com os cortejos mascarados, a sátira social dos figurinos de seus bufões, as apresentações de números acrobáticos e pantomimas. A *Commedia dell'arte* estava enraizada na vida do povo, extraía dela sua inspiração, vivia da improvisação e surgiu em contraposição ao teatro literário dos humanistas. Em seu limiar encontra-se Angelo Beolco de Pádua, apelidado Il Ruzzante, por causa da personagem do esperto camponês que criou e interpretou. Ele escreveu peças baseadas na observação da vida cotidiana no campo, de início com ressonância da peça pastoral, ao passo que suas últimas obras *La Piovanna* e *La Vaccaria* são adaptações de Plauto, "reformado para vestir os vivos".

Ruzzante apresentou-se pela primeira vez com seu pequeno grupo em Veneza, durante o Carnaval de 1520. Atuou em residências particulares, ganhou acesso a círculos eruditos por intermédio do abastado patrício Alvise Cornaro, a quem conhecia de Pádua, e em 1599 foi chamado a Ferrara pelo duque Ercole d'Este. Ruzzante tinha um pé no teatro humanista e o outro no teatro popular. Pela forma em cinco atos de suas comédias, ainda pertencia à *commedia erudita*; mas com seus tipos, que caracterizava por diferentes dialetos, abriu a porta para o extenso campo da *Commedia dell'arte*. Seus servos e a gente do campo falavam o dialeto de Pádua ou o bergamasco; os patrões, o dialeto veneziano ou o toscano – um expediente desenvolvido mais tarde por Andrea Calmo.

A fixação de tipos pelo dialeto tornou-se traço característico da *Commedia dell'arte*. O contraste da linguagem, *status*, sagacidade ou estupidez de personagens predeterminadas assegurava o efeito cômico. A tipificação levava os intérpretes a especializar-se numa personagem em particular, num papel que se lhes ajustava tão perfeitamente e no qual se movimentavam tão naturalmente, que não havia necessidade de um texto teatral consolidado. Bastava combinar, antes do espetáculo, o plano de ação: intriga, desenvolvimento e solução. Os detalhes eram deixados ao sabor do momento – todas as piadas e chistes ao alcance da mão, os trocadilhos, os mal-entendidos, jogos de prestidigitação e brincadeiras pantomímicas que sustentaram os improvisadores por séculos. Agora entravam na *Commedia dell'arte* como *lazzi*, ou seja, truques pré-armados ou repertório de tramas. Os *lazzi* adquiriram uma função dramatúrgica e tornaram-se as principais atrações de determinados atores. O *lazzo* da mosca é, hoje, a obra-prima pantomímica de *Arlecchino, Servitore di Due Padroni* (Arlequim, Servidor de Dois Amos), na encenação de Giorgio Strehler da obra de Goldoni no Piccolo Teatro di Milano. E quando Charles Chaplin, em silencioso esquecimento de si mesmo, come os cordões dos sapatos

23. Personagens da *Commedia dell'arte*: Pantaleão, o jovem herói (ou Capitão) e Zanni. Águas-fortes de Jacques Callot. Florença, 1619.

em vez de macarrão, está saudando o brilho dos *lazzi* da *Commedia dell'arte*, da mesma forma que o ator que finge ter um cabelo na boca – e por isso é elogiado por Stanislávski.

Na representação de qualquer peça, os atores seguiam o *scenario*, ou *soggeto* (roteiro), do qual duas cópias eram afixadas atrás do palco, uma à direita e outra à esquerda, para informar os participantes do curso da ação e da sequência de cenas.

O esteio do elemento cômico eram os Zanni, as figuras e servos provenientes de Bérgamo. (As variantes de seu nome, Zannoni, Zan ou Sanni sugerem tratar-se de uma forma do dialeto veneziano para Giovanni; outra teoria, que faz remontar a etimologia até a Antiguidade, liga-o à palavra grega *sannos*, bobo, e ao latim *sannio*, pantomimeiro.) O Zanni geralmente aparece em parelha. É esperto e malicioso, ou bonachão e estúpido e, em ambos os casos, glutão. Usa uma meia máscara feita de couro, barba descuidada, um chapéu de abas largas e, no cinto de suas calças largas e bufantes, uma adaga de madeira sem fio. Os sucessores de Zanni constituem legião – Brighella e Arlecchino, Tuffaldino, Trivellino, Coviello, Mezzetino, Fritellino e Pedrolino. São Hanswurst, Pickle-herring e Stockfish, e todos os inumeráveis tipos locais de bufões do campo ou da cidade. O Pulcinella de Acerra transformou-se em Punch na Inglaterra, Polichinelle na França, Petrushka na Rússia, e algumas de suas características sobrevivem no Kasperl alemão.

O alvo e o objeto dos jogos cômicos são os tipos passivos, sempre trapaceados, que se tornam caricaturas grotescas de si mesmos. São encabeçados por dois papéis paternos, Pantalone e Dottore. Pantallone, o senil, rico e desconfiado mercador de Veneza, o Signor Magnifico com o cavanhaque branco e o manto negro sobre o casaco vermelho, possui ou uma filha casadoira, ou atrai a gozação por ser ele próprio um cortejador tardio. Seu criado Zanni o precipita em aventuras, nas quais Pantalone leva a pior. Zanni, na melhor das hipóteses, ganha alguma coisa para comer, porém, com mais frequência, leva uma sonora surra.

O Dottore de Bolonha, luz erudita de todas as faculdades, usa uma toga preta com gola branca, capuz preto apertado sob um chapéu preto com as abas largas viradas para cima. Vomita citações em latim, cria uma confusão desesperadora, toma as Graças pelas Parcas e brilha pela mais cândida lógica – por exemplo: "Um navio que não está no mar, obviamente está no porto".

O terceiro na liga dos enganados é o Capitano, um tipo *miles gloriosus*, um fanfarrão pusilânime e um covarde quando as coisas se complicam. Originalmente uma caricatura de oficial espanhol, tornou-se em seguida universalmente intercambiável como valentão e falador. O mais conhecido representante desta figura foi o ator Francesco Andreini do grupo dos Comici Gelosi. Ele publicou suas improvisações cênicas em 1624, num livro intitulado *Le Bravure del Capitan Spavento* (As Bravuras do Capitão Spavento). Um dos sucessores do Capitano foi o Scaramuccia, que ficou famoso em toda a Europa na pessoa de Tiberio Fiorilli, o astro da *comédie italienne* em Paris, professor de Molière e celebrado como "o maior dos palhaços" e "o grande excêntrico do teatro cômico".

O filho e a filha do Dottore ou Pantalone, os amantes (*innamorati*), cortesãos e alcoviteiras participavam do elenco de personagens, se necessário. Estes tipos eram menos fixados – mais definida, talvez, fosse a criada Colombina ou Smeraldina, como parceira, amante ou esposa de Arlecchino – e em geral não usavam máscaras.

Uma das mais famosas intérpretes da *Commedia dell'arte* foi Isabella Andreini, esposa do ator Francesco Andreini. Era – como é largamente estampado na página-título da edição de suas *Cartas* por seu marido – integrante da Accademia dei Signori Intenti, recebia sonetos de Tasso e respondia-lhe em versos igualmente bem-feitos. Seu papel de maior brilho foi em *La Pazzia*, um *tour de force* linguístico. "*Bella di nome, bella di corpo e bellissima d'animo*" – "bela no nome, bela de corpo e belíssima em espírito" – assim era ela aclamada na Itália. Quando, no século XVIII, Bustelli criou as suas figuras da *Commedia dell'arte* em porcelana de Nymphenburg, deu o nome de Isabella à mais graciosa das estatuetas femininas.

Na metade do século XVI, a *Commedia dell'arte* começou a expandir-se para os países ao norte dos Alpes. Os comediantes italia-

24. *Commedia dell'arte* e Carnaval na Piazza Navona em Roma. Tendas de atores ambulantes; à direita, junto a fonte, um cantor de baladas macabras; detalhe de uma gravura em cobre de Petrus Schenk, Amsterdam, 1708.

25. *Commedia dell'arte* com figuras simplórias de camponeses. Próximo às criadas com máscaras, à direita, um Zanni e Pantaleão. Pintura anônima do século XVIII (Milão, Museu Teatral alla Scala).

26. Cenas da *comédie italienne* na época de Henrique III. Séries de xilogravuras, publicadas por Fossard, Paris *c.* 1575 (da coleção *Recueil Fossard*, Drottningholm Theater Museum).

nos apareceram em Nördlingen em 1549, e logo depois em Nuremberg, Estrasburgo, Stuttgart, em todo o sul da Alemanha, e mais particularmente em Linz e Viena. Os Comici Gelosi, os Confidenti e os Fidelli foram hospitaleiramente recebidos na corte de Viena. Em Munique, onde Orlando di Lasso regia a orquestra da corte, a *Commedia dell'arte* já em 1568 granjeara a maior popularidade. Neste ano o duque bávaro Albrecht V organizou um programa de festividades que durou várias semanas, para comemorar o casamento de seu filho Wilhelm com Renata de Lorraine. O programa incluiu uma série de torneios, concertos e apresentações teatrais, e fechou-se, em 7 de março, com uma "*Commedia all'improviso alla italiana*". Orlando di Lasso dirigiu a encenação e fez o papel de Pantalone. A ação compunha-se de elementos do Carnaval burlesco veneziano. Correspondia aos *soggetti* habituais e está descrita em detalhe no livro do festival, escrito por Massimo Troiano para o noivo e príncipe herdeiro Wilhelm.

A trama pode ser considerada como típica da *Commedia dell'arte*. Um rico veneziano entra e exalta as alegrias do amor. Recebe uma carta que o afasta instantaneamente da companhia da bela cortesã. Pantalone e seu servo Zanni cortejam a beldade abandonada. Um nobre espanhol aparece e emerge como um rival preferencial. Cenas de equivocadas identidades e pancadaria, serenatas trocadas e duelos quixotescos precipitam-se umas sobre as outras. Tudo termina em reconciliação pacífica, e atores assim como espectadores participam de uma dança italiana.

O príncipe herdeiro Wilhelm e sua noiva levaram com eles os comediantes para o Castelo de Trausnitz, em Landshut, onde, por dez anos, "muito aficionados a diversões e coisas estrangeiras", deleitaram-se em ser os patronos dedicados dos atores nesta alegre e festiva corte. Finalmente, ordens paternas de Munique determinaram medidas de economia e deram fim à prosperidade dos comediantes. Desta forma, o príncipe herdeiro Wilhelm viu-se obrigado a dispensar os intérpretes da *commedia*; uma coisa, porém, ele logrou preservar: um retrato, em tamanho natural, de seus atores. Esta pintura de Alessandro Scalzi, conhecido como Padovano, guarnecia totalmente a "escadaria dos palhaços" no Castelo de Trausnitz, da adega ao quarto andar, com afrescos ilusionistas mostrando variações dos tipos básicos e situações da *Commedia dell'arte*. Este é o seu primeiro testemunho pictórico ao norte dos Alpes. Correspondem às descrições de Massimo Troiano, mas não são cópia do espetáculo de Munique.

Afrescos das personagens da *Commedia dell'arte*, pintados por Lederer em 1748 e artisticamente mais ricos e mais festivos, podem ser encontrados no Castelo de Krumlov na Boêmia. Vinte anos mais tarde, a família Schwarzenberg, então vivendo em Krumlov, contratou os pintores Wetschel e Merkel para decorar o teatro do castelo com um novo e engenhoso cenário de bastidores alternados.

Paris afrancesou a *Commedia dell'arte,* que se tornou a *comédie italienne*, adotou a língua do país anfitrião e adaptou-se à sua exigência de "maior plausibilidade, regularidade e dignidade", como coloca J. B. Du Bos. Entretanto, a julgar pela coleção de cenas e diálogos publicados por volta de 1700 por Evaristo Gherardi sob o título *Le Théâtre Italien*, o contrário estava mais próximo da verdade. A *comédie italienne* prestava-se muito bem não apenas à crítica moral geral, mas também à paródia hilariante de seus rivais franceses. Arlequim (um sucessor do Harlequin medieval, com a máscara peluda) entrava como Vulcano, operisticamente aparelhado num traje alegórico; Pierrot, como Mercúrio; Colombina, como Vênus; arrastavam Pégaso, encarnado na figura de um burro, e passavam a apresentar o *Arlequin Protée* (Arlequim Proteu), uma paródia da grande tragédia de Racine, *Bérénice*.

O mote dos atores da *comédie italienne* era "*Castigat ridendo mores*" ("Castiga-se os costumes pelo riso"), que haviam aprendido tanto com Molière quanto Molière com eles.

A *comédie italienne* atuou, nos anos de 1658-1673, no Petit Bourbon, depois no Hôtel Guénegaud, e mudou-se, após a fusão da tragédia e comédia francesas na Comédie Française em 1680, para a sala de espetáculos do Hôtel de Bourgogne. No Hôtel de Bourgogne, com suas veneráveis tradições, viveu os momentos de sua maior glória. E aqui, em 1697, ela própria cortou o fio de sua vida. Uma sátira insuficientemente dissimulada atacando Mme de Maintenon, a comédia *La Fausse Prude* (A Falsa Pudica), à maneira de Saint-Simon, provocou o fechamento instantâneo do teatro por Luís XIV. Os comediantes italianos tiveram de deixar Paris.

Watteau registrou a *Partida dos Comediantes Italianos* numa tela, a partir da qual o ilustrador Louis Jacob criou um *souvenir* impresso: a última reverência de Mezzetin antes de partir, um adeus pesaroso das damas da companhia, mulheres assistindo das janelas vizinhas, um jovem afixando o decreto real de proibição na parede da casa.

Dezenove anos mais tarde, em 1716, os *comédiens italiens* estavam de volta a Paris. Encabeçados por Luigi Riccoboni, consumaram a transição da peça improvisada para a escrita. Riccoboni, que antes, em Veneza e nas cidades da Lombardia, fora ativo reformador da tradição nativa da *commedia* italiana, agora aceitava dramas franceses em seu repertório.

A peça improvisada autêntica, como nos velhos tempos, retirou-se para as feiras e, em Paris, para o Théâtre de la Foire. Ela agora procurava o seu público entre o povo. Seus principais centros eram Saint-Germain e Saint-Laurent. De acordo com o escritor dinamarquês L. Holberg, que esteve em Paris por volta de 1720, paródias "extremamente felizes e fiéis" dos gestos e vozes dos intérpretes franceses podiam ser vistos nestes palcos. Mas, prossegue ele, prejudicava esse tablado a sua excessiva multiplicação, pois "tais paródias eram levadas pela cidade inteira, nos subúrbios, em todas as praças públicas e palcos".

Em uníssono com o seu início em Paris, sem muita adaptação artística específica, a *Commedia dell'arte* também se dirigiu para o leste. Em sua forma original, ela chegou a Varsóvia, Cracóvia, Vilna e Gdansk. Em 1592, no Castelo de Cracóvia, o "fiel ao original" Zanni, em triplicata, tomou parte no *intermedii* musical, apresentado na celebração das núpcias de Sigismundo III e Ana da Áustria. Em festividades em Varsóvia, na corte de Ladislau IV, a *Commedia dell'arte* foi uma das atrações favoritas, pois o rei havia viajado pela Itália e lá apreciara o teatro popular e improvisado. O jogo de tipos de improviso era capaz de superar as limitações da língua, classe social e convenções. Poucas décadas mais tarde, a *Commedia dell'arte* atravessou o oceano. Em fevereiro de 1739, os convidados do *Mr. Holt's Long Room* em Nova York puderam apreciar a primeira pantomima arlequinada que se sabe ter sido apresentada em solo americano. Foi anunciada como "Uma nova Diversão Pantomímica, com Personagens Grotescas, chamadas 'Aventuras de Harlequim e Scaramouch ou o Espanhol Enganado'".

Viena, na época o celeiro da cultura da Europa Central, abrira suas portas à *Commedia dell'arte* por volta de 1570. Os intérpretes dos "*lazzi* estrangeiros", Zanni e seus comparsas, foram entusiasticamente recebidos; porém, logo se confrontaram com um rival nascido em solo austríaco: Hanswurst.

O titereiro Josef Anton Stranítzky destronou Zanni, Arlecchino e Brighella. Criou a figura de Hanswurst, o ancestral de muitas gerações de irreprimíveis tipos teatrais populares, chegando até Nestroy e Raimund.

27. Cena da *Commedia dell'arte*, por Alessandro Scalzo, chamado Padovano, de seus murais na escadaria dos bobos no Castelo Trausnitz em Landshut (1578): Pantaleão e Zanni fazendo serenata: à janela, um gato, no lugar da dama cortejada.

28. Os *Farceus français et italiens*, no Théâtre Royal em Paris, 1670. À esquerda, Molière; distribuídos através do palco, sozinhas ou em grupos, as personagens afrancesadas da *Commedia dell'arte*. Pintura a óleo anônima (Paris, Collection de la Comédie Française).

Philippin.
Gaultier Garguille
polichinelle.
Pantalon.
Briguelle.

29. Palcos nas feiras anuais de Paris: Théâtre de la Foire, na Place Vendôme. Este, e ainda Saint-Germain e Saint--Laurent, deram abrigo à Comédie Italienne, a *Commedia dell'arte* afrancesada, após a intedição real de 1697. Estampa colorida, século XVII.

30. *Arlequin Grand Visir, Comédie Nouvelle*, de Fuzelier, encenada pela Ancienne Troupe de la Comédie Italienne no palco do Hôtel de Bourgogne em Paris, provavelmente em 1687. No papel-título, Domenico Biancolelli, o famoso Dominique da *troupe*, que morreu em 1688. Gravura de Bonnat, do Almanach de Paris de 1688.

31. Investidura do novo Harlequin da Comédie Italienne no Hôtel de Bourgogne, após a morte de Domenico Biancolelli (Dominique), cujo sarcófago e a viúva, aos prantos, podem ser vistos ao fundo. Almanach Paris para o ano de 1689 (de O. Klinger, *Die Comédie-Italienne in Paris nach der Sammlung von Gherardi*, Estrasburgo, 1902).

32. *Les Comédiens Italiens*. Pintura de Antoine Watteu, 1720. No centro da *troupe*, Pierrot ou Gilles; à sua esquerda, Harlequin com máscara negra. (Washington, National Gallery, Kress Collection).

33. Palco com figuras-tipo da *Commedia dell'arte*. Água-forte, frontispício para o *Balli di Sfessania*, de Jacques Callot, 1622.

Em 1707, no mesmo ano em que o estudante de odontologia Stranítzky era aprovado em seus "*examen dentifraguli dentiumque medicatoris*" na Universidade de Viena, o comediante Stranitzky, codiretor dos Comediantes Alemães, tirava seu chapéu verde e pontudo com devoção grotesca no palco do Ballhaus na Teinfalstrasse. A seus pés rejubilava-se uma entusiasmada plateia suburbana, para quem ele havia apresentado o protótipo do homenzinho simples e astuto, na pessoa de Hanswurst, o camponês de Salzburgo que vinha instalar-se em Viena.

O Hanswurst de Stranítzky, nascido da inventividade teatral individual e alimentada pela esperteza materna nativa, tornou-se a figura nuclear do teatro popular austríaco. A *Commedia dell'arte* foi sua madrinha. Suas características externas eram uma jaqueta vermelha curta, calças amarelas, um chapéu pontudo verde e uma gola branca de bufão. Como especialidade particular, desenvolvia piadas sexuais e escatológicas grosseiras, que logo ultrapassaram em crueza seus predecessores italianos. Quando, por exemplo, o Zanni da *Commedia dell'arte,* conforme o cenário pendurado, devia representar o "medo" e para isso choramingava: "Oh, meus joelhos estão tremendo", o Hanswurst de Stranítzky anunciava: "Com os diabos, minha bunda está balançando como banha de porco". E quando o rei da peça indulgentemente o perdoa por sua língua solta, dizendo: "É preciso levar a bem a tolice dos bobos", Hanswurst replica: "Também penso assim, caro colega".

Mas quanto mais tosca a improvisação, mais vulgares as piadas e mais obscenos os assuntos se tornam, mais próximo está o perigo da decadência, da degradação na mera vulgaridade. Nem a *Commedia dell'arte*, nem o teatro popular foram capazes de evitar esse perigo. Fossem Zanni, Arlequim ou Hanswurst, Stockfish ou Pickle Herring – nenhum deles, no final, teve o poder de dar vida nova a piadas gastas. Em Viena, o sucessor de Stranítzky, o jovem Gottfried Prehauser, manteve-se na altura da esperta malícia; em Leipzig, Hanswurst foi expulso, com todas as desonras, do palco da adorável Karoline Neuber.

Na Itália, Goldoni e Gozzi tentaram trazer o teatro popular improvisado para o reino da literatura. Goldoni reduziu o número de tipos cômicos da *Commedia dell'arte* para quatro ou cinco, e ajustou-os a ambientes solidamente estruturados ou comédias de costumes. Colhia seu material da vida cotidiana de Veneza

34. *Troupe* de saltimbancos num tablado erguido sem cenários.Um charlatão apregoa suas mercadorias; próximo a ele, um comediante em costume de Zanni, uma cantora com alaúde e dois músicos. Bufões nas feiras anuais eram uma forma primitiva da *Commedia dell'arte*. Aquarela anônima, início do século XVI (Bamberg, Staatsbibliothek).

35. Folia mascarada com figuras de Pulcinella da *Commedia dell'arte*. Pintura em parede de Giovanni Domenico Tiepolo (1726-1795), da Villa Zianigo (Veneza, Museo Ca'Rezzonico).

e escreveu *O Servidor de Dois Amos* para o grupo do famoso intérprete de Truffaldino, o ator Antonio Sacchi. Com suas peças, Goldoni realizou a tão tardia renovação do teatro italiano e repetiu o processo de fusão que, um século antes, Molière havia efetuado em Paris.

Gozzi rejeitava a imitação da natureza pregada por Goldoni. Ele negava a necessidade da comédia de costumes e mostrava a magia multicolorida de suas *Fiabe*, suas comédias de conto de fadas, que ele povoava de feiticeiras, fadas e magos. Em sua violenta controvérsia com Goldoni, defendia o teatro improvisado, alegando que Goldoni o havia maltratado. Mas embora Gozzi desejasse insuflar vida nova à improvisação, exigia que os intérpretes se mantivessem fiéis aos textos que escrevia. Por vinte e cinco anos, trabalhou em estrita colaboração com o grupo de Sacchi. A admiração pelo celebrado intérprete de Truffaldino, Sacchi, que viajara até mesmo a Portugal com sua companhia, era o único ponto onde Goldoni e Gozzi concordavam unanimemente. A força do teatro vivo reconciliou – e incorporou – as intenções opostas destes dois antagonistas e reformadores.

A herança de Goldoni e Gozzi influiu, por sobre a fria razão do Iluminismo, no teatro popular de Viena do século XIX: na figura do *Kasperle* de Laroche, nas comédias parodísticas fabulosas do período do Bäuerle (pequeno camponês), no grande reino romântico da fantasia de Raimund e no mundo Biedermeier* cético e irônico de Nestroy.

Em suas obras de juventude, Goethe deu chão para Scapino e para o Dottore; Ludwig Tieck convocou Scaramouche, Pierrot, Pantalone e Truffaldino para a amarga e irônica crítica de sua época; Grillparzer tirou suas melancólicas e sagazes figuras de criados do reservatório de tipos da *Commedia dell'arte*; Hoffmann escreveu uma suíte de balé chamada *Arlequino* e a grotesca e teatralmente jocosa *Phantasiestücke in Callots Manier* (Fantasias à Moda de Callot); Richard Strauss concebeu sua *Ariadne auf Naxos* como uma peça improvisada à maneira italiana; Górki, no exílio em Capri, interessou-se pelas improvisações da *Commedia dell'arte* napolitana; mais tarde, tentou inflamar a imaginação de Stanislávski com a ideia de um palco de improvisação, no qual os "próprios atores criam as peças".

A *Commedia dell'arte* é o fermento da massa azeda do teatro. Ela se oferece como forma intemporal de representação sempre e quando o teatro necessita de uma nova forma de vida e ameaça paralisar-se nos caminhos batidos da convenção.

O Teatro Barroco Espanhol

O Dom Quixote de Cervantes encontra um dia um estranho veículo na estrada. Parece "mais a barca de Caronte do que um carreto comum", e é puxado por mulas conduzidas por um horrível demônio.

> A primeira figura que Dom Quixote viu [neste estranho veículo] foi a da própria morte, com rosto humano; junto dela vinha um anjo com grandes e pintadas asas; dum lado estava um imperador, com uma coroa, que parecia de ouro, na cabeça; aos pés da morte vinha o deus que chamam Cupido, sem venda nos olhos, mas com o seu arco, aljava e setas; vinha também um cavaleiro armado de ponto em branco, mas sem morrião, nem celada, e em vez disso um chapéu cheio de plumas de diversas cores**.

Alarmado, Dom Quixote barra o caminho do carro e pede informações sobre aquele estranho carregamento. E ouve a resposta.

> Senhor, somos comediantes da companhia de Angulo, o Mau; representamos hoje, lá na aldeia, que fica atrás da colina, portanto após a oitava do Corpo de Deus, o auto do *Corte da Morte*, e havemos de o representar esta tarde naquela outra aldeia que daqui se avista; por estar tão próxima, e para pouparmos o trabalho de nos despirmos e de nos tornarmos a vestir, vamos com os mesmos fatos com que havemos de entrar em cena (*Id., ibid.*)

O incidente descrito por Cervantes, que obviamente conduz a uma quixotesca batalha com o "demônio", caracteriza a situação do teatro espanhol no início da era barroca: o espírito resoluto dos comediantes de *troupes* ambulantes, a mistura da Antiguidade e do cristianismo na alegoria de suas apresentações, o

* "Biedermeier": estilo pequeno burguês.

** *Don Quixote*, Miguel de Cervantes Saavedra, tradução de Visconde de Castilho e Azevedo, vol II, Círculo do Livro.

tradicional ouropel de seus figurinos e, não menos, o fato de que não necessitavam de grandes preparativos para atuar em muitos lugares num mesmo dia, especialmente durante a "temporada de teatro", que acontecia por volta da festa de Corpus Christi.

O contraste entre a mais alta esfera misteriosa da fé e a mais primitiva realidade não prejudicava, de maneira nenhuma, a intensidade do efeito: o milagre da Eucaristia projeta-se além do crepúsculo da catedral, sobre as tábuas rangentes de um palco mambembe. Os atores ambulantes, ainda situados pelo legislador junto aos ladrões e assassinos, cumprem uma missão dogmática na peça de Corpus Christi.

A exuberante alegoria do retábulo espanhol repete-se no denso simbolismo do *auto sacramental*, que, ao contrário dos "mistérios", diz respeito não à representação da Paixão mas à transfiguração simbólica do sacramento da Eucaristia. O fantástico, o metafórico e o espiritual combinam-se, seja na mais modesta peça teatral, ou no mais suntuoso cortejo barroco. Ambos deviam servir aos propósitos tanto da edificação religiosa quanto da propaganda da Contrarreforma. O teatro espanhol, com sua retórica aguçada pelo espírito do conflito centenário com o Islã, forneceu a imagem para o conceito. Vestiu o sacramento da Eucaristia com o colorido da fábula. Interpretações moralizantes haviam removido largamente o "pecado" da herança espiritual da Renascença. Mais de quatro séculos se passaram desde que Bernardo de Morlaix denunciara o influxo de ideias da Antiguidade na literatura teológica, como "beijos indecentes trocados por eruditos cristãos com Zeus".

Agora, assim como os generais espanhóis estavam lutando pelo ouro e os missionários jesuítas, pelas almas dos índios, o teatro também não ficava atrás. Lope de Vega, em sua peça de Corpus Christi, *Araucana*, caracterizou o Filho de Deus como um chefe indígena sul-americano e, com certeza para impressionar a plateia indígena, O fez exibir sua destreza muscular na luta e no salto em altura.

Atrás do esconde-esconde espiritual com seus desnorteadores disfarces, entretanto, encontrava-se o inviolado poder da Igreja e, como disse uma vez Karl Vossler, "a certeza muitas vezes de uma insolência quase jocosa do crente em suas relações com Deus" – por exemplo, quando em *El Caballero de Olmedo* (O Cavaleiro de Olmedo), de Lope de Vega, uma prostituta grisalha veste o hábito de uma freira e ensina a uma jovem dama da nobreza a tabuada do amor, ou quando o mesmo autor mobiliza a famosa operadora de milagres, a Madona de Guadalupe, para promover uma "cura" miraculosa com a qual uma bela viúva esconde um lapso muito mundano.

Todas essas comédias foram impressas – juntamente com os interlúdios (*entremeses*) e *loas*, originariamente prólogos curtos e, mais tarde, peças independentes – na época de sua apresentação, e distribuídas em centenas de exemplares, e todas tinham de passar pela censura da Inquisição. Contanto que todavia os escritores não se subtraíssem à censura oficial, conseguiam sair-se com falas maliciosas sobre o clero, as instituições estatais e até mesmo sobre o fanatismo religioso.

As pesquisas científicas têm mostrado que a influência da Inquisição na literatura, arte e teatro foi incrivelmente pequena. De qualquer maneira, o pulular exuberante da fantasia não sofreu a menor perda. "Não repare Vossa Mercê em ninharias, Senhor Dom Quixote, nem queira levar as coisas tanto à risca. Não se representam todos os dias por aí mil comédias cheias de impropriedades e de disparates, e com tudo isso elas percorrem felicissimamente a sua carreira e são escutadas não só com aplausos, mas com admiração?" Assim mestre Pedro, o titereiro, defende o *nonsense* extravagante de seu mundo encantado mouro-cristão. "Anda para diante, rapaz, e deixa dizer que, tendo eu enchido a bolsa, pouco importa que represente mais impropriedades do que átomos tem o sol." (Manuel de Falla homenageou este episódio de *Dom Quixote* em seu adorável balé *Il Retalho de Maestro Pedro* – O Teatro de Títeres de Mestre Pedro.)

O olhar para a bolsa de dinheiro foi, por fim, também o que ajudou a levar as companhias itinerantes espanholas a locais permanentes de atuação na segunda metade do século XVI. As irmandades religiosas reconheceram as vantagens de explorar a afluência do público com propósitos caridosos. Punham os pátios de seus hospitais (*corrales*) à disposição da gente de teatro, cuidavam da licença local para a apresentação da peça e, seja como organizadores ou arrendadores, dividiam os lucros com comediantes e autores.

Assim o teatro encontrava sua sede, e o caixa do hospital, uma renda extra. E as autoridades conseguiam controlar os comediantes sem problemas, mantendo-os dentro da ordem. Em Madri, a Confradía de la Pasión manteve esses *corrales* a partir de 1565, um na Calle del Sol e outro na Calle del Príncipe; em 1574 a Confradía de la Soledad abriu seu Corral de Burguillos. Valência tinha um teatro-*corral* desde 1583, e em Sevilha há registros de seguidas representações num Corral de Doña Elvira, de 1579 em diante.

Por volta desta época, em Londres, o palco elisabetano começava a tomar forma; mas, em contrapartida, o teatro-*corral* espanhol mantinha seu caráter provisório. A era de grande florescência do drama espanhol, o *siglo de oro*, de 1580-1680, ocorreu na modesta estrutura de um palco ao ar livre rodeado pelos muros das casas, um palco que podia ser armado num dia e desmontado no outro.

O tablado erguia-se junto à fachada do pátio pavimentado. Uma cortina escondia os camarins dos intérpretes ao mesmo tempo que servia de pano de fundo para o palco. Os balcões e galerias da frente da casa formavam *lo alto del teatro*, o palco superior, que era tão indispensável quanto o alçapão.

As janelas e galerias das casas vizinhas serviam de esplêndidos camarotes para as senhoras da plateia, enquanto os cavalheiros sentavam-se em fileiras de bancos. No século XVII uma galeria especial só para mulheres (*cazuela*) foi acrescentada ao lado.

Mas os que podiam, e não se furtavam de fazê-lo, consagrar ou destruir uma peça eram os *mosqueteros*, homens do povo que lotavam a arena. Externavam suas opiniões com o poder vocal de mosqueteiros, e eram temidos pelos dramaturgos espanhóis não menos do que o eram os *groundlings* pelos colegas autores na Inglaterra elizabetana.

Fosse nas longínquas encostas dos Pireneus, além do Canal ou, na verdade, em qualquer outro lugar onde existissem palcos ao ar livre sem instalações de iluminação, os espetáculos aconteciam à tarde, antes de escurecer. Nas cidades, as peças de Corpus Christi muitas vezes ainda utilizavam os carroções-palco do teatro processional do fim da Idade Média. Dispostos lateralmente junto ao tablado do *corral*, completavam o palco, ou colocados atrás, serviam de espaço interno do cenário. Além disso, podiam também ser utilizados como vestiários para os atores.

O mais importante acessório cênico era uma escada, que conectava o palco de baixo, o principal e o superior. Sua indisfarçada visibilidade não prejudicava de modo nenhum a magia do sobrenatural. Em data tão tardia quanto 1675, Marie-Cathérine d'Aulnoy, viajante francesa na Espanha e autora de uma das mais importantes e divertidas descrições do teatro-*corral*, escreveu de Madri: "Na cena em que Aline conjura os demônios, estes sobem do inferno assaz confortavelmente por meio de escadas".

Mas o teatro espanhol barroco estava diretamente ligado à tradição do medievo tardio não somente por suas técnicas de representação, mas também por seus temas. Quando Lope de Vega, aos trinta anos, principiou a escrever para o palco em 1575, teve, de certo modo, "de simplesmente abrir as comportas da represa". A riqueza contida nas epopeias e romances, a história nacional, mitos e lendas supriram-no de material temático. Ele encontrou, como coloca Grillparzer em seu belo poema,

> para tudo o que a humanidade desde sempre havia experimentado, uma palavra, uma imagem, uma rima e um final.

Por quarenta anos, Lope de Vega foi o soberano incontestável do palco espanhol. Seus contemporâneos chamavam-no "Monstruo de la Naturaleza" (Monstro da Natureza) e "Fenix de los Ingenios" (Fênix dos Engenhos). Ele produziu nada menos que mil e quinhentas obras dramáticas, das quais quinhentas, aproximadamente, estão conservadas, incluindo peças para o Corpus Christi, comédias e *comedias de capa y espada*. Por trás da doida alegria da infatigável escritura de assentamento, encontra-se, porém, sempre, em Lope de Vega, a consciência de sua pertença nacional. Já em uma de suas primeiras obras, *Jorge Toledano*, exaltava a coragem e o orgulho espanhóis: "Acho estranho que Alexandre seja natural da Macedônia, e não da Espanha".

Nas assim chamadas peças de honra, um irmão ou pai vinga-se da virtude ultrajada de uma donzela; as de capa e espada são ricas em vivos duelos verbais e de armas, intrigas sutilmente urdidas, dissimulações, e raramente dispensam um servo esperto e confidente (*gracioso*) como figura de contraste cômico.

Nas pegadas da "fênix" radiante que era Lope de Vega trilhava o monge mercedário Gabriel Téllez, que começou a escrever peças em 1624 e as publicou sob o pseudônimo de Tirso de Molina. Assumiu a técnica teatral de Lope de Vega e triunfou pelo cuidadoso desenvolvimento psicológico de suas personagens. Especialistas em Tirso dizem que o confessionário aguçou o seu conhecimento da natureza humana. Uma de suas peças mais brilhantes é *Don Gil de las Calzas Verdes* (Dom Gil dos Calções Verdes) – na verdade, Doña Diana disfarçada, uma jovem adorável e inteligente que resolutamente desafia a educação convencional feminina e sai em busca de seu noivo infiel.

Com *El Burlador de Sevilla* (O Burlador de Sevilha), peça que retoma duas velhas sagas espanholas, Tirso de Molina trouxe pela primeira vez a figura de Don Juan Tenorio para o palco. Ele seria o protótipo de muitos sucessores – do *scenario* da *Commedia dell'arte* ao *Don Juan* de Molière, do *Don Giovanni* de Mozart a *Don Juan, ou o Amor à Geometria* de Max Frisch. E a elegante máxima de Tirso de Molina, "a misericórdia de Deus adapta-se à nossa natureza e a enobrece sem destruí-la", encontra eco na epígrafe de *A Sapatilha de Cetim* de Claudel: "Deus escreve certo mesmo que por linhas tortas". Com seu subtítulo "drama espanhol em quatro dias", Claudel retoma o esquema formal do teatro barroco espanhol. Dividia as peças não em atos, mas, sim, em *jornadas* de um dia, o que fornecia a possibilidade ilimitada para a troca alternada através dos tempos e dos espaços, e deixava um campo florido à poesia, que nele vicejou em luxuriantes entrelaçamentos de lirismo, aventura, burlesco e misticismo.

A grandiosidade do drama barroco espanhol está na força da palavra poética. Embora modesto, o palco-*corral* era suficiente. Alguns acessórios cênicos, um palco superior e um alçapão era tudo de que se necessitava; todo o resto – a atmosfera sugerida pela iluminação, a imaginação cênica e a troca de cenário – era criado pela palavra falada. De que outra forma teria sido possível encenar uma peça como *Las Mocedades del Cid* – a maior obra de Guillén de Castro, e modelo para o *El Cid* de Corneille – um drama épico com tamanha riqueza de locações? (O teatro clássico francês resolveu o problema com o sistema do palco longo e do curto. O fundo do palco exibia o palácio do rei, a boca de cena era essencialmente neutra e acomodava as mudanças de cena.) Um segundo contemporâneo de Tirso de Molina, Juan Ruiz de Alarcón, foi o iniciador da comédia de costumes na Espanha. Sua principal obra, *La Verdad Sospechosa* (A Verdade Suspeita) tornou-se um sucesso perene no palco, graças à adaptação de Goldoni e da adoção anterior do tema por Corneille em seu *Le Menteur* (O Mentiroso, 1644).

Com o desenrolar do século XVII, as avançadas técnicas da transformação cênica barrocas, então comuns nos teatros das cortes de toda a Europa, apareceram também na Espanha. O arquiteto florentino Cosimo Lotti instalou um teatro na ala leste da residência real de verão, Buen Retiro, a leste de Madri, e seus dispositivos técnicos eram comparáveis aos de Florença e Viena. A parede de fundo podia abrir-se para mostrar a vista do jardim. Lope de Vega, no entanto, não se agradou das artes do mago Lotti. Quando, em 1629, sua *La Selva sin Amor* (A Selva sem Amor) foi encenada diante da corte no palácio de Zarzuela com um rico cenário de Lotti, ele ficou desapontado. "Meus versos eram a ínfima parte de tudo", disse. "Diante do esplendor visual do cenário de Lotti, o sentido da audição teve de retirar-se." O velho Lope de Vega achou difícil entregar-se ao moderno "varal para roupas e pregadores" em que o teatro estava se desintegrando. Seu coração pertencia ao despretensioso palco-*corral*, onde a fantasia da linguagem e a sagacidade verbal reinavam supremas.

Porém, assim como na Itália, na França e por toda a Europa do barroco, a sociedade da corte deleitava-se com os elaborados mecanismos do palco de transformação dos bastidores laterais. Os sucessores de Lotti, Baccio del Bianco e Francesco Ricci cuidaram de que os figurinos no palco não fossem menos suntuosos do que os trajes de veludo e brocado da plateia, e de que as palavras, faladas ou cantadas, fossem distribuídas em uma "armação"

36. Teatro-*corral* espanhol do século XVII: apresentação no Corral del Principe, Madri. Desenho de reconstrução de Juan Comba y Garcia (1888).

37. Corral de Almagro, Ciudad Real. O pátio foi restaurado e hoje é utilizado para espetáculos no estilo do "Siglo de Oro".

38. Carro-palco tripartite, trazendo uma apresentação da comédia *La Adultera Perdonada*, de Lopes de Vega, em Madri, 1608. Reconstrução de Richard Southern (1960).

39. Cortejo festivos com grupos alegóricos em Barcelona, na recepção do Arquiduque Carlos de Habsburgo, pretendente ao trono espanhol (como Carlos III). Litogravura da época (Paris, Bibliothèque de l'Arsenal).

capaz de fazer o autor sentir-se tanto lisonjeado quanto sobrepujado.

Durante esta época áurea, mais de trinta mil *comedias* foram escritas na Península Ibérica. Seu clímax e canto do cisne estão ligados ao nome do grande dramaturgo espanhol, Pedro Calderón de la Barca. Sua origem aristocrática deixou marcas em sua vida, personalidade e obras dramáticas. Ele não necessitava dos mecanismos cênicos, mas não os desprezava. Nas produções de seus grandes *autos sacramentales* – com suas solenidades cerimoniais, sua sublimação da matéria, de um lado, e sua personificação de conceitos abstratos, de outro – ele se utilizou de bom grado dos acessórios técnicos da magia cênica, sem tornar-se dependente deles. "Suas peças são completamente adequadas ao palco", enalteceu-o Goethe mais tarde, "não existe nelas nenhum traço que não seja calculado para obter um efeito deliberado. Calderón foi um homem de gênio que ao mesmo tempo possuía uma inteligência superior".

Mas ao entendimento acrescentava-se o poder de uma imaginação soberba e criativa, através da qual capturava o transcendental, e "da plataforma da eternidade refletia a vida como um sonho, antes do despertar do homem em Deus (*La Vida es Sueño* – A Vida é Sonho)". Calderón via o significado e o propósito de sua própria vida como um serviço de honra à Igreja, à nação e ao rei. Em 1640, durante a rebelião catalã, quando a Ordem de Santiago, da qual Calderón era membro, chamou às armas todos os seus cavaleiros, Filipe IV tentou impedir seu poeta por meio de ordem real: insistiu em celebrar o festival em Buen Retiro conforme havia sido previamente combinado. Calderón terminou a peça em uma semana – e correu ao campo de luta.

Comparada à profusa fecundidade de Lope de Vega, a produção de cento e vinte comédias, oitenta *autos sacramentales* e vinte peças menores pode parecer "uma limitação a um círculo muito restrito de motivos", como declarou uma vez Adolf Friedrich von Schack. Mas Calderón foi único na precisão impecável com que as engrenagens de seus enredos se articulam. Sua força motriz é o inexaurível estratagema dos disfarces e identidades trocadas que são a marca de qualidade da comédia de capa e espada, juntamente com os espirituosos pequenos interlúdios conhecidos como "lances de Calderón".

Mas, além da requintada rede de intrigas em *A Senhora das Fadas*, o inflexível código de honra de *O Juiz Alcaide de Zalamea* e o melancólico autossacrifício de *O Príncipe Constante*, Calderón verte todo o seu poder criativo nos *autos sacramentales*, a celebração teatral da recondução do homem à ordem divina do mundo. O poeta sublima e estiliza emoções e reduz o destino terreno à concepção fundamental de Deus e do homem.

Em *El Gran Teatro del Mundo* (O Grande Teatro do Mundo), Calderón tira a soma metafórica da "*máquina de los cielos*", do governo divino que administra as órbitas das estrelas e da distribuição do quinhão de cada homem. Este é também o título de uma de suas maiores obras, encenada em 1675 no teatro do palácio real de Buen Retiro, com Calderón supervisionando pessoalmente a encenação. Nas palavras da peça soa algo da suntuosidade barroca que é adjudicada ao cenário e aos figurinos desta obra de gala: "Provede adornos, e os ostentai".

E quando se diz que a criação do mundo se apresenta num "jardim com os mais graciosos contornos e maravilhosas perspectivas", pode-se imaginar prontamente a maquinaria barroca dos bastidores entrando em ação para abrir à visão os verdejantes jardins do palácio de Buen Retiro.

Em Calderón, a corte real espanhola encontrou um diretor teatral extremamente versátil que fornecia não somente o grande drama pejado de pensamentos filosóficos, mas também a alegre comédia musical. A ele remonta a *zarzuela*, a forma específica de comédia musical da Espanha do século XVII, que recebeu este nome por causa do pavilhão de caça real, Zarzuela, próximo de El Pardo, nas encostas ao sul das montanhas de Guadarrama, onde o rei Filipe IV e o infante dom Fernando gostavam de assistir a entretenimentos musicais. A Calderón escreveu por encomenda textos de peças musicais líricas em dois atos (cujas partituras, de compositores anônimos, se perderam).

Por volta de 1657, quando a "écloga de pescadores" de Calderón, *El Golfo de las Si-*

40. Desenho de cenário para uma peça lírica de Calderón. De uma série de desenhos de cenários de 1690 (Madri, Biblioteca Nacional).

renas (O Golfo das Sereias), foi encenada, e onde "a senhora Zarzuela" era uma das personagens alegóricas, a designação *zarzuela* tornou-se comum para conceituar o gênero. O texto da *zarzuela* era uma variante do apreciado tema de Odisseu-Circe, que as peças pastorais de toda a Europa consumiam. O próprio Calderón já lhe dedicara em 1637 a sua comédia *El Mayor Encanto Amor* (Amor, o Maior Feiticeiro). A encenação de *O Golfo das Sereias* no palácio de Zarzuela em 1657 deve ter sido, levando-se em conta a sua fama, uma das mais caras na época de Calderón. Teria custado 16 000 ducados. A *zarzuela*, com seu caráter original e quase intocada pelos desenvolvimentos da música ocidental, sobreviveu no século XX.

Os Atores Ambulantes

Na primeira metade do século XVII, enquanto no além-Pireneus o drama barroco espanhol florescia, a França contribuía com a grande era da *tragédie classique* e a *Commedia dell'arte* encontrava portas abertas em todos os lugares, a Europa central era atormentada pela Guerra dos Trinta Anos. Como sempre e em qualquer parte, bufões e atores ambulantes seguiam na retaguarda dos corpos do exército. Onde quer que houvesse luta ou onde a batalha estivesse encerrada, eles podiam estar certos de serem bem-vindos, fosse sob a bandeira imperial (católica) ou a sueca (protestante), na corte ou nas cidades, na praça do mercado, nas feiras e nas estalagens dos vilarejos. Os atores ambulantes eram capazes de lançar pontes entre países cujos governantes estavam em guerra.

Via Dinamarca e Holanda, os comediantes ingleses haviam perambulado até bem ao Sul, como a Saxônia e Hesse, por volta do final do século XVI. A intensa competição em seu próprio país, e mais ainda, os volúveis favores da rainha Elizabeth, que podia ora promulgar proibições, ora distribuir privilégios, obrigaram muitos grupos profissionais ingleses a emigrar. Cartas de recomendação de uma corte a outra facilitaram sua trajetória através do Continente. Eles eram aplaudidos em todos os lugares. Em breve, passaram a aceitar atores locais em seus conjuntos, adotando a língua local e assim exercendo influência permanente sobre o teatro dos Países Baixos, Dinamarca e especialmente da Alemanha.

Enquanto a *Commedia dell'arte* brilhava com o cômico das situações da comédia dos tipos, os diretores ingleses gabavam-se de presentear sua plateia com "belas, magníficas, alegres e confortadoras comédias tiradas de narrativas históricas". E como nos países protestantes do Norte a lição de moral contava tanto quanto a arte da atuação perfeita, Robert Browne, ao solicitar ao Conselho da cidade de Frankfurt permissão para atuar, em 1606, deu-se ao trabalho de acentuar que sempre fora seu mais "sério esforço" proporcionar aos honrados espectadores "motivo e oportunidade para seguir a probidade e a virtude".

Mas no final das contas o público desejava um pouco menos de edificação e um pouco mais de divertimento. Nesta brecha entrava o bufão e o palhaço. Ele era o primeiro a saltar a barreira da linguagem com uma espirituosidade verbal direta e sem rodeios. Relata-se que havia um grupo de comediantes ingleses em Munique já em 1599 que contava, entre seus intérpretes, com um palhaço "que proferia muitas arengas e asneiras em alemão".

A rivalidade entre as pretensões literárias e a bufoneria de Hanswurst, que iria alcançar o seu manifesto ponto alto em 1737, nos dias de Karoline Neuber, já se desenhava no primeiro estádio da cena itinerante. Um dos comediantes mais populares foi Thomas Sackville, pai espiritual e criador de uma personagem chamada variadamente com derivativos das palavras *clown* ou *posset* (grogue), eventualmente conhecido pelo nome artístico de Jan Bouschet. Sackville era membro de uma das mais antigas companhias inglesas que viajaram através do Continente, e chegou, após uma estada em Copenhague, à corte do duque Heinrich Julius de Brunswick, em 1592. O duque casara-se com uma princesa dinamarquesa e tinha informações prévias, vindas de Copenhague, sobre a representação do grupo visitante. Ele gostou tanto de Sackville que o manteve em sua corte em Wolfenbüttel de 1593 a 1598 como diretor de uma companhia teatral áulica de sua propriedade. O próprio duque escreveu em torno de dez peças em prosa, fortemente moralizantes mas teatralmente de efeito, contando em parte com a habilidosa arte de *clown* de Sackville.

O chefe de companhia, Robert Browne, por outro lado, era um daqueles que tornavam as coisas difíceis para si mesmos. Sua ambição era oferecer teatro literário, embora temperado pelo anúncio de que ele e suas *Actiones* assegurariam "esplêndido *oblectamentum* conveniente a todos e, para os *melancholicis*, um divertimento muito agradável". Uma parte de sua gente foi contratada pelo landgrave Moritz de Hesse, em cuja corte atuava o organista Heinrich Schütz. Browne retornou à Inglaterra, deixando seu grupo sob a administração de seu bem-sucedido e ambicioso *clown* John Green.

Alguns anos mais tarde, em maio de 1618, Browne voltou ao Continente, com um novo grupo e novo repertório. Em Praga, contribuiu com várias "comédias, tragédias e histórias bem-feitas" para a breve glória real do "rei de inverno", o outrora eleitor palatino Frederick, e para sua rainha, a princesa inglesa Elizabeth. Depois disso, as pegadas de Browne perderam-se na confusão da Guerra dos Trinta Anos.

Outro inglês, John Spencer, um hábil tático e homem de muitas práticas e versatilidades, criou fama em Leiden e Haia por volta de 1605, viajando então muitos anos, via Dresden, a lugares tão distantes quanto Königsberg e Gdansk. Em 1615, converteu-se ao catolicismo em Colônia, adquirindo destarte o privilégio de representar "*actiones* religiosas, respeitáveis e aprovadas", mesmo na temporada de Quaresma.

É em conexão com a *troupe* de Spencer que podemos ter uma das poucas indicações preservadas de como teria sido o palco dos comediantes ingleses no Continente. Para a apresentação de uma "Comédia sobre o Triunfo Turco", *Die Einnahme von Konstantinopel*, ergueu-se uma dispendiosa construção de madeira em Regensburg, claramente inspirada no modelo elisabetano, mas, nesta forma particular, mais provavelmente na exceção do que na regra. Era "um teatro onde os músicos tocavam mais de dez gêneros diferentes, em todos os tipos de instrumentos. Sobre o palco havia um segundo tablado, erguido a dez metros sobre seis grandes pilares; em cima de tudo isto foi construído um telhado e, embaixo, uma boca de cena aberta, onde realizavam *actiones* maravilhosas".

Spencer era versátil não apenas em assuntos religiosos, mas também nos artísticos. Ele ofereceu a seu público um novo tipo de *clown*, apresentado em 1617 em Dresden e, em 1618, na corte de Brandemburgo com o nome de Stockfish – um contraponto para o Jan Bouschet de Thomas Sackeville e para o Pickle Herring criado por Robert Reinolds, um ator que pertencera originalmente à companhia de Robert Browne e que mais tarde se tornou, ele próprio chefe de uma companhia.

A origem inglesa permaneceu até a metade do século XVII uma garantia da qualidade dos intérpretes, que foi aceita em toda a Europa central e até na oriental, como por exemplo em Elbing, Varsóvia e Graz. Comediantes Ingleses do Landgrave em Cassel era o título de honra outorgado por Moritz de Hesse à sua companhia de teatro da corte, que teve o privilégio de representar no primeiro edifício teatral de pedra da Alemanha, o Ottonium, construído em Cassel em 1606. O Ottonium ainda existe. Após muitas reconstruções, abriga hoje um museu de história natural e as exposições da Sociedade de Arte de Cassel.

Em 1651, quando a Guerra dos Trinta Anos havia terminado, um grupo de comediantes ingleses foi o primeiro a ser autorizado pelo conselho da cidade de Ulm a representar no teatro no Binderhof construído por Joseph Furttenbach. Inaugurado em 1641, foi o primeiro teatro municipal na Alemanha; ao longo desses dez anos – na medida que os tempos atribulados permitiam – sediou apresentações de atores ambulantes e do drama didático.

Em Ulm, como em qualquer outra parte, os administradores teatrais que eram também dramaturgos garantiram que o drama didático continuasse a manter-se ao lado das peças apresentadas pelos atores profissionais. Eventualmente, ambos vieram a dividir as mesmas aspirações e os mesmos autores. As obras do silesiano Andreas Gryphius e do holandês Joost van den Vondel – que originalmente haviam escrito para o teatro didático – foram incluídas no repertório de *historiis* à moda inglesa. Em Frankfurt, já em 1649, "die Greene-Reinoldsche Truppe" anunciava orgulhosamente que havia "de longe superado a arte dos estrangeiros". Naquele mesmo ano, Joris Jolliphus, que chegara a Colônia em 1648 vindo da Holanda, fez saber que possuía "uma companhia que falava alto alemão, facilmente compreensível, e que poderia oferecer pastorais e peças musicais à moda italiana, bem como tragédias", "cujas histórias nunca antes haviam sido colocadas no palco destas redondezas".

É provável que isto se refira às primeiras apresentações das peças de Gryphius, porque se sabe que, em 1651, suas peças martiriológicas *Leo Armenius* e *Catharina von Georgien* foram levadas por atores ambulantes em Colônia. Andreas Gryphius havia conhecido o teatro profissional holandês quando estudante em Leiden. Viera para admirar o dramaturgo humanista barroco Joost van den Vondel, o maior dentre os autores clássicos holandeses. A obra de Gryphius foi muito influenciada pela de Vondel; se bem que, como seu *Horribilicribifax* demonstra, ele também tinha laços estreitos com a *Commedia dell'arte*.

Gysbrecht van Aemstel, de Vondel, foi a peça escolhida para a abertura de gala do Schouwburg de Amsterdã em 1638. (É ainda hoje encenada todos os anos no Ano Novo.) Graças às peças de Vondel, os atores itinerantes holandeses tornaram-se os bem-sucedidos concorrentes dos comediantes ingleses. O grupo de Bruxelas do arquiduque Leopold Wilhelm da Áustria, durante uma *tournée* apresentou-se em Amsterdã. Posteriormente viajaram e ganharam fama com seus espetáculos como convidados no Castelo de Gottorp em Holstein (setembro de 1649), e em Flensburg, Copenhague e Hamburgo. Quando voltaram a Amsterdã em 1653, Vondel recebeu-os com um poema que expressava sua gratidão e admiração. Seu diretor Jan Baptista Fornenbergh em 1666 ganhou o elogio do padre e poeta de Hamburg-Wedel, Johann Rist, o qual declarou que ele e sua excelente companhia haviam superado em muito a infelizmente famosa maneira dos "curandeiros, arrancadores de dentes e poetas bufões". Rist fora especialmente a Altona a fim de assistir à apresentação convidada. Ficou um tanto perplexo com o fato de que os holandeses, de acordo com um hábito que sobrevivera

41. Cena no tablado de atores ambulantes: drama heroico (*Haupt-und Staatsaktion*). Gravura em cobre, frontispício de uma coleção alemã de peças apresentadas por atores ingleses e franceses (os *englischem komödianten*). Frankfurt-am-Main, 1670.

à época dos *Rederijker*, introduziam suas peças com um *tableau vivant*. "Quando aquela exibição, que é geralmente chamada *Vertooninge*, termina", conta Rist, "cada espectador já sabe quantos e que tipo de atores, e com que figurino eles aparecerão nas comédias e tragédias que serão levadas".

Se alguém fosse traçar os itinerários dos comediantes ingleses e holandeses, dos atores da *Commedia dell'arte* e seus companheiros, dos *burattini* com suas tendas de marionetes, e, enfim, das inúmeras companhias itinerantes da Europa central, faria um mapa inextricavelmente confuso e marcado por linhas cruzadas. Os nomes dos diretores de companhias conhecidos abarcam um século inteiro da história do teatro europeu, do Barroco e do Iluminismo até a fundação dos teatros nacionais.

Rivalizavam por causa dos favores de príncipes e magistrados, das melhores peças e datas mais favoráveis, e dos serviços de atores de mais sucesso, e velavam para que o teatro não se cobrisse de ferrugem. As *troupes* ambulantes abriram a Europa para o teatro mundial. O diretor de companhia Carl Andreas Paulsen, de Hamburgo, e a companhia de Michael Daniel Treu apresentaram à Europa setentrional e oriental Marlowe, Kyd e Shakespeare, Lope de Vega e Calderón, mesmo que em seus esforços prevalecessem sempre as boas intenções mais do que os resultados artísticos e, no que diz respeito ao texto, se mostrassem tão distantes do original quanto na geografia. Encenaram também Vondel e Gryphius, cuja tragédia política heroica *Papinianus* teve uma montagem de sucesso em 1685 diante da corte bávara no Castelo Schleissheim, onde utilizaram todos os meios disponíveis para intensificar a emoção em um palco improvisado num salão de baile.

O edil Johannes Velten e seu Chur-Sächsische Komödianten proveram Dresden com seu teatro. Neste "famoso grupo teatral", conta Eduard Devrient, "radicava a árvore genealógica de notáveis grupos posteriores". Durante quinze anos Velten e sua companhia perambularam de lugar em lugar, ganhando popularidade e estima em toda parte. Em Nuremberg, Breslau e Hamburgo, ele levou à cena a assim chamada *Ratskomödie* (comédia de conselho), uma encenação beneficente que expressava a gratidão dos atores pela recepção hospitaleira. Nestas ocasiões, conta Devrient, "os conselheiros compareciam *in corpore*, ocupavam os lugares mais privilegiados, ou seja, no próprio palco em ambos os lados do proscênio, e não se recusavam a ser homenageados com uma oferenda musical (*Serenada*) pelo alto favor e graça demonstrados". Em Dresden, Velten foi convidado por Johann Georg II para participar dos festivais de teatro da corte organizados em 1678 e, depois de 1684, foi empregado permanentemente por Johann Georg III.

Viena, Graz e Klagenfurt foram o domínio do elenco de Andreas Elenson, cuja sucessão conduz por intermédio de Johann Caspar Haacke até o ator Karl Ludwig Hoffmann, que

42. Cena do drama barroco de martírio *Catharina von Georgien*, de Andreas Gryphius. Gravura em cobre de Joh. Using, 1655.

em 1724 orientou a estreia de uma jovem atriz cuja estrela nasceu e se pôs no firmamento do Iluminismo: Karoline Neuber, nascida Weissenborn, filha de um advogado de Zwickau, que, recebeu uma educação humanista, e fugiu de casa para desposar o ator Johann Neuber.

Finalmente, um dos não menos importantes grupos pioneiros do teatro mundial foi a *troupe* de Johann Christian Kunst, que abriu seu caminho através da Prússia oriental chegando até Moscou. Trinta anos antes, Paulsen, então em Danzig (Gdansk), havia sido convidado pelo czar para atuar no Krêmlin, mas a viagem não se realizou. Kunst e seus homens atingiram o Volga em 1702. O czar Pedro I pôs à disposição deles o palco de salão no Krêmlin, em uso desde 1673, e os contratou como atores de sua corte. Em 1702, um teatro especial para comédias foi construído na praça diante do palácio (hoje Praça Vermelha). A sociedade áulica russa, até então entretida pelas oferendas artístico-musicais de bufões errantes conhecidos como *Skomorokhi*, foi agora apresentada, pelo *ensemble* de Kunst, ao drama europeu ocidental, ainda que em reflexo tímido. Com Corneille e Molière, entretanto, teve de aturar também um amplo repertório de tragédias heroicas no estilo bombástico de Lohenstein, uma especialidade de Kunst.

Os cenários e figurinos das *troupes* ambulantes eram de início bastante modestos. Com o seu custo crescente, o desfile barroco de roupas suntuosas e chapéus emplumados dependia inteiramente do que estivesse disponível em caixa e da generosidade de quem porventura empregasse os atores. Se o grupo estivesse a serviço de um príncipe mão-aberta, o guarda-roupa da corte sem dúvida ajudava a reabastecer o estoque de figurinos. Quando a peça original incluía papéis que não podiam ser distribuídos ou adornados adequadamente, estes eram reescritos ou, se preciso fosse, completamente omitidos.

O palco era em essência dividido ao meio por uma cortina, que deixava uma área de ação neutra à frente e, como elemento de surpresa adicional, um palco de fundo, já equipado com acessórios. Na metade do século XVII, as cortinas de frente do palco (cuja função de "mascarar as maravilhas" já havia sido discutida em detalhe pelo arquiteto de teatros Joseph Furttenbach, de Ulm) era geralmente usada pelas *troupes* ambulantes. Ambos os tipos de cortina corriam da direita e da esquerda. Durante o século XVIII, o próprio aspecto externo do palco beneficiou-se da tendência geral para a consolidação, quando grandes cidades permitiriam que determinados grupos atuassem regularmente em temporadas definidas nas salas de teatros existentes.

Os efeitos baseados em disfarces sempre foram populares, especialmente as trocas de trapos de mendigo por trajes de rei, com suas muitas possibilidades. Figurinos orientais estavam muito em voga, como pode ser visto nas gravuras das cenas de *Catharina von Georgien,* da montagem de 1654, em Wohlau. César usava uma peruca de cachos, e Armínio um penacho. O *Bäuerischer Macchiavellus* (Maquiavel Bávaro) de Christian Weise sentava-se num trono sob um dossel barroco, e a pompa e a pose da personagem principal na tragédia heroica assemelhava-se à do *Roi Soleil* em seus mais suntuosos retratos. "Nem tudo o que reluz é ouro", escreveu o gravador de Augsburg, Martin Engelbrecht, no topo de suas páginas povoadas de atores ambulantes luxuosamente vestidos e portando cetros. A tentativa de aplicar esta divisa a uma reforma dos figurinos teatrais envolveria Gottsched, o crítico e reformador do drama, numa batalha amarga e assaz infrutífera, que pôs fim à sua colaboração com Karoline Neuber, a famosa atriz e chefe de um grupo ambulante.

A Era da Cidadania Burguesa

INTRODUÇÃO

Em toda a Europa, o século XVIII foi uma época de mudanças na ordem social tradicional e nos modos de pensar. Sob o signo do Iluminismo instituiu-se um novo postulado: o da supremacia da razão. Ideias humanitárias, entusiasmo pela natureza, noções de tolerância e várias "filosofias" fortaleceram a confiança do homem na possibilidade de dirigir seu destino na terra. Em 1793, Deus foi oficialmente destronado na Catedral de Notre Dame de Paris, e a deusa Razão foi colocada em Seu lugar.

Apesar de sua fragmentação em pequenos Estados, a Europa conjuntara-se mais. Durante a primeira metade do século, sentiu-se unida na atmosfera otimista da Ilustração, ao passo que nas cortes principescas o *fortissimo* do barroco ia morrendo nos espelhos e molduras do rococó. Enquanto os galantes da sociedade da corte de Watteau embarcavam para a ilha de Citera, Hogarth perambulava pelas ruas de Londres fazendo esboços de prostitutas e criados. A corte e a cidade foram os dois centros da sociedade do século XVIII, e a França e a Inglaterra formaram as duas esferas de influência das quais a sociedade recebia suas ideias.

De Paris e Londres emanavam os primeiros esforços para conciliar as novas ideias seculares e científicas com o modo de vida da classe média. O *Dictionnaire*, de Pierre Bayle, dicionário secularizador e cético, e a *Epístola de Tolerância* de John Locke eram avidamente lidos nas bibliotecas públicas. O Terceiro Estado aumentava sua exigência de participação nos assuntos do mundo e da mente.

Mas as fundações sobre as quais apoiava-se a sociedade europeia no século XVIII eram ainda feudais. Sob o rótulo "Ancien régime", seu curso foi direcionado para a Revolução Francesa, que fundiu todas as grandes emoções do século numa explosão tremenda de povo, natureza, sentimento e razão, definindo sua própria forma de vida e exigindo seus devidos direitos humanos e civis.

O teatro tentou contribuir com a sua parte para a formação do século que seria tão cheio de contradições. Tornou-se uma plataforma do novo autoconhecimento do homem, um púlpito de filosofia moral, uma escola ética, um tema de controvérsias eruditas e também um patrimônio comum, conscientemente desfrutado. *Le Père de Famille* (O Pai de Família), de Diderot, o grande modelo do novo drama de classe média, conforme declarou Lessing, não era "nem francês nem alemão, nem de qualquer outra nacionalidade, mas simplesmente humano". A peça aspirava a expressar apenas "aquilo que cada um podia expressar, como o entendesse e sentisse".

A era dos grandes teatros da cidadania burguesa começava. Dentro de poucas décadas, esplêndidos teatros e óperas seriam construídos por toda a Europa, com três, quatro ou cinco fileiras de assentos em semicírculo ou em forma de ferradura, diante de um alto e magnificamente emoldurado palco do tipo "cosmorama". Alguns deles, sem dúvida, foram encomendados ainda por monarcas, mas foram concebidos com a mesma finalidade que inspirou Augusto, o Forte, eleitor da Saxônia, quando construiu o Zwinger em Dresden: ser um cenário para festas do povo, em grande estilo. O Théâtre de la Monnaie, em Bruxelas, foi o primeiro na longa série de edifícios teatrais imponentes do século XVIII, do Teatro Argentina em Roma ao Haymarket e ao Covent Garden em Londres, dos Grand-Théâtres em Lyon e Bordeaux ao Royal Opera House em Copenhague, do San Carlo em Nápoles ao Gran Teatro del Liceo em Barcelona.

O lema era: "No que os olhos veem, o coração crê", e o teatro, como edifício festivo e cenário do drama da cidadania burguesa, fornecia uma moldura descomedida para autorreflexão comedida.

A época, iniciada sob o sopro frio da Razão, terminou em sentimental ânimo, sendo ao mesmo tempo, porém, abrasada pelas noções de gênio do *Sturm und Drang* que, então domesticadas, foram centrais na era do classicismo de Weimar. A represa do século decorrido inundou as correntes intelectuais e políticas do século XIX. O romantismo tornou-se o primeiro movimento literário cosmopolita capaz de reunir tanto a Revolução quanto a Restauração. Os países da Europa central, setentrional e oriental desejavam um teatro próprio, e este era um dos impulsos principais do teatro; o outro era a ideia de um repertório mundial, como o idealizado por Goethe.

Para Victor Hugo, o drama histórico romântico era um "*miroir de concentration*" ("espelho de concentração") – a ópera o envolveu na ebriedade sonora das grandes orquestras, e o realismo transformou o palco no cenário da arqueologia ou no salão elegante. A diversidade de formas simultâneas proclamava a aproximação de um processo de democratização que encontrou sua primeira expressão no naturalismo do início do século XIX.

O Iluminismo

O Teatro Europeu entre a Pompa e o Naturalismo

Visto que, para a Ilustração, a forma mais elevada do pensar e do atuar humano consistia na possibilidade de subordinar a existência e o seu meio ambiente ao conceito de razão, o teatro, por sua vez, foi também chamado a assumir uma nova função. O palco viu-se convocado a ser o fórum e o baluarte da filosofia moral, e prestou-se a este dever com decoro e zelo, na medida em que não preferiu refugiar-se no reino encantado da fantasia ou do riso da *Commedia dell'arte*. Os critérios do novo drama literário foram o da máxima da verossimilhança, isto é, a regra do *bon sens* – senso comum – como desenvolvida por Boileau em sua *L'Art Poétique* (A Arte Poética) (1674) e o princípio moral.

O século do Iluminismo tendia para a reflexão, o sentimentalismo e a crítica. Houve muita moralização e argumentação, autorizadas e inspiradas pela nova deusa da Razão. Surgiram as revistas semanais para as classes médias, e elas dedicavam páginas inteiras à questão do teatro. Mas o erguido dedo indicador da admoestação fazia prosperar mais a respeitabilidade que o gênio. No prefácio à tragédia burguesa *The Lying Lover* (O Amante Mentiroso) (1702), uma adaptação sentimental de *Le Menteur* de Corneille, o dramaturgo inglês Richard Steele esperava que a graça se recuperasse de seus excessos e encorajasse a virtude, enquanto o vício pelo contrário fosse entregue à vergonha.

Na França, Marivaux, o primeiro especialista na psique feminina, escreveu uma série de comédias brilhantes, nas quais elementos do *nouveau théâtre italien* de Luigi Riccoboni são refinados para servir aos propósitos de estudos psicológicos sutis. Marivaux foi autor de trinta peças singulares e criou uma forma de arte conhecida como *comédie gaie* (comédia jovial), que era em muito superior à moralidade sentenciosa do lacrimoso drama burguês, embora contribuísse bastante para o seu desenvolvimento.

Luigi Riccoboni fez-se, em 1738, o primeiro campeão de um tipo de comédia na qual

1. Mlle. Clairon como Idamé, em *L'Orphelin de la Chine* de Voltaire. Diderot, em 1758, elogiou a coragem de desta atriz por usar um figurino-fantasia em estilo chinês, sem anquinhas. Mas no 26º *Cahier de Costumes Français*, publicado em Paris, 1779, ela é mostrada, num figurino da moda, com crinolina, desenhado pelo figurinista da corte, Sarrazin.

2. Dispositivo cenográfico para uma cena do drama burguês *L'Enfant Prodigue* (1736), de Voltaire; o filho pródigo no bordel. A vista pintada do jardim, na tela de fundo, acentua a ilusão de profundidade e distância.

3. Apresentação da tragédia *Irène*, de Voltaire, na Comédie Française, em Paris, no dia 30 de março de 1778. No palco, um busto de Voltaire coroado com uma grinalda de louros. O autor de *Candide*, então com 84 anos, observa (do camarote acortinado à esquerda) enquanto é homenageado.

4. Quadro final de *Le Père de Famille* de Diderot, levado no Nieuwe Schouwburg em Amsterdã, 1775.

5. Cena de *Le Glorieux*, de P. N. Destouches, na Comédie Française, com Grandval no papel de Valère, Quinault Dufresne no de Conde de Tufière, e Mlle. Grandval no de Isabelle. Gravura de N. Dupuis, com referência a Nicolas Lancret, *c.* 1738.

a magnanimidade e a renúncia se combinam num final feliz, e que Chassiron descreveu zombeteiramente como *comédie larmoyant* (comédia lacrimosa). (Lessing, em sua tradução das *Réflexions sur le Comique-larmoyant* – Reflexões sobre o Cômico-lacrimoso – de Chassiron, escolheu o termo alemão *weinerlisches Lustspiel*, cujo advogado no palco alemão foi o dramaturgo Gellert.)

Na Inglaterra, a assim chamada comédia sentimental foi igualmente bem sucedida e atraiu uma série de autores, de Richard Steele ao ator-empresário Colley Cibber e aos contemporâneos da *Sentimental Journey through France and Italy* (Viagem Sentimental através da França e Itália) de Laurence Stern. Lessing traduziu a palavra inglesa *sentimental* por *Empfindsam* e com isso cunhou um termo alemão para o idílio burguês por volta de 1730: *Empfindsamkeit. O L'Enfant Prodigue* (O Filho Pródigo) de Voltaire não está longe da *comédie larmoyante*, mas intensifica o tom sermonário. Voltaire adulava o espírito de sua época sem se sujeitar a ele. "Vejo a tragédia e a comédia como preleções sobre virtude e respeitabilidade", também declarava, mas preferiu provar a nobreza de suas personagens em terras distantes governadas por príncipes muçulmanos e tártaros, em vez de fazê-lo no tépido conforto dos interiores burgueses.

"Fui conquistado por sua virtude", confessa Gêngis Khan, no final do drama *L'Orphelin de la Chine* (O Órfão da China), a Idamé, a esposa do mandarim, que incorruptivelmente resistira tanto à sua corte quanto a suas ameaças. Voltaire reinterpretou seu modelo chinês, de quatrocentos anos de idade, segundo o espírito da Razão e do Juízo. Admirava a sabedoria do Oriente e a tenaz persistência com que suas tradições se defendiam de qualquer tipo de violação. E assim atribuiu a seu imperador tártaro o mérito de render-se à virtude de Idamé e ser um vencedor inteligente. "Este é um estranho exemplo da superioridade natural da razão e do gênio sobre a força cega e bárbara", escreveu Voltaire em seu prefácio. Seus heróis perseguidos sofrem em verso, exatamente como os de Corneille e Racine. Ele admirava Shakespeare, mas sentia-se incapaz de tirar proveito do tratamento livre de seu diálogo.

"Um poeta inglês é um homem livre que deixa sua linguagem o servir enquanto o espírito o move", escreveu Voltaire em 1730, quando enviou *Brutus* ao lorde Bolingbroke, com quem permanecera em correspondência desde sua estada na Inglaterra.

> O francês é um escravo da rima, e é obrigado algumas vezes a pôr para fora quatro linhas a fim de expressar uma ideia que um inglês pode descrever numa única.

Voltaire invoca Corneille, Racine e Boileau antes de chegar à seguinte conclusão:

> Quem quisesse livrar-se do fardo carregado pelo grande Corneille seria visto não como um espírito audacioso a abrir caminho numa nova estrada, mas como um fraco incapaz de sobreviver na velha trilha.

Voltaire não via futuro na tentativa de "nos dar tragédias em prosa". Diderot demonstrou-lhe o contrário – o audacioso proponente da metodologia do *Paradoxe sur le Comédien* (Paradoxo sobre o Comediante) e compilador tenaz da grande *Enciclopédia* declarou-se partidário do drama sentimental burguês e escreveu *Le Père de Famille* (O Pai de Família), na prosa simples da linguagem do quotidiano.

O teatro francês teve seu triunfo de sentimentalidade. Mesmo um dos "mais empedernidos egoístas de sua época, o rei Luís XV", contam-nos os cronistas, derramou lágrimas na representação de *Le Père de Famille* em março de 1761. A consistência com a qual a era da cidadania burguesa forjou sua própria forma dramática corria à frente de sua linguagem no palco. Os atores da Comédie Française estavam acostumados a observar a partitura declamatória do verso. Quando foram privados dela, sentiram-se perdidos num país desconhecido. Após o espetáculo, Diderot escreveu a Voltaire:

> Somente Brizard, no papel-título e a senhora de Préville como Cécile realmente responderam aos requisitos da peça. Para os outros, o novo gênero era tão estranho que, asseguraram-me eles, tremiam o tempo todo em que estiveram em cena.

A esta altura, a Comédie Française já havia introduzido uma reforma cujos inícios haviam causado um choque: a renuncia ao absurdo lastro do figurino barroco. A exigência de *vraisemblance* (verossimilhança), entendida por Voltaire e Diderot como "natureza embelezada", passou por maus momentos na prática teatral. Houve quem sentisse como uma impertinência que a atriz Clairon, no papel de Idamé em 1755, se atrevesse a aparecer numa indumentária em estilo chinês sem anquinhas. Mas Diderot enalteceu-a entusiasticamente em seu *De la Poésie Dramatique* (Da Poesia Dramática), de 1758, em que pede:

> Não consinta que o preconceito e a moda a subjuguem. Confie em seu gosto e gênio. Mostre-nos a natureza e a verdade: porque este é o dever daqueles a quem amamos e cujos talentos nos inclinaram a aceitar de bom grado qualquer coisa que ousem querer.

A medida do ressentimento do público francês, ao ser privado dos costumeiros *robe à la mode*, pode ser constatada pelo que aconteceu à ópera e ao balé. Louis René Bouquet, o imaginativo mestre do figurino rococó, vestiu suas bailarinas com crinolinas de seda bufantes, mangas pregueadas, véus de renda, plumas de avestruz e guirlandas de flores. Os heróis-título do *Castor et Pollux* de Rameau apareceram com enormes penachos; Febo usava uma volumosa saia balão, e as Fúrias resplandesciam em profundo *décolleté* e aplicações de pele de cobra. A *Ifigênia* de Gluck e a *Zemira* de Grétry, nas respectivas óperas, tinham a mesma elegância que as figuras mitológicas do mestre de danças Jean Georges Noverre.

Desde sempre, a ópera reivindicava o privilégio de ser conservadora. Financiada pelas cortes, desafiou todas as ordens da razão, mesmo na época do racionalismo, e regalou-se na mágica dos bastidores laterais e maquinaria de palco, com vulcões em erupção, navios afundando e balés orientalizantes. (Uma encenação restrospectiva de *Les Indes Galantes* – As Índias Galantes – de Rameau, na Ópera de Paris, foi entusiasticamente aplaudida em 1952 e teve casa cheia por três anos.)

A vida operística de Londres foi dominada por Haendel a partir de 1720. Como compositor e maestro da recém-fundada Royal Academy of Music, ele levou a ópera italiana a um brilhantismo muito além daquele alcançado em Paris, Viena e mesmo na Itália. Haendel havia obtido os favores da corte inglesa e notabilidade, já em 1710, com sua ópera *Rinaldo*, seguida alguns anos mais tarde por *Pastor Fido* (O Pastor Fiel) e *Teseo* e, em 1717, pela *Water Music* (Música Aquática), composta para uma festa real no Tâmisa. Mas então Jonathan Swift deu a John Gay a ideia de escrever a mais bem-sucedida sátira musical do século, *The Beggar's Opera* (A Ópera dos Mendigos), que satirizava inteligente e impudentemente o *pathos* do estilo operístico de Haendel, os sentimentos elevados e heroicos do teatro musical contemporâneo, atrás dos quais soavam com bastante frequência ecos vazios e, por fim, mas não menos importante, o sentimentalismo burguês.

Quando John Rich produziu *The Beggar's Opera,* em 1728, no Lincoln's Inn Fields Theatre, arriscou o pescoço. A despeito de Defoe ter trovejado, tachando-a de "imoral peça de escândalo", a obra foi um sucesso e contou sessenta e três apresentações que, como gracejavam os londrinos, tornaram o compositor "Gay rich" e o diretor "Rich gay"*.

A forma escolhida por Gay, que alternava canções e diálogos, tinha paralelo no *Singspiel* (peça cantada), uma espécie de ópera cômica. O *Singspiel* alemão desenvolveu-se em linhas muito próximas às da opereta; em Paris, o Théâtre de la Foire transformou-o em *vaudeville* com um toque de cabaré; trinta anos mais tarde, as *arias bufa* de Viena, parodiando a *opera seria,* eram primas em primeiro grau de *The Beggar's Opera*. Um segundo desenvolvimento foi a forma artística do melodrama, mais bem tramada; já experimentada pelo teatro didático e ainda mostrando sua influência na *Zaide* de Mozart, tinha sua origem no monodrama para um só ator, cujos pioneiros foram Jean-Jacques Rousseau e Georges Benda.

A retomada dos modelos básicos da Antiguidade também na música e suas aplicações ao mundo sentimental burguês abriu um vasto campo de possibilidades teatrais entre os polos da pompa e da naturalidade, um campo de correntes e contracorrentes contrastantes.

O esplendor áulico do absolutismo estava celebrando seus últimos triunfos. A burguesia

* Trocadilho entre as palavras *gay* (alegre) e *rich* (rico) dos nomes de John Gay e John Rich.

provou ser uma fonte de poder criativo. O espírito puritano e pietista revelou uma obstinação rabugenta em limitar os domínios de atividade que mal acabavam de ser conquistados, mas não logrou a "jornada na direção do bom gosto". "Oh, permiti que o espírito lúdico se aproprie dos campos, da trilha dos desejos de nosso coração, do jardim dos nossos sonhos amorosos", assim Tieck, em *Prinz Zerbino* (O Príncipe Zerbino), zombou, um século mais tarde, de uma era na qual grandes pensamentos e ideias revolucionárias amadureceram debaixo de perucas que iam até os pés.

Com *O Barbeiro de Sevilha*, Beaumarchais irrompeu através da hierarquia clássica de personagens do drama e da ordem social da sua época. Elevou o tradicional papel secundário do confidente, transformando-o no herói da peça, que engana duques, doutores e clérigos e desacredita a política e os privilégios. E, em *As Bodas de Fígaro*, que a censura barrou por seis anos, Beaumarchais revelou os abismos sobre os quais a guilhotina logo se ergueria.

Em *O Barbeiro de Sevilha*, Fígaro parodia a garbosa arte do verso antitético e, ao mesmo tempo, também o grande Voltaire, que havia se mostrado incapaz de libertar-se tanto de Pietro Metastasio na música do alexandrino quanto da "invenção de lugares plausíveis". Juntamente com Rameau, Voltaire havia escrito a ópera-balé *La Princesse de Navarre* (A Princesa de Navarra), que foi encenada em Versailles em fevereiro de 1745, e com isso incorporou a sucessão da *comédie-ballet,* forma criada por Molière e Lully.

Mas em Genebra, como dono primeiramente de uma casa de campo chamada Les Délices e depois de uma propriedade nas redondezas de Ferney, Voltaire deu-se ao prazer de desafiar a lei das autoridades calvinistas que proibia espetáculos teatrais. Convocou os astros da Comédie Française, as atrizes Dumesnil e Clairon e os atores Le Kain e Aufresne, ensaiando com eles seus dramas. Ele próprio contracenou com Le Kain em *Mahomet* e conseguiu que "lágrimas jorrassem aos borbotões de todos os olhos suíços", no "domínio de mando das vinte e cinco perucas" do conselho da cidade de Genebra.

Rousseau, em sua *Lettre à d'Alembert sur les Spectacles* (Carta a d'Alembert sobre os Espetáculos), opusera-se à predominância do drama clássico francês no teatro suíço e chamara a atenção dos seus amigos confederados para sua própria tradição de teatro popular. Voltaire divertiu-se à socapa fazendo o papel de advogado do diabo na assim chamada "guerra do teatro suíço" que ele havia desencadeado.

Medido por Corneille e Racine, o poder dramático de Voltaire era muito menor que sua razão crítica. Mas os atores o amavam. Competiam pelos famosos papéis principais de Zaïra, Maomé, Alzira, Brutus, Mérope. Quando Voltaire, aos oitenta e quatro anos, voltou a Paris mais uma vez em 1778 para uma apresentação de sua tragédia *Irène*, foi recebido como herói nacional, no palco e pela Académie Française, agora que, nas palavras de Goethe, "avançara em anos, como a Literatura, que ele dominara por quase um século".

O sucesso de um autor media-se pelas lágrimas derramadas na plateia. Christoph Martin Wieland, então jovem professor particular em Zurique, em junho de 1758 viu Sophie Ackermann, diretora da Troupe Ackermann, no papel da Alzira de Voltaire. Ele havia começado a escrever uma tragédia, *Lady Johanna Gray*, e agora retomava o trabalho. Um mês mais tarde, em 20 de julho de 1758, a senhora Ackermann representou o papel-título da peça de Wieland em Winterthur. Arrebatou o público com "encanto dulcíssimo" alternado com "frequentes lágrimas". O autor elogiou sua atuação, por ter ela expressado toda a dignidade da personagem, e também aquilo que ele próprio pudera apenas sentir, mas não traduzir em palavras.

Chorar e rir à saciedade, numa única noite, era a exigência do público, à qual o teatro de Londres do século XVIII também obedecia. Aí o drama burguês prosperava em dois teatros rivais, o Drury Lane Theatre, fundado em 1663 e originalmente a casa da King's Company, e o Dorst Garden Theatre, projetado em 1666 por Christopher Wren. O Drury Lane Theatre encenou a bem-sucedida *The Tragedy of Lady Jane Grey* (A Tragédia de Lady Jane Grey) (1715) de Nicholas Rowe, que serviu de modelo à versão alemã de Wieland. George Lillo foi um pioneiro do drama burguês com *The London Merchant* (O Mercador de

6. Encenação de uma *opéra comique* de caráter burguês no Hôtel de Bourgogne, Paris, 1769. Bastidores na parte de trás do palco, que foi aumentado para a frente e equipado com luz de ribalta e caixa de ponto. Desenho de P. A. Wille o Jovem (Paris, Biblioteca Nacional).

7. *The Beggar's Opera*, quadro de Willian Hogarth (1729). Polly e Lucy, implorando pela vida de Macheath. A "Ópera do Mendigo", de John Gay, foi apresentada pela primeira vez em 1728, no Lincoln's Inn Fields Playhouse em Londres, por John Rich.

8. Gravura satírica de William Hogarth sobre *The Beggar's Opera*: ao fundo, uma companhia da corte encena a obra; diante dela, uma *troupe* popular, de atores ambulantes, ergueu um tablado e faz paródia dos cantores da ópera com grotescas máscaras de animais.

Londres), e seu tipo de "comédia sentimental" atraiu respeitosa atenção também no Continente. Diderot discutiu-a, e Lessing escolheu *The London Merchant* como modelo de sua própria tragédia burguesa, *Miss Sara Sampson*.

The Recruiting Officer (O Recruta), de George Farquhar, é um retrato áspero e licencioso da classe dos burgueses e dos costumes do exército, embora se destaque por sua sagacidade e humor bem acima do nível da "comédia de costumes" contemporânea. Em *The Beaux' Stratagème* (O Estratagema dos Janotas), uma comédia sobre a conversão de patifes encenada pela primeira vez no Haymarket Theatre em Londres em março de 1707, Farquhar criou o protótipo da confissão de amor dramática no qual dava as mãos às heroínas de Marivaux, exercendo uma influência ainda presente sessenta anos depois na *Minna von Barnhelm* de Lessing. A heroína de classe média da peça, Dorinda, obedece ao princípio de "honestidade inigualável" e considera seu amor mais bem recompensado quando se prova desinteressado:

> Antes eu me orgulhava, senhor, de sua riqueza e de seu título, mas agora me orgulho mais ainda de que o senhor não tenha ambos; agora posso mostrar que o meu amor estava corretamente dirigido, e que não tinha nenhum propósito, salvo o amor.

Em meados do século XVIII houve uma retomada de Shakespeare nos teatros londrinos de público burguês. A nova proposta na época era compreender a alma do escritor, e fazendo exatamente isto David Garrick, empresário e ator, moldou o teatro inglês por trinta anos. Ele "baniu declamações, linguagem bombástica e caretas", como escreve seu biógrafo Thomas Davies, e "restaurou a naturalidade, a desenvoltura, a simplicidade e o humor genuíno".

O Ricardo III de Garrick tornou-se o modelo de interpretação shakespeariana na Inglaterra oitocentista. Samuel Johnson, que em 1765 publicou sua grande edição da obra de Shakespeare, via a própria alma do dramaturgo incorporada em Garrick e pagou-lhe o tributo de dizer que este havia sido o primeiro a espalhar a fama de Shakespeare pelo mundo todo. De mais ou menos 1730 em diante, Shakespeare, Farquhar, Congreve, Otway e Addison foram encenados também no outro lado do Atlântico. Atores profissionais ingleses apresentaram-se em Nova York, Filadélfia, Boston e Charleston e deram a conhecer ao Novo Mundo o drama burguês do Iluminismo europeu. A própria primeira peça de Garrick, a burleta mitológica *Lethe*, cuja estreia ocorreu no Drury Lane Theatre em 1740, quase imediatamente depois conheceu sucessivas representações nos palcos norte-americanos, em geral como o número que se seguia a uma tragédia – costume recebido de uma tradição europeia que remonta à antiga peça satírica (e que na Comédie Française é usual até hoje).

Garrick atuou primeiramente em vários teatros de Londres, inclusive o Covent Garden, construído em 1731. Em 1747, ele se uniu a James Lacy para adquirir o Drury Lane Theatre e dividiu com ele sua administração até 1776. Existia grande rivalidade entre os dois teatros, que ficavam disputando a glória de estar levando o melhor de Shakespeare. Em 1750, ambos encenaram simultaneamente *Romeu e Julieta*, com Spranger Barry e Susannah Maria Cibber no Covent Garden, e David Garrick ao lado de George Anne Bellamy no Drury Lane. O público e os críticos tomavam partido, apaixonadamente. O *Dramatic Censor*, entretanto, pilheriou: "De novo Romeu?... Maldição sobre ambas as casas".

Renunciando deliberadamente à ostentação, Garrick usou os corriqueiros cenários padrão estocados no Drury Lane Theatre. Em contraste aos vistosos *décors* de John Rich no Lincoln's Inn Fields e mais tarde no Covent Garden, Garrick achou mais importante intensificar a palavra falada. Mas permitiu a seus convidados a ostentação que recusava a si mesmo. Quando, no verão de 1754, ele convidou o célebre mestre de danças e coreógrafo francês Jean Georges Noverre a apresentar-se no Drury Lane Theatre para a temporada de inverno de 1754-1755, Noverre, conforme nos conta Thomas Davies, "compôs aquele acúmulo de figuras multifárias, denominado Festival Chinês; um espetáculo no qual foram exibidos vestimentas e figurinos dos chineses, em formatos e caracteres quase inumeráveis". Como que por má sorte, verificaram-se conflitos de fronteira na América, e, quando as hostilidades irromperam entre Inglaterra e

França, o público começou a protestar contra o fato de Garrick empregar tão grande número de franceses num teatro inglês. Considerando o quanto já havia investido na produção, Garrick foi em frente e estreou. A nobreza aplaudiu nos camarotes, mas a plateia ultrajada descarregou seu ódio numa luta generalizada. Garrick só conseguiu sair ileso sob escolta policial.

Pouco depois, empreendeu uma longa viagem ao continente. Foi festejado na Itália e na França, mas não deu espetáculo público em lugar nenhum. Ocasionalmente consentia em aparecer numa récita de amostra em círculos privados, e numa dessas ocasiões foi visto por Diderot em Paris, que o elogiou entusiasticamente:

> Nós o vimos representar a cena do punhal de *Macbeth*, na sala, simplesmente, com seus trajes comuns, sem qualquer auxílio de ilusão teatral. Enquanto seguia com os olhos o punhal (invisível) suspenso à sua frente e se afastava, sua atuação era tão excelente que ele provocou, em todos os convidados, um grito de admiração.

Após o seu retorno do continente, Garrick introduziu um novo sistema de iluminação no Drury Lane, que eliminava os candelabros em arco (os quais ao iluminar o palco sempre obstruíam a vista da galeria). Ele intensificou a iluminação proveniente dos bastidores por meio de refletores embutidos e, com isso, conseguiu a vantagem de uma iluminação brilhante e graduável para o meio e o fundo do palco também. Durante o período romântico, o Drury Lane Theatre manteve sua dianteira nas técnicas de iluminação, sendo um dos primeiros teatros europeus a introduzir a iluminação a gás.

Mas a rejeição de toda a pompa convencional não cerrou em Garrick a ambição de ter figurinos e cenários "fiéis à natureza e ao estilo". "As vestes eram ricas e magnificentes", conta Thomas Davies, referindo-se à produção, em 1749, da tragédia *Irène* de Samuel Johnson, "e as cenas esplêndidas e alegres, porque bem adaptadas ao interior de um serralho turco; a vista de seus jardins estava ao gosto da elegância oriental".

Em 1769, Garrick organizou as celebrações do jubileu em Stratford-on-Avon em grande estilo, com uma procissão de personagens shakespearianos, concertos, fogos de artifício e mostras de teatro. Uma chuva copiosa e intrigas destruíram seu empreendimento, e Garrick, segundo Davies, "sempre aliando a mais estrita economia às mais liberais despesas", transferiu o espetáculo do Jubileu para o Drury Lane, como quadro de encerramento do repertório programado, e "o público ficou tão encantado com a incomum procissão [...] que sua apresentação foi repetida perto de cem vezes". (Por iniciativa popular o primeiro Memorial Theatre de Shakespeare foi construído em Stratford em 1879, e, após ter sido destruído num incêndio, um novo teatro foi erguido em 1932 como sede do festival anual.)

Enquanto isso, na Alemanha, o estilo natural de representar encontrou um campeão em Konrad Ekhof, cujas caracterizações cênicas próprias chegaram até o tempo de Lessing e, na verdade, foram responsáveis pela confiança deste último nas pretensões artísticas do teatro. O Odoardo de Ekhof, na *Emilia Galotti* de Lessing, foi elogiado como um estudo exemplar da emoção contida. "Suas nuanças de raiva sufocada, fúria e ranger de dentes, dor abafada, sua risada de desespero – quem poderia descrevê-las", escreveu o crítico Johann Friedrich Schink; suas palavras:

> mas, minha filha [...]. Da mesma forma que a terra treme sob uma tempestade noturna, assim também o coração do espectador tremia quando ele as pronunciava. Todos sentiam o sopro da morte e encolhiam-se com sua dor.

Em adição a seu poder pessoal de plasmação, Ekhof demonstrava um zelo de reformador. Fundou uma academia de intérpretes em Schwerin em 1753, cujos objetivos fixou em vinte e quatro artigos. Sua ideia de "harmonização da interpretação" foi a primeira definição conceitual dos futuros princípios da direção teatral.

A arte deve estar tão próxima da natureza, exigia Ekhof,

> que a verossimilhança há de ser tomada pela verdade, ou o que se passou deve ser reproduzido tão naturalmente como se estivesse acontecendo agora. Atingir profissionalismo nesta arte demandará imaginação viva, juízo sincero, esforço infatigável e prática ininterrupta.

Este código profissional pode soar algo professoral. Voltaire expressou isto com mais temperamento. "*C'est le coeur seul qui fait le*

9. Cena de *O Alquimista*, de Ben Jonson, com John Burton como Subtle, John Palmer como Face e David Garrick no papel título. *Mezzo* tinta de John Dixon, a partir de J. Zoffany, 1771 (Londres, British Museum, Somerset Maugham Collection).

10. *The School for Scandal*, de Richard Brinsley Sheridan, tal como encenada em 1777 no Drury Lane Theatre, Londres.

11. David Garrick como Ricardo III. Pintura de William Hogarth.

12. *Venice Preserved*, de Thomas Otway, conforme encenada em 1762 no Drury Lane Theatre, Londres, com David Garrick e S. M. Cibber. *Mezzo* tinta de J. McArdell, 1764.

succès ou la chute", escreveu ele para a atriz Quinault – "só o coração decide sobre o sucesso ou o fracasso". Mas Schwerin não era Paris. Portanto, tanto mais instrutiva é a identidade de pontos de vista acerca da direção teatral. Repetidas vezes Voltaire, como Ekhof, insistiu em que um cuidadoso cálculo deveria ser feito para a "verossimilhança", na atuação conjunta do elenco e na relação entre cenário e enredo.

Diderot foi ainda mais longe. Ele ditou regras de direção teatral tais como elas voltam a aparecer no estilo de encenação de Goethe em Weimar. "Os atores devem ser combinados, separados ou distribuídos, isolados ou agrupados", exigia Diderot,

> como para fazer deles séries de pinturas, todas de composição grande e verdadeira. Quão útil poderia ser o pintor para o ator e o ator para o pintor! Seria um recurso para aperfeiçoar dois importantes talentos simultaneamente.

A exigente concepção de Diderot pressupunha atores nos quais se poderia esperar que isto tivesse algum eco – protagonistas capazes de formar estilo, como por exemplo o célebre intérprete de Voltaire, Le Kain, que se tornou renomado por sua impressionante interpretação gestual e que, como diretor, aspirava a uma *peinture animée* (pintura animada). O grande François Talma baseou seu estilo de interpretação no de Le Kain e reconheceu sua dívida para com ele em *Réflexions sur Le Kain et sur l'Art Théâtral* (Reflexões sobre Le Kain e sobre a Arte Teatral) (1825); mas mesmo antes, por volta de 1800, Talma serviu de ligação direta com Weimar. Wilhelm von Humboldt o havia visto em Paris e escreveu a seu respeito a Goethe numa carta detalhada.

Entretanto, na *comédie Française* da época de Le Kain qualquer voo de imaginação da encenação tropeçava nas famigeradas pernas das cadeiras: os lugares especiais em cima do palco, que se adquiriam por preços mais elevados. Essas assim chamadas *banquettes* significavam um subsídio bem-vindo para o caixa, mas para os atores eram uma imposição suficiente para liquidar qualquer disposição. Numa frase muito citada, um diretor de cena teria pedido: "Meus senhores, abram espaço para o fantasma de César!" Em 1739, uma apresentação de *Athalie* de Racine na *Comédie Française* precisou ser interrompida porque os intérpretes corriam perigo de serem esmagados pelos ocupantes das *banquettes*. No prefácio de *Brutus*, Voltaire reclamou amargamente desse abuso, que tornava "qualquer ação quase impraticável". Mas não foi antes de 1759 que ele, finalmente, conseguiu acabar com o inconveniente. Ele persuadiu o conde de Lauraguais a fazer um donativo de sessenta mil francos para compensar a gente do teatro pela perda da fonte de renda.

No caso das *troupes* itinerantes, o abuso dos lugares no palco também era comum em toda a Europa. Há uma pintura, do Grönnegade Theater em Copenhague, tratando do assunto. Lessing menciona, na seção 10 da *Hamburgische Dramaturgie* (Dramaturgia Hamburguesa), "o bárbaro costume de permitir espectadores no palco". Uma representação em *tournée* do grande intérprete de Lear, Friedrich Ludwig Schröder, em Hamburgo no ano de 1784, atraiu tamanha afluência que cadeiras extras foram colocadas até entre os bastidores. Mas esse foi um expediente excepcional que presumivelmente não diminuiu, de modo algum, o fogo de Schröder.

As Origens do Teatro Nacional na Europa Setentrional e Oriental

A França não enviou para o exterior nenhuma *troupe* ambulante, mas seus clássicos foram encenados em toda a Europa. Esta aprendeu a graça do movimento com os mestres de dança franceses, a conversação elegante com professores franceses, as delicadezas culinárias com os cozinheiros franceses. Quem quer que aspirasse à cultura, lia e escrevia francês. Paris ditava a moda até para Estocolmo e para Moscou.

O primeiro país no qual o teatro tomou autoconsciência de suas potencialidades nacionais foi a Dinamarca, que já servira outrora de porta de entrada para os novos impulsos teatrais vindos da Europa. Via Copenhague, os primeiros comediantes ingleses chegaram ao continente no final do século XVI. E, em Copenhague, no início do século XVIII, uma arte teatral nativa começou a emergir, com o auxílio dos atores franceses. Seus iniciadores foram o titereiro Étienne Capion e René Magnon de Montaigu, que chegaram com uma carta de apresentação à corte dinamarquesa. Estando Capion tão profundamente endividado que parecia ameaçado de perder o alento, Montaigu redigiu uma petição ao rei dinamarquês Frederico IV, em quem, após o término no Norte da Guerra dos Trinta Anos, o povo depositava grandes esperanças na revivescência do país. Montaigu tentou atrair o interesse do rei para o teatro. "A construção de um teatro", dizia o pedido,

> na história de praticamente todos os povos, acompanhou o período mais próspero do reino. A paz que Vossa Majestade recentemente proporcionou à Vossa nação, após as vitórias de uma longa guerra, parece-me marcar o momento mais apropriado para esse empreendimento.

A época foi bem escolhida. Frederico IV anunciou sua aprovação. Porém, mais decisivo ainda foi o "sim" da história, que exatamente então produzia o primeiro dramaturgo dinamarquês – Ludvig Holberg.

O novo teatro em Lille Grönnegade, em Copenhague, foi inaugurado em 23 de setembro de 1722, com *O Avarento* de Molière numa adaptação dinamarquesa. Dois dias mais tarde foi encenada uma comédia de origem dinamarquesa, *Den politiske Kandestöber* (O Estanhador Politiqueiro). Seu autor, anunciado como "um novo mestre dinamarquês", era professor de metafísica, retórica e história em Copenhague, mas descobriu que a profissão acadêmica, da qual tirava o sustento, lhe era insuportável. Escreveu suas primeiras peças cômicas sob o pseudônimo de Hans Mikkelsen e não revelou a autoria até o lançamento de uma coletânea de suas comédias. Sua peça *O Estanhador Politiqueiro* logo se tornou a epítome de tudo o que ele atacou numa sátira franca e liberal – o sabichão político das tabernas de cerveja de classe média-baixa.

Holberg nunca prestou muita atenção à afluência em seu auditório de preleções. Mas quando seu teatro atraiu grande afluxo de espectadores, ele orgulhosamente mencionou o fato em "Notícias de Minha Vida em Três Cartas para um Cavalheiro Distinto". Na primeira apresentação de *O Estanhador Politiqueiro*, contou ele, a multidão foi tão grande que "muitas pessoas simplesmente não conseguiram atravessar e tiveram de permanecer em pé do lado de fora". Mas Holberg ressentiu-se com as interpretações erradas ou mal compreendidas: "Houve, apesar disso, aqueles que não gostaram desta comédia", notou com irritação,

> porque não compreenderam seu sentido e imaginaram que ela pretendia zombar dos edis da cidade. Mas ninguém antes escreveu uma comédia que afirmasse mais enfaticamente o prestígio das autoridades.

Por mais ferino que Holberg gostasse de ser em sua crítica, ele não era de confessá-lo mais tarde. "Volto minha pena apenas contra o vício, e não contra pessoas", protestou. "De resto, encontrar-se-á mais brincadeira do que amargura em minhas obras; porque eu não busco a censura pela simples censura, mas tento corrigir as faltas dos homens".

A forte ênfase de Holberg na função moral da comédia correspondia inteiramente à visão utilitária da Ilustração. Estava preocupado com o efeito didático e aperfeiçoador do palco público. Seus esforços em vestir a ação e as personagens com os trajes de sua própria nação serviram de modelo para Gottsched na Alemanha, assim como para os reformadores do teatro nacional nos países da Europa setentrional e oriental.

Em cinco anos, entre 1722 e 1727, Holberg escreveu vinte e seis comédias. Suas fontes eram sua própria observação do mundo em derredor, Plauto, a quem admirava grandemente, e, mais do que tudo, as personagens de Molière. Tomara conhecimento da *Commedia dell'arte* durante uma viagem à Itália, e na verdade entrara em contato com uma *troupe* desses atores quando em Roma. Isto lhe trouxe, então, frutos. O *Théâtre Italien* (Teatro Italiano) de Gherardi, a muito usada, inexaustível coleção de temas utilizados pelos improvisadores, era uma fonte de chistes e réplicas, às vezes de cenas e situações completas. Em sua comédia *Feitiçaria*, Holberg propõe uma cena na qual dois atores, aos quais inesperadamente se pede um epílogo alegre, puxam rápido uma cópia de Gherardi e seguem o modelo.

Molière havia dito: *"Je prends mon bien partout où je le trouve"*; assim também Holberg colheu os frutos de suas leituras, para produzir seus papéis-título inteiramente originais, definidos com agudeza e realisticamente pintados: Jeppe da Montanha, o Barbeiro Volúvel, Jean de France, Ulysses, Jacob von Thyboe (um tipo *miles gloriosus*), Dom Ranudo de Colibrados, os astuciosos servos Henrik e Pernille (tomados diretamente da *Commedia dell'arte*). Em outras peças, tais como *No Balneário*, *A Festa de Baco*, *O Salão de Natal* e *O Quarto de Parto*, ele criou quadros coloridos dos costumes de seu tempo.

Entretanto, mesmo no teatro Grönnegade de Copenhague, os primeiros passos do drama nacional dinamarquês eram obscurecidos pela *haute comédie* francesa. O próprio Holdberg misturava suas peças para que "fossem representadas em alternância com as famosas comédias de Molière e recebidos com o mesmo aplauso". De fato, acrescenta ele, as apresentações lá eram muito melhores, porque "o Senhor Montaigu, um famoso ator francês", instruía seu pessoal com muito cuidado sobre a forma como deveriam pronunciar suas falas, e a respeito de "maneiras, gestos e outras questões".

As peças de Holberg eram levadas em tavernas, casas de fazenda e salões públicos. As pragas, murros e pontapés ali distribuídos mantinham a casa real longe do Lille Grönnegade; concediam-lhe a benevolência real, mas não a presença. Quando, em janeiro de 1723, Frederico IV convidou os atores dinamarqueses a apresentarem-se na corte, escolheu duas comédias de lavra francesa, preferindo-as ao gênero rude dos dramaturgos nativos.

Cinco anos durou a fama do primitivo teatro nacional dinamarquês. Em 25 de fevereiro de 1727, a aventura iniciada com tão grandes esperanças foi ao túmulo com a farsa melancólica do *Funeral da Comédia Dinamarquesa* de Holberg. "O que vou fazer doravante, visto que a comédia está acabada?", lamentava-se no palco a atriz Sophie Hjort. "Onde hei de encontrar emprego? Brigamos com todo mundo, com oficiais, médicos, advogados, funileiros, marqueses, barões e barbeiros". No final, apenas Tália permanecia para descrever o miserável estado da Comédia, entre o embargo e a prisão por dívida, antes de "morrer de tísica".

Um ano mais tarde, o teatro Grönnegade foi reduzido a cinzas no grande incêndio de Copenhague. A partir de então, de 1728, e sob o reinado de Cristiano VI, a influência do clero dominou. Não havia como pensar numa revivência do teatro popular. Quando Frederico V ascendeu ao trono em 1746 e ofereceu uma nova chance ao teatro, Holberg, após uma pausa de vinte anos, pôde produzir apenas "filhos pálidos de um pai idoso".

Um desenho do século XIX de R. Christiansen nos reconstrói o teatro Grönnegade durante uma representação de *Jeppe da Montanha*. A plateia e as duas ordens de galerias estão cheias de espectadores, dois candelabros com muitas velas espalham luz e fuligem, uma ribalta distribui os focos de luz e, ao lado, entre os bastidores, alguns cavalheiros ocupam cadeiras no palco.

Johann Elias Schlegel, tio dos românticos alemães Wilhelm e Friedrich Schlegel, foi por algum tempo secretário do embaixador saxão na corte dinamarquesa. Em seu tratado *Gedanken zur Aufnahme des dänischen Theaters* (Considerações sobre a Recepção do Teatro Dinamarquês), escrito em 1747, usou suas experiências em Copenhague como base para uma crítica literária e social. Suas considerações levaram-no, por via do otimismo educacional do Iluminismo, a uma discussão sobre necessidade de um teatro nacional, e foram logo em seguida mais bem desenvolvidas em *Zufällige Gedanken Über die deutsche Schaubühne in Wien* (Considerações ao Acaso sobre a Casa de Espetáculos Alemã em Viena). Ao defender o teatro nacional como uma instituição estatal, sustentada e financiada pelos soberanos, J. E. Schlegel pressupunha a existência de dramaturgia nativa, que, em sua opinião, era de longe preferível à francesa.

> Já que, falando de forma geral, é prejudicial ao espírito de uma nação o fato de avir-se sempre com traduções de obras estrangeiras e falhar no encorajamento das mentes brilhantes do próprio país.

Schlegel protestou contra a dominação das peças clássicas francesas nos palcos da Europa e contra sua indiferença endêmica às plateias comuns, que as impediam de atingir o coração do largo público.

> O homem comum não pode apreciar a sutileza do *Misantropo* de Molière e do *Braggart* de Destouches, e

13. O Grönnegade Theater em Copenhagen (1722-1728) durante uma apresentação de *Jeppe da Montanha* de Holberg. Há espectadores sentados nos bastidores; um contrarregra está ajustando os pavios das velas da ribalta. Reconstituição num desenho de R. Christiansen, século XIX (Copenhagen, Christiansborg Theater Museum).

14. Cena de *Jeppe da Montanha*. Gravura de J. F. Clemens, a partir de uma pintura de C. W. Eckersberg (da Galerie Holbergs, Copenhagen, 1828).

15. Palco da *troupe* ambulante no Anger em Munique, *c.* 1750. Quadro de Joseph Stephan (Munique, Museu do Teatro).

16. *Gysbrecht van Aemsel*, de Joost van den Vondel, no Nieuwe Schouwburg, Amsterdã, 1775. Gravura a partir de F. van Drecht.

de outras peças deste tipo, ao passo que elas são uma atração particular para as pessoas da corte, visto que pensam reconhecer aqui e ali o retrato de alguém de suas relações e, às vezes, veem a si próprios.

Esta deveria ser a preocupação de todo dramaturgo, prosseguia Schlegel, eleger temas populares próximos da gente de seu próprio país; na escolha dos personagens o escritor precisava "ser guiado pelos costumes de sua nação". A partir deste ponto de vista, Schlegel não fazia objeção à *comédie larmoyante* e às *burlesques* populares rejeitadas por Gottsched como "farsas dissolutas", porque estas seriam "a mais natural descrição dos costumes do homem comum". O dramaturgo, entretanto, deveria ir mais longe ao retratar as grandes massas e incluir também círculos mais elevados, de modo a oferecer ao público "o prazer da diversidade [...] um financista francês, o *Dottore* da comédia italiana, um *gentleman* da zona rural inglesa", assim pensava Schlegel, "fariam pobre exibição num palco dinamarquês". Holberg experimentara o contrário disso. O plano de representar seu *Estanhador Politiqueiro* em Paris falhou. Numa tradução francesa, queixou-se ele, "todos os artesãos teriam de se transformar em doutores ou advogados ou outras pessoas distintas", e sua comédia teria desse modo perdido todo o significado, "porque a coisa toda se dirigiria precisamente contra o homem comum". Vestir sua peça com figurinos parisienses, temia Holberg, faria de sua "comédia divertida e moral um espetáculo banal e maçante".

A pena crítica de Lessing deixou passar apenas algumas poucas peças de Holberg. Escrevendo em 1751 no *Berlinische privilegierte Zeitung*, ele o incluiu entre aqueles autores que, "graças a algumas obras justificadamente bem-recebidas, tiram vantagem da feliz suposição de que tudo o que flui de suas ativas penas seja excelente". O interesse de Goethe por Holberg limitou-se a *O Estanhador Poliqueiro*; Schiller não tinha nenhum uso para ele; Kotzebue, porém, emprestou temas de Holberg para suas próprias turbulentas peças.

Holberg foi o grande trunfo de bilheteria das *troupes* ambulantes na Alemanha setentrional e nos países bálticos. A Ackermann, Konrad Ekhof e Friedrich Ludwig Schröder encenaram suas comédias. Das cento e noventa apresentações registradas em Hamburgo, nos anos de 1742 e 1743, quarenta e quatro foram de obras de Holberg.

O teatro nacional, como concebido por J. E. Schlegel, por Johann Georg Sulzer na Suíça, pelos promotores da Empresa de Hamburgo e também por Gellert e Klopstock, seria "um espelho de autoconhecimento". Com o despertar das forças criativas próprias de um país, faria, ao mesmo tempo, justiça aos "modos particulares e temperamento de uma nação". Havia razão para esperar, declarou Sulzer em 1760, em sua contribuição anual à Academia Real Prussiana de Ciências de Berlim, "que um número de circunstâncias favoráveis irá restaurar no teatro a dignidade que possuía no apogeu da República de Atenas".

Como exemplo do que entendia por drama nacional alemão, J. E. Schlegel escreveu *Hermann*, que apresentava estreita afinidade patriótica com o *Hermanns Schlacht* (A Batalha de Herman) de Klopstock (Hermann é o Armínio citado por Tácito. Como chefe dos queruscos, conduziu as tribos alemãs à vitória contra o comandante romano Quintílio Varo na batalha da Floresta de Teutoburg). Nenhum deles conseguiu sucesso no palco com essas obras nascidas do sentimento patriótico e do compromisso cultural. Em 1809, quando Kleist propôs produzir sua própria *Hermannsschlacht*, escrita com um olho na época e na situação política, ele disse: "Sou indiferente a qualquer condição, faço [desta obra] um presente aos alemães". Se se contar também com o drama de Grabbe, de mesmo nome, perfaz-se um total de quatro versões, nenhuma das quais foi bem-sucedida.

Os campeões da ideia nacional no aparato da vitória alemã na Batalha da Floresta de Teutoburg falharam onde, um século antes, o dramaturgo sueco Joost van den Vondel lograra êxito em Amsterdã. Sua tragédia *Gysbrecht van Aemstel*, uma glorificação da cidade de Amsterdã baseada em fontes históricas, sobrevive até hoje como uma grande peça festiva nacional e é apresentada anualmente no Ano Novo no Schouwburg. Na Holanda, um teatro nacional vital nunca foi problema, nem no século XVIII nem mais tarde. *Gysbrecht van Aemstel*, obra enraizada no passado do país e nas tradições locais, "é vista quase como um drama nacional", como Frithjof van Thienen prudentemente se exprimiu em 1963.

17. Frau Neuber como Elizabeth em *Essex* de Thomas Corneille. Litogravura de C. G. Bach, com referência a C. Loedel.

18. Gottsched e sua esposa, Frau Luise Adelgunde Viktoria, nascida Kulmus. Retrato anônimo, *c.* 1750.

19. A "Comoedien-Haus" no Fechthof em Nuremberg, presumidamente com um espetáculo da *troupe* Neuber, que sempre se apresentava ali. Tragédia heroica (Haupt-e Staatsaktion) com o par de amantes e quatro bobos. Gravura colorida, do *Angenehme Bilderlust*, Nuremberg, *c.* 1730.

20. Palco com bastidores e cenário para comédia de caráter burguês: cena farsesca com Hanswurst como pintor retratista; no primeiro plano, caixa de ponto aberta. Pintura a óleo, *c.* de 1780 (Munique, Museu do Teatro).

Graças tanto a seus grandes dramaturgos quanto a um dom natural para a atuação, a Inglaterra, França, Espanha e Itália desenvolveram suas formas nativas de teatro no século XVI ou XVII, numa época em que o Norte e o Leste do continente europeu ainda estavam tateando seu caminho através da autoexpressão no teatro.

Politicamente, o século da Ilustração ainda estava sob o signo da monarquia absoluta. Assim como Luís XIV se fez patrono da Comédie Française, do mesmo modo os teatros nacionais emergentes do século XVIII quase sempre deviam sua criação às ambições artísticas de um *roi soleil* em miniatura. Como em Copenhague, a realização prática sempre exigia a ajuda de atores franceses. Quando, em 1737, Estocolmo conseguiu o seu primeiro Teatro Real Sueco, a direção foi assumida pelo ator francês Langlois. Cinquenta anos mais tarde, porém, o Teatro Real Dramático de Estocolmo possuía seu próprio elenco de intérpretes suecos e um maravilhoso teatro barroco em Drottningholm, um edifício do palácio real de verão reformado em 1766 (que está preservado). O rei Gustavo III, ele próprio autor das primeiras peças escritas em língua sueca, atraiu poetas e homens de letras para a corte. Em seu encantador teatro no Castelo Gripsholm, gostava tanto de atuar em peças de teatro como encená-las. Seu cenógrafo era Louis-Jean Desprez, a quem o rei trouxe de Roma para Estocolmo.

Na Rússia, a dramaturgia nativa deveu muito à imperatriz Catarina II. Ela escreveu comédias e dramas com temas da história da Rússia, e fazia-o influenciada por modelos franceses e esforçando-se por desenhar suas personagens "estritamente fiéis à realidade". Discutia os princípios da composição de diálogos em sua correspondência com Voltaire e Diderot, e enviou a Voltaire suas comédias, disfarçadas como "obras de um jovem autor desconhecido", para que desse sua opinião. O mestre foi cavalheiro o suficiente para expressar à autora imperial sua "*extrême admiration pour votre auteur inconnu, qui écrit des comédies dignes de Molière*" ("extrema admiração por vosso autor desconhecido, que escreve comédias dignas de Molière"). Catarina II aderiu à filosofia do Iluminismo francês na visão do teatro como "a escola do povo". Ela via o problema de um teatro nacional em termos concretos, educacionais:

> Esta escola deve permanecer sob meu controle, pois sou eu a mais alta autoridade educacional e devo portanto permanecer responsável diante de Deus pela moral de meu povo.

Em Varsóvia, a capital da Polônia, a tradição do teatro jesuíta sobrevivera ao lado da tradição da ópera áulica e do *Singspiel*. O teatro público, construído em 1779 por Bonaventura Solari, foi oficialmente chamado Teatr Narodowy, o Teatro Nacional. Seu primeiro dramaturgo notável foi o padre jesuíta Franciszek Zablocki, um porta-voz das ideias radicais burguesas. Traduziu *Le Père de Famille* de Diderot para o polonês e encenou o *Fígaro* de Beaumarchais como exemplo, para o povo polonês, da luta pela liberdade.

Enquanto isso, em Praga, o amante das artes, conde Nostic-Rhineck, dedicou-se a construir um teatro nacional na Praça Carolinum, e, no espírito do cosmopolitismo da Boêmia e da tradição centenária do teatro de Praga, o dedicou a "todo e qualquer tipo de peça permitida, sem discriminação de língua". O novo teatro foi inaugurado com grande pompa em 21 de abril de 1783, com uma encenação da *Emilia Galotti* de Lessing.

A primeira companhia teatral tcheca foi formada em 1786, numa tentativa de tornar o tcheco a linguagem do palco de Praga. Nos sessenta anos que se seguiram, a ideia de um teatro nacional tcheco, conforme Vladímir Prochazka observou criticamente num congresso em Liubliana em 1963, "evoluiu, de um racionalismo ilustrado, para um pobre nacionalismo burguês".

A história nos ensinou a acolher com ceticismo a ideia de um teatro nacional. No decorrer dos séculos seguintes, ela foi não raro invocada para propostas que pouco tinham a ver com as aspirações de seus pioneiros. Mas foi, também, aplicada a teatros que realmente provaram ser o que o termo originalmente queria dizer. No período de 1767-1786, os mais novos desses teatros – o que incluía os teatros nacionais alemães de Hamburgo, Viena, Mannheim e Berlim – dedicaram-se a "ser instrumentos de idealismo humano" e tentaram cumprir seus objetivos.

Mais ou menos na mesma época, emergia o conceito de um "teatro universal". Goethe o defendia em Weimar e cunhou o termo "literatura universal". "Mais e mais, estou chegando a ver que a poesia é um bem comum à humanidade", disse em 1827 a Eckermann, "a literatura nacional não conta muito nos dias de hoje. A época da literatura universal aí está, e todos precisam contribuir agora para realizá-la".

Entre o supremo senso de cidadania do mundo em Goethe e os autores da ideia de um teatro nacional estão as décadas durante as quais o teatro alemão se esforçou para adquirir um rosto próprio. A trilha de seu desenvolvimento leva, via *Schaubühne* de Gottsched (*Deutsche Schaubühne nach den Regeln der alten Griechen und Römer eingeri-chtet*, "o palco-cênico organizado segundo as regras dos antigos gregos e romanos", 6 vols., 1740-1745) e a *Hamburgische Dramaturgie* (Dramaturgia de Hamburgo) de Lessing, à era do classicismo de Weimar e aos ecos que despertou em Berlim e Viena.

As Reformas Dramáticas de Gottsched

Se fôssemos nos guiar apenas pelas apreciações críticas de Lessing, o curador tão despreconcebido do teatro alemão da era da Ilustração, o professor de literatura Johann Christoph Gottsched teria poucos méritos a seu crédito em assuntos de teatro. Pois Lessing escreveu:

> Nos dias de apogeu da sra. Neuber, nossa poesia dramática vivia num estado miserável. Não existiam regras, ninguém obedecia a nenhum modelo. Nossos "dramas heroicos" (*Staats-und. Helden-Aktionen*) eram cheios de tolices, linguagem bombástica, piadas indecentes e vulgares. Nossas "comédias" (*Lustspiele*) consistiam em disfarces e bruxarias, e os murros e socos eram sua mais espirituosa invenção. Não havia necessidade de ser um espírito particularmente grande ou sutil para perceber esta degradação.

Esta passagem, incluída em 1759 em *Briefe, die neueste Literatur betreffend* (Cartas sobre a Nova Literatura) foi o primeiro passo para o assassinato literário de um homem de quem Lessing, numa passagem muito citada, disse concisamente: "Seria de se desejar que o sr. Gottsched nunca tivesse se metido com o teatro. Seus pretensos melhoramentos referem-se a assuntos desnecessários ou tornam as coisas piores".

É bem provável que não teria havido nenhuma aproximação entre o jovem e inteligente esteta e o tacanho professor, mesmo em época mais propícia. Mas Lessing veio a conhecer o ditador literário em Leipzig somente quando o ardor reformista do último estava quase petrificado em pedantismo ressentido.

O próprio Gottsched, em seus dias de juventude, enquanto docente universitário com um interesse apaixonado pelo teatro, abordara com ardor a tarefa que inflamava as grandes mentes do século. "O razoável é ao mesmo tempo natural" – tal era a proposição estética que Gottsched queria não apenas proclamar *ex cathedra*, mas ver praticada no drama. Isto implicava, para ele, uma arte poética instruída nas regras racionalistas de Boileau, submetida à lei das três unidades de Aristóteles tanto quanto ao princípio moral, que não ofendesse nem a verossimilhança nem o bom gosto, e se baseasse na "inalterável natureza do homem e no senso comum".

"O poeta escolhe uma proposição moral, que deseja imprimir nos espectadores de maneira concreta. Ele inventa uma fábula geral para ilustrar a verdade de suas proposições", explicou Gottsched em *Versuch einer Critischen Dichtkunst vor die Deutschen* (Tentativa de uma Arte Poética para os Alemães, 1730). Ele discutiu as possibilidades de decidir-se por uma fábula cômica, trágica ou épica ou esópica. Um ponto essencial era que a comédia, por expor o vício ao ridículo, deveria proporcionar não somente prazer, mas também uma lição, isto é, riso saudável sobre as tolices humanas.

As teorias de Gottsched estavam em larga medida em uníssono com as do teórico da poética do barroco, Martin Opitz, cuja obra *Buch von der deutschen Poeterey* (Livro da Poética Alemã, 1624) permaneceu como autoridade no assunto e obra de orientação do século XVIII.

Invocando Horácio, Gottsched baniu o "miraculoso", tudo o que ia contra a verossimilhança, tanto em termos de poesia como de palco – e isto significava toda a "feitiçaria, fórmulas mágicas e trapaças" que envolviam o palco italiano e o Théâtre de la Foire em Paris, e do qual até mesmo Molière, "para agradar à Coroa", havia emprestado muitas invenções. Outra coisa que Gottsched não gostava em Molière era que, apesar de suas peças serem construídas de acordo com as regras e os mode-

21. Hanswurst do sul da Alemanha com figurino de camponês. Gravura colorida, *c*. 1790.

22. Joseph Ferdinand Müller, chefe da *troupe* rival da companhia da Frau Neuber em Leipzig, como Arlequim. Gravura da metade do século XVIII.

los dos Antigos, "ele sempre tornava o vício apenas muito agradável, e toda virtude muito teimosa, incivilizada e ridícula".

Nature – raison – antiquité, exigia Boileau, e Gottsched, da mesma forma, guiava-se por esta trindade. Ele assistiu aos espetáculos das *troupes* ambulantes, a despeito do muito que elas o irritavam com suas histórias e criaturas de "uma imaginação perturbada" e com todas as "coisas inacreditáveis que não têm precedente na natureza". Mas em 1725, uma jovem atriz ganhou sua aprovação. Numa peça chamada *Das Gespräche im Reiche der Toten* (A Conversação no Reino dos Mortos), ela atuou em quatro papéis masculinos diferentes – um pastor, um diletante em línguas orientais, um briguento e um gentil-homem – o tipo de *tour de force* de discurso e máscara, por meio do qual Isabella Andreini se tornou famosa em sua época. Gottsched escreveu um artigo entusiasmado sobre a jovem intérprete. Ela havia "caracterizado tão inimitavelmente quatro rapazes das mais famosas academias saxônicas", que ele nunca havia visto nada melhor em toda a sua vida. Esta crítica – publicada em 31 de outubro de 1725 no semanário moral *Die vernünftigen Tadlerinnen* de Gottsched – foi o primeiro tributo impresso a Karoline Neuber.

De nada adiantou o esforço de Gottsched para interessar a companhia Haacke-Hoffman, então atuando em Leipzig e à qual presumivelmente pertencia Karoline Neuber, em suas propostas de reformas. Ele pleiteava a adoção do discurso métrico segundo o modelo da tragédia clássica francesa, mas o diretor, Hoffman, declarou que seus atores não estavam acostumados ao verso declamado. Diderot deparou-se com a objeção oposta quando a Comédie Française estava ensaiando sua comédia em prosa *Le Père de Famille*.

Por volta de 1727, Karoline Neuber e seu marido eram chefes de uma companhia própria, e ela se mostrou simpática às ideias de Gottsched. Compreendeu as vantagens que a colaboração com Gottsched poderia trazer para a melhoria do nível geral da atuação. Concordaram numa combinação de teoria e prática, à qual o teatro alemão ficou devendo alguns novos impulsos importantes e também alguns eventos espetaculares.

Gottsched confiou sua peça *Der Sterbende Cato* (Catão Moribundo) à companhia dos Neubers em 1731, texto que foi anunciado como "a primeira tragédia original em alemão" e que era uma recomposição de partes tiradas de Addison e Deschamps, um tipo de tradução-compilação que mais tarde provocou do crítico de arte suíço Johann Jakob Bodmer o comentário desaprovador de que "Gottsched construía suas peças com cola e tesoura".

A representação foi um brilhante sucesso. Frau Neuber havia insuflado vida teatral no anêmico produto da mente do professor. Ela própria interpretava Pórcia, vestida com o tradicional figurino, de comprovada popularidade, "com um toucado mais largo que a rua, rijo e com todas as cores de um papagaio", segundo Christlob Mylius a descreveu. Como Catão, Friedrich Kohlhardt vagava solenemente com uma peruca e de meias com pompons.

Para Gottsched, foi uma amarga vitória. Ele havia sonhado com trajes romanos, não com um desfile de moda com chapéus emplumados e espadas de pano. Mas neste ponto Frau Neuber era conservadora. Era uma mulher sensata e decente; mantinha em ordem a vida privada de sua *troupe* e dava, ela própria, um bom exemplo; apreciava as reivindicações da literatura e era uma atriz completa. Mas não ficaria sem seu chapéu de plumas. Aceitava o palco como "um púlpito da filosofia moral" – mas não um palco sem o efeito dos figurinos.

Ela uniu suas forças às de Gottsched na batalha contra Arlequim. Em outro de seus "semanários morais", *Der Biedermann*, Gottsched declarara guerra ao "licencioso Hans Wurste", a popular personagem folclórica retratada por comediantes e palhaços. Dez anos mais tarde, Frau Neuber traduziu os repetidos ataques às "brincadeiras vulgares" do palhaço numa ação demonstrativa. Num erguer de cortinas, ela baniu solenemente Hanswurst do palco. (Ele foi banido e não queimado, conforme escreveu Eduard Devrient, e como pode ainda ser lido ocasionalmente hoje, embora este ponto tenha sido esclarecido já em 1854 por E. A. Hagen em *Geschichte des Theaters in Preussen* [História do Teatro na Prússia].) Não existem registros exatos de como isto se processou no Rossmarkt em Leipzig. Provavelmente, Arlequino e Scaramutz foram desapossados de suas vestes de palhaços e depois obrigados a deixar o palco. Para Frau Neuber, o episódio foi temperado com a satisfação pessoal de assim obter vingança contra seus competidores em Leipzig, a companhia do popular Arlequim, J. P. Müller.

Lessing entendeu a coisa como "a maior das arlequinadas", (*Briefe, die neueste Literatur betreffend*, Cartas Relativas à Novíssima Literatura, n. 17) por mais que, conforme disse num outro lugar,

todos os teatros alemães [...] parecessem concordar com este banimento. Digo "parecessem", porque na verdade apenas removeram o casaquinho garrucho e o nome, mas mantiveram o truão. A própria Frau Neuber apresentou muitas peças nas quais Arlequim era o personagem principal. Mas Arlequim era chamado Hänschen, e vestia-se todo de branco, em lugar de xadrez.

Lessing reconheceu o lado da questão sobre o qual Gottsched fazia vista grossa, ou seja, de que, com o banimento do bobo, muito da valiosa herança da representação popular havia sido jogada fora e, com mais faro para a comédia, acrescentou: "Acho que faríamos melhor se lhe devolvêssemos seu casaco multicolorido".

A colaboração entre Gottsched e Frau Neuber foi interrompida por um compromisso em S. Petersburgo. Quando a *troupe* retornou a Leipzig em 1741, desapontada e desiludida, Gottsched havia se ligado à Companhia Schönemann. Frau Neuber queria uma estreia sensacional. Ensaiou o *Sterbende Cato*, e intensificou o aspecto de paródia que dez anos antes havia rejeitado, ou seja, o "traje romano fielmente copiado", cujo melhor efeito consistia nas pernas nuas "drapejadas com linho cor da pele". O público, conta-se, "enterrou a tentativa com gargalhadas".

Por fim, em 18 de setembro de 1741, Frau Neuber conseguiu levar à cena, como espetáculo de abertura *Der allerkostbarste Schatz* (O Tesouro Preciosíssimo), peça na qual punha em cena seu antigo mentor sob a figura de um criticastro, e zombava dele não apenas com propriedade mas com sucesso, apresentando-o como um guarda-noturno com asas de morcego. Isto selou sua ruptura com Gottsched. Assim, o que começara em zelo comum por uma boa causa terminou num escândalo pequeno e mesquinho de vingança.

Mas os seis volumes de *Die deutsche Schaubühne*, que Gottsched publicou entre 1740 e 1745, estabeleceram a base de um futuro desenvolvimento que atraiu para o teatro a burguesia com suas aspirações culturais. Estes volumes contêm peças de Holberg, Destouches, Dufresny e Addison, com traduções dos alunos de Gottsched em Leipzig, dele próprio e de sua esposa, Luise Adelgunde. Molière está representado apenas com *O Misantropo*. Gottsched também incluiu uma larga seleção de peças de autores do início da Ilustração alemã. Gellert, Borkenstein, Quistorp, Mylius, Uhlich e Fuchs contribuíram com suas "comédias originais"; J. C. Krüger, o tradutor de Marivaux, e J. E. Sclegel estavam representados e, é claro, também o próprio Gottsched, com sua tragédia modelo e numerosos insertos de sua teoria, desde as ideias de Fénelon sobre a tragédia até as polêmicas de St. Evremond contra a ópera.

Die Deutsche Schaubühne de Gottsched tornou-se o fundo literário do teatro ilustrado de língua alemã. A teoria do utilitarismo moral, mais tarde tão injuriada e tão pedantemente remodelada pelo próprio Gottsched, chamou à cena forças posteriores que exerceram uma influência duradoura e validou seus esforços: embora não haja contribuído com nenhuma obra original de qualidade, esse teórico e crítico criou as condições para isso.

As *troupes* ambulantes tomaram como ponto de honra a apresentação regular de peças em verso e, remetendo-se à "bem conhecida aliança entre o professor Gottsched e Frau Neuber", a demonstração de que eram tão capazes quanto eles de satisfazer as exigências de uma plateia meticulosa e severa. Há evidência dos dois aspectos nas petições de uma recém-fundada companhia em Danzig (Gdansk) e em documentos relacionados com as companhias teatrais na Áustria. Quando as *troupes* de Eckenberg e Hilverding aventuraram-se no drama em verso ao estilo de Gottsched, conta-se que foram muito aplaudidos, "embora a plateia fosse da velha guarda e parcial aos autores vienenses".

As peças recomendadas por Gottsched, com sua estreita unidade de lugar, adequavam-se até a teatros equipados com os cenários mais modestos. Se preciso, podiam ser levadas num palco simples dividido por uma cortina central, a forma básica do palco itinerante do barroco. As companhias mais completas e de sucesso podiam valer-se dos gêneros costumeiros de cenários que, de acordo com a classificação de Opitz sobre tipos de espetáculos, diziam respeito à tragédia ou à comédia, tais como o salão de um castelo, um templo com átrio, uma vivenda com jardim, um campo de batalha ou uma floresta.

Gottsched considerava crucial que "o lugar representado permanecesse o mesmo ao longo de toda a tragédia (ou comédia)", pois, argumentava, uma vez que o espectador permanecia em sua cadeira no curso da representação, pareceria inverossímil se houvesse uma troca de cenário no palco. A regra racionalista da verossimilhança era a razão do preconceito de Gottsched contra o *théâtre italien* e seu descendente em Paris, o *opéra comique*, e o mundo de contos de fadas e fantasia da ópera e *Singspiel*.

Mas enquanto Gottsched pontificava com severidade edificante sobre a simplicidade empolada, a razão fazia um jogo duplo no teatro áulico do rococó. A sociedade elegante enfeitava-se com guirlandas de flores, cercava-se de *chinoiseries* e usufruía de seu frívolo jogo como os deuses embelezados do Parnaso. O amor entalhava seu arco no bordão de Hércules.

Em Munique, o mais belo teatro do rococó foi inaugurado em 12 de outubro de 1753, no dia do nome de seu patrono, o eleitor Max Emanuel. Construído por François Cuvilliés no pátio do palácio Residenz, onde resiste até hoje, sua inauguração, com a ópera *Catone in Utica* de Ferrandini, constituiu-se numa celebração de gala: as tapeçarias suntuosas e as *palmettes* das paredes brilhavam rubras e douradas à luz dos incontáveis candelabros. O herói da ópera era o próprio Catão da época de César, que Gottsched forçara a envergar o apertado casaco das regras austeras de sua tragédia modelo.

Lessing e o Movimento do Teatro Nacional Alemão

A paixão de Lessing pelo teatro despertou sob os olhos de Frau Neuber. Seu primo Christlob Mylius o apresentara ao círculo dos Musensöhne (Filhos das Musas), que se dirigia em bando ao Quandtsche Hof, na Nikolai Strasse em Leipzig, para admirar a estrela e sua *troupe*. Lessing participava dos ensaios, fazendo-se útil como tradutor, e aprendeu "uma centena de bagatelas importantes que um poeta dramático precisa conhecer".

Em 1748, Frau Neuber apresentou a primeira comédia de Lessing, *Der junge Gelehrte* (O Jovem Erudito). Aos dezenove anos, o jovem viu-se festejado pelos amigos como um futuro Molière. Somava-se à sua felicidade o fato de esse ter sucesso acontecido em Leipzig, o baluarte da vida literária da época, dentro do horizonte do "grande *Duns*" (Besta Quadrada), que foi como Lessing rotulou Gottsched em 1759 na *Literaturbriefe* (Cartas sobre a Literatura), criticando violentamente seu "teatro afrancezado". Mas numa questão Lessing concordava completamente com Gottsched, e ao mesmo tempo antecipava o conceito de Schiller do teatro como uma instituição moral: na convicção de que a comédia tem valor porque provoca o riso (embora pusesse objeção ao riso de escárnio pretendido por Gottsched). É a contrapartida da interpretação da catarse aristotélica como a transformação da compaixão e medo em "práticas virtuosas" – interpretação que deve ser compreendida com o mesmo senso moral.

Enquanto trabalhava como jornalista em Berlim, Lessing serviu de intérprete a Voltaire. Com ele aprendeu a "distinguir o moral do puramente intelectual", e aguçou o senso crítico nesse contato com o divino e absolutamente não divino Voltaire, cujo *Esprit* não o impedia de perder a *Contenance*, o autocontrole. Uma desavença acabou com a colaboração. Lessing tentou em vão "obter um perdão do filósofo"; perdeu uma posição bem paga, e o secretário de Voltaire, Richier de Louvain, que conseguira o emprego para ele, também foi despedido.

O rei Frederico o Grande ficou sabendo do ocorrido, e sua lembrança do fato, quinze anos mais tarde, arruinou as bem-fundadas esperanças de Lessing com respeito ao posto de diretor da biblioteca real. É a esta circunstância que a história do teatro alemão deve um de seus mais brilhantes documentos, a *Hamburgische Dramaturgie* (Dramaturgia Hamburguesa) de Lessing.

Hamburgo, a liberal cidade hanseática sobre o rio Alster, já era importante centro cultural no período barroco. Os Comediantes Ingleses, os primórdios da ópera, as peças de Johann Rist, as apresentações de Frau Neuber como convidada da Comoedienbude in der

23. O teatro no Gänsemarkt em Hamburgo, construído em 1765 por K. Ackermann e administrado como Teatro Nacional com a colaboração de Lessing, 1767 a 1769. Desenho a lápis, 1827.

24. Cenário para a estreia de *Die Räuber* (Os Salteadores) de Schiller em 13 de janeiro de 1782 no Teatro Nacional em Mannheim. Fotografia dos cenários originais, que foram preservados até 1944.

25. Palco para burguês, *c.* 1780. A cena tem ribalta aberta, caixa de ponto e bastidores com portas praticáveis e janelas pintadas. Estampa da época.

26. O Teatro Nacional em Mannheim, projetado por Lorenzo Quaglio e construído em 1778. Desenho de J. F. von Schlichten; gravura de Klauber, 1782.

Fuhlentwiet, a recepção precoce a Holberg e seu eco em *Bookesbeutel* (Livro de Bolso) (1742) de Borkenstein, tudo isso foram pedras miliares na vida teatral de Hamburgo. Em 1764, o diretor Konrad Ackermann conseguiu permissão para demolir a velha ópera do Gansemärkt e construir no local um novo e espaçoso teatro com duas galerias para espectadores. A peça alegórica *Die Comedie im Tempel der Tugend* (A Comédia no Templo das Virtudes) de Friedrich Löwen encetou um breve período áureo, que começou em 31 de julho de 1765 e terminou um ano mais tarde com a ruína de Ackermann. Ele alugou o prédio a um consórcio de doze cidadãos hamburgueses que se interessaram pela arte do teatro em parte por razões financeiras, em parte por consideração a suas atrizes.

O comerciante Abel Seyler assumiu a direção financeira, e Friedrich Löwen, a artística. Em apoio às exigências de J. E. Schlegel, o novo empreendimento chamou-se Teatro Nacional Alemão. Esta assim chamada Empresa Hamburguesa foi construída por atores que rivalizavam entre si e por homens de negócios experimentados em matéria de bancarrota; faltava-lhes uma insígnia séria e um nome respeitável.

A escolha recaiu sobre Lessing. "Aconteceu de eu estar parado na praça do mercado, sem nada para fazer; ninguém queria me empregar, sem dúvida porque ninguém precisava de mim para nada", lembra Lessing no final da *Hamburgischen Dramaturgie*. A ideia de tomar parte em empreendimento tão promissor, o bom salário e o desapontamento de ter sido rejeitado em Berlim concorreram para que aceitasse.

Em 22 de abril de 1767, o Teatro Nacional de Hamburgo na Gänsemarkt foi inaugurado com a tragédia de martírio *Olint und Sophronia* de J. F. von Cronegk. No mesmo dia Lessing anunciava a publicação de sua *Hamburgischen Dramaturgie*. O novo empreendimento, prometia ele, não pouparia esforços ou custos; "se vai ter bom gosto e espírito crítico, o tempo dirá". Ele se comprometeria a dar "um relato detalhado de tudo o que for feito aqui tanto na arte da dramaturgia quanto na da representação". Não seria possível, entretanto, evitar peças medíocres. "Não quero elevar demais as expectativas do público. Ambos dão-se mal: os homens que prometem demais e os que esperam muito", concluía Lessing, cuja experiência o ensinara a ser cético.

Lessing era bastante cuidadoso para não cair em nenhuma das duas armadilhas. Mas os acontecimentos o puseram à prova mais depressa do que temia. Os empresários não conseguiam concordar entre si nas questões de negócios e nas questões artísticas, havia intrigas entre os atores e, para completar, o pastor-mor de Hamburgo, J. M. Goeze, andava pregando contra "o pecado do teatro". Tudo isso prejudicou o impulso e o lucro do empreendimento. E assim a encenação de *Minna von Barnhelm* de Lessing, em 30 de setembro de 1767, teve uma recepção morna da parte do público.

Na reapresentação do espetáculo houve uma tentativa de divertir a plateia inserindo-se números acrobáticos. A *Dramaturgie* de Lessing não fornece esclarecimentos a esse respeito. Suas notas ficaram no período bem anterior às estreias. Sua elevada demanda estética, sua cuidadosa apreciação de uma arte "transitória por natureza", sua integridade pessoal e seu senso de responsabilidade com relação ao projeto e a si mesmo não puderam evitar o conflito com os intérpretes. Sua posição no teatro, como crítico pago pela direção, era em si própria contraditória.

A sra. Sophie Hensel, a principal atriz do elenco e esposa de Abel Seyler, ofendeu-se seriamente com o que Lessing ousou dizer na seção 20 da *Dramaturgie* sobre seu papel em *Cenie*: "Parece-me ver um gigante exercitando-se com a arma de um cadete" e: "Eu preferiria não fazer tudo o que sou perfeitamente capaz de fazer muito bem".

Enquanto a companhia estava tentando remendar seu destino financeiro excursionando, Lessing discutia os problemas de um Teatro Nacional Alemão e as causas da – claramente previsível – falência em Hamburgo. Ao encerrar a *Dramaturgie* com a seção 104, ele o fez com uma amarga verificação: "Temos atores, mas nenhuma arte da interpretação. Se alguma vez existiu tal arte, não a possuímos mais; está perdida; é preciso descobri-la inteiramente de novo".

Lessing permaneceu em Hamburgo por três anos. Depois, partiu. O sonho de um teatro nacional acabara, no que diz respeito tanto a suas aspirações artísticas quanto a seus objetivos sociais. O ator continuou, como antes, à mercê das vicissitudes de uma vida nômade. A desilusão de Lessing culminou em zombaria sobre "a bem intencionada ideia de proporcionar aos alemães um teatro nacional, quando nós, alemães, não somos sequer uma nação! Não estou falando da constituição política, porém exclusivamente de caráter moral".

Herder concordava com a queixa de Lessing. Em seu premiado ensaio *Über die Wirkung der Dichtkunst auf die Sitten der Völker in alten und neuen Zeiten* (Sobre o Efeito da Poesia na Moral dos Povos nas Épocas Antigas e Modernas) ele explicava a ausência de uma arte poética nacional pela falta de uma língua viva comum, e em penetrante alusão à prática dos governantes alemães de vender seus súditos indefesos para trabalhar na América, acrescentava: "A Alemanha não terá por certo nenhum Homero, enquanto este tivesse de cantar sobre seus irmãos embarcados como lotes de escravos para a América".

Na *Kabale und Liebe* (Intriga e Amor) de Schiller, o criado de quarto de lady Milford relata como um soberano vende seus súditos. Houve uma explosão de piedade e amargura. O otimismo da Ilustração que imperou na primeira metade do século foi submerso por uma onda de apaixonada rebelião contra o estado político e social das coisas. Os jovens dramaturgos do movimento *Sturm und Drang* (Tempestade e Ímpeto) descarregaram suas emoções anti-iluministas num protesto contra os poderes da compulsão política.

"Plenitude de coração" e liberdade de sentimentos eram as palavras de ordem de um movimento renovador burguês e jovem que tirava sua inspiração de Rousseau: "*Le sentiment est plus que la raison!*" – "o sentimento é maior que a razão". O ideal de uma humanidade constituída pela personalidade autônoma do homem "natural" emergia. O conflito entre o que era então chamado na Alemanha de "gênio original" e a ordem do mundo existente derrubou as barreiras dos tabus políticos, sociais e morais e desafiou a complacência da autoridade até então inquestionada. No drama, isto encontrou expressão numa enfática dinâmica da ação.

O movimento tirou seu nome de *Sturm um Drang* do título alternativo que C. Kaufmann de Winterlhur, um apóstolo do movimento, havia dado ao drama *Der Wirrwarr* (A Confusão) de Maximilian L. Klinger. Em vez dos princípios de Aristóteles e do classicismo francês, e de sua adaptação no *Critische Dichtkunst* (Arte Poética Crítica) de Gottsched, Shakespeare era aclamado como o novo modelo. Sustentados pela tradução em prosa de Wieland, os patrícios do *Sturm und Drang* porfiavam na linguagem solta e na arrojada sucessão de trocas de cena.

Já J. E. Schlegel havia zombado contidamente da regra da unidade de lugar com a lacônica nota: "Local da cena: sobre o palco", e também Justus Möser em *Harlequins Heirath* (O Casamento de Arlequim), com a rubrica: "Local: no lugar marcado"; agora, J. M. R. Lenz, em seu *Der neue Mendoza* (O Novo Mendoza), declarava sucintamente: "Local da cena: aqui e ali".

Um pouco antes, com a peça *Der Hofmeister* (O Preceptor), na qual uma abundância de personagens coloridamente variada transmite um vívido corte transversal na estrutura social da época, Lenz havia pelo menos levado em conta as possibilidades cênicas do palco. *Die Soldaten* (Os Soldados) também era ainda uma peça encenável e, em seu ensaio *Über die Veränderungen des Theaters in Shakespeare* (Sobre as Variações do Teatro em Shakespeare), Lenz admitia que as mudanças de cena em Shakespeare eram sempre exceções às regras, que ele sacrificara apenas por "vantagens mais altas". Lenz apresentou a alegação de que o teatro era "um espetáculo dos sentidos, não da memória". Armado com essa franquia, impeliu a errática situação técnica de *Der neue Mendoza* ao excesso caracterizado por Erich Schmidt como "caos frenético".

O apaixonado engajamento com que estes jovens *Stürmer und Dränger* desafiaram seu tempo desprezava qualquer concessão à convenção, e desdenhava também das limitações do palco. Isto significava renunciar à possibilidade de cumprir a função de sátira e crítica social que traziam no coração. Bertolt Brecht adaptou *Der Hofmeister* em 1950, numa tentativa de renovar o aspecto de crítica social da peça a partir de um ponto de vista do século XX. O *Frankfurter gelehrte Anzeigen* (Notícias Doutas de Frankfurt) de 26 de julho de 1774, entretanto, declarava: "A peça inteira transpira conhecimento da natureza humana" e:

Graças sejam dadas ao homem que tem a coragem de rebentar o que agrilhoa nossa mente e coração, e nos proporciona em troca o que é tão raro – pessoas reais e sentimento verdadeiro. Graças lhe sejam dadas por não se deter quando a torrente de seu gênio se derrama.

Um dos poucos homens de teatro, contemporâneos, que abriu suas portas ao drama do *Sturm und Drang* foi Friedrich Ludwig Schröder. Em 1771, aos vinte e sete anos de idade, havia sucedido Konrad Ackermann em Hamburgo. Seu credo artístico viria a ser o "verdadeiro" e o não "belo". Sentiu-se chamado e interpelado pelo ímpeto dos jovens dramaturgos de "gênio" e pelos "negros sonhos do desejo poético", conforme colocou Merck, em desaprovação crítica. Encenou *Clavigo* e *Götz von Berlichingen* de Goethe em Hamburgo, e também *Die Zwillinge* (Os Gêmeos) de Klinger e *Der Hofmeister* de Lenz.

A alternância da representação no proscênio ou em profundidade oferecia alguma possibilidade de fazer pelo menos uma remota justiça ao dinâmico "aqui e agora" da ilimitada mobilidade dos dramaturgos do *Sturm und Drung*. Mas o exemplo de Schröder, que arriscou muito por escasso sucesso, não encontrou imitação. A estreita moldura do palco de *peep-show* era uma constante que não cedia. Em 1786, o jovem Schiller confessou numa carta a Friedrich Ludwig Schröder em Hamburgo: "Agora conheço muito bem os limites que as paredes de madeira e todas as circunstâncias necessárias do preceito teatral impõem ao dramaturgo".

CLASSICISMO ALEMÃO

Weimar

O teatro é um daqueles negócios que menos se prestam a um tratamento planejado; a todo momento depende-se inteiramente do tempo e da contemporaneidade: aquilo que o autor quer escrever, o ator, interpretar, o público, ver e ouvir, é isto que tiraniza os administradores e os desapossa de qualquer juízo próprio.

Esta passagem consta do exemplar de março de 1802 do *Journal des Luxus und der Moden* (Jornal do Luxo e da Moda). Quem a escreveu estava profundamente envolvido no mais sistematicamente planejado programa cultural já tentado no teatro alemão: Goethe. Seu teatro em Weimar tornou-se o embrião do classicismo alemão. Da cooperação de Goethe e Schiller brotou a harmonia entre criação poética e teatro que a Inglaterra havia conhecido nos dias de Shakespeare, a Espanha, nos de Calderón e a França, na época de Molière.

O estilo cênico de Goethe em Weimar não possuía nem a espontânea vitalidade do teatro elizabetano nem a perfeição artística do *théâtre français*. Era o resultado de cuidadoso e árduo trabalho preliminar, uma tentativa de transfigurar os prosaicos tijolos de um *ensemble* inadequado nos átrios de mármore dos altos ideais.

"Os alemães, em média, são pessoas retas e decentes, mas não possuem a mais vaga noção do que seja originalidade, inventividade, caráter, unidade e acabamento numa obra de arte", queixava-se Goethe em 28 de fevereiro de 1790, numa carta a J. F. Reichardt: "Dadas estas condições, o senhor poderá imaginar que esperanças deposito em seu teatro, esteja a cargo de quem estiver". A ocasião para estes céticos comentários de Goethe foi a reconstrução pendente, em 1791, do teatro da corte de Weimar, do qual se tornaria vítima e salvador. Ele não tinha motivo para subtrair-se a essa tarefa e provavelmente nunca teve nenhuma intenção séria de fazê-lo.

Desde 1775, Goethe foi o coração e a alma da feliz e artística sociedade da Corte em Weimar, como poeta, encenador e ator. Suas primeiras operetas, farsas e mascaradas destinavam-se ao seleto círculo íntimo e à duquesa-mãe, Anna Amalia. No palco provisório do Redoutenhaus de Weimar, a primeira versão em prosa rítmica de *Iphigenie auf Tauris* foi encenada em 6 de abril de 1779. Goethe interpretou Orestes, o príncipe Constantin foi Pylade, Seidler – um secretário – foi Arkas, e von Knebel, tutor do príncipe, aparecia como Thoas. O papel de Ifigênia foi desempenhado por Corona Schröter, a atriz que Goethe havia entusiasticamente admirado em seus dias de estudante em Leipzig.

Ela musicara e cantara os versos de *Die Fischerin* (As Pescadoras) de Goethe quando encenados em 1782 no Parque de Tiefurt "em cenário natural" – uma pitoresca pastoral em estilo rococó sob o céu noturno às margens do Ilm.

27. Cena de *Iphigenie auf Tauris*, de Goethe: Iphigenie, Orestes e Pylades. Desenho a giz de Angelika Kauffman (Weimar, Museu Nacional Goethe).

28. Apresentação de *Die Fischerin* (As Pescadoras), de Goethe, no parque em Tiefurt, 1782. Corona Schröter no papel título. Aquarela de G. M. Kraus (Weimar, Castelo Tiefurt).

29. O palco e cenários do teatro Lauchstädt, onde o Teatro da Corte de Weimar, sob a direção de Goethe, atuou nos meses de verão dos anos de 1802 a 1806.

A primavera de 1783 marcou o fim das representações amadoras de Goethe. Ele precisou devotar-se às obrigações de suas funções públicas, especialmente às finanças do Estado, das quais havia se encarregado em 1782. De 1784 em diante, Joseph Bellomo e sua "Companhia de Comediantes Alemães" tomaram conta da vida teatral da cidade. Durante o inverno, três espetáculos semanais eram programados na Redouten- und Comödienhaus em Weimar; no verão, o elenco de Bellomo apresentava-se nas termas da Turíngia, especialmente em Lauchstädt, onde ele adquirira um teatro próprio, e também nas cidades de W. Eisennach, Gotha e Erfurt, na Turíngia. (Em Gotha, sua troupe teve como rival por algum tempo a companhia Seyler, liderada por Konrad Ekhof, que sobrevivera à bancarrota dos Empresários de Hamburgo.)

Bellomo teve licença para usar livremente a Redouten- und Comödienhaus de Weimar, inclusive, além do edifício, o equipamento de calefação e iluminação – e também o cenário e decorações, dos quais, dentro de um conjunto de sessenta e nove itens, faziam parte uma cascata pintada em papelão, uma torre de tecido e um carro triunfal com duas rodas e um varal. O tesouro ducal contribuía com quarenta tálers por mês para custos operacionais. Porém a mais importante contribuição vinha de "consideráveis subsídios dos cofres particulares de vários membros da família ducal", que, em troca, recebiam cadeiras reservadas e entrada livre a qualquer hora.

A Redouten- und Comödienhaus de Weimar, construída em 1780 próxima ao Wittumspalais da duquesa-mãe Anna Amalia, era um teatro da cidade e da corte, como outros tantos existentes alhures – nem pior, nem melhor, se bem que sua aparência externa fosse mais modesta: "Não mais vistosa que a da reitoria em nossa cidade", comentou desapontado o filho do maestro da corte, W. G. Gotthardi, quando esteve pela primeira vez em Weimar.

Esta era a situação que Goethe encontrou quando, após a dispensa da Companhia de Bellomo em 1791, o duque Carl August pediu-lhe que assumisse a direção do teatro. Sua primeira reação foi cuidadosa: "Estou começando a trabalhar bastante *piano*; talvez saia, finalmente, alguma coisa disso, para o público e para mim".

Um novo elenco foi reunido e fez sua estreia sob a nova direção em 7 de maio de 1791, com *Die Jäger* (Os Caçadores) de Iffland, um retrato dos costumes rurais. Foi o começo de um importante quarto de século da história do teatro alemão, sob a administração e direção artística de Goethe. O prólogo ao programa daquela noite de abertura dava expressão do que ele tinha em vista: "Harmonia da representação inteira" e "um belo todo conjuntamente representado".

Já o grande ator-diretor Ekhof havia, algum tempo antes, falado do "concerto" cênico. Goethe, por sua vez, também gostava de retirar suas metáforas da música, conforme testemunha a seguinte passagem a respeito da arte de representar, extraída de seu romance *Wilhelm Meister*:

> Não devemos abordar com a mesma precisão e com o mesmo espírito o nosso trabalho, já que praticamos uma arte muito mais delicada do que qualquer gênero de música, já que somos exortados a dar uma representação saborosa e interessante das mais comuns e raras das manifestações humanas?

A base do "estilo de Weimar", como concebido por Goethe, era a linguagem métrica. Uma distribuição disciplinada do verso e uma estrutura ordenada a fim de formar um todo pictórico parecia-lhe essencial para uma apresentação imaginosa sobre o palco. "Não apenas imitar a natureza, mas representá-la idealmente", era o que ele esperava de um ator que, "assim, deveria combinar verdade e beleza em sua atuação".

Educam-se pela arte – este era o grande ideal de Goethe, que ele próprio pôs em prática. A autoeducação como compreendida pelo olhar humanista da Grécia era o tema de seu romance *Wilhelm Meister*, dos dramas *Iphigenie* e *Tasso* e, essencialmente, de *Fausto*. A vocação do homem para a liberdade moral e a dignidade, a "nobre inocência e grandeza silenciosa" de Winckelmann enquanto uma definição da beleza clássica – com base nestas ideias era possível construir obras-primas da arte poética. Mas como ficavam, no meio tempo, os prosaicos aspectos do trabalho prático do teatro?

A preocupação imediata de Goethe era tirar gradualmente os atores "do terrível estilo rotineiro em que a maioria se acomodava reci-

30. O Teatro da Corte em Weimar, na época de Goethe. Gravura de L. Hess.

tando mecanicamente seus versos". Ele se propunha a escrever algumas peças, fazendo concessões razoáveis ao gosto corrente, e então verificar se os intérpretes poderiam pouco a pouco acostumar-se a textos métricos mais sofisticados.

Goethe não considerava de modo algum o palco de Weimar como instrumento para seus próprios dramas. Uma vista d'olhos sobre o repertório mostra que mesmo durante o período áureo de Weimar esse palco foi dominado pelos "confeccionadores" de peças para o gosto público, encabeçados por Kotzebue e, a uma certa distância, Iffland, com Goethe, Schiller, Shakespeare e Lessing formando a retaguarda. No trabalho refletido do ator August Wilhelm Iffland, Goethe via muito de seus próprios esforços colocados em prática; ele apresentava, como exemplo para o seu elenco, "a inteligência com a qual este excelente artista se mantém distante de seus papéis, faz um todo balanceado de cada um e pode retratar tanto o que é nobre como o que é comum, sempre artisticamente e com beleza".

A temporada de um mês de Iffland em Weimar em abril de 1796 foi o primeiro grande acontecimento sob a administração de Goethe. Schiller e a esposa vieram de Jena (onde ele ocupava um cargo de professor de história na Universidade), e a casa de Goethe em Frauenplan tornou-se o centro de copiosas conversas sobre o teatro. Schiller adaptou *Egmont*, de Goethe, especialmente para Iffland, e trabalhou com o ator na elaboração do papel. Naturalmente, o grande galardão nos papéis de Iffland – Fraz Moor, em *Die Räuber* (Os Salteadores) de Schiller – também estava no programa. Iffland criara o papel na primeira apresentação de *Die Räuber* em Mannheim, em 13 de janeiro de 1782, e por toda a sua vida sentiu que possuía um direito e uma ligação com ele.

No total, Iffland apareceu em catorze papéis diversos, de preferência em peças de sua própria autoria. Estas eram exemplos de drama trivial burguês, que Goethe estava predisposto a aceitar de maneira mais indulgente do que Schiller. A tentativa de ligar Iffland permanentemente a Weimar falhou após prolongadas negociações. Berlim ofereceu-lhe a direção do Teatro Nacional Real, e é possível também que tivesse tomado consciência de quão pouco o estilo artístico de Weimar lhe assentava. Na realidade, Schiller valeu-se da oportunidade em 1796, em sua paródia *Shakespeares Schatten* (A Sombra de Shakespeare), para ridicularizar os fabricantes de peças sentimentais que, em vez de César, Orestes ou Aquiles, levavam ao palco nada além de "clérigos, homens de negócios, guarda-marinhas, secretários ou majores de hussardos", e cujas maiores ambições eram ser completamente populares, domésticos e burgueses. Schiller queria ver em cena "o grande, gigantesco destino, que exalta o homem mesmo quando o esmaga". Os heróis de suas tragédias foram Fausto, Don Carlos, Mary Stuart, Joana d'Arc e Wallenstein.

Wallensteins Lager (O Acampamento de Wallenstein) de Schiller (ao lado de *Die Korsen* – Os Corsos – de Kotzebue) foi a peça escolhida para a reabertura de gala do teatro de Weimar, em 12 de outubro de 1798, após sua reconstrução e redecoração pelo professor Thouret. Em dezembro de 1799, Schiller mudou-se definitivamente para Weimar. Todas as noites, ele e Goethe se encontravam para conversar, e assim se iniciou a colaboração direta entre ambos nas questões da criação dramática e do teatro.

Nesta época, Goethe havia começado a procurar um caminho de ligação com a tragédia clássica francesa. Desde os dias do *Sturm und Drang* e da influência de Herder em Estrasburgo, embora apreciasse Diderot e Rousseau, rejeitava Voltaire. No entanto, interessou-se por *Mahomet* e *Tancrède*, deste autor. Propôs a Schiller uma adaptação alemã de *Mithridate* de Racine e do *Cid* de Corneille. A sugestão originalmente viera de Wilhelm von Humboldt, numa longa carta sobre o teatro que ele havia escrito a Goethe de Paris, em agosto de 1799. Goethe publicou a carta de Humboldt em seu periódico *Propyläen* em 1800 com o título *Über die gegenwärtige französische tragische Bühne* (Sobre a cena francesa atual).

O que Humboldt escreveu sobre a arte do celebrado ator Talma, que preservara a tradição da Comédie Française através do período da Revolução Francesa, pareceu a Goethe uma confirmação brilhante de seus próprios objetivos. "Se em outros atores pode-se de vez em quando notar uma bela pintura, como dizem aqui", escreveu Humboldt, "sua (de Talma) atuação mostra uma sequência ininterrupta delas, um ritmo harmonioso de todos os movimentos, pelos quais a coisa toda retorna de novo à natureza, embora muito deste jeito de interpretar, tomado em detalhe, a deixe pra trás".

Em especial, Humboldt elogiava no estilo francês de atuação a perfeita harmonia estética de movimentos e gestos com a cadência do verso, "os aspectos pictóricos do jogo da atuação", a justa proporção entre a graça e a dignidade que Goethe lutava com tanta firmeza para atingir no palco de Weimar.

O trabalho diário de Goethe, no tocante ao teatro, é documentado em seu famoso, ou famigerado, *Regeln für Schauspieler* (Regras para o Ator), que Eckermann coletou em 1824 a partir de notas dispersas em pedaços soltos de papel e que, com a aprovação de Goethe, reuniu em noventa e um parágrafos. As regras referem-se a questões tais como técnica da fala, recitação e declamação, postura do corpo, atuação conjunta e, ponto repetido exaustivamente, agrupamentos em quadros estilizados. As regras de Goethe têm muitos predecessores e sucessores no teatro universal para serem lembradas como excepcionais. Gramáticas da arte da atuação existiram em todas as épocas em que a reflexão crítica foi mais forte que a vitalidade mímica e o intelecto ponderador mais pesado do que a emoção espontânea.

31. Iffland no papel de Nathan em *Nathan der Weise* (Natan, o Sábio) de Lessing. Água-forte da série *Ifflands Mimische Darstellungen*, dos Irmãos Henschel, Berlim, 1811.

O que irrita nos parágrafos de Goethe não é o fato nem a época de sua redação (Konrad Ekhof, também, havia começado sua promissora, embora de vida curta, academia de atores, em Schwerin, com um programa de vinte e quatro princípios), mas o formalismo convencional das regras de postura e movimento. O parágrafo 43, por exemplo, reza:

> Uma bela e refletida postura – por exemplo, para um jovem – é quando permaneço na quarta posição de dança, o peito e o corpo todo virados para fora, e inclino a cabeça levemente para o lado, fixo os olhos no solo e deixo os braços penderem.

Mas há uma explicação para esse aparente pedantismo. Por trás se acha Noverre, cujas famosas *Lettres sur la Danse* foram divulgadas na Alemanha desde 1769 na tradução que Lessing fez, de vários excertos; e em volumes inteiros das mais variadas discussões teóricas. Goethe os versou com domínio suficiente para que, no parágrafo 90, ele os resumisse como se segue, inteiramente no espírito de Diderot: o ator deve "apropriar-se, conforme os seus significados, de todas essas regras técnicas, e deve sempre aplicá-las, de modo que se tornem um hábito. A rigidez deve desaparecer e a regra tornar-se meramente a secreta linha mestra da ação viva".

Goethe estava bem consciente do perigo do maneirismo frígido. Sua máxima "primeiro belo e depois verdadeiro" levou a um tipo de estilização que se tornou uma camisa de força. Eduard Devrient apontou por certo um importante critério do trabalho de Goethe para o teatro, em *Geschichte der deutschen Schauspielkunst* (História da Arte do Teatro Alemão). Ele argumentava que a "abordagem poética e crítica" preponderava e que Goethe, a despeito de seu fino sentido para a arte do desempenho, "não sentia sua pulsação".

As teses de Goethe na estética do teatro formaram uma concepção básica da arte clássica de escrever e montar peças teatrais, que serviram de pedra de toque para gerações futuras. Elas causaram algumas violações, como, por exemplo, nas adaptações de Shakespeare em Weimar; e falhavam completamente quando um espírito independente irrompia no anseio apolíneo pela harmonia. *Der zerbrochene Krug* (A Bilha Quebrada) de Kleist encenada em Weimar, em 2 de março de 1808, constituiu um fracasso catastrófico. A divisão em três atos desta peça tesamente construída em um só ato foi apenas uma das razões. A causa interior do malogro estava na estaticidade do estilo weimariano de jogo interpretativo e na indelével declamação aprendida no desempenho do ator principal. Um dos integrantes do elenco de Weimar, Anton Genast, escreveu: "A despeito de todas as descomposturas de Goethe nos ensaios, não havia como tirá-lo (o ator principal) de seu ostentoso fluxo oratório".

Semente lançada por Goethe... Este era o título de um panfleto publicado em 1808 pelo ator K. W. Reinhold, após sua demissão de Weimar. Vale a pena mencioná-lo, nem que seja única e exclusivamente por ter induzido Gerhart Hauptmann em erro, quando ele o usou para escrever *Die Ratten* (Os Ratos). Nesta peça, o diretor de teatro Hassenreuter professa "o catecismo dos atores de Goethe" como sendo o alfa e o ômega de suas convicções artísticas. O parceiro de Hassenreuter nos diálogos, o jovem estudante de teologia Spitta, rejeita as regras de Goethe como "completo disparate mumificado". O Spitta de Hauptmann exclama triunfalmente:

> E o que dizer se ele decretar: "Todo ator, independentemente do personagem que representa, precisa – eu cito suas palavras – 'precisa mostrar algo de canibalístico em sua fisionomia' – estas foram suas palavras – 'alguma coisa que nos lembre imediatamente a alta tragédia'".

Hauptmann expôs seu ponto de vista altamente teatral, mas Goethe é inocente da imputação. A fonte, conforme Hans Knudsen provou, não é Goethe, porém o panfleto de Reinhold, *Saat von Göthe Gesäet dem Tage der Garben zu reifen. Ein Handbuch für Ästhetiker und junge Schauspieler* (Sementes Lançadas por Goethe para Amadurecerem no Dia dos Feixes. Um Manual para Estetas e Jovens Atores).

Após a prematura morte de Schiller (em 1805, aos quarenta e seis anos), Goethe continuou no caminho que haviam percorrido juntos, sem ceder em nenhum de seus princípios. E assim cresceu o conflito entre Weimar e a escola de Hamburgo, cujo objetivo supremo era a representação realista. A principal figura no teatro hamburguês era então Friedrich Ludwig Schröder, o grande intérprete de Shakespeare e chefe de companhia, cuja força era a individualização das personagens. De início, tão logo assumiu o teatro de Weimar, Goethe fez diversos contatos com Schröder e ficou interessado no sistema de direitos autorais e de divisão de lucros que este último havia introduzido em Hamburgo, como também em sua organização financeira; mas no que dizia respeito ao estilo individualista e realista de interpretação da escola hamburguesa, Weimar não fez nenhuma concessão. A incompatibilidade dessas duas concepções artísticas, tão basicamente diferentes que deixaram ambas sua marca no século, foi o assunto de um acalorado debate ainda em vida de Goethe e Schröder, e também muito tempo depois. "Se e como as escolas de Weimar e Hamburgo podem ser reconciliadas", escreveu Heinrich Laube, "esta é a verdadeira substância de tudo o que preocupa os amigos que se dedicam honesta e refletidamente ao teatro alemão, desde o começo do século".

Schröder morreu em 1816. Goethe abandonou o teatro em 1817. Havia intriga demais para seu gosto. Quando Caroline Jagemann, a *First lady* que dominava o teatro e o coração do duque, teve o gosto do triunfo e viu aceita a peça de um grupo visitante rejeitada por Goethe, *Der Hund des Aubry de Mont-Didier* (O Cachorro de Aubry de Mont-Didier), ele pediu imediata demissão do cargo. Em 12 de abril de 1817, o ator Karsten subiu ao palco com seu *poodle* adestrado, e em 13 de abril o duque Carl August, a contragosto, teve de anuir ao desejo de Herr Geheimrat e Staatminister da Intendência do Teatro da Corte, de ser dispensado dessa função. Assim terminou a grande era do teatro de Weimar sob a direção de Goethe. Durante a noite de 21 para 22 de março de 1825, o edifício foi destruído por um incêndio.

Goethe recebeu a notícia calmamente naquele momento, pois não estava nem um pouco interessado no trabalho prático do teatro. Suas ideias não estavam presas a nenhuma casa. As metas propostas e as realizações efetuadas no seu exercício da intendência teatral continuaram a exercer influência direta e às vezes indireta no teatro alemão. Berlim e Viena tinham estreitas ligações com Weimar; nos países de língua alemã, ambas tornaram-se foco do desenvolvimento e do destino da herança clássica e das formas classicistas.

Berlim

Quando Schiller esteve em Berlim em maio de 1804, passava as noites no teatro, desfrutando de um programa metropolitano que oferecia generosas produções de Mozart e de Gluck, e um repertório dramático no qual o dramaturgo de maior sucesso era... Schiller.

Iffland, o diretor do teatro, encenou suas mais ambiciosas produções para o convidado de Weimar: *Die Braut von Messina* (A Noiva de Messina) e a brilhante montagem de *Jungfrau von Orleans* (A Donzela de Orleans), que fora uma fonte de dinheiro durante os últimos três anos. O clímax da noite era o quarto ato com os cenários da catedral neogótica e o cortejo da coroação com duzentas pessoas. "O esplendor da apresentação é mais que régio", entusiasmou-se K. F. Zelter, "e, incluindo a música e todo o resto, de efeito tão notável que a plateia entrava em êxtase a toda hora". O crítico teatral do *Bürgerblatt* de Berlim atreveu-se a usar o atributo "sensacional". Schiller reagiu de maneira bem mais fria. A suntuosa parada da coroação, decidiu ele, sufocava a peça; o público havia visto o "cortejo" e não a "Donzela". Assim também reclamou outrora Lope de Vega quando viu seus versos submergirem na maquinaria cênica do barroco.

Mas para Iffland, desde novembro de 1796 diretor do Teatro Real Nacional, o aparato externo era parte de sua concepção de jogo teatral. Conhecia seu público e sabia como conquistá-lo. "O que é passional, romântico e suntuoso afeta a todos, enaltece as emoções dos melhores e ocupa os sentidos da multidão", havia ele escrito a Schiller em 30 de abril de 1803 e, referindo-se a *Jungfrau von Orleans*, chamou a atenção do autor para o fato de que dado que a bilheteria ganha consideravelmente com espetáculos deste gênero, ela pôde fazer mais pelos autores de peças, do que antes. Iffland sugeriu a Schiller que conduzisse imperceptivelmente seu espírito livre e sobrepairante na direção de um assunto não excessivamente abstrato. "As enormes despesas operativas forçam-me a uma aproximação

32. Cena de *Wallensteins Lager* (O Acampamento de Wallenstein) de Schiller, apresentada pela primeira vez em 12 de outubro de 1798, na reabertura do teatro de Weimar reconstruído. Gravura colorida de J. C. E. Müller, com referência a G. M. Kraus.

33. Cena da montagem berlinense de *Hamlet*, em 1778: J. F. Brockmann como Hamlet e K. M. Doebbelin como Ofélia. Gravura de D. Berger, a partir de Daniel Chodowiecki, Berlim, 1780 (do livro *Deutsche Schauspieler*, Schriften der Gesellschaft für Theatergeschichte, vol. IX, Berlim, 1907).

34. Cortejo solene da coroação na encenação de Iffland de *Die Jungfrau von Orleans* (A Donzela de Orleans) de Schiller; da qual Schiller disse, após sua visita a Berlim (1804), "que haviam representado o cortejo, e não a Donzela". Gravura de F. Jügel, a partir de H. Dähling.

prática das coisas do espírito. Posso alegar como desculpa apenas que estou tentando combinar os interesses do dramaturgo com os da bilheteria".

Estes eram os princípios francamente admitidos de um homem que foi tão bom administrador quanto artista. Em troca de um salário de três mil tálers por ano e uma apresentação beneficiente anual, sua tarefa, conforme definida pelo rei Frederico Guilherme II, em sua ordem no Conselho de 1796, era:

> O senhor não devotará sua atenção exclusiva nem à ópera, nem ao drama. Antes, dedicando igual consideração às duas artes irmãs, deverá tentar manter um equilíbrio global. Tanto na ópera quanto no drama, procure variar a distribuição de papéis, a fim de apresentar talentos reconhecidos e revelar os que brotam, e salvar o ator da negligência, e o público, do tédio definitivo.

Até 1801, o velho teatro na Behrenstrasse estava em funcionamento. Nele, a *Minna von Barnhelm* de Lessing e o *Götz von Berlichingen* de Goethe haviam ganhado o aplauso do público berlinense, e foi neste teatro que Carl Theophil Döbbelin iniciou e terminou sua carreira de diretor-empresário. O rei comprou sua participação toda no ativo da sociedade por quatorze mil tálers e a integrou no Teatro Nacional.

Em 1º de janeiro de 1802, Iffland mudou-se para uma nova e espaçosa casa de espetáculos. Suas poltronas inclinadas e três galerias acomodavam dois mil espectadores. Localizava-se na Gendarmenmarkt e fora construída por Langhans, o Velho: um edifício de amplas instalações com portal clássico.

Iffland prometeu a seu patrono real Frederico Guilherme III produzir "o melhor teatro alemão no mais fino edifício teatral". O rei e sua esposa, a rainha Luísa, compareceram à inauguração de gala. Iffland recitou um prólogo que expressava sua gratidão. Seguiu-se uma apresentação de *Die Kreuzfahrer* (Os Cruzados) de Kotzebue. Isto deu a Iffland a oportunidade de exibir o esplendor completo de sua vistosa decoração. "A peça confere ao cenógrafo uma oportunidade quase ininterrupta e brilhante de exibir sua arte", podemos ler no *Annalen* de 1802. "A zona rural de Niceia é um ensejo para esplêndidas e românticas pinturas; Verona revelou-se um mestre do cenário, porque a decoração é poderosa, rica, variada e cintilante."

Enquanto Goethe, no estrito cenário e com o apertado orçamento de Weimar, precisava pensar cuidadosamente no equilíbrio das despesas e dos lucros, Iffland tinha plenos poderes. O cenógrafo Bartolomeo Verona era versátil o suficiente para ir ao encontro de todos os desejos altamente subjetivos de Iffland.

Iffland dirigiu o Teatro Nacional de Berlim até sua morte em 1814. Foi encenador, ator e viajou em turnês. Em estreita colaboração com Schiller e Goethe, coube-lhe o mérito de elevar a direção teatral à categoria de arte. Que tenha custeado o dia a dia do teatro com peças populares do repertório sentimental corrente; que não tenha encontrado uma chave de acesso a Kleist e que tenha acolhido com reserva as obras dos românticos – estas foram falhas que partilhou com Weimar. Um ano antes de sua morte, Iffland chamou a Berlim Ludwig Devrient, um ator cuja arte era toda mistério fantástico, paixão e fascinação demoníaca – em crasso contraste com o seu próprio modo de representar. Iffland, o intérprete pautado pelo intelecto que tinha em vista a "pintura dos sentimentos", cuja preocupação estava no efeito polifônico do mimo e do gesto, reconhecia o gênio deste conflituoso intérprete do horror.

Iffland não viveu para ver o *début* de Devrient em Berlim. Um novo Franz Moor pisou no palco, "um monstro espreitante armado de venenos e punhais", um gênio autodestrutivo, um expoente do romântico – demoníaco gosto pela vida, o companheiro de E. T. A. Hoffmann,

35. Ludwig Devrient como Franz Moor nos *Räuber* (Os Salteadores), de Schiller. Litogravura da época, Berlim, *c.* 1815.

bebendo noite adentro na adega de vinho de Lutter e Wegner – Falstaff e Mefistófeles em um.

Após a morte de Iffland, o conde Karl Brühl assumiu a administração do Teatro de Berlim em 1815. Ele contratou como cenógrafo o grande arquiteto clássico, planejador de cidades e pintor Karl Friedrich Schinkel, tentou adaptar o estilo dos figurinos a cada drama individualmente e, no todo, estava preocupado com a "exatidão histórica e geográfica" da decoração, conforme A. W. Schlegel exigira em suas conferências sobre arte dramática. Nomes como os de Claude Lorrain, Poussin e Ruysdael começaram a vir à baila como modelos para *décors* teatrais.

Schinkel criou, em 1816, o cenário para *A Flauta Mágica* de Mozart, e conseguiu fama mundial com o firmamento majestoso e estrelado, a imponente esfinge, a misteriosa arquitetura de pedra cercando o salão do templo antigo. Aquilo que Goethe havia desenhado para o Teatro de Weimar com a modesta intensidade de sua pequena escala era prodigamente realizado em Berlim pela cenografia de Schinkel. Goethe tocara a melodia, Schinkel a elaborou numa partitura completa. Os croquis do templo jônico de *A Flauta Mágica* trazem à mente o pórtico do pequeno e antigo Templo de Diana em Assis, cuja harmonia parecia perfeita a Goethe, enquanto ele não tinha nada de bom a dizer a respeito das "subconstruções góticas" do grande monastério.

O teatro construído por Langhans, o Velho, na Gendarmenmarkt em Berlim, compartilhou o destino de muitos de seus contemporâneos Templos da Musa, aos quais velas de sebo e candelabros causaram desastres: incendiou-se em 1817. Para substituí-lo, Schinkel desenhou um novo e representativo edifício clássico, combinando deliberada devoção à revivência do estilo grego com o funcionalismo em grande escala. Goethe seguiu os trabalhos de acabamento com grande interesse, conforme evidencia sua correspondência de Weimar com o conde Brühl e Schinkel em Berlim. A inauguração solene, em 26 de maio de 1821, foi dominada pela tríade: Antiguidade, Weimar e Berlim. Começou com um prólogo, escrito por Goethe, seguido por sua *Iphigenie auf Tauris*, emoldurada pela abertura de *Ifigênia em Áulis* de Gluck, e concluída com um balé chamado *Die Rosenfee* (A Fada das Rosas), do duque Karl de Mecklenburg, irmão da rainha Luísa. Goethe recebeu o convite para honrar a ocasião com sua presença, mas, a pretexto da idade, recusou (tinha setenta e dois anos). Ele sempre felicitara seus amigos de Berlim por suas maiores possibilidades e pela "vantagem de pertencer a um grande Estado", e ele pode muito bem ter se poupado também então da experiência de efetuar pessoalmente a comparação com seu próprio e "pequeno mundo" de

36. Das Neue Schauspielhaus em Berlim, no Gendarmenmarkt, projetada por Karl Friedrich Schinkel e construída em 1821. Desenho de Berger, gravura por Normad Sohn.

Weimar. O príncipe Hardenberg indicou o conde Brühl para diretor-geral dos teatros reais em 1815 e, segundo se relata, teria dito as seguintes palavras: "Faça deste o melhor teatro da Alemanha e diga-me quanto custa". O edifício de Schinkel no Gendarmenmarkt foi completamente destruído em 1944; sua reconstrução começou em 1967.

Viena

O terceiro vértice do triângulo do teatro clássico alemão foi Viena. Aqui foram dados os primeiros passos rumo a um teatro nacional na época de Lessing. Quando, em 1776, o imperador José II elevou o *status* de Haus an der Burg para o de teatro nacional e imperial, Lessing teve a esperança de que se lhe abria um novo campo de atuação no Danúbio, de que uma nomeação o capacitasse a participar da formação de uma instituição central de cultura e de progresso cultural no espírito do idealismo humano, tal como Klopstock havia sonhado.

O imperador incumbiu seu teatro da tarefa de "disseminar o bom gosto e o refinamento dos costumes". Sua administração foi confiada a um colégio governamental de cinco pessoas. O ator J. H. F. Müller foi incumbido de realizar uma viagem exploratória pela Alemanha a fim de procurar jovens talentos.

Ele encontrou Lessing em Wolfenbüttel, que lhe disse:

> Eu estava predisposto contra o palco de Viena, porque li em diversos panfletos descrições que não eram as melhores. Agora voltei atrás em minha opinião concebida, como o senhor mesmo pôde ver (Lessing havia estado em Viena no ano anterior, em 1776, e tivera uma recepção entusiástica). Ainda falta muita coisa, mas o teatro é melhor que qualquer outro que conheço.

Ele deu ao projeto do Teatro Nacional de Viena prioridade sobre Mannheim, onde também se cogitava ter a colaboração de Lessing, porque Mannheim, disse ele, não contava com uma população suficientemente grande para levantar os recursos necessários para tal empreendimento.

"Viena deve ser para a Alemanha o que Paris é para a França", escreveu Wieland, por sua vez, em sua revista literária *Der Teutsche Merkur*. Mas o imperador José II foi bastante sagaz, e bastante vienense, para não sacrificar o jardim florido da tradição do teatro popular à nova e ambiciosa instituição cultural. Todas as figuras folclóricas das quais Joseph Sonnenfels teria com tanto gosto se livrado, todos os Kaperls e Staberls e Thaddädls (arlequins nativos e personagens bufas) continuavam a viver alegremente nos teatros suburbanos – sob Laroche, no teatro em Leopoldstadt, sob J. A. Gleich e Adolf Bäuerle no teatro em der Josefstadt, até num nível mais elevado, na comédia de conto de fadas e magia de Raimund e na espirituosa sátira local de Nestroy.

O *Don Giovanni* de Mozart teve uma recepção fria no Burgtheater em maio de 1788. Seu libretista Lorenzo da Ponte lembra o comentário apologético do imperador: "A ópera é divina, talvez mais bonita ainda do que *Fígaro*, mas não é comida para os dentes dos meus vienenses".

Contudo, foi precisamente no domínio da ópera que Viena conquistou seus méritos mais relevantes durante as primeiras décadas de seu Teatro Nacional. Acolheu as reformas de Gluck, difundiu a fama de Mozart e, em 1808, montou uma brilhante apresentação de gala da *Criação* de Haydn. E a especificamente vienense *opera buffa* combinou todos os elementos mágicos e exóticos que alcançaram até E. T. A. Hoffmann, Carl Maria von Weber e Albert Lortzing na ópera romântica, e cujos vestígios se encontram também no *Fidelio* de Beethoven.

As decisões concernentes ao programa, escalação de elenco e contratos ficavam a cargo da comissão dos cinco nomeados pelo imperador. A instância suprema, porém, continuou sendo ele próprio. Ele intervinha, no trabalho teatral prático, com sugestões e instruções. Havia necessidade de mais ensaios, e ensaios mais intensivos; na distribuição de papéis para espetáculos importantes cumpria prever uma dupla indicação (titulares e substitutos), e os direitos de prioridade deveriam ser observados; a responsabilidade pelo funcionamento desimpedido dos trabalhos no teatro deveria ser alternada de acordo com uma lista semanal de revezamento – um sistema de *stagemanager* – por coincidência aquele que Goethe adotara em Weimar.

37. Castelo de Thurneck. Desenho de cenário de Karl Friedrich Schinkel para a peça de Kleist, *Kätchen von Heilbronn*, encenada na Königliche Schauspilhaus, Berlim, 1824. Aquarela de Dietrich.

38. Palco quadripartite de *Das Haus der Temperamente* (A Casa dos Temperamentos) de Nestroy. Gravura colorida de A. Geiger, com referência a J. C. Schoeller, extraído do *Wiener Theaterzeitung* de Adolf Bäuerle, 1838.

A improvisão de qualquer tipo foi daí por diante estritamente banida do Holf und Nationaltheather. Em suas instruções aos atores, José II estabelecia explicitamente:

> A ninguém é permitido deliberadamente adicionar qualquer coisa a seu papel, alterá-lo ou empregar gestos inconvenientes; ao contrário, todos devem manter-se exclusivamente nos termos prescritos pelo autor e autorizados pela censura imperial e do teatro real; no caso de infração, o ofensor é multado em 1/8 do seu salário mensal.

Se, no entanto, o texto do dramaturgo devia ser respeitado, assim também devia ser a autoridade do censor, que eventualmente assumia proporções grotescas. *Kabale und Liebe* (Intriga e Amor) de Schiller escapou de ser rebatizada *Kabale und Neigung* (Intriga e Afeição) por um triz. Mas o censor topou com um outro problema: o presidente teve que tornar-se tio de Ferdinando, porque sua atitude para com o filho era indigna de um pai. E assim o texto de Schiller precisou ser retificado, de forma que a fala de Ferdinando declamada em Viena soou assim: "Existe uma região em meu coração onde a palavra tio nunca penetrou..."

Enquanto em Berlim, sob a ocupação francesa, Iffland pudera, sem maiores entraves, apelar para sentimentos patrióticos com sua encenação do *Wallensteins Lager*, o censor napoleônico em Viena suspeitou de conspiração em *Fidelio*, e a permissão para o espetáculo foi dada apenas no último momento. (Wieland Wagner salientou, em sua montagem desta obra em Stuttgart, em 1954, o que a vienense, em 1805, encobrira: fez com que o governador Don Pizarro aparecesse em máscara de Napoleão.)

Friedrich Ludwig Schröder foi chamado de Hamburgo em 1781, e levou para Burgtheater o ardor passional do estilo do *Sturm und Drung*. Uma onda de problemas artísticos agora envolvia a escola de Viena. "Toda Viena é testemunha da mudança que tomou conta da interpretação desde que cheguei", escreveu Schröder numa carta ao diretor Dalberg, do teatro de Mannheim.

Schröder pretendia comunicar a todos os atores alemães "naturalidade e verdade", que eram os próprios mandamentos aos quais o século inteiro se dedicara. *La nature et le vrai*, haviam sido os ideais de Voltaire. Mas, em contraste com Weimar, a aparente incompatibilidade entre os objetivos de Goethe e Schröder, perdeu algo de sua agudeza em Viena. Schröder temperou seu estilo da naturalidade no Burgtheater, e não perdeu a oportunidade de encenar suas próprias tragédias burguesas e adaptações.

Um elo imediato entre Weimar e Viena estabeleceu-se na pessoa de Joseph Schreyvogel, dramaturgo e guardião artístico do Burgtheater de 1815 a 1832. Ele havia vivido por três anos na cidade universitária turingiana de Jena, escrito para o *Jenaer Literaturzeitung* e respirado a atmosfera intelectual de Schiller e Goethe. Apurara sua crítica no exemplo do estilo teatral de Weimar e havia refletido sobre a aguda disparidade entre o sobrepujante poder de Goethe como poeta e a mediocridade do teatro de Weimar. Mas, após dois anos de seu próprio trabalho de Sísifo no teatro, seu julgamento abrandou-se substancialmente.

Joseph Schreyvogel construiu sistematicamente um repertório no Burgtheater de Viena, nos moldes do "teatro universal" de Goethe. Como editor do *Sonntagsblatt* de Viena, até 1818, ele tentou ao mesmo tempo educar seu público. O grande dramaturgo austríaco Grillparzer reconheceu dever suas primeiras relações com o mundo intelectual de Weimar inteiramente a Schreyvogel e seus artigos e críticas no *Sonntagsblatt*.

Em matéria de trabalho teatral prático, Schreyvogel perseguia objetivos inteiramente pessoais. Não seguia nem o estilo declamatório de Weimar, nem o estilo espetacular de Berlim. Seu mandamento exigia a plasmação interpretativa do papel a partir "de dentro", ideia esta fortemente influenciada pelas noções românticas. Schreyvogel levou *Ahnfrau* (Avó) de Grillparzer e sua lírica e melancólica *Sappho*. Sophie Schröder foi elogiada pelo romântico sueco P. D. A. Atterbom por haver compreendido "a música total da poesia em suas sombras mais sutis" e por tê-la expressado em "sons celestiais".

Naquilo que Goethe falhara em Weimar e Iffland em Berlim, Schreyvogel realizou em Viena: estabeleceu a fama dramática de Kleist. Conseguiu estrear com sucesso *Der Prinz von Homburg* (O Príncipe de Hamburgo) – sob o título *Die Schlacht von Fehrbellin* (A Batalha de Fehrbellin), como insistiu a censura – e assim tornar uma presença viva no palco um herói que, sob o radiante poder de triunfar, revela o reverso humano, o medo da morte. Philipp von Stubenrauch, um experimentado perito em todos os estilos de épocas, a cujo cargo estiveram os cenários dos teatros imperiais de Viena nos anos de 1810-1848, vestiu o elenco em uniformes fielmente copiados da época do Grande Eleitor. Schreyvogel, porém, precavidamente apressou-se a oferecer a seu público não apenas o Kleist "prussiano", mas também, logo depois, o inspirado poeta romântico de *Käthchen von Heilbronn*, como um prato palatável, nada problemático.

Schreyvogel demonstrou um infalível senso de qualidade artística no decurso de seus dezoito anos como "secretário e consultor" do Burgtheater, o que assegurou a este um repertório dos mais exigentes. Incluía Shakespeare e Holberg, Goethe e Schiller, Calderón e Goldoni, Sheridan e o menos ilustre Kotzebue. Contra a expectativa, o *Tartufo* de Molière, na adaptação de J. L. Deinhardstein, passou pela censura, embora para apenas dois espetáculos. É de se presumir que o imperador Francisco tenha se apressado a assistir à *première*, pois comentou: "a censura pode em seguida encontrar um cabelo na sopa e proibir a peça, e eu não conseguiria vê-la".

Em seus princípios básicos, o estilo do Burgtheater vienense caminhava bastante próximo aos ideais de Weimar, e a cena do Danúbio estava igualmente preocupada com os arranjos pictóricos. Isto se evidencia numa descrição da celebrada atriz Sophie Schröder na revista *Europa*:

> Ela esteve comovente e emocionante, emocionante até o ponto do terror. Suas posturas foram belamente calculadas; mesmo nas mais ousadas, nunca excedeu os limites da beleza. Sempre projetou uma composição pictorial; o jogo com seu manto, a queda de uma dobra, tudo foi cuidadosamente estudado.

Goethe nunca veio a Viena, mas teria achado seus ideais admiravelmente realizados na "harmonia da postura e expressividade cênica" que seus contemporâneos tão efusivamente elogiavam em Sophie Schröder.

O *szenischer Realidealismus* (o realidealismo cênico) de Schreyvogel, como A. W.

39. Desenho de Franz Grillparzer para a cena final de *Die Argonauten* (Os Argonautas) segundo drama de sua trilogia *Das goldene Vliess* (O Tosão de Ouro). Estreia em 1824, no Burgtheater, Viena.

Schlegel o chamou, manteve-se a meio caminho entre o estilo *tableau* de Weimar e os suntuosos cortejos de Berlim. O orçamento, sempre lamentado pela exiguidade de sua dotação, podia ser esticado o bastante para permitir produções muito respeitáveis. Schreyvogel equipou a maioria das peças com cenários e um *garde-robe* de sua própria autoria e – auxiliado por um considerável *fundus instructus*, como conta o ator Heinrich Anschütz – com um estoque permanente, especialmente de figurinos.

O palco do velho Burgtheater media quase 9 m de largura por 12 m de profundidade, e, com o auxílio da cena curta e longa, podia efetivamente fornecer uma ilusão de profundidade. Em adição às costumeiras perspectivas diagonais no estilo de Gali-Bibiena, o pintor da corte e membro da Academia Imperial de Artes, Joseph Platzer, que começara a trabalhar para o Burgtheater em 1791, desenvolveu um outro artifício ilusionista para uma perfeição exemplar: o pano de fundo arqueado, uma tela perfurada que podia ser erguida e inserida diante da parede pintada atrás do palco, permitindo assim a multiplicação do efeito de perspectiva.

Dezenove dos cenários típicos criados por Platzer para o teatro do castelo em Leitomischl (Litomisl) na Boêmia ainda estão conservados. Incluem um "salão gótico", cujo prospecto duplo continua engenhosamente a perspectiva diagonal do escalonamento em profundidade – projetada por seis pares de bastidores laterais que eram arranjados em ziguezague e abriam a vista de um salão aberto. Esses bastidores laterais podiam se combinar com diferentes prospectos para formar novos cenários.

O mesmo sistema foi usado por Lorenzo Sacchetti e Antonio de Pian, cenógrafos da ópera de Viena, e também por Georg Fuentes em Frankfurt e por seu aluno Friedrich Beuther em Weimar. O princípio do palco curto e longo desempenhou um papel importante até a metade do século. O problema da diagonal em profundidade oferecia algumas dificuldades técnicas adicionais, desde que o teatro e o salão do baile de máscara dividiam um recinto e as poltronas situavam-se no nível do chão. Isto foi eliminado com uma nova prática, a da crescente construção de casas de espetáculo independentes. Agora, poltronas elevadas ofereciam uma boa visão e habilitavam o palco, que estava indo de encontro ao realismo, a ter a inclinação requerida para adequar o cenário.

Romantismo

Um certo número de definições teóricas frequentemente citadas foram propostas para distinguir o classicismo do romantismo. Pares de contrastes tais como lei e gênio, intelecto e emoção, forma fechada e aberta, completeza e infinitude, arte objetiva e subjetiva, todas tocam apenas aspectos parciais, tal como a polêmica observação de Goethe: "O clássico é o que é saudável, o romantismo é o que é doente".

Entrementes, concordou-se em desligar os dois conceitos de sua polaridade hostil. E deixou-se de incluir no romantismo exclusivamente a poesia e a pintura do período entre 1800 e 1830 como uma forma específica de arte alemã. Estudiosos mais recentes retiraram o romantismo alemão de sua posição isolada e lhe asseguraram um lugar no quadro total da Europa. "A partir do meio do século XVIII", escreve Klaus Lankheit em seu livro *Revolução e Restauração*, "o pré-romantismo propaga-se a partir da Inglaterra. Era em primeiro lugar literário, com Thomson, Young, Burke e Macpherson na Inglaterra, com Rousseau na França, com o *Sturm und Drang* na Suíça e Alemanha". As expressões mais vigorosas do romantismo alemão foram os irmãos Schlegel, Tieck, Novalis, Wackenroder, o *Dichterkreis* (Círculo de Poetas) de Heidelberg e E. T. A. Hoffmann. O movimento romântico francês começou com *Le Génie du Christianisme* de Chateaubriand (1802) e culminou em Victor Hugo e Alfred de Musset. Na Itália, Ugo Foscolo e Alessandro Manzoni inflamaram-se com as ideias da nova corrente literária. Na Inglaterra, seus mais fortes representantes foram Scott, Byron, Shelley, Keats e Wordsworth. Na Suécia, o grupo dos Fosforistas reunia-se à volta de Per Daniel Amadeus Atterbom. A literatura da Rússia e da Polônia foi profundamente influenciada por E. T. A. Hoffmann, e Púschkin e Gógol lançaram a ponte para a "escola natural" de meados do século.

O romantismo floresceu em toda a Europa. Nas palavras de E. R. Meijer, ele acometeu todo o mundo ocidental "como uma epidemia". Era cosmopolita e, ao mesmo tempo, despertava impulsos nacionais nos países individuais. "A poesia romântica é uma poesia progressiva universal", escreveu Friedrich Schlegel, "pretende primeiro mesclar e logo fundir a poesia à prosa, a literatura criativa à crítica, a poesia da arte à poesia da natureza". E: "Ela sozinha é infinita, da mesma forma que ela sozinha é livre, e sua primeira lei é que o livre-arbítrio do poeta não reconhece nenhuma lei superior". Novalis deu o lema: "Para dentro vai o caminho misterioso".

O teatro, por outro lado, é uma arte dirigida para fora, socializante, e veio a ser nesta época associado às técnicas de palco e a padrões sociológicos e organizacionais, cujos princípios parecem, à primeira vista, ter escapado a qualquer influência saliente do movimento romântico. Tanto mais forte porém era seu impacto na estrutura íntima do drama e na arte da interpretação e, em última análise, na arte da representação cênica.

O teatro da corte e a ópera da corte eram flanqueados por teatros municipais e do Estado. Os cidadãos haviam tomado a iniciativa de construir esses teatros independentes e os consideravam como suas próprias instituições culturais. Queriam ver seus próprios heróis no palco. A *Schicksalstragödie*, ou "tragédia de destino", que Schiller ainda encarava como o conflito da personalidade moral livre com os poderes da história, tornou-se um retrato da família burguesa. No período Biedermeier, o povo entregou-se ao verso escrito, leu sobre moda, poesia e teatro em almanaques poéticos e livros de bolso, e em sua literatura de entretenimento desenvolveu um gosto pelo horrível, que no palco tomou a forma de peças de fantasmas.

Um desenvolvimento paralelo foi a crescente comercialização do teatro, que começou nas grandes cidades da Europa e estimulou a tendência para o estrelato no palco. A América entrou em cena com sedutores contratos para convidados e atraiu os grandes atores românticos, especialmente os de Londres, para Nova York, Filadélfia e Boston.

A ideia cósmica, o primado da imaginação livre, criativa, a tentativa de construir uma ponte sobre o abismo entre o finito e o infinito por meio da ironia romântica, a peça espirituosa com a ilusão e o autoanulamento – todas estas formas de autocriação e autoaniquilação conferiram ao drama do romantismo suas características improvisacionais, fragmentárias e tendentes ao arabesco. O "ego artístico" servia de significado, as múltiplas refrações justificavam-se no "jogo do teatro consigo mesmo". Em *Der gestiefelte Kater* (O Gato de Botas) e *Prinz Zerbino*, Ludwig Tieck brilhantemente pôs fim à identidade do público com o palco, do jogo com a realidade.

A impregnação da vida com as formas existenciais do teatro é um aspecto do romantismo primitivo na Alemanha, que, ligado à "teatromania" da época de Goethe, encontrou expressão numa série completa de romances teatrais, de *Anton Reiser* de K. P. Moritz, passando por *Wilhelm Meiser* de Goethe, até *Titan* de Jean Paul. Não era tão fácil, escreveu Tieck, "divertir-se com o teatro, sem ao mesmo tempo divertir-se com o mundo, porque ambos deságuam de todo um no outro, principalmente em nossos dias".

A mais alta autoridade para a desintegração romântica da forma, como anteriormente para o *Sturm und Drang*, foi Shakespeare. Em *Prinz Zerbino* ele faz uma aparição em pessoa a fim de assestar um suave golpe baixo em Weimar. "Bem, então tomam-no por um espírito selvagem, sublime" – Zerbino o saúda – "que estudou apenas a Natureza, que se abandona por completo à sua paixão e inspiração, e depois vai em frente e escreve o que quer que seja – bom e mau, sublime e ordinário, tudo desordenadamente". Shakespeare segue por um trecho do caminho com Zerbino, mas diz adeus quando chega à sua casa, o "Jardim da Poesia", pois Zerbino sem dúvida gostaria de ir adiante.

Os românticos sentiam-se ligados por afinidade com o "seu" Shakespeare precisamente neste Jardim da Poesia. E é assim que August Wilhelm Schlegel, Ludwig Tieck e seus colaboradores levaram a cabo a grande obra-prima da tradução alemã de Shakespeare, uma recriação congenial no espírito do início do século XIX, um Shakespeare "romantizado" que, na corrente das ideias cosmopolitas, conquistou a Europa inteira. A França, Espanha, Itália e Rússia aprenderam a admirar Shakespeare por meio dos românticos alemães.

Uma participação em tudo isso teve Mme de Staël. Ela se deixou guiar pelo conselho literário de A. W. Schlegel ao elogiar, em sua obra *De l'Allemagne*, a forma imaginativa dos dramaturgos alemães, inclusive as traduções de Shakespeare e Calderón. Em seu salão no Château Coppet, junto ao Lago de Genebra, encontrava-se a elite intelectual da Europa. Foi aí que a tragédia *Der vierundzwanzigste Februar* (O 24 de Fevereiro), de Zacharias Weiner, foi encenada em 1809 para um círculo literário privado, bem antes de sua primeira apresentação pública no Teatro da Corte de Weimar em 1810; foi aí que Benjamin Constant colheu o estímulo para suas *Réflexions sur le Théâtre Allemand* e sua adaptação francesa de *Wallenstein* para o ator francês Joseph Talma.

Ao mesmo tempo, Walter Scott e lorde Byron deram asas na Inglaterra às fantasmagorias históricas, líricas e satíricas de sua poesia cosmopolita. Goethe assenta no Euforion do *Fausto II* um monumento a Byron, "por intermédio de cujos membros as melodias eternas são postas em movimento". O palco não estava à altura da tarefa de dominar o *Don Juan* de Byron, grande épico em verso, que transcende fronteiras e satiriza o mundo inteiro – da mesma forma que também era inadequado para o *Prinz Zerbino* de Tieck.

Os grandes atores do romantismo inglês juravam por Shakespeare. Charles Kemble e Edmund Kean celebraram seus grandes triunfos nos papéis-título desse teatro. "Vê-lo atuar", disse Coleridge a respeito de Edmund Kean, "é como ler Shakespeare ao cintilar de raios". Alexandre Dumas, pai, era tão fascinado pela vida turbulenta da "alma titânica" de Kean, que escreveu um drama sobre ele.

Em 1818, Edmund Kean levou, no Drury Lane Theatre em Londres, o drama *Brutus*, do americano John Howard Payne. Dois anos mais tarde, apresentou-se em Nova York com a mesma peça, e, é claro, também com suas famosas interpretações de Ricardo III, Hamlet, Otelo e Shylock. A filha de Kemble, Fanny, Tyrone Power e W. C. Macready mantiveram a corrente de astros da representação teatral atravessando o Atlântico para o Oeste. O próprio Kean visitou os Estados Unidos uma segunda vez em 1825 e, em 1828, apresentou-se em Paris, introduzindo uma romântica força primitiva no *pathos* medido da *Comédie Française*. O espírito do rei Lear de Kean parece ainda assombrar os desenhos a nanquim estranhamente lúgubres de Victor Hugo. Edmund Kean morreu em 1833, um ano depois de Ludwig Devrient, a "flama a elevar-se em altas labaredas" da atuação romântica na Alemanha.

Por estranho que pareça, Ludwig Tieck reagiu de maneira bastante confusa à ênfase passional dos intérpretes shakespearianos ingleses. Ele foi a Londres em 1817 à procura do teatro "genuíno", mas ficou desapontado. Kemble e Kean, os aclamados prediletos do público londrino, pareceram-lhe arruinar os textos com sua interpretação febril. Charles Kemble lembrava Iffland a Tieck, por causa de sua abordagem cerebral e recitação pesarosa, enquanto Edmund Kean parecia-lhe estar desintegrando os papéis com sua maneira impetuosa e excêntrica. Tanto no Covent Garden quanto no Drury Lane, o palco era demasiado grande e o jogo de conjunto demasiado fraco para permitir qualquer "atmosfera romântica".

Nem em Stratford-on-Avon encontrou Tieck o que sentia falta no teatro. Em vez de uma graciosa paisagem do *Sonho de Uma Noite de Verão*, ele encontrou uma cidade industrial cuidadosamente edificada, dando testemunho tanto da arte da manufatura quanto do enluarado êxtase da poesia.

Nem mesmo a nova iluminação a gás, introduzida nesta época na Covent Garden e no Drury Lane, uma realização técnica pioneira, redimia a situação aos olhos de Tieck. O príncipe Pückler-Muskau, por outro lado, em suas *Briefe eines Verstorbenen* (Cartas aos Mortos) elogiou em consonância poética de uma "peça-espetáculo" sem valor dramático, porém sugestivamente encenada que havia visto no Drury Lene em 1827: "É noite, mas a lua resplandesce no céu azul e sua luz pálida mescla-se com as janelas brilhantemente iluminadas do castelo e da capela". Poderia ser a descrição de uma pintura de Caspar David Friedrich.

Quando, após anos turbulentos como conselheiro dramatúrgico do Teatro da Corte em Dresden, Ludwig Tieck finalmente teve a oportunidade de efetuar uma encenação própria na corte do rei prussiano Frederico Guilherme IV em Berlim, esta era quase um anacronismo.

40. Edmund Kean como Ricardo III no Drury Lane Theatre, Londres, *c.* 1815. Gravura da época.

Tieck, então com setenta anos, juntamente com o compositor Felix Mendelssohn, encenou o *Sonho de Uma Noite de Verão* em 1843 no Neues Palais em Potsdam, como um modelo póstumo do "teatro romântico".

O arvoredo no qual Titânia e Bottom se aninhavam foi colocado sob um lance de escada que se erguia dos dois lados. Em vez dos costumeiros bastidores laterais, o palco era delimitado por tapetes pendurados na vertical. O quarto na casa de Quince, o carpinteiro, era pintado num cenário mais abaixo.

A montagem foi mostrada em 14 de outubro de 1843 para a corte em Potsdam e a seguir transferida para o Teatro Real em Berlim, onde entrou para os anais da crítica dramática como "a curiosidade literoteatral produzida pelo poeta Ludwig Tieck", nas palavras do *Illustrirte Zeitung* de Leipzig, em 21 de dezembro de 1844. O crítico nota com embaraço que o espetáculo não era consistente com os princípios teóricos tão frequentemente expressos pelo poeta. Graças à excelente música de Mendelssohn, ao cenário pintado por J. C. Gerst, aos ricos e brilhantes figurinos e à inclusão de danças, canções e procissões à luz de velas, havia se revelado "uma mistura de curiosidade histórica, concepção fantástica e acessórios esplêndidos como os de um balé".

Inesperadamente, as ideias reformistas de Tieck haviam falhado exatamente lá onde ele confiara no mais alto grau em sua competência – em Shakespeare. Uma produção anterior da *Antígona* de Sófocles, com "imitação fiel da *skene* antiga", levantara menos problemas e encontrara uma aprovação unânime. Obviamente, era mais fácil lançar a ponte entre o classicismo e o realismo histórico do que concretizar uma concepção romântica de palco. Karl Immermann o havia tentado desde 1829 em Düsseldorf com suas representações modelares para o Theaterverein. Ele parece ter sido consistente ao excluir a "farsa insípida" (ainda que precisamente o romantismo tivesse tirado muita inspiração de elementos da *Commedia dell'arte* e da ideia da "peça dentro da peça"), o melodrama cruel e traduções de "insignificâncias estrangeiras"; mas, com todo o seu *élan* reformista, ele não estava imune a uma certa unilateralidade.

Os efeitos cênicos do ilusionismo, música e a mágica da atmosfera sugestiva mediante a mutação cenográfica desafiava qualquer tipo de puritanismo cultural. E. T. A. Hoffmann, apontado em 1808 como diretor cênico e musical do teatro de Bamberg, deliciava-se em "despertar no espectador aquele deleite que liberta o seu ser inteiro de toda a tormenta deste mundo, todo o peso depressivo da vida cotidiana e todo o entulho impuro". As condições externas com as quais teve de trabalhar em Bamberg, com a *troupe* Seconda, a seguir, em Dresden e Leipzig, eram certamente modestas. Mas Hoffmann conseguiu atrair o clero de Bamberg para o teatro com versões alemãs de *La Devoción de la Cruz*, a "mais profunda e ao mesmo tempo mais vívida peça" de Calderón, e de *El Príncipe Constante*, do mesmo autor. Hoffmann reconheceu sua dívida em relação à *Commedia dell'arte*, com sua *Prinzessin Brambilla* e a suíte de balé *Arlequino*, e sua ópera fantástica *Undine*, que se baseia em Fouqué, inspirou, em 1816, o classicista berlinense Karl Friedrich Schinkel a criar um cenário com água e castelo que o tornou um aliado do romantismo.

Se os historiadores da arte de hoje falassem, com referência ao fenômeno geral da Europa, de um "classicismo romântico", seu primeiro representante na cenografia seria Schinkel. Seus projetos para a *Flauta Mágica* em Berlim em 1816 ou, em 1821, para a ópera *Olympia* de Spontini (com texto de E. T. A. Hoffmann), são, com a sua fusão de conceitos clássicos e românticos, o mais puro "classicismo romântico".

Carl Maria von Weber apreciou muito a *Undine* de E. T. A. Hoffmann (embora tenha sido ultrapassado por Lortzing, trinta anos mais tarde). Hoffmann, por sua vez, abriu caminho para o *Freischütz* (O Franco Atirador), de Weber. O ideal de uma "progressiva poesia universal" de Friedrich Schlegel confirmava-se, pelo menos até certo ponto.

O público de Londres de 1845 foi convidado para o espetáculo de quatro das maiores bailarinas do mundo, que apareceram juntas num *pas de quatre*: Maria Taglione, Fanny Cerrito, Carlota Grisi e Lucile Grahn. Quatro anos antes, em Nova York, Fanny Elssler recebera o maior cachê até então registrado no mundo, a saber, quinhentos dólares por noite. O Novo Mundo sabia como atrair e celebrar os astros da ópera e do balé europeus, seus bailarinos e cantores. Em 1850, Jenny Lind, o Rouxinol Sueco, teve uma recepção extasiada em Nova York. Fora contratada por P. T. Barnum, e o maior *showman* e empresário de então montou um primeiro exemplo do sensacional tipo de campanha promocional que mais tarde se tornaria uma técnica bem-sucedida do teatro comercial. Em Paris, enquanto isso, o balé do compositor Etienne Nicholas Méhul, *La Dansomanie* – que incidentalmente apresentou os parisienses à valsa – em 1800 ditara a moda para a mania pós-revolucionária do balé. Coreografia, temas, figurinos e estilo iam na direção do *nouveau merveilleux*, uma ramificação do romantismo alemão.

O cenário e os figurinos criados para a ópera e o balé de Paris por Cicéri, Despléchin e Joseph Thierry tentaram combinar o encanto do romântico e do maravilhoso com elementos do folclore e da história. Tornaram-se os predecessores da "cor local", que em meados do século levaria o realismo romântico aos luxuosos figurinos dos Meiningers e de Makart.

Quando a encenação da ópera romântica e histórica *La Muette de Portici*, de Auber, estava sendo preparada em 1828, Cicéri foi enviado à Itália para estudar paisagem e arquitetura. Iria também a Milão e se familiarizaria com as técnicas teatrais do La Scala, construído em 1778, com capacidade para 3600 pessoas o que era, juntamente com o San Carlo em Nápoles, o maior teatro da Itália, admirado pela Europa inteira.

A fim de chegar ao clima certo para a espetacular ópera *Robert le Diable*, de Meyerbeer (com texto de Eugène Scribe e Germaine Delavigne) e o balé no convento que a ópera contém, o cenógrafo Charles Séchan esteve em Arles e observou o claustro de Saint Trophime, buscando colher ideias para a montagem, programada para 1831 na Grand Ópera em Paris. Spontini e Rossini competiam pela fama de regente e compositor. *Les Huguenots* de Meyerbeer transformou um dos mais brutais atos de violência da história num "triunfo de virtuosismo".

Quando a Comédie Française, em 25 de fevereiro de 1830, apresentou pela primeira vez o drama romântico *Hernani* de Victor Hugo, houve uma batalha espetacular no teatro. Os simpatizantes dos clássicos franceses protestaram contra o tratamento dramático livre de Victor Hugo, mas os jovens o festejaram. Gritos indignados de "Racine, Racine!" vinham da plateia. Mas Théophile Gautier levantou-se e pronunciou o veredicto da nova era: "*Votre Racine est um polisson, Messieurs*" – "Seu Racine é um tratante, senhores".

Para os historiadores franceses da literatura, o dia da *bataille d'Hernani* marca a vitó-

41. Interior do velho Burgtheather na Michaelerplatz em Viena, teatro que após 1776 passou a chamar-se Hof- und Nationaltheater. Gravura colorida, início do século XIX.

42. O Covent Garden Theatre em Londres, no início do século XIX. Da série de caricaturas *Tour of Dr. Syntax in Search of the Picturesque* de Thomas Rowlandson, Londres, 1815.

43. O Covent Garden Theatre em excursão em Paris; apresentação de *Hamlet* em 11 de setembro de 1827, com Charles Kemble como Hamlet e, do de Ofélia, Henrietta Constance Smithson, que se casou com Hector Berlioz. Litogravura de Gauguin, a partir de Boulanger e Deveria (Paris, Bibliothèque de l'Arsenal).

44. Shakespeare no palco romântico: montagem de Ludwig Tieck do *Sonho de uma Noite de Verão*, Berlim, 1843. Cenário de J. C. Gerst, música de Felix Mendelssohn (litogravura do *Leipziger Illustrirte Zeitung*, 1844).

45. Esboço de Victor Hugo para seu drama *Les Burgraves*, ato II. Estreia em 1843, na Comédie Française, Paris.

ria final do romantismo. O *Hernani* de Victor Hugo tornou-se o drama romântico francês por excelência. Mas o fracasso de *Les Burgraves* em 1843 pôs fim à sua breve glória. Hugo era o centro do Cénacle, um grupo literário que incluía, além de Théophile Gautier, outros escritores, tais como os irmãos Émile e Antony Deschamps, Sainte-Beuve e Brizeux; seu mais jovem e, para o palco, mais importante membro, era Alfred de Musset, o elegante e elegíaco herói do *mal du siècle*.

O romantismo foi capaz de ligar-se tanto à Revolução quanto à Restauração. Quando *La Muette de Portici* foi apresentada, na véspera da revolta popular da Bélgica em Bruxelas, o público, ao deixar o teatro, tomou de assalto as barricadas. "Aqui o teatro representou o elegante e nobre papel da tocha que acende as chamas da Revolução", escreveu Aleksandr Jakovlévitch Taírov um século mais tarde; "a pulsação do propósito comum, que despertara no teatro, incendiou a Revolução mas extinguiu a ação teatral".

Na Itália, o principal desafio à tradição clássica veio de Giovanni Berchet, tradutor de Fénelon, Schiller e Goldsmith, em 1816, com sua *Lettera semiseria di Crisostomo*, que deve muito às baladas de G. A. Bürger. Ele queria escritos criativos, "tão livres como o pensamento que os inspira e tão audazes como a meta à qual aspiram". Alessandro Manzoni pôs à prova a fórmula em seus dois dramas, *Adelchi* e *Il Conte di Carmagnola*, e deliberadamente voltou as costas à tragédia clássica para abraçar, em vez dela, o princípio da verdade histórica. Foi violentamente atacado pelo jornal acadêmico *La Biblioteca Italiana* de Milão, mas Goethe considerou *Il Conte di Carmagnola* merecedor de apreciação mais detalhada em sua própria revista *Über Kunst und Alterthum* (Sobre Arte e Antiguidade).

Stendhal alinhou-se com Manzoni quando, em *Racine et Shakespeare* (1828), rejeitou as unidades aristotélicas em favor da tragédia psicológica em prosa, transmitindo um quadro verdadeiro e acurado das emoções humanas. Não era, argumentava, uma questão de imitar Shakespeare, mas de aprender, com seu exemplo, "a olhar e entender o mundo no qual vivemos". Esforços para reviver o interesse nas obras de Manzoni têm sido envidados desde 1940 por R. Simoni no Maggio Musicale de Florença e desde 1960 por Vittorio Gassman em seu Teatro Popolare Italiano.

Na Rússia, Alexander Púschkin escolheu para sua tragédia *Boris Godunov* um tema histórico dos "tempos conturbados" da Rússia. Shakespeare e Karamzin foram seus modelos. Mas o teatro não podia competir, em igualdade de condições, com a audaciosa mistura de tragédia heroica e elementos folclóricos, ilustrada em vinte e três cenas, com sua riqueza de personagens vívidas e contraditórias e alternância de verso e prosa. O drama nacional-popular de Púschkin compartilhou o destino da maioria das grandes obras do romantismo, fazendo exigências ao poder de imaginação que o palco, cônscio de suas limitações, preferia evitar.

Embora *Boris Godunov* estivesse completo em 1825, não foi encenado até 1870, no Teatro Mariinski em São Petersburgo. Quatro anos mais tarde, musicado por Mussórgski, foi montado como uma grande ópera nacional russa. A força dramática elementar desta obra abriu caminho para o futuro desenvolvimento do estilo realista da ópera.

Nikolai Gógol fez uso de uma anedota que Púschkin lhe contara, juntamente com alguns temas da comédia *Die deutschen Kleinstädter* (Os Provincianos Alemães) de Kotzebue, para escrever *O Inspetor Geral*. Conta-se que o czar Nicolau I esteve presente à estreia no Teatro

46. *La Bataille d'Hernani*. Tumulto na estreia do *Hernani* de Victor Hugo na Comédie Française, Paris, 25 de fevereiro de 1830. Pintura de Albert Besnard (Paris, Museu Victor Hugo).

47. Cena do quinto ato de *Il Conte di Carmagnola* de Alessandro Manzoni, apresentado pela primeira vez em 1828 em Florença (Gravura das *Opere Varie* de A. Manzoni, Milão, 1845).

48. Cena de *Boris Godunov* de Alexander Púschkin, como encenada em 1878 no Alexandrinsky Theather, São Petersburgo.

49. Cena de *Adrienne Lecouvreur*, de Eugène Scribe e Ernest Legouvé, tal como encenada em 1849 na Comédie Française, Paris. Desenho de H. Valentin (Paris, Bibliothèque de l'Arsenal).

50. Cena do balé *O Lago dos Cisnes*, com música de Tchaikovsky, apresentado pela primeira vez no Teatro Bolshoi, Moscou. Desenho de Gontcharov (Moscou, Museu Bakhrushin).

51. Desenho feito por solicitação de Gógol para a cena final de *O Inspetor Geral*. Estreia em 1836, no Teatro Alexandrinski, São Petersburgo.

Alexandrinski, em São Petersburgo, em 19 de abril de 1836 e comentou, com uma gargalhada: "Esta foi uma peça para todo mundo, mas especialmente para mim".

Mas há mais nesta peça do que simplesmente ridicularizar o tapeador tapeado e criticar a burocracia corrupta da administração provincial russa, que tanto divertiu o czar e ajudou a peça a ter êxito nos palcos europeus. Ela é, nas palavras de G. von Wilpert, "uma peça sarcástica, com uma base metafísica, sobre a suscetibilidade do homem às tentações do mal e sua inclinação a ouvir o demônio, que termina com o surgimento do juiz do mundo como representante da incorruptível justiça divina".

Os dramaturgos do realismo europeu adotaram os elementos folclorísticos de *O Inspetor Geral*, e Werner Egk fez dela uma ópera em 1957. Os esboços cênicos e os figurinos, que um desenhista amigo de Gógol realizou e que chegaram até nós, mostram a importância que atribuía ao destaque dos elementos titerescos em suas personagens, o fato de estarem à mercê de um titereiro superior, em outras palavras, a enfatizar aquela "verdade interior" que, no espírito do romantismo, fundem numa só coisa as fronteiras entre o jogo da peça na peça e a realidade.

Realismo

Os historiadores da arte têm um ponto de referência legítimo para datar o início do "Realismo": o momento em que o termo se tornou o lema programático de um movimento. Seu iniciador foi Gustave Courbet. Quando o júri da Mostra Universal de Paris rejeitou, em 1855, dois de seus quadros, ele construiu um pavilhão próprio, separado do salão oficial, sobre cuja entrada escreveu em letras grandes "Le Réalisme".

No teatro e na literatura, o conceito de realismo tornou-se objeto de discussão muito antes, pelo menos em termos teóricos. Na prática, a oscilação mais larga do pêndulo é traçada pelos espetáculos dos Meiningers e de Charles Kean, em Londres.

Já em 1795, Schiller, em seu ensaio *Über naive und sentimentalische Dichtung* (Sobre a Poesia Ingênua e Sentimental), estabeleceu uma distinção entre o realista e o idealista. O primeiro, reconhecia ele, era consciencioso, enquanto o segundo "reconciliar-se-á até mesmo com o extravagante e com o monstruoso". Ele usou a imagem do "bem planejado jardim" do realista, "no qual tudo tem seu uso" e dá frutos, em contraposição ao mundo do idealista, de "natureza menos utilizada, mas disposta numa escala maior". Isto parece antecipar a violenta controvérsia entre Stifter e Hebbel.

Goethe e o pintor-litógrafo Schadow divergiam a respeito do que denominavam "naturalismo". Adolph von Menzel, um mestre da meticulosa pintura histórica tanto quanto da atmosfera mágica, declarou: "Nem tudo o que é medrosamente copiado da natureza é fiel à natureza". Lembrando o exemplo das figuras de cera, "nas quais a imitação da natureza pode atingir seu mais alto grau", Schopenhauer rejeitou toda aparência de realidade que "não deixa nada para a imaginação". O conceito de "realismo poético", de Otto Ludwig, talvez seja o que melhor haja caracterizado a fase estilística entre o romantismo e o naturalismo.

Compreender os tempos e sua realidade significa também ver o homem em sua vida quotidiana, em seu meio ambiente e seus compromissos sociais. Como afirmou Alexandre Dumas Filho, era tarefa do teatro realista desnudar o abuso social, discutir o relacionamento entre o indivíduo e a sociedade e, tanto no sentido literal quanto em outro mais elevado, mostrar-se como um *théâtre utile* (teatro útil).

Enquanto Eugène Scribe ainda se limitava a elaborar sobre a "condição humana" espirituosas comédias de *boulevard*, o jovem Dumas era mais dado à moralização. Em seus dramas, ele luta por uma causa (especialmente, por exemplo, em *Le Demi-monde* e *Le Fils Naturel* – O Filho Natural) e denuncia a burguesia de sua época, sua inescrupulosa avareza e seu apego à vida, seus sentimentos fingidos, seus preconceitos e suas convenções antiquadas. O tema foi tratado por Dickens, Carlyle e Thackeray na Inglaterra, por Dostoiévski, Tolstói e Turguêniev na Rússia, por Büchner e Grabbe na Alemanha.

O drama de crítica social e de realismo histórico precisava de um novo estilo de representação e um novo cenário. Stendhal havia falado do "artista espelhante". O crítico de teatro do *Journal des Débats* de Paris, Jules-Gabriel Janin, atribuiu à revolução na arte dramática consequências a serem percebidas tanto na arte da palavra escrita quanto da falada.

O palco converteu-se numa sala de estar. Sofás luxuosos, vasos de plantas, lareiras de mármore, cortinas drapeadas proporcionavam a intimidade de *boudoir* requerida por Sardou e Labiche para suas comédias de costumes. O extenso monólogo dramático foi substituído pela ação episódica sustentada por adereços. As personagens sentavam-se à mesa tomando chá ou jogando paciência e, falando com seus parceiros, em vez de dirigir-se ao público, casualmente revelavam seus problemas. "Hoje o palco é uma sala de visitas mobiliada para parecer exatamente como os elegantes salões de hoje", escreveu Sardou. "No centro, os atores sentam-se em volta da mesa e conversam com bastante naturalidade, olhando um para o outro, como fazem as pessoas na realidade".

No lugar de "*la nature et le vrai*", como no tempo da Ilustração e ainda no teatro de Goethe, a nova palavra de ordem era "*le milieu et la réalité*" – o meio e a realidade – e isto se aplicava não apenas à peça de costumes contemporânea, mas também ao drama histórico. Para *Théodora*, cuja ação se passa em Bizâncio, Sardou expressamente pediu um "ambiente tão correto, do ponto de vista arqueológico", quanto os produzidos para modernos interiores.

Esta abordagem levou a todos aqueles suntuosos *décors* cênicos com os quais se regalavam tanto o teatro quanto a ópera. Graças aos esforços combinados do coreógrafo e do cenógrafo, o *Benvenuto Cellini* (1838) de Berlioz exibia-se numa turbulenta mascarada romana desenrolada diante de um colorido pano de fundo renascentista. *Philemon e Baucis* (1860), de Charles Gounoud, foi encenado entre monumentais colunas dóricas. A *Carmen* (1875) de Bizet deu ensejo para o imaginativo folclore mouro antigo. Mas a montagem parisiense de *Tannhäuser* inflou as bandeiras da controvérsia entre os partidários e os oponentes de Wagner. O desafio de Saint-Saëns – "a wagneromania é uma doença" – tornou-se o *leitmotiv* apaixonadamente debatido no desenvolvimento da ópera realista na França.

Da tradição da *opéra comique* proveio Jacques Offenbach, cujo teatro de miniatura, o *Bouffes Parisiens*, tornou-se o contrapeso da pompa operística parisiense. Apelidada de La Bombonnière pelo público, o espaço de bolso servia muito bem para as operetas de câmara, derivadas do *vaudeville*, que deitaram o germe da fama mundial de Offenbach. Ludovic Halévy e Henri Meilhac escreveram libretos para ele, e sua música deu uma ênfase eletrizante à sátira e à frivolidade, às frases de efeito e aos paradoxos. *Orphée aux Enfers* (Orfeu no Inferno), *La Belle Hélène* (A Bela Helena), *La Périchole*, tomaram Paris de assalto. Parecia que Offenbach, "por acaso, tivesse despertado as emoções latentes do público", escreveu o crítico Francisque Sarcey. A Paris amante do prazer e ligeiramente decadente do Segundo Império, e logo toda a Europa, regalou-se com o ritmo do cancã e da valsa. E quando Offenbach apresentou *A Grande Duquesa de Gerolstein*, em 1876, em Nova York, o público o ovacionou "tão entusiasticamente como a poucos artistas europeus antes dele" (*Courrier des États Unis*).

Duas décadas mais tarde, os superlativos dos críticos americanos concentraram-se em uma atriz cuja estrela se levantara com os dramas de Sardou em Paris: Sarah Bernhardt. Seus papéis mais famosos foram o da imperatriz bizantina marcada pelo escândalo Teodora – a esposa de Justiniano – no drama homônimo de Sardou e o do jovem duque de Reichstadt, filho de Napoleão I, em *L'Aiglon*, de Edmond Rostand. O diretor da Comédie Française, Émile Perrin, trouxe Sarah Bernhardt do Odéon, onde era conhecida por seus colegas como "Madame la Révolte" ("Madame Revolta"). Junto com Mounet-Sully, ela introduziu um sopro moderno, realista, ao declamatório estilo interpretativo do venerável teatro.

Em Londres, Charles Kean aproveitou-se do trabalho pioneiro dos arqueólogos ingleses em suas montagens no Princess's Theatre. Quando encenou *Sardanapalo*, de Byron, em 1853, sobrepujou o esplendor histórico do continente em autenticidade. As então recém-publicadas notícias de Layard sobre suas escavações no sítio da antiga Nínive serviram-lhe de fonte para um magnífico e pitoresco cenário de palácio, que, no clímax da cena da destruição final, desmorona em pedaços enquanto a "estátua genuína" do rei assírio Assurbanipal despenca estrondosamente de seu pedestal.

Kean era não menos conhecido por suas encenações de Shakespeare, nas quais transpunha para o palco o estilo contemporâneo da pintura histórica, rodeado pela iluminação fantasmagórica da luz a gás e tochas. Ele se permitia mexer livremente no texto da peça, mudava cenas, reduzia e cortava, a fim de concentrar o curso da peça em seu suntuoso *décor* (George Bernard Shaw não perdoava essa "bárbara arbitrariedade" dos sucessores de Kean, Henry Irving e Herbert Beerbohm Tree).

Entretanto, sir John Watson Gordon, o presidente da Royal Scottish Academy e decano dos pintores históricos ingleses, considerava uma honra desenhar os cenários e figurinos das remontagens "Shakespearian Revivals" nas de Charles Kean. Especialistas eram consultados em questões de figurinos e armas. O palco dava lições de história tão suntuosas e caras que Kean inaugurou o sistema de longas temporadas de até cem espetáculos consecutivos. Como ator, Charles Kean não alcançou o poder de plasmação de seu pai, Edmund Kean. Sua força estava na grandiosa concepção global de suas montagens no estilo de sua época. Ele foi o mais destacado representante do teatro realista na Inglaterra. De 1848 em diante, combinou suas atividades teatrais com o ofício de censor de peças encenadas, o *Master of Revels* abaixo do Lord Chamberlain.

Na Alemanha, Franz Dingelstedt foi ambicioso em seu uso de achados arqueológicos na montagem da *Antígona*, de Sófocles, em 1851 em Munique. Ansioso para apresentar produções exemplares em grande escala, voltou-se para a arte e para a ciência como fiadoras da interpretação fiel à Antiguidade. O filólogo Friedrich Thiersch trabalhou o texto, o cenógrafo Simon Quaglio foi orientado pelo arquiteto Leo von Klenze, o pintor Wilhelm von Kaulbach, diretor da Academia, opinou sobre os figurinos e a coreografia, e a música ficou a cargo de Felix Mendelssohn. O espaço cênico era um cenário dórico e estritamente simétrico, com um altar adornado de folhagens no primeiro plano, um lance de escadas erguendo-se no centro e, ao fundo, um pórtico de templo com quatro colunas.

Dingelstedt confiava no poder de persuasão óptica do cenário. Quando, em 1859, montou *Wallenstein* como o clímax das celebrações de Schiller em Weimar, encerrou a peça com um *tableau* revestido pelo espírito da época e de grande efeito: "Seni, junto ao cadáver de Wallenstein", arranjou conforme o famoso

52. Cena de *Mercadet*, de Honoré de Balzac, tal como encenado em 1871 no Théâtre Gymnase, em Paris. Desenho de P. Philipoteaux (Paris, Bibliothèque de l'Arsenal).

53. Cena de carnaval na montagem de Charles Kean de *O Mercador de Veneza* no Princess's Theatre, Londres, 1858. Aquarela de William Telbin (Londres, Victoria and Albert Museum).

54. Cenário móvel em Bayreuth: Gurnemanz e Parsifal à caminho do castelo do Santo Graal. Desenho de cenário de Max Brückner para a abertura do Festspielhaus com *Parsifal*, 26 de julho de 1882.

55. Morte de Siegfried. Cena final da segunda parte de *Os Nibelungos*, de Christian Friedrich Hebbel, montado em 1861 em Weimar com a direção de Franz Dingelstedt. Desenho de Carl Emil Doepler (extraído do *Leipziger Illustrirte Zeitung*, 1861).

quadro de Karl von Piloty, de 1855 (Seni era uma personagem da peça).

No Cairo, a estreia da *Aida* de Verdi, em 24 de dezembro de 1871, foi uma ocasião espetacular e festiva, combinando temas da história e do folclore. A ópera havia sido encomendada pelo Quediva pouco tempo depois da abertura do Canal de Suez, e, em homenagem àquele evento, deveria recorrer a um tema do Egito antigo. O libreto é baseado numa novela do egiptologista Auguste Mariette, que escavara a necrópole de Mênfis, e a ação acontece nos locais revelados pela pá: templo, portão da cidade e tumba em Mênfis e Tebas.

Em *Aida*, Verdi criou uma ópera em grande estilo, uma fusão da pompa operística francesa, do *bel canto* italiano e do drama musical wagneriano. Os cenários vieram de ateliês parisienses. Enquanto o palco mostrava uma "noite enluarada às margens do Nilo", o grande rio, a cintilar com mil luzes, fluía majestosamente diante das portas da casa de ópera. "Copiar a realidade pode ser uma coisa boa", disse Verdi uma vez, "mas inventar a realidade é melhor, muito melhor". Sua *Aida* até hoje dificilmente pode ter um efeito mais "real" do que na vastidão noturna do anfiteatro de Verona; lá, todos os esforços historicizantes para colocar o realismo no palco falham, e o firmamento inteiro torna-se parte da peça.

A última expressão maior do expirante realismo romântico-histórico foi a ideia do festival de teatro. Ela levou Richard Wagner a construir sua Festspielhaus (Casa do Festival) em Bayreuth, aberta em 1882 com "uma peça festiva de consagração de palco": sua ópera *Parsifal*. De acordo com a concepção de Wagner e com um plano que Schinkel havia proposto uma vez para Berlim, o fosso da orquestra foi oculto dentro do que Wagner chamou de "um abismo místico". Tomou-se grande cuidado para evitar tudo o que parecesse lugar-comum: "*Parsifal*, em última análise, pode pertencer somente à minha criação em Bayreuth", escreveu Wagner, cinco meses após a *première*. "Doravante será apresentada exclusivamente lá, em meu festival de teatro".

O teatro de efeitos realistas também tinham, porém, seus oponentes, e um dos mais extremados foi o dramaturgo, crítico e produtor alemão Heinrich Laube. Já em 1846, em sua *Briefen über das deutsche Theater* (Cartas sobre o Teatro Alemão), falava abertamente contra o "exagero e empolamento" do estilo contemporâneo de encenação e representação, e exigia em seu lugar que toda palavra e conceito deveria ser expresso com clareza, e qualquer detalhe tratado com cuidado a fim de compor um grande espetáculo.

Die Karlsschüler (O Discípulo de Karl) de Laube foi apresentado pela primeira vez na segunda-feira de Páscoa de 1848 em Viena. Seu herói é Schiller, em seus dias de estudante, e nenhum outro tema poderia ter inflamado mais o público naquela época. Um ano mais tarde, Laube tornou-se diretor do Burgtheater de Viena. O cáustico e espirituoso *Wiener Theaterzeitung*, de Adolf Bäuerle, preveniu-o sobre o que o esperava: "Pégaso domesticado e transformado em cavalo de parada imperial e, em vez do templo dos deuses, um salão público de chás estéticos".

Mas Laube sabia o que queria. Seu teatro não devia destinar-se meramente aos olhos, mas aos ouvidos e à mente. Construía seu trabalho numa linha de direção voltada para a palavra e com base em ensaios meticulosos. Em vez dos bastidores laterais, introduziu o cenário-caixa, representando interiores com paredes. Isto lhe dava a intimidade óptica e acústica da qual necessitava tanto para a peça de conversação francesa quanto para a comédia de salão Biedermeier. Baniu todos os excessos do cenário distrativo. Quando a cortina se erguia e revelava três cadeiras no palco, o público podia estar certo de que devia esperar precisamente três pessoas – nem mais, nem menos. Laube acreditava que qualquer tipo de decoração ostensiva encorajava a plateia à preguiça e à leviandade, e era "inimiga mortal do casto mundo poético".

A severa oposição de Laube ao cenário elaborado constituía, na verdade, um protesto mais profundo. Era uma declaração de guerra à influência da ópera sobre o palco, uma confissão de fé no "seco esqueleto do drama" – um protesto contra o mundo colorido de Wagner e Meyerbeer, que sepultou a declamação num "túmulo florido e ressonante". Como diretor teatral, Laube – embora também não se opusesse a prazeres epicuristas – não tinha gosto pela culinária *gourmet* da pompa operística; preferia a ela até mesmo a comida caseira de Ernst Raupach, "as batatas do teatro alemão, o prato quotidiano da pobreza".

Surpreendentemente, essa abordagem orientada para o teatro da palavra falhou com um dos maiores dramaturgos daquele tempo, Friedrich Hebbel. Laube deu-se bem melhor com o prato mais leve do *Der Erbförster* (O Guarda Florestal) de Otto Ludwig do que com *Herodes und Mariamne* de Hebbel. Na sua estreia em 19 de abril de 1849, a sombria tragédia foi mostrada para uma casa quase vazia. O ator Heinrich Anschütz, cujas memórias são, em vários aspectos, mais honestas e imparciais do que a prestação de contas do próprio Laube acerca do seu tempo de Burgtheater, explorou as razões para esse fracasso.

Ele as viu na situação política na preponderância de que dispunham então Karl Gutzkow e Gustav Freytag, os dramaturgos da "Jovem Alemanha" (cujo objetivo era encontrar um teatro nacional e democrático) e, sobretudo, no próprio Laube. Auschütz achava que precisamente *Die Karlsschüier* de Laube, este "primeiro gole de mel da taça da liberdade", fora tão sedutoramente fácil que obstruíra a receptividade da plateia para o espírito pesado e complexo de Hebbel. Mas ele acreditava que a outra metade da parte da culpa cabia ao público, tão obcecado com o materialismo e com o realismo que "o mundo feito de telas por trás da ribalta" estava destinado a lutar em vão.

O próprio Laube protestou contra a imputação de que se mostrara complacente com qualquer "tendência" de sua plateia. Durante os dezessete anos de sua administração do Burgtheater ele se concentrou cada vez mais em dirigir a elocução do texto e cultivar a dicção, e atraiu para a sua casa de espetáculos atores e atrizes de primeira linha, tais como Friedrich Mitterwurzer, Adolf von Sonnenthal, Bernhard Baumeister, Stella Hohenfels, Charlotte Wolter e Hugo Thiming. Em seu repertório, deu a Grillparzer a merecida prioridade. Se não era possível distribuir os papéis nas suas peças, disse ele, isto apenas revelava as falhas do elenco e a necessidade de recrutar gente nova.

A rivalidade em torno do legado de Grillparzer trouxe a Laube uma de suas mais amargas derrotas. Ele havia deixado o Burgtheater em 1867 e, em 1871, assumido a direção do Wiener Stadttheater. Um ano mais tarde deflagrou a luta entre as duas causas – ambas esforçando-se para aprontar e estrear *Ein Bruderzwist in Habsburg* (Uma Briga entre Irmãos em Habsburgo) de Grillparzer. Franz von Dingelstedt, diretor do Burgtheater desde 1870 e diametralmente oposto a Laube em questões artísticas, levava dupla vantagem. Possuía de longe os melhores recursos técnicos e, graças ao trabalho anterior de Laube no Burgtheater, os melhores atores. O Stadttheater apresentou a obra póstuma de Grillparzer em 24 de setembro de 1872, o Burgtheater, em 28 de setembro. Laube precisou pagar a dianteira de quatro dias com a censura de ter deixado uma "impressão de pobreza e improvisação". O Burgtheater, por outro lado, foi elogiado pelo *Wiener Extrablatt* por ter sido "maravilhoso" e por haver causado uma impressão profunda, especialmente na cena do campo.

Todo o realismo e historicismo, toda a arte da cenografia, direção de cena e de palavra que havia amadurecido nos teatros da Europa atingiram seu último grande ascenso no estilo dos Comediantes de Meiningen, cuja fama e influência se espalharam por todo o Continente e a Grã-Bretanha, e até mesmo os Estados Unidos. Esta *troupe* mostrou ao mundo, em 2591 espetáculos em *tournée*, apresentadas em 38 cidades, o que um trabalho teatral metódico havia conseguido em termos de qualidade cênica na pequena capital do ducado de Meiningen.

O príncipe herdeiro de Saxe-Weimar levado em 1866, como Georg II, ao modesto trono de seu ducado, devotou seu principal interesse ao teatro da corte, construído em 1831 e até então usado sem maiores pretensões. O duque Georg II agora o desenvolvera num teatro modelar. Abdicando da ópera e concentrando-se no drama, construiu um repertório clássico de montagens que sobressaiu numa ambiciosa combinação de palavra e imagem, precisão em estilo e cenário. Neste projeto, foi assistido pela atriz Ellen Franz, que recebeu o título de Freifrau von Heldburg quando se casou com o duque em 1873.

O ator Max Grube, que foi um dos intérpretes, deixou um registro do trabalho de ambos na *Geschichte der Meininger* (A História dos Meininger, 1926). "A atração do duque

56. Esboço do Duque Georg II de Saxe-Meiningen: cena final de *Romeu e Julieta*, 1897.

57. *Don Juan und Faust*, de Christian Dietrich Grabbe, no Hoftheater, Meiningen, 1897.

pela encenação", escreve, "de início partia de uma abordagem puramente pictórica das tarefas. A importância literária e dramatúrgica do que foi feito em Meiningen é, em primeira instância, atribuída à influência que Freifrau von Heldburg exerceu sobre seu marido".

Em longos ensaios, qualquer produção era elaborada nos mínimos detalhes, e cenas em solo ou de multidão eram concatenadas e harmoniosamente ligadas. Tão precisos e "autênticos" quanto os desempenhos deviam ser os *décors* e os trajes, e o próprio duque desenhava os cenários e os figurinos. Ele escolhia a cor, o corte e o material dos costumes, atentando para cada detalhe. Tecido pesado, veludo precioso, seda pura, peles de qualidade em vez da habitual pele de coelho, foram introduzidos – não "tecidos de teatro de Katz de Krefeld", como diz Max Grube, mas fazendas feitas sob encomenda especial em Lyon e Gênova. As armas vinham de Granget em Paris.

Os cenários, segundo os esboços do duque, eram executados pelos irmãos Brückner em Coburg, que trabalhavam também para Bayreuth. A cor básica da cena era um marrom avermelhado que realçava as cores brilhantes dos figurinos. O duque havia estudado com o pintor histórico Wilhelm von Kaulbach em Munique, cuja teoria da composição para o palco, inspirada por Cornelius e Piloty, tornou-se tão grande autoridade para as encenações dos Meininger quanto o eram os efeitos da pintura histórica inglesa para Charles Kean em Londres.

Mas havia um ponto no qual os Meiningers diferiam basicamente dos princípios de direção cênica de Kean: nunca se permitia que o centro do cenário pintado coincidisse com o centro do palco real; Nada de simetria! O duque lera Boileau: *L'ennui naquit un jour de l'uniformité* ("O tédio nasceu um dia da uniformidade"). E seu interesse em arte japonesa ensinou-lhe que a assimetria marcada aumenta o encanto óptico.

Para cenas em interiores, o teatro de Meiningen preferia o cenário-caixa, um cômodo completamente decorado com teto, nichos embutidos; no primeiro plano, colunas e balaustradas constituíam um pré-requisito, sugerindo a "quarta parede" invisível. Esta inovação havia sido introduzida em Paris nos primeiros dias do realismo, e também por Laube, em Viena.

O duque Georg não empregou os cenários móveis que então causavam sensação em Viena e Londres, embora tivesse ficado impressionado com o uso que Charles Kean fazia deles. Em *Henrique VIII*, de Shakespeare, o diretor inglês apresentava um panorama completo, da Abadia de Westminster em Londres até Grey Friars em Greenwich, deslizando num painel

58. Desenho de cenário do Duque Georg II de Saxe-Meiningen para a tragédia *Papst Sixtus V*, de Julius Minding, Meiningen, 1873.

de pano ao fundo. O duque Georg, entretanto, permaneceu fiel ao velho princípio teatral: o de manter a pintura estática e a coreografia em movimento.

Os Meininger, em suas extensas *tournées*, efetuaram mudanças em suas montagens, e o mundo do teatro começou a seguir seu exemplo. Bastidores laterais suspensos davam espaço a elementos tais como pedestais, escadas ou um piso com terraço, a fim de fornecer diversos níveis. (Já em 1858, Dingelstedt havia utilizado um lance de escada arquitetural no teatro em Weimar.) Não importava o quão volumosa a bagagem da Companhia pudesse ser, o duque nunca se punha em marcha sem levar consigo todos os itens dos cenários e contrarregragem.

Os Meininger nunca permitiriam que um figurante recrutado durante uma *tournée* pisasse o palco de suas representações, sem primeiro treiná-lo; nenhum membro do elenco, por menor que fosse sua parte, era substituível. Mesmo papéis mudos eram individualmente escalados, porque cada papel era um dos elementos criadores da atmosfera das grandes cenas de multidão realisticamente movimentadas. O astro de hoje poderia ser o figurante de amanhã. Os melhores intérpretes alemães do período atuaram com os Meiningers e aprenderam com eles – incluindo Ludwig Barnay, Josef Kainz, Max Grube, Friedrich Haase, Arthur Kraussneck, Ludwig Wüllner e Amanda Lindner.

Quando o mais íntimo colaborador do duque, o diretor de cena Ludwig Chronegk, teve um colapso e morreu, o duque Georg sustou as excursões. O último espetáculo da companhia no exterior foi *Noite de Reis* de Shakespeare, em 1º de julho de 1890, em Odessa.

Mas os princípios cênicos dos Meininger sobreviveram ao naturalismo, adentrando o século XX. Stanislávski, em Moscou, e Antoine, em Paris, admitiram sua dívida para com eles, em matérias tais como: a exatidão histórica, a sugestão cênica de uma quarta parede, a atuação em conjunto e a ideia de que a direção cênica cria um estilo.

Do Naturalismo ao Presente

INTRODUÇÃO

A era da máquina havia começado. A ciência empreendeu a tarefa de interpretar o homem como produto de sua origem social. Fatores biológicos foram reconhecidos como forças formativas da sociedade e da história. Numa época em que a sociologia começou a investigar a relação do indivíduo e da comunidade e a derivar novas teorias estruturais das mudanças observadas na vida coletiva, os historiadores da cultura claramente precisavam também de novas categorias de classificação.

A visão de que o destino individual é condicionado pela disposição e pelo impulso instintivo (*trieb*), no contexto de juízos de valor moral derivados de conflitos de poder e interesses, governava o *roman experimental* dos grandes realistas franceses Balzac, Flaubert e Stendhal, e deu novas dimensões à ficção narrativa de escritores como Dickens e Thackeray, Dostoiévski e Tolstói. Hippolyte Taine exigia o mesmo "*sens du réel*" ("senso do real") do dramaturgo. O dever deste último, declarava ele, era o de levar ao palco uma realidade que explicasse todo o comportamento humano conforme determinado pela "raça, meio ambiente e momento". Émile Zola, em seu *Le Naturalisme au Théâtre* (O Naturalismo no Teatro, 1881), cunhou uma senha programática para a nova abordagem que se tornou a divisa da luta social contra a burguesia convencional.

"A arte tende a tornar-se de novo natureza. Ela o faz até o máximo de seus recursos, em qualquer época dada", disse Arno Holz, o pioneiro defensor alemão do naturalismo consequente, sob a influência de Zola. A fantasia subjetiva deveria ser totalmente eliminada, argumentava Holz. Com isto, Dumas Filho, na França, havia dado um corte afiado à sua ampla crítica moralizante, ainda que seu conceito de *théâtre utile* a serviço da renovação social fosse bastante tópico. Mas para ele o *demi-monde* era, antes de tudo, um meio rico em contrastes.

No drama naturalista, o próprio quarto estado erguia sua voz, uma voz de acusação, sofrimento e revolta. Tolstói, Górki, Gerhart Hauptmann desceram aos bairros dos oprimidos e humilhados. A coletividade, mais que o indivíduo, era agora o herói do drama: os famintos tecelões silesianos em Gerhart Hauptmann, os párias arruinados de *No Fundo*, de Górki, os habitantes dos bairros miseráveis de Dublin em Sean O'Casey.

A denúncia da ordem social existente assumiu um gume revolucionário. Ela foi afiada pelos expressionistas e, mais ainda, no teatro proletário e político após a Primeira Guerra Mundial. O espírito agressivo transferiu-se do texto para a encenação, como se viu em Meierhold, Piscator ou no teatro de *Agitprop*. A direção *versus* o texto levou às controvérsias em torno de Piscator nos anos 20 e, após 1965, à provocativa demolição total da velha estrutura da peça como tal.

O diretor moveu-se para o centro da plasmação do espetáculo e da crítica teatral. Definia o estilo, moldava os atores, dominava o cada vez mais complexo mecanismo de técnicas cênicas. O palco giratório, o ciclorama, a iluminação policromática estavam à sua disposição. Formas de estilo e de jogo teatral seguiram em rápida sucessão dentro de poucas décadas, sobrepondo-se: naturalismo, simbolismo, expressionismo, teatro convencional e teatro liberado, tradição e experimentação, drama épico e do absurdo, teatro mágico e teatro de massa.

Bertolt Brecht propôs a questão dialética: o teatro serve para o entretenimento ou para propostas didáticas? Avaliando meio século de experimentos em quase todos os países civilizados, onde "domínios temáticos e conjuntos de problemas inteiramente novos foram conquistados e convertidos em um fator de eminente significação social", ele chegou à conclusão de que tais fatores "levaram o teatro a uma situação em que qualquer ampliação ulterior da vivência intelectual, social e política destinava-se a arruinar a vivência artística". Este diagnóstico de uma crise tem validade atemporal e não restrita ao período de 1890-1940, ao qual era dirigido.

Stanislávski e Max Reinhardt, Toscanini e Stravinski, Diaghilev e Anna Pavlova despontaram como meteoros no firmamento do teatro. Pessoas viajavam a Paris, Londres, Berlim, Monte Carlo e Moscou para assistir aos espetáculos de drama, ópera ou balé sobre os quais "se" falava. O teatro lançava pontes sobre fronteiras e entre continentes. A América fazia contribuições cada vez mais significativas para o concerto teatral do século XX. A fita de cinema desenvolvia-se numa obra de arte autônoma.

Obsoleta, a opereta foi suplantada pelo musical, com seu ritmo agressivo, dança, pantomima e aparato cênico. *Show Boat*, *Porgy and Bess*, *West Side Story*, com seus coloridos *ensembles* foram mostrados pelo globo todo. Agências mundiais trouxeram sucessos da Broadway a Viena, a Ópera de Pequim a Paris, o balé Bolshoi a Londres, a Comédie Française a Nova York. Os teatros do mundo tornaram-se propriedade comum do teatro mundial.

O Naturalismo Cênico

O Théâtre Libre de Paris

Zola criticou com palavras duras o teatro de sua época e não deixou dúvidas de que seu alvo principal era a venerável instituição da Comédie Française. Seu escrito programático *Le Naturalisme au Théâtre*, de 1881, era um incisivo ajuste de contas com o patetismo convencional da declamação petrificada, e declarava guerra às "*mensonges ridicules*" ("mentiras ridículas") das peças de sala de estar com as quais Émile Augier, Alexandre Dumas Filho e Victorien Sardou dominavam o palco.

Zola exigia um drama naturalista que atendesse a todos os requisitos do palco sem se apegar às leis obsoletas da tragédia clássica. Como um exemplo didático, recomendava a adaptação que havia escrito em 1873 de sua novela *Thérèse Raquin*. Thérèse e Laurent, entregues ao azar de seus apetites, eram "animais humanos". Ele, Zola, como autor, havia simplesmente praticado em dois corpos vivos a dissecção que os cirurgiões praticavam nos mortos. O método do dramaturgo naturalista, dizia ele, correspondia aos procedimentos da pesquisa científica, que o século empregava com zelo febril. Zola trabalhava com o escalpo; revelava, fria e imparcialmente, os *loci* da crise. Empunhava o escalpelo e começava a cortar de fora – enquanto Dostoiévski colocava seus heróis diante de uma câmara de raio X para explorar, a partir do interior, o que havia em sua alma.

Apoiado nas reivindicações do grande Zola e encorajado por sua benevolência, um funcionário desconhecido da Companhia de Gás parisiense ousou abrir a primeira brecha na perfeição do teatro estereotipado. Em poucas semanas André Antoine e um grupo de intérpretes amadores haviam atraído a atenção não apenas de Paris, mas de toda a Europa.

Em 30 de março de 1887, o Théâtre Libre (Teatro Livre) de Antoine apresentou-se pela primeira vez perante um círculo estrito de críticos e homens de letras. O nome tinha sua origem nas palavras de Victor Hugo sobre "*le théâtre en liberté*" ("o teatro em liberdade"); o local de desempenho situava-se num quintal na Passage (hoje rua) de l'Elysée des Beaux

Arts; o programa constituía-se de peças de um ato de Byl, Vidal, Duranty e Alexis, mais o elemento decisivo de seu sucesso, uma dramatização do relato *Jacques Damour* de Zola.

O crítico de teatro do *Figaro*, Henri Fouquier, escreveu com detalhe sobre esta "curiosidade" que se havia produzido num lugarzinho fora de mão em Montmartre, numa Paris que não se cansava de surpreender. Ele a aclamou como "uma daquelas lâmpadas acesas por um gênio ou um maluco, e que um dia será a fonte de um novo amanhecer ou uma conflagração".

Antoine não era um gênio, mas sabia o que queria. Havia se familiarizado com o ofício teatral quando figurante na Comédie Française e com as teorias naturalistas da arte, como ouvinte das palestras de Hipolyte Taine. Habilmente, estendeu o repertório do Théâtre Libre e incluiu nele peças de toda a Europa. Depois de tomar em consideração os autores franceses contemporâneos que não tinham acesso aos grandes teatros, acolheu Ibsen, Strindberg, Tolstói, Turguêniev, Björnson, Heijermans e Hauptmann. Suas obras "tinham o efeito de um trovão no palco francês" (Catulle Mendès).

Esses autores eclipsaram os pioneiros do drama naturalista francês. Zola, os irmãos Goncourt (cuja *Henriette Maréchal* causara um escândalo em 1865) e Henri Becque (*Les Corbeaux* – Os Corvos) já eram vistos como ultrapassados, quando vieram a ser montados, em 1890, pelo Théâtre Libre e pela Freie Bühne em Berlim.

O grande esteio do teatro naturalista, porém, foi Henrik Ibsen. No correr de poucos anos, sua peça *Espectros* havia atiçado vivos debates acerca do drama moderno em toda a Europa. Em 1889, constava do programa da inauguração da Freie Bühne em Berlim. Em 1890, foi apresentada pelo Théâtre Libre em Paris, em 1891 pelo Independent Theatre em Londres; foi produzida em 1892 por Ermette Zacconi em Florença e em 1896 em Barcelona; Stanislávski encenou-a em Moscou; Meierhold apresentou-a em São Petersburgo em 1906 – já numa encenação sem cortinas, deliberadamente antinaturalista.

Como programa combativo, o naturalismo constituiu um fogo impetuoso que logo se apagou. Antoine registrou, cuidadosamente, os entretons desse desenvolvimento. Após uma apresentação de *O Pato Selvagem* de Ibsen em 1891, declarou que seu teatro estaria aberto ao drama simbolista, tanto quanto ao naturalista. Mas se recusou a levar *La Princesse Maleine*, de Maurice Maeterlinck, com o argumento justificado de que uma peça assim não estava ao alcance de seu teatro e que montá-la significaria entrar numa aventura que fatalmente terminaria na distorção do intuito do autor. Os simbolistas assumidos tinham um campeão em Lugné-Poë, que lançou a ponte até o teatro poético moderno.

O olhar de Antoine voltou-se para Berlim. Adquiriu os direitos franceses de *Die Weber* (Os Tecelões) de Gerhart Hauptmann, que o Théâtre Libre produziu com o título *Les Tisserands*, menos de três meses após a estreia na Freie Bühne. Antoine conseguiu mais com esta montagem, declarou o crítico Jaurès de Paris, do que todas "as lutas e discussões políticas".

A peça foi como um grito de desgraça e desespero. Firmin Gémier representou o Pai Baumert – ele projetava uma acusação única, silenciosa e ameaçadora, com a canção dos tecelões retumbando fora de cena durante todo o segundo ato. No quarto ato, em que os tecelões invadem a casa do industrial, a plateia saltava das cadeiras. O sombrio quadro da revolta de 1844 dos tecelões silesianos pintado por Gerhart Hauptmann ajustava-se à atmosfera de crise social que impregnava toda a Europa nos anos 90. Estava destinada a ter um efeito político numa época de sublevação, quando o palco tinha, como nunca antes, o adquirido direito de ser tópico e agressivo. O teatro naturalista deu o primeiro passo. Mas em 1896, *Ubu Roi* (Ubu Rei), a cáustica farsa de Alfred Jarry sobre os usurpadores, baseou-se em recursos de estilo inteiramente diferentes e antinaturalistas.

Quando André Antoine escreveu suas memórias, dividiu-as em três fases, tratando respectivamente da luta do Théâtre Libre contra os defensores do teatro convencional, no período de 1887 a 1895; da conquista completa do grande público pelo Théâtre Antoine, entre 1896 e 1906; e de suas atividades como administrador do Odéon, subsidiado pelo governo nos anos 1906 a 1914.

A fase importante para o desenvolvimento do teatro foi a primeira, o período no qual o Théâtre Libre mudou-se das dependências provisórias na Passage de l'Elysée des Beaux Arts para o Théâtre Montparnasse na margem esquerda do Sena e, finalmente, para o Menus-Plaisirs no Boulevard de Strasbourg.

O estilo cênico naturalista de Antoine, "*impregné de réalité*" ("impregnado de realidade"), inspirou-se nos Meiningen. Ele viajou especialmente para Bruxelas, em julho de 1888, para vê-los atuar no Monnaie Theater durante duas semanas. Como Stanislávski em Moscou, ele admirava o cuidado que tomavam com o detalhe realista (embora desaprovasse as despesas desnecessárias que faziam) e elogiava a consistência lógica de sua concepção cênica.

"O *milieu* (meio) determina os movimentos das personagens", Antoine explicava, "e não o contrário". Este era todo o segredo da novidade que ele pretendera introduzir por meio de seus experimentos no Théâtre Libre. *Milieu* "genuíno", no sentido da "*reproduction exacte de la vie*" ("reprodução exata da vida") de Zola, implicava, no palco de Antoine, uma caixa cênica mostrando aposentos com portas praticáveis e janelas, tetos de madeira sustentados por pesadas vigas, troncos de árvores naturais, gesso de verdade caindo das paredes. Seu famigerado golpe de mestre foi pendurar, certa vez, postas de carne crua em ganchos de açougueiro no palco, coisa que fez num acesso de raiva, quando um cenógrafo o deixou na mão. Foi uma solução relâmpago, nascida do mau humor, não um barbarismo inerente a seus princípios.

Não existem fronteiras claras entre a intensificação de efeitos e flagrantes verdadeiramente realistas e naturalistas e o realismo tosco, não artístico. Elas são, em última análise, uma questão de gosto pessoal. Certa vez, Ibsen cumprimentou o cenógrafo do *Christiania Theater* de Oslo, Jens Wang, dizendo-lhe que suas árvores eram pintadas de maneira tão fiel à natureza que poderiam enganar um cachorro. Max Reinhardt, em sua famosa montagem do *Sonho de Uma Noite de Verão* em Berlim, não resistiu à tentação de trazer das florestas estatais prussianas e erguer no palco giratório um bosque de árvores e arbustos verdadeiros. David Belasco, o precursor americano do naturalismo, trouxe ao palco nova-iorquino o que considerava como cópias fiéis do Oeste selvagem, com a aura romântica de seus exploradores de ouro e bandidos. Quando encenou *The Girl of the Golden West* (A Garota do Oeste Dourado), à qual a música de Puccini deu um brilhante arranco operístico em 1910, transformou o palco do New York's Metropolitan Opera House num "genuíno" *camp* de cabanas californiano. E, no terceiro ato, quando o laço é posto no pescoço do bandido Ramerrez – Enrico Caruso foi aplaudido no papel, como o astro da noite – as árvores da floresta virgem do cenário eram tão reais quanto as árvores de Reinhardt em Berlim.

O segundo componente do naturalismo cênico de Antoine era o jogo com a "quarta parede"; ou seja, a que mandava ignorar o público. Quando a cena requeria, o ator voltava as costas para a plateia. A primeira lei da direção cênica era não mais o efeito pictórico frontal, voltado para o espectador – mas a posição relativa dos atores, exigida pelo curso da ação e pelo diálogo. O mais famoso exemplo é a cena de Rua Profunda na montagem dos Meiningen de *Guilherme Tell* de Schiller, em

1. Ubu Rei. Desenho de Alfred Jarry para sua peça *Ubu Rei*. Primeira apresentação em 1896, no Théâtre de l'Oeuvre, Paris.

que a suplicante e seus dois filhos, ao se aproximar do governador Gessler, que está caminhando à sua frente voltam as costas para a plateia.

"Por que esta novidade lógica e de modo algum dispendiosa não deveria substituir aquelas intoleráveis formas convencionais que aceitamos sem saber o motivo?", perguntava Antoine. Mas nem os astros da Comédie Française, nem Sarah Bernhardt, nem Coquelin teriam permitido que seu efeito sobre o público fosse prejudicado dessa maneira. Durante séculos, todo grande ator havia exigido o privilégio de ocupar a frente do palco, de dirigir seus monólogos diretamente ao público e olhar o palco como moldura decorativa de sua atuação pessoal. Não obstante todas as mudanças de estilo, os princípios do teatro da Renascença permaneciam, basicamente, inalterados. Haviam de sobreviver até mesmo no estreito espaço do palco-caixa, pelo menos por razões acústicas.

Antoine obteve exito na sua tentativa de concretizar um desempenho naturalista de conjunto porque seus atores eram amadores, e ele, por conseguinte, não era detido em seu caminho por bastiões de ambição pessoal. Stanislávski conseguiu o mesmo devido à devoção que lhe dedicavam os seus intérpretes profissionais. Isto não ocorreu entre Shaw e Henry Irving, o guarda-selo da imergente era do ator-diretor, que se desvaneceu finalmente sob a opulência das novas possibilidades cênicas, tais como Max Reinhardt abriu-as nos primeiros vinte anos do século XX.

A época do naturalismo foi também a das primeiras aventuras com o "cinematógrafo". Os filmes de Charles Chaplin e Buster Keaton sobre a luta do homem comum contra a traição das coisas infletiram a ênfase naturalista ao mundo da coisa material para o grotesco e para o cômico. Antoine dedicou-se inteiramente ao cinema após 1914, primeiro como ator e diretor, e por fim como crítico. Rodou películas utilizando material de Dumas, Hugo e Zola, e transpôs seu estilo naturalista do palco para a tela. Como René Clair escreveu em 1922, tratava-se simplesmente de transpor "a doutrina do Théâtre Libre ao cinema". Dele proveio o impulso mais forte para o contramovimento que conduziu ao filme fantástico e surrealista, às paráfrases do sonho e do intelecto, do engajamento social e da ironia romântica.

O Freie Bühne de Berlim

Em Berlim, o impulso para o teatro naturalista originou-se no descontentamento crítico com os estereótipos do teatro comercial e como reação contra a tutela da censura. Poetas e dramaturgos aceitavam o apelo que lhes era feito no sentido de que abordassem os problemas de sua época. *Die naturwissenschaftlichen Grundlagen der Poesie* (Os Fundamentos Científicos da Poesia, 1887), de Wilhelm Bösche, foi escrito inteiramente no espírito de Zola. Em seu folheto *Revolution in der Literatur* (Revolução na Literatura), Karl Bleibtreu exigia do poeta uma participação ativa na vida pública e a coragem de descer às áreas mais sombrias da fome e da pobreza.

Da mesma forma que a Paris da mesma época, a indústria do espetáculo em Berlim vivia da peça de sala de visita e da comédia de costumes. O Teatro Real, altamente subvencionado, limitava-se a adular os clássicos. Um grupo de homens engajados no campo da literatura e do drama seguiu o exemplo do Théâtre Libre de Paris e, em abril de 1889, fundou a associação teatral Freie Bühne. Aqui, também, o nome expressava ao mesmo tempo o programa: livre de considerações comerciais e livre da coação da censura. O grupo elegeu como seu presidente o jovem crítico de literatura e teatro Otto Brahm.

A difundida suposição de que André Antoine e seu grupo tivessem representado em Berlim em 1887 e assim inspirado a empresa equivalente é errônea. As próprias memórias de Antoine nada dizem a esse respeito. Entretanto, Otto Brahm, o diretor-administrador do Freie Bühne, estivera em Paris em 1888. Ele havia conhecido o brilho declamatório da Comédie Française e também o seu reverso, o estereótipo alheio à natureza, e sem dúvida havia ponderado criticamente as potencialidades do Théâtre Libre.

O Freie Bühne obtinha seu respaldo financeiro dos assim chamados membros "passivos" que o integravam em base associativa. Seu número cresceu em um ano para mais de cem. Suas contribuições cobriam as despesas de atores e diretores, como também o aluguel do teatro. As

2. *Marcha dos Tecelões.* Água-forte de Käthe Kollwitz, Berlim, 1897. Inspirado em *Os Tecelões* de Gerhart Hauptmann, drama montado pela primeira vez no Freie Bühne em Berlim, 1893. Käthe Kollwitz começou a elaborar o Ciclo dos Tecelões dois anos após a estreia.

organizações de frequentadores habituais de teatro, que ainda são comuns em diversos países da Europa, baseiam-se num sistema semelhante. Uma das primeiras foi a Freie Volksbühne, fundada em Berlim já em 1890, por pessoas em parte anteriormente associadas a Brahm.

O Freie Bühne foi inaugurado com um tributo à "cabeça da nova escola realista", Ibsen, o grão-senhor do teatro naturalista. Brahm escolheu *Espectros*, o mais controvertido e celebrado drama do grande norueguês. Ele fora apresentado dois anos antes em Berlim, mas após a estreia havia sido interditado pela censura. Agora, numa *matinée* dominical de um clube privado, estava protegido da polícia. Um elenco brilhante acentuou a singularidade do evento, em 29 de setembro de 1889. O programa anunciava orgulhosamente a seguinte distribuição de papéis: Emmerich Robert, do Burgtheater de Viena, representava o papel de Oswald; Arthur Kraussneck o do Pastor Manders; Marie Schanzer (a segunda esposa do diretor Hans von Bülow, que perdera Cosima para Richard Wagner) interpretou a sra. Alving; e a jovem Agnes Sorma atuou como Regine. Assim o Freie Bühne deu mostra de ter não apenas objetivos ambiciosos, mas também meios consideráveis.

A segunda produção tornou-se um marco na história do naturalismo na Alemanha. Foi a primeira peça de um jovem e até então desconhecido dramaturgo alemão, que havia circulado apenas privadamente e alertado a oposição: o drama social *Vor Sonnenaufgang* (Antes da Aurora), de Gerhart Hauptmann. A peça trata da exploração dos camponeses silesianos, da vida e atitudes dos novos-ricos, do alcoolismo e da pobreza crônica. Esta famosa montagem do Freie Bühne teve sua espetacular estreia em 20 de outubro de 1889, no palco do Lessing Theater. Cartas anônimas de ameaça aos atores participantes anunciavam o escândalo que se devia esperar. A excitação febril no teatro lotado chegou a seu clímax no quinto ato. No momento que a rubrica pede que os gritos de uma mulher em trabalho de parto sejam ouvidos dos bastidores, o médico Isidor Kastan – no meio de um tumulto de aplausos e protestos – ergueu-se de sua poltrona e brandiu um par de fórceps sobre a própria cabeça (ele havia planejado esta demonstração e trazido propositalmente o instrumento. Mais tarde, desculpou-se formalmente por isto quando o Freie Bühne o levou aos tribunais).

Com esta montagem, o naturalismo explodiu no palco alemão. Não apenas a interpretação, mas a cenografia, também, era "fiel à vida". O cenário do segundo ato representava um pátio de fazenda com todos os detalhes, incluindo um poço, um pombal, estábulos, arvoredo e jardim frontal, banco e portão do jardim e meia dúzia de diferentes portas e portões. "É uma pena que eles tenham esquecido o item principal", escreveu malevolamente o crítico Karl Frenzel, "um monte de esterco com um galo cantador em cima". (A tentativa de reproduzir os cheiros do ambiente foi rejeitada – porque teria sido impossível livrar-se deles nas trocas de cena, que, no melhor dos casos, poderiam apenas ser recobertos por novas "nuvens de odores".)

De repente, o nome do jovem dramaturgo estava na boca de todos. O principal crítico dramático de Berlim, o novelista e poeta Theodor Fontane, colocou-se ao lado de Hauptmann. Aprovadoramente, descreveu-o como "o verdadeiro capitão do bando negro dos realistas", que mostrava a vida como ela realmente é, em seu completo horror, que não acrescentava nada, mas tampouco nada subtraía, e merecia o elogio de ser um "Ibsen inteiramente desiludido".

O Freie Bühne havia encontrado o "seu" autor. Tornou-se o porta-voz de Gerhart Hauptmann, da mesma forma que o Teatro de Arte de Moscou tornou-se a casa de Tchékhov. Nem a representação de *Henriette Maréchal*, dos irmãos Goncourt, nem o esboço ambiental berlinense da *Familie Selicke*, de Arno Holz e Johannes Schlaf, nem as obras de Bjornson, Anzengruber e Sudermann puderam comparar-se com a ressonância das peças de Gerhart Hauptmann.

O efeito de *Die Weber* (Os Tecelões), entretanto, revelou-se mais agitador no Théâtre Libre do que em Berlim. Isto se deveu provavelmente a considerações pessoais de Otto Brahm. Uma primeira representação pública originalmente planejada por Adolphe L'Arronge para o Deutsches Theater foi proibida pela polícia no último momento. Assim, coube ao Freie Bühne, um clube livre da censura, o mérito de ser o primeiro a representar essa "mais poderosa obra da moderna literatura

3. Cenário de *Hanneles Himmelfahrt* (A Ascensão de Hannele), de Gerhart Hauptmann, montada pelas primeira vez em 1893 no Königliches Schauspielhaus, Berlim. Aquarela de Eugen Quaglio (Munique, Theater Museum).

4. Cena de *Michael Kramer*, de Gerhart Hauptmann, estreia em 1900 no Deustsches Theater, Berlim. Max Reinhardt (à esquerda) no papel-título, Louise Dumont (à direita) como Michaline Kramer. Extraído de *Bühne und Welt* (Palco e Mundo), vol. 1900-1901.

de acusação", em 26 de fevereiro de 1893. Os principais críticos notaram que, estranhamente, o efeito não havia sido tão eletrificante como seria de esperar a partir da leitura da peça.

Otto Brahm possivelmente já tinha planos futuros em mente. Um ano mais tarde (em 1894), deixou a direção do Freie Bühne e assumiu o Deutsche Theater, na Schumannsstrasse, por dez anos. Lá, em 25 de setembro de 1894, apresentou ao público geral uma versão desarmada de *Die Weber*, de Hauptmann, com Rudolf Rittner, Josef Kainz e Arthur Kraussneck no elenco. A censura manteve-se calada e o sucesso de público foi garantido. Mas para o Freie Bühne a saída de Brahm significou ao mesmo tempo a perda do "autor da casa", Gerhart Hauptmann, que agora naturalmente entregava suas peças ao Deutsches Theater. A presidência do Freie Bühne passou a Paul Schlenther, que se tornou também na ocasião seu diretor administrativo e era um dos mais destacados membros fundadores da associação, juntamente com os escritores Maximilian Harden, Theodor Wolff, os irmãos Heinrich e Julius Hart e o editor Samuel Fischer. Quando Schlenther, em 1898, aceitou um convite do Burgtheater de Viena, foi sucedido por Ludwig Fulda. O Freie Bühne buscou então uma participação periférica no misticismo lírico dos simbolistas. Os duros contornos do naturalismo social borraram-se na poética canção de despedida de *Madonna Dianora* de Hofmannsthal, de *Tote Zeit* (Tempo Morto) de Ernst Hardt, ou *Frühlingsopfer* (O Sacrifício da Primavera), de Eduard von Keyserling.

Quando, em 1909, o Freie Bühne celebrou seu vigésimo aniversário com uma apresentação comemorativa de *Vor Sonnenaufgang* (Antes do Amanhecer), de Hauptmann, não houve nem barulho nem protesto. O autor foi festejado, com Otto Brahm ao seu lado. O rápido curso da história e do teatro haviam de há muito acertado e desarmado o que, vinte anos atrás, dividira o espírito dos homens.

O Independent Theatre em Londres

O terceiro polo do campo de tensão do teatro naturalista na Europa foi Londres. Em 1891, George Bernard Shaw publicou seu ensaio *A Essência do Ibsenismo*, uma aguda rejeição do teatro comercial e dos astros, da peça de intriga à la Sardou (*sardoodledum* igual a sardônica-patética), e dos assim chamados pseudoibsenistas. Como crítico de teatro do *Saturday Review*, Shaw interveio diretamente nas polêmicas correntes sobre o novo drama. Os alvos favoritos de seus violentos ataques eram as peças "bem-feitas", de problemática realista, de Pinero, cuja *The Second Mrs. Tanqueray* (A Segunda Senhora Tanqueray) teve casa cheia durante meses.

Shaw media as qualidades dos diretores de companhia em Londres por sua relutância em encenar Ibsen. Henry Irving e Herbert Beerbohm Tree, os dois celebrados representantes do teatro realista, saíram-se muito mal. Shaw não os perdoou por cortarem Shakespeare a seu critério e por destruírem a estrutura de suas cenas em prol do grande efeito pictórico. A guerra aberta explodiu quando Irving rejeitou uma peça de um ato sobre Napoleão que Shaw havia escrito especialmente para Ellen Terry, *The Man of Destiny* (O Homem do Destino), montando, em seu lugar, uma outra peça sobre Napoleão, *Madame Sans-Gêne*, de Sardou.

Exatamente então, também em Londres, um pequeno teatro amador ficou de um dia para outro no centro das atenções. Em 1891, J. T. Grein, homem de negócios de origem alemã, fundou uma associação teatral com o objetivo de produzir "peças avançadas", para as quais os grandes teatros permaneciam fechados; estribando-se no Théâtre Libre em Paris e no Freie Bühne em Berlim, ele o chamou de Independent Theatre Society.

A intenção de Grein era, também, colocar o valor literário acima de considerações comerciais e contornar a censura; de modo bastante lógico, produziu primeiramente uma peça do porta-voz do naturalismo europeu, Ibsen. Apresentou os *Espectros* em 1891, no Royalty Theatre no Soho, que havia alugado para essa ocasião. Shaw não poupou elogios à produção e deu a Grein sua primeira peça longa, *Widower's Houses* (Casas de Viúvas), que estreou em 1892. Ela foi representada como a "primeira peça original didático-realista". Aplausos e vaias garantiram a necessária sensação e uma nova apresentação no quadro que a protegia da censura, isto é, a da associação. Era algo muito parecido com o que acontecera em Berlim: um começo com Ibsen, seguido pelo *succès de scandale* ("sucesso de escândalo") de um jovem autor nacional.

Mas Grein não era Brahm, e Shaw prosseguiu. Enquanto o Independent Theatre lutava para manter-se vivo do melhor modo possível até 1897, Shaw seguiu seu rumo para a fama mundial por meio de patrocinadoras devotadas às artes. Miss A. E. F. Horniman, abastada quacre, ajudou na montagem de *Arms and the Man* (As Armas e o Homem), em 1894, no Avenue Theatre. Subsequentemente, o ator e *producer* (diretor) americano Richard Mansfield levou essa peça, e também *The Devil's Disciple* (O Discípulo do Demônio) para Nova York, onde ambas tiveram uma longa e lucrativa carreira.

Nesse meio tempo, a enérgica miss Hornimam estava empenhada em criar um teatro nacional irlandês. Em 1904, fundou a Irish National Theatre Society, em Dublin. W. B. Yeats, que coparticipava do projeto, obteve de seu compatriota Shaw a promessa de escrever uma comédia irlandesa: *John Bull's Other Island* (A Outra Ilha de John Bull) uma espirituosa e afiada peça desmascaradora. Mas Shaw a entregou, assim como *Candida*, ao ator e encenador Harley Granville-Barker, que a montou no Royal Court Theatre de Londres, oito semanas antes da Irish National Theatre Society abrir suas portas. Quando as cortinas do Dublin's Abbey Theatre se ergueram em 27 de dezembro de 1904, foram levadas duas peças de um ato, uma de Yeats e a outra de Lady Gregory. Elas não ofereciam material inflamável; este havia sido depositado lucrativamente por Shaw.

O realismo (termo anglo-americano para aquilo que se chamava naturalismo na Europa) de um tipo perturbador era o objetivo da Manchester Repertory Company, outro empreendimento de Miss Horniman. Ela colocou o Gaiety Theatre, em Manchester, à disposição de uma audaciosa companhia de repertório, para a encenação de peças de Stanley Houghton, St. John Ervine e Harold Brighouse. Shaw nunca mais voltou a associar-se a ela. Ela influenciou menos a vanguarda teatral europeia de sua época do que os jovens dramaturgos americanos. Seu método didático, aprendido com Ibsen, proporcionava um acessível esquema de ensino. Para Shaw o teatro moderno havia começado no momento em que Ibsen escrevera *Casa de Bonecas*, e Nora convidava o marido para sentar-se e discutir seu casamento. Ele via a tarefa do drama realista (ou seja, naturalista) na discussão de conflitos psicológicos e convencionais. O palco convertia-se em cenário de debates. Em seus prefácios e indicações cênicas, Shaw desenvolvia o plano de fundo espiritual de suas peças – as próprias interpretações do autor com base na técnica analítica da cena ibseniana. (Este exemplo seria seguido por dramaturgos posteriores, como Eugene O'Neill, Arthur Miller, Graham Greene e Tennessee Williams.)

Na Inglaterra, a evolução do teatro moderno nos leva a *Murder in the Cathedral* (Assassinato na Catedral), de T. S. Elliot; *An Inspector Calls* (Um Inspetor Chama), de J. B. Priestley; e *Venus Observed* (Vênus Observada), de Christopher Fry. Desviando-se da poesia e da comédia da Restauração, favorecia a cozinha, a alcova e o sotaque dos jovens frequentadores de teatros. George Devine, o fundador e diretor da English Stage Company, determinou o curso do moderno teatro inglês e seus dramas de autoanálise com sua montagem de *Look Back in Anger* (Olhe para Trás com Raiva), de John Osborne, em 1956 no Royal Court Theatre em Londres. Típicas destas novas peças são *The Kitchen* (A Cozinha) e *Chicken Soup with Barley* (Canja com Cevada), de Arnold Wesker, que mostram a vida da classe média dominada pela política e pela resignação; *Caretaker* (O Zelador), de Harold Pinter, e a vigorosa peça realista *Saved* (Salvos) de Edward Bond. Muitas destas peças, como *Look Back in Anger*, estrearam no Royal Court Theatre de Londres, anfitrião fidedigno do palco vanguardista. Algumas, porém, como os velhos dramas pioneiros do teatro naturalista, precisaram da segurança das apresentações em clubes fechados.

Já em 1909 Shaw havia atacado violentamente a censura, de cujos poderes ninguém fora capaz de se livrar desde os dias do *Master of the Revels*, mestre de cerimônias elisabetano. Quando *Mrs. Warren's Profession* (A Profissão da Sra. Warren) foi proibida, Shaw, que se des-

5. Quarto ato do drama *Fuhrmann Henschel* (O Cocheiro Henschel), de Gerhart Hauptmann, encenado em 1899 no Lobe-Theater, Breslau (extraído do *Bühne und Welt*, vol. 1899).

6. Projeto de cenário para *Os Guerreiros em Helgeland*, de Ibsen: cena na Islândia. Aquarela de Eugen Quaglio (Munique, Theater Museum).

crevia como um "especialista em obras imorais e heréticas", enfureceu-se diante do insulto e da repressão do censor teatral. O resultado foi não um afrouxamento, mas um aperto no parafuso. Foi somente em 1968 que a Câmara dos Comuns aprovaram um projeto, apresentado pelo governo trabalhista, que abolia a função da censura do *Lord Chamberlain* (Lorde Camareiro-Mor) como *Master of the Revels*.

A Experimentação de Novas Formas

Stanislávski e o Teatro de Arte de Moscou

Em junho de 1897, houve um encontro, num restaurante de Moscou, entre o escritor Vladímir Ivanovitch Nemirovitch-Dantchenko e Stanislávski, o jovem teatrômano filho de um industrial de Moscou. A conversa durou dezoito horas – das duas da tarde até as oito da manhã seguinte. O resultado foi a fundação de um novo empreendimento teatral privado: o Teatro de Arte de Moscou.

Os cuidados prodigalizados desde o início ao planejamento de todos os detalhes artísticos e organizacionais permaneceram características do Teatro de Arte de Moscou durante todo o seu futuro desenvolvimento: nenhum outro teatro manteve tão inalterado o seu senso de missão durante tantas décadas com dedicação tão firme. Stanislávski assumiu a responsabilidade das questões artístico-cênicas. Nemirovitch-Dantchenko, a direção literária. Os fundos eram proporcionados por acionistas, pela Sociedade Filarmônica de Moscou, que já mantinha uma escola de arte dramática onde Nemirovitch-Dantchenko lecionava interpretação, e pela Sociedade para a Arte e a Literatura, cujas apresentações amadoras Stanislávski estivera financiando nos últimos dez anos.

Nesta época, Moscou era afortunada por possuir generosos patronos da arte. Industriais e homens de negócio devotavam sua fortuna a propostas artísticas. Os irmãos Tretiakov promoviam a pintura; a ópera e os concertos eram financiados por S. I. Mamontov, um homem com grandes interesses em música e teatro. Os pais de Stanislávski (seu nome real era Konstantin Serguêievitch Alexêiev) mantinham em sua casa palcos infantis e amadores.

Quando os Meiningers foram a Moscou em 1885, Stanislávski, então com vinte e dois anos, não perdeu nenhum de seus espetáculos. Ele admirava a "espantosa disciplina revelada nesta grande festa teatral", mas os métodos "despóticos" de direção de Chronegk levaram-no à sua primeira ponderação crítica de prós e contras do poder do diretor e seus possíveis efeitos tirânicos. O próprio Stanislávski nunca foi um diretor tirânico. Nunca se cansou, muitas vezes ao longo de centenas de ensaios, de apelar para a compreensão de seus atores. Nunca lhes imputou suas próprias concepções, mas sempre se empenhou em sintonizá-los com as exigências de seus papéis – este seria a base de trabalho sobre o qual mais tarde construiria o "método Stanislávski".

Mas, desde sua primeira representação do ponto de vista da verdade histórica, o Teatro de Arte de Moscou adotou por completo o princípio da veracidade histórica prescrito pelos Meiningers. O teatro foi inaugurado com o drama histórico *Czar Fiodor Ivanovitch* de Alexei Konstantinovitch Tolstói (parente afastado de Leon Tolstói), que havia sido escrito em 1868 e tinha, na época, sido proibido pela censura. Durante os meses que antecederam a estreia, Stanislávski, sua mulher Lilina e o cenógrafo Victor Simov haviam visitado locais históricos. Procuraram vestimentas oriundas dos monastérios e igrejas na área entre os rios Volga e Oka, esquadrinharam lojas de antiguidades e mercados de trastes a fim de reunir material para uma produção de poder emocional e ambiente "genuínos". O resto do elenco, enquanto isso, prosseguia os ensaios num celeiro em Pushkino, um local de veraneio a cerca de 32 km de Moscou.

Em 14 de outubro de 1898, a cortina se ergueu pela primeira vez no Teatro de Arte de Moscou. O ator Moskvin pronunciou as significativas palavras introdutórias ao *Czar Fiodor Ivanovitch*: "Neste empreendimento deposito toda a minha esperança". Nesta tragédia eles não chegaram a nada, mas lançaram o Teatro de Arte de Moscou na estrada da fama mundial. A fama do teatro ligou-se ao nome de "seu" autor, Anton Tchékhov, e baseou-se em *A Gaivota*, a segunda de suas montagens, que estreou em 17 de dezembro de 1898. A peça havia fracassado um ano antes no Teatro Alexandrinski, em São Petersburgo, e Tchékhov foi persuadido, com dificuldade, a apresentá-la uma segunda vez.

Esta encenação tornou-se a pedra de toque do Teatro de Arte de Moscou. Se, no caso do *Czar Fiodor Ivanovitch*, o maior esforço dizia respeito ao cenário, agora, concentrava-se na interpretação, na projeção de estados de ânimo, pressentimentos, alusões, matizes de sentimentos. A interpretação enveredou pela nova estrada da intuição e do sentimento, um caminho, como dizia Stanislávski, "do exterior para o interior, em direção ao subconsciente". Isto significava a entrega total à peça, uma devoção quase religiosa. "Nós nos abraçamos como na noite de Páscoa", escreveu Stanislávski após o sucesso da estreia de *A Gaivota*.

O Teatro de Arte de Moscou havia encontrado seu autor e seu estilo. Tornou-se a "casa de Tchékhov" e, daí por diante, uma gaivota com as asas abertas tornou-se seu emblema, figurando nas cortinas, programas e nos ingressos. A estreita conexão artística e pessoal com Tchékhov – ele desposou a atriz Olga Knipper – aprofundou-se com as montagens subsequentes de *Tio Vânia*, *As Três Irmãs* e, posteriormente, de *O Jardim das Cerejeiras*. Stanislávski desenvolveu um refinado estilo impressionista. Ele mobilizou todos os meios concebíveis de ilusão ótica e acústica, de forma a criar a "atmosfera" correta para seus atores e para o público. Coadjuvavam e integravam também este jogo de efeitos o som da balalaicka e de grilos, de sinos de trenó tilintando ruidosamente próximos, ou tenuemente à distância. Com desarmante autocrítica, Stanislávski admitiu que tendia ao exagero nesse domínio, e ele mesmo gostava de contar a difundida anedota: Tchékhov teria dito uma vez que escreveria uma nova peça, começando-a da seguinte forma: "Como é maravilhosamente tranquilo aqui, não se ouve um pássaro cantando, nenhum cachorro latindo, nenhuma coruja piando, nenhum rouxinol cantando, nenhum relógio batendo, nenhum sino tocando, e nem mesmo um simples grilo cricrilando".

Com as obras de Maxim Górki, Stanislávski ganhou um novo componente, o drama de acusação e crítica social. O "realismo externo" era agora trabalhado com a mesma intensidade que a fidelidade histórica ao meio ambiente, que levou Stanislávski a enviar um grupo a Chipre antes da encenação de *Otelo*, e Simov, o cenógrafo, a Roma para a de *Júlio César*, ou encomendar mobília da Noruega para uma montagem de Ibsen.

Durante os ensaios de *No Fundo*, de Górki, Stanislávski levou seus atores ao mercado Khitrov, num subúrbio de Moscou, onde os vagabundos e marginais costumavam acoitar-se. Eles comeram com essa gente, e Olga Knipper dividiu um quarto com uma prostituta, a fim de "aclimatar-se" no tipo de vida em que se dava o papel de Natasha. A plasmação a partir da realidade – "representar significa viver" – é um dos ingredientes do muito gabado (e igualmente pouco entendido) método de Stanislávski. Isto lhe valeu a crítica de que subestimava a capacidade da imaginação. Na verdade, porém, Stanislávski pretendia que seu "método", tão amiúde mal interpretado como um abracadabra da arte do ator, fosse um guia flexível que levasse à colaboração entre diretor e ator. Stanislávski, também, tomou uma posição intermediária na controvertida questão da identificação, que sempre tem sido de novo debatida de Riccoboni a Brecht: o ator é aquilo que ele interpreta, ou interpreta alguma coisa que ele sabe que não é? Em última análise, o sistema de Stanislávski era uma proposta de delicado equilíbrio. Ele advertia seus atores a não abusar do palco para confissões privadas. Emoções pessoais, argumentava, não enriquecem a arte do desempenho teatral; um ator que esteja tomado, ele próprio, pelo ciúme, não faz um Otelo melhor, mas um pior, informava ele com base em experiência pessoal.

Michael Tchékhov (sobrinho de Anton Tchékhov), cujas anotações sobre seu trabalho nos estúdios do Teatro de Arte de Moscou, sob a direção de Stanislávski, foram utilizadas no início dos anos 30 pelo New York Group Theatre, resumiu a essência do método de Stanislávski com a fórmula: "A matéria-prima da imaginação é sempre tirada da vida".

O próprio Stanislávski, entretanto, apoiou-se nos dois conceitos, o de "ação física" e o de

7. Sala azul: cena do primeiro ato da comédia *Um Mês no Campo*, de I. S. Turguênev, estreada em 1872 no Teatro Maly, em Moscou. Aquarela de Mstislav Dobujinsky.

8. *Tsar Fyodor Ivanovich*, de A. K. Tolstói, dirigida por Stanislávski. Cenário de V. A. Simov. Estreia na inauguração do Teatro de Arte de Moscou, 1898.

"superobjetivo", o que significava a adoção de uma tese criativa básica para a interpretação de um trabalho teatral. Como exemplo, escolheu o *Hamlet* (a sua plasmação com Gordon Craig, em 1911, deixou rastros profundos e duradouros). *Hamlet*, afirmava Stanislávski, podia ser interpretado como drama familiar a partir do seguinte aspecto: "Quero honrar a memória de meu pai". Ele poderia ser interpretado como a tragédia de um homem decidido a explorar os segredos da existência. Finalmente, há a possibilidade do mais alto "superobjetivo": "Quero salvar a humanidade".

Mas, se a tragédia de Shakespeare é interpretada em termos de política aplicada – "Quero que o estado feudal seja abolido" – então o princípio de "superobjetivo" nada em águas perigosas. O diretor, a seu arbítrio, pode colocar o "superobjetivo" a serviço de ideais humanitários ou das autoridades constituídas. Num estado totalitário, a expressão máxima da arte equilibra-se no fio da navalha.

Durante um tempo, a "ideologia completamente burguesa" de Stanislávski foi tão suspeita na Rússia quanto as chamejantes palavras "Senhor, dê-nos liberdade de pensamento", pronunciadas pelo marquês Posa no *Don Carlos*, de Schiller, ou o juramento de Rütli em *Guilherme Tell*, na Alemanha de 1940. Já os distúrbios da revolução de 1905 faziam Stanislávski sentir-se num beco sem saída. E, após a revolução de outubro de 1917, ele manteve-se longe das massas em ebulição. Felizmente, A. V. Lunachártski, o primeiro comissário do povo para a Educação, ergueu uma mão protetora sobre Stanislávski. De setembro de 1922 a agosto de 1924, o elenco do Teatro de Arte de Moscou esteve em *tournée* no exterior, honrando compromissos duradouros na Europa e na América. "Precisávamos ganhar distância", escreveu Stanislávski em sua autobiografia *Minha Vida na Arte*, publicada pela primeira vez em 1924, "distância de uma atmosfera de desorganização". Isto se refere à época em que a tempestade revolucionária nos teatros havia ganho a força de tormenta e o Teatro de Arte de Moscou não estava sendo absolutamente considerado com benevolência. De fato, não era apenas o próprio governo que o desaprovava, mas também a gente de teatro que seguia estritamente a linha do Partido.

Os artistas que lideravam os novos tempos – Vsevolod Meierhold, Eugeni Vakhtângov, e Aleksander Taírov – vieram da escola de Stanislávski, dos estúdios experimentais do Teatro de Arte de Moscou. Já em 1905, Meierhold tentara interessar Stanislávski no princípio da cena estilizada. Mas a revolução de 1905 pôs fim ao Estúdio da Rua Povarskaia antes que Meierhold alcançasse quaisquer resultados práticos para mostrar.

O assim chamado Primeiro Estúdio do Teatro de Arte de Moscou empreendeu experimentos sistemáticos sob a direção de L. A. Sulerjítski e, após a sua morte em 1916, sob Vakhtângov. Maxim Górki cedeu ao Estúdio suas anotações sobre os métodos de improvisação usados pela *Commedia dell'arte* napolitana, que ele estudara em minúcia durante seu exílio voluntário na ilha de Capri. O caráter de início muito provisório da sala de espetáculos do Estúdio impôs combinações não convencionais, com praticáveis e plataformas móveis. Stanislávski inventou uma grade de metal presa ao teto, no qual poderiam ser pendurados painéis decorativos, como se desejasse.

No formato em miniatura das possibilidades técnico-cênicas dessas improvisações de estúdio, Stanislávski experimentou coisas que o teatro revolucionário mais tarde transpôs para dimensões de massa. Há registros detalhados, por exemplo, do emprego do veludo negro em cenários de peças simbolistas. Na peça *A Vida do Homem*, de Andrêiev, ele usou tapeçarias desse material para sugerir uma floresta, e transparências cobertas igualmente de veludo negro, mas com pequenos pontos de luz recortados, a fim de dar a ilusão de lanternas de uma estação a brilhar ao longe. Uma cena semelhante, inteiramente desmaterializada, foi projetada por Stanislávski para encenação que não chegou a realizar-se, do drama lírico *A Rosa e a Cruz*, de Alexandre Blok.

No exterior, o trabalho de direção de Stanislávski foi conhecido apenas por montagens clássicas do Teatro de Arte de Moscou, no seu mais alto grau de perfeição, com cada detalhe refinado ao longo de décadas de repertório encenado. Seu jogo soberano com a "quarta parede" – como por exemplo no segundo ato de *A Gaivota*, quando um banco é colocado diante da ribalta e os atores sentados voltam as costas para a plateia – tornou-se exemplo para o mundo todo.

A experimentação com novas formas limitavam-se aos estúdios, que se tornaram a despensa do teatro russo moderno. Ao Primeiro Estúdio seguiram-se o Segundo, o Terceiro (mais tarde o Teatro Vakhtângov) e o Quarto, como também um Estúdio Musical dirigido por Nemirovitch-Dantchenko. Stanislávski teve participação pessoal no desenvolvimento do estúdio de atores do teatro hebraico Habima, onde, a seu pedido, Vakhtângov ensinou por alguns anos e ele próprio deu cursos sobre o seu método. O clímax artístico deste estúdio foi a montagem de Vakhtângov, em 1922, de *O Dibuk*, a dramatização de Sch. An-Ski de uma lenda hassídica. Após excursionar pela Europa e América, parte do elenco do Habima dirigiu-se para a Palestina em 1928, fixando-se mais tarde ali, e quando o Estado de Israel veio a ser fundado em 1948, tornou-se o Teatro do Estado Hebraico de Tel Aviv.

Outros grupos que trabalharam com os métodos de Stanislávski foram o Estúdio Armênio em Moscou, o Reduto polonês, fundado em 1919 em Varsóvia, o estúdio estabelecido em Kíev pela atriz polonesa S. Wisocka, e o Teatro Nacional Búlgaro, em Sofia, sob a direção de N. O. Massalitinov, um discípulo de Stanislávski. Todos esses teatros do método Stanislávski formavam uma corrente, cujos elos, por intermédio de Mikhail Tchékhov, chegaram até os Estados Unidos.

Simbolismo – Imaginação e Iluminação

O realismo cênico, como proposta programática, originou-se em Paris, e foi da França também que proveio como reação, o abandono deliberado do naturalismo: o simbolismo. Stéphane Mallarmé, "o príncipe dos poetas", protestou, em nome da poesia, contra a exigência de que tudo quanto se poderia esperar do poeta fosse uma mera cópia do que o olho do não iniciado encontra. A tarefa do poeta, afirmava Mallarmé, não era nomear um objeto, mas conjurá-lo com o poder de sua imaginação. Mallarmé sonhava com "um teatro maravilhosamente realista da nossa imaginação", um teatro "de dentro", da mesma forma que os românticos haviam procurado pelo "caminho para dentro".

Baudelaire falava da "floresta de símbolos". Para ele, o universo visível era uma despensa de imagens e símbolos, às quais somente a imaginação poética podia atribuir devido *status* e valor. Valéry dizia que a bela palavra precisava recuperar da música aquilo que lhe pertencia de direito. E assim, poesia e música, juntas, deram ao teatro do simbolismo sua mais convincente justificativa. O antiquíssimo problema, a rivalidade entre palavra e música seria a matéria da última ópera de Richard Strauss, sua aguda e polida *Capriccio*.

O naturalismo era um programa, mas não necessariamente uma limitação para a personalidade criativa. Ibsen viera de *Peer Gynt*, da atmosfera nacional do romantismo norueguês, onde estivera antes de escrever *Espectros* e *Casa de Bonecas*. Mais tarde, ele também deixou o naturalismo puro para trás e criou o misterioso simbolismo de *O Pato Selvagem*. Gerhart Hauptmann já havia ido além da crueza doutrinária em *Hanneles Himmelfahr* (A Ascensão de Hanele) e entrou no mundo neorromântico do mito com *Die Versunkene Glocke* (O Sino Submerso) e *Und Pippa tanzt* (A Pipa Dança). O jovem Konstantin, em *A Gaivota*, suplicava por novas formas, por forças que pudessem pôr fim à rotina do teatro contemporâneo e a seus patéticos esforços "de pescar uma moral em figuras e frases batidas". Mas Konstantin Treplev naufraga no caos de seus sonhos e figuras. O próprio Tchékhov, na fronteira entre o naturalismo e o simbolismo, reconhecia o perigo, para a arte e para a vida, representado pelo escapismo para o reino dissoluto dos sonhos, de uma jornada para o nada dos estados emocionais, no qual o *Tintagiles* de Maeterlinck se perde.

Um dos mais jovens simbolistas de Paris, Paul Fort, voltou-se contra o realismo do Théâtre Libre já em 1890. Com o apoio de um grupo de escritores com ideias semelhantes, fundou o Théâtre d'Art e nomeou, como seu diretor artístico, o ator Alexandre Lugné-Poë, que havia começado a carreira com Antoine. A atmosfera intelectual no teatro em Paris, dividida pelo conflito de estilos, foi bem caracterizada por Lugné-Poë na época: "Minha mente confusa oscilava

9. Cenário de Joseph Wening para *Macbeth*, representado no Nationaltheater, Praga, 1914.

10. Desenho de cenário de Eduard Sturm para *Die Bürger von Calais* (Os Burgueses de Calais), de Georg Kaiser, dirigido por Gustav Lindemann e Louise Dumont, Schauspielhaus, Düsseldorf, 1928 (Düsseldorf, Dumont-Lindemann – Archiv).

11. Projeto de cenário para o conto de fadas simbolista *O Pássaro Azul*, de Maurice Maeterlinck, Paris, 1923 (Paris, Bibliothèque de l'Arsenal).

12. Alfred Roller: desenho do quarto de dormir de Feldmarschallin em *Der Rosenkavalier* (O Cavaleiro das Rosas), de Richard Strauss, estreado no Hofoper, Dresden, 1911.

do realismo ao simbolismo, e em ambas as mangedouras encontrava pouco alimento".

O Théâtre d'Art teve o seu centro de gravidade no simbolista Maeterlinck, no drama lírico de solidão e melancolia. A repercussão favorável a *Pelléas et Mélisande*, em maio de 1893, encorajou Lugné-Poë a fundar um teatro próprio, o Théâtre de l'Oeuvre. Nesta empresa, teve o respaldo do escritor e crítico Camille Mauclair. O teatro foi inaugurado em outubro de 1893 com *Rosmersholm* de Ibsen. Em sua procura de um alimento mais substancioso, Lugné-Poë deparou-se com *Ubu Roi* (Ubu Rei), uma peça do jovem boêmio parisiense Alfred Jarry. Esta farsa colegial, com sua amarga crítica social, estreou em 10 de dezembro de 1896, e terminou num tumulto que Paris não via desde *Hernani*. Firmin Gémier fazia o papel de Ubu, e sua primeiríssima palavra – "*Merde*" – estilhaçou o conforto pós-prandial das plateias.

As poltronas estavam ocupadas pela elite do culto simbolista da beleza. Ali estavam Mallarmé e Henri Ghéon, W. B. Yeats e Arthur Symons – e diante de seus olhos nascia o teatro de vanguarda do século vindouro. Aqui se abria a estrada do drama simbolista para o surrealista e, finalmente, para o drama do absurdo, via *Victor, ou Les Enfants au Pouvoir* (Victor, ou As Crianças no Poder), de Roger Vitrac, até Ionesco, Beckett e Audiberti.

Quase cinquenta anos mais tarde, Henri Ghéon, em seu ensaio retrospectivo *L'Art du Théâtre* (A Arte do Teatro, 1944), ainda enaltecia *Ubu Roi* como sendo uma peça "cem por cento teatro" que, "no limite da realidade, criou outra realidade com o auxílio dos símbolos" – uma interpretação que demonstra quão de perto os círculos divergentes realmente se tocavam. (Em 1958, Jean Vilar redescobriu o valor cênico de *Ubu Roi*, quando o montou no Théâtre National Populaire em uma encenação do grotesco e agressivo jogo de máscaras. Uma adaptação tcheca foi mostrada em toda a Europa, a partir de 1960, pelo Teatro Balaustrada de Praga.)

A prática do teatro se deixava envolver tão pouco pelas controvérsias de natureza crítico-estilística, que, em março de 1908, Gémier também apareceu como Pére Ubu no Théâtre Antoine.

Essa simultaneidade de aparentes contradições tornou-se a marca característica de desenvolvimentos futuros. No mesmo instante em que as convenções dramáticas tradicionais eram rompidas, o palco também começava a fazer em pedaços sua habitual moldura de "caixa de vistas" (cosmorama). Os primeiros a tomar a iniciativa foram os simbolistas, com sua recusa de serem escravizados pelo detalhe realista. Em *O Pato Selvagem*, de Ibsen, a vida do jovem Ekdal como fotógrafo é uma decepção; ela denuncia o emaranhado de mentiras de um arranjo conveniente. A câmera tornou-se um instrumento de autoengano.

Para os simbolistas, o empenho fotográfico do drama naturalista era uma tela que obstruía a penetração do olhar em vistas mais profundas. O palco não deveria apresentar um *milieu* real, mas explorar zonas de estados d'alma. Sua tarefa não era descrever mas encantar. A luz adquiriu uma função importante, e a palavra encontrou auxílio na música e na dança. Em alguns casos felizes, os simbolistas conseguiram transpor disposições íntimas enraizadas no lirismo para o domínio público do palco. O mérito de o drama simbolista ter sobrevivido sem danos a tais revelações do "*état de l'âme*" ("estado de alma"),pode ser creditado unicamente à música.

Foi a música de Claude Debussy que conquistou para o poema *L'Après-midi d'un Faune* (O Entardecer de um Fauno) um lugar no teatro e na sala de concerto. Na coreografia de Nijinsky, ela se tornou, em 1912, um dos pontos altos do balé russo em Paris. E foi a música de Debussy que conferiu ao drama élfico de amor, de Maeterlinck, *Pelléas et Mélisande*, um grau de transfiguração poética inalcançável pelo teatro somente falado. Hugo von Hofmannsthal encontrou um parceiro congenial em Richard Strauss. E o turbilhão simbolista de som e cor de Gabriele d'Annunzio vivia da escura e sugestiva melodia da dicção de Eleonora Duse.

Esta foi a época em que Auguste Rodin esculpiu os amantes em mármore branco, em que Rainer Maria Rilke escreveu o *Soneto a Orfeu*, em que *Jungendstil* e *art-nouveau* regalavam-se com decorativos ornamentos entrelaçados, em que Isadora Duncan dançou Afrodite vestida com uma túnica e sandálias de tiras, e declarou, com efusão ingênua e entusiástica: "Minha alma era como um campo de batalha onde Apolo, Dioniso, Cristo, Nietzsche e Richard Wagner disputavam terreno".

O mundo ocidental fazia o seu inventário. Na cena da ópera, isso foi feito por Richard Wagner. Seu ideal de *Gesamtkunstwerk*, a obra de arte conjunta, manteve ocupados os estetas da Europa e da América. Já em 1892, o cenógrafo suíço Adolphe Appia projetou uma série de esboços e maquetes para *Das Rheingold* (O Ouro do Reno) e, em 1896, para o *Parsifal*. Ele atribuiu à luz uma tarefa que até então o teatro não fizera nenhum uso, ou seja, lançar sombras, criar espaço para produzir profundidade e distância. Appia construiu formas arquiteturais de pesados blocos, cubos e cunhas, transformando-as nas largas superfícies daquilo que chamou de "cena interior", de acordo com seu princípio do palco estilizado em três dimensões, com pontos de luz. Mas o convite de Bayreuth nunca veio. Cosima Wagner salvaguardava o testamento do mestre, com o Valhalla e o Castelo do Santo Graal feitos de *papier-maché*, panoramas realistas móveis e plataformas com rodas que carregavam as Donzelas do Reno. O primeiro corte radical com essas convenções precisou esperar meio século por Wieland Wagner, que livraria o palco de Bayreuth dos velhos cenários e realizaria as visões de luz e espaço que os dois grandes reformadores simbolistas do palco – Adolphe Appia e Edward Gordon Craig – haviam planejado.

Por mais que os desenhos e ideias de Appia fossem ao encontro da sensibilidade poética dos simbolistas, foi limitada na prática a escala em que puderam ser comprovados. No teatro particular da condessa de Béarn, em Paris, Appia teve oportunidade de criar, em 1903, "imaginações" cênicas, isto é, não realistas para partes da ópera *Carmen*, de Bizet, e para o *Manfred*, de Byron, que tinha sido musicada por Robert Schumann. O encontro de Appia com Émile Jacques-Dalcroze levou à série de esboços que ele chamou de *Espaces Rythmiques* – contrapontos óticos ao conceito de direção eurrítmica desenvolvido pelo Instituto Suíço Jacques-Dalcroze em Hellerau, perto de Dresden.

O *Tristão e Isolda* de Appia para o La Scala, de Milão, em colaboração com Jean Mercier e Arturo Toscanini, seu *Anel dos Nibelungos* para o Stadttheater na Basileia, sob a direção de Oskar Wälterlin, e seu cenário para *L'Annonce Faite à Marie* (O Anúncio Feito a Maria), de Paul Claudel, para Hellerau, foram ainda mais longe na luta pela transcendência metafísica. Sua culminação utópica, divorciada do teatro, foi a "Catedral do Futuro".

O primeiro pré-requisito de Appia era manter o palco livre de qualquer coisa que prejudicasse a presença física do ator. "O corpo humano está dispensado do empenho de procurar a impressão da realidade, porque ele próprio é realidade. O único propósito da cenografia é tirar o melhor proveito da realidade."

Essa era a convicção de Edward Gordon Craig, também. Mas em seus desenhos ele tratava as figuras no palco e seus movimentos como componentes do todo gráfico. Os braços estendidos de Electra, as costas curvadas de Lear, a silhueta esguia de Hamlet não eram acessórios, mas elementos prévios da visão cênica. No *Hamlet* de Moscou, lanças, setas e bandeiras erguidas em escarpa acentuavam a monumentalidade das verticais e, abaixadas, transpunham o fim trágico em imagem óptica.

Filho da atriz Ellen Terry, Craig estava familiarizado com o palco desde a infância. Aprendera a conhecer e interpretar Shakespeare com Henry Irving. Considerava-se herdeiro de Irving, por mais opostos que fossem seus caminhos artísticos, da veneração por Shakespeare à rejeição a Shaw. Craig preferia dramaturgos com grandes curvas da emoção. Fascinava-o converter linhas patéticas e místicas sobre o destino humano em luz e espaço, para espiritualizar o realismo cênico.

Quando Craig, em 1900, juntamente com seu amigo Martin Shaw (nenhuma relação com G. B. Shaw) montou a ópera *Dido e Eneias*, o cenário consistia em um simples pano de fundo azul. Mas este azul expressava a alma, "*l'état de l'âme*", da ópera de Purcell: claridade brilhante, pálido crepúsculo e, ao fundo, uma distante, delicada filigrana de mastros de navio. O esboço para o drama *Os Vikings em Helgeland*, de Ibsen, parece uma antecipação do *Parsifal* de 1953, em Bayreuth.

Quando montou a liricamente simbólica *Das gerettete Venedig*, de Hoffmannsthal (baseada em *Veneza Preservada*, de Thomas Otway), no Lessing Theater de Berlim para Otto Brahm, Craig limitou-se a longas cortinas coloridas. Os refletores criavam, com interseções e feixes de luz, aquela iluminação mágica que se tornaria também um traço distintivo do teatro expressionista e mais tarde desenvolvida por Kokoschka e Cocteau – por este, até mesmo em filmes – em seu estilo dramático próprio. (Em 1954, o diretor londrino Peter Brook apresentou um protesto contra a pintura cênica por efeito de luz. Ele afirmou que Craig havia superestimado a importância do *spotlight*. A seu ver, mesmo anteparos coloridos podiam apenas suavizar gradualmente a crueza e não podiam rivalizar com o pincel do pintor, nem em sutileza, nem em sombras ou cor).

Craig concebia seu palco não apenas na qualidade de simbolista da luz, isto é, como iluminador, mas também, na mesma medida, como arquiteto. Os *screens* (biombos) que ele usou na famosa montagem de *Hamlet*, no Teatro de Arte de Moscou de Stanislávski, em 1911, aspiravam a algo mais do que apenas uma monumentalidade vazia. Propunham-se, ao mesmo tempo, a apagar o efeito visual da "caixa de vistas" tradicional para realçar, com imponente mobilidade, a ação interpretativa do ator e fornecer aberturas cambiantes às luzes em sucessão.

Temos o registro do próprio Stanislávski sobre os preparativos em conjunto para a memorável encenação:

> Craig pensava num espetáculo sem intervalos nem cortinas. O público chegaria ao teatro e não veria palco ou coisa parecida. Os biombos funcionariam como o prolongamento arquitetural da sala dos espectadores e se harmonizariam com esta. Mas no início da apresentação os biombos se movimentariam graciosa e solenemente; todas linhas e agrupamentos transpor-se-iam de um para o outro, até que se fixassem por fim em novas combinações. De algum lugar, acender-se-ia a luz que projetaria sobre elas efeitos pictóricos, e todos os presentes no teatro seriam levados, como num sonho, para algum outro mundo somente insinuado pelo artista, mas que se tornaria real pela virtude das cores da imaginação dos espectadores.

É interessante ler adiante, na autobiografia de Stanislávski, o quanto ele lamenta que o palco disponha apenas de "meios grosseiros e primitivos" para satisfazer as "mais altas aspirações que nascem das mais puras profundezas estéticas" do homem. A Stanislávski e seu diretor Sulerjítski coube a difícil tarefa de adaptar o modelo trazido e apresentado por Craig a realidades práticas inadequadas.

Craig alcançou em Florença, em dezembro de 1906, um de seus mais felizes sucessos pessoais, quando montou *Romersholm*, de Ibsen, com Eleonora Duse. Ela lhe escreveu uma carta de agradecimento no dia seguinte à estreia: "Atuei ontem à noite como num sonho – e muito além. Sentia sua ajuda e sua força...".

O sonho de Craig de ter um teatro próprio nunca se tornou realidade. Sua escola de teatro em Florença também durou apenas alguns anos. Mas seus escritos teóricos foram difundidos no mundo inteiro, tanto seu livro fundamental, *The Art of Theatre* (A Arte do Teatro, 1905), como sua revista teatral *The Mask* (A Máscara), que com algumas interrupções ele editou em Florença de 1908 a 1929. Era uma publicação bem ilustrada, que abordava todos os aspectos do teatro. Ilusão, naturalismo e estilismo cênico eram discutidos, assim como o velho problema do ator: identificação ou distanciamento? Craig desenvolveu a teoria da supermarionete, da peça de máscaras, que por si só – dizia ele – era capaz de eliminar todos os traços de "egotismo", e então, "coada pelo fogo dos deuses e demônios", liberta e indene "da fumaça e da exalação da mortalidade", poderia "pretender vestir-se de uma beleza cadavérica, exalando ao mesmo tempo um espírito de vida". Algumas de suas ideias voltam em Meierhold, O'Neill e Brecht.

A mística da luz de Craig encontrou um seguidor no cenógrafo americano Robert Edmond Jones, cujos desenhos para as produções de Hopkins-Barrymore de *Ricardo III* e *Macbeth* em 1920 e 1921, em Nova York, foram grandemente influenciadas por Appia e Craig. Três grandes arcos, contra um fundo negro, serviam de equivalente óptico às ambições de Macbeth. Eles desmoronavam quando a curva da fortuna de Macbeth declinava.

Na Europa, os jovens pintores abstratos no fim dos anos 20 recorreram às ideias simbolistas de reforma. Naum Garbo e Antoine Pevsner, com sua montagem de *La Chatte* (A

13. Adolphe Appia: *Luz do Luar*, da série de cenários *Espaços Rítmicos*, estimulados por seu encontro com Emile Jacques-Dalcroze, 1908-1912. Em 1913, Appia desenhou cenários para *L'Annonce faite à Marie*, de Claudel, e para o *Orfeu*, de Gluck, no Instituto Jacques-Dalcroze, em Hellerau, perto de Dresden.

14. Adolphe Appia: *Götterdämmerung* (A Alvorada dos Deuses), segundo ato, 1925. Espaço cênico estilizado para a montagem de Oskar Wälterlin de *O Anel*, de Wagner, no Stadttheater, Basileia.

15. Desenho de Edward Gordon Craig para *O Rei Lear*, terceiro ato, cena 2. Xilogravura do periódico *The Mask*, janeiro de 1924.

16. Página do caderno de direção de Craig, com instruções para a encenação de *Hamlet* no Teatro de Arte de Moscou, 1911. Hamlet e os atores, no ato II, cena 2: o primeiro ator está recitando as linhas "The rugged Pyrrhus" do assassino de Príamo.

17. Edward Gordon Craig: desenho para *Macbeth*, 1909 (extraído de: Craig, *Towards a New Theatre*, 1913).

18. Edward Gordon Craig: cenário com biombos móveis, desenhado para a produção de 1911 de *Hamlet*, no Teatro de Arte de Moscou de Stanislávski. Desenhos para o último ato.

Gata) em 1927 em Paris, e László Moholy-Nagy, com *Contos de Hoffmann*, em 1928 no *Krolloper* em Berlim, tentaram, no espírito de Craig, constituir "espaço a partir de luz e sombra". Os bastidores tornaram-se meros requisitos para a produção de sombras, tudo era translúcido, e toda esta transparência culminava numa estruturação de espaço "superabundante, mas ainda compreensível".

A plasmação dos processos cênicos em termos de palco e de atuação por uma única personalidade criativa, que os simbolistas haviam exigido em nome da poesia e Craig em nome da magia do espaço e da luz, viria com os grandes diretores do século XX: Konstantin Stanislávski (1863-1938) em Moscou; Max Reinhardt (1873-1943) em Berlim, Viena, Salzburg e Nova York; Jacques Copeau (1879-1949) em Paris; Elia Kazan (nascido em 1909) em Nova York. O grande ator e diretor Jean-Louis Barrault (1910-1994), de Paris, deu a Craig o cumprimento supremo: "O trabalho de Craig foi meu catecismo, e ele próprio, o artista de teatro mais perfeito".

Expressionismo, Surrealismo e Futurismo

Desde a Antiguidade, as controvérsias intelectuais difundidas no palco fazem parte da herança teatral, assim como o esplendor de sua festividade. Aristófanes tirou o fôlego dos atenienses com suas polêmicas provocações. Em todas as épocas, escândalos e brigas ventiladas no teatro foram fermento em sua farinha. Tornaram-se mais frequentes quando a arte começou a se opor à pressão niveladora da sociedade industrializada de massa. O progresso técnico e a competição pelo mercado haviam levado à Primeira Grande Guerra e sua mania, a seu delírio. A pessoa humana foi degradada, reduzida a nada, deixada indefesa, à mercê de poderes incontroláveis.

"Somos marionetes cujas cordas são puxadas por mestres desconhecidos", diz o Danton de Büchner, em *Dantons Tod* (A Morte de Danton). O drama expressionista alemão respondia à crise da autodestruição com um grito. Pesadelos e utopias, o determinismo por trás das decisões individuais, as visões socialistas do porvir, o conflito entre o instinto livre e restos castradores de religião – tudo isto foi se somando a um fardo tão pesado que rompeu a linguagem coerente. Êxtase, confissão, protesto explodiam, numa condensação frenética da linguagem, em dinâmicas estridentes do som: no grito. Obras como os assim chamados *Schrei-Dramen* (Dramas de Grito), de August Stramm, e *Seeschlacht* (Batalha Naval), de Reinhard Goering, que começavam com um grito – tudo parecia padecer com a agonia do estar perdido. Em sua peça de um ato *Ein Geschlecht* (Uma Geração), na frente do muro de um macabro cemitério, Fritz von Unruh faz a soma do horror: uma conjurante, extática denúncia da guerra e de suas atrocidades, um chamamento à humanidade e à fraternidade em pentâmetros iâmbicos ásperos e agressivos.

A geração dos pais tornou-se o alvo dos poetas e dramaturgos profeticamente agressivos da selva das metrópoles. A luta entre o novo e o velho, entre filho e pai, irrompeu em manifestos e no palco. O conflito de gerações, nas comédias *Der Snob* (O Esnobe) e *1913*, de Carl Steinheim, ainda tema da cáustica sátira aos burgueses filisteus, era agora estimulado até a execução sangrenta, em peças como *Der Sohn* (O Filho), de Walter Hasenclever, *Dies Irae*, de Anton Wildgans, *Der Bettler* (O Mendigo), de Reinhard Johannes Sorge, até *Vatermord* (Parricídio), de Arnolt Bronnen, e *Die Krankheit der Jugend* (A Doença da Juventude), de Ferdinand Bruckner.

O palco possuía apenas uma possibilidade de captar cenicamente essa violenta investida dos "sonâmbulos", com sua "carga de atualidade de terror", como Alfred Kerr chamou certa vez os dramaturgos expressionistas: utilizar todo o potencial de iluminação como um meio de encenação de luz, visualidade cênica, como um sinal tempestuoso da crise intelectual, emocional e política. Já em 1911, Oskar Kokoschka exigiu, para seu drama *Der brennende Dornbusch* (A Sarça Ardente), um aposento iluminado pela lua, "grande e cheio de sombras ardilosas, que desenhassem figuras no chão". Cones de luz se procurariam uns aos outros, cruzando-se para formar um halo em torno do homem morto. Kokoschka via a cena como um pintor. Mas o alvoroço causado pelo espetáculo de 1919, em Berlim, foi atribuído mais à exuberante imaginação de sua linguagem do que às suas imagens visuais.

Por sua vez, Reinhard Sorge, quando a sociedade literária *Das junge Deutschland* (A Jovem Alemanha) apresentou seu drama *Der Bettler*, em 1917, no Deutsches Theater de Max Reinhardt, pediu refletores móveis que realçassem uma figura isolada ou um grupo dentro da escuridão noturna. Na montagem de Richard Weichert, em 1918, de *Der Sohn* de Hasenclever, em Mainheim, um facho de luz incidindo verticalmente sobre o palco atingia o grau de total isolamento que o dramaturgo pretendia. No drama extático de humanidade, *Die Wandlung* (A Transfiguração), de Ernst Toller, que Karl Heinz Martin montou em 1919, no Tribüne de Berlim, o palco foi revestido com tecido escuro, e os poucos e insignificantes cenários curvavam-se, mal saltando aos olhos, ao *furioso* da palavra.

As peças de Ernst Barlach tornaram evidente a conexão entre o drama expressionista e a pintura expressionista. O mesmo efeito obteve Ernst Stern com seus cenários da montagem de 1919, em Berlim, de *Die Wupper*, de Else Lasker-Schüler, na qual chaminés de fábrica se inclinavam sobre casas vermelho-ferrugem de operários, e violentos contrastes de cor enfatizavam a atmosfera realisticamente expressiva da peça.

A tendência para a luz colorida como recurso cênico encontrou outro partidário em Herwarth Walden, editor do *Der Sturm*. Uma produção de *Sancta Susanna*, de August Stramm, no Künstlerhaus de Berlim dispôs o espectro inteiro como pano de fundo para um interior de igreja: um semicírculo vermelho profundo e, acima dele, anéis concêntricos em amarelo, azul, roxo e, finalmente, preto. As cores primárias repetiam-se nos figurinos. Mais tarde, Oskar Schlemmer, em sua montagem de *Das Triadische Ballet* (O Balé Triádico), no Bauhaus, também jogou com cor rítmica e contrastes de formas.

Os grandes palcos dos Teatros de Estado, com seu representativo programa de clássicos, dificilmente podiam custear experiências com dramaturgos expressionistas, exceto em *matinées* literárias. Mas os princípios da abstração por meio da luz e da cor encontraram seu mestre em Leopold Jessner, diretor do Staatstheater de Berlim na Gedarmenmarkt. Jessner for de Königsberg para Berlim, e em 1919 encarregou-se do Schinkel-Baues, sucedendo uma direção até aí marcadamente tradicional. Em 12 de dezembro de 1919, apresentou um *Wilhelm Tell* (Guilherme Tell) que evitava, rigorosamente, todo o esplendor da paisagem de montanhas suíças: um austero sistema de degraus contra um fundo de cortinas escuras era o cenário inteiro; e havia Albert Bassermann como Tell, um gigante do tipo retratado nas pinturas de Hodler, e Fritz Kortner como Gessler, numa caracterização marcial e forrado de medalhas. Não havia nenhum "lago risonho", nenhum "desfiladeiro", mas em vez disso o estentóreo chamado à ordem de Bassermann, da rampa para a plateia, quando a continuação do espetáculo viu-se ameaçada pelo tumulto e gritaria: "Ponha os arruaceiros pagos pra fora!"

A situação foi salva, e o espetáculo continuou; Jessner firmou-se no caldeirão de bruxa das intrigas de teatro. E o lance de escadas que ele usou nessa montagem tornou-se sua marca registrada artística. Para o *Ricardo III* de Shakespeare, Emil Pirchan lhe desenhou uma larga escadaria frontal, que se estreitava suavemente na direção do topo – uma interpretação visual da ascensão e queda do rei assassino e dominador, retratado por Fritz Kortner num estilo diabolicamente adequado e elegante. Emoções e discórdias eram indicadas pelas cores vermelho, preto e branco.

As escadas de Jessner fizeram escola. Prestavam-se a ser interpretadas principalmente como expressão de um cósmico sentimento de mundo, testificavam portanto a pretensão intelectual. Eram também fáceis de imitar, podiam ser usadas para quase todas as propostas e não apresentavam dificuldade, nem mesmo para um palco tecnicamente primitivo. Quando Jessner, ao retornar de uma viagem por alguns teatros de província, foi questionado sobre suas impressões, deu uma resposta muito citada: "Escadas, nada mais além de escadas". Mais tarde, em 1960, durante uma discussão em Munique, ao ser interrogado sobre aquele "cósmico" lance de escadas, Fritz Kortner declarou evasivamente: se o Staatstheater tivesse um palco giratório, não seria obrigado a recorrer a

19. Fotografia de uma cena da tragédia *Ein Geschlecht* (Uma Geração), de Fritz von Unruh, montada pela primeira vez em 1918 no Schauspielhaus de Frankfurt-am-Main. Direção: Gustav Hartung; cenário: August Babberger. Com Rosa Bertens como a Mãe, Gerda Müller como a Filha e Carl Ebert como o Filho.

20. Projeto de cenário de Otto Reigbert para *Der Sohn* (O Filho), de Walter Hasenclever, destinado ao Stadttheater Kiel, 1919.

21. *Morte na Árvore*. Pintura de César Klein para o cenário da montagem de Victor Barnowsky para o drama expressionista em "estações" *Von Morgens bis Mitternachts* (Desde a Manhã à Meia-Noite), de Georg Kaiser, levado em 1920 no Lessingtheater, Berlim.

22. Pintura de cenário feita por Otto Reigbert, para a montagem de Otto Falckenberg de *Herodes und Mariamne*, de Friedrich Hebbel. Deutsches Theater, Berlim, 1921.

23. As escadas de Jessner. Projeto de cenário de Emil Pirchan para *Ricardo III*, de Shakespeare, na encenação de Leopold Jessner. Staatstheater am Gendarmenmarkt, Berlim, 1920.

escadas para conseguir seu efeito. Quaisquer que sejam os motivos conducentes, transformar uma necessidade em um princípio artístico é privilégio do encenador. E o emprego de escadas no palco remonta já a Piranesi, Juvara, os Meiningers e Appia.

Jacques Copeau, o reformador da arte teatral francesa, formalizou similarmente o palco com combinações de escadas. Pediu a Francis Jourdain que criasse, para o tablado do Théâtre du Vieux Colombier em Paris, que ele inaugurara em 1913, uma moldura arquitetônica fixa, com uma área neutra para a atuação na frente. Seu modelo era a cena elisabetana, seu objetivo era a "reteatralização do teatro": um palco claro, simples, bem-proporcionado; um inconspícuo tablado para o texto dramático, que não requeria mais do que "um pódio vazio".

Copeau estava em contato com Appia, Craig e Stanislávski, e de sua escola vieram diretores como Louis Jouvet e Charles Dullin, e mais tarde, quando foi codiretor da Comédie Française em 1944, também Jean-Louis Barrault e Jean Vilar. O foco de interesse original de Copeau residia na literatura. Seu ideal era a humanização do teatro a partir da palavra. Foi um dos fundadores da *Nouvelle Revue Française*, em cuja edição de setembro de 1913 anunciou a criação de seu próprio teatro e seus objetivos artísticos, sob o título *Le Théâtre du Vieux Colombier* (O Teatro do Vieux Colombier).

A primeira vez que Copeau causou sensação foi quando da dramatização do último romance de Dostoiévski, *Os Irmãos Karamazov*, em 1910. (O espetáculo produziu uma impressão tão duradoura que, em 1927, o Theatre Guild pediu que ele o encenasse novamente em Nova York.) A influência de Copeau entrama-se como um fio vermelho em todo o moderno teatro francês. Ela se estende, com certeza, até Giraudoux e Anouilh, mas inclui afloramentos aparentemente tão remotos, como por exemplo a peça bíblica *Noé*, de André Obey, diretor da Comédie Française após 1946, cujo sucesso no palco, em 1931, se deveu ao sobrinho e pupilo de Copeau, Michel Saint-Denis. Pierre Fresnaye fez o papel-título em Nova York, John Gielgud, em Londres. Muitas das ideias de Copeau contribuíram para o desenvolvimento do teatro inglês, via Saint-Denis, que se tornou diretor da Escola de Arte Dramática do Old Vic.

O Théâtre du Vieux Colombier fechou suas portas em 1924. Mas os ensinamentos de Copeau permaneceram vivos no "Cartel des Quatre", conhecido como os "Quatro Grandes", um grupo fundado em 1926 e que durou até a Segunda Grande Guerra. Consistia nos mais importantes diretores de teatro particulares de Paris: Louis Jouvet, Charles Dullin, Gaston Baty e Georges Pitoeff. Apesar de diferirem muito quanto à origem e temperamento, tinham em comum o objetivo de produzir, no sentido de Copeau, um teatro não convencional, de humanizar a arte do palco e de opor-se à corrente da crescente artificialização. Logo veio a censura que os "Quatro Grandes" estariam superestimando o papel do diretor. Mas esse era um desenvolvimento natural numa época em que o pluralismo das possibilidades de plasmação alcançara uma primeira culminância.

A direção teatral pressupunha discriminação crítica e requeria uma habilidade para fundir os elementos mais heterogêneos numa forma de arte internamente consistente. A escolha começava com as técnicas cênicas e não se limitava à peça em si. Otto Brahm havia se arvorado em advogado de Gerhart Hauptmann; o Teatro de Arte de Moscou de Stanislávski foi a casa de Tchékhov; e Louis Jouvet sugeriu e promoveu ativamente a mudança de Giraudoux do romance para o drama. Na Comédie des Champs-Elysées, Jouvet produziu, em 1928, *Siegfried*, de Giraudoux, um "diálogo com a Alemanha, o paroxismo da paisagem e da paixão, ao qual somente a alma pode dar plenitude".

Gaston Baty, o principal dos Compagnons de la Chimère (Companheiros da Quimera), agia na área entre a religiosidade, com um toque de simbolismo, e o imponderável verbo espirituoso de Labiche, leve como uma pena. Georges Pitoëff, nascido na Armênia e estabelecido em Paris em 1922, não apenas encenou autores russos e escandinavos, mas também Pirandello, Shaw e Ferdinand Bruckner. Quando Charles Dullin montou *Ricardo III* no Théâtre de l'Atelier, estilizou as cenas de batalha à maneira do balé – uma afronta ao modo tradicional de representar os clássicos.

As qualidades dramáticas do balé não foram postas em dúvida desde Serge Diaghilev. *Schéhérazade* (1909) e *Petrouchka* (1911) declaravam-se obras de arte coreográfico-musicais independentes. Léon Bakst e Alexandre Benois ganharam fama da noite para o dia com seus projetos de cenário e figurinos. A primeira bailarina, destaque exclusivo no entardecer do século XIX, dividia agora o aplauso com o pintor e o coreógrafo. Ter participado de uma encenação de Diaghilev, em Paris, Londres ou Monte Carlo, era o primeiro degrau na escada do êxito internacional.

Jean Cocteau alcançou seu primeiro *succès de scandale* em 1917, em Roma, com um balé chamado *Parade*. A música era de Eric Satie, o cenário, de Pablo Picasso, e seu estilo foi descrito no programa por uma palavra, cunhada por Guillaume Apollinaire: Surrealismo. Era uma nova palavra de ordem para uma forma de arte que pretendia ser não naturalista, não realista, super-realista. O termo apareceu pela primeira vez no subtítulo da fantástica e grotesca peça de choque *Les Mamelles de Tirésias* (As Mamas de Tirésias), que os amigos do autor encenaram como um "drama surrealista" em 24 de junho de 1917 no Théâtre Maubel, em Montmartre. A reação dos críticos parisienses foi morna. A apresentação não levava nem ao sucesso, nem ao escândalo. Os conceitos de Apollinaire exerceram influência mais duradoura sobre o teatro do que suas peças. Dele também procede o termo "rayonismo", para a variante especificamente russa do futurismo (os *ismos* começavam a se multiplicar) que atingiu reconhecimento mundial, graças aos colaboradores de Diaghilev, Natália Gontcharova e seu marido Mikhail Larionov.

Balé e música estavam emancipando-se rapidamente, e o ímpeto desse movimento encontrou expressão no assim chamado "Grupo dos Seis" – ou seja, os seis compositores: Georges Auric, Louis Durey, Darius Milhaud, Francis Poulenc, Germaine Tailleferre e Arthur Honegger. Seus ataques aos seguidores de Wagner e Debussy trouxeram a estes últimos, conforme Cocteau – que era aliado dos "Seis" – gracejou com malícia, o perigo de serem levados a sério.

O próprio Cocteau ficou muito contrariado quando o público o pôs em dúvida. Mas ficou mais irritado não tanto pela recepção de seus filmes surrealistas, de *Le Sang d'un Poète* (O Sangue de um Poeta) a *Orphée* (Orfeu), ou de seus dramas *La Machine Infernale* (A Máquina Infernal) ou *Bacchus* (Baco), quanto pela recepção da montagem de 1962, em Munique, de *L'Aigle à deux têtes* (A Águia Bicéfala), que se realizara sob a égide pessoal deste autor. Os jovens protestaram. Mas a razão não era, absolutamente, um surrealismo tardio mal-entendido, porém, o protesto, neste caso, devia-se às suas inadequações de melodrama histórico barato.

A grande realização de Cocteau no limiar do surrealismo consistiu em haver despertado o interesse dos pintores da Escola de Paris pelo teatro. Picasso, Matisse, Braque, Utrillo, Juan Gris, Giorgio de Chirico, André Derain, Delaunay, Max Ernst e Joan Miró desenharam cenários e decorações para Stravinski e Prokófiev, para Maurice Ravel e Manuel de Falla, para Albéniz e Richard Strauss.

O palco tornou-se o portador das composições pictóricas de vanguarda, em grande escala. O Balé Russo, alcançando nova glória, desde 1917, no quadro da Ópera de Paris, e o Balé Sueco, no Théâtre Hébertot a partir de 1920, celebraram os triunfos dos *décors* altamente expressivos. Para *Le Tricorne* (O Chapéu de Três Bicos), de Manuel de Falla, que o Balé Russo trouxe a Londres em 1919, Picasso virou o espelho d'água do lago de Miller na vertical e alinhou um lado dos outros elementos cubistas. Fernand Léger derivou o cenário de *Skating Rink* (O Rinque de Patinação) de dinâmicas de cor cubistas, e De Chirico ergueu, ao fundo da cena de *La Jarre*, as serenas vastidões de sua perspectiva na pintura – ambos para as memoráveis produções experimentais do Balé Sueco em Paris, em 1922 e 1924, respectivamente. Ideias estimulantes deste apogeu da arte da dança ainda continuam a atuar no interlúdio balético do oratório dramático *Jeanne d'Arc au Bucher* (Joana d'Arc na Fogueira) de Arthur Honegger. A fama mundial de Honegger, entretanto, remonta a 1921, e sua música para o *Roi David*, apresentada no festival vanguardista dos irmãos René e Jean Morax, cujo Théâtre du Jorat em Mézières, perto de Lausanne, visava propiciar uma estreita colaboração entre o palco e a plateia.

24. Quadro de cenário de Pablo Picasso para o *ballet O Chapéu de Três Bicos*, de Manuel de Falla, com coreografia de Leónide Massine. Levado pelo Ballet Russe, sob direção de Diaghilev, no Alhambra Theatre, Londres, 1919.

25. Projeto de cenário de Enrico Prampolini: *Arquitetura Metafísica*, 1924.

Na Itália, o futurismo começou nas artes plásticas e converteu-se numa rejeição radical à tradição. F. T. Marinetti precisou em seu *Proclama sul Teatro Futurista* (Manifesto do Teatro Futurista) (1915) as exigências do futurismo em relação à cena. Os critérios para o teatro do futuro deveriam ser a dinâmica da máquina, a mecanização da vida, o princípio funcional do autômato. Para o ator, isso significava um *staccato* de *montages* verbais acusticamente condicionadas, um movimento de marionete elevado ao nível acrobático e a redução da própria pessoa a uma engrenagem bem azeitada do "teatro sintético".

Também a cenografia há de ser dinâmica. A cena deve tornar-se parte do ritmo do movimento, de acordo com a *Scenografia Futurista* de Enrico Prampolini. Léger adotou esse princípio até certo ponto. Em seus desenhos para o balé *La Création du Monde* (A Criação do Mundo) (1923), havia algumas seções planas na composição geométrica de cores fortes, concebidas para estar em movimento constante. Como uma variante tardia, temos o *Figurales Kabinett*, de Oskar Schlemmer, concebido para uma banda de *jazz* e desenhado, em 1927, para o Bauhaus em Dessau.

Os experimentos da era da máquina com a nova forma encontraram expressão efetiva na nova arte do cinema. O pintor Robert Wiene usou, em 1919, em seu filme de horror *Das Kabinett des Dr. Caligari* (O Gabinete do Dr. Caligari), um cenário expressionista, truques de luz e reflexos de choque para sugerir as visões de pesadelo de uma personalidade patologicamente cindida. René Clair, em seu pequeno filme *Entr'act*, trouxe à mostra o bruxuleante subconsciente de uma bailarina acometida do medo de representar no palco – um tributo ao Balé Sueco, para o qual a película pretendia servir, como seu nome sugere, de entreato. Em *Le Sang d'un Poète* (O Sangue de um Poeta), Jean Cocteau demonstrou, num fantástico pitoresco e intelectual, o que poderia ser feito com o cinema como "um documento realista de eventos irreais". Seu uso surrealista da câmera foi mais tarde inesgotavelmente repetido no *Orphée* e, posteriormente, no *Testament d'Orphée* (Testamento de Orfeu).

Max Reinhardt: Magia e Técnica

O século dos grandes diretores contou com um segundo trunfo além de Stanislávski: Max Reinhardt. Ele também percorreu, em suas concepções artísticas, os estilos mutantes de sua época. Reinhardt chamou a si mesmo, certa vez, de "mediador entre o sonho e a realidade". Verdadeiro herdeiro do espírito do barroco austríaco, gostava de abandonar-se, sem reservas, à magia festiva do teatro. Era parte da natureza de sua arte e de sua personalidade recorrer generosamente a recursos caros, espalhar no palco todas as riquezas apreensíveis de atmosfera e cor, de expressão visual e intelectual.

Por sua vez, o teatro naquele exato momento foi equipado com os novos meios técnicos, pelos quais metamorfoses até então nunca suspeitadas poderiam ser arrancadas do tosco aparato tradicional da cenografia. Em 1896, em Munique, Karl Lautenschläger inventara o palco giratório e assim criara as condições práticas para realizar um velho sonho do teatro. No Oriente, o *kabuki* japonês conhecera já outros predecessores, primitivos, e Leonardo da Vinci, em Milão, havia construído um cenário giratório em 1490; mas o palco giratório não se tornou acessório comum e praticável do teatro até que Lautenschläger inventou a plataforma giratória operada eletricamente. O ciclorama, iluminação multicolorida, horizonte em cúpula e projetores de efeitos completavam o arsenal das novas possibilidades de magia e Max Reinhardt tornou-se um mestre em seu uso.

Ele supervisionou a reforma do Kleines Theater em Berlim em 1905, e suas instruções nessa ocasião ilustram a importância dos dispositivos técnicos para a arte dramática do futuro. O sistema de iluminação precisava ter "ricas possibilidades, de fato, cores e projetores". Deviam substituir os cenários, aos quais Reinhardt quer então renunciar. Não importava o que acontecesse, o palco giratório precisava ser construído: "Eu atribuo a maior importância possível a este palco giratório!"

Nada de bambolinas, "esses farrapos deploráveis"; da mesma forma, Reinhardt não via

26. Pintura de cenário de Oskar Schlemmer para *Don Juan* e *Fausto* de Chr. D. Grabbe, Nationaltheater, Weimar, 1925. Cena simultânea em Roma: à esquerda, uma rua; à direita, estúdio de Fausto no Aventino.

27. Projeto de cenário de Alexandra Exter para *O Mercador de Veneza*, 1927.

28. Cenário de Emil Pirchan para *Gas*, de Georg Kaiser, levado em 1928 no Schillertheater, Berlim.

29. Karl Lautenschläger: palco giratório operado eletricamente. Usado pela primeira vez em 1896, no Nationaltheater de Munique.

utilidade no urdimento: "O que vem lá de cima está quase sempre podre". Seu ideal residia no palco giratório, cujo cenário tridimensional para a peça toda deveria, se possível, ser instalado com antecedência, tendo como abóbada um céu em cúpula.

Max Reinhardt chegou a Berlim por Viena, Bratislava e Salzburgo, onde Otto Brahm o viu no papel de Franz Moor e o convidou para o Deutsches Theater. Ali, ele estreou juntamente com Josef Kainz, Agnes Sorma e Albert Bassermann. Mas o naturalismo frio, objetivo e invariável do protestante Otto Brahm não poderia satisfazer Reinhardt a longo prazo. Ele queria transformar as coisas. Procurava as outras possibilidades, mais luxuriantes, mais enfeitiçadoras do teatro, a realidade mais elevada e sensual, em vez de sua cópia profanada.

O trampolim de Reinhardt foi o cabaré literário. Ele arriscou a sorte com um grupo de jovens artistas que se autointitulava "Schall und Rauch" ("Som e Fumaça") e começou a atrair atenção desde 1901, primeiramente com números em forma de esquetes curtos e logo com peças maiores. (Tudo se iniciou com um espetáculo beneficente para o poeta Christian Morgenstern, doente e incapaz de pagar por sua permanência num sanatório suíço.) Max Reinhardt desvinculou-se de Brahm. O intérprete tornou-se diretor, e dentro de poucos anos o diretor tornou-se o mais apaixonado motor artístico e o maior empresário teatral de Berlim. Novos projetos, novos palcos, reconstruções, amplificações para dimensões cada vez maiores, teatro de massa, arena, festivais – a contagiante energia de Max Reinhardt superava todos os obstáculos.

No final de fevereiro de 1903, assumiu a administração e direção do Neues Theater am Schiffbauerdamm. Ali, o seu ápice foi uma encenação picante e parodística de *Orphée aux Enfers* (Orfeu no Inferno), de Offenbach, com Alexander Moissi como Plutão-Aristeu e o jovem Otto Klemperer brandindo a batuta de regente. No Kleines Theater, na Unter den Linden, a modernizante sala do "Schall und Rauch", o sombrio e naturalista *No Fundo*, de Górki, foi seguido por uma não menos naturalista *feérie*, o *Sonho de uma Noite de Verão*, de Shakespeare, com árvores reais num verde tapete de grama, árvores atrás das quais a lua nascia e sobre as quais as estrelas brilhavam nas abóbadas celestes. Em cena aberta, a floresta girava, bem como o aposento do carpinteiro e o palácio. Reinhardt encenou o *Sonho de Uma Noite de Verão* aproximadamente uma dúzia de vezes, e sempre de forma diferente – sendo a última vez em 1935, num filme em Hollywood, juntamente com Wilhelm Dieterle – mas nenhuma apresentação lhe trouxe mais fama do que a do palco giratório e das árvores verdadeiras de Berlim.

No verão de 1905, Reinhardt transferiu-se para a Schumannstrasse como diretor administrativo do Deutsches Theater e, poucos meses mais tarde, comprou-o de seu fundador, Adolphe L'Arronge, o comediógrafo. Era o mesmo local onde Reinhardt atuara sob a direção de Otto Brahm; um dos mais proeminentes teatros alemães na época, recuperou essa posição depois de 1945, quando Gustav Gründgens, Paul Wegener e Horst Caspar proporcionaram novo brilho ao nome Max Reinhardt Deutsches Theater.

Após ter reconstruído em 1906 uma sala de dança vizinha convertendo-a no Kammerspiele, Reinhardt usou esses espaços menores para peças de Sternheim, Wedekind, Ibsen e Strindberg, enquanto no teatro principal dominavam sobretudo os clássicos. Strindberg veio em pessoa e ficou impressionado com a atmosfera elegante e íntima do Kammerspiele e o estreito contato entre a plateia e o palco, sem qualquer rampa que o prejudicasse. Em 1907, ele fundou o Teatro Íntimo em Estocolmo, segundo o modelo de Reinhardt. Comportava apenas cento e sessenta pessoas, e assim oferecia a garantia desejada para as sutilezas e nuanças psicológicas que, sob a direção de August Falck, finalmente trouxeram sucesso à *Senhorita Júlia*, também em Estocolmo.

Para Max Reinhardt, o Kammerspiele era simplesmente um acorde da orquestra de seus planos – um acorde que sustentava com requintada delicadeza, conveniente a esse auditório que, com seu revestimento escuro e cadeiras confortáveis, parecia tão particular quanto uma sala de estar. Para a inauguração, em 8 de novembro de 1906, ele levou os *Espectros*, de Ibsen, com cenários do pintor norueguês Edvard Munch.

Reinhardt também obteve os serviços dos pintores Max Slevogt, Lovis Corinth e, em *Genoveva*, de Hebbel, de Max Pechstein. Ernst Stern, César Klein e Emil Orlik colaboraram com ele durante anos. Estabeleceu contato com Edward Gordon Craig e envidou o seu *élan* e autoconfiança para transformar em realidade aquilo que Romain Rolland e Craig proclamavam como o Teatro do Futuro: o espetáculo para as massas, espaço festivo, de dimensões colossais, onde as multidões se reuniriam como haviam feito na Antiguidade ou na praça do mercado, na Idade Média cristã.

Reinhardt alugou o Zirkus Schumann, com capacidade para cinco mil pessoas, para encenar o *Édipo Rei*, de Sófocles, na nova adaptação de Hugo von Hofmannsthal. Alfred Roller construiu para ele uma imponente escadaria, a fim de introduzir a tragédia antiga dentro da arena. Como coro, Reinhardt organizou uma multidão em movimentos monumentais. Ele assenhorou-se da arte da direção de massa e conquistou o público, primeiramente com o *Édipo Rei* em 1910, e, um ano mais tarde, também no Circo Schumann, com a *Oresteia* de Ésquilo. No mesmo ano – em 1911 – transformou o grande salão do Olympia, em Londres, numa catedral gótica, para o *Milagre*, de Karl Vollmöller. Janelas com vitrais, arcos ogivais e colunas, desenhados por Ernst Stern, mascaravam a austera estrutura de aço e banhavam toda a sala numa penumbra mágica. O público era inserido em uma atmosfera medieval mística, para a qual a música de Engelbert Humperdinck também contribuía.

Tentativas similares de realizar um teatro de massa foram empreendidas pelo diretor francês Firmin Gémier no Cirque d'Hiver, em Paris. Ali ele produziu, em 1919, *Oedipe, Roi de Thèbes* (Édipo, Rei de Tebas), uma versão do tema em pauta simbolista e religiosa, de autoria de Saint-Georges de Bouhélier. O cenógrafo Emile Bertin, no entanto, recorreu aos modelos romanos, em vez dos gregos, edificando na arena elementos de arquitetura do circo no estilo de Orange. A essa produção seguiu-se, em março de 1920, *La Grande Pastorale* (A Grande Pastoral), uma peça cristã de Charles Hellem e Pol d'Estoc, montada por Gaston Baty.

Reinhardt porém foi ainda mais longe. O público precisava tomar parte não apenas de modo passivo, mas ativamente. E ele produziu então o seu famoso e notório *Danton*, de Romain Rolland. Foi no Grosses Schauspielhaus em Berlim, em 1920. Sentados entre o público, mais ou menos cem atores lançavam aos gritos sucessivos apartes durante a assembleia revolucionária, saltando da cadeira com gestos selvagens. Todo o imenso espaço, transformado por Hanz Poelzig numa monstruosa abóbada de estalactites, transformou-se no Tribunal.

"E então, entrava Paul Wegener como Danton, alto, largo, maciço; parava sob uma luz brilhante, na rampa da tribuna gradeada, que avançava diante do palco efetivo, até as primeiras fileiras", relata Paul Fechter. Ele estava entre os poucos dispostos a admirar Reinhardt também nesta encruzilhada crítica, em 1920. A plateia conservadora interpôs seu veto. O "teatro total", que menos de meio século mais tarde se tornou a divisa comum de todos os experimentadores, nasceu na Alemanha com o grandioso fracasso de Max Reinhardt no Grosses Schauspielhaus, em Berlim.

Em outubro de 1920, Reinhardt retirou-se da administração do Deutsches Theater (seu velho colaborador, Felix Hollaender, o substituiu por dois anos) e foi para Viena. No outono e no inverno de 1922 e 1923, encenou algumas peças no Wiener Redoutensaal e no Deutsches Volkstheater e, em 1924, assumiu a direção do Theater in der Josefstadt, inaugurando-o em 1º de abril, com *O Servidor de Dois Amos*, de Goldoni – a declaração de amor de Reinhardt à *Commedia dell'arte*, uma declaração que ele nunca se cansou de repetir, em muitas variantes.

Reinhardt considerava a mais simples forma de encenação tão desafiadora quanto a mais elaborada. Reiteradamente reexaminou e pôs à prova a extensão de seus poderes criativos. Julgava tentador enveredar por trilhas não palmilhadas, jogar seu feitiço metamorfoseador sobre comediantes que não conhecia. Em 1929, recebeu os primeiros participantes de seu seminário sobre interpretação e direção no Schönbunner Schlosstheater em Viena, com estas palavras: "Não é o mundo da aparência este que vocês adentram hoje; é o mundo do ser". Aqui, em poucas palavras, está a própria fé de Reinhardt na verdade superior do teatro.

30. *Espectros*, de Ibsen, encenado por Max Reinhardt para a inauguração do Kammerspiele de Berlim, em 8 de novembro de 1906. Cenário de Edward Munch (Basileia, Kunsthalle).

31. Max Reinhardt num ensaio de *Édipo Rei*, de Sófocles. Zirkus Schumann, Berlim, 1910 (aquarela de Emil Orlik).

32. Encenação de Reinhardt no Olympia Hall, Londres, 1911: *O Milagre*, de Karl Vollmöller, com música de Engelbert Humperdinck; disposição cênica e cenários de Ernst Stern. Desenho de J. Duncan (Londres, Victoria and Albert Museum).

33. O "teatro total" de Reinhardt no Grosses Schauspielhaus, Berlim, 1920: *Danton*, de Romain Rolland, com Paul Weneger no papel-título. Desenho de Ernst Stern.

34. *A Morte de Danton*, de Georg Büchner, encenado por Max Reinhardt no Kammerspiele de Munique, 1929: V. Sokoloff como Robespierre. Desenho de Peter Trumm.

Max Reinhardt não se agarrou exclusivamente nem a formas estilísticas particulares, nem a autores particulares. Ele apresentou Ludwig Thoma e Ludwig Anzengruber a Berlim. Criou espaço para os expressionistas pacifistas nas *matinées* de domingo do Deutsches Theater e em seu periódico *Das Junge Deutschland* (A Jovem Alemanha). Amava Shakespeare, Hebbel e Kleist, e capturou um reflexo do teatro do longínquo Oriente com uma montagem de *Sumurun*, no Kammerspiele de Berlim, em 1910, na qual o ator principal fazia sua entrada numa passarela de flores que ia até o alto da plateia, como no *kabuki* japonês.

Em 16 de junho de 1933, Max Reinhardt escreveu o que talvez seja a mais comovente carta jamais escrita por um homem de teatro bem-sucedido, depois de voltar as costas a um regime totalitário. Os nazistas haviam expropriado seus teatros, cuja administração ele entregara, em 1931, a Rudolf Beer e Karl Heinz Martin. Agora, Reinhardt reconhecia formalmente a situação:

> Com esses teatros eu perco não apenas os frutos de trinta e sete anos de trabalho, mas também o solo que cultivei durante toda a minha vida e no qual cresci. Perdi minha casa... Mas visto que o *fiat* do Estado criou uma situação em que já não há mais nenhum lugar apropriado para o meu trabalho, e visto que, desse modo, se tornou impossível para mim continuar cuidando da obra da minha vida, e cumprir as obrigações a ela ligadas, é preciso que eu encare como natural deixar todo este trabalho ao Estado... Além de preencher sua principal tarefa, a de manter suas portas abertas às correntes vivas do tempo, e trazer à luz as obras dramáticas nacionais, o Deutsches Theater adquiriu uma reputação internacional incomparável, por numerosos espetáculos que foi convidado a apresentar em todas as grandes capitais do mundo... A satisfação de ter dado o melhor de mim, ao contribuir para este resultado, modera a amargura do meu adeus.

Reinhardt enviou cópias desta carta a muitos órgãos do governo em Berlim. Nenhum deles respondeu.

A Ideia do Festival

O nome de Max Reinhardt está associado não apenas a Berlim e Viena, mas também a Salzburgo, a cidade de sua primeira infância e a cidade do Festival. Desde 1903 vinha alimentando a ideia de converter Salzburgo em palco de um grande evento festivo. Era uma cidade bonita, intelectual e alegre, e a combinação de um ambiente natural encantador com uma esplêndida arquitetura, numa localização tão conveniente, lhe parecia ideal para um centro de peregrinação artística. Sob o signo de Mozart, ele pretendia recuperar para o teatro o "espírito festivo e alegre, a singularidade" que "é a marca de toda arte, e que o teatro da Antiguidade possuía".

Hugo von Hofmannsthal apoiava essa ideia. Reinhardt escreveu cartas insistentes para despertar o interesse cultural e econômico dos edis de Salzburgo. Finalmente, no verão de 1920, tudo estava organizado, e o primeiro festival, estruturado. Em 22 de agosto, o chamado de *Everyman* (Todo Mundo) foi ouvido pela primeira vez na praça diante da catedral barroca, e a fortaleza de Hohensalzburg repercutiu o eco. Reinhardt convocara suas melhores forças para representar a versão do mistério tardo-medieval reescrito por Hofmannsthal. Alexander Moissi interpretava Todo Mundo, Wilhelm Dieterle, o Bom Companheiro, Heinrich George era Mamon, Werner Krauss, a Morte e o Demônio, Hedwig Bleibtreu, a Fé, Johanna Terwin, o Amor Sensual e Helene Thimig, esposa de Reinhardt, as Obras de Deus. Salzburgo guardou essa primeira encenação do Festival como um legado. Nos anos 60, quase meio século mais tarde, ela ainda era um dos esteios sacrossantos dos programas – com frequentes mudanças na distribuição dos papéis, mas piedosamente preservada no estilo.

Dois anos depois de *Jedermann* (Todo Mundo), em 1922, Reinhardt montou *Das Salzburger Große Welttheater* (O Grande Teatro do Mundo de Salzburgo), a peça barroca religiosa de Hofmannsthal, baseada em Calderón. Ele a encenou numa igreja, a Kollegienkirche. Tudo o que tivera de conjurar em austeros salões solenes, para o *Milagre*, de Volmöller, a atmosfera de um espaço sagrado, estava pronto ali, para ele. Reinhardt submeteu-se à majestosa arquitetura de Fischer von Erlach. Escolheu dosséis estilizados e painéis de tecido vermelho brilhante como únicos complementos à fria alvura dos plintos, colunas e pilastras.

O mais importante, porém, foi o ano de 1922 para o estabelecimento do futuro peso

35. *Jedermann*, de Hugo von Hofmannsthal, na praça da Catedral em Salzburg, 1920. A montagem de Reinhardt abriu o festival de Salzburg, que ele criou juntamente com Hofmannsthal.

36. *Das Salzburger grosse Welttheater*, de Hugo von Hofmannsthal; levada pela primeira vez em Salzburg, em 1922, na Kollegienkirche, foi reencenada em 1925 no Festspielhaus: palco com cenário de baldaquino gótico.

musical do Festival de Salzburgo. Pela primeira vez, quatro óperas de Mozart figuravam no programa, cada uma delas com quatro apresentações: *Don Giovanni*, *Così Fan Tutte*, *As Bodas de Fígaro* e *O Rapto do Serralho*. (Salzburgo conhecia festivais de música com obras de Mozart desde 1877.) Era o começo de uma mudança em favor da ópera, reforçada pela construção da casa de espetáculos do Festival e sua ampliação, em 1926, por Clemens Holzmeister. Entre os maestros estavam Richard Strauss, Arturo Toscanini, Bruno Walter, Clemens Krauss e Wilhelm Furtwängler. Os papéis principais eram cantados por astros de Viena, Milão e Nova York. No espaço pitoresco da *Felsenreitschule*, antiga escola de equitação, acomodavam-se ópera e drama, oratório e balé. O velho teatro tornou-se muito pequeno para a caudal de visitantes. Clemens Holzmeister desenhou um novo e ultramoderno edifício, profundamente incrustado nas rochas de Mönchsberg. Sua inauguração, em 1960, também deu início à era Karajan, rica em realizações artísticas e reveses administrativos, o que trouxe uma nova mudança, em 1968, com o Festival da Páscoa, idealizado e largamente custeado por Herbert von Karajan.

Juntamente com Bayreuth, Munique e Viena, Salzburgo forma o núcleo do festival de música de verão da Europa. À sua volta agrupa-se a inabrangível multidão dos mais diversos tipos de festivais locais. Seus nomes são legião, e atraem artistas de renome internacional. Para mencionar alguns exemplos, há o Festival da Holanda, em Amsterdã; o Festwochen, de Berlim; o Maggio Musicale, em Florença; o Musical, em Bordeaux; o Festival de Musique, em Aix-en-Provence; o Festival Gulbenkian de Música, em Portugal; o International Festival, em Edimburgh; o Festival Norueguês, em Bergen; as semanas do Teatro Nacional Finlandês, em Helsinque – e os festivais de Atenas, Epidauro, Avignon e Stratford-on-Avon, predominantemente dedicados ao drama. Além disso, há todos os espetáculos de verão que acontecem nas ruínas de monastérios, conventos e teatros ao ar livre, que tentam manter-se à margem da competição do grande festival. Alguns não têm muito mais a oferecer além do pitoresco cenário natural que Reinhardt, originariamente, buscou – isto é, estão fora do alvoroço da metrópole. Mas, não importa se com esforços prodigiosos ou modestos, todos possuem sua justificativa e seu mérito, na medida em que sua preocupação é com o teatro e não com o mero turismo.

Para completar o quadro, cabe mencionar as peças e os cortejos locais, os grandiosos espetáculos, tão difundidos especialmente na Suíça, desde os ludos de *Tell* ao ar livre, em Altdorf ou Interlaken, à tradicional festa dos taberneiros de Vevey, com milhares de pessoas tomando parte nas procissões e espetáculos.

O Teatro Engajado

Rússia Soviética: O "Outubro Teatral"

Com a Revolução Russa, o teatro assistiu a uma ruptura das mais elementares, radicais e duradouras com a tradição. Nos anos imediatamente posteriores a 1917, uma violenta pressão foi exercida para levá-lo à mobilização política. A Revolução celebrava a si mesma e a disseminação dos ideais comunistas. Comícios gigantescos, com coros falados e canções, com proclamações ribombantes de tanques e armas, eram teatralmente armados – meio festival popular, meio representação de amadores. Grupos especialmente treinados para a *agitprop* ("propaganda de agitação") e gente de teatro com experiência assumiam a organização dos eventos de massa diretamente patrocinados pelas autoridades do Partido Central nas capitais – e também dos não menos estritamente controlados "eventos improvisados" no país todo. Por essa época, Meierhold declarou que o objetivo do teatro não era "apresentar uma obra de arte acabada, mas, antes, tornar o espectador cocriador do drama".

"Devemos representar o espírito do povo", escreveu Vakhtângov em 1918, "em todos os atos é a própria massa que atua... É ela que assalta os obstáculos e os vence. Ela triunfa. Enterra seus mortos. Canta a canção mundial da liberdade".

Um das mais imponentes realizações de massa do período foi *A Tomada do Palácio de*

Inverno, encenado em Petrogrado, em 7 de novembro de 1920, como uma celebração dramática e teatral dos eventos históricos da Revolução em seu terceiro aniversário. Houve salvas de canhão, fanfarras e holofotes; uma plataforma branca e outra vermelha eram utilizadas como palcos para a apresentação dos czaristas esmagados e dos bolcheviques vitoriosos; houve fogo de artilharia, e o assalto ao palácio. Exibia-se uma estrela soviética grande e vermelha – e toda a assembleia cantava a *Internacional*, enquanto fogos de artifício concluíam esse enorme espetáculo ao ar livre. O evento foi dirigido por Nikolai Evreinov, à cuja disposição havia cerca de quinze mil participantes, um elenco formado por soldados do Exército Vermelho e por atores. Conta-se que o número de espectadores beirou os cem mil. "Teatralização da vida" – era como Evreinov descrevia estas festas – espetáculos de massa, para os quais os feriados do calendário vermelho ofereciam, anualmente, repetidas oportunidades.

O mesmo *motto* regia o trabalho dos três mais importantes encenadores de teatro da Revolução, que canalizaram a caudal superabundante dos eventos de massa nas dimensões mais limitadas do drama: Meierhold, Vakhtângov e Taírov. Todos eles procediam do Teatro de Arte de Moscou e da tradição do humanismo burguês de Stanislávski.

Nos palcos imperiais de São Petersburgo, Meierhold começara, logo após a virada do século, a desenvolver um estilo próprio de vanguarda, juntamente com a atriz Vera Kommisarjevskaia. Em vez da harmonização sensível almejada por Stanislávski, Meierhold estabeleceu o domínio da razão. Cada movimento, cada gesto, era considerado por ele como produto de cálculo matemático preciso; eles adquiriam significado simbólico, nos termos de sua "biomecânica" – reminiscente do teatro da Ásia Oriental e dos "efeitos de distanciamento" de Brecht.

Meierhold apresentou seu método em 1918, quando encenou em Petrogrado *O Mistério Bufo*, de Vladímir Maiakóvski, e em 1922, na *Terra Revolta*, de Serguei Tretiakov. Ele usou projeção de filmes, *jazz* e concertina, acelerou o ritmo das máquinas, de motores e rodas em movimento; montou estruturas de metal como cenário, pôs figurantes a correr a toda a velocidade ao longo das primeiras fileiras da plateia dispostas em cena, fê-los escalar andaimes e escorregar por escadas de corda. Meierhold varreu os últimos vestígios do teatro burguês; não estava preocupado com a atmosfera, mas com a agitação propagandística.

Como uma reprodução da Revolução no palco, ele concluiu a peça sobre a Guerra Mundial, *Terra Revolta*, de Tretiakov, com uma cena na qual os soldados do Exército Vermelho tomavam de assalto o palco, o auditório e o *foyer*, arvoravam bandeiras vermelhas e entoavam a *Internacional*. Em *Berra, China*, de Tretiakov, Meierhold sublinhou o conflito ideológico entre cules e colonizadores, fazendo os europeus usarem máscaras e comportarem-se como numa opereta, em provocativo contraste com o realismo da miséria dos trabalhadores. Para efeitos de pura pantomima, acrobacia ou *clowning,* Meierhold vestia seus atores com macacões-uniformes: roupas prosaicas de trabalho como correspondência consequente ao palco operário despido de ilusionismo. Nada deveria distrair a atenção, nem adornar a ação "biomecânica" no austero cenário de plataformas giratórias, alçapões, guindastes e cordames.

O anti-ilusionismo de Meierhold não conhecia limites. Iúri Elagin, testemunha visual da Revolução no teatro russo, conta, em seu livro *A Domesticação das Artes* (1951), que ele nunca chegara a ver, subsequentemente, nos palcos da Europa e América, qualquer artifício cênico que Meierhold já não tivesse usado. Isto, acrescentava ele, aplicava-se não apenas aos anos posteriores a 1917, mas também aos experimentos anteriores de Meierhold com o teatro "místico" de Maeterlinck, aos contatos estilísticos com o Münchner Künstlertheater, com Max Reinhardt em Berlim, com as peças de marionetes e bonecos (cujo internacionalmente conhecido mestre russo foi Serguei Obratsov, um homem de muita inteligência e sensibilidade) e, sobretudo, com a *Commedia dell'arte*, cujas técnicas Meierhold escolhera em 1912-1913 como matéria de estudo, nos seus estúdios de ensino.

Danton, a turbulenta montagem de 1920, de Max Reinhardt no Grosses Schauspielhaus de Berlim, parece muito menos isolada e única quando vista no contexto do teatro revolucionário russo. O paralelo é bastante próximo tanto no tema quanto no estilo. A escolha por um tema da Revolução Francesa no caso de Reinhardt explica-se pela situação política. O fato de ter escolhido para seu teatro de massas não *A Morte de Danton*, de Büchner, mas *Danton*, de Romain Rolland – que advogou o espetáculo popular organizado –, confirma o quanto Reinhardt estava próximo de Meierhold. A linha pode ser estendida mais adiante passando pelas montagens berlinenses de Piscator durante os anos 20, e além, por exemplo, até a encenação de Orson Welles de *Julius Cesar*, em 1937 no Mercury Theater, na Broadway. Os romanos de Shakespeare surgiam em roupas feitas modernas. Orson Welles interpretava Brutus. O palco não tinha cenário. No texto livremente adaptado, o crítico Burns Mantle, de Nova York, detectou alguma coisa reminiscente de uma conspiração contra um ditador do tipo Mussolini.

Nos anos 30, Meierhold permitiu-se uma "recaída em imitações burguesas". Enquanto as ideias de seu teatro de agitação política eram avidamente absorvidas onde quer que houvesse tumulto, ele pagava, agora, seu tributo ao teatro de ilusão. Levou *A Dama das Camélias*, de Dumas *fils*, num cenário sutil e íntimo. Marguerite Gauthier, interpretada por Zinaida Raikh, amava e sofria entre mobília de mogno genuíno, valiosa porcelana de Sèvres e fúnebres cortinas de veludo. Meierhold explicou que as belas antiguidades irradiavam um ambiente que, ele esperava, pudesse enobrecer a sensibilidade dos atores. Estava de volta ao reino de Stanislávski, com ênfase primária num estilo dinâmico diferenciado.

Improvisação e perfeição eram os dois polos entre os quais se movimentava também o trabalho de outro diretor russo desta época, Evg(u)eni Vakhtângov. Como um dos membros e, a partir de 1916, cabeça do Primeiro Estúdio do Teatro de Arte de Moscou, ele havia tomado parte em certas experiências sugeridas por Maxim Górki, entre elas a que pretendia reviver a noção da *Commedia dell'arte* segundo a qual os atores têm uma função criativa e devem "dar forma às peças" enquanto atuam. Em 1918, Vakhtângov organizou um grupo temporariamente conhecido como Teatro Popular de Arte, e lá se viu tomado pelo construtivismo e pela mania de improvisação de Meierhold. Mas sua encenação mais afamada, e mais pessoal, foi a de *Princesa Turandot*, de Carlo Gozzi, em 1922, no Terceiro Estúdio do Teatro de Arte de Moscou, que logo em seguida foi rebatizado de Teatro Vakhtângov. Vakhtângov, já sob a sombra da morte, mais uma vez invocou no palco toda a magia do mundo das fadas, o encanto e a graça galhofeira das marionetes. Os intérpretes entravam em cena em fraque e vestido de noite, e, com a ajuda de algumas poucas fazendas coloridas, transformavam-se em encantadoras *chinoiseries* improvisadas. Acalentada pela música de Sisov, e dominada pelo Tartaglia do jovem Boris Stschukin, numa armação meio onírica, meio anti-ilusionista, a fábula decorria no seu curso como um relógio de carrilhão. Precisamente os atores que nada tinham a fazer no momento misturavam-se com o público das primeiras fileiras, comentavam o espetáculo com piadas improvisadas e punham em prática o princípio a que Vakhtângov aspirava: "Lembrem os espectadores, mais de uma vez no clímax da ação dramática, que isto é uma peça, e não a realidade, que não deve ser levada tão a sério, pois o teatro não é vida".

Taírov, o terceiro dos grandes diretores do Outubro teatral, desenvolveu uma *l'art pour l'art* ("a arte pela arte") rigorosamente racionalizada. Era um esteta de estrita obediência à forma e que não se deixou arrastar, nem pela tempestade da Revolução, para além das fronteiras do teatro, em que a realidade sobrepuja e o teatro cessa. Como exemplo, Taírov cita a histórica representação da ópera *La Muette de Portici*, de Auber, que em 1830, em Bruxelas, deu o sinal para a rebelião do povo belga. "Aqui, o teatro desempenhou o requintado e nobre papel da tocha que ateou o fogo da Revolução, mas o espetáculo foi com isso interrompido. A pulsação do sentimento de unidade que despertou no teatro acendeu a Revolução, mas extinguiu a ação teatral."

A consequência desse discernimento chamava-se, para Taírov, "teatralização do teatro". Ele exigia que o ator dominasse igualmente bem todos os meios de expressão. No Kamerny de Moscou, um teatro experimental dirigido por Taírov de 1914 em diante, o elenco precisa estar apto a atuar, cantar e dançar, lidar com

37. Plano de fundo da montagem de Meierhold para a *Terra Revolta* de Sergei Tretyakov, Leningrado, 1923.

38. Cenário com escada em espiral, da montagem de Meierhold para a comédia *A Floresta*, de Alexander Ostrovsky, Moscou, 1924. Maquete de Feodorov.

39. Modelo cênico para a encenação de Vakhtângov, em 1922, de *Princesa Turandot*, de Gozzi, no Terceiro Estúdio do Teatro de Arte de Moscou, que logo em seguida passou a se chamar Teatro Vakhtângov. Esboço de Vakhtângov e Nivinsky.

40. Modelo cênico para a produção de A. Y. Taírov, em 1924, de *O Macaco Cabeludo*, de Eugene O'Neill, no Kamerny de Moscou, fundado por Taírov, em 1914, como teatro experimental.

41. *Pantomime espagnole.* Construção cênica de Alexandra Exter para o Kamerny de Taírov, Moscou, 1926.

situações de solenidade litúrgica e de variedade excêntrica, exibir alma e fogos de artifício, cobiça brutal e fantasia enigmática. Este é o programa visado pelo título de seu livro *O Teatro Desacorrentado*, que se tornou o rótulo do Outubro teatral.

Taírov era um encenador declaradamente literário. Ele inaugurou o Teatro Kamerny de Moscou com *Shakuntala*, de Kalidasa, fascinado pelo velho drama hindu, como o fora Lugné-Poë em Paris, que na montagem de 1895 de *Le Chariot de Terre Cuite* (A Carroça de Barro) contou com os cenários desenhados por Toulouse-Lautrec. Taírov utilizou a *Commedia dell'arte* com peças de Goldoni, e como sua primeira montagem pós-revolucionária escolheu uma arlequinada fantástica, baseada na *Prinzessin Brambilla* (Princesa Brambilla), de E. T. A. Hoffmann. Encenou Claudel e descobriu nos primeiros dramas de O'Neill não apenas crítica social, mas a confusão psicológica do moderno sentimento de mundo, que lhe deu oportunidade de pôr à prova o conceito e o efeito de seu Gesto de Emoção.

Em contraste com o teatro "proletário" daquela época, o Teatro Kamerny de Taírov pertencia ao âmbito do palco "acadêmico". Nele também se inseriram, enquanto instituições históricas, a Ópera do Bolshoi, o Teatro Maly, o Teatro Korsch, que fora construído pelo patrono de arte Bakhrushin, e o Teatro de Arte de Moscou de Stanislávski. Como expoente do lado oposto estava o "palco da cultura proletária", do Proletkult, de Sergei Einsenstein, com seu excêntrico e acrobático estilo de um teatro "emocionalmente saturado": "O gesto é intensificado em ginástica, a fúria expressa por uma pirueta, a excitação, por um *salto mortale*". Einsenstein admitia que essas tendências, aplicadas direta e literalmente, não encontravam logicamente seu caminho no drama, mas "tornavam-se conhecidas por meio da bufoneria, excentricidade e da Montagem de Atrações", isto é, de números circenses. Elas se ligavam aos *slogans* de Meierhold e de Taírov: da emoção à máquina, da superexcitação ao truque, do palco à arena do circo. Einsenstein renunciou a isto mais tarde e seguiu seu próprio caminho. No cinema, ele encontrou um meio de cuja dinâmica formal e visual obteve obras-primas, como o seu *Encouraçado Potemkin*, de 1925. Por meio de cortes de efeito e montagem, Einsenstein conseguiu, em seus filmes, uma potencialização das cenas de massa e do detalhe, um rompimento das dimensões costumeiras, que o palco jamais lhe possibitaria.

Piscator e o Teatro Político

A Revolução Russa tentou estabelecer um novo princípio que uniria todos os povos. O proletariado e muitos intelectuais europeus embriagaram-se com o ideal de uma sociedade sem classes e sem Estado. "A Rússia é o rochedo que propagará a onda da Revolução Mundial", escreveu Erwin Piscator em 1919, em seu manifesto endereçado aos trabalhadores de Berlim, conclamando à criação de um "Teatro Proletário". Foi em Berlim, no Rio Spree, que as rajadas vindas de Moscou sopraram mais violentamente. Piscator utilizou-as para um teatro de agitação. O objetivo de seu empreendimento não era produzir arte, mas propaganda efetiva, para conquistar as massas ainda politicamente hesitantes e indiferentes. As salas e prédios usados para as assembleias no distrito operário de Berlim eram seu campo de ação. As massas deveriam ser atingidas lá onde moravam, como na Rússia, pelos grupos da *agitprop* teatral. Palcos miseráveis, cenários primitivos, fumaça de tabaco e vapor de cerveja seriam sobrepujados pelo ímpeto da proposta. O "teatro proletário" de Piscator era um instrumento da luta de classes. Dirigia-se à inteligência dos espectadores com argumentação política, econômica e social. Sua proposta era pedagógica, como seria mais tarde a de Brecht. Ela se chamava neste caso: sucesso de propaganda.

Para as eleições parlamentares de 1924, Piscator, a pedido do Partido, montou a *Revue Roter Rummel* (Revista do Barulho Vermelho), com textos de sua autoria e de seu futuro colaborador, Gasbarra. "Muita coisa foi reunida de maneira crua, o texto era bastante despretensioso, mas foi justamente isto que permitiu a intercalação, até o último momento da atualidade", relembra Piscator em seu livro *Das Politische Theater* (O Teatro Político) (1929); "e nós usávamos indiscriminadamente todos os meios possíveis: música, canções, acrobacias, caricaturas rapidamente esboçadas, esporte, imagens projetadas, filmes, estatística, cenas interpretadas, discursos".

A técnica de Piscator, livre de considerações estruturais, de martelar o *leitmotiv* político constantemente repetido com uma saraivada de exemplos, era conhecida como "ação direta", palavra muito em voga na época. A quebra provocativa da forma dramática burguesa havia começado antes em Berlim, com os espetáculos dadaístas e sua algazarra, descrita por Piscator como *Klamauk* ("barulho ensurdecedor").

Na França da mesma época, Antonin Artaud proclamava uma teoria do teatro enquanto "ação" pura e simples – não mais a ilustração de um texto literário, mas "forjado no palco". O conceito de Artaud de *Théâtre de la Cruauté* como do "teatro da crueldade" tem sido muito mal interpretado; ele significa basicamente algo bem diverso: o uso irrestrito de todos os meios teatrais, entregando o palco a um vitalismo eruptivo que transforma a ação cênica num foco de inquietação contagioso e ao mesmo tempo curativo. Os efeitos, com os quais Artaud argumentava, eram os mesmos de Piscator.

Alfred Kerr, o advogado do diabo entre os críticos de teatro alemães, escreveu, já em 1910: "No futuro, muitos dramas poderão ser apenas um pretexto para o drama (no velho sentido) [...] mas, na verdade, um jornal com papéis dramáticos distribuídos".

Não apenas o teatro de Piscator e o da Revolução Russa empenharam-se nesta linha. Por volta de 1935, uma forma de reportagem cênica de atualidades, chamada *Living Newspaper*, desenvolveu-se também nos EUA e por volta dos anos 60, o "jornal vivo", sob a forma de peça-documentário, conquistou inegável significação internacional, ainda que envolta em veemente debate.

Em 1925, Piscator meteu-se em problemas com as autoridades por causa de seu drama-documentário de massa *Trotz alledem* (Apesar de Tudo). O título provinha de um reparo de Karl Liebcknecht após o esmagamento da rebelião espartaquista. John Heartfield encarregou-se da montagem cênica de discursos impressos, artigos, recortes de jornal, manifestos, folhetos, fotografias e filmes, diálogos impressos, entre personagens históricas e cenários arranjados. A representação deu-se no Grosses Schauspielhaus de Berlim, onde Max Reinhardt havia encenado o seu espetacular *Danton* em 1920 e perdido tantas simpatias entre uma larga fatia da plateia de teatro convencional. Piscator percebeu, com satisfação, que a ativação das massas coatuantes concebida por Reinhardt não havia ido além de uma "boa ideia" de movê-las. Após a segunda apresentação de *Trotz alledem*, a censura interveio. Quando, em 1926, Piscator atualizou *Die Räuber* (Os Salteadores), de Schiller, convertendo-o em peça politicamente engajada e fez com que Paul Berdt, no papel de Spielberg, usasse uma máscara de Trótski, houve tumulto.

Um tumulto ainda mais forte seguiu-se à apresentação, um ano mais tarde, da encenação de Piscator de *Gewitter über Gotland* (Temporal sobre Gotland) de Ehm Welk, para o Volksbühne. Apesar de seus receios iniciais, Piscator havia assumido a direção do Berliner Volksbühne em 1924. Aproveitou a oportunidade para produzir teatro político, revolucionário, com um *ensemble* primoroso.

Gewitter über Gotland, de Ehm Welk, aborda a luta do pirata Klaus Störtebeker contra a Liga Hanseática, que terminou em 1401 com a execução de Störtebeker, em Hamburgo. Piscator deu ao tema uma leitura atualizada, colocou o acento político no Asmus hanseático, a quem apresentou com uma máscara de Lênin, glorificando assim o primeiro detentor do poder da União Soviética, que morrera em 1924. Interpretou a peça como "a revolta do revolucionário sentimental Störtebeker, que provavelmente seria hoje um nacional-socialista, contra o sensato e positivo homem de ação, Asmus, o típico revolucionário racionalista, tal como exemplificado por Lênin".

O escândalo foi inevitável. Nem Heinrich George como Störtebeker, nem Alexander Granach como Asmus, nem o material filmado (cedido por Curt Oertel para estabelecer a associação com Lênin) puderam justificar a maciça violação do material histórico. As próprias objeções de Ehm Welk haviam sido inúteis. Resignado, ele tomou o partido dos críticos, que declararam: "um grandioso trabalho de direção, uma direção colossal contra uma peça".

Isto levou a uma ruptura com a Volksbühne. Piscator concebeu o plano de construir um palco próprio de agitação e propaganda em seu estilo singular, grandioso e impressionista. A atriz Tilla Durieux arrumou-lhe patrocinadores financeiros. Walter Gropius, o diretor do Bauhaus em Dessau, entusiasmou-se com a ideia. Desenhou para Piscator um ultramoderno "teatro total", uma proposta de casa de espetáculos polivalente, audaciosamente concebida, com piso giratório e adaptável a quase todo aparato cênico. Ele poderia ser usado como anfiteatro, como arena com palco central, ou ainda com atuação periférica e acessos circundando o auditório. O modelo elaborado por Gropius, exibido em Paris em 1930, foi muito admirado, mas nunca realizado; permaneceu como um projeto grandioso, um castelo no ar, como os planos igualmente dispendiosos de Meierhold para um teatro total de vanguarda, em Moscou.

Piscator alugou o Theater am Nollendorfplatz em Berlim e o inaugurou em 3 de setembro de 1927, com a peça antiburguesa de Ernst Toller, *Hoppla, wir leben* (Oba! Estamos Vivos!) numa montagem altamente técnica, em que Piscator atribuía à parte filmada uma acentuada função didática. Toller foi um dos dramaturgos do expressionismo tardio cujas peças antibelicistas combinam acusação antibelicista e simpatias socialistas radicais. Vinte anos mais tarde, Wolfgang Borchert escreveu uma peça parecida em estilo e acusações, sua *Draussen vor der Tür* (Do Outro Lado da Porta), a primeira peça a abordar de maneira perdurante o tema da hora presente na Alemanha após a Segunda Guerra. Foi o grito extático e comovente de uma jovem geração defraudada e desarraigada que voltou da guerra para as ruínas. Piscator colheu os últimos rebentos do drama expressionista ao qual se opusera violentamente em 1920 e tentou impregná-los de grande tensão política.

Dos fracassos e semifracassos de Piscator nasceu sua obra-prima inconteste, a realização da sátira épica *Die Abenteuer des Braven Soldaten Schwejk* (As Aventuras do Bravo Soldado Schwejk). Bertolt Brecht, Felix Gasbarra, Leo Lania e o próprio Piscator haviam adaptado o romance do escritor de Praga, Jaroslav Hašek, para o palco – um empreendimento problemático, dada a natureza puramente épica da obra. Seus ingredientes – um herói passivo, contínuas trocas de cena e passagens glosantes como portadores de teor satírico – são mais adequados ao teatro "épico" do que a um drama no sentido convencional, mas antes para o teatro "épico".

Piscator descobriu uma saída brilhante para manter a ação em movimento, e unindo

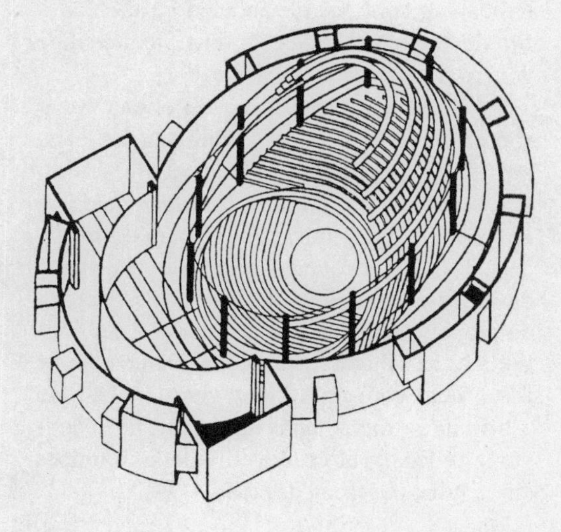

42. *Totaltheater*. Projeto de Walter Gropius para Erwin Piscator, 1927.

tantos episódios quanto possível numa continuidade sem costuras: a esteira rolante. Os modernos processos de manufatura em linha de montagem deram-lhe a ideia: ele usava duas esteiras rolantes atravessando o palco da esquerda para a direita, em direções opostas. Montadas sobre elas ficavam seções niveladas mostrando o ambiente de Shweik: "os tipos petrificados da vida política e social na velha Áustria", um mundo grotesco-satírico, no qual Schweik, "único ser humano, se vê indefeso. A intenção original de Piscator havia sido até a de preencher o papel-título com um só ator e contrastá-lo com um aparelho exclusivamente mecânico.

O pintor George Grosz desenhou os cenários de trucagem e marionetes, dando tanto aos apetrechos quanto aos tipos de figuras uma função cômica supercaricaturesca, cômico-clownesca. (Seus desenhos terminaram na mesa do promotor público e acarretaram-lhe um processo por blasfêmia.) Para as cenas de rua em Praga, Piscator usou como fundo um filme feito no local. Para a marcha a Budejovice, havia renques de árvores copiados de naturezas mortas, desenhados ao longo do palco, como representação da estrada infinita. O grande ator Max Pallenberg interpretava Schweik. Ele deu à personagem a substância humana, e mais do que isso, inteiramente de acordo com as intenções de Piscator, "algo reminiscente do espetáculo de variedades e de Charles Chaplin". Pallenberg viera do grupo de Max Reinhardt, e Piscator acentuava, não sem orgulho, o imenso esforço interior a que Pallenberg fora por ele induzido a efetuar, a fim de "fazer justiça a este novo, matemático gênero de interpretação".

Piscator se pronunciou repetidas vezes sobre a questão de como definir seu estilo específico. Sua proposta, explicava ele, era intensificar o efeito ao grau máximo, pelo uso de meios extrateatrais. Crucial para a intensidade do efeito era que a escolha correta do tema deveria ser idêntica ao efeito político. O efeito de propaganda desejado não poderia ser conseguido na falta de uma peça suficientemente forte, nem com uma montagem técnica que transmitisse meramente uma lição de objetivos estéticos. Tal critério divide as opiniões ainda hoje, passadas décadas.

O comentário de Kerr sobre o "jornal com papéis distribuídos", datado de 1910, confirma-se ao ritmo das crises de geração, mostrando ser verdadeiro no teatro do início dos anos 30, nos EUA, quando o gráfico de temperatura econômica do *New Deal* atingiu seu clímax. O dramaturgo Elmer Rice foi o poder impulsionante por trás do Federal Theatre Project, o único palco subsidiado pelo governo, que assumiu a dupla tarefa de dar emprego a centenas de atores sem trabalho e pôr em discussão as questões econômicas da época. Elmer Rice usou a documentação dramática corrente do *Living Newspaper* para a crítica social e sociológica. *Power* (Poder) era o nome de uma das dramatizações-documentário da March of Time, mediante as quais ele punha no palco discussões políticas. Neste caso, acendia as questões do desenvolvimento e da propriedade do poder econômico da energia elétrica. Outra edição ocupou-se do problema da extinção dos cortiços; chamou-se *One-Third of a Nation* (Um Terço de uma Nação), com referência à terça parte da população americana que, segundo uma palavra de Roosevelt, habitava cortiços e bairros miseráveis. Passagens épicas, episódicas e pedagógicas, jograis, comentários, poemas e inserções musicais constituíam os elementos motores do Jornal Vivo. Em Washington, os críticos da proposta, logo depois, cortaram o fio da vida dessa "representação ao mesmo tempo partriótica e verdadeira de interesses vitais": sustaram os subsídios governamentais para esse controvertido empreendimento, que assim chegou ao fim.

A relação entre o teatro e a política tem sido tensa há dois mil e quinhentos anos. Aristófanes investiu, a partir do palco, contra os demagogos e advogados da Guerra do Peloponeso; ele o fez na soberana forma artistíca da Comédia Ática, que atrai como forma teatral original mesmo lá onde as alusões políticas não são compreendidas. Mas quando se trata somente de provocação política, a sua atrelagem ao palco torna-se dispensável.

Artaud falou da "impotência da palavra", quando comparada à vitalidade da ação direta, do *coup de théâtre* ritual e rítmico, da força da peça cuja ação é desdobrada espacialmente na direção dos quatro pontos cardeais,

43. O palco de Piscator em Berlim, 1927: construção transparente com vários andares para *Hoppla, Wir Leben!* (Oba, Estamos Vivos!) de Ernst Toller, com uma tela central para a combinação de palco e filme (quadro de montagem de Sasha Stone, com silhueta de Piscator).

44. Cenas com marionetes de George Grosz, para a "esteira rolante" na *mise em scène* de Piscator de *Die Abenteuer des Braven Soldaten Schwejk* (As Aventuras do Bravo Soldado Schwejk) adaptação do romance de Jaroslav Hasek, Berlim, 1927.

cindida por paroxismos e depois enfeixada pela luz, e de novo atiçada. Ele considerava o grito o elemento primordial da ação direta, um grito lançado da extremidade da sala de espetáculos e transmitido de boca em boca, num *accelerando* selvagem. As criações coletivas do Living Theatre, assim como a obra do diretor polonês Jerzy Grotowski, devem muito ao ritual do movimento e gesto de Artaud. Seu teatro total da "ação direta" contribuiu para os impulsos de destruição da forma no teatro político da segunda metade deste século.

O lema do teatro de agitação política de hoje é: a direção para a ação. O texto subjacente, na medida em que é considerado obrigatório, é simplesmente matéria-prima. Pode ser substituído por provocadoras colagens de filmes, cartazes, notícias de jornal, sinais ou transparências – pela "introdução de meios extrateatrais", como dizia Piscator.

A peça-documentário tem seu lugar numa zona intermediária formalmente restrita, que vai, digamos, de *The Caine Mutiny Court Martial* (O Motim do Caine), de Herman Wouk (baseada em seu romance) a *Der Stellvertreter* (O Deputado), de Rolf Hochhuth, e *In der Sache J. Robert Oppenheimer* (No que Diz Respeito a J. Robert Oppenheimer), de Heinar Kipphardt, a *Die Ermittlung* (A Investigação), de Peter Weiss. A peça de Weiss é como um oratório, um documentário completo sobre o inferno do holocausto nazista, que, segundo ele assinalou, não contém "nada a não ser fatos tais como surgiram nos processos penais".

Da documentação factual, o teatro político dos anos 60 foi à informação engajada, como em *Vietnam Report* (Relatório do Vietnã), de Peter Weiss, *MacBird*, de Barbara Garson, *Une Saison au Congo* (Uma Temporada do Congo) – a peça de Aimé Césaire sobre Patrice Lumumba – *Notstadsübung* (Exercícios de Emergência), de Michael Hatry, ou na encenação de Bremen ou na revista-colagem de Wilfried Minks. O comentário de Elagin sobre Meierhold – de que ninguém, no teatro europeu ou americano, poderia imaginar um truque cênico que Meierhold já não tivesse usado – poderia também ser aplicado a Piscator, visto que o teatro político ainda hoje vive da sua provisão de "meios extrateatrais".

Brecht e o Teatro Épico

O palco assumia o ritmo de nossa época, o "tempo" do século XX. Enquanto a reformulação com fins de agitação e propaganda da peça ainda estava em andamento, o novo drama encontrou um autor em Bertolt Brecht. Este, em sua colaboração com Piscator, veio a perceber que o teatro revolucionário dependia não apenas da peça, mas também da direção. Mas a encenação "dinâmica" permanecia para Brecht uma solução provisória, válida apenas enquanto não fosse possível uma transformação radical do teatro pela base. Não aceitava nem o "*milieu* como destino" naturalista, nem o *pathos* expressionista do Ó-Homem, e tinha suas reservas sobre a direção puramente agitadora. Não desejava provocar emoções, mas apelar para a inteligência crítica do espectador. Seu teatro devia transmitir conhecimento, e não vivências.

O drama da era científica, como o via Brecht, entende o homem como parte daquele mecanismo inteiramente calculável que mantém em funcionamento a história mundial; trata o homem como um instrumento dos órgãos executivos que o manipulam a seu belprazer. Entra em cena o empacotador Galy Gay, homem inofensivo que sai uma manhã para comprar peixe, cai nas mãos dos soldados no caminho, e é transformado numa "máquina humana de combate". Galy Gay, o herói remodelado de *Mann ist Mann* (O Homem é o Homem), de Brecht, tornou-se o exemplo clássico do novo teatro didático.

Peter Lorre interpretou o papel em 1931, no Staatstheater de Berlim (enquanto trabalhava ao mesmo tempo sob a direção de Fritz Lang, no *Thriller* de Crime *M*). Ele fez da sequência de incidentes separados aquele "inventário de argumentos" que Brecht tinha em mente. Lorre, comentou Brecht, havia realizado convincentemente a "exibição mais objetiva possível de um processo interno contraditório como um todo". O cenário, neste caso a Índia, não é crucial para a ação. Brecht está empenhado em fazer derivar de um ato individual a validade geral. O caráter "exposicional" de seu teatro é um *terminus* que Brecht insistiu em reiterar. Refere-se a uma forma dramatúrgica específica, ao princípio do teatro épico. Suas características externas são: comentários inseridos na ação, feitos por um narrador, títulos de "capítulos" em grande cartazes, máscaras e imagens projetadas.

A origem conceitual e didática do teatro épico remonta ao círculo de Piscator. Lion Feuchtwanger, que em 1924 colaborou com Brecht numa versão racionalizada, topicamente atualizada, do *Eduardo II*, de Marlowe, atribui a invenção do princípio épico a Brecht. Alfred Kerr reivindica tê-lo definido já em 1915, quando falou do drama do futuro como um "jornal com papéis distribuídos". O próprio Brecht aceitou a atribuição da primazia com a autoconfiança do escritor criativo, receptivo aos sinais de sua época, processando-os no estilo de seu tempo. Influências da psicologia behaviorista americana e a conexão que se estabelece entre a produção de bens e consumo de massa deixaram marcas em suas peças, da mesma forma que as teorias do palco russo da *agitprop*, o teatro "produtivo" baseado nas funções de agitação e organização.

Mas Brecht ancorava em horizontes mais distantes as raízes de seus princípios estilísticos. "Do ponto de vista estilístico", escreveu ele no início dos anos 30, "o teatro épico não é nada particularmente novo, com seu caráter exposicional e sua ênfase no artístico, ele é aparentado ao antigo asiático. Tais tendências didáticas são evidentes nos mistérios medievais, assim como no drama clássico espanhol e no teatro jesuíta".

Foi do estudo da arte chinesa do espetáculo que Brecht derivou a quintessência da encenação e representação do seu teatro épico: o efeito do distanciamento. Ele se baseia numa neutralização completa dos meios tradicionais de expressão teatral. Manter distância é o primeiro mandamento, tanto para o ator quanto para o público. Não é permitido que se forme nenhum "campo hipnótico" entre o palco e a plateia. O ator não deve despertar emoções no espectador, mas provocar sua consciência crítica. "Em nenhum momento deve ele (o ator) permitir que ocorra sua completa metamorfose na figura da personagem, escreveu Brecht em 1948, em *Kleines Organon für das Theater* (Pequeno Órganon para o Teatro). A tradição aristotélica é tão insustentável quanto a ideia de Schiller do palco cênico enquanto instituição moral, onde cada indivíduo "desfruta o prazer de todos", e "seu peito dá lugar para apenas uma emoção, a de ser um ser humano". Brecht recusa a ambos drasticamente.

A peça anarquista de Brecht sobre soldados que voltam do *front* para casa, *Trommeln in der Nacht* (Tambores na Noite), foi encenada por Otto Falckenberg em 1922, primeiramente no Munich Kammerspiele e, logo em seguida, em Berlim. O autor queria pendurar cartazes no recinto do auditório, com aforismos tais como "Em sua própria pele, todo homem é o melhor", ou o tão citado "Não arregale os olhos tão romanticamente". Eles culminavam na categórica afirmação: " O teatro não é um dispensário de sucedâneos para vivências não tidas".

Em suas anotações para a ópera *Aufstieg und Fall der Stadt Mahagonny* (Ascensão e Queda da Cidade de Mahagonny), Brecht, pela primeira vez, dispôs a lista antitética das formas "dramáticas" e "épicas" do teatro. A tabela que se tornou desde então exemplar e que foi, com ligeiras modificações, usada novamente por Brecht em *Vergnügungstheater oder Lehrtheater*? (Teatro de Divertimento ou Teatro Didático?), em 1936. Ver tabela na página seguinte.

Para o trabalho de ensaios, Brecht recomendava três constelações de apoios: mudar as falas do ator para a terceira pessoa; transpô-las para o passado; e incluir, na leitura das falas, as rubricas.

Toda ação representada adquire automaticamente o caráter de um modelo. Asim, *Dickicht der Städte* (Na Selva das Cidades), escrita em 1924, trata da "luta em si", demonstrada pela obstinada prova de força entre dois homens, tendo como pano de fundo a grande cidade de Chicago. Brecht anuncia sua intenção didática logo na apresentação: "Não quebre a cabeça com os motivos desta luta, porém compartilhe dos empenhos humanos, julgue imparcialmente a forma de luta dos oponentes e dirija seu interesse para o final".

Esta nota aos espectadores antecipa a essência de Brecht: a função pedagógica e a metodologia artística de seu teatro; a renúncia à psicologia em favor da exemplaridade; o apelo à objetividade crítica. É uma consequência lógica de seus objetivos que ele os mostre de preferência em seus heróis negativos, tal

45. Quadro cênico de Otto Reigbert para *Trommeln in der Nacht* (Tambores na Noite), de Bertolt Brecht, montada pela primeira vez por Otto Falckenberg no Kammerspiele de Munique, 30 de setembro de 1922.

Teatro Dramático	*Teatro Épico*
– o palco personifica um evento	– ele o narra
– envolve o espectador numa ação e	– torna-o um observador, mas
– usa sua atividade	– desperta sua atividade
– possibilita-lhe sentimentos	– exige dele decisões
– transmite-lhe vivências	– transmite-lhe conhecimento
– o espectador é imerso na ação	– é confrontado com ela
– ela é trabalhada com sugestão	– ela é trabalhada com argumentos
– os sentimentos são preservados como tais	– são levados ao ponto do conhecimento
– o homem é pressuposto como algo conhecido	– o homem é objeto de uma investigação
– o homem é imutável	– o homem se transforma e é transformável
– tensão voltada para o desfecho	– tensão voltada para o processo
– uma cena em função da outra	– cada cena para si
– os acontecimentos desenvolvem-se num curso linear	– os acontecimentos desenvolvem-se em curvas
– *natura non facit saltus*	– *facit saltus*
– o mundo como ele é	– o mundo como ele se torna
– o que o homem deve fazer	– o que o homem tem de fazer
– seus instintos	– seus motivos
– o pensamento determina a existência	– a existência social determina o pensamento

como podem ser encontrados, desde *Na Selva das Cidades* (1924), ao longo de sua obra dos anos 30, até em suas grandes obras posteriores. *Mutter Courage und ihre Kinder* (Mãe Coragem e seus Filhos) – encenada pela primeira vez em 1941, sob a direção de Leopold Lindtberg em Zurique, o corajoso refúgio do teatro de língua alemã no exílio – não pretende provocar compaixão, mas promover o conhecimento e a condenação da exploração da guerra. Quando Mãe Coragem enfia a mão no bolso a fim de entregar suas últimas moedas para o funeral de seu último filho, ela tira rapidamente algumas; pois a guerra continua, e

> A guerra não é senão um negócio,
> em vez de ser com queijo, é com chumbo
> e se o custo ultrapassa tuas forças
> não estarás na parada da vitória.

Therese Giehse em Zurique e Munique, e a esposa de Brecht, Helene Weigel, no Berliner Theater no Schiffbauerdamm, fizeram da Mãe Coragem uma figura inesquecível, sem paralelo em seu poder de impacto atual e agressivo. O desempenho modelar do Berliner Ensemble, com Helene Weigel, foi filmado, estando assim disponível como registro.

A objetivação crítica é também a intenção de *Leben des Galilei* (A Vida de Galileu Galilei), de *Herr Puntila und sein Knecht Matti* (O Senhor Puntila e seu Criado Matti) e da peça de 1943, sobre Schweik. Transposto do ambiente original da Praga de Hašek para uma ditadura totalitária na guerra, o herói de *Schweik im Zweiten Weltkrieg* (Schweik na Segunda Guerra Mundial) é um daqueles que marcham para Stalingrado, que precisam levar a própria pele para o campo de batalha, e assim fornecer o couro para o tambor. Brecht chamou-o de contraponto à Mãe Coragem e o concebeu de maneira muito mais cortante nesta ocasião do que na montagem de 1927, feita por Piscator, do original de Hašek, *O Bom Soldado Schweik*. A peça estreou, com canções musicadas por Hanns Eisler, em Varsóvia, em 1957, um ano depois da morte de Brecht.

As canções tiveram um papel importante nas peças de Brecht, desde o início. Elas interrompem a ação, marcam a pausa, que às vezes é anunciada por um gongo. Em *Dreigroschenoper* (A Ópera dos Três Vinténs), e em *Ascensão e Queda da Cidade de Mahagonny*, somam-se à música "culinária" de teatro, embora Brecht pretendesse que ela fosse "anticulinária". A bicentenária *Beggar's Opera* (Ópera dos Mendigos), com uma função didática nova em folha, teve um retorno brilhante em 1928 como *A Ópera dos Três Vinténs*. No Theater am Schiffbauerdamm, em Berlim, Lotte Lenya, Erich Ponto e Roma Bahn asseguraram um grande sucesso para Bertolt Brecht e seu compositor Kurt Weill. Mas foi um triun-

46. Helene Weigel como *Mãe Coragem*, na montagem de 1949 no Theater am Schiffbauerdamm, Berlim.

47. Bertolt Brecht – com o dedo indicador erguido – dirige *Mãe Coragem* no Kammerspiele de Munique, 1950. Cenário de Teo Otto.

48. Charles Laughton na montagem de *A Vida de Galileu*, de Brecht, dirigida pelo autor, no Coronet Theater, Los Angeles, 1947.

49. *Dreigroschenoper* (A Ópera dos Três Vinténs), de Brecht, no Kammerspiele de Munique, 1929. Direção: Hans Schweikart, com Kurt Horwitz como Macheath, Therese Giehse como Sra. Peachum, Maria Bard como Polly e Berta Drews como Jenny. Cenário de Caspar Neher.

fo contrário às intenções de Brecht. O dedo indicador erguido em acusação ficou submerso sob o deleite do público com o romantismo de *gangster* e de bordel. As pessoas divertiam-se deliciosamente; as canções davam a volta, e a provocação ficava fora. A proposta didática havia sido parodiar a ópera romântica burguesa, com seus próprios meios, e transformá-la, de entretenimento, num orgão de informação. Esta proposta falhou. Brecht, o artista, vencera Brecht, o teórico.

O escândalo e a controvérsia que não houve nesta ocasião aconteceram dois anos mais tarde, com a estreia em Leipzig de *Ascensão e Queda da Cidade de Mahagonny*. A agressividade deliberada de Brecht rompeu a embalagem do meio de entretenimento operístico. A denúncia cínica da sociedade capitalista logrou seu intento. Quarenta anos mais tarde, quando Brecht foi promovido a clássico do teatro moderno – com "a penetrante falta de efeito de um clássico", como Max Frisch gracejou – os diretores retomaram com predileção as óperas "culinárias" de Brecht, como, por exemplo, a encenação feita por Günther Rennert de *Mahagonny*, em 1967, em Sttutgart, com Anja Silja, Martha Mödl e Gerhard Stolze.

Com dialética brilhante, Brecht negou, por fim, que pretendesse "emigrar do reino do agradável". Laconicamente, ele admitiu que o caráter didático de seu teatro épico não precisa necessariamente excluir os aspectos burgueses da beleza e da fruição. Fez as pazes entre os irmãos distanciados, "Teatro" e "Diversão", porque "nosso teatro precisa provocar o prazer no conhecimento, organizar a brincadeira, a alegria da mudança da realidade.

Brecht, todavia, não mudou decisivamente a função social do teatro mas, sim, o próprio teatro e o drama. Sua proposta de denunciar e abolir as contradições econômicas e sociais da sociedade burguesa pressupunha, antes de tudo, a convenção como o oponente indispensável, que cumpria desafiar, e o espectador deveria ser transformado, de um observador saboreante num parceiro especulativo. Consequentemente, "nossas peças não são definitivas ou, falando francamente, são inacabadas", e a razão é que "o conjunto de todos os complexos conceitos necessários para a sua compreensão são ainda muito vagos e precisam permanecer inacabados até que a completa infraestrutura dessas ideologias seja à força alterada".

O sistema de brechtiano da forma aberta, isto é, com um futuro opcionalmente prorrogável, desafia o dogmatismo ideológico. Ele pretende que seus incidentes dramatizados sejam compreendidos como situações exibidas de um "acidente social", como ações que podem ser prolongadas à vontade. "Sentimo-nos desapontados, e nos levantamos com desalento quando a cortina se fecha, e nossas perguntas permanecem penduradas no ar", como ele próprio diz no epílogo da peça parábola *Der gute Mensch von Sezuan* (A Alma Boa de Setsuan).

As peças de Brecht não apresentam palavras de ordem – desmascaram fatos. A lição é rompida em múltiplas refrações irônicas e conduz o espectador por trechos de rica e áspera poesia. Brecht sempre recorre à parábola, que é um modo de guinar a ilusão – modo que Max Frisch e Friedrich Dürrenmatt também perseguiram, cada qual em seu próprio caminho.

Técnicas do Teatro Épico: O Palco no Palco

A ruptura dramatúrgica da ilusão teatral, a peça dentro da peça, a inserção do discurso direto ao público, o pronunciamento de sentenças críticas ou didáticas e canções sobre temas da época – todos são expedientes que o teatro conheceu e usou por milhares de anos, desde a *parabasis* da velha comédia ática à canção de Salomão em *A Ópera dos Três Vinténs*. Sob o signo da ironia romântica, o drama extraiu centelhas poéticas do salto entre o infinito e o finito e usou o teatro dentro do teatro para polemizar. "Se devo dizer qual é minha efetiva opinião, vejo a coisa toda como um truque para difundir opiniões e insinuações entre as pessoas. Vocês verão se estou certo ou não. Uma peça revolucionária, na medida em que a entendo, com monarcas e ministros horríveis..." Estas linhas são encontradas, não numa peça política do século XX, mas em 1797, num ataque parodístico ao Iluminismo de Berlim, *Der Gestiefelte Kater* (O Gato de Botas), uma peça de Ludwig Tieck.

Os personagens da *Commedia dell'arte* e da mascarada agem como forças atemporais, anti-ilusionistas, quer em seu próprio nome, como nas famosas montagens de Goldoni e Gozzi, por Max Reinhardt, Evg(u)eni Vakhtângov ou Giorgio Strehler, ou ainda como figuras "clownescas" intercambiáveis, despersonalizadas e neutralizadas, como na niilista *Esperando Godot*, de Samuel Beckett (1954).

No limiar do moderno teatro, anti-ilusionista, encontramos Luigi Pirandello. Já em 1918, sua peça-parábola *Così è* (*se vi pare*) (Assim É [se lhes Parece]), levantou a questão basicamente insolúvel de ser e parecer. O problema da identidade fragmentada levou-o, do drama *Enrico IV*, à sua obra mais conhecida e de maior sucesso, *Sei Personaggi in cerca d'autore* (Seis Personagens à Procura de um Autor). Os seis personagens são membros de uma família decadente de classe média – imaginada como material dramático cru e não completamente elaborado – que invade o palco durante um ensaio. Eles representam seu próprio destino para o pessoal do teatro, e os comediantes tentam, por sua vez, reproduzir "a vida real". Dois, três, até mesmo quatro níveis de consciência sobrepõem-se. O conflito entre a realidade e a ilusão, entre a vida e a forma, é lançado abertamente. Quando o diretor, no final, manda embora os espectadores, para continuar a ensaiar, atrás das cortinas, "a peça que ainda está por ser feita", a questão da "verdade" humana remanesce tão aberta quanto a de Brecht no tocante à revisão futura das relações sociais.

O esquema formal de Pirandello, o de situar sua ação na moldura de um ensaio teatral, propagou-se em um sem-número de ecos. O dramaturgo americano Maxwell Anderson o tomou emprestado para a sua *Joan of Lorraine* (Joana de Lorena). Dentro das dúvidas e receios da primeira atriz, ele gradualmente introduz os problemas humanos da Joana D'Arc histórica, juntamente com os de sua intérprete moderna, e encontra paralelos atemporais e recorrentes entre o passado e o presente.

Outro exemplo nos é dado por Günter Grass com sua "tragédia alemã" de 17 de junho de 1953, *Die Plebejer proben den Aufstand* (Os Plebeus Ensaiam a Revolta). Grass trabalha em três níveis. No palco do teatro, ensaia-se *Coriolano*, de Shakespeare: o encenador é o "Chefe", isto é, Bertolt Brecht, que escreveu uma adaptação de *Coriolano*. Fora, na rua, está em curso a rebelião dos trabalhadores, e alguns dos manifestantes irrompem no ensaio. O "Chefe" distribui os rebeldes em seu elenco, tenta refundir suas emoções em teatro, encarando a realidade como o material bruto para a sua montagem.

Peter Weiss usou um esquema análogo em *Die Verfolgung und Ermordung Jean Paul Marats, dargestellt durch die Schauspielgruppe des Hospizes zu Charenton unter Anleitung des Herrn de Sade* (A Perseguição e o Assassinato de Jean Paul Marat Representada pelo Grupo de Atores do Hospício de Charenton sob a Direção do Marquês de Sade). Já com a natureza de seu título, ele nos dá a conhecer o duplo chão de seu jogo de molduras, que culmina na luta furiosa dos loucos internados no asilo, a quem nada inibe.

O teatro no teatro oferece uma oportunidade de apresentar dramaturgicamente o familiar como estranho, empurrando-o para a distância, na acepção brechtiana, dando-lhe uma refração irônica, interpretando-o "epicamente" com o auxílio do diretor, locutor, narrador ou do coro. Os dois mais importantes dramaturgos do século XX que trilharam uma senda análoga à do princípio épico de Brecht são Thornton Wilder e Paul Claudel, ambos muito diferentes entre si na sua orientação em termos de visão de mundo e diametralmente opostos a Brecht.

Wilder vem de um *background* de convicções quietistas, humanístico-religiosas, e é nesta direção que aponta o seu *gestus* indicativo. Mas no que diz respeito ao intento de "des-iludir" o palco, ele é, pode-se dizer, mais rigoroso que Brecht. Prefere um palco inteiramente despido de cénario, arranjando-se com uma mesa e algumas cadeiras que, como nos jogos infantis, servem de carros ou trens. O narrador explica a cena e os acontecimentos, apresenta as personagens coatuantes e interpreta os incidentes episódicos da vida real, para revelá-los como pequenas parábolas do grande curso de toda a existência.

Se em *Our Town* (Nossa Cidade) (1938), Wilder nos oferece o mundo numa casca de noz, a cidadezinha de Grover's Corner, em *The Skin of Cur Teeth* (Por um Triz) (1942), ele tenta abranger o drama da humanidade em cinco mil anos de história do mundo. A idade do gelo, o dilúvio e o bombardeio da Guerra Mun-

50. Cenário de Wolfgang Znamenacek para a montagem de Friedrich Domin de *O Chinelo de Cetim*, de Paul Claudel, no Kammerspiele de Munique, 1947.

dial são as grandes catástrofes das quais o protótipo da família média de Wilder escapa "por um triz", e depois das quais torna a reunir-se e a recuperar-se das ruínas restantes, seguindo adiante num novo começo, para velhos conflitos. Na Europa exangue do pós-guerra, esta peça refletida e pertinente, na qual os atores ficam saindo de seus papéis para recair na realidade, causou grande impressão. Karl Heinz Stroux encenou-a em 1946 no Teatro Hebbel, e ninguém que tenha visto o espetáculo, entre as ruínas de Berlim, é capaz de esquecê-lo.

As experiências dramatúrgicas de Paul Claudel com o teatro épico remontam ao ano de 1927. Quando, a pedido de Max Reinhardt e tendo como libretista de Darius Milhaud, Claudel começou a escrever seu *Christophe Colomb*, optou por um mediador entre o palco e a plateia na pessoa do narrador. Colocou-o ao lado do palco, com um livro aberto apoiado numa estante: *Le Livre de Christophe Colomb* (O Livro de Cristóvão Colombo) (este é o título da versão revisada, produzida por Jean-Louis Barrault e publicada em 1953 em Bordeaux.) O explorador é dividido em duas figuras – um ancião doente que se aproxima, ao lado do narrador, e senta-se, para o próprio julgamento, num nível "neutro" de espaço e tempo; e o jovem navegador que singra os mares para descobrir a América. Um solene Aleluia é cantado pelo coro para concluir a alegoria, enquanto em uma tela o peregrino Tiago e a Mãe de Deus aparecem.

Christophe Colomb, de Claudel, foi vista durante muito tempo como o modelo almejado de teatro total, em contraposição à peça revolucionária, que se propõe a apresentar uma visão religiosa do mundo com meios modernos. Esta abordagem volta, em larga escala, em *Le Soulier de Satin* (A Sapatilha de Cetim); aqui, Claudel, inspirando-se no drama barroco espanhol, caminha entre o mistério e a farsa numa poderosa obra-prima de imaginação e linguagem. Pantomimas, dança e esquetes, interlúdios alegóricos e filosóficos alinham-se entre a peça religiosa do século XVII e as formas modernas de expressão. Fica a critério do diretor (e dos recursos financeiros à sua disposição) intensificar verbalmente a peça num palco nu, ou transformá-la num grande espetáculo com a ajuda de todos os recursos técnicos do teatro moderno.

Show Business na Broadway

A fórmula medular de Max Reinhardt para o teatro de Nova York era "divertimento como negócio". Comparando-o a quatro importantes centros teatrais europeus, ele observou que o prazer artístico era predominante em Paris, que o prazer sensorial dominava o palco em Viena, que em Berlim "um trabalho inaudito preparava a batalha entre atores e espectadores críticos" e que em Moscou tanto os atores quanto o público tinham uma dedicação quase religiosa à arte do teatro.

No que diz respeito tanto à forma quanto a substância, durante dois séculos os teatros da América do Norte recorreram a modelos europeus. Logo, porém, mostraram maior habilidade em fazer o teatro dar certo como empreendimento comercial. Nas palavras da famosa canção de Irving Berlin, os americanos descobriram que *there's no business like show business* ("não há negócio como o negócio do *show*").

Vários aspectos da cena americana foram discutidos previamente com relação aos diferentes gêneros dramáticos, mas o capítulo seguinte diz respeito, sucintamente, ao teatro enquanto *show business*, na acepção que acabou sendo exemplificada pela Broadway.

Embora, para o bem ou para o mal, Nova York seja hoje o centro teatral incontestável dos EUA e poucas peças possam ser bem-sucedidas sem a chancela de uma produção nesta cidade, as origens do teatro profissional americano devem ser procuradas na cidade vizinha e por um longo tempo rival: Filadélfia. Na verdade, foi ali que a primeira peça escrita na América para ser montada por uma companhia profissional de atores, *The Prince of Parthia* (O Príncipe da Pártia), de Thomas Godfrey Jr., estreou em 1767 no Southwark Theatre, o primeiro teatro permanente dos Estados Unidos. Tragédia em verso, com um cenário exótico, tratava, de uma maneira que traía claramente sua inspiração shakespeariana, da rivalidade principesca entre dois irmãos. Houve apenas uma representação.

Assaz profeticamente, entretanto, Nova York foi o cenário da primeira comédia nativa da América, *The Contrast* (O Contraste), 1787, de Royall Tyler. Nela, o autor lisonjeava seus compatriotas, no país recém-independente, com uma história envolvendo a competição romântica entre Billy Dimple, um anglófilo de desconcertante facilidade com as mulheres, e o Coronel Manly, um leal oficial revolucionário, pelo amor de uma pura garota americana. Comédia ainda encenável, mas não muito frequentemente encenada, sua popularidade e importância devem-se à introdução, na peça, do primeiro personagem teatral tipicamente americano – Jonathan, servo do Coronel Manly. Sua visão da vida, direta, prática e rural fariam dele o protótipo de centenas de figuras similares na ficção, no drama, nos filmes e nas comédias musicais.

Embora hoje esteja em moda dizer que o teatro da Broadway é tão antigo quanto o cinema e tenha emergido em condições parecidas, suas origens são, na verdade, consideravelmente mais antigas. As práticas comerciais, a administração, as tendências para o perfeccionismo, o princípio do *star* e o sistema de longa temporada vigentes na Broadway foram desenvolvidos já no século XIX. Grandes atores e cantores, cuja apresentação podia assegurar um sucesso sensacional, foram trazidos da Europa. Ao longo dos anos e pelo século XX adentro, astros como os Kembles, Sarah Bernhardt, Coquelin, Jenny Lind, Eleonora Duse, Caruso e Richard Tauber repetiram seus triunfos europeus no palco americano.

Comediantes e colonizadores cruzaram juntos o Atlântico. O contingente teatral foi conduzido pelos chefes dos pioneiros, e suas *troupes* chegaram logo, bem providas em número de atores e rapidamente: em 1750, Murray e Kean; em 1751, Robert Upton; em 1752, William e Lewis Hallam. Nos dias de George Washington – um defensor do teatro, quando vivo, e que mais tarde seria glorificado como herói de inúmeras peças sem sucesso – Nova York já podia vangloriar-se de possuir muitos teatros permanentes, inclusive o John Street Theatre, onde ocorreu a estreia de *O Contraste* levada pela American Company, o literariamente ambicioso Park Theatre, e o Ricetts Circus aclamado como o "novo e cômodo anfiteatro".

Foi no Park Theatre que William Dunlap, dramaturgo e autor da pioneira *History of the American Theatre* (História do Teatro Americano) (1832), ofereceu o mais estimulante cardápio teatral da cidade. Sua grande atração e bilheteria era Kotzebue, cujas peças eram vistas como aplicações introdutórias de ideias das Revoluções Francesa e Americana. Na temporada de 1799-1800, foram montadas quatorze peças de Kotzebue em Nova York. Produzida anonimamente, um dos sucessos de Dunlap em 1799, *The Italian Father* (O Pai Italiano) foi também atribuída por muita gente a Kotzebue, até que Dunlap reconheceu sua dívida para com *The Honest Whore* (A Prostituta Honesta), de Thomas Dekker. Dunlap adaptou também *Don Carlos*, de Schiller, *La Femme à deux Maris* (A Mulher com Dois Maridos) de Pixerécourt, e uma variedade de peças de autores populares europeus. Houve, além disso, um fluxo constante de remontagens de Shakespeare.

Não era costume então de nenhum teatro concentrar-se exclusivamente seja no drama ou na ópera. Encenava-se o que prometesse casa cheia. Um grupo de ópera italiano, sob a direção de Montrésor, lotou o Richmond Hill Theatre de Nova York por três meses em 1832, num total de trinta e cinco récitas. O conselheiro artístico do empreendimento foi Lorenzo da Ponte, outrora amigo e libretista de Mozart.

Em Louisville, Kentucky, em 1828, o ator Thomas D. Rice, indicado para interpretar um trabalhador negro do campo num melodrama local, observou um velho negro cantando e dançando do lado de fora do teatro. Ficou tão tomado pela atuação, que a incorporou a seu papel, e de sua bem-sucedida interpretação da canção *Jump Jim Crow*, com o rosto pintado de preto, nasceu o *minstrel show*. A moda pegou como fogo na palha, e em 1843 um novo competidor no *show business*, o *Virginia Minstrel Show*, fez sua estreia no Bowery Amphitheater de Nova York. O programa consistia em uma mistura sentimental de baladas, números musicais e diálogos curtos: a música era fornecida por banjos, violinos, castanholas e pandeiros. Logo, apresentava-se *minstrel shows* em todo o país. Atores brancos, com o rosto pintado de preto, divertiam plateias com uma paródia da vida dos negros, que se tornaria uma tradição difícil de destruir.

Em 1847, a situação do teatro de Nova York era tal que Walt Whitman, escrevendo no *Brooklyn Eagle*, estigmatizou todos os teatros, com exceção do Park, como "lugares baixos onde a vulgaridade (não apenas no palco, mas diante dele) predomina, e o mau gosto triunfa com poucos pontos favoráveis que diminuam sua grosseria". Até mesmo o Park, dizia ele, proporciona somente "imitações de terceira classe dos melhores teatros de Londres. Encena os dramas recusados e os atores desempregados da Grã-Bretanha, e nestes dramas e atores, da mesma forma que trajes de segunda mão dados pelo cavalheiro ao valete, tudo cai desajeitadamente".

Whitman estava sendo, talvez, algo injusto, mas ele pôs o dedo nas duas forças motrizes do teatro americano de sua época: a já demasiado opressiva e declinante tradição inglesa e a tendência a ficar no *star system*. "Alguns atores ou atrizes passam pelo país, trabalhando uma semana aqui e outra ali, trazendo como sua maior referência a *novidade* – e muito frequentemente nenhuma outra." Nos intervalos entre estas apresentações de *virtuoses*, os teatros ficavam sempre vazios, a despeito do fato de que excelentes companhias de repertório locais estivessem muitas vezes encenando peças interessantes.

Apesar das repreensões de Whitman, o drama americano mostrou considerável vitalidade e habilidade no emprego de elementos nativos. No Chestnut Street Theatre, em Filadélfia, James Nelson Barker apresentou *The Indian Princess, or La Belle Sauvage* (A Princesa Índia, ou A Bela Selvagem) (1808): um conto de Pocahontas, a jovem indígena que teria se apaixonado pelo Capitão Smith e por isso salvo a sua vida, foi o primeiro drama encenado na América que utilizava personagens índios. No ano seguinte, a peça foi apresentada no Park e em seguida em teatros de todo o país. Sua fama difundiu-se tanto que conseguiu a distinção de uma montagem adulterada e pirateada no Drury Lane, em Londres, em 1820. Além de muitas adaptações de peças, novelas e poemas europeus, Barker também escreveu *Superstition* (Superstição), 1824, um drama sobre a intolerância puritana.

Por causa do já poderoso *star sistem*, muitas das melhores primeiras peças americanas foram escritas como veículos para atores famosos. Além disso, cenários exóticos ainda agradavam muito. Antes de descobrir que a falta de leis sobre direitos autorais tornavam precária a subsistência do autor, Robert Montgomery Bird, um dos melhores dramaturgos românticos dos primórdios, escreveu para Edwin Forrest peças como *The Gladiator* (O Gladiador), 1831, uma história sobre Espártaco e a Roma antiga, na qual predominavam sentimentos abolicionistas, e *The Broker of Bogota* (O Agente de Bogotá) (1834), um tumultuoso drama passado na Colômbia.

Porém, o texto "importado" continuava a dominar na Broadway. Essa preferência reflete-se no prêambulo ao "sucesso inequivocamente brilhante" de *Fashion, or Life in New York* (Moda, ou A Vida em Nova York), de Anna Mowatt (a descrição é da própria autora, porém justificada), que lotou o Park por várias semanas em 1845. Correndo os olhos por um anúncio da peça no jornal, o Prólogo comenta em verso: "Bah! Calicôs feitos em casa podem ser bons o suficiente / Mas dramas feitos em casa são *necessariamente* uma coisa estúpida / Se tiver a estampa *London*, aí sim..." A peça não era só planta de casa, mas escrita por uma *mulher*!

Inspirando-se em *O Contraste*, de Tyler, e de *The School for Scandal* (Escola do Escândalo), de Sheridan, a sra. Mowatt apresentava uma intriga em que as virtudes nativas eram contrastadas com a desonestidade estrangeira. O honesto Adam Trueman, convidado rural da atrapalhada sra. Tiffany, que espera casar sua filha com o conde Jolimaitre – "uma importação europeia em moda" – é uma reencarnação reconhecível do Jonathan, de Tyler.

Opondo-se à tendência da comédia, do melodrama exótico e da celebração das virtudes democráticas, assinalam-se as tragédias patrícias em verso de George Henry Boker, que desenvolveu a tradição inaugurada em Filadélfia com *O Príncipe da Pártia*, de Godfrey. Ele próprio um filadelfiano, Boker seguiu o conselho que dera ao poeta Richard Henry Stoddard: "Afaste-se para o mais longe possível de sua época". A melhor de suas peças é sem dúvida *Francesca da Rimini* (1855), que permanece como o mais fino tratamento dado no drama inglês aos amantes condenados de Dante.

Conforme Whitman havia observado, espetáculos inovadores e virtuosísticos continuaram a dominar o teatro em Nova York. Quando, por exemplo, Edwin Booth, em parceria com um homem de negócios de Boston, abriu seu novo teatro em 1869, Nova York engalfinhou-se pelos ingressos, que foram leiloados a preços superiores a US$ 125. A noite da estreia no teatro de Booth causou tripla sensação: a magnificência da casa, o equipamento técnico promissor – que incluía alçapões hidráulicos – e a lembrança do irmão de Edwin, John Wilkes Booth, o assassino do presidente Lincoln.

Descrito, com a propensão americana para a hipérbole, como "o maior sucesso do mundo", a dramatização do romance abolicionista *Uncle Tom's Cabin* (A Cabana do Pai Tomás) de Harriet Beecher Stowe, estreou no Museum Theater em Troy, Nova York, em 1852. Um efetivo êxito, foi transferida no ano seguinte para o Purdy's National Theatre em Nova York. Perene favorito, no curso dos anos, este esparramado ataque à escravidão em seis atos desenvolveu vida própria. Seu tema, da desumanidade do homem para com o homem, era revestido de uma variedade de efeitos cênicos espetaculares, e acompanhado de danças e canções com banjo foi finalmente encenado, em 1881, numa produção de P. T. Barnum e James A. Bailey, de fama circense. Esta apresentação tornou-se assim, de certa forma, um ancestral da grande contribuição da América para o palco: o desenvolvimento, pós-Guerra Civil, do musical.

Porém, a verdadeira fonte deste gênero nativo é provavelmente *The Black Crook* (O Trapaceiro Negro), de Charles M. Barras, que estreou em 1866 para o encantado aplauso dos nova-iorquinos no Niblo's Garden. A montagem deu-se como resultado de um fortuito acidente, que pôs em dificuldade um corpo de baile em Nova York, após o teatro onde esperavam atuar ter pegado fogo – um acontecimento contemporâneo comum. Combinando belas bailarinas escassamente vestidas com um melodrama a envolver espetaculares exibições cênicas, o administrador do Niblo's Garden inventou um tremendo sucesso do *show business*, que se manteve no palco pelas três décadas seguintes, a despeito dos ataques do púlpito e da imprensa.

Arranjado com as exigências da Broadway em mente, o musical floresceria ali, ao lado do *show* de variedades, onde o canto, a dança e os atos curtos de vários tipos eram amarrados um no outro sem o intuito de desenvolver uma história linear. Foi no recém-inaugurado teatro de Florenz Ziegfeld, cujo espetacular *Zigfeld Follies* havia começado, em 1907, a "glorificar a garota americana", que o musical americano alcançou um novo pico com *Show Boat* (1927). Baseado no romance sentimental de Edna Ferber, do ano anterior, apresentava um libreto de Oscar Hammerstein e música de Jerome Kern. Sua canção de impacto *Ol'Man River* arrecadaria milhões para o teatro e as gravadoras.

Seu sucesso, entretanto, seria ofuscado, em 1943, por *Oklahoma*!, musical baseado na comédia *folk Green Grow the Lilacs* (Os Lilases Crescem Verdes), de Lynn Riggs, datada de 1931. A peça introduziu uma tendência em que a coreografia desempenharia um papel cada vez mais importante. Por causa da fabulosa combinação de diálogos, canções, balé e ritmos sedutoramente orquestrados, *Oklahoma*! quebrou todos os recordes de bilheteria, atingindo 2250 apresentações somente em Nova York. No intervalo entre *Show Boat* e *Oklahoma*! entraram em cartaz as efervescentes comédias musicais de George Gershwin: *Strike Up the Band* (1930) e *Of Thee I Sing* (1931) (com libreto de George S. Kaufman), o primeiro deste gênero a ganhar um Prêmio Pulitzer.

O musical americano alcançou êxito internacional e triunfou sobre os vestígios da "era de prata" da opereta, quando obras de Johann Strauss, Franz Lehar, Franz von Suppé, Nico Dostal e Emmerich Kalman floresciam no Carlstheater e no Theater an der Wien, em Viena, e no Metropol, em Berlim.

Ao desenvolver o musical, a Broadway curvou-se ao desejo do público de uma forma especificamente americana de expressão. Como exprimiu o fato Gideon Freud, esta é uma forma que "a América inventou a fim de desabafar em grande escala. Seu estilo é flutuante e até agora não atingiu nenhum caráter final. É tão novo, barulhento e tão fora de qualquer padrão quanto o continente que o originou".

Percebendo que nada mais poderia ser extraído dos velhos e sentimentais clichês, a Broadway recordou-se das bibliotecas e entregou-se aos modelos literários, reinterpretando os clássicos contemporaneamente: *Kiss me Kate* (Beije-me, Kate), 1948, baseado em *A Megera Domada*, de Shakespeare; *West Side Story*, 1957, inspirado em *Romeu e Julieta*; e *My Fair Lady*, 1956, inspirado em *Pigmaleão* de G. B. Shaw. *Candide* (1956), baseado no romance satírico de Voltaire, destacava um libreto de Lillian Hellman, uma partitura de Leonard Bernstein; e canções com letra de Richard Wilbur, John Latouche e Dorothy Parker. Embora este musical haja atingido novos cimos em termo de habilidade literária e humor, foi um fracasso financeiro. Continuou, entretanto, a desfrutar de uma vida oculta, em forma de gravação.

Tentativas de trazer o musical da Broadway para mais perto da ópera – *Porgy and Bess*, de Gershwin (1935), baseado no romance *Porgy*, de Dubose Heyward, e *Street Scene* (Cena de Rua), de Kurt Weill (1947), com base na peça homônima de Elma Rice, e complementada por canções com letras do poeta Langston Hughes – inicialmente tiveram sucesso financeiro limitado, mas são ainda revividas. Em 1950, *Porgy and Bess* excursionou com muito êxito pela Europa, levado por um elenco todo de atores negros, que atuou inclusive em Moscou. Posteriormente, dentre os musicais americanos que tiveram sucesso internacional figurou *Fiddler on the Roof* (Um Violinista no Telhado), 1964, baseado nas histórias imortais de Scholem Aleikhem sobre a vida de Tevie, o Leiteiro, numa aldeia russa pré-Primeira Guerra Mundial – dirigido e coreografado por Jerome Robbins, e *Hair*, 1969, uma *rock*-celebração do misticismo e protesto do mundo *hippie*.

A Broadway produz pelo menos dez novos musicais a cada ano, tendendo recentemente a produzir pouca coisa a mais. Os investimentos podem facilmente chegar a mais de meio milhão de dólares com atores, músicos, cenografia e coreografias. Pouquíssimos musicais fazem sucesso. Testes em cidades pequenas não dão indicação segura de como a Broadway reagirá, e estreias em Nova York são um negócio tenso para os "anjos" – os investidores financeiros. Se a primeira noite é um fracasso, tudo está perdido; se é um estrondoso sucesso, os lucros aumentam como uma bola de neve. A aposta está entre o êxito estrondoso e o malogro total: *There's no business like show business.*

Um pouco menos espetacular que o desenvolvimento do musical foi a evolução após a Guerra Civil do drama, que começou, num certo sentido, com o sucesso brilhante, um ano antes do conflito, de *The Octoroon* (O Oitavão) (1859), de Dion Boucicault, um drama sobre o amor de um homem branco é uma jovem mulata livre. Ator-autor irlandês, que veio para Nova York após ter estabelecido sua reputação em Londres, Boucicault tinha um senso seguro do teatro como entretenimento. Embora sua peça tratasse de problemas sociais que continuam a rondar os Estados Unidos, sua ênfase – como grande parte do teatro social que se seguiria – estava no sentimento. Além disso, oferecia um certo número de cenas espetaculares, que iam desde um leilão de escravos até um navio a vapor se incendiando.

Boucicault também teve parte num dos mais famosos sucessos do palco americano quando colaborou com Joseph Jefferson III na última adaptação da clássica história de Washington Irving, *Rip Van Winkle* (João Pestana). A peça estreou originalmente em Londres, em 1865, mas foi logo transferida para Nova York e logo depois para outras partes do país. No decorrer dos anos, Jefferson, seguindo os passos de seu pai e avô famosos, que haviam apresentado adaptações anteriores da história de Irving, alterou muitas vezes a peça.

Pode-se dizer que o realismo no teatro americano data do "ousado" tratamento dado às consequências do adultério, por James A. Herne em *Margaret Fleming* (1890), que teve uma única *matinée* no Palmer Theatre de Nova York, um ano depois de suas primeiras apresentações em Lynn, Massachusetts. Um admirador apaixonado de Ibsen, o ator-autor Merne despiu seu drama de muitas das convenções teatrais da época com vistas aos favores das plateias da Broadway, mas a peça raramente chegou a ser reencenada, mesmo depois que ele reescreveu o último ato, a fim de sugerir uma possível reconciliação entre marido e mulher. Anteriormente, em sua carreira, Herne dividira o palco com David Belasco, o brilhante ator, diretor e dramaturgo cujas noções de realismo, de um teor mais bombástico do que as de seu antigo parceiro, dominariam o palco da Broadway por algum tempo. Belasco é atualmente lembrado sobretudo por suas adaptações das óperas *Madame Butterfly*, 1900, e *The Girl of the Golden West* (A Garota do Oeste Dourado), 1910, de Puccini.

O realismo, no sentido da dramaturgia de crítica social e sátira, encontrou seu expoente mais bem-sucedido em Clyde Fitch, que havia originalmente formado sua reputação com comédias românticas como *Beau Brummel*,1890, e *Captain Jinks of The Horse Marines* (Capitão Jinks da Cavalaria Marinha), 1901. Em peças como *The Climbers* (Os Alpinistas), 1901, *The Truth* (A Verdade), 1906, e *The City* (A Cidade), 1909, Fitch volta sua consciência ética da Nova Inglaterra para aspectos questionáveis da sociedade americana.

Quatro anos após o triunfo do drama romanticamente "realista" de Belasco, sobre o longínquo Oeste americano, William Vaughn Moody apresentou, em *The Great Divide* (A Grande Fronteira), 1909, uma adaptação de sua antiga peça em verso, *The Sabine Woman* (A Mulher Sabina), 1906, um interessante drama que focaliza os valores conflitantes do Leste puritano e do rude e disponível Oeste. Sozinha na cabana de seu irmão no Arizona, Ruth, uma garota crescida no Leste, é assediada por três rufiões. Ela se salva ao implorar a um deles que a torne sua. Stephen Ghent "compra" a moça de seus companheiros, e quando Ruth consegue o dinheiro para "recomprar" a si mesma, volta para Nova Inglaterra. Mas em essência ela rejeita os homens cultivados de seu ambiente e anseia pelo indômito companheiro a quem mostrara as possibilidades de vida. *The Faith Healer* (O Curandeiro pela Fé), 1909, embora uma peça possivelmente melhor, obteve menos sucesso por causa de seu tema místico, em que o poder espiritual inato do homem é contraposto ao racionalismo e à religião convencional.

O contraste entre o Leste e o Oeste nos Estados Unidos foi tratado um pouco menos profundamente em *The Three of Us* (Nós Três), 1906, de Rachel Crothers, o primeiro de uma série de dramas e comédias nos quais a autora examinava questões sociais do ponto de vista feminino. *As Husbands Go* (Quando os Maridos se Vão), 1931, *When Ladies Meet* (Quando as Senhoras se Encontram), 1932 e *Susan and God* (Susan e Deus), 1937. Após 1922, Philip Barry divertiu e confundiu a Broadway alternadamente com uma série de cintilantes comédias sociais e dramas com orientação mística, incluindo *Holiday* (Feriado), 1929, a revolta de um jovem contra a vida "sensata"; *The Animal Kingdom* (O Reino Animal), 1932, um exame da verdadeira natureza do casamento; *Here Come the Clowns* (Aí Vêm os Palhaços), 1938, uma fascinante – mas comercialmente malsucedida – investigação das raízes profundas da motivação humana; e *The Philadelphia Story* (A História de Filadélfia), 1939, um relato hilário e mordaz de uma indócil mulher da sociedade às vésperas de um segundo casamento. Mais ou menos na mesma época, Maxwell Anderson tentava, em peças como *Elizabeth the Queen* (A Rainha Elisabeth), 1930, e *Mary of Scotland* (Maria da Escócia), 1933, e *Winterset* (O Inverno), 1935, – inspirada no caso Sacco e Vanzetti – reviver o drama em verso.

Durante os anos 30, a Broadway mostrou-se à altura do desafio da Depressão e do acúmulo das nuvens da guerra, com uma série de dramas vigorosos que examinavam as convicções básicas da sociedade americana. Talvez o mais representativo deles tenha sido *Awake and Sing*! (Desperte e Cante!), 1935, de Clifford Odets, no qual um jovem é apaixonadamente exortado a "partir e lutar, porque a vida não deveria ser impressa em notas de dólares". *Dead End* (Sem Saída), 1935, de Sidney Kingsley, deu às platéias da Broadway um sinistro lampejo dos bairros da marginalidade e do crime em Nova York. Em *Idiot's Delight* (O Deleite do Idiota), 1935, Robert E. Sherwood retratou as forças que estavam levando o mundo a uma conflagração de grande porte e conclamou o homem comum a resistir a elas. De forma pouco menos agressiva mas não menos interessante – porque a despeito de seu fervor moral Sherwood não havia esquecido que a função essencial da Broadway era entreter –, William Saroyan contrapôs as forças modernas do bem e do mal em *The Time of Your Life* (A Chance da sua Vida), 1939, escolhendo romanticamente um boteco de San Francisco como cenário para seu encontro. Naquele mesmo ano, Lillian Hellman examinaria as raízes do capitalismo americano em *The Little Foxes* (As Raposinhas), em que a tradição aristocrática sulista é mostrada como agente no processo pelo qual as forças do industrialismo abrem caminho.

Os anos 40 assistiram à emergência de dois dramaturgos que – ao lado de Edward Albee, após o sucesso de *Who's Afraid of Virginia Woolf?* (Quem Tem Medo de Virginia Woolf?), 1962 – permanecem até hoje como os mais representativos do teatro da Broadway em seu espírito "sério": Tennessee Williams e Arthur Miller. Em *The Glass Menagerie* (À Margem da Vida), 1944, William autobiograficamente refletiu sobre as lastimáveis pretensões dos remanescentes da tradição sulista e mostrou sensibilidade refugiando-se da aspereza do mundo moderno nos sonhos e no retraimento. O tema foi expandido em *A Streetcar Named Desire* (Um Bonde Chamado Desejo), 1947, em que a sensibilidade decadente de Blanche se opõe ao vigor brutal de seu cunhado Stanley. Williams continuou neste caminho com variações cada vez mais grotescas sobre seu tema.

Enquanto a crítica de Williams à vida americana parece, de certo modo, vir de um *outsider*, um marginalizador, o exame que Miller faz da ética dos homens de negócios em *All My Sons* (Todos os meus Filhos), 1947, aceita, inconscientemente, muitas das regras fundamentais do capitalismo – tanto que as apresentações da peça foram suspensas na URSS – e apenas critica as infrações. Foi somente com *Death of a Salesman* (A Morte de um Caixeiro Viajante), 1949, que Miller oferece uma crítica mais fundamental dos valores americanos, na história da destruição de Willy Loman pelas ilusões que guiaram sua vida. Em algumas de suas últimas peças, Miller trocou sua ênfase na crítica social pelo estudo psicológico: *A View from the Bridge* (Panorama Visto da Ponte), 1955, revisada em 1957, *After the Fall* (Depois da Queda), 1964, *The Price* (O Preço), 1968.

Nos últimos anos, o palco da Broadway tem sido dominado quase no seu todo pela comédia leve e sobretudo pelo musical – quase nenhum dos temas parece resistir ao tratamento com canção e dança.

O Teatro como Experimento

Em 1900, a revista ilustrada mensal *The Theatre* foi fundada em Nova York. Ela informava seus leitores sobre montagens americanas, publicava as teorias e projetos dos reformadores europeus do palco, Appia e Craig, e criticava o comercialismo do teatro da Broadway. Em 1913, publicou um grito de alerta: "O que há de errado com o palco americano?"

A solução, ao que parecia, encontrava-se fora da Broadway – fora do alcance da ditadura do teatro comercial – na descentralização e na coragem de experimentar. A era dos Little Theatres, pequenos teatros, despontava. Na liderança estavam os teatros da safra de 1912, o Toy Theater em Boston, o Little Theater em Nova York e o Little Theater de Chicago. Eram os correspondentes americanos do Estúdio russo, teatros experimentais que se interessavam mais pelo repertório do que por longas temporadas e ofereciam a jovens autores e artistas de vanguarda uma oportunidade de experimentar novas peças e técnicas de encenação.

Ao mesmo tempo, começaram a ser ativados os palcos universitários da América. Em Harvard, o professor George Pierce Baker fundou, em 1913, o seu *47 Workshop*, que foi logo seguido por numerosos departamentos similares de drama e teatro em outras universidades pelos EUA. Os aspectos artísticos, práticos, técnicos e organizacionais do teatro passaram a constar do currículo acadêmico. Grupos amadores universitários apresentavam-se em espetáculos públicos e com isso exerciam uma influência indireta no teatro profissional. O *workshop* do prof. Baker encontrava-se décadas à frente de empreendimentos europeus similares, tais como os *Théophiliens*, grupo fundado em Paris por Gustave Cohen, que estreou em 1933 com o *Miracle de Théophile* (Milagre de Teófilo), de Rutebeuf, de onde o conjunto tirou seu nome. Baker estava também muito avançado em relação aos palcos experimentais, hoje em dia vinculados a quase todos os departamentos de teatro das universidades europeias. De seu *47 Workshop* emergiram os dramaturgos americanos Eugene O'Neill, S. N. Behrman, Sidney Howard, Philip Barry, Percy MacKaye e Thomas Wolfe.

Eugene O'Neill, o primeiro criador teatral estadunidense de estatura internacional, percorre, dentro do compasso de suas próprias obras, todas as fases do drama europeu contemporâneo. Escreveu peças naturalistas e simbolistas, peças de crítica social e de psicologia profunda, peças romântico-realistas e expressionistas. Seu desenvolvimento e escolha de temas são sintomáticos em relação a seus contemporâneos e à geração seguinte de dramaturgos.

Assunto e ambiente são tirados da experiência pessoal: um lar despedaçado, emprego casual, exploração do ouro, navegação marítima, atores ambulantes, o sanatório, e, nesse ínterim, teatro aplicado no *Workshop*. Os Provincetown Players, um dos teatros experimentais importantes desde 1915, montou o drama de marinheiros de O'Neill, *Bound East for Cardiff* (Rumo a Cardiff); em 1921, o Theatre Guild, então com dois anos de existência, encenou *Beyond the Horizon* (Além do Horizonte) e deu a O'Neill seu primeiro sucesso na Broadway. Três anos depois, *The Moon of the Caribbees* (A Lua do Caribe), foi levada por Piscator no *Volksbühne* de Berlim, bem como o drama expressionista *The Hairy Ape* (O Macaco Cabeludo) e, logo depois, *Desire under the Elms* (Desejo sob os Olmos, apresentado no Brasil como *Desejo*), foram montados por Taírov no Moscow Kamerny Theater.

O'Neill disse uma vez que escrevia peças a fim de tornar claro o pedaço de verdade que lhe fora dado alcançar. Sua obra explora a melancolia da vida privada, a exposição de suas mentiras, fazendo uma aplicação dos ensinamentos de Freud na revelação das casualidades psicanalíticas.

Um dos mais interessantes teatros experimentais do pós-Segunda Guerra foi o Artist's Theatre que, em sua curta vida, entre 1953 e 1956, montou dezesseis peças originais de homens que eram a princípio poetas. Dando determinadamente as costas ao lucro, o grupo incentivava a colaboração de escritores, pintores e compositores, que poderiam, nas palavras de Herbert Machiz, diretor destas encenações, "experimentar com novas perspectivas para si mesmos e oferecer experiências frescas para a plateia". As peças evitavam o realismo que dominava o palco "sério" da Broadway e, ironicamente encaravam a situação do homem moderno num mundo complexo, que não se prestava a uma interpretação única ou simples. Muitas das peças – *Try! Try!* (Tente! Tente!), de Frank O'Hara, *The Heroes* (Os Heróis), de John Ashbury, e *The Bait* (A Isca), de James Merrill – foram escritas em verso, mas sua simplicidade e objetividade estavam em agudo contraste com o teatro "poético" autoconsciente de Maxwell Anderson. Talvez a mais interessante tenha sido *Absalom*, de Lionel Abel, uma adaptação em prosa da história bíblica, na qual o dramaturgo tentava introduzir no palco americano o tipo de drama filosófico que havia sido popularizado na França por Sartre e Camus.

O teatro off-Broadway, imediatamente posterior à guerra, esteve durante muito tempo preocupado com a recriação dos clássicos, tanto antigos quanto modernos. Esta foi, em certa medida, a verdade do Living Theater, formado pelos intrépidos Judith Malina Beck e Julian Beck, que encenavam seus primeiros espetáculos em seu próprio apartamento. Todavia, as primeiras montagens do grupo incluíam itens tão exoticamente não comerciais, como *Doctor Faustus Lights the Lights* (Dr. Fausto Acende as Luzes), de Gertrude Stein, e *Many Loves* (Muitos Amores), de William Carlos Williams. Por fim, os Beck introduziram em seu repertório obras experimentais de dramaturgos americanos jovens e desconhecidos. A mais notável destas foi *The Connection* (O Contato), de Jack Gelber, um drama em dois atos e em forma aberta que enfocava aspectos do vício nas drogas e do *jazz* – produzindo o efeito de uma improvisação brutal – e *The Brig* (A Prisão do Navio), de Kenneth Brown, uma recriação terrivelmente realista de um dia num complexo presidiário da Marinha americana.

No início dos anos 60, após algumas tempestuosas discordâncias com o Serviço Interno de Rendimentos Públicos acerca de impostos não pagos, o Living Theatre "exilou-se" na Europa por vários anos. Foi durante este período que o grupo desenvolveu um novo conceito de teatro, no qual o dramaturgo como tal parecia ser abandonado, e a obra apresentada surgia a partir da colaboração e da inovação de parte dos vários membros da companhia na criação coletiva. Em discutidas montagens como *Frankenstein* e *Paradise Now* (Paraíso Agora), os Beck davam grande ênfase ao fato de que seu "teatro livre" era inseparável de sua orientação anarquista e pacifista, e que constituía o resultado direto do estilo de vida comunitário do grupo.

Enquanto o Living Theater parecia ter se dispersado, o Open Theater, um dos mais vigorosos grupos experimentais nos EUA, tornou-se uma de suas ramificações mais duradouras. Foi fundado em 1963 por Joseph Chaikin, que iniciou uma série de *workshops* devotados a novas experiências na forma. Mais uma vez o resultado final nascia da "colaboração" entre o grupo e o autor. Entre as mais conhecidas produções do Open Theatre destacaram-se *Viet Rock*, de Megan Terry, e *America Hurrah* (O Grito da América) e *The Serpent* (A Serpente) de Jean-Claude van Itallie.

Na tradição do Teatro do Absurdo de Ionesco e Beckett, cumpre citar *The American Dream* (O Sonho Americano), de Edward Albee, que estreou no York Playhouse, no off--Broadway de Nova York. Em sua peça, Albee procede a um frio diagnóstico e exposição do *american way of life*, da grotesca trivialidade e banalidade dos ídolos estereotipados do homem comum, o isolamento sem esperança do indivíduo na estufa das neuroses.

O esforço para escapar das restrições da Broadway levou à fundação – sempre efêmera – de um grande número de companhias off- e off-off-Broadway. Merece menção especial o Bread and Puppet Theater, um grupo de teatro de rua, politicamente radical, dirigido por Peter Schumann, que utilizou elementos como baladas e parábolas terrificantes colhidos em mistérios medievais e espetáculos circenses; e o La Mama Experimental Theater Club, de Ellen Stewart, cuja influência em técnicas só de interpretação foi tão extensa que se refletiu nos grupos de teatro experimental da Europa e do Japão.

O Teatro em Crise?

O século XX não está sozinho ao perguntar se o teatro está em crise. Já Sêneca, em Roma, e Lessing, em Hamburgo, questionaram o sentido e a forma do teatro de sua época. Mas é especialmente alarmante o diagnóstico pessimista que desde os anos 50 vem sendo apresentado com crescente frequência sob os quais diversos aspectos na esfera do público, em congressos de teatro, pelos responsáveis por subvenções teatrais, por clubes de frequentadores de teatro, por críticos e dramaturgos. Arthur Miller declarou a certa altura que "o nosso teatro, medido pelos padrões vigentes, alcançou aparentemente um insóluvel fundo de poço". E no caso não importa saber se ele se referiu apenas às condições americanas ou à situação geral.

O teatro de hoje é tão secularizado em suas possibilidades formais e tão uniforme em suas tendências, que a agulha do barômetro assinala em Nova York ou Londres, Paris ou Berlim iguais níveis de alta ou baixa. Hoje o teatro do mundo é verdadeiramente um teatro mundial. Graças aos meios de comunicação de massa, ao rádio, ao cinema e à televisão, ele tem uma plateia quase ilimitada. No limiar da era atômica, apresenta-se como um fenômeno internacional. É um sismógrafo do estado político e intelectual da humanidade num momento da história que, à custa de desastres devastadores, nos oferece nada mais do que uma paz parcial ilusória entre novos focos de crise.

Exortado a servir de campo de teste para uma nova ordem, o teatro acumula o entulho, de um lado, e os estreitos veios de minério de outro, diante de uma vara de medida com as mais contraditórias escalas: lugar de diversão ou agência de propaganda, terra prometida ou fórum de debates, eterno "como se" de uma realidade mais elevada ou tela de raio X de uma realidade mais baixa, instituição moral no sentido de Schiller ou "reflexão ativa do homem sobre si mesmo" nas palavras de Novalis, plataforma de lançamento de discussões éticas, ideológicas e filosóficas ou museu para as clássicas estrelas fixas, trilha para o encontro do homem consigo mesmo ou mostra sem inibição das próprias emoções... Tantos *slogans*, tantos argumentos sérios, superficiais, preservadores ou provocadores de um fenômeno que de modo algum pode ser suficientemente litigiosa.

A frase de Hamlet sobre o teatro como "a crônica abstrata e abreviada do tempo" talvez nunca tenha sido mais verdadeira do que hoje. A breve crônica da era atômica que apenas começou está saturada de problemas, de controvérsia social, sociológica, psicológica e política, de ilusória autoconfiança de uma parte e mal-estar e protesto, de outra, da suave radiação dos homens de boa vontade e da turbulenta vigília dos que dirigem o mundo para uma nova catástrofe.

O teatro permanece exatamente no meio de tudo isso. A Alemanha, entre as ruínas da Segunda Grande Guerra, precisou cobrir a demanda reprimida de uma dramaturgia internacional. Nos últimos anos, construiu modernos palácios de vidro e concreto, que se prestam a propostas múltiplas. Em Nova York, edificou-se o complexo do Lincoln Center, com o Metropolitan Opera e suas salas de concerto e teatro. Em Londres, um novo e grande centro de arte emergiu na margem sul do Tâmisa, com uma galeria de arte, três salas de concerto e um Teatro Nacional. A capital da Austrália, Sydney, possui um imponente teatro de ópera em forma de um grande barco a vela, situado no porto, numa ponta da enseada. Seu projeto foi idealizado pelo arquiteto dinamarquês Jorn Utzon. Ele ganhou com sua ousada construção em concha o primeiro prêmio em concurso público.

O teatro tornou-se mais culinário e ao mesmo tempo mais espartano do que nunca, mais intelectual e subjetivo, gosta de posar de antiteatro. Ele está tentando verificar até onde pode ir no questionamento de sua própria validade. Conta com a possibilidade de servir-se de todos os mecanismos teatrais modernos concebíveis ou de provar, ao contrário, que não necessita de absolutamente nenhum acessório cênico. O teatro pode dever seus impulsos a um dramaturgo, a um diretor, a um administrador, a um órgão que o subvencione ou a uma companhia comercial.

Mas, quando o público fala de uma crise no teatro, ele o faz não tanto com referência a condições externas, como à substância da representação teatral. O drama moderno parece não ter pé nem cabeça, e assim o palco surge como um espelho deformante a refletir uma imagem que o público não está preparado para aceitar.

Ionesco disse certa vez que o traço mais característico das pessoas de nossa época é que elas perderam "qualquer tipo de consciência mais profunda de destino". O drama mostra, necessariamente, um quadro tragicômico da vida, numa época em que não mais podemos evitar a questão sobre "o que estamos fazendo na terra e como podemos suportar o peso esmagador do mundo das coisas".

O Teatro do Absurdo é uma consequência lógica dessas considerações. Anunciava-o de uma maneira provocadora e brutal, em 1895, o *Ubu Roi* (Ubu Rei), de Jarry, e Ionesco e Beckett o estabeleceram solidamente no palco da segunda metade do século XX. Albert Camus definiu, em *Le Mythe de Sisyphe* (O Mito de Sísifo), 1942, de que forma a moderna conscientização do absurdo: "Um mundo que pode ser explicado, mesmo que com fundamentos inadequados, é um mundo familiar. Num universo, porém, que é repentinamente despojado das ilusões e da luz da razão, o homem sente-se um estranho [...] Esta separação do homem e de sua vida, do ator e de sua experiência, é este, precisamente, o sentido do absurdo".

Ionesco escreveu algo muito semelhante em 1957, num ensaio sobre Kafka (*Cahiers de la Compagnie Madeleine Renaud – Jean-Louis Barrault*): "Absurdo é algo que não tem objetivo. Quando um homem está desligado de suas raízes religiosas, metafísicas e transcendentais, ele se perde, tudo o que faz fica sem sentido, absurdo, inútil, ceifado em seu gérmen".

O que conta é a realidade psicológica. O palco torna-se um espaço sem nenhuma referência identificável, o pesadelo visível da vacuidade. Um planalto desolado com uma última árvore nua, diante da qual Vladimir e Estragon, numa autossugestão sem sentido, esperam Godot; um deserto de areia no qual Winnie vai afundando mais e mais profundamente; duas latas de lixo onde Nagg e Nell consomem-se na expectativa do miserável final do *Endgame* (Fim de Jogo) – este e o mundo cênico do Absurdo de Samuel Beckett.

51. Projeto em gravura feito em 1956 pelo arquiteto dinamarquês Jorn Utzon para o Teatro de Ópera de Sydney, Austrália.

A "mensagem" prometida em *Les Chaises* (As Cadeiras), de Ionesco, é uma farsa: um surdo-mudo apresenta-se em cena como o orador cheio de promessas que a anuncia, uma patética personificação de grotesco desamparo.

As personagens de Ionesco erram à deriva num mundo desconectado, confinados em seus medos, caricaturas de si mesmos, palhaços macabros de um "trágico espetáculo de fantoches". Ionesco fala do processo criativo do dramaturgo como um "empreendimento de pesquisa". Não promete descobrir terra nova. Ao contrário, o objetivo da vanguarda dramática deve ser redescobrir, não inventar, "as formas eternas e os ideais esquecidos do teatro em seu estado mais puro".

"Precisamos romper com os clichês", continua ele, "fugir do 'tradicionalismo' tacanho. Precisamos redescobrir a única, verdadeira e viva tradição". O Teatro do Absurdo é a *Commedia dell'arte* do niilismo, o *grand guignol* de um mundo de paradoxos.

O Teatro e os Meios de Comunicação de Massa

A "redescoberta", sob outros signos, tornou-se característica do teatro do século XX, como também do cinema. A dedução do princípio épico, por Brecht, a partir do "caráter expositivo" do "antiquíssimo teatro asiático"é tão pertinente quanto, digamos, a declaração de Einsenstein de que devia a ideia da montagem do filme "primeiramente e antes de mais nada aos princípios básicos do circo e do *music hall*", pelos quais tinha paixão desde a infância.

O primeiro passo à frente em técnica cinematográfica foi o da fantasia e do truque, alcançado por Georges Méliès; o segundo foi a farsa burlesca; o terceiro, o *action tableau* (quadro vivo), que se originou no teatro do século XIX.

Quando Henry Irving montou *Romeu e Julieta* em Londres, em 1882, tentou criar uma reprodução fotográfica da época e do lugar por meio de cenários e de quadros vivos. Trinta anos mais tarde, quando Louis Mercanton filmou *Queen Elizabeth*, trabalhou com cenários e técnicas teatrais. Sarah Bernhardt não apenas filmou a chamada para os aplausos, como escreve Nicholas Vardac, "mas seu mergulho final em uma pilha de travesseiros diante da câmera, no clímax da cena da morte, parecia mais comédia burlesca do que drama".

O desafio oferecido por *Queen Elizabeth* e pelas produções italianas de G. Pastrone foi aceito por D. W. Griffith. *Judith of Bethulia* baseou-se no espetáculo homônimo de T. B.

Aldrich, na época um sucesso de palco. Mas foi com *Intolerance* e *The Birth of a Nation* (O Nascimento de Uma Nação) que Griffith pôs fim aos dias do "poeira". Nesse ponto, foi preciso construir grandes cinemas ou tomar posse dos teatros para a exibição de novos filmes.

René Clair rejeitou qualquer aproximação entre os irmãos díspares – teatro e cinema. Reivindicou para a tela o privilégio de transgredir o dogma do realismo – mais ou menos como Robert Wiene fez em *O Gabinete do Doutor Caligari* (1919) – e de configurar uma "verdade subjetiva". René Clair argumentava que teatro e cinema são governados por leis artísticas completamente diferentes e precisam ser claramente separados. E ainda em 1950, ele declarava consistentemente: "Não compartilho da opinião daqueles que sempre encararam o cinema como um mero instrumento para a expansão das peças teatrais". Ele tinha uma fórmula simples para uma distinção básica das duas categorias: "No teatro, a palavra conduz a ação, enquanto a óptica possui importância secundária. No cinema, o primado cabe à imagem, e a parte falada e sonora aparece em segundo lugar. Fico tentado a dizer que um cego não perderia dinheiro indo ao teatro, e um surdo, ao cinema".

Não obstante, elementos e possibilidades do filme exerceram, por sua vez, influência artística estimulante sobre a moderna cenografia teatral. Quando, em 1949, Jo Mielziner desenhou o cenário da montagem nova-iorquina de *A Morte de um Caixeiro Viajante* (dirigida por Elia Kazan), dispôs em cena o esqueleto de uma casa, de uma só família, apertada entre arranha-céus, mas mostrada no meio de árvores banhadas pelo sol nas ações retrospectivas em *flashback*. Um leve véu de musselina com fileiras de transparentes janelas pintadas dava a impressão de melancólicas fachadas; uma projeção verde-amarela de folhagem transformava o mesmo quadro – depois de apagadas as luzes de fundo e da supressão do ambiente das casas – numa atmosfera de radiante primavera.

Para *Um Bonde Chamado Desejo*, de Tennessee Williams, dirigida em 1947 por Elia Kazan, Mielziner usou paredes transparentes que, com a ajuda de luz e sombras, tornavam possível uma transição fluida entre as cenas de interiores e as de rua. Esse tipo de cenário era, no entender de Mielziner, o mais fascinante de todos. Por seu intermédio as ideias de Appia e Craig, que chegado aos EUA por intermédio de Robert Edmond Jones, voltavam para a Europa com formas novas e diferenciadas graças ao cinema. Sua influência mais direta pode ser encontrada, talvez, nos cenários feitos no início dos anos 50, por Wolfgang Znamenacek, para o Kammerspiele de Munique, como, por exemplo o de *Die Ehe des Herrn Mississippi* (O Casamento do Senhor Mississippi) de Dürremnatt, ou, a partir da década de 60, no cenógrafo tcheco Josef Svoboda. Para uma montagem do *Édipo Rei*, de Sófocles, no Teatro Nacional de Praga, em 1963, Svoboda construiu uma escada de quase dez metros de largura com degraus semitransparentes, que se erguia do fosso da orquestra até o urdimento do teatro. A música era ouvida através de perfurações na escada.

Outro tipo de convergência entre as técnicas artísticas do teatro e do cinema surgiu com o palco miniatura, que se tornou popular na Europa após 1945 sob várias denominações, como teatro "intimista" ou "de câmera". Numa sala pequena e sobre um palco nu, os atores encaravam a plateia quase tão diretamente quanto a câmera e o microfone do estúdio. Qualquer excesso de voz, gesto ou mímica era captado pelo espectador, sentado bem próximo, como que por lentes fotográficas – sem, entretanto, possibilidade de correção.

Enquanto no teatro com cenário a distância, no *peep-show* ou na arena, o ator tem de prender a atenção do espectador de uma distância de 20 m ou 30 m e introduzi-lo no espaço vivencial dramático, no teatro de câmera acontece o oposto: destaca-se a emoção, a simplicidade e, se tanto, atenua-se a empostação do texto; o ator não usará maquiagem, e a interpretação será intensiva, em vez de de extensiva. Esta é a origem da economia de meios, baseada na constante consciência do *close*. Quando essa técnica de interpretação é transferida para a distância do cenário comum, em forma de *peep-show*, a audição pode, às vezes, ser prejudicada.

O apogeu do teatro de câmera contemporâneo deu-se na metade do século XX. A farsa

52. Nell e Nagg em suas latas de lixo, em *Fim de Jogo*, de Samuel Beckett, que estreou em 3 de abril de 1957 no Royal Court Theatre de Londres. Direção: Roger Blin; Chr. Tsingos como Nell e G. Adet como Nagg.

Le Désir Attrapé par la Queue (O Desejo Pego pelo Rabo) de Picasso, foi encenada pela primeira vez durante a Segunda Guerra Mundial, em 1944, pelo pequeno círculo em torno de Jean-Paul Sartre e Simone de Beauvoir. Foi uma conspirativa sessão privada, da qual participaram os *literati* importantes de Paris, num apartamento em Saint-Germain-des-Prés – um *happening*, uma brincadeira de atelier, na tradição dada, surrealista e do Cabaret Voltaire. Camus e Queneau estavam entre os participantes.

Na Alemanha, o primeiro teatro de câmera foi organizado em 1947 por Helmuth Gmelin, no piso superior de sua casa em Hamburgo; logo em seguida, transferiu-se para um edifício neoclássico, onde, entre outras obras, Günther Rennert, da Ópera de Hamburgo, encenou *Esperando Godot*. Berlim, Frankfurt (sob a direção de Fritz Rémond), Wiesbaden, Düsseldorf e Colônia o seguiram com teatros de câmera; Munique, em 1949, com um teatro-estúdio no Schwabing, o bairro dos artistas. Luigi Malipiero estabeleceu-se no torreão de Sommerhausen, um povoado da Francônia. Em 1953, foram inauguradas em Milão duas versões em miniatura do *space stage* – o Teatrangolo, organizado pelo professor de literatura Francesco Prandini em sua própria sala de jantar, e logo em seguida no Teatro Sant'Erasmo. O esforço de converter a necessidade numa virtude artística triunfou em muitos casos. Em inúmeras cidades universitárias existem até hoje teatros de câmera ativos; eles desenvolveram um estilo próprio e mantêm-se a meio caminho entre o palco e o cinema. Jerzy Grotowski diz:

> Há apenas um elemento que o cinema e a televisão não podem roubar do teatro – a intimidade do organismo vivo. Por causa disso, cada desafio para o ator, cada um dos seus atos mágicos (que a plateia é incapaz de reproduzir) torna-se alguma coisa de grande, de extraordinário, alguma coisa próxima do êxtase. É portanto necessário abolir a distância entre o ator e a plateia, eliminando o palco, removendo todas as fronteiras. Deixar que as cenas mais drásticas ocorram face a face com o espectador, para que assim ele esteja à mão do ator, possa perceber sua respiração e sentir sua transpiração. Isso implica a necessidade de um teatro de câmera.

Os pioneiros do cinema lamentavam sua efemeridade, a escassa duração de seu material. A tecnologia atual permite pelo menos que um grande número de cópias de qualquer filme sejam feitas antes que ele se estrague, permitindo, assim, guardar testemunhos documentais tanto de seus primeiros tempos quanto dos acontecimentos teatrais. Na verdade, um espetáculo teatral filmado é um "híbrido", a meio caminho entre teatro e cinema, mas, no mínimo, pode ser, desta maneira, repetido e transportado. Abre espaço para comparações, que podem ser fascinantes e instrutivas mesmo quando a deterioração começa a se tornar visível. Um exemplo é o filme para a televisão da montagem milanesa de Giorgio Strehler de *Arlecchino Servitore di Due Padroni*, com Marcello Moretti. Quando Ferruccio Soleri passou a desempenhar o papel, a mudança foi quase imperceptível, mas, conforme a tela mostra, existem em sua interpretação nuances marcadamente diversas da de seu professor e predecessor.

O *Hamlet* de sir Laurence Olivier foi filmado em 1948 como um registro de uma impressionante sequência de cenas teatrais diante de *sets* móveis, e este acordo entre o palco e a tela foi premiado com quatro Oscars e com o Leão de Ouro em Veneza. O mesmo aconteceu com a montagem do *Fausto* em Hamburgo, com Gustaf Gründgens como Mefisto e Will Quadflieg como Fausto. Na versão filmada, a câmera se colocou tão perto dos rostos dos atores que o que se justificava para a distância do teatro surgiu com um grosseiro embrutecimento. Para a posteridade, porém, o filme *Fausto* é de valor tão inestimável quanto, digamos, a filmagem do *Don Giovanni*, dirigido em Salzburgo por Wilhelm Furtwängler em 1950, no velho Festspielhaus, ou a versão para o cinema, feita por Palitzsch e Wekwerth, da encenação modelar do Berliner Ensemble, de *Mutter Courage*, no Theater am Schiffbauerdamm, 1960.

O filme japonês sobre os samurais, *Rashomon*, de Akira Kurosawa, é sem dúvida incomparavelmente mais impressionante do que a história em quatro versões imitada em alguns teatros alemães, e, graças à montagem de Peter Brook, o *Marat/Sade* de Peter Weiss teve na tela uma sugestiva força de impacto que dificilmente se alcançaria em qualquer palco.

Nada disso elimina o fato de que o teatro e o cinema baseiam-se em pressupostos artísticos completamente diferentes. O teatro filmado é mais convincente quando a fita se mantém fiel a sua própria lei, que é o enunciado óptico, a expressão visual. Com o aparecimento da televisão como um novo veículo de comunicação de massa, acentuaram-se as antinomias. Centenas de cinemas de bairro tiveram de fechar suas portas, mas dificilmente um único teatro foi afetado. O teatro, talvez por causa da sua função social, mantém o seu terreno, apesar da televisão. A TV transmite trechos de estreias teatrais e até mesmo festivais inteiros ou espetáculos de ópera. Diretores teatrais encenam *shows* de tevê. Dramaturgos escrevem para programas de rádio e de televisão e transformam peças breves para rádio e TV em obras mais extensas para o teatro. Max Frisch ampliou seu *Biedermann und die Brandstifter* (O Homem Honrado e os Incendiários) e Martin Walser acrescentou um segundo ato a *Die Zimmerschlacht* (A Batalha de Almofadas), por sugestão de Fritz Kortner. "O tema da peça me parecia um pouco privado demais", Walser admitiu numa explicação a respeito de seu desvio em direção aos meios de comunicação de massa. "Pensei que o teatro deveria dedicar-se em primeiro lugar às questões políticas."

Em 1967, Martin Walser atacou o teatro como um "balneário de almas". Em seu ensaio, ele escreve:

> Se olhamos para as ações teatrais do teatro legítimo, isto é, a soma de todas as dramaturgias tradicionais e atuais, vemos que o resultado é uma sequência ritual de eventos, que é, se necessário, recarregada e atualizada com funções conciliadoras de imitação e assim se oferece a um público de há muito especializado. Como podemos romper essa rotina? Seria possível começar como o jovem dramaturgo alemão Handke (nascido em 1943), com *Publikumsbeschimpfung* (Insultos à Plateia) e *Selbstbezichtigung* (Autoacusação). Mas cabe esperar que se possa continuar representando algo que contenha ação.

O protesto contra o teatro culto conduz, por um lado, às acima mencionadas *Sprechstücken* (peças de discurso) de Peter Handke, ou, por outro, à direção oposta – às ações cruas, à combinação de ação e ruído com o fito de chocar: o *happening*.

Ionesco já havia descrito *La Cantatrice Chauve* (A Cantora Careca) como antipeça e antiteatro. Raymond Queneau foi ao extremo do *nonsense* espirituoso com seus *Exercícios de Estilo*, um malabarismo parodístico com a linguagem. Seu romance *Zazie dans le Métro* atingiu o grande público graças ao cinema; seus exercícios estilísticos foram interpretados em pantomima pela primeira vez, em 1948, por Yves Robert, e, em 1966 e 1967 viajaram pelos teatros da Alemanha e da Suíça como o petisco predileto dos *gourmets* da linguística. René de Obaldia levou a cândida perfeição da banalidade para além da trilha do absurdo. O simplório agora fala com ironia: "O acidental tornou-se permanente", diz Zephryn, na farsa *Le Cosmonaute Agricole* (O Casamento Agrícola), de Obaldia.

Na *Scène à Quatre* (Cena em Quatro), de Ionesco, somos informados de que as pessoas "falam para não dizer nada". Peter Handke, em suas *Sprechstücken* e em *Kaspar* (1968), tenta usar o frágil veículo da linguagem com o objetivo oposto: tornar o homem consciente de si mesmo. Quando Kaspar Hauser, o misterioso enjeitado de Nuremberg, diz: "*Ich möcht'ein solcher werden, wie einmal ein anderer gewesen ist*" ("Quisera me tornar alguém como ninguém nunca foi antes"), a frase se converte numa tortura linguística, no exercício *beat* de um eco que vem e vai.

Nesse ponto Handke – ou seus encenadores – encontra-se com o *happening* inventado pelos músicos e pintores. "O meio é a mensagem", proclama o canadense Marshall McLuhan. Desde 1958, o estúdio de pintura de Al Hansen e as aulas de música de John Cage na New School for Social Research em Nova York converteram o *happening* num evento antiteatral. Seu lema é "um voo para dentro da realidade", em vez do convencional voo a partir da realidade. *Cool jazz*, latas de tinta derramada, ritmos frenéticos, ruídos de fundo, trapos e pedaços de papel de embrulho são os ingredientes do *happening*, e seu resultado é uma colagem de charadas, cópias pervertidas em forma de espantalho da moderna sociedade de consumo e do mundo *ersatz* em estilo da arte pop e op.

"Queremos ultrajar o público, obrigá-lo por meio do choque a uma participação direta", declarou Jean Jacques Lebel, que organizou uma semana de *happenings* no Centro Americano de Artes de Paris, em 1964. Seus

53. Projeto de cenário de Jo Mielziner para a montagem de Elia Kazan de *A Morte de um Caixeiro Viajante*, de Arthur Miller, que estreou em 1 de fevereiro de 1949 no Morosco Theatre, Nova York.

54. Cenário de Wolfgang Znamenacek para a encenação de Hans Schweikart de *O Casamento do Senhor Mississippi*, de Friedrich Dürrenmatt, cuja estreia alemã se deu no Kammerspiele de Munique em 26 de março de 1952.

companheiros de arma alemães, por exemplo os pioneiros do *happening* descartável de Ulm, em 1966, proclamaram que iriam "vencer a banalidade" desconectando e alienando processos concretos de seu contexto normal. Os dadaístas veem a mente como precursores relativamente inofensivos, e a estetização, por Marinetti, das barragens de artilharia e das explosões, oferece um paralelismo discordante. A *tabula rasa* que Lebel exige como ponto de partida para um novo "teatro" encontra uma resposta vívida, mas efêmera, em Barcelona, Amsterdã, Belgrado e na Escandinávia.

Entre os músicos, Karlheinz Stockhausen, John Cage e Maurício Kagel tentaram dominar os paradoxos da era do medo por meio de música espacial, concertos para latas d'água, manipulações aleatórias e em cenas mudas de perambulação com uma bengala *obbligato*.

O pintor Max Ernst, um dos fundadores do dadaísmo em 1919, não dava o menor crédito à destruição de formas segundo a maneira antiga. Ele diz ceticamente: "Dadá foi uma bomba. Seria possível que, meio século depois de sua explosão, alguém se incomodasse em procurar seus estilhaços e grudá-los novamente?"

Quem frequenta o teatro, em caráter privado é livre para decidir, caso a caso, até onde deseja ser envolvido na problemática do "teatro". Os administradores dos clubes e organizações de frequentadores preocupam-se com o que podem oferecer e recomendar a seus membros, ou, em último caso, esperar que eles suportem. Padrões, tidos originalmente como evidentes por si mesmo, convertem-se em temas de conferências, tais como: "Existe um teatro cristão?" ou "O teatro deve ser um fórum da época ou um lugar da atemporalidade?" Hanns Braun, crítico teatral de Munique, examinou em 1956 a situação do teatro e do drama a partir do ponto de vista de que ambos chegariam ao fim quando, além da incerteza sobre seu significado e seu propósito, chegassem a perder sua forma. "Neste estádio, o teatro do diretor autônomo já não defende sua substância dramática", escreveu, "ele se neutralizou a si mesmo: a novidade de uma encenação parece mais importante do que qualquer outra coisa".

Nos últimos cinquenta anos, as organizações de frequentadores de teatro têm sido as maiores consumidoras do teatro de repertório. Os teatros alemães subsidiados pelos municípios ou pelo Estado devem hoje algo entre vinte e quarenta por cento de seus rendimentos a um público filiado à Volksbühne e à Theatergemeinde.

O sistema de assinaturas e o aluguel de camarotes ou lugares para a orquestra remontam aos primeiros dias das óperas de Veneza e aos tempos dos teatros municipais e da corte. Em muitos países europeus, a venda de ingressos para a temporada é ainda a única negociação entre os teatros e o público. A primeira associação teatral a ser fundada na Alemanha foi a Freie Volksbühne, criada em 1890 (que não deve ser confundida com a naturalista Freie Bühne, sociedade para a produção de novas peças). Uma ramificação dela, a Neue Freie Volksbühne, estabeleceu-se em 1914 num teatro próprio, o Theater am Bülowplatz em Berlim e, por meio de um convênio, admitia também os membros da organização matriz. Em 1920, reuniram-se numa sociedade conjunta, a Volksbühne, à qual em 1926 se aliou uma outra empresa independente, o Theater am Schiffbauerdamm (hoje o Berliner Ensemble).

Para completar, constituiu-se em 1919 a Bühnevolksbund, com o propósito explícito de promover uma compreensão de todos os campos de vida artística entre todas as classes da população, apoiando-se numa base religiosa cristã. As duas associações chegaram a sucumbir após 1933. Voltaram a ressurgir em 1949 na Verband der Deutschen Volksbühnenvereine (Liga das Comunidades Teatrais Alemãs) e na Bund der Theatergemunden (Liga dos Teatros Alemães), fundada em 1951 para suceder a Bühnenvolksbund. Organizações similares de frequentadores de teatros existem também na Áustria e na Suíça.

O Teatro do Diretor

No início dos anos 60, seis montagens diferentes do *Tartufo* de Molière estavam em cartaz em Paris, em seis diferentes teatros, durante a mesma temporada. Os críticos viram-se diante da necessidade de especializar-se em "análise comparativa de direção teatral".

Essa tarefa volta agora a competir-lhe amiúde, não apenas no caso dos clássicos, mas também no de obras novas. *Die Ermittlung* (A Investigação), de Peter Weiss, estreou simultaneamente em dezesseis teatros em 19 de outubro de 1965 e, no final de janeiro de 1968, *Biografia*, de Max Frisch, foi encenada mais ou menos ao mesmo tempo em quatro cidades.

A questão de *como* eclipsa a de *o quê*. A interpretação dos clássicos é a pedra de toque, hoje, em todos os países que possuem uma tradição importante em teatro. Quando Roger Planchon, diretor do Théâtre de la Cité, em Villeurbanne, perto de Lyon, se propôs a montar o *Tartufo* de Molière, constatou que dois expressivos intérpretes haviam concebido a peça de dois pontos de vista totalmente opostos: Coquelin utilizou a obra para atacar a religião, Fernand Ledoux, para defendê-la. Na terminologia de Stanislávski, poder-se-ia dizer: "Tudo depende do superobjetivo que se atribui à obra".

É tarefa do diretor distribuir o peso. O cenário cria para isto uma atmosfera, que pode ser tão reflexiva e internamente refratada quanto a encenação pode ser. Quando, em 1967, Kurt Hübner montou *Macbeth* em Bremen, Wilfried Minks preparou-lhe um palco revestido da cor marrom enferrujada. Um cenário superior transversal horizontal foi equipado com uma linha de tubos de *néon* coloridos, e o ciclorama tinha um brilho avermelhado. Fora os painéis de madeira escura que se deslocavam ao fundo, o meio para transformar a cena era a mudança de luz. As ideias de Craig continuam a estar em voga, e as dos Meiningers, bem distantes.

Foi, entretanto, apoiando-se nos Meiningers que Stanislávski, em sua época, procedeu às primeiras reflexões sobre o "despotismo do diretor". O que tinha em mente era o problema da disciplina do ator, mais do que o subjetivismo na encenação. No caso de Max Reinhardt, seu temperamento pessoal determinava o estilo de direção e cenário. Leopold Jessner introduziu a redução criativa dos recursos externos, Erwin Piscator iniciou a direção "contra a obra". Jürgen Fehling e Fritz Kortner eliminaram a concepção pessoal do ator para retrabalhá-lo a partir do zero, de acordo com sua própria visão. Gustaf Gründgens trouxe a paixão fria e límpida de seu intelecto para a plasmação de seus papéis e encenações.

O grande aristocrata do teatro inglês, sir Laurence Olivier, que em 1962 assumiu a direção artística do National Theatre de Londres (o novo Old Vic), promoveu um estilo de conscienciosa dicção culta, sutil de naturalidade e de intensa replasmação, mesmo no mais mínimo papel. Em 1966, ele encenou no National Theatre *Juno e o Pavão Real*, drama de Sean O'Casey sobre a guerra civil irlandesa, e o fez sem qualquer aparato externo – como uma advertência de que o nacionalismo fanático e fraseologias de segunda classe não podem exigir um sacrifício cruel e sem sentido da vida.

Em suas grandes interpretações de personagens de Shakespeare, Olivier gostava de atuar sob a direção de Peter Brook, cerca de vinte anos mais jovem. Em Stratford-on-Avon, trabalhou também com Peter Hall. O Archie Rice de Olivier, em *The Entertainer*, de John Osborne, montada em 1957 em Londres e em 1958 em Nova York, assim como o Bérenger de *Rhinocéros* (O Rinoceronte), de Ionesco, no Royal Court Theatre em 1960, foram momentos luminosos da interpretação dramática contemporânea. Neste teatro, o mais importante palco experimental de Londres, Roger Blin montou *Endgame* (Fim de Jogo) de Beckett, em 1957. Ele mesmo interpretou o Hamm, com um lenço sobre o rosto, sentado em uma poltrona, como os dignitários sem face do pintor inglês Francis Bacon.

O filósofo Edmund Husserl fala em seus escritos fenomenológicos da "evidência intuitiva" e da necessidade de "preservar toda a escala completa de variações". Seus termos poderiam ter sido cunhados especialmente para as concepções cênicas do século XX. Questões de estilo são hoje não mais condicionadas pela época, mas pelo indivíduo: ficam à discrição pessoal do diretor. Karl Heinz Stroux em Düsseldorf; Boleslaw Barlog em Berlim; Oscar Fritz Schuh em Colônia, Hamburgo e no Festival de Salzburgo; Gustav R. Sellner em Darmstadt e Berlim; Heinz Hilpert em Göttingen – todos, enquanto produtores e diretores, devotaram-se, em todo o seu âmbito, à necessidade de recuperação, após 1945, do agressivo drama moderno e dos clássicos internacionais. Cenógrafos como Caspar Neher, Wolfgang Znamenacek, Helmut Jürgens, Rochus Gliese, Teo Otto e Emil Preetorius cui-

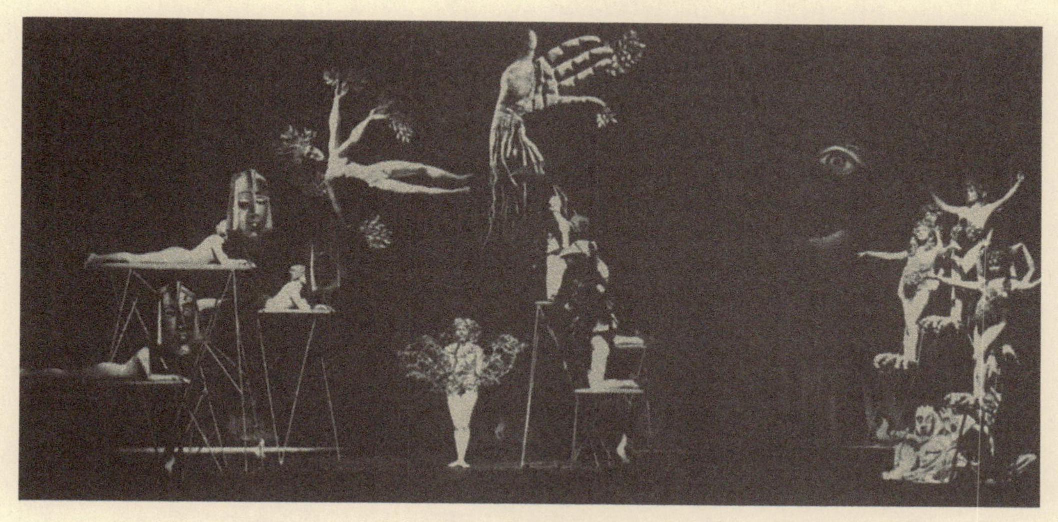

55. A clássica Noite de Walpurgis, na segunda parte do *Fausto*: cenografia de Teo Otto para a montagem de Gustav Gründgens no Schauspielhaus, Hamburgo, 1958.

56. Estreia em Berlim de *Die Ermittlung* (A Investigação), de Peter Weiss. Freie Volksbühne, 19 de outubro de 1965. Direção: Erwin Piscator; música: Luigi Nono; cenário: H. U. Schmückle. À esquerda, o acusado; à direita, o advogado; à frente, Hilde Mikulicz como a quinta testemunha e Martin Berliner como a oitava testemunha.

57. *Mise em scène* de Otto Schenk do *Macbeth* de Verdi, com Anja Silja. Nationaltheater, Munique, 1967. Cenário técnico estilizado de Rudolf Heinrich.

58. Projeto de cenário de Casper Neher para *Coriolano*, de Shakespeare, 1925.

daram da "escala completa de variações" nos cenários. Transparência cinematográfica dos elementos do *décor* e na fria estilização e irrealidade imaginativa no aspecto visual contribuíram muito para o estilo de encenação.

Durante muitos anos, Jean Vilar foi a favor de um palco nu e revestido de preto, que povoava com um elenco vestido de trajes coloridos, cativante pela perfeição gestual e declamatória. Ele inaugurou o Théâtre National Populaire em 1951, no Pallais de Chaillot, diante da Torre Eiffel em Paris, com dois papéis centrais para Gérard Philipe: o *Cid* de Corneille e *O Príncipe de Homburgo* de Kleist. Com o Festival d'Art Dramatique de Avignon, Vilar tentou, como faria mais tarde Roger Planchon, em Lyon, renovar o teatro francês levado nas províncias. Em 1967, encarregou-se, por iniciativa de André Malraux, de realizar uma reforma radical nas casas de ópera estatais de Paris.

Como diretor de teatro e de cinema, Luchino Visconti, às vezes em colaboração com Roberto Rossellini, é visto na Itália como o fundador do neorrealismo. Conseguiu que Salvador Dalí trabalhasse para uma produção de Shakespeare em Roma, produziu óperas de Bellini e Verdi no La Scala de Milão, em Spoleto, em Paris e em Berlim. Sua montagem do *Falstaff* em Viena foi regida por Leonard Bernstein; a de *O Cavaleiro da Rosa*, por Georg Solti, em Londres. Engajamento social, obsessão objetiva e fria, e paixão pelo elementar são características também dos filmes de Visconti, como seus títulos já indicam: *Ossessione* (Obsessão) (1943) e *La Terra Trema* (A Terra Treme) (1948).

Seu compatriota Franco Zeffirelli ganhou o primeiro prêmio na temporada de 1965, do Théâtre des Nations, em Paris, com sua montagem de *Romeu e Julieta* ensaiada pelo elenco do teatro de Florença. Um ano antes, Zeffirelli dera prova de sua versatilidade artística encenando a obra de Albee, *Quem Tem Medo de Virginia Woolf?*, em Veneza, e a *Tosca* na Ópera de Paris, com Maria Callas no papel-título.

Dois diretores hoje internacionalmente conhecidos começaram no teatro, vindo depois a dedicar-se predominantemente ao cinema: nos EUA, Elia Kazan – responsável tanto pela primeira montagem de *Um Bonde Chamado Desejo* de Tennessee Williams (1947, Barrymore Theatre, Nova York), quanto por sua versão para o cinema, com Marlon Brando e Vivien Leigh – e, na Suécia, Ingmar Bergman. Enquanto Kazan filmava *Sindicato de Ladrões*, Bergman criava o sombrio e melancólico *Noites de Circo*. Após o sucesso de sua montagem da ópera de Stravinski *The Rake's Progress* (O Progresso do Farrista), na Ópera Real de Estocolmo em 1961, Bergman esboçou planos para um teatro de repertório sueco, de *status* internacional, que não deram em nada. A magia ou as chances do cinema foram mais fortes.

Jan Grossman, do Balustrade Theatre de Praga, desenvolveu uma forma individual de estilização que se mostrou altamente sugestiva nas montagens de *Ubu Roi* de Jarry e de *O Processo* de Kafka. O diretor polonês Tadeusz Kantor fez profissão de fé no "circo como a base elementar", com sua encenação alemã de *Der Schrank* (O Armário), de S. I. Witkiewicz, em 1966 – baseada no original *W malym dworku* (Numa Pequena Casa de Campo).

Em Moscou, Ruben Simonov continuou a tradição de seu mestre Vakhtângov. Reviveu sua última montagem, a famosa *Princesa Turandot*, recebendo por ela aplausos unânimes nos festivais de Viena e Zurique em 1968.

Mas a devoção fiel a uma concepção teatral particular durante décadas, como por exemplo no caso do *Jedermann* de Salzburgo, é hoje um isolado polo oposto em face dos esforços de inovação e subjetivação do teatro moderno.

Qual pode e deve ser a tarefa do diretor? A primeira resposta que vem à mente é a tradicional: servir à obra. A segunda é levar a obra adiante, prolongando o trabalho do autor. A terceira, desafiar a obra. As fronteiras se desvanecem. Aparentemente, apenas servir à peça, explorar suas possibilidades e expor sem retoques o seu núcleo pode, em tempos conturbados, realmente equivaler a um desafio. Durante a Segunda Guerra Mundial, de 1939 a 1945, o Schauspielhaus de Zurique permaneceu no continente como a última ilha do teatro cosmopolita e livre de língua alemã. Sob a direção de Oskar Walterlin, Leonard Steckel e Leopold Lindtberg, abriu suas portas a obras modernas que não haviam encontrado acesso ao palco em nenhum outro lugar da Europa. Foi aqui que tiveram lugar as primeiras apresentações de *O Soldado Tanaka*, de Georg Kaiser (1940), de *Mãe Coragem* (1941) e *A Alma Boa de Setzuan* (1943), de Brecht. A adaptação do romance *The Moon is Down* (A Lua se Pôs), de John Steinbeck, estreou em língua alemã em Basileia, em 1943. As representações no Stadttheater desta cidade tiveram continuamente casa lotada.

Na Suíça, a obra de Steinbeck foi compreendida como uma contribuição para a defesa espiritual do próprio país. Oskar Walterlin, que em geral dificilmente se interessava por uma peça ostensivamente política, escolheu uniformes imaginários de cor cáqui e deu ênfase às "pessoas atuantes como ferramentas das potências por trás delas" na luta em que "a brutalidade é derrotada pelo espírito" (G. Schoop). Toda a sua eficácia foi trazida de dentro. Seu sucesso tanto mais retumbante. Ao servir à obra, demonstrou sua importância para a época, intensificada pela profissão de fé responsável e pessoal do diretor.

Walterlin escreveu, em 1947:

> O teatro serve à obra de criação, mas a obra precisa respirar o sopro de um espetáculo atual e vivo, que não aceita a imposição de nenhuma exigência programática. A criação poética precisa ressaltar a visão e a atitude interior da representação. Sem isto, ela é por sua vez um simples livro de textos a oferecer oportunidade para um movimento, que é a mesma obra independente de sua representação cênica, ligada a qualquer momento dado. Diante de nós, encaramos não uma situação de validade estática, mas um processo.

A mesma abordagem pode ser encontrada em Piscator, a despeito dos resultados completamente diferentes de sua encenação. O diretor não pode simplesmente ser um mero "servo" da obra [que escreve], porque uma peça não é uma coisa rígida e definitiva mas, uma vez lançada no mundo, arraiga-se no tempo, adquire uma pátina e assimila novos conteúdos de consciência. É tarefa do diretor encontrar o ponto de vista a partir do qual poderá descobrir as raízes da criação dramática. Este ponto de vista não pode ser sutilizado, nem escolhido arbitrariamente. Apenas na medida em que o diretor sinta-se como servidor e expoente de sua época, ele conseguirá fixar o modo de ver em comum com as forças cruciais que modelam a natureza de uma época.

A segunda possibilidade de direção criativa, a de continuar o trabalho do autor, pode, em casos afortunados, levar a resultados bastante satisfatórios. Quando Jean-Louis Barrault preparava, em 1942, a montagem de *A Sapatilha de Cetim,* de Claudel, com a Comédie Française, em Paris, manteve-se em constante contato com o autor. Sua ideia original, aprovada por Claudel, de dividir a enorme peça em duas noites foi rejeitada pelo comitê da Comédie Française. A única coisa a fazer era cortar, cortar, cortar... com resultantes quebras no texto e no significado. O próprio Claudel compareceu aos ensaios. Barrault propôs mudanças e contou com que fervor Claudel as acolheu:

> No dia seguinte, eu estava na Comédie Française às oito horas da manhã. O telefone tocou: Claudel tivera uma inspiração na noite anterior e havia reescrito a cena inteira. Às nove ele estava lá, em lágrimas. O autor de sessenta e seis anos soluçava como um garoto de dezoito [...] trancamo-nos numa saleta do teatro, e ele leu para mim tudo o que havia escrito numa única tirada durante a noite.

A *version pour la scène* (versão para o palco) elaborada em conjunto foi incluída na edição das obras completas de Claudel, com a seguinte nota: "abreviada, reescrita e organizada em colaboração com Jean-Louis Barrault".

Mas há exemplos contrários. Em 1967, Rudolf Noelte assumiu a direção da nova peça de Max Frisch, *Biografia*, em Zurique. Os ensaios começaram na presença do autor e do diretor, mas então as diferenças de opinião cresceram entre eles. Leopold Lindtberg tomou o lugar de Noelte. Noelte, por sua vez, entrou com uma ação exigindo que as alterações feitas segundo suas sugestões deveriam ser indicadas como tais. Frisch porém se opôs.

Há menos probabilidade de conflito quando se trata de um autor já falecido. Giorgio Strehler montou a peça inacabada de Pirandello, *I Giganti della Montagna* (Os Gigantes da Montanha), com um terceiro ato adicionado, em pantomima. Seu ponto de partida para isto foi uma informação do filho de Pirandello, segundo o qual, na noite anterior à morte de seu pai, este havia lhe falado da intenção de terminar a peça com uma pantomima e lhe explicara toda a concepção da cripticamente obscura obra.

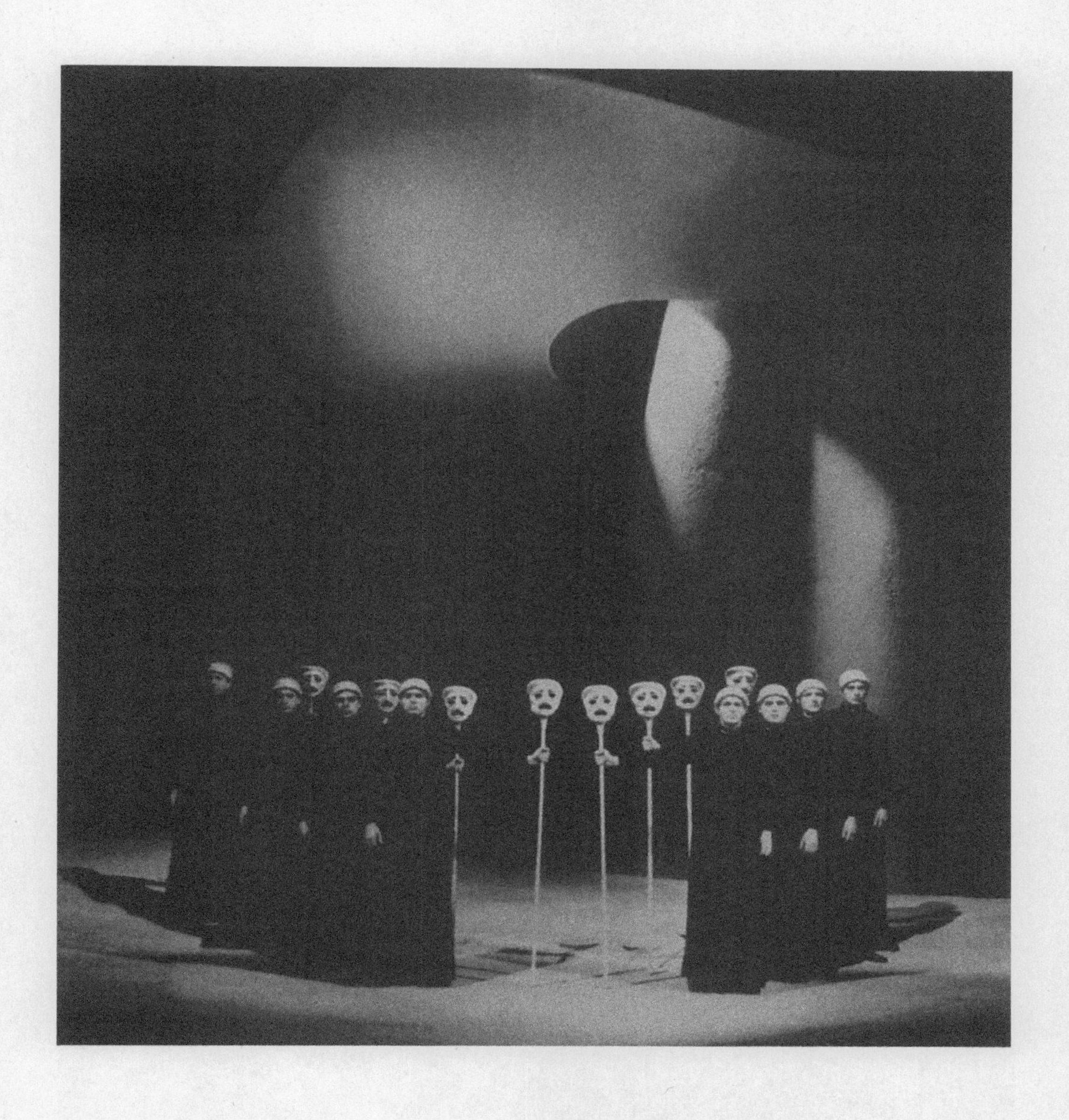

59. Cenário de Franz Mertz para a encenação feita por G. R. Sellner do *Édipo Rei* de Sófocles no Landestheater, Darmstadt, 1952. Um exemplo de drama clássico grego estilizado no palco moderno.

60. Open Theatre, Nova York, durante ensaio da montagem de Peter Feldman da peça *The Masks* (As Máscaras), com peças em um ato de Brecht, Ionesco e outros.

61. Cenário de Teo Otto para a montagem de Kurt Hirschfield de *Andorra*, de Max Frisch. Estreia em 2 de novembro de 1961 no Schauspielhaus, Zurique. Cena final com Peter Brogle como Andri.

62. Cena de Kosinsky na montagem de Peter Zadek de *Os Salteadores*, de Schiller, em Bremen, 1966. Cenário de Wilfried Minks, com projeção de fundo baseada em pintura de Roy Lichtenstein.

Na primeira montagem, em 1930, de *Die Südpolexpedition des Kapitäns Scott* (A Expedição de Capitão Scott ao Polo Sul), de Reinhard Goering, Leopold Jessner dispôs o terceiro ato antes do segundo. Rudolf Noelte, ao dirigir *As Três Irmãs*, de Tchékhov, em Stuttgart em 1965, reduziu a peça inteira a um cenário: uma sutil troca de luz transpunha o drama lírico e melancólico para um domínio de aguda solidão, cuja resignação total equivalia ao niilismo.

Não apenas diretores, mas também dramaturgos deram novas e diferentes interpretações a obras de outros. Jean-Paul Sartre adaptou *As Troianas*, de Eurípedes; Peter Hacks, *A Paz*, de Aristófanes (*Eirene*). Mais ou menos na mesma época, Karolos Koun, viajando com seu Teatro Grego de Arte de Atenas, apresentava sua versão do drama clássico. Ele o via "profundamente enraizado em seu solo, universal e eterno". Em 1968, versão greco-antiga do *Prometeu* – montada em Stuttgart por G. R. Sellner e em Munique por August Everding – o compositor Carl Orff sobrepujou seu *Édipo* e sua *Antígona*. Ele extraiu da tragédia clássica novas possibilidades de efeitos musicais e cênicos que puxavam-no da Antiguidade para a época moderna.

O teatro, quando alcança a perfeição, é igualmente a mais antiga e a mais contemporânea representação da vulnerabilidade do homem diante de forças inescrutáveis.

Há gerações que se travam inúmeras discussões acaloradas sobre como dirigir e montar os clássicos. Shaw, em sua época, já se irritara bastante com a reorganização arbitrária de cenas quando Beerbohm Tree e Henry Irving montaram Shakespeare nos seus palcos londrinos realistas e majestosamente equipados. Seu objetivo, como o de Charles Kean antes deles, era conseguir quadros vivos comoventes. Assim, traduziam a fantasia cênica de Shakespeare para seu próprio conceito realista de estilo teatral.

No século XX, obras de Shakespeare e Schiller serviram para explorar o outro aspecto problemático da direção teatral: trazer à luz a provocação dentro da estrutura da peça. Os resultados, não raramente, foram escândalo e choque. Em 1926, em Berlim, Piscator politizou *Die Räuber* (Os Salteadores) de Schiller, fazendo Spiegelberg (um ambicioso vilão) usar uma máscara de Trótski. Em 1966, em Wiesbaden, Hansgünther Heyme chegou ao ponto de retrabalhar *Guilherme Tell* para fazer a peça expressar "a desumanidade de todas as revoltas de massa".

À procura de novas abordagens para os dramas históricos de Shakespeare, Peter Palitzsch, em 1967 em Stuttgart, forçou a trilogia de *Henrique VI* a assumir um formato que se desenrolava em duas noites. Com o título de *As Guerras das Rosas*, apresentou esta monumental crônica (com cenários de Wilfried Minks), interpretando-a como um exemplo programático de ganância inescrupulosa pelo poder. O coxo e corcunda Ricardo de Gloucester anuncia num monólogo (excertado de *Ricardo III* e reorganizado num prólogo) até onde suas ambições o estavam levando. Um ano depois, Palitzsch logicamente prosseguiu com uma nova montagem de *Ricardo III* – um paralelo do ciclo shakespeariano das *Guerras das Rosas* montado em Stratford-on-Avon por Peter Hall, cujo vasto e rico empreendimento trazia assassinatos, política, intriga e guerra.

Thomas Mann certa vez fez uma pilhéria a respeito de *Os Salteadores*, dizendo que a peça podia ser considerada como uma espécie de "*western* superior". Isto é aproximadamente o que Peter Zadek realizou em sua montagem de 1966, em Bremen. Transpôs a obra para o mundo da atual sociedade de consumo. Wilfried Minks desenhou um ciclorama com tiras de quadrinhos, segundo uma tela de Roy Lichtenstein. Um ano depois, Zadek montou *Medida por Medida*, de Shakespeare, como exemplo de uma "direção intuitiva, subjetiva", conforme ele próprio explicou. Num palco vazio, adornado por Minks com uma fileira de lâmpadas coloridas, Zadek mostrou "o que acontece com a imaginação ao ler uma obra". Indagado, numa conferência em Munique, sobre até onde iam os limites da direção subjetiva, Zadek respondeu com desconcertante franqueza: "Quando o público se recusa a nos seguir, é preciso parar".

Peter Brook resumiu o problema em termos de uma dimensão maior, a da relação crucial entre o teatro e a sociedade:

Uma sociedade estável e harmoniosa precisaria apenas procurar caminhos para refletir e reafirmar essa harmonia em seus teatros. Esses teatros poderiam se estabelecer com elenco e plateia unidos num "sim" mútuo. Mas um mundo caótico, e em transformação, precisa escolher entre um teatro que ofereça um "sim" espúrio ou uma provocação tão forte que estilhace sua plateia em fragmentos de intensos "não".

Enquanto as plateias não esquecerem de que são parceiros criativos no teatro e não apenas consumidores passivos, enquanto afirmarem seu direito de participar espontaneamente do espetáculo mediante sua aprovação ou protesto, o teatro não cessará de ser um elemento excitante em nossa vida.

Bibliografia

OBRAS CLÁSSICAS E DICIONÁRIOS

ALTMAN, G. *et al. Theater Pictorial: A History of World Theater as Recorded in Drawings, Paintings, Engravings and Photographs*. Berkeley, 1953.

D'AMICO, S. *Storia del teatro drammatico*. 4 vols. Milão, 1950 ff., 1968.

BENTLEY, E. *The Life of the Drama*. Nova York, 1964.

BOWMAN, W. B. e BALL, R. H. *Theatre Language: A Dictionary of Terms in English of the Drama and Stage from Medieval to Modern Times*. Nova York, 1961.

BRAGA, T. *Historia do Teatro Portuguez*. Porto, 1870 ff.

BROCKETT, O. G. *History of the Theatre*. Boston, 1968.

CHENEY, S. W. *The Theatre: Three Thousand Years of Drama, Acting and Stagecraft*. Nova York, 1952.

CHESHIRE, D. *Theatre: History, Criticism and Reference*. 1967.

CHUJOY, A. e P. W. *The Dance Encyclopedia*. Nova York, 1967.

CLARK, B. H. (ed.). *European Theories of the Drama*. Revisto por H. Popkin. Nova York, 1965.

Dějiny Ceského Divadla. Vols. I-IV. Praga, 1968 ff.

DEVRIENT, E. *Geschichte der deutschen Schauspielkunsi*. 1848. Nova edição por H. Devrient. Berlim, 1905.

DUBECH, L., *Histoire générale illustrée du théâtre*. 5 vols. Paris, 1931 ff.

________. *Enciclopedia dello spettacolo*. 9 vols. e suplemento. Roma, 1954-1962, 1966.

EWEN, D. *The Complete Book of the American Theatre*. Nova York e Londres, 1959.

FERGUSSON, F. *The Idea of a Theater*. Princeton, 1949.

________. *The Human Image in Dramatic Literature*. Garden City, Nova York, 1957.

FREEDLEY, G. e REEVES, J. A. *History of the Theatre*. Nova York, 1968.

GASCOIGNE, B. *World Theatre: An Illustrated History*. Boston, 1968.

GASSNER, J. e QUINN, E. (eds.). *The Reader's Encyclopedia of World Drama*. Nova York, 1969.

GREGOR, J. *Weltgeschichte des Theaters*. Zurique, 1933.

HARTNOLL, P. (ed.). *The Oxford Companion to the Theatre*. Londres, 1951, 1967.

HARTNOLL, P. *A Concise History of the Theatre*. Londres, 1968.

HEWETT, B. *Theatre USA, 1668-1957*. Nova York, 1959.

HILLESTRÖM, G. *Theatre and Ballet in Sweden*. Estocolmo, 1953.

________. *Histoire des spectacles*. Encyclopédie de la Pléiade. Paris, 1965.

HUGHES, G. *A History of the American Theatre, 1700-1950*. Nova York, 1951.

HÜRLIMANN, M. (ed.). *Atlantisbuch des Theaters*. Zurique, 1966.

KINDERMANN, H. *Theatergeschichte Europas*. 9 vols. Viena, 1957 ff.

KNUDSEN, H. *Deutsche Theatergeschichte*. Stuttgart, 1959, 1969.

KUTSCHER, A. *Grundriss der Theaterwissenschaft*. Munique, 1949.

LAVER, J. *Drama: Its Costume and Decor*. Londres, 1951.

MACGOWAN, K. e MELNITZ, W. *The Living Stage*. Nova York, 1955.

MANTZIUS, K. *A History of Theatrical Art*. Londres, 1903.

MELCHINGER, SIEGFRIED e RISCHBIETER, H. *Welttheater*. Braunschweig, 1962.

NAGLER, A. M. *Sources of Theatrical History*. Nova York, 1952.

NICOLL, A. *Masks, Mimes and Miracles*. Londres, 1931.

_______. *The Development of the Theatre*. Londres, 1949, 1966.

_______. *World Drama from Aeschylus to Anouilh*. Londres, 1949.

PRAT, A. V. *Historia del teatro español*. Barcelona, 1956.

PRIDEAUX, T. *World Theatre in Pictures*. Filadélfia, 1953.

ROBERTS, V. M. *On Stage: A History of the Theatre*. Nova York, 1962.

SCHÖNE, G. *Tausend Jahre deutsches Theater*. Munique, 1962.

SCHWANBECK, C. *Bibliographie der deutschsprachigen Hochschulschriften zur Theaterwissenschaft von 1885-1952*. Berlim, 1956. Continua pelos anos 1953-1960 por H. J. Rojek. Berlim, 1962.

SHERGOLD, N. D. *A History of the Spanish Stage from Medieval Times until the End of the 17th Century*. Oxford, 1967.

SOUTHERN, R. *The Seven Ages of the Theatre*. Nova York, 1961.

STAMM, R. *Geschichte des englischen Theaters*. Berna, 1951.

TAYLOR, J. R. *The Penguin Dictionary of the Theatre*. Londres e Nova York, 1966.

_______. *El Teatro: Enciclopedia del arte escénico*. Barcelona, 1958.

VARNEKE, B. V. *History of the Russian Theatre*. Nova York, 1951.

WILSON, G. *A History of American Acting*. Bloomington, 1966.

YOUNG, S. *The Theatre*. Nova York, 1937.

O TEATRO PRIMITIVO

ALBRIGHT, W. F. *Von der Steinzeit zum Christentum*. Munique, 1949.

CORNFORD, F. M. *The Origin of Attic Comedy*. Londres, 1914.

EBERLE, O. *Cenalora: Leben, Glaube, Tanz und Theater der Urvölker*. Olten, Suiça, 1954.

FRAZER, J. G. *The Golden Bough: A Study in Magic and Religion*. Londres, 1911.

FREUD, S. *Totem und Tabu*. Viena, 1913.

HAVEMEYER, L. *The Drama of Savage Peoples*. New Haven, 1916.

HUNNINGHER, B. *The Origin of the Theater*. Nova, York, 1961.

LOMMEL, A. *Masken: Gesichter der Menschheit*. Zurique/Friburgo, 1970.

OESTERLEY, W. O. E. *The Sacred Dance*. Cambridge, 1923.

REICH, H. *Der Mimus*. Berlim, 1903.

WILSON, A. E. *The Story of Pantomime*. Londres, 1949.

EGITO E ORIENTE ANTIGO

BRUNNER-TRAUT, E. *Der Tanz im alten Ägypten*. Hamburgo-Nova York, 1938.

GASTER, T. H. *Thespis: Ritual, Myth and Drama in the Ancient Near East*. Nova York, 1950.

HOROVITZ, J. "Das ägyptische Schattentheater", por F. Kern. Apêndice a *Spuren griechischer Mimen im Orient*. Berlim, 1905.

SETHE, K. *Dramatische Texte zu altägyptischen Mysterienspielen*. Leipzig, 1928.

SODEN, W. von. "Ein Zwiegespräch Chammurabis mit einer Frau". *Zeitschrift für Assyrologie*, 15. Séries novas, 1950.

AS CIVILIZAÇÕES ISLÂMICAS

AND, M. *A History of Theatre and Popular Entertainment in Turkey*. Ankara, 1963.

JACOB, G. *Das Schattentheater in seiner Wanderung vom Morgenland zum Abendland*. Berlim, 1901.

PELLY, Sir Lewis. *The Miracle Play of Hasan and Husain*. Coletado da tradição oral por Colonel Sir L. Pelly. 1879.

REZVANI, M. *Le Théâtre et la danse en Iran*. Paris, 1962.

AS CIVILIZAÇÕES INDO-PACÍFICAS

AMBROSE, K. *Classical Dances and Costumes of India*. Introdução por Ram Gopal. Londres, 1950.

ANAND, M. R. *The Indian Theatre*. Londres, 1950.

BACOT, J. *Zugiñima*. Paris, 1957.

BHARATA. *Natyasastra*. Traduzido por M. Ghose. Bengala, 1950.

GARGI, B. *The Theatre in India*. Nova York, 1962.

GUPTA, C. B. *The Indian Theatre*. Banaras, 1954.

IYER, K. B. *Kathakali: The Sacred Dance-Drama of Malabar*. Londres, 1955.

KEITH, A. B. *The Sanskrit Drama in its Origin, Development, Theory and Practice*. Oxford, 1924.

KINDERMANN, H. (ed.). *Fernöstliches Theater*. Stuttgart, 1966.

KONOW, S. *Das indische Theater*. Berlim-Leipzig, 1920.

LÉVI, S. *Le Théâtre indien*. Paris, 1890, 1963.

MATHUR, J. *Drama in Rural India*. Nova York, 1964.

MELLEMA, R. L. *Wayang Puppets: Carving, Colouring, Symbolism*. Amsterdã, 1954.

SCHUYLER, M. *A Bibliography of the Sanskrit Drama with an Introductory Sketch of the Dramatic Literature of India*. Nova York, 1906, 1965.

WILSON, H. H. *Select Specimens of the Theatre of the Hindus*. Calcutá, 1955.

ZOETE, B. de e SPIES, W. *Dance and Drama in Bali*. Londres, 1938.

CHINA

ALLEY, R. *Peking Opera*. Pequim, 1957.

ARLINGTON, L. C. *The Chinese Drama from the Earliest Times until Today*. Shanghai, 1930.

CHEN, J. *The Chinese Theatre*. Londres, 1949.

GRANET, M. *Danses et légendes de la Chine ancienne*. 2 vols. Paris, 1926.

JOHNSTON, R. F., *The Chinese Drama*. Shanghai, 1921.

KALVODOVÀ-SIS-VANIS. *Schüler des Birngartens: Das chinesische Singspiel*. Praga, 1956.

LAUFER, B. *Oriental Theatricals*. Chicago, Museum of Natural History, 1923.

LEE HAE-KU. "Korcan Mask Drama". *Korean Journal*. Seul, Novembro 1961.

OBRASZOW, S. *Das chinesische Theater*. Velber by Hanôver, 1965.

ROY, C. *L'Opéra Pekin*. Paris, 1955.

SCOTT, A. C. *The Classical Theatre of China*. Londres, 1957.

________. *An Introduction to the Chinese Theatre*. Londres, 1959.

TSONG-NEE KU, *Modern Chinese Plays*. Shanghai, 1941.

WINSATT, G. *Chinese Shadow Shows*. Cambridge, Mass., 1936.

YANG, R. F. S. *The Social Background of the Yüan Drama*. Mon. Serica, vol. XVII. 1958.

ZUCKER, A. E. *The Chinese Theatre*. Boston, 1925.

ZUNG, C. S. L. *Secrets of the Chinese Drama*. Nova York, 1964.

JAPÃO

ARAKI, J. T. *The Ballad-Drama of Medieval Japan*. Berkeley/Los Angeles, 1964.

ARNOTT, Peter. *The Theatres of Japan*. Londres, 1969.

BOWERS, F. *Japanese Theatre*. Introdução por Joshua Logan. Nova York, 1951.

BRANDON, J. R. *The Theatre of Southeast Asia*. Cambridge, Mass., 1967.

ERNST, E. *The Kabuki Theatre*. Londres, 1956.

HAAR, F. *Japanese Theatre in Highlight: A Pictorial Commentary*. Tóquio, 1952.

HALFORD, A. e G. *The Kabuki-Handbook*. Rutland--Tóquio, 1956.

HIRONAGA, S. *Bunraku: Japan's Unique Puppet Theatre*. Tóquio, 1964.

KAWATAKE, S. *An Illustrated History of Japanese Theatre Arts*. Tóquio, 1955.

________. *Kabuki: Japanese Drama*. Tóquio, 1958.

KEENE, D. *Major Plays of Chikamatsu*. Traduzido por D. Keene. Nova York, 1961.

________. *Bunraku: The Art of the Japanese Puppet Theatre*. Tóquio, 1965.

KINCAID, Z. *Kabuki: The Popular Stage of Japan*. Londres, 1925.

LUCAS, H. *Japanische Kultmasken*. Kassel, 1965.

MIYAMORI, A. *Masterpieces of Chikamatsu, the Japanese Shakespeare*. Nova York, 1926.

MUCCIOLI, M. *Il teatro giapponese*. 2 vols. Milão, 1962.

O'NEILI, P. G. *A Guide to Nô*. Tóquio, 1953.

________. *Early Nô Drama*. Londres, 1958.

ORTOLANI, B. *Das Kabuki-Theater: Kulturgeschichte der Anfänge*. Tóquio, 1964.

PERI, N., *Le Nô*. Tóquio, 1944.

POUND, E. e FENOLLOSA, E. *The Classic Noh Theatre of Japan*. Nova York, 1959. Nova edição de *Noh or Accomplishment: a Study of the Classical Stage of Japan*. 1917.

SAKANISHI, S. *Kyôgen*. Boston, 1938.

SCOTT, A. C. *The Kabuki Theatre of Japan*. Londres, 1955.

SHAVER, R. M. *Kabuki Costume*. Tóquio, 1966.

WALEY, A. *The Nô Plays of Japan*. Londres, 1921.

GRÉCIA E A ROMA

ALLEN, J. T. *Greek Acting in the Fifth Century before Christ*. Berkeley, 1916.

________. *The Greek Theatre of the Fifth Century before Christ*. Berkeley, 1920.

ARNOTT, P. D. *An Introduction to the Greek Theatre*. Londres, 1961.

________. *Greek Scenic Conventions in the Fifth Century B.C.* Oxford, 1962.

BEARE, W. *The Roman Stage*. Londres, 1964.

BERNHART, J. *Bibel und Mythus*. Munique, 1954.

BIEBER, M. *The History of the Greek and Roman Theatre*. Princeton, 1961.

BREITHOLZ, L. *Die dorische Farce*. Uppsala, 1960.

BULLE, H. e WIRSING, H. *Szenenbilder zum griechischen Theater des 5. Jahrhunderts v. Chr.* Berlim, 1950.

DUCKWORTH, G. E. *The Nature of Roman Comedy*. Princeton, 1952.

FIECHTER, E. *Antike griechische Theaterbauten*. 9 vols. Stuttgart, 1930 ff.

FLICKINGER, R. C. *The Greek Theatre and Its Drama*. Chicago, 1936.

HAMILTON, E. *The Roman Way*. Nova York, 1932.

________. *The Greek Way*. Nova York, 1952.

HANSON, J. A. *Roman Theatre-Temples*. Princeton, 1959.

KITTO, H. D. F. *Greek Tragedy*. Nova York, 1952.

NORWOOD, G. *Greek Tragedy*. Londres, 1920.

________. *Greek Comedy*. Londres, 1931.

PICKARD-CAMBRIDGE, A. W. *The Theatre of Dionysus in Athens*. Oxford, 1946.

________. *The Dramatic Festivals of Athens*. Oxford, 1953.

________. *Dithyramb, Tragedy and Comedy*. Oxford, 1962.

REES, K. *The Rule of the Three Actors in the Classical Greek Drama*. Chicago, 1908.

ROCKWOOD, J. *The Craftsmen of Dionysus: An Approach to Acting*. Chicago, 1966.

SCHADEWALDT, W. *Antike und Gegenwart: Über die Tragödie*. Munique, 1966.

WEBSTER, T. B. L. *Greek Theatre Production*. Londres, 1956.

WHITMAN, C. H. *Sophocles: A Study of Heroic Humanism*. Cambridge, Mass., 1966.

BIZÂNCIO

BECKWITH, J. *Art of Constantinople*. Londres, Phaidon, 1961.

DÖLGER, F. *Die byzantinische Dichtung in der Reinsprache*. Berlim, 1948.

HOUSTON, M. G. *Ancient Greek, Roman and Byzantine Costume and Decoration*. 2. ed. Londres, 1947.

LA PIANA, G. "The Byzantine Theatre". *Speculum, a Journal of Mediaeval Studies 11*. Abril 1936.

MOREY, C. R. *Early Christian Art*. Princeton, 1953.

SHERRARD, P. *Constantinople*. Londres, 1965.

THEOCHARIDIS, G. *Beiträge zur Geschichte des byzantinischen Profantheaters im IV. und V. Jahrhundert*. Salonica, 1940.

VOGT, A. "Le Théâtre à Byzance dans l'empire du IVe au XIIIe siècle". *Revue des questions historiques* 59. 1930.

________. "Etudes sur le théâtre byzantin". *Byzantion* VI. 1931.

A IDADE MÉDIA

ANZ, H. *Die lateinischen Magierspiele*. Leipzig, 1905.

BORCHERDT, H. H. *Das europäische Theater im Mittelalter und in der Renaissance*. Leipzig, 1935.

BROOKS, N. C. "The Sepulchre of Christ in Art and Liturgy". *University of Illinois Studies in Language and Literature* VII, 2. Maio 1921.

CAREY, M. *The Wakefield Group in the Towneley Cycle*. Göttingen, 1930 (*Hesperia*. Suplemento, n. 11).

CATHOLY, E. *Das deutsche Lustspiel: Vom Mittelalter bis zum Ende der Barockzeit*. Stuttgart, 1969.

CHAMBERS, E. K. *The Medieval Stage*. 2 vols. Oxford, 1903.

COHEN, G. *Geschichte der Inszenierung in geistlichen Drama des Mittelalters in Frankreich*. Leipzig, 1907.

CRAIG, H. *English Religious Drama of the Middle Ages*. Oxford, 1960.

CRAIK, T. W. *The Tudor Interlude: Stage, Costume and Acting*. Leicester, The University Press, 1958.

DONOVAN, R. B. *Liturgical Drama in the Medieval Spain*. Toronto, 1958.

EVANS, M. B. *The Passion Play of Lucerne*. Nova York, 1943.

FRANK, G. *The Medieval French Drama*. Oxford, 1954.

________. *The Medieval Drama*. Oxford, 1960.

GARDINER, H. C. *Mysteries' End: An Investigation of the Last Days of the Medieval Religious Stage*. New Haven, 1946.

HARDISON, O. B. *Christian Rite and Christian Drama in the Middle Ages: Essays in the Origin and Early History of Modern Drama*. Baltimore, 1965.

HERRMANN, M. *Forschungen zur deuischen Theatergeschichte des Mittelalters und der Renaissance*. Berlim, 1914.

HUNNINGHER, B. *The Origin of the Theatre*. Nova York, 1961.

________. *Ludus Coventriae* (ou o "Plaie" chamado Corpus Christi, Cotton Ms. Vespasian D. VIII), por K. S. Block. Londres, 1922.

MICHAEL, W. F. *Die geistlichen Prozessionsspiele in Deutschland*. Baltimore, 1947.

________. *Frühformen der deutschen Bühne*. Berlim, 1963.

PAECHT, O. *The Rise of Pictorial Narrative in the Twelfth Century*. Oxford, 1962.

SALTER, F. M. *Medieval Drama in Chester*. Toronto, 1955.

SHARP, T. *A Dissertation on the Pageants or Dramatic Mysteries Anciently Performed at Coventry*. 1825.

SHERGOLD, N. D. *A History of the Spanish Stage from Medieval Times until the End of the 17th Century*. Oxford, 1967.

SHOEMAKER, W. H. *The Multiple Stage in Spain during the Fifteenth and Sixteenth Centuries*. Princeton, 1935.

SOUTHERN, R. *The Medieval Theatre in the Round*. Londres, 1957.

STRATMAN, C. J. *Bibliography of Medieval Drama*. Berkeley, 1954.

STUART, D. C. *Stage Decoration in France in the Middle Ages*. Nova York, 1910.

WEINER, A. B. *Philippe de Mezières' Description of the "Festum Praesentationis Beatae Mariae"*. Traduzido do latim e introduzido por um ensaio no Birth of Modern Acting. New Haven, 1958.

WICKHAM, G. *Early English Stages, 1300-1660*. 2 vols. Londres, 1959-1963.

WILLIAMS, A. *The Drama of Medieval England*. East Lansing: Michigan State University Press, 1961.

YOUNG, K. *The Drama of the Medieval Church*. 2 vols. Oxford, 1933.

A RENASCENÇA

ADAMS, J. C. *The Globe Playhouse: Its Design and Equipment*. Cambridge, 1942. 2. ed. Nova York, 1961.

ADAMS, J. Q. *Shakespearean Playhouses: A History of English Theatres from the Beginning to the Restoration*. Boston, 1917.

BALDWIN, T. W. *Organization and Personnel of the Shakespearean Company*. Princeton, 1927.

BECKERMAN, B. *Shakespeare at the Globe, 1599-1609*. Nova York, 1962.

BENTLEY, G. E. *The Jacobean and Caroline Stage*. 5 vols. Oxford, 1941-1956.

BEUTLER, E. *Forschungen und Texte zur frühhumanistischen Komödie*. Hamburgo, 1927.

BOAS, F. S. *University Drama in the Tudor Age*. Oxford, 1914.

________. *An Introduction to Stuart Drama*. Londres, 1946.

BOWERS, F. T. *Elizabethan Revenge Tragedy, 1587-1612*. Princeton, 1940.

BRADBROOK, M. C. *Themes and Conventions of Elizabethan Tragedy*. Cambridge, 1935.

________. *The Growth and Structure of Elizabethan Comedy*. Londres, 1955.

BRADLEY, A. C. *Shakespearean Tragedy*. Londres, 1904.

BROOKE, C. F. T. *The Tudor Drama*. Boston, 1911.

CAMPBELL, L. B. *Scenes and Machines on the English Stage during the Renaissance*. Cambridge, 1923. Reimpressão, Nova York, 1960.

CATHOLY, E. *Fastnachtspiel*. Stuttgart, 1966.

CHAMBERS, E. K. *The Elizabethan Stage*. 4 vols. Oxford, 1923.

CHESNAYE, N. de la. *La Condemnacion de Bancquet*. Nova York, 1965.

CRAWFORD, J. P. W. *Spanish Drama before Lope de Vega*. Filadélfia, 1937.

ELLIS-FERMOR, U. *The Jacobean Drama: An Interpretation*. Londres, 1936.

GILDERSLEEVE, V. *Government Regulation of the Elizabethan Drama*. Nova York, 1908.

HARBAGE, A. *Shakespeare's Audience*. Nova York, 1958.

HATHAWAY, B. *The Age of Criticism: the Late Renaissance in Italy*. Itaca, Nova York, 1962.

HERRICK, M. *Italian Comedy in the Renaissance*. Urbana, Ill., 1960.

________. *Italian Tragedy in the Renaissance*. Urbana, Ill., 1965.

Herrmann, M. *Entstehung der berufsmässigen Schauspielkunst im Altertum und in der Neuzeit*. Berlim, 1962.

HEWITT, B. (ed.). *The Renaissance Stage: Documents of Serlio, Sabbattini and Furttenbach*. Coral Gables: University of Miami Press, 1958.

HODGES, C. W. *The Globe Restored*. Londres, 1953.

________. *Shakespeare's Theatre*. Londres, 1964.

HOTSON, L. *Shakespeare's Wooden O*. Nova York, 1960.

JACQUOT, J. (ed.). *Les Fêtes de la Renaissance*. 2 vols. Paris, 1956-1960.

________. *Le Lieu théâtral à la Renaissance*. Paris, 1964.

JEFFERY, B. *French Renaissance Comedy, 1552-1630*. Oxford, 1969.

JOSEPH, B. *Elizabethan Acting*. Londres, 1951.

KENNARD, J. *The Italian Theatre*. 2 vols. Nova York, 1932.

KERNODLE, G. R. *From Art to Theatre: Form and Convention in the Renaissance*. Chicago, 1944.

KNIGHTS, L. C. *Drama and Society in the Age of Jonson*. Londres, 1937.

KÖSTER, A. *Die Meistersingerbühne des 16. Jahrhunderts: Ein Versuch des Wiederaufbaus*. Halle, 1921.

KOTT, J. *Shakespeare Our Contemporary*. Londres, 1964.

LAWRENCE, W. J. *The Elizabethan Playhouse and Other Studies*. 2 vols. Stratford-on-Avon, 1912-1913.

________. *Pre-Restoration Stage Studies*. Cambridge, 1927.

LYNCH, J. J. *Box, Pit and Gallery: Stage and Society in Jonson's Londres. Berkeley*, 1953.

Maassen, J. *Drama und Theater der Humanistenschulen in Deutschland*. Augsburg, 1929.

MERCHANT, W. M. *Shakespeare and the Artist*. Londres, 1959.

MOULTON, R. G. *Shakespeare as a Dramatic Artist*. Londres, 1893.

NAGLER, A. M. *Shakespeare's Stage*. New Haven, 1958.

________. *Theatre Festivals of the Medici, 1539-1637*. New Haven e Londres, 1964.

NICOLL, A. *Stuart Masques and the Renaissance Stage*. Nova York, 1938, 1963.

ORNSTEIN, R. *The Moral Vision of Jacobean Tragedy*. Madison/Milwaukee, Wisc., 1960.

PHIALAS, P. G. *Shakespeare's Romantic Comedies: The Development of Their Form and Meaning*. Chapel Hill, N.C., 1966.

REYNOLDS, G. F. *The Staging of Elizabethan Plays at the Red Bull Theatre, 1605-1625*. Nova York, 1940.

RIBNER, I. *Jacobean Tragedy: The Quest for Moral Order*. Nova York, 1962.

SCHANZER, E. *The Problem Plays of Shakespeare*. Nova York, 1963.

SCHMIDT, P. E. *Die Bühnenverhältnisse des deutschen Schuldramas und seiner volkstümlichen Ableger im 16. Jahrhundert*. Berlim, 1903.

SCHÖNE, G., *Die Entwicklung der Perspektive von Serlio bis, Galli-Bibiena: Nach den Perspektivbüchern*. Leipzig, 1933.

SKOPNIK, G. *Das Strassburger Schultheater: Sein Spielplan und seine Bühne*. Frankfurt, 1935.

SMITH, I. *Shakespeare's Blackfriars Playhouse. Its History and Its Design*. Nova York, 1964.

SPRAGUE, A. C. *Shakespearean Players and Performances*. Cambridge, Mass., 1953.

SUMBERG, S. *The Nuremberg Schembart Carnival*. Nova York, 1941.

TILLYARD, E. M. W. *Shakespeare's History Plays*. Londres, 1944.

VITRUVIUS. *The Ten Books of Architecture*. Traduzido por M. H. Morgan. Cambridge, Mass., 1914.

WEIMANN, R. *Shakespeare und die Tradition des Volkstheaters*. Berlim, 1967.

WEISBACH, W. *Trionfi*. Berlim, 1919.

O BARROCO

ALASSEUR, C. *La Comédie française au 18e siècle*. Paris, 1967.

ATTINGER, G. *L'Esprit de la commedia dell'arte dans le théâtre français*. Paris, 1950.

AUBRIN, C. V. *La Comédie espagnole (1600-1680)*. Paris, 1966.

AVERY, E. L. *The Londres Stage, 1700-1729*. Carbondale/Edwardsville, Ill., 1968.

AVERY, E. L. e SCOUTEN, A. H. *The Londres Stage, 1660-1700*. Carbondale/Edwardsville, Ill., 1968.

BAESECKE, A. *Das Schauspiel der englischen Komödianten in Deutschland*. Halle, 1935.

BAUR-HEINHOLD, M. *Baroque Theatre*. Londres e Nova York, 1967.

BEIJER, A. *Court Theatres of Drottningholm and Gripsholm*. Malmoe, 1933.

BERTHOLD, M. "Joseph Furttenbach", *Ulm und Oberschwaben* XXXIII. Ulm, 1953.

BIACH-SCHIFFMANN, F. *Giovanni und Ludovico Burnacini*. Viena-Berlim, 1931.

BJURSTROM, P. *Giacomo Torelli and Baroque Stage Design*. Estocolmo, 1961.

BURCKHARDT, J. C. *The Civilization of the Renaissance in Italy*. Nova York, 1950.

DUCHARTRE, P. L. *The Italian Comedy: The Improvisation, Scenarios, Lives Attributes, Portraits and Masks of the Illustrious Characters of the Commedia dell'arte*. Traduzido por R. T. Weaver. Londres e Nova York, 1929.

DUCHARTRE, P. L. *La commedia dell'arte et ses enfants*. Paris, 1955.

ELWIN, M. *The Playgoers Handbook to Restoration Drama*. Nova York, 1928.

FLEMMING, W. *Andreas Gryphius und die Bühne*. Halle, 1921.

FUJIMURA, T. H. *The Restoration Comedy of Wit*. Princeton, 1952.

GOTCH, A. *Inigo Jones*. Londres, 1928, 1968.

HADAMOWSKY, F. *Barocktheater am Wiener Kaiserhof (1625-1740)*. Viena, 1955.

HILLESTRÖM, G. *Theatre and Ballet in Sweden*. Estocolmo, 1953.

HINCK, W. *Das deutsche Lustspiel des 17. und 18. Jahrhunderts und die italienische Komödie*. Stuttgart, 1965.

HOLLAND, N. *The First Modern Comedies*. Cambridge, Mass., 1959.

HUBERT, J. *Molière and the Comedy of Intellect*. Berkeley, 1962.

KLINGLER, O. *Die Comédie-Italienne in Paris nach der Sammlung von Gherardi.* Estrasbuurgo, 1902.

KUTSCHER, A. *Vom Salzburger Barocktheater zu den Salzburger Festspielen.* Düsseldorf, 1939.

LANCASTER, H. C. *Sunset: A History of Parisian Drama in the Last Years of Louis XIV, 1701-1715.* Baltimore, 1950.

LAWRENSON, T. E. *The French Stage in the XVIIth Century: A Study in the Advent of the Italian Order.* Manchester, 1957.

LEA, K. M. *Italian Popular Comedy.* 2 vols. Oxford, 1934.

LOUGH, J. *Paris Theatre Audiences in the Seventeenth and Eighteenth Centuries.* Londres, 1957.

MANIFOLD, J. S. *The Music in English Drama from Shakespeare to Purcell.* Londres, 1956.

MCGOWAN, M. *L'Art du ballet de cour en France.* Paris, 1963.

MAYOR, A. H. *The Bibiena Family.* Nova York, 1945.

NICOLL, A. *A History of Restoration Drama, 1660-1700.* Cambridge, 1923.

_______ . *A History of Early Eighteenth Century Drama, 1700-1750.* Cambridge, 1925.

_______ . *The World of Harlequin.* Cambridge, 1963.

NIKLAUS, A. *Harlequin Phoenix.* Londres, 1956.

ODELL, G. C. D. *Shakespeare from Betterton to Irving.* 2 vols. Nova York, 1920.

OREGLIA, G. *The Commedia dell'arte.* Nova York, 1968.

PANDOLFI, V. *La commedia dell'arte: Storia e testo.* 6 vols. Florença, 1957.

RASI, L. *I comici italiani.* Florença, 1897.

RENNERT, H. *The Spanish Stage in the Time of Lope de Vega.* Nova York, 1909.

ROLLAND, R. *Histoire de l'opéra en Europe avant Lully et Scarlatti.* Paris, 1931.

ROMMEL, O. *Die Alt-Wiener Volkskomödie.* Viena, 1952.

RUDLOFF-HILLE, G. *Barocktheater im Zwinger.* Dresden, 1954.

SCHOLZ, J. *Baroque and Romantic Stage Design.* Nova York, 1962.

SCHWARTZ, I. A. *The Commedia dell'arte and Its Influence on French Comedy in the Seventeenth Century.* Paris, 1933.

SCOUTEN, A. H. *The Londres Stage, 1729-1747.* Carbondale/Edwardsville, Ill., 1968.

SMITH, W. *The Commedia dell'arte.* Nova York, 1964.

TINTELNOT, H. *Barocktheater und barocke Kunst.* Berlim, 1939.

TURNELL, M. *The Classical Moment: Studies in Corneille, Molière and Racine.* Nova York, 1948.

VASARI, G. *Vasari's Lives of the Artists.* Nova York, 1957.

VOSSLER, K. *Die romanische Welt: Gesammelte Aufsätze.* Munique, 1965.

WHITE, J. *The Birth and Rebirth of Pictorial Space.* Londres, 1957.

WILEY, W. L. *The Early Public Theatre in France.* Cambridge, Mass., 1960.

WORSTHORNE, S. T. *Venetian Opera in the 17th Century.* Oxford, 1954.

A ASCENSÃO DO DRAMA BURGUÊS

ARVIN, N. C. *Eugène Scribe and the French Theatre, 1815-1860.* Cambridge, Mass., 1924.

BERNBAUM, E. *The Drama of Sensibility: A Sketch of the History of Sentimental Comedy and Domestic Tragedy, 1696-1780.* Cambridge, Mass., 1915.

BOAS, F. S. *An Introduction to Eighteenth Century Drama, 1700-1780.* Nova York, 1953.

BOOTH, M. R. *English Melodrama.* Londres, 1965.

BROWN, T, A. *History of the New York Stage, 1836-1918.* Nova York, 1923.

BRUFORD, W. H. *Theatre, Drama and Audience in Goethe's Germany.* Londres, 1957.

_______ . *Culture and Society in Classical Weimar, 1775-1806.* Cambridge, 1962.

BURNIM, K. *David Garrick, Director.* Pittsburgh, 1961.

CARLSON, M. *The Theatre of the French Revolution.* Itaca, Nova York, 1966.

CIBBER, C. *An Apology for the Life of Mr. Colley Cibber.* Londres, 1740 (várias reimpressões).

COLE, J. W. *The Life and Theatrical Times of Charles Kean.* 2 vols. 1859.

COOK, J. A. *Neo-Classic Drama in Spain: Theory and Practice.* Dallas, 1959.

DAVIES, T. *Memoirs of the Life of David Garrick.* 2 vols. Londres, 1780.

DISHER, M. *Melodrama. Plots That Thrilled.* Nova York, 1954.

FINDLATER, R. *Six Great Actors: Garrick, Kemble, Kean, Macready, Irving, Forbes-Robertson.* 1957.

GRUBE, M. *Geschichte der Meininger.* Berlim, 1926.

HAWKINS, F. *The French Stage in the Eighteenth Century.* 2 vols. Londres, 1888.

HILL, W. *Die deutschen Theaterzeitschriften des 18. Jh.*, Weimar, 1915.

HOGAN, C. B. *The Londres Stage, 1776-1800.* Carbondale/Edwardsville, Ill., 1968.

HOMMEL, K. *Die Separatvorstellungen vor König Ludwig II. von Bayern.* Munique, 1963.

HOTSON, L. *The Commonwealth and Restoration Stage.* Cambridge, Mass., 1928.

JOURDAIN, E. F. *Dramatic Theory and Practice in France, 1690-1808*. Nova York, 1921.
KINDERMANN, H. *Theatergeschichte der Goethezeit*. Viena, 1948.
KNUDSEN, H. *Goethes Welt des Theaters*. Berlim, 1949.
KRUTCH, J. W. *Comedy and Conscience after the Restoration*. Nova York, 1949.
LANCASTER, H. C. *French Tragedy in the Time of Louis XV and Voltaire, 1715-1774*. Baltimore, 1950.
LUCAS, F. L. *The Decline and Fall of the Romantic Ideal*. Nova York, 1936.
MANDER, R. e MITCHENSON, J. *The Artist and the Theatre*. Londres, 1955.
MATTHEWS, B. e HUTTON, L. *Actors and Actresses of Great Britain and the United States from the Days of David Garrick to the Present Time*. 5 vols. Nova York, 1886.
MELCHER, E. *Stage Realism in France from Diderot to Antoine*. Bryn Mawr, 1928.
MINDLIN, R. *Zarzuela: Das spanische Singspiel im 19. und 20. Jahrhundert*. Zurique, 1965.
MOODY, R. *America Takes the Stage: Romanticism in American Drama and Theatre, 1750-1900*. Bloomington, 1955.
NICOLL, A. *A History of Late Eighteenth Century Drama, 1750-1800*. Cambridge, 1927.
________. *A History of Earty Nineteenth Century Drama, 1800-1850*. 2 vols. Cambridge, 1930.
________. *A History of Late Nineteenth Century Drama, 1850-1900*. 2 vols. Cambridge, 1946.
ODELL, G. C. D. *Shakespeare from Betterton to Irving*. 2 vols. Nova York, 1920.
________. *Annals of the Nova York Stage*. 15 vols. Nova York, 1927-1949.
OMAN, C. *David Garrick*. Londres, 1958.
PALMER, J. L. *The Comedy of Manners*. Londres, 1913.
PASCAL, R. *The German Sturm und Drang*. Manchester, 1953.
PEDICORD, H. W. *The Theatrical Public in the Time of Garrick*. Nova York, 1954.
QUINN, A. H. *A History of the American Drama from the Beginning to the Civil War*. 2ª ed. Nova York, 1943.
________. *A History of the American Drama from the Civil War to the Present Day*. 2ª ed. Nova York, 1949.
ROWELL, G. *The Victorian Theatre*. Londres, 1956.
SCHOLZ, J. *Baroque and Romantic Stage Design*. Nova York, 1962.
SHERBO, A. *English Sentimental Drama*. East Lansing, Mich., 1957.
SICHARDT, G. *Das Weimarer Liebhabertheater unter Goethes Leitung*. Weimar, 1957.
SLONIM, M. *Russian Theatre from the Empire to the Soviets*. Cleveland, 1961.
SOUTHERN, R. *The Georgian Playhouse*. Londres, 1948.
________. *Changeable Scenery: Its Origin and Development in the British Theatre*. Londres, 1952.
ST. CLARE BURNE, M. "Charles Kean and the Meininger Myth". *Theatre Research* VI, 3. 1964.
STONE, G. W. Jr. *The Londres Stage, 1747-1776*. Carbondale/Edwardsville, Ill., 1968.
SUMMERS, M. *The Restoration Theatre*. Londres, 1934.
WALDO, L. P. *The French Drama in America*. Baltimore, 1942.
WITTKE, C. *Tambo and Bones: A History of the Minstrel Stage*. 1931.

DO NATURALISMO AO PRESENTE

ANTOINE, A. *Memories of the Théâtre Libre*. Traduzido por M. Carlson. Coral Gables, Flórida, 1964.
APPIA, A. *The Work of Living Art and Man Is the Measure of All Things*. Coral Gables, Flórida, 1960.
ARCHER, W. *The Old Drama and the New*. Londres, 1923.
ARTAUD, A. *The Theatre and Its Double*. Nova York, 1958.
ATKINSON, B. *Broadway Scrapbook*. Nova York, 1957.
________. *Broadway*. Nova York, 1970.
BABLET, D. *Edward Gordon Craig*. Nova York, 1967.
BABLET, D. e JACQUOT, J. *Le Lieu théâtrale dans la société moderne*. Paris, 1963.
BALAKIAN, A. E. *Surrealism*. Nova York, 1959.
BAUMOL, W. J. e BOWEN, W. G. *Performing Arts-The Economic Dilemma*. Nova York, 1966.
BENTLEY, E. *The Playwright as Thinker*. Nova York, 1946.
________. *Bernard Shaw*. Nova York, 1947.
________. *In Search of Theatre*. Nova York, 1953.
BERNHEIM, A. L. *The Business of the Theatre*. Nova York, 1932.
BIRDOFF, H. *The World's Greatest Hit: "Uncle Tom's Cabin"*. Nova York, 1947.
BLUM, D. *Great Stars of the American Stage: a Pictorial Record*. Nova York, 1952.
BOWERS, F. *Broadway, USSR. Theatre, Ballet and Entertainment in Russia Today*. Nova York, 1959.
BRADSHAW, M. (ed.). *Soviet Theatres 1917-1941*. Nova York, 1954.

BRAULICH, H. *Max Reinhardt. Theater zwischen Traum und Wirklichkcit*. Berlim, 1966.
BROOK, R. *The Empty Space*. Londres, 1968.
BROWN, J. R. *Effective Theatre. A Study with Documentation*. Londres, 1969.
BRUSTEIN, R. *Theatre of Revolt*. Boston, 1964.
BYRNE, D. *The Story of Ireland's National Theatre*. Dublin, 1929.
CARTER, H. *The New Spirit in the European Theatre, 1914-1924*. Nova York, 1925.
CARTER, L. A. *Zola and the Theatre*. New Haven, 1963.
CHEKHOV, A. M. *Stanislavski's Method: New Theatre*. 1935.
________. *To the Actor on the Technique of Acting*. Nova York, 1953.
CHENEY, S. *The New Movement in the Theatre*. Nova York, 1914.
CHIARI, J. *The Contemporary French Theatre: The Flight from Naturalism*. Londres, 1958.
________. *The Theatre of Jean-Louis Barrault*. Traduzido por J. Chiari. 1961.
CLURMAN, H. *The Fervent Years: The Story of the Group Theatre in the Thirties*. Nova York, 1957.
COLE, T. e KRICH, H. *Actors on Acting*. 1950.
COLE, T. (ed.). *Playwrights on Playwrighting: The Meaning and Making of Modern Drama from Ibsen to Ionesco*. Nova York, 1961.
COLE, T. e CHINOY, H. *Directors on Directing*. 1963.
COPEAU, J. *Souvenirs du Vieux-Colombier*. Paris, 1931.
CORNELL, K. *The Symbolist Movement*. New Haven, 1951.
CORRIGAN, R. *The Modern Theatre*. Nova York, 1964.
CRAIG, E. G. *On the Art of the Theatre*. Londres, 1911.
________. *Towards a New Theatre*. Londres, 1913.
________. *The Theatre Advancing*. Londres, 1921.
________. *Scene*. Oxford: University Press, 1923.
________. *Henry Irving*. Londres, 1930.
________. *Ellen Terry*. Londres, 1931.
DAHLSTROM, C. E. W. L. *Strindberg's Dramatic Expressionism*. Ann Arbor, University of Michigan Press, 1930.
DIEBOLD, B. *Habima: Hebräisches Theater. 32 Bilder mit einer Einführung von B. Diebold*. Berlim, 1928.
DIETRICH, M. *Das moderne Drama*. Stuttgart, 1963.
DISHER, M. W. *Fairs, Circuses and Music Halls*. Londres, 1942.
DRIVER, T. F. *Romantic Quest and Modern Query: A History of the Modern Theatre*. Nova York, 1970.
EDWARDS, C. *The Stanislavski Heritage*. Nova York, 1965.
ELAGIN, Yuri B. *Taming of the Arts*. Nova York, 1951.
ESSLIN, M. *Brecht: The Man and His Work*. Nova York, 1960.
________. *The Theatre of the Absurd*. Nova York, 1961.
FAY, G. *The Abbey Theatre*. Dublin, 1958.
FELHEIM, M. *The Theater of Augustin Daly: An Account of the Late Nineteenth Century American Stage*. Cambridge, Mass., 1956.
FOWLIE, W. *Age of Surrealism*. Bloomington, 1960.
________. *Dionysus in Paris. A Guide to Contemporary French Theater*. Nova York, 1960.
FUERST, W. L. e HUME, S. J. *Twentieth-Century Stage Decoration*. Nova York, 1928, 1967.
GAIPA, E. *Giorgio Strehler*. Berlim, 1963.
GASSNER, J. *The Theatre in Our Times*. Nova York, 1954.
________. *Form and Idea in Modern Theatre*. Nova York, 1956.
________. *Directions in Modern Theatre and Drama*. Nova York, 1965.
________. *Dramatic Soundings*. Nova York, 1968.
GORCHAKOV, N. A. *The Theater in Soviet Russia*. Nova York, 1957.
________. *Stanislavski Directs*. Traduzido por M. Goldina. Nova York, 1954.
GORELIK, M. *New Theatres for Old*. Nova York, 1940.
GREGOR, U. e PATALAS, E. *Geschichte des Films*. Gütersloh, 1962.
GROPIUS, W. (ed.). *Oskar Schlemmer, Laszlo Moholy-Nagy, Farkas Molnàr: Die Bühne am Bauhaus*. Mainz, 1965.
GROSSVOGEL, D. I. *The Self-Conscious Stage in Modern French Drama*. Nova York, 1958.
GROTOWSKI, J. *Towards a Poor Theatre. Odin Teatrets Forlag*, 1968.
GUICHARNAUD, J. *Modern French Theatre from Giraudoux to Beckett*. New Haven, 1961.
HAINAUX, R. (ed.). *Stage Design throughout the World since 1935*. Nova York, 1956.
________. *Stage Design throughout the World since 1950*. Nova York, 1964.
HARTWIG, E. *Kulisy Teatru*. Warsaw, 1969.
HENZE, H. *Otto Brahm und das Deutsche Theater zu Berlin*. Berlim, 1920.
HOUGHTON, N. *Moscow Rehearsals. An Account of Methods of Production in the Soviet Theatre*. Nova York, 1936.
________. *Return Engagement. A Postscript to "Moscow Rehearsals"*. Nova York, 1962.
IHERING, H. *Von Reinhardt bis Brecht: Eine Auswahl der Theaterkritiken von 1909-1932*. Reinbek, 1967.
JACOBS, L. *The Rise of the American Film*. Nova York, 1939.

JOLIVET, A. *Le théâtre de Strindberg*. Paris, 1931.
JONES, M. *Theatre-in-the-Round*. Nova York, 1951.
JONES, R. E. *Drawings for the Theatre*. Nova York, 1925.
________. *The Dramatic Imagination*. Nova York, 1941.
KIENZLE, S. *Modern World Theater: A Guide to Productions in Europe and the United States since 1945*. Traduzido por A. e E. Henderson. Nova York, 1970.
KIRBY, M. *Happenings*. Nova York, 1965.
KNELLESSEN, E. W. *Agitation auf der Bühne-Das politische Theater der Weimarer Republik*. Emsdetten, 1970.
KNOWLES, D. *French Drama of the Inter-War Years, 1918-1939*. Nova York, 1968.
KRUTCH, J. W. *The American Drama since 1918*. Edição revista, Nova York, 1957.
LARSON, O. K. (ed.). *Scene Design for Stage and Screen Readings on the Aesthetics and Methodology of Scene Design for Drama, Opera, Musical Comedy, Ballet, Motion Pictures, Television and Arena Theatre*. East Lansing, Mich., 1961.
LEY-PISCATOR, M. *The Piscator Experiment. The Political Theatre*. Nova York, 1967.
MACGOWAN, K. e JONES, R. E. *Continental Stagecraft*. Nova York, 1922.
MACKAY, C. D. *The Little Theatre in the United States*. Nova York, 1917.
MAGARSHACK, D. *Chekhov the Dramatist*. Nova York, 1960.
MAGRIEL, P. *Chronicles of the American Dance*. Nova York, 1948.
MEISEL, M. *Shaw and the Nineteenth-Century Theater*. Princeton, 1963.
MELCER, E. H. *Staging the Dance*. Dubuque, 1955.
MELCHINGER, S. *The Concise Encyclopedia of Modern Drama*. Nova York, 1964.
METZ, C. *Essais sur la signification au cinéma*. Paris, 1968.
MIELZINER, J. *Designing for the Theatre*. Nova York, 1965.
MILLER, A. I. *The Independent Theatre in Europe, 1887 to the Present*. Nova York, 1931.
MODERWELL, H. K. *The Theatre of Today*. Nova York, 1925.
NEMIROVICH-DANCHENKO, V. *My Life in the Russian Theatre*. Londres e Boston, 1936.
NICOLL, A. *Film and Theatre*. Londres, 1936.
NICOLLIER, J. *René Morax (Théâtre du Jorat)*. 1958.
NOVICK, J. *Beyond Broadway: A Quest for Permanent Theatres*. Nova York, 1968.
PALMER, J. *The Future of the Theatre*. 1913.
PLUMMER, G. *The Business of Show Business*. Nova York, 1961.
POGGI, J. *Theatre in America: The Impact of Economic Forces, 1870-1967*. Itaca, Nova York, 1968.
PRICE, J. *The Off-Broadway Theatre*. Nova York, 1962.
PRONKO, L. *Theatre East and West: Perspectives toward a Total Theatre*. Berkeley, 1967. Trad. bras., São Paulo, Perspectiva, 1986.
REINHARDT, M. *Max Reinhardt. Sein Theater in Bildern. Herausgegeben von der Max-Reinhardt--Forschungsstätte Salzburg*. Hanôver, 1968.
ROTHA, P. *The Film till Now*. Londres, 1960.
RÜHLE, G. *Theater für die Republik, 1917-1933, im Spiegel der Kritik*. Frankfurt, 1967.
RÜHLE, J. *Das gefesselte Theater. Vom Revolutionstheater zum sozialistischen Realismus*. Colônia-Berlim, 1957.
RUHNAU, W. *Versammlungsstätten*. Gütersloh, 1969.
RUPPEL, K. H. (ed.). *Wieland Wagner inszeniert Richard Wagner*. Konstanz, 1960.
SAYLER, O. M. (ed.). *Max Reinhardt and His Theatre*. Nova York, 1926.
SCHLEMMER, O. *The Theatre of the Bauhaus*. Middleton, 1961.
SCHLEY, G. *Die Freie Bühne in Berlin*. Berlim, 1967.
SCHMIDT-JOOS, S. *Das Musical*. Munique, 1965.
SCHOOP, G. *Das Zürcher Schauspielhaus im zweiten Weltkrieg*. Zurique, 1957.
SELDEN, S. e SELLMAN, H. D. *Stage Scenery and Lighting*. 3. ed., Nova York, 1959.
SELTZER, D. (ed.). *The Modern Theatre: Readings and Documents*. Boston, 1967.
SHAW, G. B. *The Quintessence of Ibsenism*. Londres, 1913.
________. *Our Theatre in the Nineties*. 3 vols. Londres, 1932.
SHAW, L. R. *The Playwright & Historical Change: Dramatic Strategies in Brecht, Hauptmann, Kaiser, and Wedekind*. Madison/Milwaukee/Londres, 1970.
SIMONSON, L. *The Stage is Set*. Nova York, 1932.
________. *The Art of Scenic Design*. Nova York, 1950.
SMITH, C. *Musical Comedy in America*. Nova York, 1950.
SOKEL, W. H. *The Writer in Extremis: Expressionism in Twentieth-Century German Literature*. Stanford, Calif., 1959.
SONDEL, B. S. *Zola's Naturalistic Theory with Particular Reference to the Drama*. Chicago, 1939.
SOUTHERN, R. *The Open Stage*. Nova York, 1959.
SPALTER, M. *Brecht's Tradition*. Baltimore, 1967.
SPOLIN, V. *Improvisation for the Theatre*. Evanston, 1963. Trad. bras., São Paulo, Perspectiva, 1979.

STANISLAVSKI, C. *My Life in Art.* Londres, 1924.
________. *An Actor Prepares.* Nova York, 1936.
________. *Building a Character.* Nova York, 1949.
________. *Greating a Role.* Nova York, 1961.
STEIN, J. M. *Richard Wagner and the Synthesis of the Arts.* Detroit, 1960.
STONE, E. *What Was Naturalism? Materials for an Answer.* Nova York, 1959.
STRATMAN, C. J. *Bibliography of the American Theatre, Excluding New York City.* Chicago, 1965.
STRICKLAND, F. C. *The Technique of Acting.* Nova York, 1956.
STYAN, J. L. *The Dark Comedy: The Development of Modern Comic Tragedy.* Cambridge, 1962.
TAIROW, A. *Das entfesselte Theater. Aufzeichnungen eines Regisseurs.* Potsdam, 1927.
TAYLOR, J. R. *Anger and After. A Guide to the New British Drama.* Londres, 1962.
THEATERARBEIT, *6 Aufführungen des Berliner Ensembles.* Berlim, 1967.
ULANOV, B. *Masks of the Modern Theatre.* Nova York, 1961.
VARDAC, A. N. *Stage to Screen: Theatrical Method from Garrich to Griffith.* Cambridge, Mass., 1949.
VEINSTEIN, A. *La mise en scène théâtrale et sa condition esthétique.* Paris, 1955.
VOLBACH, W. R. *Adolphe Appia, Prophet of the Modern Theatre: A Profile.* Middletown, Conn., 1968.
WAXMAN, S. M. *Antoine and the Théâtre Libre.* Nova York, 1964.
WEALES, G. *American Drama since World War II.* Nova York, 1962.
WEIGAND, H. J. *The Modern Ibsen.* Nova York, 1925.
WIGMAN, M. *The Language of Dance.* Middletown, Conn., 1966.
WILLETT, J. *The Theatre of Bertolt Brecht.* Nova York, 1959.
________. *Brecht on Theatre.* Traduzido por J. Willett. Nova York, 1965.
YOUNG, S. *Theatre Practice.* Nova York, 1926.
ZUCKER, A. E. *Ibsen, the Master Builder.* Nova York, 1929.
________. *Zwanzig Jahre Komische Oper: Eine Dokumentation.* Berlim, 1967.

Índice

Abel, Lionel: *Absalom*, 520
Ácio, Lúcio, 144
Ackermann, Konrad, 411, 413; *troupe* de, 400
Ackermann, Sophie, 388
Addison, Joseph, 391, 406, 407
Ado (segundo ator), 87
Adrasto, 104
Adso de Toul: *Libellus de Antichristo*, 203
Aerobindo, 177
Afrânio, Lúcio: *Casa em Chamas*, 155
Agatarco, 114
Ágaton, 120
agon, 107, 113, 121
Agop, Güllü, 26
Agostinho, Santo, 212, 235
Agostinianos, 240
Agricola, Johannes: *Tragédia de Johannis Huss*, 301
Alarcón, Juan Ruiz de: *La Verdad Sospechosa* (A Verdade Suspeita), 370
Albee, Edward: *The American Dream* (O Sonho Americano), 521; *Who's Afraid of Virginia Woolf?* (Quem Tem Medo de Virginia Woolf?), 519, 533
Albéniz, Isaac, 481
Alberti, Leão Batista, 278, 284; *Philodoxeos*, 278
Alberto da Livônia, 240
Albrecht V, 357
Aldrich, Thomas Bailey: *Judith of Bethulia*, 523, 524
Alegorias, medieval, 261-267
Aleikhem, Scholem, 517
Alemanha: classicismo da, 413-429; teatro da, 529; Teatro Nacional da, 408-413
Aleotti, Battista, 335
Alexanderstift, 196
Alexandre VI, 270
Alexandre, o Grande, 7, 8, 17, 23, 29, 124, 130, 345
Aléxio I Comneno, 25, 182
Aléxis, 124
Alfonso X, 242
Alleyn, Edward, 319, 320
Altman, George J., 293
Ambrósio, Santo, 191
Amenófis III, 13
Ana da Bretanha, 256
Ana, Rainha, 303, 358
Anastácio I, 172
Anaxandrides, 124, 130
And, Metin, 25
Anderson, Maxwell, 520; *Elizabeth the Queen* (A Rainha Elisabeth), 518; *Joan of Lorraine* (Joan de Lorena), 511; *Mary of Scotland* (Maria da Escócia), 518; *Winterset* (O Inverno), 518
Andreini, Francesco, 355; *Le Bravure del Capitan Spavento* (As Bravuras do Capitão Spavento), 355
Andreini, Isabella, 406; *Cartas*, 355
Andreini, Virginia, 326
Andreyev, Leonid Nikolaevich: *A Vida do Homem*, 465
anfiteatro, 140, 155-161; e teatro de mistério inglês, 232
Angústia de Lucca, Santa, 247
Aníbal, 141
Anna Amalia, 413, 416
Annunzio, Gabriele d', 469
Anouilh, Jean, 147, 480
Anschütz, Heinrich, 429, 446
An-Ski, Sch: *O Dibuk*, 466
Antichristo (Tegernsee), 203-204, 235, 261; influência nos autos de Natal, 235
Antífanes, 124

Antoine, André, 449, 452, 453, 454, 450
Anzengruber, Ludwig, 457, 492
Apollinaire, Guillaume: *Les Mamelles de Tirésias* (As Mamas de Tirésias), 481
Apolodoro, 114
Apolônia, Santa, 227, 265
Appia, Adolphe, 470, 519; Copeau, e, 480; influência em Jones, 471; influência em Mielziner, 524
Apuleio, 137, 155; *O Asno de Ouro*, 137, 155
aragoto, 91, 92, 95
Arca de Noé, 228, 231
Archilei, Vittoria, 325
Ardálio, 169
Areoi da Polinésia, 4
Aretino, Pietro: *La Cortigiana* (A Cortesã), 278; *I Ragionamenti* (Os Argumentos), 278
Ariadne, 136
Arion de Lesbos, 104, 105
Ariosto, Lodovico, 281; *La Cassaria* (A Caixinha), 276; *Orlando Furioso*, 276; Shakespeare, e, 312; *Studentes*, 300; *I Suppositi* (Os Impostores), 276, 312
Aristodemo, 130
Aristófanes de Bizâncio, 129
Aristófanes, 114, 117, 118-124, 141, 475, 502; *Os Arcanianos*, 123, 124; *A Assembleia das Mulheres*, 124; *Os Babilônios*, 124; *Os Banqueteadores*, 120, 121; *Os Cavaleiros*, 121-123; deuses, e, 121, 123; *Lisistrata*, 123; *As Nuvens*, 121, 123; *Os Pássaros*, 123; *A Paz*, 118, 123, 538; *As Rãs*, 104, 113, 121; *A Riqueza* (*Plutus*), 121; *As Vespas*, 120, 123
Aristóteles, 140, 211, 272, 273, 411, 412; definição de tragédia, 110; Fílis, e, 252; música, e, 324; origens da comédia, e, 120; *Poética*, 120, 130, 344; Sófocles, e, 114
Arlequim, 162, 247, 248, 353, 358, 406, 407, 425
Arquelau, 110
arquitetura: de Atenas, 130; de Roma, 130. Veja também construção de teatros
Arronge, Adolphe L', 457, 487
Artaud, Antonin, 500, 502, 504
Arte romântica, 177, 195, 234
Artur, 252
Ashbury, John: *The Heroes* (Os Heróis), 520
Aspendus, 154
Assurbanipal, 442
Asvaghosha, 39
Atores ambulantes, 374-379, 395, 396, 407
Atterbom, Per Daniel Amadeus, 427, 429
Auber, Daniel: *La Muette de Portici*, 433, 436, 496
Aubignac, Abade François d': *La pratique du théâtre*, 320, 344
Áubulo, 124
Audiberti, Jacques, 469
Aufresne, 388
Augusto, 139, 140, 154, 155, 157, 163, 164
Augusto, o Forte, 382
Aulnoy, Marie-Cathérine d', 369
Aurélio, Marco, 154
Auric, Georges, 481
Auspira, Giovanni, 270
Auto de Paixão, 185, 191, 194, 195, 212-222, 223, 227, 233, 234, 240, 248, 261, 262; Alcorão, e, 19; Alsfeld, 215, 227; Angers, 223; Donaueschingen/Villingen, 219; drama grego, e, 173; Egípcias, 7, 8, 11; Hussein, 4, 23; influência nas representações profanas, 248; irmandades, e, 200; Kreuzenstein, 245; Lucerna, 216; medieval, 178; Obermmergau, 23; palco, 262; Persa, 19, 20; Tirol (Bozen), 216, 219; Viena, 216
Auto de Páscoa, 178, 185, 186, 189, 194-203, 212, 219, 245; Erlau, 199; Innsbruck, 198, 199, 209; Viena, 216, 221
Auto de São Nicolau, 205
Auto do Padre-Nosso, 265
Auto dos profetas, 219, 240
Auto sacramental, 209, 212, 368, 373
Autos de carnaval, 216, 250-255, 308
Autos de Natal, 185, 198, 199, 233-240; abadia beneditina de Beuren, 205, 235; alemã, 182; "Bárbaros", 80; Bizantina, 182; Gótica, 181, 182
Autos de Neidhart, 248, 250
Ayame. Veja Yoshizawa, Ayame
Ayrer, Jakob, 300

Baccio del Bianco, 370
Bacon, Francis, 530
Badius, Jodocus, 271
Bahn, Roma, 507
Baïf, Jean Antoine de, 273, 280, 330
Bailey, James A., 516
Baker, George Pierce, 519, 520
Bakhrushin, 499
Bakst, Léon, 481
Balbo, Lúcio Cornélio, 154
Balbulo, Notker, 189
Balde, Jakob: *Jeftias*, 341
balé, 433; aquático, 164; Bizantino, 164; corte barroca, 330-335; história do, 344; influência em Diaghilev, 481; Romano, 164, 167; Russo, 469, 481; Sueco, 481
Bale, John: *King John*, 301, 312
Balzac, Honoré de, 451
Banquettes, 395
Barbaro, Daniele, 284, 287, 291
Barbarossa, 203
Bardi, Giovanni de': *Amico Fido* (O Amigo Fiel), 324, 325
Barker, James Nelson: *The Indian Princess, or La Belle Sauvage* (A Princesa Índia, ou A Bela

Selvagem), 515; *Superstition* (Superstição), 515
Barlach, Ernst, 476
Barlog, Boleslaw, 530
Barnay, Ludwig, 449
Barnum, P. T., 433, 516
Barras, Charles M.: *The Black Crook* (O Trapaceiro Negro), 516
Barrault, Jean-Louis, 475, 480, 513, 534
BARROCO, 155, 323-324; comédia de caracteres, 344-352; *Commedia dell'arte*, 353-367: *Ballet de Cour*, 330-334; teatro francês, 344-352
Barry, Philip, 520; *The Animal Kingdom* (O Reino Animal), 518; *Here Come the Clowns* (Aí vêm os Palhaços), 518; *Holiday* (Feriado), 518; *The Philadelphia Story* (A História de Filadélfia), 518
Barry, Spranger, 391
Basílio, São, 181
Bassermann, Albert, 476, 487
Bathory, Estêvão, 274
Batilo, 164
Baty, Gaston, 480, 488
Baude, Henri, 256
Baudelaire, Charles Pierre, 466
Bäuerle, Adolf, 425; *Wiener Theaterzeitung*, 445
Baumeister, Bernhard, 446
Bayle, Pierre: *Dictionnaire*, 381
Beaujoyeulx, Balthasar, 296
Beaumarchais, Augustin Caron: *O Barbeiro de Sevilha*, 352, 388; *As Bodas de Fígaro*, 388, 403
Beaumont, Francis, 319
Beauvoir, Simone de, 526
Beck, Judith Malina e Julian, 520, 521
Beckett, Samuel, 469, 521, 522; *Endgame* (Fim de Jogo), 522, 530; *Esperando Godot*, 511, 526
Becque, Henri: *Les Corbeaux* (Os Corvos), 453
Beer, Rudolf, 492
Beethoven, Ludwig van: *Fidelio*, 425, 427
Behrman, S. N., 520
Béjart, Armande, 349
Béjart, Madeleine, 349
Belasco, David, 518; *The Girl of the Golden West* (A Garota do Oeste Dourado), 454, 518; *Madame Butterfly*, 99, 518
Bellamy, George Anne, 391
Bellay, Joachim Du, 273
Bellieti, Jean, 256
Bellincioni, Bernardo, 292, 293; Leonardo, e, 292, 293; rima, 293
Bellini, Vincenzo, 533
Bellomo, Joseph, 416
Benda, Georges, 387
Beneditinos, 203, 248
Benois, Alexandre, 481
Beolco, Angelo, ("Ruzzante"), 261, 273, 281; *La Piovanna*, 353; *La Vaccaria*, 353
Berchet, Giovanni: *Lettera semiseria di Crisostomo*, 436
Bergman, Ingmar: *Noites de Circo*, 533
Berlin, Irving, 513
Berlioz, Hector: *Benvenuto Cellini*, 441
Bernard de Morlaix, 368
Bernhardt, Sarah, 442, 455, 514, 523
Bernhart, Joseph, 109
Bernini, Giovanni Lorenzo, 323
Bernstein, Leonard, 517, 533
Bertin, Emile, 488
Bertoldo de Regensburgo, 194
Bertoli, Antonio, 326
Betulius: *De virtute et voluptate*, 303
Beuther, Friedrich, 429
Bhana, 42
Bharata: *Natyasastra*, 29, 32, 33-37, 38
Bhasa: *Balacarita*, 39; *Charudatta*, 39; *Dutavakya*, 39
Bhavabhuti, 42
Bibbiena, Casentino: *Calandria*, 278, 284
Bidermann, Jakob, 341; *Cenodoxus*, 341
Bieber, Margarete, 134, 161
Birck, Sixt: *Susanna*, 301
Bird, Robert Montgomery: *The Broker of Bogota* (O Agente de Bogotá), 515; *The Gladiator* (O Gladiador), 515
Bizet, Georges: *Carmen*, 441, 470
BIZÂNCIO, 171-182, 186, 240; arte, 172, 173; balé aquático e jogos, 164; influência no teatro de mistério, 232; mimo, 162, 163, 172-177; música, 172; padres da Igreja, 175, 240; teatro grego, e, 173-175; teatro na arena, 177-178; teatro na corte, 181, 182; teatro na igreja, 178-223; teatro sem drama, 172-177
Björnson, Björnstjerne, 453, 457
Bleibtreu, Hedwig, 492
Bleibtreu, Karl: *Revolution in der Literatur* (Revolução na Literatura), 455
Blin, Roger, 530
Bochet, Jean, 257
Böckler, Georg Andreas, 337
Bodel, Jean: *Le Jeu de Saint-Nicolas* (O Auto de São Nicolau), 205
Bodmer, Johann Jakob, 406
Bogener, Heinrich der, 196
Boileau-Despréaux, Nicolas, 404, 406; *L'Art Poétique* (A Arte Poética), 382; Voltaire, e, 386
Bojardo, 281
Boker, George Henry, 515; *Francesca da Rimini*, 515
Bolena, Ana, 312
Bolingbroke, 386
Bölsche, Wilhelm: *Die naturwissenschaftlichen Grundlagen der Poesie* (Os Fundamentos Científicos da Poesia), 455

Bond, Edward, 313; *Saved* (Salvos), 460
Booth, Edwin, 516
Booth, John Wilkes, 516
Borchert, Wolfgang: *Draussen vor der Tür* (Do Outro Lado da Porta), 501
Bórgia, César, 256
Borkenstein: *Bookesbeutel*, 411
Borlase, William: *Observations on the Antiquities Historical and Monumental of Cornwall* (Observações sobre as Antiguidades Históricas e Monumentais da Cornualha), 232, 233
Botticelli, Sandro: *Nascimento de Vênus*, 281
Bouchet, Jean, 228
Boucicault, Dion: *The Octoroon* (O Oitavão), 517
Bougoin, Simon: *L'Homme Juste et L'Homme Mondain*, 262
Bouhélier, Saint-Georges de: *Oedipe, Roi de Thèbes* (Édipo, Rei de Tebas), 488
Bouschet, Jan. Veja Thomas Sackeville
Brabante, 261
Brahm, Otto, 455-460, 471, 480, 487
Brahma, 29, 33, 36, 37
Bramante, 284, 287
Brando, Marlon, 533
Braque, Georges, 481
Braun, Hanns, 529
Braunschweig, Heinrich Julius von, 300
Brecht, Bertolt, 42, 412, 452, 463, 471, 495, 500, 501, 504-510, 523; *Aufstieg und Fall der Stadt Mahagonny* (Ascensão e Queda da Cidade de Mahagonny), 505, 510; *Der gute Mensch von Sezuan* (A Alma Boa de Setsuan), 510, 534; *Dickicht der Städte* (Na Selva das Cidades), 505, 507; *Herr Puntila und sein Knecht Matti* (O Senhor Puntila e seu Criado Matti), 507; *Kleines Organon für das Theater* (Pequeno Órganon para o Teatro), 505; *Leben des Galilei* (A Vida de Galileu Galilei), 507; *Mann ist Mann* (O Homem é o Homem), 504; *Mutter Courage und Ihre Kinder* (Mãe Coragem e seus Filhos), 507, 526, 534; *A Ópera dos Três Vinténs*, 507, 510; peças de Grass, e, 511; Tagore, e, 42, 44; teatro asiático, e, 54; O teatro épico de, 505; *Trommeln in der Nacht* (Tambores na Noite), 505; *Vergnügungstheater oder Lehrtheater?* (Teatro de Divertimento ou Teatro Didático?), 505
Bredero, G. A., 308
Brighouse, Harold, 460
Brizeux, Julien Auguste Pélage, 436
Broadway, 513-519
Broelman, Stephan, 304
Bronnen, Arnolt: *Vatermord* (Parricídio), 475
Brook, Peter, 471, 526, 530, 538
Brown, Kenneth: *The Brig* (A Prisão do Navio), 520
Browne, Robert, 375; *Actiones*, 375
Bruckner, Ferdinand, 480; *Die Krankheit der Jugend* (A Doença da Juventude), 475
Brueghel, Pieter, o Velho, 257, 308
Brühl, Karl, 424
Brunelleschi, Filippo, 271, 284
Brunner, Tobias: Jakob, 301, 303
Bruno de Colônia, 242
Bruno, Giordano, 324; *Il Candelaio*, 278
Bruno, São, 341
Brunswick, duque Heinrich Julius de, 375
Buchanan, George: *Baptistes*, 274; *Detectio Mariae Reginae*, 274; *Jephtes*, 274
Büchner, Georg, A., 441; *Dantons Tod* (A Morte de Danton), 475, 495, 496
Buda, 39; nascimento de, 78; dança em honra a, 91; personificação de, 41
Budismo, 39, 54; ascetismo, 42; drama do, 42; influência no teatro de máscaras, 75; Japão, e, 78; Mahayana, 39; *nô*, e, 81, 91; poesia, 39; Samurai, e, 81; *yugen*, e, 38, 83; *za*, e, 81
Buffequin, George, 345
bugaku, 78-80
Bülow, Hans von, 457
bunraku, 75, 260, 247
Bunrakuken. Veja Uemura, Bunrakuken
Buontalenti, Bernardo, 291, 296, 324, 325
Burbage, James, 317, 320
Burbage, Richard, 319
Burckhardt, Jacob, 104, 269
Bürger, G. A., 436
Burke, Edmund, 429
burlesco: caracteres do, 191; *prahasana*, e, 42. Veja também farsa
Burnacini, Giovanni, 326, 330, 337, 342
Burnacini, Ludovico, 326, 330, 335, 337
Bustelli, 355
Byl, 453
Byron, George Gordon, 429; *Don Juan*, 431; *Manfred*, 470; *Sardanapalo*, 442

Caccini, Giulio, 330; *Dafne*, 324; *Eurídice*, 325; *Il Rapimento di Cefalo*, 325
Cage, John, 527, 529
Cailleau, Hubert, 223
Calderón de la Barca, Pedro, 320, 377, 413, 428, 431; *La devoción de la Cruz*, 433; *El golfo de las sirenas* (O Golfo das Sereias), 373, 374; *El gran teatro del mundo* (O Grande Teatro do Mundo), 373; *O Príncipe Constante*, 373, 433; *A Senhora das Fadas*, 373
Calígula, 164
Callas, Maria, 533
Calliopius, 271
Calvino, 301
Camer van den Violieren, 305

Campani, Niccolò, 261
Camus, Albert, 520, 526; *Le Mythe de Sisyphe* (O Mito de Sísifo), 522
Canções dos goliardi, 245
canto: Bizantino, 177; *cantica*, 147; Grego, 137; *ludi scaenici*, 140; Romano, 161. Veja também *kabuki*
Capion, Étienne, 396
Carcov, 155
Carino, 161
Carl August, 416, 420
Carlos IV, 215
Carlos IX, 280
Carlos V, 269, 276, 308
Carlos VI, 338
Carlos VIII, 256
Carlyle, Thomas, 441
Caronte, 114, 367
Cartusianos, 341
Caruso, Enrico, 454, 514
Caso Sacco e Vanzetti, O, 518
Caspar, Horst, 487
Castiglione, Baldassare, 284
Castro, Guillén de: *Las Mocedades del Cid*, 370
Catarina II, 403
Catulo, 205
Cavalli, Francesco, 326; *Egisto*, 326
Celtis, Konrad, 271; *Ludus Dianae*, 299
Cem jogos, 54-58
Cenodoxus, 341
Censura, 317, 388, 427-428; Freie Bühne, e, 457, 459; Shaw, e, 460, 462; teatro político, e, 500
Cerrito, Fanny, 433
Cervantes, 283; *Don Quixote*, 367-368
Césaire, Aimé: *Une Saison au Congo* (Uma Temporada do Congo), 504
César, Júlio, 151, 155, 157, 163
Cesariano, 284
Cesti, Marc Antonio: *Il Pomo d'Oro*, 330
Ch'i Ju-shan, 67
Ch'ien Lung, 61, 66
Chaikin, Joseph, 521
Champmeslé, Mlle de, 347
Chang Tse-tuan, 60
Chapelain-Midy, 155
Chaplin, Charles, 353, 502
Chapman, George, 317
Charivari, 248
Chassiron: *Réflexions sur le Comique-larmoyant* (Reflexões sobre o Cômico Lacrimoso), 386
Chastellain, Georges: *Le Concile de Bâle*, 261
Chateaubriand, François René de: *Le Génie du Christianisme*, 429
Chen-tsung, 59
Chesnaye, Nicolas de la, 262, 296; *Condamnation de Banquet*, 262
Chiabrera, Gabriele, 325
Chikamatsu, Monzaemon, 75, 89, 92, 95
Chikazane, Koma no, 78
CHINA, 53-73; "Cem jogos", 54-58; como tema no balé de Noverre, 391; conceito xamânico da, 78; drama do Norte e do Sul da, 61-66; *Jardim das Peras*, 58-61; Ópera de Pequim, 66-70; peça musical da, 66; teatro de máscaras japonês, e, 75; teatro moderno, 73
Chirico, Giorgio de, 481
Christiano VI, 397
Christiansen, R., 397
Chronegk, Ludwig, 449,462
Chuang, 54
Cibber, Colley, 386
Cibber, Susannah Maria, 391
Cicéri, 433
Cícero, 139, 162, 163
Ciclo de Towneley, 232
Cinema. Veja filmes
Cipião Africano Maior, 141
Cipião Africano Menor, 147, 148
circo: Barnum e Bailey, 516; Bizantino, 177, 178, 181, 182; Oriente Próximo, 19; Romano, 139, 140, 155, 157, 162, 172; Turco, 26
CIVILIZAÇÕES INDO-PACÍFICAS, AS, 29-51; Índia, 32-44: Indonésia, 44-51
CIVILIZAÇÕES ISLÂMICAS, AS, 19-28; Pérsia, 20-23; Turquia, 23-28
Clair, René, 455, 524; *Entr'acte*, 483
Clairon, Mlle., 63, 346, 387, 388
Claudel, Paul, 499, 511, 513; *L'Annonce faite à Marie* (O Anúncio Feito a Maria), 470; Brecht, e, 511; *Christophe Colomb*, 513; *Le Soulier de Satin* (A Sapatilha de Cetim), 54, 346, 370, 513, 534
Clement VII, 278
Clemente IX, 323
Cléon, 123, 124, 141
Cleópatra, 41
Clístenes, 104
Cnapius, Gregório: *Exempla dramatica*, 342
Cocteau, Jean, 471; *L'Aigle à deux têtes* (A Águia Bicéfala), 481; *Bacchus* (Baco), 481; *La Machine Infernale* (A Máquina Infernal), 481; *Orphée* (Orfeu), 481, 483; *Parade*, 481; *Le Sang d'un poète* (O Sangue de um Poeta), 481, 483; *Testament d'Orphée* (Testamento de Orfeu), 483
Cohen, Gustave, 519
Colbert, 352
Coleridge, Samuel Taylor, 431
Coliseu, 154, 157
Collin, Matthias, 301
Comédia de caracteres, 344-352
Commedia erudita, 273, 353
Comédia humanista, 276-280
comédia: Grega, 118-120; comédia média romana (*mese*), 124; Comédia nova (*nea*), 129; Grécia

Antiga, 120-124; origens da, 118-120; Romana, 144-148, 161, 162; *scena comica*, 287
Comédie Française, 352, 431, 433, 442, 452-453, 455, 481, 534
comédie gaie (comédia jovial), 382
comédie italienne, 227, 357, 358
comédie-ballet, 296, 334, 347
Commedia dell'arte, x, 1, 3, 4, 16, 120, 162, 247, 261, 266, 276, 278, 324, 352, 353, 374, 375, 377, 510, 523; adaptação francesa de, 349; barroco, 353-367; comédia erudita, e, 273; *comédie-ballet*, e, 334; definição de, 353; Górki, e, 367, 465; Grillparzer, e, 367; Gryphius, e, 376; Hoffmann, e, 432, 433; Iluminismo, e, 382; influência em Holberg, 396; influência em Molière, 349, 352; influência no teatro russo, 496; início da ópera, e, 326; *kyogen*, e, 87; máscara medieval, e, 266; Meierhold, e, 495, 496; napolitana, 367; *orta oyunu*, e, 26; Reinhardt, e, 488; Romantismo, e, 433; *scenario* para, 355; Taírov, e, 496, 499
Comnena, Anna, 25, 182
Concílios da Igreja, 169; Basileia, 261; Cartago, 178, 182; Niceia, 181
Confúcio, 53, 54, 61, 63, 66
Congreve, William, 391
Conrado de Constança, 195
Conrado I, 242
Conrado IV, 195
Constant, Benjamin: *Réflexions sur le théâtre allemand*, 431
Constantin, 413
Constantino, 155, 171, 172, 186
Construção de teatros: Burnacini, 326, 330; casa de ópera, 324, 326; início do período elizabetano, 317-319; Italiana, 433; de Langhan, 424; *paraskenia*, 130; primeiro público, 317; *proscenia*, 134; revivência do estilo grego, 424; Romana, 148-151, 154, 155; de Schinkel, 424, 425; século XVIII, 382; "teatro total", 501. Veja também palco
Copeau, Jacques, 475, 480
Copérnico, 269
Coquelin, Benoît Constant, 455, 492, 514, 530
cor: e montagem de cenário, 475, 476; cubista, 481; no teatro chinês, 70
Corinth, Lovis, 488
Cornaro, Alvise, 353
Corneille, Pierre, 274, 344, 379, 388; *Andromède*, 345; *Le Cid*, 81, 345, 346, 370, 418, 533; *Cinna*, 345; *Discours des trois unités* (Discurso das Três Unidades), 346; *Examen*, 346; *Horace*, 345; *Médée* (Medeia), 345; *Mélite ou les fausses lettres* (Mélete ou as Cartas Falsas), 344; *Le Menteur* (O Mentiroso), 370, 382; *Nicomède*, 347; *Polyeucte*, 345; Racine, e, 386; Voltaire, e, 386
Cornelius, 448
Cornualha, 232, 233
Corporação de teatro Shochiku-Kaisha (Shochiku sociedade anônima), 90, 98, 102
Corsi, Jacopo, 324
cortejo teatral, 228-233
cortejo, medieval, 228, 231
costumes: atores ambulantes, e, 378, 379; Buontalenti, 296; farsa, 256; francês do século XVIII, 387; Garrick, 392; Gottsched, e, 406, 407; Holberg, e, 400; medieval, 200; ópera de Paris, 433; realismo, e, 448; teatro primitivo e, 2-4. Veja também máscara
Courbet, Gustave, 440
Craig, Edward Gordon, 232, 465, 470, 471, 475, 488, 519; *The Art of the Theatre* (A Arte do Teatro), 471; Copeau, e, 480; influência em Barrault, 475; influência em Jones, 471; influência em Mielziner, 524; *The Mask* (A Máscara), 471
Cranmer, Thomas, 204, 301
Crates, 121
Cratino, 121; *A Garrafa*, 121
Creizenach, Theodor, 276
Crisóstomo, São João, 172-175, 245
Cristãos: aceitos em Roma, 167; e autos de moralidade, 261; e mitologia, 17; Nestoriano, 54; perseguição, 140; ridicularização de, 167
Cristina da Suécia, 324
Cristo, 109; ascenção de, 212, 219, 232; batismo de, 212; encarnação de, 178; Marduk, e, 17; mimo, e, 167-169; morte de, 13, 167, 186, 215, 219, 240, 341; nascimento de, 181, 242; ressurreição de, 186, 189, 219, 228. Veja também *Antichristo*, autos de Natal
Cronegk, J. F. von: *Olint und Sophronia*, 411
Croquesot, Herlekin, 247
Crothers, Rachel: *As Husbands Go* (Quando os Maridos se Vão), 518; *Susan and God* (Susan e Deus), 518; *The Three of Us* (Nós Três), 518; *When Ladies Meet* (Quando as Senhoras se Encontram), 518
Cruzadas, 171, 195, 203
Cupido, 367
Cúrio, Escribônio, 157
Cuvilliés, François, 338, 408
Cynthius. Veja Giovanni Giraldi
Cysat, Renward, 216

Dacier, Anne Lefèvre, 148
Dadaístas, 500, 524, 529
Dalí, Salvador, 533
dança: *Anatólia*, 25; Asiática, 76; Australiana, 3; Budista, 78, 80, 91; búfalo, 3; *bugaku*, 78, 80; burro, 136; Chinesa, 60; Coreana, 58; *derviches*, e, 26; Egípcia, 7, 11, 14; *embu*, e, 80; espada,

205; *gigaku*, 58, 78; guerreiras rituais germânicas, 3; Hator, 7, 8; Indiana, 29-32, 33, 38, 162; Iraniana, 23; Japonesa, 38, 76, 78, 80, 99, 102; *kabuki*, 90-99; *kagura*, 75; *kordax*, 123; leão, 78; *ludi scaenci*, 140; magia, 33; mimo, 2; *mimus*, 162; morte, 198; musical americano, 516, 517; *muu*, 14; Plutarco, e, 330; *pyrrhic*, 137; Renascença, 296; representação, e, 32, 33, 36; ritual, 91; Romana, 162-163; Sassânida, 175; simbolismo, e, 469; Turca, 25, 26; urso, 3; *wu wu*, 54
Dandolo, doge, 171
Danjúró. Veja Ichikawa, Danjúró
Dante, 269, 281, 516; *Divina Comédia*, 324
Danti, Vincenzo, 151, 287, 291
Davies, Thomas, 391, 392
Debussy, Claude, 469, 481
Décimo Labério, 163
Dekker, Thomas: *The Honest Whore* (A Prostituta Honesta), 317, 514
Delaunay, Jules Élie, 481
Delavigne, Germaine, 433
Demak, sultão, 44
Demódoco, 104
Dendermonde, 257
dengaku, 80, 81
Derain, André, 481
Descartes, René: *O Nascimento da Paz*, 324
Deschamps, Émile e Antony, 406, 436
Despléchin, 433
Desprez, Louis-Jean, 403
Destouches, Phillippe, 407; *Braggart*, 397
deus (deuses): Aristófanes, 121; gregos, 104, 139; teatro medieval, 185, 186; personificação de, 19; Romanos, 139, 140; teatro, 103. Veja também religião
deus ex machina, 117, 118
Deutsches Theater, 457, 459
Devine, George, 460
Devrient, Eduard, 377, 406; *Geschichte der deutschen Schauspielkunst* (História da Arte do Teatro Alemão), 419
Devrient, Ludwig, 423, 424, 431
Devrient, Otto, 227
Diaghilev, Sergei Pavlovich, 452, 481
Dickens, Charles, 441, 451
Diderot, Denis, 63, 346, 392, 395, 419; Catarina II, e, 403; *De la poésie dramatique* (Da Poesia Dramática), 387; Goethe, e, 418; *Le Père de famille* (O Pai de Famîlia), 381, 386, 403, 406; *Paradoxe sur le comédien*, 386; Voltaire, e, 386, 387
Dieterle, Wilhelm, 487, 492
Dífilus: influência em Terêncio, 147, 148
Dingelstedt, Franz, 442, 446, 449
Diocleciano, 169
Dioniso, 103, 105, 109, 118, 120, 121, 130; Ariadne, e, 136; festivais de, 2, 103, 105-107; Nero, e, 134; em *As Rãs*, 113; sacerdote de, 114
Dionysos, 194
Djaran-képang, 4
DO NATURALISMO AO PRESENTE, 451-539; Brecht, 404-510; Broadway, 513-519; desenvolvimento do palco, 466-475; Expressionismo, 475-483; Freie Bühne, 455-459; Futurismo, 475, 483; A ideia do Festival, 492-494; *Independent Theatre*, 459-462; Meios de comunicação de massa, 523-529; Naturalismo, 452-462; palco no palco, 510-513; Piscator, 499-504; Reinhardt, 483-494; Simbolismo, 466-475; Stanislávski, 462-466; Surrealismo, 475-483; teatro de arte de Moscou, 462, 466; O teatro do diretor, 529-539; o teatro engajado, 494-513; Teatro Épico, 504-510; Teatro Experimental, 519-521; Teatro Político, 499-504; teatro russo, 494-499; *Théâtre Libre* (Teatro Livre), 452-455
Döbbelin, Carl Theophil, 423
Dölger, Franz, 171, 172
Domiciano, 140, 157, 164, 167
Dominicanos, 209, 337
Donatello, 284
Donato, 150, 163, 270
Dossenus, 161
Dostal, Nico, 516
Dostoiévski, Fëdor Mikhailovich, 441, 451, 452; *Os Irmãos Karamazov*, 480
Drama do Sul e do Norte (China), 61-66
Drama escolar, 300-304
Drzič, Martin: *Dundo Maroje*, 280
Du Bos, J. B., 357
Dubreuil, Jean: *Perspective pratique* (Perspectiva Prática), 344
Dufresny, Charles Rivière, 407
Dullin, Charles, 480
Dumas, Alexandre, 73, 431, 441, 451, 452, 455; *A Dama das Camélias*, 73, 496; *Le Demi-monde*, 441; *Le Fils naturel* (O Filho Natural), 441
Dumesnil, Marie, 388
Duncan, Isadora, 469
Dunlap, William, 514; *History of the American Theatre* (História do Teatro Americano), 514
Duranty, Walter, 453
Dürer, Albrecht, 211, 299
Durey, Louis, 481
Durieux, Tilla, 501
Dürrenmatt, Friedrich, 510; *Die Ehe des Herrn Mississipi* (O Casamento do Senhor Mississipi), 524
Duse, Eleanora, 469, 471, 514

Eberle, Oskar: *Cenalora*, 1,4

Eckermanm, Johann Peter, 404, 419
EGITO E ANTIGO ORIENTE, 7-17; Mesopotâmia, 14-17; teatro bizantino, e, 175; tema no Realismo, 442, 445
Egk, Werner, 440
Eisenadi, 205
Eisenstein, Sergei, 499, 523; *Encouraçado Potemkin*, 499
Eisler, Hanns, 507
Ekhof, Konrad, 392, 395, 400, 416, 419
Elagin, Yuri, 504; *A Domesticação das Artes*, 495
Elenson, Andreas, 377
Eliot, T. S.: *Murder in the Cathedral* (Assassinato na Catedral), 460
Elizabeth I, 270, 283, 312, 313, 330, 374
Elizabeth II, 317
Elssler, Fanny, 433
Encina, Juan del, 281: *Egloga del Amor*, 283; *Egloga de Plácida y Vitoriano*, 283
Engelbrecht, Martin, 379
Ênio, Quinto: *Alexandre*, 141; *Anais*, 141; *Aquiles*, 141; *Sabinas*, 141
ERA DA CIDADANIA BURGUESA, A, 381-449; Berlim, 420-425; Classicismo alemão, 413-429; Lessing e o Movimento do Teatro Nacional Alemão, 408-413; As Origens do Teatro Nacional na Europa Setentrional e Oriental, 395-403; Realismo, 440-449; As Reformas Dramáticas de Gottsched, 404-408; Romantismo, 429-440; O Teatro Europeu entre a Pompa e o Naturalismo, 382-395; Viena, 425-429; Weimar, 413-420
Erasmo de Roterdã, 270
Erlach, Fischer von, 492
Ernst, Max, 481, 529
errantes, 242-247
Ervine, Saint John, 460
Esopo, 245
Ésquilo, 63, 105, 107, 110, 113, 114, 117, 130; Eurípides, e, 113; Oresteia, 488; Os Persas, 107, 109, 120; *Pesagem das Almas*, 118; *Prometeu Acorrentado*, 107; *Prometeu, o Portador do Fogo*, 107; Sófocles, e, 114
Estações medievais, 208
Este, Ercole d', 293, 353
Este, Isabella d', 276
Estienne, Charles, 280
Estoc, Pal d': *La Grande pastorale* (A Grande Pastoral), 488
Estrées, Gabrielle d', 330
Etelvoldo, 189
Eudóxia, 175
Eupólide, 121
Eurídice, 325, 326
Eurípides, 38, 110, 113, 117, 118, 130, 134, 141, 173, 274; *Agamenon*, 117; *Arquelau*, 110; *As Bacantes*, 110; Ésquilo, e, 110; *Hécuba*, 300; *Hipólito*, 117; *Ifigênia em Áulis*, 110; *Ifigênia em Táuride*, 110; *Medeia*, 117; *Orestíada*, 117; *As Pelíades*, 110; Sófocles, e, 110, 113; *As Troianas*, 134, 538
Eustácio de Salonica, 173
Everding, August, 538
Everyman, 266, 267
Evreinov, Nikolai, 495
Expressionismo, 475-483

Fábula atelana, 161, 162
Falck, August, 487
Falckenberg, Otto, 506
Falla, Manuel de: *Il Retalho de Maestro Pedro* (O Teatro de Títeres de Mestre Pedro), 368; *Le Tricorne* (O Chapéu de Três Bicos), 481
Farquhar, George: *The Beaux' Stratagem*, 391; *The Recruiting Officer*, 391
farsa: Alcorão, e, 19; Chinesa, 59, 60; Egípcia, 7, 8; Francesa, 257; Indiana, 42; *komos* gregos, 120
Favor, 163
Fechter, Paul, 488
Fehling, Jürgen, 530
Fénelon, François de, 407, 436
Fenícia, 175
Ferber, Edna: *Show Boat*, 516
Ferdinand II, 326
Ferdinand III, 326, 337
Ferdinando I, 303
Ferrandini: *Catone in Utica*, 408
Ferrari, Benedetto: *Andromeda*, 326
Festa de Corpus Christi, 208-211, 216, 228, 261, 367, 368, 369
Festivais da corte, 292, 299.
Festivais de Ano Novo: antigo, 17; Bizantino, 177; Romano, 157, 161
festivais, 492-494
Feuchtwanger, Lion, 505
Fídias, 109
Filemon, 129
Filipe II da Macedônia, 124, 130
Filipe II, 270, 296
Filipe IV, 373
Filipe, o Bom, 261
Filipe, o Justo, 245
Fílis, 252
filmes, 455; Broadway, e, 514; Cocteau, e, 471, 481; como documentários de teatro, 526, 527; de Eisenstein, 499; Expressionismo, e, 483; Futurismo, e, 483; Japonês, 99, 102, 526; montagem, 523; de Reinhardt, 487, 488; Surrealismo, e, 481, 483; teatro, e, 523-526; teatro político, e, 500, 501, 502; televisão, 526
Filogelo, 137

Filonides, 120, 121
Fiorilli, Tiberio, 349, 355
Fischer, Samuel, 459
Fitch, Clyde: *Beau Brummell*, 518; *Captain Jinks of the Horse Marines* (Capitão Jinks da Cavalaria Marinha), 518: *The City* (A Cidade), 518; *The Climbers* (Os Alpinistas), 518: *The Truth* (A Verdade), 518
Flácio, 150
Flaubert, Gustave, 451
Fletcher, John, 319
Folz, Hans: *Fastnachtsspiele*, 250; *Des Turken Vasna-chtspil*, 250
Fontane, Theodor, 457
Fornenbergh, Jan Baptista, 376
Forrest, Edwin, 515
Forrest, George Topham, 318
Fort, Paul, 466
Foscolo, Ugo, 429
Fost, 155
Fouquet, Jean, 223, 227, 228, 265; *Heures d'Estienne Chevalier*, 223
Fouquier, Henri, 453
Francesca, Piero della, 284
Franciscanos, 186, 240
Francisco I, 270
Franz, Ellen, 446
Frederico Guilherme II, 423
Frederico Guilherme III, 423
Frederico Guilherme IV, 431
Frederico IV, 396, 397
Frederico V, 397
Frederico, o Grande, 338, 408
Frederico, o Temerário, 205, 208
Freie Bühne, 453, 455-459
Frenzel, Karl, 457
Fresnaye, Pierre, 480
Freud, Gideon, 516
Freytag, Gustav, 446
Friedrich, Caspar David, 431
Frínico, 107; As Fenícias, 107
Frisch, Max, 510, *Biedermann und die Brandstifter* (O Homem Honrado e os Incendiários), 527; *Biografia*, 530, 534; *Don Juan, ou O Amor à Geometria*, 370
Frischlin, Philipp Nikodemus, 300; *Julius Redivivus*, 303
Fry, Christopher: *Venus Observed* (Vênus Observada), 460
Fuchs, 407
Fuentes, Georg, 338, 429
Fulda, Ludwig, 459
Furttenbach, Joseph, 150, 287, 291, 335, 337, 376, 379; *Itinerarium Italiae*, 287; *Mannhaffter Kunstspiegel*, 335
Furtwängler, Wilhelm, 494, 526
Futurismo, 475-483

Gabo, Naum, 471
gagaku, 78, 80
Gagliano, Marco da, 325
Gagliardi, 338
Galilei, Galileu, 324
Galilei, Vincenzo: *Dialogo della musica antica e della moderna*, 324
Galli-Bibiena, Giuseppe, 338
Gama, Vasco da, 299
Gandersheim, Hrotsvitha von: influenciado por Terêncio, 148
Gandhi, Mahatma, 32
Ganimedes, 269
Gardiner, 204
Garnier, Robert, 344: *Hippolyte, fils de Thésée*, 274
Garrick, David, 391, 392; *Lethe*, 391
Garson, Barbara: *MacBird*, 504
Gasbarra, Felix, 501
Gassman, Vittorio, 436
Gautier, Théophile, 433, 436
Gay, John: *The Beggar's Opera* (A Ópera dos Mendigos), 387, 507; Haendel, e, 387
Gegório de Nissa, São, 173
Gelber, Jack: *The Connection* (O Contato), 520
Gellert, Christian, 386, 400, 407
Gémier, Firmin, 453, 469, 488
Genésio, 169
Gêngis Khan, 23, 25, 53, 60, 61, 63, 386
Georg II, 446
George, Heinrich, 492, 501
Gerhoh de Reichersberg, 203
Germano, 178, 232
Gershwin, George: *Porgy e Bess*, 517; *Of Thee I Sing*, 516; *Strike Up the Band*, 516
Gerson, Jean de, 262
Gerst, J. C., 432
Ghéon, Henri: *L'Art du théâtre* (A Arte do Teatro), 469
Gherardi del Testa, 396
Gherardi, Evaristo: *Le Théâtre italien*, 358
Ghiberti, Lorenzo, 284
Giehse, Therese, 507
Gielgud, John, 480
gigaku, 78-81
Giotto di Bondone, 269
Giraldi, Giovanni: *Discorso delle commedie e delle tragedie* (Discurso sobre a Comédia e a Tragédia), 273; influência em Shakespeare, 273; influência em Speroni, 273; *Moro di Venezia* (O Mouro de Veneza), 273; *Orbecche*, 273
Giraudoux, Jean, 480; *Siegfried*, 480
Gleich, J. A., 425
Gliese, Rochus, 530

Gluck, Cheistoph Willibald, 387, 420, 425; *Ifigênia*, 387, 424
Gmelin, Helmuth, 526
Gnapheus: Acolastus, 300
Go-Komatsu, 83
Gobineau, Joseph Arthur de, 23
Godfrey, Thomas, Jr.: *The Prince of Parthia* (O Príncipe de Pártia), 513, 515
Goering, Reinhard: *Seeschlacht* (Batalha Naval), 475; *Die Südpolexpedition des Kapitäns Scott* (A Expedição de Capitão Scott ao Polo Sul), 538
Goethe, Johann Wolfgang von, 26, 41, 63, 281, 367, 395, 403, 404, 413-420, 423, 425, 427, 430, *Clavigo*, 413; na dança indiana, 32; Diderot, e, 418; *Egmont*, 417; *Elpenor*, 63: *Erlkönig*, 247; *Fausto*, 26, 208, 227, 252, 416, 431, 526; *Die Fischerin* (As Pescadoras), 284, 413; *Götz von Berlichingen*, 413, 423; Herder, e, 418; Holberg, e, 400; Iffland, e, 423; *Iphigenie auf Tauris* (Ifigênia em Táuride), 63, 413, 416, 424; *Die Laune des Verliebten* (O Capricho do Enamorado), 284; Manzoni, e, 436; Realismo, e, 441; *Regeln für Schauspieler* (Regras para o Ator), 418; na representação, 419; Rousseau, e, 418; Schadow, e, 441; Schiller, e, 417, 418; Schinkel, e, 424; Schröder, e, 427; *Tasso*, 416; Voltaire, e, 388, 418; *Der Westöstliche Divan*, 41; *Wilhelm Meister*, 416, 430; Willich, e, 304
Goeze, J. M., 411
Gógol, Nikolai Vasilievich, 429; *O Inspetor Geral*, 436 440
Goldoni, Carlo, 26, 367, 370, 428, 499, 510; *O Servidor de Dois Amos*, 367, 488
Goldsmith, Oliver, 436
Goncourt, Edmond e Jules: *Henriette Maréchal*, 453, 457
Gontcharova, Nathalie, 481
Gonzaga, Duque Vincenzo, 325, 326
Gonzaga, Vespasiano, 291
Gordon, John Watson, 442
Górki, Máximo, 367, 451, 463, 465, 496; *No Fundo*, 451, 463, 487
Gosson, Stephen: *Playes Confuted in five Actions*, 317
Gotthardi, W. G., 416
Gottsched, Johann Christoph, 379, 404-408; *Deutsche Schaubühne*, 404, 407; Lessing, e, 404; Molière, e, 404; Neuber, e, 406, 407; Schiller, e, 408; *Der Sterbende Cato* (Catão Moribundo), 406, 407; *Versuch einer Critischen Dichtkunst vor die Deutschen* (Tentativa de uma arte Poética para os Alemães), 404, 412
Gottsched, Luise Adelgunde, 407, 408
Göttweig, 245
Gounod, Charles: *Philemon and Baucis*, 441
Gozzi, Carlo, 365, 367, 510; *Princesa Turandot*, 496
Grabbe, Christian Dietrich, 400
Grahn, Lucile, 433
Granach, Alexander, 501
Granville-Barker, Harlet, 460
Grass, Günter, 511; *Die Plebejer proben den Aufstand* (Os Plebeus Ensaiam a Revolta), 511
Graun, Carl Heinrich, 338
Gréban, Arnoul, 222; *Mystère de la Passion*, 222, 223, 235
GRÉCIA, 103-137; comédia, 118-130; Influência arquitetônica em Roma, 151, 154; influência em Terêncio, 147, 148; influência na Índia, 37; liturgia, 186-189; mimo, 136-137; *nô*, e, 83; teatro helenístico, 130-136; tragédia, 104-118
Green, John, 375
Greene, Graham. 460
Greene, Robert, 317
Gregor, Joseph, 296
Gregório de Nazianzo, São, 172, 173
Grein, Jacob Thomas, 459
Grétry, André Ernest Modeste, 387
Griffith, David Wark: *Judith of Bethulia*, 523
Grillparzer, Franz, 367, 369, 427, 428; *Ahnfrau* (Avó), 427; *Ein Bruderzwist in Habsburg* (Uma Briga entre Irmãos em Habsburgo), 446; *Sappho*, 427
Grimmelshausen, Hans, 255
Gringoire. Pierre: *Jeu du Prince des Sots et de la Mère Sotte*, 257
Gris, Juan, 481
Grisi, Carlotta, 433
Gropius, Walter, 501
Grossman, Jan, 533
Grosz, George, 502
Grotowski, Jerzy, 504, 526
Grube, Max, 448, 449; *Geschichte der Meininger* (A História dos Meininger), 446
Gründgens, Gustaf, 487, 526, 530
Gryphius, Andreas, 376; Catharina von Georgien, 376; *Commedia dell'arte*, e, 376; Horribilicribifax, 376; Leo Armenius, 376; Papinianus, 377
Guarini, Giambattista: *Pastor fido*, 281, 308; *Hooft*, e, 308
Guatelli, Roberto, 293
Gundulicą, Gjivo Franje: *Dubravka*, 284
Gustavo III, 403
Gutzkow, Karl, 446

Haacke, Johann Caspar, 377
Haase, Friedrich, 449
Hacks, Peter, 147, 538
Haendel, George Frederich, 387; *Pastor Fido* (O Pastor Fiel), 387; *Rinaldo*, 387; *Teseo*, 387; *Water Music* (Música Aquática), 387

Hagen, E. A.: *Geschichte des Theaters in Preussen* (História do Teatro na Prússia), 406
Hakluyt, Richard: *The Principall Navigations, Voiages and Discoveries of the English Nation*, 312
Halévy, Ludovic, 442
Hall, Peter, 530
Hallam, William e Lewis, 514
Halle, Adam de la: *Le Jeu de la Feuillée*, 247; *Jeu de Robin et Marion*, 248
Hammerstein, Oscar, 516
Hamurabi, 16
Handke, Peter, 527; *Kaspar*, 527
Hansen, Al, 527
Harden, Maximilian, 459
Hardenberg, Friedrich von. Veja Novalis
Hardenberg, Karl August von, 425
Hardt, Ernst: *Tote Zeit* (Tempo Morto), 459
Hardy, Alexandre, 344
Harms, Johann Oswald, 337, 338
Harsdörffer, George Philipp: *Pegnesisches Schäfergedicht*, 284
Harsha, 32; *Priyadarsika*, 41; *Ratnavali*, 41, 42
Hart, Heinrich e Julius, 459
Hartl, Eduard, 196
Hasĕk, Jaroslav: *O Bom Soldado Schweik*, 507
Hasenclever, Walter: *Der Sohn* (O Filho), 475, 476
Hassenreuter, 419
Hatry, Michael: *Notstadsübung* (Exercícios de Emergência), 504
Haugwitz, A. A.: *Maria Stuart*, 341
Hauptmann, Gerhart, 99, 110, 451, 453, 457, 459, 480; *Die Ratten* (Os Ratos), 419; *Die Versunkene Glocke* (O Sino Submerso), 466; *Die Weber* (Os Tecelões), 453, 457, 459; *Hanneles Himmelfahrt* (A Ascensão de Hanele), 466; *Und Pippa tanzt* (A Pipa Dança), 466; *Vor Sonnenaufgang* (Antes da Aurora), 457, 459
Haydn, Joseph: *Criação*, 425
Heartfield, John, 500
Hebbel, Friedrich, 441, 446, 492; *Genovena*, 488; *Herodes und Mariamne*, 446
Hédroit, 223
Hegelund, Peder Jensen: *Calumnia*, 303
Heijermans, Herman, 453
Hélio, 325
Hellem, Charles: *La Grande pastorale* (A Grande Pastoral), 488
Hellman, Lillian, 517; *The Little Foxes* (As Raposinhas), 519
Henrique II, 273, 274, 278
Henrique III, 296, 299
Henrique IV, 296, 330, 334
Henrique VIII, 270, 312, 313
Henry VI, 211
Hensel, Sophie, 411
Henslowe, Philip, 318, 319
Henze, Hans Werner: *O Pequeno Lorde*, 81
Heráclito, 104
Herbert, Henry, 317
Hércules, Maximiniano, 164
Herder, Johann Gottfried von, 41, 341, 412; Goethe, e, 418; *Über die Wirkung der Dichtkunst auf die Sitten der Völker in alten und neuen Zeiten* (Sobre o Efeito da Poesia na Moral dos Povos nas Épocas Antigas e Modernas), 412
Herne, James A.: Margaret Fleming, 517
Hernnann, Max: *Entstehung der berufsmäbigen Schauspielkunst im Altertum und in der Neuzeit* (Origem da Arte do Teatro Profissional na Antiguidade e nos Tempos Modernos), 272; *Forschungen zur deutschen Theatergeschichte des Mittelalters und der Renaissance* (Investigação para a História Teatral Alemã da Idade Média e da Renascença), 308
Herodes, 215, 216, 221, 234, 235
Herodes Ático, 154
Heródoto, 7, 13, 14, 23, 104
Herondas de Cós, 137
Herrad de Landsberg: *Hortus Deliciarum*, 235, 245, 247
Hesíodo, 175
Heyme, Hansgünther, 538
Heyward, Dubose: *Porgy*, 517
Heywood, John: *Play of the Weather* (Auto do Tempo), 299
Heywood, Thomas: *A Woman Killed with Kindness*, 317, 319
Hikita, Awaji-no-jo, 89
Hilário, 205
Hilpert, Heinz, 530
Hinduísmo, 29, 44, 47
Hypokrites, 105, 107
Hjort, Sophie, 397
Hochhuth, Rolf: *Der Stellvertreter* (O Deputado), 504
Hodler, Ferdinand, 476
Hoffmann Karl Ludwig, 377
Hoffmann, E. T. A., 367, 406, 423, 425, 429, 432, 433; *Arlequino*, 367, 433; *Phantasiestücke in Callots Manier* (Fantasias à Moda de Callot), 367; *Prinzessin Brambilla*, 433, 499; *Undine*, 433
Hofmannsthal, Hugo von, 266, 469, 488; *Das gerettete Venedig*, 471; *Madonna Dianora*, 459; *Das Salzburger Große Welttheater* (O Grande Teatro do Mundo de Salzburgo), 492; *Der Tor und der Tod* (O Louco e a Morte), 198
Hogarth, William, 381
Hohenfels, Stella, 446
Holberg, Ludvig, 358, 396-400, 407, 428; *No Balneário*, 397; *Feitiçaria*, 396; *A Festa de Baco*,

397; *Funeral da Comédia Dinamarquesa*, 397; *Jeppe da Montanha*, 397; *Den politiske Kandestböer* (O Estranhador Politiqueiro), 396, 397; *Quarto de Parto*, 261, 397; *O Salão de Natal*, 397
Holinshed, Raphael: *Chronicles*, 312
Hollaender, Felix, 488
Holz, Arno: *Familie Selicke*, 457; Zola, e, 451
Holzmeister, Clemens, 494
homens: como mulheres em peças, 148, 368, 369, 370; em Aristófanes, 123, 124; em *taziyé*, 20; na China, 70, 73; no Japão, 70; no teatro *nô*, 83, 84
Homero, 104, 175, 412; *Odisseia*, 140
Honegger, Arthur, 481; *Jeanne d'Arc au bucher* (Joana d'Arc na Fogueira), 481; *Roi David*, 481
Hooft, Pieter Corneliszoon: *Achilles en Polyxena*, 308; *Geeraerd van Velsen*, 308; *Granida*, 308
Horácio, 105, 139, 404
Horniman, A. E. F., 460
Houghton, Stanley, 460
Howard, Sidney, 520
Hrotsvitha, 199
Hsuan-tsung, 58
Huang Ti, 54
Huang-hung, 59
Hübner, Kurt, 530
Hughes, Langston, 517
Hugo, Victor, 257, 382, 429, 431, 452, 455; *Les Burgraves*, 436; *O Corcunda de Notre Dame*, 257; *Hernani*, 436, 469
Hui-tsung, 60
Humboldt, Wilhelm von, 395, 418
humor: nas alegorias, 265; atores ambulantes, 375; em autos de Neidhart, 248, 250; em Bhana, 42; *burlesque*, 257, 261; comédia grega, 118-130; corte bizantina, 182; farsa egípcia, 78; Hanswurst, e, 365; mimos romanos, 162, 163-167; em Molière, 347, 349, 352; *orta oyunu* turco, 26, 28; Renascença, 278; representação profana medieval, 245; São Luís, o Pio, e, 242; *Schwank*, e, 252; no teatro da Mesopotâmia, 16-17; no teatro de mistério, 200, 228, 232, 235; teatro de sombras de Karagöz, 26, 28; teatro japonês, 75, 76, 87; teatro primitivo, 4, 6; *zanni*, 355; *Zirkelgesellschaften*, 252. Veja também *Commedia dell'arte*, comédia, farsa, *sottie*
Humperdinck, Engelbert, 488
Husserl, Edmund, 530
hypokrites, 105, 107

Iaroslav, o Sábio, 182
Ibsen, Henrik: *Casa de Bonecas*, 460, 466; *Espectros*, 453, 457, 459, 466, 487; influência em Herne, 517, 518; influência em Shaw, 459, 460; *O Inimigo do Povo*, 73; no Japão, 102; *O Pato Selvagem*, 453, 466, 469; *Peer Gynt*, 466; *Rosmersholm*, 469, 471; *Os Vikings em Helgeland*, 470
Ichikawa, Danjuro IX, 99
Ichikawa, Danjuro: *Kajincho*, 95
IDADE MÉDIA, A, 185-267; alegorias, 261-267; auto de carnaval, 250-255; auto de Natal, 233-242; auto de Paixão, 212-222; auto de Páscoa, 196-203; autos de moralidade, 261-267; cortejo teatral, 228-233; Estações, procissões e teatro em carros, 208-222; joculatores, menestréis e errantes, 242-247; peça de palco, 247-250; peça *Klucht*, 257-261; peças camponesas, 257-261; peças de lendas, 203-208; peças religiosas, 186-242; préstito de máscara, 247-250; representações profanas, 242-267; *Sotternieën*, 257-261; *sottie*, 255-257; teatro de mistério, 222-228; theater in the round, 228-233
Iffland, August Wilhelm, 417, 420, 423, 424, 427, 431; *Die Jäger* (Os Caçadores), 416
Iluminismo, O, 382-413
Immermann, Karl, 432
Inácio de Loyola, 338
Independent Theater, 459-462
Índia, 32-44; dançarinas, 32-33, 162; drama clássico, 38-44; música, 78, 80
Índios, Norte-americanos, 515
Indonésia, 44-51
Inferno representado no palco ("portões do Inferno"), 198, 215, 216, 227, 231, 299, 301, 338
Ingegneri, Angelo, 292
Inghirami, Tommaso, 270, 271, 292
Inocêncio VIII, 270
Ionesco, Eugene, 1, 469, 521; *La Cantatrice chauve* (A Cantora Careca), 527; *Les Chaises* (As Cadeiras), 523; sobre Kafka, 522; *Rhinocéros* (O Rinoceronte), 530; *Scène à quatre* (Cena em Quatro), 527
Irving, Henry, 442, 455, 459, 470, 523, 538
Irving, Washington: *Rip Van Winkle* (João Pestana), 517
Isabella de Aragão, 292
Itallie, Jean-Claude van: *America Hurrah* (O Grito da América), 521; *The Serpent* (A Serpente), 521
Itchu, 83
Ivã, o terrível, 274
Izumidayu, 92

Jacob, Georg, 28
Jacob, Louis, 358
Jagemann, Caroline, 420
Janin, Jules-Gabriel, 441
Janry, Alfred: *Ubu Roi* (Ubu Rei), 453, 469, 533

JAPÃO, 75-99; *bugaku*, 78-80; *dengaku*, 80-81; *gigaku*, 78; *kabuki*, 90-99; *kagura*, 76-78; *kyogen*, 87; *nô*, 81-87; *sarugaku*, 80-81; *shimpa*, 99; *shingeki*, 99-102; teatro de bonecos, 87-90
Jaques-Dalcroze, Émile, 470
Jardim das Peras, 58-61, 175
Jaurès, Jean Léon, 453, 476
Jefferson III, Joseph, 517
Jens, Walter, 110
Jensen, Peter, 17
Jessner, Leopold, 530, 538
Jesuítas, 90, 296, 299, 300, 330, 338-344, 368, 403, 505
Jimmu Tenno, 76
Joana D'Arc, 511
João VIII, 208
joculatores, 222, 223, 242-247, 266, 271. Veja também menestréis
Jodelle, Étienne, 273, 274; *Cléopatre captive* (Cleópatra Cativa), 273; *Eugène*, 273
jogos: Gregos, 103, 104; Olímpicos, 157; Romanos, 139, 140, 151, 154
Johann Georg II, 377
Johann Georg III, 377
Johnson, Samuel, 391; *Irène*, 392
Jolliphus, Joris, 376
Jones, Inigo, 98, 337
Jones, Robert Edmond, 471: Appia, e, 524: Craig, e, 524
jongleur. Veja menestréis
Jonson, Ben, 319, 320; *O Alquimista*, 317; *Every Man in His Humour*, 313; *Sejanus*, 313; Shakespeare, e, 319; *Volpone*, 317
José II, 425, 427
Jouvet, Louis, 480
Joyeuse, Duque de, 296
Jukichi, 98
Juliano, o Apóstata, 301
Júlio II, 257, 269
Jürgens, Helmut, 530
Justiniano, 162, 171, 172, 175, 177
Justitia, 222
Juvenal, 155, 161

kabuki, 75, 87, 89-99, 483, 492
Kadiköy, 26
Kafka, Franz: Ionesco, e, 522; *O Processo*, 533
Kagel, Maurício, 529
kagura, 76-78; Tragédia grega, e, 105
Kainz, Josef, 449, 459, 487
Kaiser, Georg: *O Soldado Tanaka*, 534
Kalidasa, 38, 41-42; influência em Zugiñima, 42, *Shakuntala*, 32, 41, 499
Kalman, Emmerich, 516
Kalvodová-Sís-Vanis, 66
Kamasutra, 33
Kantor, Tadeusz, 533
Kao Ming: *O Conto do Alaúde*, 63
Karagöz, 19, 25, 26, 28, 261
Karajan, Herbert von, 494
Karamzin, Nikolai Mikhailovich: Púschkin, e, 436
Karl, Duke of Mecklenburg: *Die Rosenfee* (A Fada das Rosas), 424
Karsten, 420
Kastan, Isidor, 457
Kaufman, George S., 516
Kaufmann, C., 412
Kaulbach, Wilhelm von, 442, 448
Kawakami, Otojiro, 99
Kazan, Elia, 475, 524, 533
Kean, Charles, 440, 442, 448, 538
Kean, Edmund, 431, 432
Keaton, Buster, 455
Keats, John, 429
Kemal, Namik: Vatan, 26
Kemble, os, 431, 514
Keno, 83
Kern, Jerome, 516
Kerr, Alfred, 475, 499, 505
Keyserling, Eduard von: *Frühlingsopfer* (O Sacrifício da Primavera), 459
Ki Kiun-siang: *O Órfão da China* (Voltaire), 63
Kingsley, Sidney: *Dead End* (Sem Saída), 518
kiogen, 87; farsas, 75; *nô*, e, 91
Kipphardt, Heinar: *In der Sache J. Robert Oppenheimer* (No que Diz Respeito a J. Robert Oppenheimer), 504
Kirchmayer, Thomas. Veja Naogeorgus
Kitabatake, Gene Honi, 87
Klein, César, 488
Kleist, Henrich von, 400, 419, 423, 428, 492; *Anfitrião*, 147; *Hermannsschlacht*, 400; *Käthchen von Heilbronn*, 428; *O Príncipe de Homburgo*, 533; "Sobre o Teatro de Marionetes", 89; *Der zerbrochene Krug* (A Bíblia Quebrada), 419
Klemperer, Otto, 487
Klenze, Leo von, 442
Klinger, Maximilian: *Der Wirrwarr* (A Confusão), 412; *Die Zwillinge* (Os Gêmeos), 413
Klopstock, Friedrich Gottlieb, 425; *Hermanns Schlacht* (A Batalha de Herman), 400
Knipper, Olga, 463
Knudsen, Hans, 419
Kochanowski, Jan: *O Despedimento dos Embaixadores Gregos*, 274
Kohlhardt, Friedrich, 406
Kokoschka, Oskar, 471; *Der brennende Dornbusch* (A Sarça Ardente), 475
Komachi, Sotoba, 81, 83
Kommisarjevskaia, Vera, 495
Kortner, Fritz, 527, 530

Köster, Albert, 308
Kotaro, 83
Kotzebue, August Friedrich Ferdinand, 400, 417, 429, 514; *Die deutschen Kleinstädter* (Os Provincianos Alemães), 436; *DieKorsen* (Os Corsos), 418; *Die Kreuzfahrer* (Os Cruzados), 423
Koun, Karolos, 538
Krauss, Clemens, 494
Krauss, Werner, 492
Kraussneck, Arthur, 449, 457, 459
Krüger, J. C., 407
Ku Ch'u-lu, 63
Kuan Han-King: *A Permuta entre o Vento e a Lua*, 63
Kublai Khan, 63
Kunisada, 95
Kunst, Johann Christian, 378
Kurosawa, Akira: 526
Kwanami, Kiyotsugu, 81, 83
Kwanze Kojiro Nobumitsue, 87
Kyd, Thomas, 377; *The Spanish Tragedie*, 319
kyogen, 75, 87; ciclo de Towneley, 232; medieval, 255-257; Romano, 161, 162; Turco, 25, 28

La Grange, Sieur de, 352
La Motté-Fouqué, Friedrich, 433
Labiche, Eugène Marin, 441, 480
Lachmann, F. R., 300
Lactâncio, 169
Lacy, James, 391
Ladislau IV, 358
Lang, Fritz, 504
Lange, Carl, 194
Langhans, 423, 424
Langley, Francis, 318
Lania, Leo, 501
Lankheit, Klau: *Revolução e Restauração*, 429
Larionov, Mikhail, 481
Laroche. J. J., 367, 425
Lasker-Schüler, Else: *Die Wupper*, 476
Lasso, Orlando di, 357
Lasterbalk, 194
Latouche, John, 517
Laube, Heinrich, 420, 446: *Briefen Über das deutsche Theater* (Cartas sobre o Teatro Alemão), 445; *Die Karlsschüler* (O Discípulo de Karl), 445, 446
Laureolus, 167
Lautenschläger, Karl, 98, 483
Layard, Austen Henry, 442
Lázló, Moholy-Nagy, 475
lazzi, 353, 355
Le Kain, Henri Louis, 388, 395
Le Mercier, Louis Jean Népomucène, 345
Leão III, 181
Leão X, 261, 269, 276, 278, 284
Lebel, Jean-Jacques, 527, 529
Lederer, George W., 357
Ledoux, Fernand, 530
Léger, Fernand, 483; *Skating Rink* (O Rinque de Patinação), e, 481
Lehar, Franz, 516
Leicester, 313
Leigh, Vivien, 533
Lenda do Papa João, 208
Leneias, 140
Lenin, 501
Lenya, Lotte, 507
Lenz, J. M. R.: *Der Hofmeister* (O Preceptor), 412, 413; *Der neue Mendoza* (O Novo Mendoza), 412; *Die Soldaten* (Os Soldados), 412; *Über die Veranderungen des Theaters in Shakespeare* (Sobre as Variações do Teatro em Shakespeare), 412
Leonardo da Vinci, 98, 292, 293, 483
Leopoldo I, 342
Lesbos, 151
Lessing, Gotthold Ephraim, 26, 110, 273, 382, 400, 408-413, 417, 425, 521; Arlequim, e, 406, 407; *Briefe, die neueste Literatur betreffend* (Cartas Sobre a Nova Literatura), 404; *Dramaturgia de Hamburgo*, 148, 395, 404, 408, 411, 412; *Emilia Galotti*, 392, 403; Gottsched, e, 404, 406, 408; *Der junge Gelehrte* (O Jovem Erudito), 408; Lillo, e, 388, 391; *Literaturbriefe* (Cartas sobre a Literatura), 408; *Minna von Barnhelm*, 391, 411; Miss Sara Sampson, 391; *Natan, o Sábio*, 26; Voltaire, e, 408
Leto, Giulio Pomponio, 164
Leto, Pompônio, 164, 270-272
Libânio, 175
Lichtenstein, Roy, 538
Licurgo, 118, 130
Liebknecht, Karl, 500
Lillo, George: *The London Merchant* (O Mercador de Londres), 388, 391
Lincoln, Abraham, 516
Lind, Jenny, 433, 514
Lindner, Amanda, 449
Lindtberg, Leopold, 507, 533, 534
Lipoldo, 196
Liutprando de Cremona, 181
Living Theater, O, 520, 521
Lívio Andrônico, 140, 141, 147, 148
Lívio, 139, 150
Lo-yang, 58
Locher, Jacob: *Tragedia de Thurcis et Suldano*, 271, 300
Locke, John: *Epístola de Tolerância*, 381
Lohenstein, Daniel Casper von, 378

Lommel, Andreas, 3
Longino, Cássio, 150, 151
Lope de Vega, 148, 345, 369-373, 377, 420: *Araucana*, 368; *El caballero de Olmedo* (O Cavaleiro de Olmedo), 368; *Jorge Toledano*, 369
Lorrain, Claude, 424
Lorre, Peter, 504
Lortzing, Albert, 425, 433
Lotti, Cosimo, 370
Lotto, Lorenzo, 281
Louvain, Richier de, 408
Löwen, Friedrich: *Die Comedie im Tempel der Tugend* (A Comédia no Tempo das Virtudes), 411
Lúcio, 137
Lúculo, Lúcio e Marco, 150
Ludi Caesarei, 299, 342; teatro jesuíta, e, 341, 344
Ludi Romani, 139-144, 151, 162
Ludwig, Otto, 441; *Der Erbförster* (O Guarda Florestal), 446
Lugné-Poë, Alexandre, 453, 466, 499; *Pelléas et Mélisande*, e, 469
Luís XII, 257
Luís XIII, 334
Luís XIV, 324, 334, 347, 352, 358, 403
Luís XV, 386
Luís, São, 257
Lully, Jean Baptiste, 296, 334, 335, 388; Molière, e, 347, 349
Lumumba, Patrice, 504
Lunachártski, A. V., 465
Lutero, Martinho: *Tischreden*, 300
Lydgate, John, 211
Lyly, John, 312, 317; *Mother Bombie*, 280

Machiz, Herbert, 520
MacKaye, Percy, 520
Macpherson, James, 429
Macready, W. C., 431
Maeterlinck, Maurice, 495; *Pelléas et Mélisande*, 41, 469; *La Princesse Maleine*, 453; *Tintagiles*, 466
Magnes, 120, 121, 123
Magno, Carlos, 89
Mahendra-Vikramavarman: *Matavilasa-prahasana*, 42
Maiakóvski, Vladímir: *O Mistério Bufo*, 495
Maintenon, Madame de, 347, 358
Makart, 433
Mâle, Emile, 194
Malipiero, Luigi, 526
Mallarmé, Stéphane, 466, 469; "*L'Après-midi d'un Faune* (O Entardecer de um Fauno), 469
Malraux, André, 533
Mamontov, S. I., 462
Mandel, Johann, 270
Manelli: *Andromeda*, 326
Manílio, 129
Mann, Thomas, 538
Manrique, Gómez: *Representación del nacimiento de Nuestro Señor*, 240
Mansfield, Richard, 460
Mantle, Burns, 496
Manuel II Paleólogo, 25
Manutius, Aldus, 269, 344
Manzoni, Alessandro, 429, 436: *Adelchi*, 436; *Il Conte di Carmagnola*, 436
Maomé, 19, 20, 29, 47
Maquiavel, Nicolau: *Mandragola* (A Mandrágora), 278; *O Príncipe*, 292
Marceau, Marcel, 1, 70, 164
Marcial: *Libellus spetaculorum*, 164
Marco Polo, 61
Margarida da Áustria, 305
Margarida, Rainha, 301, 334: *Miroir de l'âme péchéresse*, 301
Mariette, Auguste, 445
Marinetti, F. T., 529; *Proclama sul teatro futurista* (Manifesto do Teatro Futurista), 483
marionete. Veja teatro de bonecos
Marivaux, Pierre Carlet de Chamblain de, 382, 407
Marlowe, Christopher, 312, 377; *Dido*, 319; *Doctor Faustus*, 319; *Eduardo II*, 505; *Hero and Leander*, 312; *Tamburlaine the Great*, 319
Martin, Karl Heinz, 476, 492
Máscara e teatro de máscara: arlequim, 358; do arquidemônio, 247; Bizantina, 175, 182; Chinesa, 70; Egípcia, 7, 11; farsa, 256, 257; Grega, 105, 107, 117, 123; Indiana, 36, 37; Japonesa, 75, 76-81; medieval, 248; mimo, 162, 167; Piscator (uso de), 538; primitivo, 2-6; Romana, 148; *taziyé*, 23; Teatro épico, 511; teatro político, 500, 501; teoria de Craig, 471, 475; *Ubu Roi* (Ubu Rei), 469, urso, 157; *zanni*, 355
Masenius: *Androphilus*, 341; *Ars Nova Argutiarum*, 341; influência em Milton, 341; *Sarcotis*, 341
Maspero, Gaston, 11
Massalitinov, 466
Massenet, Jules Émile Frédéric: *Le Jongleur de Notre-Dame*, 247
Matisse, Henri, 481
Mauclair, Camille, 469
Mauro, Alessandro, 337, 338
Mauro, Francesco, 337
Maxêncio, 342
Maximiliano I, 271, 276, 283, 303; *Marcha Triunfal*, 299
Mazarin, Jules, 347
McLuhan, Marshall, 527
Medici, Catarina de, 278, 280
Medici, Júlio de, 278

Medici, Lourenço de, 281
Medici, Maria de, 325, 334
Medicus, 191
Medwall, Henry: *Fulgens and Lucrece*, 266
Megalenses, 140
Mégara, Epicarmo de, 120, 124
Méhul, Nicholas: *La Dansomanie*, 433
Mei Lan-fang, 66, 67, 73, 164
Meierhold, Vsevolod Emilievich, 451, 453, 465, 471, 494, 495, 496, 499, 501, 504
Meijer, E. R., 430
Meilhac, Henri, 442
Meiningers, os, 530
Melanchthon, Philipp, 300, 301
Méliès, Georges, 523
Memling, Hans: *Os Sete Gozos de Maria e As Sete Dores de Maria*, 196
Menaechmi (Os Gêmeos), 147
Menandro, 118, 129, 172, 175; *A Arbitragem*, 129; *Dyscolus* (O Mal-humorado), 129; Plauto, e, 129, 144, 147, 175; Terêncio, e, 129, 147, 148, 175
Mendelssohn, Felix, 442; *Sonho de Uma Noite de Verão*, 432
Mendès, Catulle, 453
menestréis e joculatores, 242-247, 266, 271
Ménéstrier, 344
Menukiya, Chozaburo, 89
Menzel, Adolph von, 441
Mercadé, 223
Mercanton, Louis: *Queen Elizabeth*, 523
Mercati, Giovanni, 178
Mercator, 191, 194, 200, 216, 245
Mercier, Jean, 470
Merck, Johann Heinrich, 413
Merkel, 357
Merrill, James: *The Bait* (A Isca), 520
Mesopotâmia, 7, 16-17
Messenius, Johannes, 303
Meyerbeer, Giacomo: *Les Huguenots*, 433; *Robert le Diable*, 433
Mezzetin, 358
Michel, Jean, 223; *Mystère de la Passion de nostre Saulveur Jhesucrist*, 223; *Mystère de la Réssurrection*, 227
Michelangelo, 270
Mielziner, Jo, 524
Mikkelsen, Hans. Veja Ludvig Holberg
Milhaud, Darius, 481; Reinhardt, e, 513
Miller, Arthur, 460; *A View from the Bridge* (Panorama Visto da Ponte), 519; *After the Fall* (Depois da Queda), 519; *All My Sons* (Todos os Meus Filhos), 519: *Death of a Salesman* (A Morte de um Caixeiro Viajante), 519, 524; *The Price* (O Preço), 519
Milton, John: Masenius, e, 342; *Paradise Lost* (Paraíso Perdido), 341
Mimashi, 78
Mimo (*mimus*), 136-137, 151, 157, 161, 162, 235; Armeno, 25; Bizantino, 177, 178; caracteres do, 191; Cigano, 25; cristológico, 167-169; *dell'arte*, 353; Egípcio, 7, 8, 16; *gigaku*, 78; Grego, 25, 38, 136-137; improviso, e, 163, 164; Indiano, 33, 36; influência em Bharata, 36, 37; influência no auto de Paixão, 167; Japonês, 78; judeus, 25; magia e, 2; Marceau, e, 1; mistério medieval, 185, 186, 194, 245; pagão, 175; Romano, 151, 162-167; Tojuro, 92, 95; Turco, 25; Yu-meng, 54
Mimoso, João Sardinha: *Relacion*, 296
Minamoto no Hiromasa, 80
Ming Huang, 58, 59, 70
Minks, Wilfried, 504, 530, 538
Miró, Joan, 481
Mitterwurzer, Friedrich, 446
Miyako, Dennai, 95
Mnester, 164
Mo Ti, 54
Mödl, Martha, 510
Mohammed II, 172
Moissi, Alexander, 487, 492
Molière, 26, 120, 129, 227, 280, 296, 334, 344, 346, 347, 349, 355, 367, 370, 378, 388, 408, 413, 428, 530; *Anfitrião*, 147; *As Artimanhas de Scapino*, 352; *O Avarento*, 147, 396; *Le Bourgeois gentil--homme* (O Burguês Fidalgo), 334; *Comédie Italienne*, e, 357, 358; *Le Dépit amoureux* (A Decepção Amorosa), 347; *O Doente Imaginário*, 352; *L'École des femmes* (Escola de Mulheres), 347, 349; *École des maris* (Escola de Maridos), 347; *Les Fâcheux* (Os Impertinentes), 334; *Don Garcia de Navarre* ou *Le Prince jaloux*, 347; Gottsched, e, 404, 406; *L'Improptu de Versailles* (O Improviso de Versailles), 347; influência em Holberg, 396, 397; Jodelle, e, 273; *Don Juan*, 370; *Le Mariage forcé* (O Casamento à Força), 334, 352; *Misanthropos*, 129, 397, 407; *Les Précieuses ridicules* (As Preciosas Ridículas), 347; *La Princesse d'Elide* (A Princesa D'Elide), 334; *O Tartufo*, 257, 349, 352, 428, 529, 530; Terêncio, e, 347
Molina, Tirso de. Veja Tirso de Molina
Mommsen, Theodor, 141
Mondory, 344, 345
Montaigu, René Magnon de, 396, 397
Montchrestien, Antoine de: *L'Ecossaise* (A Escocesa ou A Má Estrela), 274; *Sophonisbe*, 274
Monteverdi, Claudio: *Arianna*, 326; *L'Incoronazione di Poppea*, 326; Orfeo, 325, 326
Montrésor, 514
Moody, William Vaughn: *The Faith Healer*, 618; *The Great Divide* (A Grande Fronteira), 518; *The Sabine Woman* (A Mulher Sabina), 518
Moor, Franz, 423, 424, 487

moralidade, medieval, 186, 252, 255, 261-267
Morax, René e Jean, 481
Morenz, S., 16
Moretti, Marcello, 526
Morgenstern, Christian, 487
Moritz, K. P.: Anton Reiser, 430
Morton de Canterbury, 266
Möser, Justus: *Harlequins Heirath* (O Casamento de Arlequim), 412
Moskvin, 462
Moulène, 155
Mounet-Sully, 442
Mowatt, Anna: *Fashion, or Life in New York* (Moda, ou A Vida em Nova York), 515
Mozart, Wolfgang Amadeus, 420, 424, 425, 514; *Bastien und Bastienne*, 284; *As Bodas de Fígaro*, 425, 494; *Così fan tutte*, 494; *A Flauta Mágica*, 424, 433; *Don Giovanni*, 370, 425, 494, 526; *O Rapto do Serralho*, 494; *Zaide*, 387
mulheres: como homens em peças, 369, 370, 406; dramaturgas, 515, 516, 518, 519; Marivaux, e, 382; mimo bizantino, 245; mimos, 136, 137, 175, 177; no auto de Paixão, 245; nos autos de carnaval, 250, 252; no Coliseu, 157; nos mimos romanos, 162; no teatro de mistério, 198, 199; no teatro japonês, 91, 92, 99
Müller, J. H. F., 425
Múmio, Lúcio, 150
Munch, Edvard, 487
Murray e Kean, 514
música: *cantica*, 147; Chinesa, 53, 54, 55, 59, 60, 61, 63, 66, 78, 80; comédia inglesa, 376; *Commedia dell'arte*, 357; corte medieval, 242, 245; Egípcia, 7, 8, 11, 13-16; *gamelan*, 51; Grega, 105, 136, 137; Indiana, 32, 33, 36, 37; litúrgica, 189; mimo romano, 163, 164; *orta oyunu*, 25; peça pastoral, 283, 284; poesia, e, 466; primitiva, 3, 4, 6; em Shakespeare, 320, 322; simbolismo, e, 469; no teatro de mistério inglês, 232, 233; o teatro de Tagore, e, 42, 44; Teoria aristoteliana de, 324; Turco, 25, 26; *wayang*, 46; *zarzuela*, 373, 374. Veja também balé, ópera, canções
Música *gamelan*, 46, 51; *slendro* e *pelog*, 51
Musical americano, 516
Musset, Alfred de, 429, 436
Mussórgski, Modest Petrovich, 436
Mylius, Christlob, 406, 407, 408

Nagler, A, M, 216
Nakamura, 91
Namiki, Shozo, 89, 98
Namiki, Sosuke: Kanahedon Chu-shingura, 98
Naogeorgus (Thomas Kirchmayer): *Pammachius*, 204, 301
Napoleão, 352
Natyasastra, 32, 38, 304
Neher, Caspar, 530
Nemirovich-Dantchenko, Vladímir Ivanovich, 462, 466
Nero, 134, 154, 155, 157, 164
Nestroy, 367, 425
Neuber, Johann, 378
Neuber, Karoline, 365, 375, 378, 379, 406, 407, 408; Gottsched, e, 406, 407, 408
Névio, Gneu, 141; *Romulus*, 141
Nicetas de Trier, 191
Nicholas de Verdun: *Antependium*, 234
Nicolau de Cusa, 269, 270
Nicolau I, 436
Niessen, Carl, 304
Nijinsky, Waslaw, 469
Nikolaus de Avancini: *Pietas Victrix*, 342, 344
Noelte, Rudolf, 534, 538
Norton, Thomas, 274
Nostic-Rhineck, 403
Novalis, 429, 521
Noverre, Jean Georges, 387, 391; *Lettres sur la danse*, 419
Nóvio, 161
Numeriano, Marco Aurélio, 161

O'Casey, Sean, 451; *Juno e o Pavão Real*, 530
O'Hara, Frank: *Try! Try!* (Tente! Tente!), 520
O'Neill, Eugene, 460, 471, 499; *Beyond the Horizon* (Além do Horizonte), 520; *Bound East for Cardiff* (Rumo a Cardiff), 520; *Desire under the Elms* (Desejos sob os Olmos [Desejo]), 520; *The Hairy Ape* (O Macaco Cabeludo), 520; *Imperador Jones*, 6; *The Moon of the Caribbees* (A Lua do Caribe), 520
Obaldia, René de: *Le Cosmonaute agricole* (O Casamento Agrícola), 527
Obey, André: *Noé*, 480
Obratsov, Sergei, 495
Odets, Clifford: *Awake and Sing!* (Desperte e Cante!), 518
Odoardo, de Konrad Ekhof, 392
Oe-no-Masafusa: *Rakuyo dengaku-ki*, 81
Oertel, Curt, 501
Offenbach, Jacques: *La Belle Hélène* (A Bela Helena), 442; *Contos de Hoffmann*, 475; *A Grande Duquesa de Gerolstein*, 442; *Orfeu no Inferno*, 36, 442, 524; *La Périchole*, 442
Ogimachi, 95
Okuni, 91
Olearius, 23
Olivier, Laurence, 526, 530
Open Theater, O, 521
opera buffa, 425

opéra comique, 408, 441
Ópera de Pequim, 53, 59, 66-70, 73, 452
opera seria, 387
ópera: Barroca, 1, 324, 330, 342, 344; drama, e, 420, 445, 446; drama indiano, e, 38; Francesa, 352, 353, 386, 387; Guilherme II, e, 423; Japonesa, 99, 102; *nan ch'u*, 61; Napoleão em, 352, 353; nascimento, 325; Pequim, 59; Romântica, 425; St. Evremond, e, 407; *Singspiel*, e, 324-330, 387, 403, 408; teatro primitivo, 3, 4; Turca, 26
Opitz, Martin, 326, 408; *Buch von der deutschen Poeterey* (Livro da Poética Alemã), 404
Orbay, François d', 352
orchestra, 123, 129, 134, 175; na tragédia grega, 104, 105, 107, 118
ordens religiosas, 303, 341, 342; Agostinianos, 240; Beneditinos, 203, 248, 341; Cartusianos, 341; Dominicanos, 209, 320, 337; Franciscanos, 185, 240; Jesuítas, 90, 296, 299, 300, 330, 338-344, 368, 403, 505; Piaristas, 341
Orff, Carl, 109; *Antígona*, 538; *Carmina Burana*, 205; *Catlulli Carmina*, 205; *Édipo*, 538; *Prometeu*, 538
Orlik, Emil, 488
Orsini, Giulio, 261
orta oyunu, 25, 26
Ortega y Gasset, José, 114
Ortolani, Benito, 99
Osborne, John, 313; *The Entertainer*, 530; *Look Back in Anger* (Olhe para Trás com Raiva), 460
Osiander, Andreas, 301
Osman , 25
Otsuro, 83
Otto I, 181
Otto II, 248
Otto III, 175
Otto, Teo, 530
Otway, Thomas, 391; *Veneza Preservada*, 471
Ouseley, 20
Ovídio, 205

Pacúvio, M., 144
Paecht, Otto, 194
Paládio, 172
palco: *agitprop*, 505; de Antoine, 453, 454, 455; de Appia, 470; arena, 524; Ateniense, 118; auto de Paixão, 215, 219, 221; Autos de carnaval, 250, 252; autos de Natal, 240; de Avancini, 342; balé, 334; Barroco, 323, 325-326, 330, 334, 335-338, 342, 344-346, 370, 420; Bayreuth, 470; Berlim, 488; bonecos, 87, 89, 247; *bugaku*, 78, 80; Buontalenti, 325; Burgtheater, 428, 429; Calderón, e, 373; carroça e carro-palco, 208-212, 228-242, 255, 257; *cavea*, 154; cenário, 442, Chinês, 66, 67, 70; circular, 232; Comédia grega, 123; comédia inglesa, 375, 376; comédia média, 129; de Corneille, 346; descrição de Stanislávski de, 471; *deus ex machina*, 117-118; dois andares, 299; eciclema, 117, 118; Elizabetano, 318, 319; *episkenion*, 129, 130; escadas no, 476, 480; esteira rolante, 502; estudantes de teatro, 304; expressionista, 475, 476; Ferrara, 276; filme, e, 524; giratório, 89, 293, 452, 454, 476; Gottsched, e, 407, 408; Grönnegade, 397; *hanamichi*, 98; iluminação, 392; de Jessner, 476; de Jones, 471; *kabuki*, 98; *Klucht*, 308; *logeion*, 129; lugares no, 395, 397; maquinaria, 335-338, 373, 387, 420; mecanismo, 373; *Meistersinger*, 308; miniatura, 209; moralidade, 262, 265-267; multimídia, 495; *nô*, 83, 84, 87, 98; ópera, 387; palco no, 511-513; plano cênico de Donaueschingen, 216, 219; *paraskenia*, 118, 130, 154; peças camponesas, 261; *periaktoi*, 150, 151; perspectiva, 284, 287, 291, 292, 344; de Piscator, 534; plataforma, 211, 222, 223, 227; de Platzer, 429; primitivo, 2, 3; produção de Hübner, 530; *proskenion*, 123, 130, 134; *pulpitum*, 154; a quarta parede, 448, 449, 465; raised, 429; realismo, e, 448, 449; *Rederijker*, 305, 308; de Reinhardt, 483-492; Renascença, 223, 291, 292, 300; *roca*, 209; Romano, 148-151, 154, 155; século XVIII, 382; *sekkon*, 20; Schilier no, 413; *siglo de oro*, 369; simbolista, 469, 471, 475; *space stage*, 526; de Stern, 488; de Svoboda, 524; teatro escolar, 300-304; teatro medieval, 186, 200, 212, 215, 231, 240, 247-250; Tegernsee, *Antichristo*, 203, 204; *telari*, 150; *theologeion*, 118, 123; de Tieck, 431, 432; Tragédia grega, 114; três níveis, 227, 296; de Verona, 423; de Vilar, 533; de Vitrúvio, 271; Weimar, 413-420; de Wieland Wagner, 470. Veja também construção de teatros
Palitzsch, Peter, 526, 538
Palladio, Andrea, 287, 291
Pallenberg, Max, 502
Pammachius, 301
pantomima, 157, 161, 534; Australiana, 3; Bizantina, 172, 173, 177, 181, 182; "Cem jogos", 58; Egípcia, 163, 164; Festivais de Ano Novo, 17; Indiana, 29, 42; Japonesa, 76, 78; medieval, 191, 234, 235; pagã, 175, 181, 182; primeira na América, 358; Quintiliano, e, 164; Suméria, 16; *taziyé*, 20; no teatro épico, 513; universal, 164. Veja também mimo
Paolucci, 276
parabasis, 123, 511
paraskenia, 118, 130, 296
Parc, du, 346
Parigi, Alfonso, 335
Parigi, Giulio, 335, 337

Páris, o Jovem, 164
Páris, o Velho, 164
Parker, Dorothy, 517
pastourelle, 248
Pastrone, G., 523
Patanjali, 33, 37
Paul, Jean: *Titan*, 430
Paulo II, 269
Paulo, Lúcio Emílio, 147
Paulsen, Carl Andreas, 377, 378
Pavlova, Anna, 452
Payne, John Howard: *Brutus*, 431
Peça de Igreja, 178-181
Peça de lendas, 203-208, 233
Peça dentro da peça, 41, 42, 208, 209, 211, 432, 433, 510, 511
peça musical (*k'un-ch'ü*), 66, 67
Peça pastoral, 330; ópera, e, 324; Renascença, 280-284; *scena satirica*, 287; Shakespeare, e, 312, 313
Peça satírica, 107, 161; de Crítias, 113; de Eurípides, 110; *Sísifo*, 134; de Sófocles, 109
Peças camponesas, medieval, 186, 257-261
Peças *Klucht*, 257-261
Peças xiitas de Hussein, 14
Pechstein, Max, 488
Pedro I, 378
Pedro, Mestre, 368
Peele, George, 317, 330; *The Arraignment of Paris* (O Julgamento de Páris), 283
Pelágia, 208
Pelly, Lewis, 20, 23
Pentecostes, 198, 223
Peri, Jacopo: *Dafne*, 324, 326; *Eurídice*, 325; Schütz, and, 326
Péricles, 107, 113, 114, 118, 161
Perrin, Émile, 442
Pérsia, 20-23
Péruse, 273
Peruzzi, Baldassare, 284
Peshkov. Veja Máximo Górki
Peter de Blois, 247
Petersen, Julius, 212, 215
Peterweil, Baldemar von, 212
Petrarca, 269, 281; *Canzoniere*, 312; Shakespeare, e, 312, 313
Pevsner, Antoine, 471
Philipe, Gérard, 533
Pian, Antonio de, 429
Picasso, Pablo, 481; *Le Désir attrapé par la queue* (O Desejo Pego pelo Rabo), 526
Pilades, 163, 164
Piloty, Karl von, 448
Pinero: *The Second Mrs. Tanqueray* (A Segunda Senhora Tanqueray), 459
Pinter, Harold: *Caretaker* (O Zelador), 460
Pio II: *Chyrsis*, 278
Pirandello, Luigi, 480; *Così è (se vi pare)* (Assim É, [se lhes Parece]), 511; *Enrico IV*, 511; *I Giganti della Montagna* (Os Gigantes da Montanha), 534; *Seis Personagens à Procura de um Autor*, 266, 511
Piscator, Erwin, 451, 496, 499-504, 530, 534, 538; *Die Abenteuer des Braven Soldaten Schwejk* (As Aventuras do Bravo Soldado Schwejk), 501; O'Neill, e, 520; *Das politische Theater* (O Teatro Político), 500; *Revue Roter Rummel* (Revista do Barulho Vermelho), 500; *Trotz alledem* (Apesar de Tudo), 500
Pitágoras, 169
Pitoeff, Georges, 480, 481
Pixerecourt: *La Femme à deux maris* (A Mulher com Dois Maridos), 514
Planchon, Roger, 530, 533
Platão, 121; *Banquete* (*Symposium*), 118
Platzer, Joseph, 429
Plauto, 16, 144, 150, 161, 270, 271, 300, 308, 344; *Amphitruo*, 147; *Aulularia* (O Pote de Ouro ou Comédia da Panela), 147; Beolco, e, 353; *Cistellaria*, 147; influência em Ariosto, 276; influência em Holberg, 396; *Menaechmi* (Os Gêmeos), 147, 270, 276; Menandro, e, 129, 144, 147, 175; *Miles Gloriosus* (O Soldado Fanfarrão), 147, 280, 300; *Pseudolus*, 147; Shakespeare, e, 313; *Stichus*, 147; Terêncio, e, 147, 148
Pléyade, 273, 274, 280
Plutarco, 194, 273, 330
Poelzig, Hans, 488
Policleto, o Jovem, 130
Pólio, Asínio, 144
Poliziano, Angelo: *Favola d'Orfeo* (Fábula de Orfeu), 281, 283, 325, 345
Pompeu, 151, 154
Pompônio, Lúcio, 161
Pôncio Pilatos, 186, 196, 215, 221
Ponte, Lorenzo da, 425, 514
Ponto, Erich, 507
Poquelin, Jean Baptiste. Veja Molière
Porfírio, 169
Porfirogênito, Constantino, 181
Poulenc, Francis, 481
Poussin, 345, 424
Power, Tyrone, 431
Pozzo, Andrea: *Perspectivae pictorum atque architectorum* (Perspectiva na Pintura e Arquitetura), 338
Prampolini, Enrico: *Scenografia Futurista*, 483
Prandini, Francesco, 526
Pratinas, 107
Preetorius, Emil, 530
Prehauser, Gottfried, 365
Préstito de máscara, 247-250

Priestley, J. B.: *An Inspector Calls* (Um Inspetor Chama), 460
Prochazka, Valdímir, 403
procissões: de Ano Novo, 17; Bizantina, 189; Charivari, 248; Cortejos teatrais, 209; *desté*, 20; Egípcias, 8, 11; *gigaku*, 78; em Justiniano, 177; litúrgica, 171; medieval, 208-212; Páscoa, 178; primitiva, 4; Renascença, 296
Proclo, 178
Prokófiev, Sergei Sergeievitch, 481
Protágoras, 110
Prudêncio: *Psychomachia*, 261
Psístrato, 104
Ptolomeu, 129
Públio Siro, 163
Puccini, Giacomo: *The Girl of the Golden West* (A Garota do Oeste Dourado), 454, 518; *Madame Butterfly*, 99, 518
Pückler-Muskau, Hermann von: *Briefe eines Verstorbenen* (Cartas aos Mortos), 431
Pulcher, Caio Cláudio, 150
Purcell, Henry: *Dido e Eneias*, 470
Púschkin, Alexander Sergeievitch, 429; *Boris Godunov*, 436
Pusterbalk, 191, 194

Quadflieg, Will, 526
Quaglio, Simon, 338, 442
Quediva, 445
Queneau, Raymond, 526; *Exercícios de Estilo*, 527; *Zazie dans le métro*, 527
Quinault, 395
Quintiliano, 164
Quiônides, 120
Quistorp, 407

Rabelais, François, 255
Raber, Vigil, 219
Racine, Jean, 274, 346, 388, 418, 433; *Alexandre le Grand* (Alexandre, o Grande), 346; *Andromaque* (Andrômaca), 346, 347; *Athalie*, 347, 395; Corneille, e, 386; *Esther*, 347; *Ifigênia em Áulis*, 110; *Ifigênia em Táuride*, 110; *Mithridate*, 346, 418; paródia de *Bérénice*, 358; *Phèdre* (Fedra), 347; *La Thébaïde* (A Tebaida), 346; Voltaire, e, 386
Radziwill, Christine, 274
Rafael, 276; *Escola de Atenas*, 269
Raikh, Zinaida, 496
Raimund, Ferdinando, 367, 425, 427
Rameau, Jean Philippe: *Castor et Pollux*, 387; *Les Indes Galantes* (As Índias Galantes), 155, 387; *La Princesse de Navarre* (A Princesa de Navarra), 388
Rasser, Johann: *Spiel von der Kinderzucht*, 304
Ratskomödie, 377
Raupach, Ernst, 446
Ravel, Maurice, 481
realismo, 440-449; no auto dos profetas, 240; no teatro de mistério, 227
Redentor, 219
Rederijkers, 261, 305-308; *Meistersinger*, e, 308
Reforma, A, 209; influência nas peças de mistério, 216
Regras aristotelianas, 272, 346, 404; catarse, e, 38; *Kalidasa*, e, 41; Stendhal, e, 436
Reich, Hermann, 167, 175
Reinhardt, Max, 98, 452, 455, 475, 476, 483-494, 500, 502, 511; *Danton*, 495, 496, 500; influência em Meierhold, 495, 496; Milhaud, e, 511; teatro de Nova York, e, 513
Reinhold, K. W.: *Saat von Göthe gesäet dem Tage der Garben zu reifen. Ein Handbuch für Ästhetiker und junge Schauspieler* (Sementes Lançadas por Goethe para Amadurecerem no Dia dos Feixes. Um Manual para Estetas e Jovens Atores), 419
Reinolds, Robert, 376
Religião do Islã, 181, 209
religião, 1, 2, 3, 177, 488, 529; censura, e, 368; Claudel, e, 513; em Crítias, 113; drama escolar, e, 300; Egípcia, 11-16; em Ésquilo, 109; na Grécia, 103, 104; Igreja Oriental, 178-181; Indiana, 29, 32, 33, 36, 39, 41; teatro barroco, e, 367, 368; em teatro de mistério, 186-242
Rémond, Fritz, 526
RENASCENÇA, 269-322, 330; Comédia humanista, 276-280; desenvolvimento do palco, 284-292; drama escolar, 300-304; festivais da corte, 292-299; *Meistersinger*, 308; peça pastoral, 281-284; *Rederijkers*, 304-308; Teatro elizabetano, 312-322; Tragédia humanista, 272-276
Rennert, Günther, 510, 526
Representações profanas, medievais, 200, 242-267; Francesas antigas, 247; Inglesas antigas, 266
Rettenbacher, Simon, 342
Retz, Franz von: *Lectura super Salve Regina*, 212
Reuchlin, Johann: *Henno*, 255, 271, 300
Reuenthal, Neidhart von, 248
Rezvani, Medjid, 23
Riario, 270, 272
Ricardo III, 312, 313
Ricardo, duque de Gloucester, 313
Ricci, Francesco, 370
Riccoboni, Luigi, 358, 382, 463; Willich, e, 304
Rice, Elmer: *One-Third of a Nation* (Um Terço de uma Nação), 502; *Power* (Poder), 502; *Street Scene* (Cena de Rua), 517
Rice, Thomas D., 514
Rich, John, 387, 391

Richelieu, 334, 344, 345
Riggs, Lynn: *Green Grow the Lilacs* (Os Lilases Crescem Verdes), 516
Rilke, Rainer Maria: *Soneto a Orfeu*, 469
Rimski-Korsakov, Nikolai: *Schéhérazade*, 481
Rintão, 124
Rinuccini, Ottavio, 330; *Dafne*, 324, 325; *Eurídice*, 325; Schütz, and, 326
Ripoll, 195
Riquier, Guirot de, 242
Rist, Johann, 376, 377, 408
Rittner, Rudolf, 459
Robbins, Jerome, 517
Robert, Emmerich, 457
Robert, Yves, 527
Rodin, Auguste, 469
Roethe, G., 300
Rogers, David, 231
Rogers, Robert, 228
Rohan, marechal Pierre de, 256
Rojas, Fernando de, 280
Rolland, Romain, 323, 488; *Danton*, 488, 496, 500
Roller, Alfred, 488
Rollinger, Wilhelm, 216
ROMA, 139-169; anfiteatro, 155-161; comédia, 144-148; evolução da construção de teatros, 148-151; fábula atelana, 161, 162; *Ludi Romani*, 140-144; mimo cristológico, 167-169; mimo e pantomima, 162-167; teatro na Roma Imperial, 151-155
Romantismo, 41, 429-40
Römerberg, 215
Ronsard, Pierre de, 273, 280
Rosa, Salvator, 323
Rosenplüt, Hans, 250
Rossellini, Roberto, 533
Rossini, Gioacchino Antonio, 433
Rostand, Edmond: *L'Aiglon*, 442
Rousseau, Jean-Jacques, 387, 412, 429; Goethe, e, 418; *Lettre à d'Alembert sur les spectacles* (Carta a d'Alembert sobre os Espetáculos), 388
Rowe, Nicholas, 313; *The Tragedy of Lady Jane Grey* (A Tragédia de Lady Jane Grey), 388
Rueda, Lope de, 280, 283
Ruoff, Jakob: *Weingartenspiel*, 301
Ruotger, 242, 245
Rutebeuf, 208, 245; *Le Miracle de Théophile* (Milagre de Teófilo), 208, 519
Ruysdael, J., 424
Ruzzante. Veja Angelo Beolco

Sabbattini, Nicola: *Pratica di fabricar scene e machine ne' teatri* (Prática de Fabricar Cenários e Maquinarias no Teatro), 335
Sacchetti, Lorenzo, 429
Sacchi, Antonio, 367
Sachs, Hans, 232, 250, 252, 256; *Beritola*, 308; *Menaechmi* (Os Gêmeos), e, 308
Sackville, Thomas, 274, 375, 376
Sage, Le, 344
Saint Evremond, 407
Saint-Denis, Michel, 480
Saint-Gelais, Mellin de, 274
Saint-Saëns, Camille, 441
Saint-Simon, 358
Sainte-Beuve, 436
Sakata, Tojuro, 92, 95
Salviano, 161
Samurai, 75, 81, 83, 87, 89, 92, 95; estética de, 91; ética de, 98; em *jidaimono*, 91; *nô*, e, 90
Sangallo, 287
Sanniones, 162
Sânscrito, 36, 39-41; dramas, 42
Santurini, Francesco, 337
São Luís, o Pio, 242
Sarcey, Francisque, 442
Sardou, Victorien, 452; *Madame Sans-Gêne*, 459; *Théodora*, 441, 442
Saroyan, William: *The Time of Your Life* (A Chance da sua Vida), 519
Sartre, Jean-Paul, 520, 526, 538
sarugaku, 80-81
Satie, Eric, 481
Sbarra, Francesco: *Il Pomo d'Oro*, 330
scaenae frons, 148-151, 154, 162, 223, 271, 276, 287, 299, 308
Scalzi, Alessandro, 357
Scamozzi, Vincenzo, 287, 291
Scauro, Emílio, 150
Schack, Adolf Friedrich von, 373
Schadewaldt, Wolfgang, 110
Schadow, 441
Schäfer, Heinrich, 13
Schanzer, Marie, 457
Scheffer, Thassilo von, 104
Schernberg, Dietrich: *Spiel von Frau Jutten* (O Auto da Senhora Jutta), 208
Schiller, Johann Christoph Friedrich von, 345, 412, 420, 427, 428, 430, 436, 445, 505; *Die Braut von Messina* (A Noiva de Messina), 420; *Don Carlos*, 465, 514; Goethe, e, 413, 416-418; Iffland, e, 423, 424; *Die Jungfrau von Orleans* (A Donzela de Orleans), 420; *Kabale und Liebe* (Intriga e Amor), 412, 427; Lessing, e, 408; *Die Räuber* (Os Salteadores), 417, 500, 538; *Shakespeares Schatten* (A Sombra de Shakespeare), 417; *Über naive und sentimentalische Dichtung* (Sobre a Poesia Ingênua e Sentimental), 440; *Wallensteins Lager* (O Acampamento de Wallenstein), 418, 427, 442; *Wilhelm Tell* (Guilherme Tell), 454, 465, 476, 538

Schink, Johann Friedrich, 392
Schinkel, Karl Friedrich, 424, 433; Goethe, e, 424; Wagner, e, 445
Schlaf, Johannes: *Familie Selicke*, 457
Schlegel, August Wilhelm von, 397, 424, 429, 430
Schlegel, Friedrich, 397, 429, 430, 433
Schlegel, Johann Elias, 397, 400, 407, 411, 412; *Gedanken zur Aufnahme des dänischen Theaters*, (Considerações sobre a Recepção do Teatro Dinamarquês), 397; *Hermann*, 400; *Zufällige Gedanken über die deutsche Schaubühne in Wien* (Considerações ao Acaso sobre a Casa de Espetáculos Alemã em Viena), 397
Schlemmer, Oskar: *Figurales Kabinett*, 483
Schlenther, Paul, 459
Schmidt, Erich, 412
Schmökel, Hartmut, 17
Schoop, G., 534
Schopenhauer, Arthur, 441
Schreyvogel, Joseph, 427, 428
Schröder, Friedrich Ludwig, 395, 400, 413, 420, 427
Schröder, Sophie, 427, 428
Schröter, Corona, 413
Schuh, Oscar Fritz, 530
Schumann, Peter, 521
Schumann, Robert, 470
Schütz, Heinrich, 326, 375; *Daphne*, 326; Peri, e, 326; Rinccini, e, 326
Schwank, 250-252
Scott, Walter, 429, 431
Scribe, Eugène, 433, 441
Séchan, Charles, 433
Sellner, Gustav R., 530, 538
Sêneca, 144, 161, 164, 270, 271, 272, 274, 521; *Hipólito*, 270, 271; Hooft, e, 308; influência em Garnier, 344; Shakespeare, e, 312; *Tiestes*, 300
Serlio, Sebastiano, 287; *L'Architettura*, 284
Sesóstris III, 13
Severo, Septimo, 172
Seyler, Abel, 411
Sforza, Bianca, 299
Sforza, Lodovico, 292-293
Sforza, Ludovico, o Mouro, 292, 293
Shakespeare, William, 41, 63, 270, 274, 377, 391, 412, 413, 417, 428, 430, 431, 436; Ariosto, e, 312; *Comédia dos Erros*, 147; *Como lhes Apraz*, 312, 313; *Coriolano*, 511; Craig, e, 470, 471; *As Guerras das Rosas*, 538; *Hamlet*, 319-320, 465, 470, 526; *Henrique VIII*, 448; *Henry VI*, 538; Irving, e, 470; Johnson, and, 391; Jonson, e, 319, 326; *Júlio César*, 463, 495, 496; Lenz, e, 412; *Macbeth*, 392, 471, 530; *Medida por Medida*, 538; *A Megera Domada*, 312, 517; *O Mercador de Veneza*, 99; Olivier, e, 530; *Otelo*, 273, 463; produções de Kean, 442; Púschkin, e, 436; *Ricardo III*, 471, 476, 480, 538; *Romeu e Julieta*, 280, 312, 322, 391, 517, 523, 533; Schröder, e, 420; Sêneca, e, 312; Shaw, e, 459; *Sonho de Uma Noite de Verão*, 136, 313, 431, 432, 454, 487; teatro persa, e, 23; *A Tempestade*, 322; Terêncio, e, 147, 148; Tieck, e, 431, 432; *Titus Andronicus*, 312; *Twelfth Night* (Noite de Reis), 280, 449; versão japonesa de, 99; Voltaire, e, 386
Shao Wong, 55
Sharaku, 95
Shaw, George Bernard, 442, 480, 538; *Arms and the Man*, 578; *Candida*, 460; Craig, e, 470, 471; *The Devil's Disciple* (O Discípulo do Demônio), 460; *A Essência do Ibsenismo*, 459; Ibsen, e, 459, 460; Irving, e, 455; *John Bull's Other Island* (A Outra Ilha de John Bull), 460; *The Man of Destiny* (O Homem do Destino), 459; *Pigmaleão*, 517; *Mrs. Warren's Profession* (A Profissão da Sra. Warren), 460; *Widowers' Houses* (Casas de Viúvas), 459
Shaw, Martin, 470
Shelley, Percy, 429
Sheridan, Richard Brinsley: *The School for Scandal* (Escola do Escândalo), 515
Sherwood, Robert E.: *Idiot's Delight* (O Deleite do Idiota), 518
shimpa, 98-99
shingeki, 99, 102
Shinran Shonin, 84
Shotoku Taishi, 78
Shows de menestréis, 514
shows de variedades, Chineses, 60
Sidney, Sir Philip: *Apologie for Poetry*, 313
Sigismundo III, 358
Silja, Anja, 510
símbolos, 466-475; Chinês, 67-70; Indiano, 44; Japonês, 76, 78; em *taziyé*, 20; Veja também cor
Simoni, R., 436
Simonides, 194
Simonin, 352
Simonov, Ruben, 533
Simov, Victor, 462, 463
singspiel, 324-330
Sinuhe, 14, 16
Sisov, 496
Sisto IV, 269
skene, 114, 118, 130; em *Os Arcanianos*, 123; em *As Nuvens*, 123; em *A Paz*, 118, 123; em *Pesagem das Almas*, 118; Romano, 155; *scaenae frons*, 148
Slevogt, Max, 488
Smirnoff, 23
Sócrates, 118, 120, 136; Aristófanes, e, 121
Soest, Konrad von, 240
Sófocles, 107, 109, 113, 114, 117, 118, 130; *Antígona*, 432, 442; *Édipo Rei*, 287, 488, 495; Ésquilo, e, 114; Eurípides, e, 110, 113; *As Traquínias*, 110
Sófron, 136

Solari, Bonaventura, 403
Soleri, Ferruccio, 526
Solti, Georg, 533
Somadevasuri: *Nitivakyamrta*, 37
Sonnenfels, Josef, 425
Sonnenthal, Adolf von, 446
Sorge, Reinhard Johannes: *Der Bettler* (O Mendigo), 475, 476
Sorma, Agnes, 457, 487
Sotoba Komachi: "*Komachi no Sepulcro*", 81, 83
Sotternieën, 257, 261
sottie, 186, 228, 255-257
Southern, Richard, 233; *The Medieval Theatre in the Round*, 265
Spencer, John, 375, 376
Speroni, Sperone: *Canace*, 273
Spontini, 433; *Olympia*, 433
Ssu-ma Ch'ien, 54, 55; *Registro Histórico*, 54
Staël, Anne Louise Germaine de: *De l'Allemagne*, 431
Stanislávski, 102, 355, 367, 449, 452, 453, 454, 455, 457, 462-466, 471-475, 483, 495, 499, 530; Copeau, e, 480; Górki, e, 367; Meierhold, e, 496; método de, 463; *Minha Vida na Arte*, 465; *Otelo*, e, 463; Tchékhov, e, 463; Willich, e, 304
Steckel, Leonard, 533
Steele, Richard: *The Lying Lover* (O Amante Mentiroso), 382
Steen, Jan, 304
Stein, Gertrude: *Doctor Faustus Lights the Lights* (Dr. Fausto Acende as Luzes), 520
Steinbeck, John: *The Moon Is Down* (A Lua se Pôs), 534
Stendhal, 436, 441, 451; Manzoni, e, 436; *Racine et Shakespeare*, 436
Stern, Ernst, 476, 488
Sterne, Laurence: *Sentimental Journey through France and Italy* (Viagem Sentimental Através da França e Itália), 386
Sternheim, Carl, 487; *Der Snob* (O Esnobe), 475; 1913, 475
Stewart, Ellen, 521
Stifter: Hebbel, e, 441
Stöckel, Leonhard, 303
Stockhausen, Karlheinz, 529
Stockwood, John, 317
Stoddard, Richard Henry, 515
Stolze, Gerhard, 510
Störtebeker, Klaus, 500, 501
Stowe, Harriet Beecher: *Uncle Tom's Cabin* (A Cabana do Pai Tomás), 516
Stramm, August, 475; *Sancta Susanna*, 476
Stranítzky, Josef Anton, 358, 365
Strauss, Johann, 516
Strauss, Richard, 469, 481, 494; *Ariadne auf Naxos*, 367; *Capriccio*, 466
Stravinski, Igor Fëdorovich, 452, 481; *Petrouchka*, 481; *The Rake's Progress* (O Progresso do Farrista), 533
Strehler, Giorgio, 353, 511, 526, 534
Striggio, Alessandro, 325
Strindberg, August, 99, 453, 487
Stroux, Karl Heinz, 513, 530
Stschukin, Boris, 496
Stuart, Maria, 270, 274, 312
Stubenrauch, Philipp von, 428
Stummel, Christoph: *Studentes*, 300
Sturm und Drang, 382, 412, 413, 418, 427, 429, 430. Veja também Goethe
Sturm, Johannes, 301
Sudermann, 457
Sudo, Sadanori, 99
Sudraka, 41
Sugimori, Nobumori. Veja Chikamatsu, Monzaemon
Sulerjítski, L. A., 465, 471
Sulzer, Johann Georg, 400
Sumurun, 98
Suppé, Franz von, 516
Suroto, Noto, 51
Surrealismo, 475-483
Sutri, 194
Svoboda, Josef, 524
Swift, Jonathan, 387
Swoboda, Karl M., 234
Symons, Arthur, 469

T'ang Hsien-tsu: *O Pavilhão das Peônias*, 63
Tácio, Tito, 141, 155
Tácito, Cornélio, 400; *Anais*, 150
Taglioni, Maria, 433
Tagore, Rabindranath, 42, 44; Brecht, e, 42: *O Ciclo da Primavera*, 44; Wilder, e, 42
Taille, Jean de la: *L'art de la tragédie* (A Arte da Tragédia), 272, *Saul furieux* (Saul Furioso), 272
Tailleferre, Germaine, 481
Taine, Hippolyte, 451, 453
Taírov, Aleksandr Jakovlévitch, 436, 387, 495; Gesto de Emoção, 499; O'Neill, e, 520; *O Teatro Desacorrentado*, 499
Takeda, Izumo: *Kanahedon Chu-shingura*, 98
Talma, François Joseph, 395, 418, 431; *Réflexions sur Le Kain et sur l'art théâtral* (Reflexões sobre Le Kain e sobre a Arte Teatral), 395
Tamburlaine, 312
Tarascon, 262
Tarleton, Richard, 318
Tarquínio, 155
Tasso, Torquato, 284, 355: *Aminta*, 281
Tauber, Richard, 514
Tavernier, Jean Baptiste, 23

Taziyé, Paixão, 19, 20, 23
Tchékhov, Anton, 457, 480; *A Gaivota*, 463, 465, 466; *O Jardim das Cerejeiras*, 463; *As Três Irmãs*, 463, 538; *Tio Vânia*, 463
Tchékhov, Michael, 463, 466
Te Deum, 172, 189, 191, 203, 232
Teatro de Arte de Moscou, 462-466
Teatro de Berlim, 420-424; Reinhardt no, 513
Teatro de bonecos, 87-90, 247, 377; *bunraku*, 75; no Festival de Muharram, 20; Indiano, 38; *off-Broadway*, 520, 521; em Pequim, 55; em Szechuan, 55; Turco, 19-20, 28; em *wayang golek*, 47. Veja também teatro de sombras
Teatro de Câmera, 526
Teatro de mistério, 11, 178, 194, 222-228; Brecht no, 505; Europeias, 19, 20; Francês, 222, 223, 227; Inglês, 228-233
Teatro de Nova York, 513-522; Reinhardt no, 513
Teatro de Paris, Reinhardt, e, 513
Teatro de sombras, 19, 28, *chayanataka*, 37; Chinês, 55; Egípcio, 14; Indiano, 37, 38, 39, 41, 42, 54; Indonésio, 55, 80; Karagöz, 26, 28; Oriental, 14; Turco, 25, 44, 55. Veja também teatro *wayang*
Teatro de Viena, 425-429; Reinhardt no, 513
Teatro de Weimar, 413-420
Teatro do diretor, 530-539
Teatro Elizabetano, O, 312-322, 413
Teatro em crise, O, 521-523
teatro engajado, 494-513
Teatro Épico, 504-510; Teatro dramático, e, 505; técnicas do, 510-513
Teatro espanhol: Barroco, 367-374; Brecht, e, 505; drama indiano, e, 42
Teatro Experimental, O, 519-521
Teatro francês, Barroco, 344-353
Teatro helenístico, o, 130-136
Teatro na Corte Bizantina, O, 181, 182
Teatro na Igreja, Bizantino, 178-181
Teatro Nacional da Dinamarca, 396-397
Teatro Nacional, 395-404
Teatro *nô*, 38, 66, 75, 81-87; estética do, 91; *kyogen*, e, 87, 91; tragédia grega, e, 83, 84
Teatro Político, 499-504
Teatro popular, barroco, 353-367
TEATRO PRIMITIVO, O, 1-6
Teatro russo, 378, 403, 436, 440, 462-466, 494-499; teatro político, 499-504; Reinhardt, e, 513
Teatro sueco, 403
Teatro tcheco, 403
televisão, 526-527; filme, 526
Téllez, Gabriel. Veja Tirso de Molina
Temócrito, 114
Tenji, 78
Teócrito, 137, 281
Teodora, 177
Teodorico, o Grande, 161
Teodoro, Mânlio, 161
Teodoro, o Erudito, São, 181
Teodósio II, 178
Teófilo, 208
Terêncio, 129, 144-150, 161, 175, 270, 271, 278, 300, 303, 344; *Adelphi* (Os Adelfos), 147, 148, 150, 270, 276, 347; *Andria* (Ândria), 147, 276; concepções humanistas de palco de, 266; *Eunuchus* (O Eunuco), 147, 276; *Heautontimorumenos* (Aquele que Castiga a si Próprio), 147; *Hecyra* (Hecira), 147, 150; Hrotsvitha, e, 199; Menandro, e, 129, 147, 175; Molière, 347, 349; *Phormio* (Formião), 147; Pio II, e, 278; Plauto, e, 144, 147, 150, 161, 175; *Poenulus* (O Jovem Cartaginês) 271
Terry, Ellen, 459, 470
Terry, Megan: *Viet Rock*, 521
Tertuliano: *De spectaculis*, 167
Terwin, Johanna, 492
Teschner, R., 47
Téspis, 104, 105, 107
Tessalo, 130
Tevfik, Mustafá, 28
Thackeray, William Makepeace, 451
théâtre français, 413
theater in the round, medieval, 228-233
théâtre italien, 408
Théâtre Libre (Teatro Livre), 452-457, 466
Theganus, 242
Thévenot, 23
Thienen, Frithjof van, 400
Thierry, Joseph, 433
Thiersch, Friedrich, 442
Thimig, Helene, 492
Thimig, Hugo, 446
Thoma, Ludlwig, 492
Thomson, James, 429
Tiago de Kokkinobaphos, 178
Tibério, 164
Ticiano, 278
Tieck Ludwig, 367, 429, 431, 432; *Der gestiefelte Kater* (O Gato de Botas), 430, 510; *Prinz Zerbino* (O Príncipe Zerbino), 388, 430, 431
Tilney, Edmund, 317
Timocles, 124
Tirol, 248, 252
Tirso de Molina, 148, 370; *El Burlador Sevilla* (O Burlador de Sevilha), 370; *Don Gil de las calzas verdes* (Dom Gil dos Calções Verdes), 370; Lope de Vega, e, 369, 370
Tito, 155
Toffanin, G., 278
Tõjurõ. Veja Sakata, Tõjurõ
Toller, Ernst: *Hoppla, wir leben* (Oba! Estamos Vivos!), 501; *Die Wandlung* (A Transfiguração), 476

Tolstói, Alexei Konstantinovich: *Czar Fiodor Ivanovich*, 462, 463
Tolstói, Leon, 441, 451, 453, 462
Torelli, Giacomo, 335, 345
Torres Naharro: *Tinelaria*, 278, 280
Toscanini, Arturo, 494
Toulouse-Lautrec, 499
Tragédia humanista, 272-276
tragédia, 344-353, 374, 470; antes de Ésquilo, 105, 107; descrição de, 110; etimologia de, 105; Grega, 104-118
tragédie classique (tragédia clássica), 344-353, 374
Trajano, 154, 155
Tree, Herbert Beerbohm, 442, 459, 538
Treitinger, O., 182
Treplev, Konstantin, 466
Tretiakov, Sergei, 462; *Berra, China*, 495; *Terra Revolta*, 495
Treu, Michael Daniel, 377
Trissino, Giovanni: *Arte Poética*, 273; *Sofonisba*, 273, 274
Troiano, Massimo, 357
Trótski, 500
Tsubouchi, Shoyo: *Kiri Hito Ha*, 102
Turguêniev, Aleksandr Ivanovich, 453
Túrpio, Lúcio Ambivius, 150
Turquia, 23-28, 334, 335
Tutilo, 189; *Hodie Cantandus*, 233
Tyler, Royall: *The Contrast* (O Contraste), 514, 515

Uemura, Bunrakuken, 90
Uhlich, 407
Unruh, Fritz von: *Ein Geschlecht* (Uma Geração), 475
Upton, Robert, 514
Urbano IV, 208
Utrillo, Maurice, 481
Utzon, Jorn, 522, 523

Vakhtângov, Evg(u)eni, 466, 494, 495, 496, 511, 513
Valentin, Veit, 330
Valéry, Paul Ambroise, 466
Valle, Pietro della: *Viaggi*, 28
Varangos, 182
Vardac, Nicholas, 523
Vasari, Giorgio, 284
Vaticano, 195, 261, 269, 271
Vedas, os quatro, 33, 38
Védico: religião, 29, 32; histórias, 39, 41
Velten, Johannes: "*Chur-Sächsische Komödianten*", 377
Vendôme, Duque de, 330, 334
Verardi, Carlo: *Historia Baetica*, 272
Verdi, Giuseppe: *Aida*, 445
Verolano, Sulpício, 270, 271, 284
Verona, Bartolomeo, 423
Vespasiano, 155, 157, 163
Vespucci, Simonetta, 281
Vicente, Gil: *Auto da Fama*, 283
Vidal, Paul Antonin, 453
Vignali, Antonio, 276
Vignola, Giacomo da, 151, 291; *Le due regole della prospettiva pratica*, 287
Vilar, Jean, 469, 480, 533
Virgílio, 151, 240, 280
Visconti, Galeazzo, 293
Visconti, Luchino: *Ossessione* (Obsessão), 533; *La terra trema* (A Terra Treme), 533
Visscher, Cornelis, 318
Vitalis, Ordericus, 247
Vitrac, Roger: *Victor, ou Les Enfants au pouvoir* (Victor, ou As Crianças no Poder), 469
Vitruvius Pollio, Marcus (Vitrúvio), 114, 150, 272, 284, 287, 324; *De Architectura*, 270, 284
Vogelweide, Walther von der, 242
Vollmöller, Karl: Milagre, 488, 492
Voltaire, 344, 346, 392, 427; *Brutus*, 386, 395; *Candide*, 517; Catarina II, e, 403; *L'Enfant prodigue* (O Filho Pródigo), 386; Goethe, e, 388, 418; *Irène*, 388; Lessing, e, 408, 411; *Mahomet*, 388, 418; *L'Orphelin de la Chine* (O Órfão da China), 63, 386; *La Princesse de Navarre* (A Princesa de Navarra), 388; *Tancrède*, 418
Vondel, Joost van den, 376-377; *Gysbrecht van Aemstel*, 376, 400
Vossler, Karl, 186, 346, 368

Wackenroder, Wilhelm, 429
Wagner, Richard, 445, 457, 470, 481; *Anel dos Nibelungos, O*, 470; *Meistersinger*, 308; *Parsifal*, 445, 470; *Das Rheingold* (O Ouro do Reno), 470; *Tannhäuser*, 441; *Tristão e Isolda*, 470
Wagner, Wieland, 427, 470
Wakhevitch, 155
Walbrun, 195
Walden, Herwarth, 476
Walser, Martin: *Die Zimmerschlacht* (A Batalha de Almofadas), 527
Walter, Bruno, 494
Wälterlin, Oskar, 470, 533, 534
Wang Shih-fu: *Romance da Câmara Ocidental*, 63
Wang, Jens, 454
Washington, George, 514
Watteau, Jean Antoine, 358
wayang, 29, 44-51; teatro de bonecos medieval, e, 247
Weber, Carl Maria von, 425, 433; *Freischütz* (O Franco Atirador), 433

Wedekind, Frank, 487
Wegener, Paul, 487, 488
Wei Liang-fu, 66; *Quatro Sonhos da Sala Yu-Ming*, 66
Weichert, Richard, 476
Weigel, Helene, 507
Weill, Kurt, 507; *Street Scene* (Cena de Rua), 517
Weise, Christian: *Bäuerischer Macchiavellus*, 379
Weiss, Peter: *Die Ermittlung* (A Investigação), 504, 530; *Die Verfolgung und Ermordung Jean Paul Marats, dargestellt durch die Schauspielgruppe des Hospizes zu Charenton unter Anleitung des Herrn de Sade* (A Perseguição e o Assassinato de Jean Paul Marat Representada pelo Grupo de Atores do Hospício de Charenton sob a Direção do Marquês de Sade), 511, 526; *Vietnam Report* (Relatório do Vietnã), 504
Wekwerth, 526
Welk, Ehm: *Gewitter über Gotland* (Temporal sobre Gotland), 500
Welles, Orson, 496
Werner, Zacharias: *Der vierundzwanzigste Februar* (O 24 de Fevereiro), 431
Wesker, Arnold: *Chicken Soup with Barley* (Canja com Cevada), 460; *The Kitchen* (A Cozinha), 460
Wetschel, 357
Weyden, Roger van der, 240
White, Thomas, 317
Whitman, Walt, 516; no teatro de Nova York, 515
Wickham, Glynne, 211, 231
Wickram, Jörg: Tobias, 303
Wiclif, John, 265
Wieland, Christop Martin, 412; *Lady Johanna Gray*, 388
Wiene, Robert: *Das Kabinett des Dr. Caligari* (O Gabinete do Dr. Caligari), 483, 524
Wilbur, Richard, 517
Wilde, Oscar: *O Leque de Lady Windermere*, 73
Wilder, Thornton: Brecht, e, 42, 511, 513; *The Skin of our Teeth* (Por um triz), 266, 511; Tagore, e, 42; teatro asiático, e, 54; *Our Town* (Nossa Cidade), 511
Wildeshausen, Heinrich der Bogener, 196
Wildgans, Anton: *Dies irae*, 475
Wilhelm, Leopold, 376
Williams, Tennessee, 63, 460; *The Glass Menagerie* (À Margem da Vida), 519; *A Stretcar Named Desire* (Um Bonde Chamado Desejo), 519, 524, 533
Williams, William Carlos: *Many Loves* (Muitos Amores), 520
Willich, Jodocus, 300; *Liber de prononciatione rhetorica*, 304
Wilpert, G. von, 440
Wimpheling, Jakob: *Stylpho*, 300
Winckelmann, Johann Joachim, 416
Wisocka, S., 466
Witkiewicz, S. I.: *Der Schrank* (O Armário), 533
Witt, Jan de, 318
Wolfe, Thomas, 520
Wolff, Theodor, 459
Wölfllin, Heinrich, 323
Wolter, Charlotte, 446
Wordsworth, William, 429
Wouk, Herman: *The Caine Mutiny Court Martial* (O Motim do Caine), 504
Wren, Christopher, 388
Wu-ti, 55, 58
Wüllner, Ludwig, 449

Zeami, 38, 81-83, 87

Este livro foi impresso na cidade de Cotia,
nas oficinas da Meta Brasil,
para a Editora Perspectiva